P9-BIX-808

# FÜNFZIG ERZÄHLER DER DDR

Aufbau-Verlag Berlin und Weimar
1976

Herausgegeben von Richard Christ
und Manfred Wolter

2. Auflage 1976

Einbandgestaltung Harri und Angela Lütke
LVZ-Druckerei „Hermann Duncker“,
Leipzig, III 18 138
Printed in the German Democratic Republic
Lizenznummer 301. 120/33/76
Bestellnummer 611 352 9
EVP 12,– Mark

# Vorbemerkung

Fünfzig Erzähler mit fünfzig Erzählungen – zuwenig oder zuviel als Ausbeute von fünfundzwanzig Jahren?

Literaturkenner wie Literaturwissenschaftler werden sagen: Viel zuwenig – denn immer hat es in diesem Land die Erzählung gegeben, nicht allein als Fingerübung für Romanciers, als willkommene Überbrückung in romanarmen Perioden, sondern zuerst und vor allem als eigenständige literarische Leistung, die keiner theoretischen Entschuldigung bedarf und nie darunter gelitten hat, wenn man sie als *kurze* oder *kleine* Prosa unterordnen wollte.

Fünfzig Erzähler mit längeren, kürzeren und kurzen Geschichten. Und wo ist mein Autor? fragt der Leser, wo meine Lieblingsgeschichte, die auf keinen Fall fehlen darf? Wo bin ich? fragt dieser Autor, der andere: Warum von mir jene Geschichte und nicht diese? Schließlich die Rezensenten: Warum nicht mehr ältere Autoren, warum nicht mehr jüngere, warum nicht mehr, nicht weniger Stadtgeschichten, Landgeschichten, Kindergeschichten, satirische Geschichten; weshalb so angeordnet und nicht so?

Alle haben recht mit ihren Einwänden. Alle haben auch unrecht. Jeden Einwand berücksichtigen hieße auf jede Anthologie verzichten.

Ein Vierteljahrhundert Deutsche Demokratische Republik wurde Anlaß für ein Gegenstück zum Sammelband „Lyrik der DDR“. Erfahrene Autoren und junge haben in den zurückliegenden mehr als fünfundzwanzig Jahren ihre

Geschichten geschrieben, die literarisch gültigen galt es zusammenzubringen. Der Band will nichts *nachweisen* im Sinne literaturwissenschaftlicher Kategorien, etwa Überblick, Vollständigkeit, Themengruppen, Entwicklungslinien. Er will Geschichten, die über die Jahre ihre Lesbarkeit bewahrt haben, vereinigen und dem Leser in die Hand geben, was aus Zeitschriften oder Erzählungsbänden herauszusuchen für den einzelnen mühsam wäre. Verlag und Herausgeber haben ein Lese-Buch zusammengestellt, einen Band mit Geschichten, vielfältig in der Thematik, vielgestaltig in der Verwirklichung – eine Anthologie, die nicht in einem Zuge auszulesen ist und bei deren Lektüre an irgendeinem Punkt die Erkenntnis aufkommen mag: Schau an, wie reich wir auch in diesem Genre sind, wenn nur einiges beieinander steht. Von hier aus, auch ohne wissenschaftliches Vorwort und literaturkritischen Apparat, kann sich die Sammlung von fünfzig Erzählern der DDR ausweisen als repräsentativ im Sinne einer Geschichte unserer sozialistischen Literatur.

Der Auswahl waren von vornherein Grenzen gesetzt. Die Erfahrung riet ab von einer Anordnung in zwei Bänden. Für das Seitenmaximum einer einbändigen Ausgabe waren Auswahlprinzipien festzulegen, ohne die eine Sammlung sich aufbläht zu einem Volumen, das buchbinderisch nicht zu bewältigen ist. Fest stand, nur Texte aufzunehmen, die nach Kriegsende geschrieben sind von Autoren, die in der DDR leben oder gelebt haben; alle Erzählungen sollten durch Veröffentlichung ihre praktische Bewährungsprobe bestanden haben. Die bedenklichste Begrenzung mußte beim Umfang gesetzt werden: da sich ergab, daß die Mehrzahl der vorgesehenen Texte unter dreißig Druckseiten lag, war angeraten, lieber auf zwei, drei wesentliche Geschichten größeren Umfangs zu verzichten als auf ein Dutzend kürzerer Beiträge. Bedauerlich war auch, daß auf manche *Erzähler* verzichtet werden mußte, die ihr Können ausschließlich an der großen epischen Form beweisen. Und ebenso fehlt vieles, was der Erzählung verwandt sein kann: literarisches Feuilleton, Glosse, Porträt, Skizze, Reportage, Impression.

Die Autoren sind nach dem Jahrgang angeordnet, ein halbes Jahrhundert trennt den ältesten vom jüngsten. Der Leser wird Unterschiede bemerken im Charakter der Handschriften wie in der Größe des dargestellten Gegenstandes. Es wird aber auch auffallen, daß das Thema keine Angelegenheit des Alters sein muß, oft nicht einmal die Schreibfertigkeit, und daß es hierorts keinen literarischen Generationskonflikt gibt. Bei aller Unterschiedlichkeit bemühen sich die Autoren um eine realistische Prosa, ob sie um die Jahrhundertwende geboren sind oder nach Hitlers Machtantritt.

Unsere Erzählungsanthologie, die erste Auswahl aus mehr als einem Vierteljahrhundert literarischen Schaffens, wird Zuspruch und Widerspruch finden. Verlag und Herausgeber, die an dieser Stelle Dr. Heinz Plavius und Dr. Horst Simon danken für ihre Mitarbeit, wären in ihrer Arbeit bestätigt, wenn Übereinstimmung bestände in der Feststellung: Einiges Wichtige fehlt, aber die Mehrzahl der ausgewählten Texte wird man noch lesen, wenn der fünfundzwanzigste Jahrestag der Republik so in die Geschichte gerückt ist wie heute ihr Gründungsdatum.

*Die Herausgeber*

FRIEDRICH WOLF

# Siebzehn Brote

Es war in der winterlichen Steppe südlich des Don am 21. Januar 1943, als sich die Geschichte mit den siebzehn Broten zutrug. Weshalb ich mich des Datums noch so genau entsinne? Man wird es sogleich erfahren.

Die 6. Hitlerarmee war nach Ablehnung des Kapitulationsangebotes auf einen noch engeren Raum zurückgeworfen worden. Von Marinowka bis Dimitrijewka zog sich der eiserne Ring der sowjetischen Truppen um die zerschlagene 6. Armee. Dennoch hatten sich in der riesigen Weite derÜltersteppe kleine Splitter deutscher Einheiten nachts der Umklammerung entziehen und nach Westen abirren können. So stießen wir eines Morgens im Frühnebel auf die Offiziersgruppe und Ordonnanzen eines Regimentsstabes mit ihrem Oberst E. Der Oberst war nicht wenig erstaunt, als er vor sowjetischen Truppen stand; er gab sich mit seinen Leuten sofort gefangen; er ließ uns dabei wissen, daß er – als zum „Führerstab" gehörig – auf eine besondere Behandlung rechne. Da diese Eröffnung nicht die gewünschte Wirkung hatte, wurde er schweigsamer. Aus seinen Papieren ging hervor, daß er aus Dresden stammte. Nun war ich von 1912 bis 1914 als Assistenzarzt in Dresden tätig gewesen und fragte auf gut Glück, wie es denn seinem Verwandten E. gehe, dessen historisches Drama damals an der königlichen Bühne gespielt wurde. Der Oberst starrte mich wie eine Geistererscheinung an. Denn erstens handelte es sich tatsächlich um seinen Vetter. Und dann – wie kam ein fremder Mensch in einem russischen Schafspelz in der winterlichen Donsteppe dazu, seinen Vetter zu kennen? Ich erklärte dem Herrn Oberst, das sei im Augenblick unwesentlich. Im weiteren Gespräch stellte sich dann heraus, daß der Oberst ein passionierter Rosenzüchter war und den einen „persönlichen Wunsch" äußerte, in einem wärmeren Klima, wenn möglich in Taschkent, sich der Rosenzucht widmen zu können. „So wäre uns allen geholfen", erklärte er weise.

Das war am 20. Januar.

Anders verhielten sich jene vierzig deutschen Landser, die wir am nächsten Morgen trafen. Sie äußerten nicht den Wunsch, als Rosenzüchter nach Taschkent gebracht zu werden; sie äußerten überhaupt keinen Wunsch; sie lagen völlig apathisch und kraftlos in einem Hohlweg im Schnee. Ihre ausgemergelten Gesichter waren grau bis grauschwarz. Offenbar hatten sie sich seit Tagen nicht gewaschen und auch nichts gegessen. Es waren Versprengte verschiedener Truppenteile der deutschen 6. Armee, die, nach Westen fliehend, sich bis hierher geschleppt hatten.

Ich sprach sie an. Die meisten waren viel zu erschöpft, um antworten zu können. Einem, der sich hochrappelte, gab ich heißen Tee und zwei Stück gerösteten Brotes. Ich werde nie vergessen, wie er keuchend aß und mich dann ansah. Es war mir klar, daß die meisten dieser vierzig Mann kaum noch eine Winternacht in der Steppe überleben würden. Ich ging zu dem Divisionskommandeur, dessen Stab ich zugeteilt war, und schilderte ihm den Zustand jener zu Tode erschöpften deutschen Soldaten, die faktisch ja Kriegsgefangene waren.

Der Kommandeur, ein noch junger Generalmajor, überlegte. Er kannte mich als deutschen Schriftsteller und jetzt als Arzt und Propagandisten. Er meinte: „Was kann ich tun? Meine Division befindet sich in Gefechtsbereitschaft und auf dem Marsch. Sie wissen, daß wir nur ganz wenige Gerätewagen haben und nur das Allernötigste mitnehmen. Wie soll ich also die vierzig Mann aufladen?"

Ich erwiderte, wenn man ihnen etwas Warmes zu trinken und etwas zu essen gäbe, dann würden einzelne wieder marschfähig zum nächsten Krankensammelpunkt; die andern aber könnten aushalten, bis Transportmittel kämen. Der Kommandeur schlug mir nun vor, ich solle mit seinem zweiten Adjutanten zum nächsten Regimentsstab fahren und versuchen, was sich machen lasse.

Der Regimentskommandeur war ein Oberstleutnant, ein Genosse aus dem „Kusbass", dem sibirischen Kohlenbecken, ein ungewöhnlich kräftiger, breitschultriger Mann, ein echter „sibirischer Bär". Er war zuerst gar nicht erbaut, da wir mitten in eine taktische Besprechung hineinschneiten. Der Adjutant des Divisionskommandeurs stellte mich vor, und ich erbat in meinem durchaus nicht klassischen Russisch Unterstützung für die marschunfähigen deutschen Kriegsgefangenen. Der Oberstleutnant mit seinen grauen beobachtenden Augen hörte mir ruhig zu und schaute dann schweigend über die auf dem Tisch ausgebreitete Karte. Mir schien das Schweigen endlos. Dachte der Kommandeur an die „verbrannte Erde" rings um Stalingrad? War er vielleicht vorher in der Ukraine und im Donbass gewesen und hatte dort die bis auf den Grund eingeäscherten Dörfer und Städte gesehen? Auch ich blickte auf den Tisch; ich sah dort einen mit vielen Bemerkungen versehenen Umlegkalender mit dem Datum: 21. Januar ...

Lenins Todestag.

Einen Augenblick dachte ich daran, an die internationale Solidarität im Geiste Lenins zu appellieren. Aber das schien mir in dieser Situation und für die Hitlersoldaten deplaciert.

Jetzt meinte der Oberstleutnant zu mir: „Sie wissen, Genosse, ich kann meinen Leuten, die ins Gefecht rücken, nicht sagen, sie sollen ihre eisernen Rationen anbrechen. Doch wenn meine Soldaten von sich aus den Deutschen etwas geben wollen ..." Er hielt inne und sah mich prüfend an. Ich kannte diese Art sowjetischer Offiziere, die mir gegenüber nicht gerne Anweisungen erteilten, sondern eher wissen wollten, wie ein deutscher Genosse sich in bestimmten Situationen verhielt. So fragte ich den Kommandeur: „Wenn Sie gestatten, spreche ich selbst mit Ihren Soldaten?"

„Das meinte ich!" erwiderte der Kommandeur lebhaft. „Sie sprechen ja russisch – doch, doch, es wird schon gehen –, es sind ja Ihre Landsleute, für die Sie es tun! Sprechen Sie also mit der Einheit, die am nächsten bei den Gefangenen liegt! Sprechen Sie aus dem Herzen! Mit voller Stimme! Versuchen Sie Ihr Glück! Ich gebe Ihnen einen meiner Offiziere mit. Einverstanden?"

„Einverstanden! Vielen Dank, Genosse Oberstleutnant!"

Der Kommandeur beauftragte einen der Stabsoffiziere, einen hochaufgeschossenen, dunkelhaarigen jungen Oberleutnant mit munteren Augen. „Tolja, gehen Sie mit dem Genossen! Sie haben alles gehört. Sie handeln in meinem Auftrag." Ich nahm meine Pelzmütze und meine Handschuhe und bedankte mich nochmals. Der Kommandeur drückte meine Hand und meinte: „Es ist klar, seine Heimat vergißt man nicht so leicht. Übrigens", fügte er hinzu, „heute ist der 21. Januar. Sie wissen doch . . . Lenin hielt nicht geringe Stücke auf Karl Liebknecht und die deutschen Arbeiter und schrieb eigentlich gerade für sie eine Schrift über ‚die Kinderkrankheiten' . . . vielleicht sprechen Sie auch darüber?"

Hatte der Oberstleutnant meine Gedanken erraten?

Bei krachendem Frost und blendender Sonne fuhr ich mit Tolja, dem Oberleutnant, in Richtung des Hohlweges, wo die deutschen Soldaten lagen. Schnell hatte ich mich mit Tolja, einem Odessaer Studenten für westliche Literatur, angefreundet. Tolja besaß das Temperament eines echten Odessiten; er sprühte nur so von Leben, von Witz und Laune. Abwechselnd fragte er mich über Deutschland, erzählte mir von seinem Studium und konnte sich nicht genug tun, das Loblied seiner Heimatstadt Odessa, der schönsten Stadt der Erde, zu singen.

Ja, er sang es wirklich aus voller Kehle über die frostknirschende Steppe:

„Am Schwarzen Meer ein Volk es gibt,
Von früh bis spät Gesang es liebt,
Ach, Odessa –
Als Stadt zwar gebaut,
Doch bist du eine Braut,
Ach, Odessa –
Du Braut am Schwarzen Meer!“

Dieses bei unserer Division sehr bekannte Lied, aus jungem Herzen gesungen, von einem in seine „Braut“ verliebten Menschen, flog jubelnd durch den Wintermorgen. Unser Fahrer nahm eine neue Strophe auf, während er den Wagen durch die Schneeverwehungen bugsierte; und jetzt fiel auch ein sowjetischer Truppenteil zwischen den Ruinen eines ehemaligen Kosakendorfes mit ein.

Tolja ließ halten. Er führte mich zum Bataillonsstab. Der Bataillonschef, ein Kapitän, den Tolja kannte, wollte gerade zu einer Lenin-Feier gehen, an der die beiden im Dorf lagernden Kompanien teilnahmen. War das für meine Sache günstig oder ungünstig? Doch schon hatte Tolja den Kapitän informiert; der bat mich, doch ein paar Worte bei der Feier zu sprechen. Ich erklärte ihm nochmals mein Anliegen und meinte, das gehöre wohl kaum in diese Gedenkfeier zu Lenins Tode; zudem sei mein Russisch miserabel.

Er aber erwiderte, mein Russisch sei großartig! Ich solle nur aus dem Herzen sprechen! Das Thema passe sehr gut zu einer Lenin-Feier im Felde.

Da half kein Sträuben.

Vor dem verbrannten Dorf standen die beiden Kompanien in zwei Gliedern im offenen Halbkarree, alle in ihren langen Schafpelzen, umgeschnallt, mit aufgepflanztem Bajonett. Der Kapitän sprach über Lenin, über Lenins Strategie und Taktik während der Interventionskriege 1918 bis 1920, über Lenins Glauben an das russische Volk, über Lenins Patriotismus und über Lenins unerschütterliches Vertrauen zur internationalen Solidarität der Werktätigen. Und hier erklärte der Kapitän, daß Lenin im Dezember 1918 Züge mit Getreide und Mehl für die hungernden deutschen Arbeiter abgesandt habe, die dann an der Grenze von der sozialdemokratischen Ebert-Regierung angehalten und nicht weitergelassen worden seien. Ja, Lenin hütete das Prinzip der internationalen Solidarität wie seinen Augapfel.

Ich muß gestehen, ich verspürte plötzlich Herzklopfen, als der sowjetische Kapitän dies sprach und mir den Weg ebnete. Eine Welle von Dankbarkeit, Scham und Hilflosigkeit schlug in mir hoch. Und wieder hörte ich des Genossen Stimme, daß ein deutscher Arzt und Schriftsteller auf der Seite des gerechten Kampfes stände – er zog mich jetzt energisch an seine Seite und legte den Arm um meine Schulter – und daß dieser deutsche Genosse den sowjetischen Kämpfern einige Worte zu sagen habe.

Beifall der Sowjetsoldaten empfing mich. Es ist mir unmöglich, genau zu wiederholen, was ich damals sagte oder stammelte. Eines jedoch weiß ich: Meine Worte kamen aus heißem, erregtem Herzen. Wahrscheinlich empfanden das auch die im Halbkarree stehenden Soldaten der Roten Armee. Ich berichtete ihnen kurz, daß ich im ersten Weltkrieg auch Soldat gewesen sei und am 8. November 1918 im sächsischen Arbeiter- und Soldatenrat in Dresden für ein Freundschaftsbündnis mit der jungen Sowjetmacht gestimmt habe, wie es mir schweren Schmerz bereite, daß deutsche Arbeiter ihre Hand gegen den ersten Arbeiter-und-Bauern-Staat erhoben hätten, daß aber gerade Lenin neben der Waffe auf das Buch, auf das Lernen und die Geduld hingewiesen habe, den anderen zu überzeugen. Deshalb sei ich auch hier an der Front, meine Landsleute zu überzeugen, Schluß zu machen mit diesem verbrecherischen Hitlerkrieg! Das brauche Zeit und Geduld. Nun sage ein russisches Sprichwort (ein Glück, daß es mir gerade hier einfiel): Einen am Boden Liegenden trete man nicht. Dort, fünfhundert Meter entfernt in einem Hohlweg, lägen aber vierzig zu Tode erschöpfte deutsche Soldaten, Kriegsgefangene, die meisten gewiß Arbeiter und Arbeitersöhne. Ich fragte die Soldaten der Roten Armee, ob sie diesen am Boden Liegenden helfen könnten und wollten?

Der Kapitän unterstützte meine Frage; er ließ die Kompanien rühren und sich beraten, während wir zur Seite gingen. Nach kaum zehn Minuten traten die beiden Kompanieführer vor und meldeten, daß die Mannschaften aus ihren Beständen den deutschen Kriegsgefangenen siebzehn Brote zur Verfügung stellten.

Was ist noch viel zu erzählen?

Es war schwer, den völlig erschöpften deutschen Soldaten, die halbtot in dem Hohlweg lagen, diese Form der proletarischen Solidarität mitten im furchtbarsten aller bisherigen Kriege klarzumachen. Darauf kam es auch vorerst nicht an. Ein Kommando des sowjetischen Bataillons brachte ihnen heißen Tee mit Wodka und die siebzehn Brote.

Die deutschen Soldaten begannen zu trinken und zu essen, anfangs langsam, reflektorisch, in einer Art Dämmerzustand. Wie aber das heiße Getränk ihre erstarrten Körper durchrann, wie sie die Bissen Brot im Munde spürten und das Leben wieder in ihnen erwachte, da aßen sie, als hinge ihr Leben davon ab.

Der Kapitän, der wieder zum Bataillon mußte, versprach mir, einen Melder zum nächsten Krankensammelpunkt zu senden, die Kriegsgefangenen vor Einbruch der Nacht abzuholen.

Bevor er wegging, versuchte ich doch noch, den deutschen Soldaten kurz zu erklären, wem sie die siebzehn Brote und vielleicht auch ihr Leben verdankten und wie die Soldaten der Roten Armee auf ihre Art Lenins Todestag feierten. Ich weiß jedoch nicht, ob meine Landsleute in der Donsteppe es verstanden und behalten haben.

BERTOLT BRECHT

# Die zwei Söhne

Eine Bäuerin im Thüringischen träumte im Januar 1945, als der Hitlerkrieg zu Ende ging, daß ihr Sohn im Feld sie rief, und schlaftrunken auf den Hof hinausgehend, glaubte sie ihren Sohn an der Pumpe zu sehen, trinkend. Als sie ihn ansprach, erkannte sie, daß es einer der jungen russischen Kriegsgefangenen war, die auf dem Hof Zwangsarbeit verrichteten. Einige Tage darauf hatte sie ein merkwürdiges Erlebnis. Sie brachte den Gefangenen ihr Essen in ein nahes Gehölz, wo sie Baumstümpfe auszugraben hatten. Im Weggehen sah sie über die Schulter zurück denselben jungen Kriegsgefangenen, übrigens einen kränklichen Menschen, das Gesicht nach dem Blechtopf wenden, den ihm jemand mit der Suppe reichte, und zwar in einer enttäuschten Weise, und plötzlich verwandelte sich dieses Gesicht in das ihres Sohnes. Schnelle und schnell verschwimmende Verwandlungen des Gesichts ebendieses jungen Menschen in das ihres Sohnes passierten ihr in den nächsten Tagen öfter. Dann wurde der Kriegsgefangene krank; er blieb ohne Pflege in der Scheuer liegen. Die Bäuerin spürte einen zunehmenden Drang, ihm etwas Kräftigendes zu bringen, jedoch wurde sie daran gehindert durch ihren Bruder, einen Kriegsinvaliden, der den Hof führte und die Gefangenen roh behandelte, besonders nun, wo alles anfing, drunter und drüber zu gehen, und das Dorf die Gefangenen zu fürchten begann. Die Bäuerin selbst konnte sich seinen Argumenten nicht verschließen; sie hielt es keineswegs für recht, diesen Untermenschen zu helfen, über die sie schreckliche Dinge gehört hatte. Sie lebte in Furcht, was die Feinde ihrem Sohn antun mochten, der im Osten stand. So hatte sie ihren halben Vorsatz, *diesem* Gefangenen zu helfen in seiner Verlassenheit, noch nicht ausgeführt, als sie eines Abends im verschneiten Obstgärtchen eine Gruppe der Gefangenen bei einer eifrig geführten Unterredung überraschte, die wohl, um im geheimen vorgehen zu können, in der Kälte stattfand. Der junge Mensch stand dabei, fieberzitternd, und wahrscheinlich seines besonders geschwächten Zustands wegen erschrak er am tiefsten vor ihr. Mitten im Schrecken nun geschah wieder die sonderbare Verwandlung seines Gesichts, so daß sie in das Gesicht ihres Sohnes schaute, und es war sehr erschrocken. Das beschäftigte sie tief, und wiewohl sie pflichtgemäß ihrem Bruder von der Unterredung im Obstgärtchen berichtete, beschloß sie doch, dem jungen Menschen die bereitgestellte Schinkenschwarte nunmehr zuzustecken. Dies stellte sich, wie manche gute Tat im Dritten Reich, als äußerst schwierig und gefahrvoll heraus. Sie hatte bei diesem Unternehmen ihren eigenen Bruder zum Feind, und sie konnte auch der Kriegsgefangenen nicht sicher sein. Dennoch gelang es ihr. Allerdings entdeckte sie dabei, daß die Gefangenen wirklich vorhatten, auszubrechen, da die Gefahr für sie täglich wuchs, daß sie vor den anrückenden Roten Armeen nach Westen verschleppt oder einfach niedergemacht werden würden. Die Bäuerin konnte gewisse, ihr pantomimisch und mit wenigen Brocken Deutsch klargemachte Wünsche des jungen Gefangenen, an den sie ihr merkwürdiges Erlebnis band, nicht abschlagen und ließ sich so in die Fluchtpläne der Gefangenen verwickeln. Sie besorgte eine Jacke und eine große Blechschere. Eigentümlicherweise fand die Verwandlung von da ab nicht mehr statt; die Bäuerin half jetzt lediglich dem fremden jungen Menschen. So war es ein Schock für sie, als eines Morgens Ende Februar ans Fenster geklopft wurde und sie durch das Glas im Dämmer das Gesicht ihres Sohnes erblickte. Diesmal war es ihr Sohn. Er trug die zerfetzte Uniform der

Waffen-SS, sein Truppenteil war aufgerieben, und er berichtete aufgeregt, daß die Russen nur noch wenige Kilometer vom Dorf entfernt seien. Seine Heimkunft mußte unbedingt geheimgehalten werden. Bei einer Art Kriegsrat, den die Bäuerin, ihr Bruder und ihr Sohn in einem Winkel des Dachbodens abhielten, wurde vor allem beschlossen, sich der Kriegsgefangenen zu entledigen, da sie möglicherweise den SS-Mann gesehen hatten und überhaupt voraussichtlich über ihre Behandlung Aussage machen würden. In der Nähe war ein Steinbruch. Der SS-Mann bestand darauf, daß er in der kommenden Nacht sie einzeln aus der Scheuer locken und niedermachen müßte. Dann konnte man die Leichen in den Steinbruch schaffen. Am Abend sollten sie noch einige Rationen Branntwein bekommen; das konnte ihnen nicht allzusehr auffallen, meinte der Bruder, weil dieser zusammen mit dem Gesinde in der letzten Zeit schon ausgemacht freundlich zu den Russen gewesen war, um sie im letzten Augenblick noch günstig zu stimmen. Als der junge SS-Mann den Plan entwickelte, sah er plötzlich seine Mutter zittern. Die Männer beschlossen, sie auf keinen Fall mehr in die Nähe der Scheuer zu lassen. So erwartete sie voller Entsetzen die Nacht. Die Russen nahmen den Branntwein anscheinend dankend an, und die Bäuerin hörte sie betrunken ihre melancholischen Lieder singen. Aber als ihr Sohn gegen elf Uhr in die Scheuer ging, waren die Gefangenen weg. Sie hatten die Trunkenheit vorgetäuscht. Gerade die neue, unnatürliche Freundlichkeit des Hofs hatte sie überzeugt, daß die Rote Armee sehr nahe sein mußte. – Die Russen kamen in der zweiten Hälfte der Nacht. Der Sohn lag betrunken auf dem Dachboden, während die Bäuerin, von Panik erfaßt, seine SS-Uniform zu verbrennen versuchte. Auch ihr Bruder hatte sich betrunken; sie selbst mußte die russischen Soldaten empfangen und verköstigen. Sie tat es mit versteinertem Gesicht. Die Russen zogen am Morgen ab, die Rote Armee setzte ihren Vormarsch fort. Der Sohn, übernächtig, verlangte von neuem Branntwein und äußerte die feste Absicht, sich zu den rückflutenden deutschen Heeresteilen durchzuschlagen, um weiterzukämpfen. Die Bäuerin versuchte nicht, ihm klarzumachen, daß Weiterkämpfen nun sicheren Untergang bedeutete. Verzweifelt warf sie sich ihm in den Weg und versuchte, ihn körperlich zurückzuhalten. Er schleuderte sie auf das Stroh zurück. Sich wieder aufrichtend, fühlte sie ein Deichselscheit in der Hand, und weit ausholend schlug sie den Rasenden nieder.

Am selben Vormittag fuhr mit einem Leiterwagen eine Bäuerin in dem nächstgelegenen Marktflecken bei der russischen Kommandantur vor und lieferte, mit Ochsenstricken gebunden, ihren Sohn als Kriegsgefangenen ab, damit er, wie sie einem Dolmetscher klarzumachen suchte, sein Leben behalte.

LUDWIG TUREK

# Das Mädchen von Husum

Es war in den Herbsttagen des Jahres 1918. In der Kieler Bucht stand dick und träge der Qualm der kaiserlichen Flotte, vermischte sich mit dem ölschweren Dunst der Werften und dem von See kommenden Nebel und legte einen schmutziggrauen Schleier über die Stadt. Fietje Bruns, einem jungen blonden Seemann, Matrosen der ersten Division und Heizer auf einem Torpedobootzerstörer, war dieses Wetter gerade recht. So konnte er die „Haifische" mit dem Stapfen ihrer eisenbeschlagenen Stiefel auf dem Pflaster von Kiel bereits hören, bevor sie ihn sahen. Fietje war getürmt, denn er hatte schon lange die Nase voll vom Krieg. Hauptgrund seiner Flucht aus aller Drangsal aber war seine große Liebe zu Hanne Papendiek, der wunderschönen Fischerdeern aus Husum, die er erst seit der letzten Nacht seines Urlaubs kannte. Noch nie in seinem Leben hatte Fietje ein so schönes Mädchen gesehen. Richtig erschrocken war er gewesen über diese große Liebe, die wie ein schweres Gewitter so plötzlich über ihn herfiel und mit ihren grellen Blitzen alles ganz anders aussehen ließ als das, was er sich bisher unter Liebe vorgestellt hatte. Der Abschied oben auf dem Deich war herzzerreißend gewesen. Sie hatte sich ihm erst hingegeben, als schon der erste Schein des neuen Tages durch das Riedgras sickerte, und dann flüsterte sie ihm mit heißer Stimme zu: „Fietje, mein lieber Fietje, halt dich raus aus dem verdammten Krieg! Mein Vater ist schon darin umgekommen, und meine Mutter ist aus Gram über seinen Tod gestorben. Halt dich 'raus, Fietje! Komm wenigstens du mir heil und gesund zurück!"

Sie ängstigte sich um ihn. Vielleicht fürchtete sie auch, ein Kind von ihm zu bekommen. Er hatte keine Angst. Ein Kind von einem solchen Mädchen, das war bestimmt nichts Schlechtes. Hinter dem Deich nachher, als sie sich trennen mußten, rief sie ihm noch einmal zu: „Halt dich 'raus, komm gesund wieder!"

Es war wie ein Hilferuf gewesen, und er hatte diesen Ruf bis heute noch nicht vergessen können. Besonders stark aber klang er ihm in den Ohren, als es an Bord plötzlich hieß, die gesamte Flotte solle in letzter Stunde noch einmal den Engländern entgegengeworfen werden. Noch in derselben Nacht war er einfach abgehauen. Und nun führte er schon eine ganze Zeit lang seinen eigenen Krieg gegen den der Kaiserlichen.

„Unsern Krieg können wir vielleicht noch gewinnen", sagte Hein Kröger, Bootsmannsmaat auf demselben Boot, „den andern aber bestimmt nicht!"

Das war einleuchtend. Es gab keinen vernünftigen Menschen auf dem Zerstörer, der das bestreiten konnte. Es kam aber darauf an, sich entsprechend dieser Wahrheit einzurichten. Sieben Mann hatten sich zuerst entschieden und waren verduftet. Zwei Tage später kamen noch drei dazu. Der Alte sollte unheimlich getobt haben, aber davon kamen die zehn auch nicht wieder.

In Kiel gab es sogar schon einen Revolutionsrat. Gesehen hatte ihn zwar noch niemand, aber von Zeit zu Zeit war er doch deutlich spürbar. Gestern zum Beispiel kam am späten Abend ein Matrose in den Lagerschuppen, wo sie alle hausten, und ließ von einem Lastwagen siebzig Gewehre und drei schwere Maschinengewehre abladen. Alle waren maßlos erstaunt und schließlich auch sehr geehrt durch das Vertrauen, das man ihnen damit schenkte. Sie sollten sich bereit halten, hieß es. Der Tag, an dem es losginge, sei nicht mehr fern.

Das allerbeste aber war, daß der Matrose zehn gefälschte Werftausweise mitbrachte. Sie sollten damit nicht unnütz in der Stadt herumkreuzen und den „Haifischen“ immer schön aus dem Kurs gehen, sagte er, denn man könne ja nie genau wissen, wie lange die Dinger gültig sind.

Fietje Bruns aber beachtete diesen wohlgemeinten Rat nicht. Er benutzte den Ausweis zu einer Reise nach Husum, wo Hanne schon so lange auf ihn wartete. Hein Kröger warnte ihn: „Husum ist nicht Kiel. Die leben da noch hundert Meilen hinterm Mond!“

Fietje war nicht mehr zu halten. „Nur für eine Nacht, Hein! Du verstehst mich! Übermorgen bin ich wieder hier!“

Mit der einen Nacht hatte Fietje recht gehabt. Und sie war auch wunderschön und lang gewesen; die Jahreszeit brachte das so mit sich. Hanne hatte heiße Tränen geweint vor Freude, als er ihre kleine Stube betrat. Später weinte sie noch einmal, weil er gar nicht böse wurde, als sie ihm sagte, daß sie ein Kind von ihm unter dem Herzen trage, und dann gegen Morgen noch mal, weil er doch böse wurde, da sie davon sprach, daß es noch Zeit wäre, das Kind wegbringen zu lassen. Aber es blieb ihr doch nicht erspart, wirkliche Tränen der Trauer zu weinen, als man Fietje auf dem Bahnhof gleich an der Sperre verhaftete. Nicht eine Sekunde war sie von seiner Seite gewichen, bis das Boot abgelegt hatte, und sie wußte, daß man ihn auf die kleine Hallig Süderoog bringen würde, wo ein Lager war für desertierte Marinesoldaten.

Fietje mußte sein Gesicht vor den Kameraden verbergen, um sie nicht das Feuchte in seinen Augen merken zu lassen, weil Hanne bis zuallerletzt mit ihrem Kopftuch winkend oben auf der Düne stand.

Auf Süderoog verliefen Fietjes Tage zwischen gähnender Langeweile und einem bohrenden Schmerz vor Sehnsucht nach Hanne. Erst allmählich ordneten sich seine Gedanken, und die Sorge um das Nächstliegende, wie Nahrung, Schikanen des Lagerführers, Fluchtpläne und anderes, bekam die Oberhand. Ohne Hoffnung war das Grübeln auf Flucht.

Scheinwerfer des Nachts und eine ständige Bootspatrouille rings um die kleine Insel ließen alle Versuche aussichtslos erscheinen, zumal es fremden Fahrzeugen einschließlich denen der Fischerei strengstens untersagt war, Süderoog anzulaufen. Was nützte also das Hinausstarren auf die in den Herbststürmen bellende Nordsee; oftmals schien es, als sei sie im Bunde mit den „Haifischen". Beide fletschten gierig die Zähne, die tosende See nach der Insel und die „Haifische" nach ihren Bewohnern. Offenbar hatte sich die Lagerleitung das Ziel gesteckt, die Gefangenen durch Hunger auszurotten. Sie konnten sich bald nicht mehr gegenseitig in die Augen sehen, so gespenstisch und schwarz umrändert lagen diese in den Höhlen der abgemagerten Schädel. Ja, der Hunger war der größte Feind auf der Insel, und mancher, der bereits am Ende war, ließ sich durch die Frage, ob er nicht doch lieber wieder Dienst bei der Flotte tun wolle, zur Kapitulation verleiten. Aber manch einer ging auch auf seine letzte Reise, unter die Erde.

Mit Schrecken hörte Hanne Papendiek die Berichte der aus Süderoog zurückkehrenden, halbverhungerten Matrosen. Ihr banges Herz klopfte um den geliebten Fietje und um das Kind, das unter diesem kummervollen Herzen zum Leben erwuchs.

Es dauerte nicht allzulange, und das tapfere Mädchen schritt zur Tat, um dem Geliebten das Leben zu retten. In einer Nacht mit guter Brise wollte sie das kleine Krabbenfischerboot ihres verstorbenen Vaters losmachen, bei hohem Wasser mit Westkurs auf die See hinaussegeln, um noch vor der Morgendämmerung die Hallig Süderoog zu erreichen, sich in das Lager schleichen, Fietje ins Boot holen und nach Hamburg segeln. Hamburg war eine große Stadt, wo sich Fietje leicht verstecken konnte. Den alten Fischer Bartels, einen guten Freund ihres Vaters, weihte sie ein in ihr Vorhaben. Er lachte erst mächtig und wurde dann ganz kribblig, als sie ihm mit Handschlag versicherte, daß sie es unbedingt tun würde.

„Bist beinahe genauso verrückt, wie dein Vater gewesen ist!“ sagte er mürrisch und gab ihr dann doch gute Ratschläge.

„Halt dich mit dem lütten Pott ’raus aus den tiefen Rinnen, solange das Wasser hochsteht. Es ist wegen der groben See. Und wenn der Wind auf Nordwest dreht, was durchaus möglich ist, dann gehst du unter Land an Pellworm vorbei!“

Der alte Bartels machte ein so ernstes Gesicht, daß es ihr für einen Moment angst wurde. Aber das waren nur Sekunden.

„Min Deern, ick säch di, Süderoog, dat is man bloß son Fliegenschiß von Hallig, da is schon manch ein in de Nacht vorbi sailt, und achter rut kümmt nix mehr as de blanke See!“

Gegen diese Unkerei aber hatte Hanne sofort ihren Einwand bereit: „Süderoog wird die ganze Nacht mit Scheinwerfern abgeleuchtet, da kann gar keiner vorbeisegeln!“

Vater Bartels entkräftete diesen angeblichen Vorteil unverzüglich mit einem krächzenden Gewieher. „Au, du Klaukschieter, eben wegen die Scheinwerfers kümmst du erst gar nicht an Land mit dine Bark, denn hewt se di schon fast!“

Hanne blickte den Alten mitleidig und überlegen an, als wollte sie sagen: Das kannst du ja alles gar nicht mehr verstehen, dazu bist du schon zu alt. Dann ließ sie ihn einfach stehen.

Als er sah, daß sie zu ihrem Boot hinunterging und sich da zu schaffen machte, schüttelte er lange den Kopf, brabbelte noch einiges in den zauseligen Bart und machte sich auf den Weg in seine Kate. Jeden Abend aber humpelte er hinunter zum Hafen, und drei Tage später bei einem steifen Ost war die „Marie-Luise“, Hannes Boot, verschwunden.

Mit heißem Herzen, fester Hand und achterlichem Wind segelte Hanne Papendiek hinaus auf die nächtliche See. Rauschend schob das kleine Boot die schwarze See vor sich her, kletterte behende an den Wellenbergen empor und ließ sich wohlig wieder zurückfallen ins Tal. Da, ganz unten, ringsum von einer Wassermauer umgeben, fühlte sich Hanne am sichersten. Oben auf den Kämmen duckte sie sich jedesmal ein wenig von der Steuerbank hinunter ins Boot, schickte aber auch den nachtgewohnten Blick schnell in die Runde und über den abgeschirmten Kompaß. Plötzlich wurde die See grob. Das Boot war in die tiefe Rinne eingelaufen. Hanne holte die Großschot etwas dichter und auch die Fock. Das beschleunigte die Fahrt und machte die Reise durch die Rinne kürzer.

Die „Marie-Luise“ tat ihr Bestes, als Hanne vor Nordstrand Kurs auf Südwest nahm. Diese Welle hier war ihr wohl schon immer die schlimmste gewesen, sie hob ihr den Hintern unwahrscheinlich hoch aus dem Wasser und stauchte dafür die Nase um so tiefer in die brausende See. Wenn das Mutter noch hätte erleben können, daß die „Marie-Luise“, der Vater ihren Namen gegeben hatte, mit Töchting am Ruder nächtlicherweise durch die Halligen segelt, nur um Fietje zu retten, weil sie ihn liebt!

Jählings riß Hanne das Ruder nach Backbord. Voraus waren unvermittelt Positionslampen aufgetaucht. Höchstens zwei Kabellängen entfernt tanzte das gefährliche Geflimmer in der See. Marinebarkassen, Patrouillenboot? Sie durfte nicht dösen, um alles in der Welt! Sie hatte die Augen offenzuhalten! Die „Marie-Luise“ lief dem Ungeheuer schwer gekrängt und schnell aus dem Kurs. Ein Glück, daß Vater noch kurz vor seinem Tod die Segel mit Eichenlohe braun gefärbt hatte. Weil der Mond gerade nur einen dünnen Schleier vor dem Gesicht trug, hätten sie weiße Segel sicherlich ausgemacht, denn sie waren ja unterwegs zum Schnüffeln. Möglich, daß es sogar derselbe Kahn war, mit dem sie Fietje nach Süderoog verschleppt hatten. Haßerfüllt starrte Hanne hinüber zu dem feindlichen Boot.

„Döst nur weiter, ihr Schnüffler, mich findet ihr nicht!“ sagte sie fast laut.

Bis zur äußersten Grenze des Möglichen wollte sie segeln. Sie durfte keine Angst haben, gar keine, nicht für zwei Pfennig, bis Fietje hier an Bord war und in der Roof Tee mit Rum trank und Brot mit Räucherfisch aß, soviel er mochte und konnte. Und dann würden sie nach Hamburg segeln, zu der großen Stadt. Ach, das würde eine schöne Hochzeitsreise werden! Und der verdammte Krieg würde auch bald zu Ende sein. Endlich zu Ende! Vater Bartels war klug, und er hatte doch erst neulich im „Goldenen Anker" gesagt, es könnte nun nicht mehr lange dauern, dann müßte jeder Fischer eine rote Fahne auf den Großmast setzen. Und die Signalgasten bei der Flotte würden von Schiff zu Schiff blinken: Revolution, Freiheit und besseres Brot! Einige hatten bei diesen Worten komisch geguckt, aber gesagt hatte keiner was. Nicht einmal der alte Burmeister, dessen Sohn Kapitänleutnant auf der „Bülow" war.

Hanne richtete sich plötzlich hoch auf und starrte voraus. Da stand ein heller Fleck über der See. Genau im Kurs auf Süderoog. Bleib ruhig, Hanne, bleib jetzt ganz ruhig! Es kann auch wieder so ein „Haifisch" im Anlaufen sein, der sein weißes Mittellicht noch nicht ganz über die Kimm erhoben hat! sagte sie zu sich selbst und dachte weiter: Bleib ganz ruhig, bis er seine Lampen zeigt und du ihm richtig aus dem Weg gehen kannst. Wenn aber der Fleck größer wird und die Lampen doch nicht hochkommen, dann ist es wirklich Süderoog, Süderoog mit seinen Scheinwerfern.

Die nächsten Minuten waren voller Spannung, und Hanne wischte sich mehrmals mit der Hand über die Augen. Es war nicht mehr daran zu zweifeln, die Insel hatte sich angemeldet, und der Schein wurde größer, bis endlich das helle Licht über den Wellen stand.

Klar, daß sie von Lee an die Insel heran mußte, um überhaupt landen zu können. Mit den Scheinwerfern, das war glücklicherweise gar nicht so schlimm. Eigentlich waren es nur Lampen, und man hätte sogar noch dankbar sein können, daß sie überhaupt brannten, sonst wäre die kleine Insel leicht zu verfehlen gewesen und: „Achter rut kümmt nix mehr as de blanke See", hatte der alte Bartels gesagt. Mit dem kleinen

Krabbenfischerboot auf die Hochsee 'raus, das wäre doch ein verdammt gefährliches Abenteuer. Dann könnte es leicht passieren, Fietje fände keine lebendige Hanne mehr vor, wenn er sie in Husum suchte.

Das Donnern der Brandung auf der Nordseite übertönte alles. Hanne hatte jetzt Augen und Ohren offen wie nie zuvor in ihrem Leben. Um alles in der Welt, sie war jetzt Fietje ganz nahe. Sie hätte einfach irgendwo auf Sand laufen und zu Fietje ins Lager rennen mögen. „Bliev stark, Hanne, bliev stark!" Es sollten ja noch Patrouillenboote um die Insel kreisen. Wie war es damit?

Die „Marie-Luise" lief in das ruhige Leewasser ein. Hanne hielt es für das beste, hier erst einige Zeit zu kreuzen, um allen Überraschungen rechtzeitig ausweichen zu können. Das angespannte Lauschen schmerzte schon fast in den Ohren, aber es kam kein Tuckern von Motoren auf. Sicherlich gehen sie nur auf einen bestimmten Törn, oder sie gehen heute wegen des schlechten Wetters überhaupt nicht. Es war fast gegen Hannes Absicht, daß die „Marie-Luise" dem Eiland immer näher und näher kam, bis sie dann plötzlich auf einer Sandbank festsaß. Hanne wußte nicht gleich, ob sie weinen oder lachen sollte. Sie war gelandet. Kurz entschlossen nahm sie die Segel weg, zog das Ruderblatt aus den Krampen und trug den schweren Anker mit genügend Kette vor den Steven. Vorsichtig schlich sie weiter. Es war, als sei alles Lebende auf der Insel erstorben. Nicht einmal ein Hund bellte, wo doch die Köter auf den Halligen sonst so eine feine Schnüffelnase hatten, daß sie jeden Fischer schon meilenweit von See her rochen. Aber gegen den Wind konnten die Biester glücklicherweise auch nicht riechen. Ein Schild war im Licht der Lampen ganz deutlich zu lesen: Kantine! Es rührte sich nichts. Sicherlich hatten sie nichts mehr drin in ihrer Kantine, das das Bewachen lohnte. Plötzlich – fast wäre Hanne das Herz in die Seestiefel gerutscht – wurde die Kantinentür geöffnet, und zwei Männer traten heraus. Blitzschnell ließ Hanne sich in den Sand fallen. Deutlich sah sie die Gewehre über den Schultern der Soldaten. Schweigend zogen sie in Richtung der Baracken davon. Ohne Zweifel, dort war das eigentliche Lager. Am Ende einer Reihe hoher Pappeln brannte in einem Fenster Licht. Hanne schlich sich heran. Drei Soldaten spielten Karten, andere schliefen oder dösten. Das war also die Wache. Hanne schlich weiter. Sie mußte unbedingt an die Baracken 'ran.

Es war wie ein Schlag vor den Kopf, als Hanne die Barackentüren verschlossen fand. Fast von Sinnen rannte sie im Lager umher, kaum noch der Gefahren achtend, die ihr drohten. Immerwährend murmelte sie mit tränenerstickter Stimme vor sich hin: „Fietje, mein Fietje, wo bist du denn? Hörst du mich denn nicht, Fietje? Ich bin doch hier ganz nahe bei dir! Ich bin ja bis hierher gesegelt, um dich rauszuholen aus diesen verdammten Baracken! Mein guter Fietje, mein allerbester Fietje, du mußt dich jetzt zeigen! In zwei Stunden ist Ebbe, und wir liegen mit der ‚Marie-Luise' auf Schlick, wenn wir bis dahin nicht in tiefes Wasser kommen!"

In einem entblätterten Pappelbuschwerk verkrochen, weinte sie sich gründlich aus. Dann fühlte sie plötzlich einen großen Feldstein in ihren Händen. In wilder Verzweiflung rannte sie auf die Baracken zu, zertrümmerte in schnellem Lauf sämtliche Fenster und schrie mit schriller Stimme: „Revolution, Freiheit und besseres Brot! Revolution, Freiheit und besseres Brot!" Und zwischendurch schmetterte sie wie eine Fanfare den Wunsch ihres Herzens durch die Nacht: „Fietje Bruns soll rauskommen! Fietje Bruns, hörst du mich denn nicht?"

Es war, als hätten die Gefangenen plötzlich Riesenkräfte. In wenigen Minuten war das Lager in hellem Aufruhr, und gleich nach dem Splittern der Fenster durch Hannes Hand krachten die Türen. Die Wachmannschaft war diesem spontanen Ausbruch gegenüber machtlos. Ein Teil verschanzte sich in der Kantine und mochte wohl auch auf die besondere Lage der Insel hoffen, die nicht so leicht zu verlassen war, zumal der Lagerführer und die Offiziere die zwei Barkassen besetzt hielten.

Hanne brauchte ihren Fietje nicht lange zu suchen. Wie ein Lauffeuer ging es durch das Lager: „Fietje Bruns soll kommen!“ Und gleich einer Traube hungriger Wespen hingen sie an Hanne und ließen sich erzählen, was in Kiel und Husum und überall passiert war, daß auf allen Fischerbooten rote Fahnen gehißt waren und daß die Signalgasten der Flotte die Revolution von Schiff zu Schiff weitergaben.

Fietje hatte schwere Mühe, sich zu seinem Mädchen durchzuarbeiten, und man ließ den beiden auch nicht viel Zeit für Tränen der Freude und herzhaftes Drücken. Fietje selbst übernahm die Führung einer Delegation zur Kantine. Die Jungs dort waren vernünftig genug, keine Dummheiten zu machen. Die Offiziere in den Barkassen aber zogen es vor abzudampfen. Als sie nach Husum kamen, hatten dort tatsächlich einige Fischerboote rote Fahnen gesetzt. Am meisten wunderte sich darüber Hanne Papendiek, als sie zwei Tage später mit Fietje die „Marie-Luise“ im Hafen festmachte. Am selben Tag kamen auch Hein Kröger und die anderen nach Husum, mit siebzig Gewehren, einem Granatwerfer und zwei schweren Maschinengewehren, worauf die Offiziere von Süderoog die Stadt fluchtartig verließen.

ANNA SEGHERS

# Agathe Schweigert

Eine Frau namens Helene Denhöfer lebte zu Beginn des Jahrhunderts in der kleinen Stadt Algesheim, nicht weit vom Rhein. Sie hatte von ihrem Mann ein Kurzwarengeschäft am Stadtrand geerbt, das sie ausgezeichnet versah mit Hilfe ihrer Tochter Agathe. Das Mädchen bediente von klein auf die Kundschaft, sobald es die Schulaufgaben beendet hatte.

Die winzige Wohnung lag hinter dem Laden auf den Hof zu. Der Hof war in Gartenvierecke eingeteilt; ihr eigenes zu gießen und zu jäten, war gleichfalls eine der Pflichten des Mädchens. Es hätte wohl sonst noch bläßlicher ausgesehen, noch schwächlicher.

In den Gesprächen von Mutter und Tochter kam nichts anderes vor als die Kundschaft und ihr Bedürfnis an allen Kleinigkeiten, die man Kurzwaren nennt, Bänder und Knöpfe, Nadeln und Litzen und Garne und ähnliche Dinge. Kaum wahrnehmbare Veränderungen in Herstellungsart und Mode waren ein Grund zu Erörterungen, ja zu Kopfzerbrechen, damit man schnell, aber mit ein paar Pfennigen Vorteil das Gewünschte verkaufe.

Die Kundschaft vergrößerte sich bei soviel Eifer und damit der Umsatz, freilich stets den bescheidenen Waren entsprechend. Dazu kam, daß sich mit den Jahren ein paar neue Straßen um den ursprünglichen Stadtrand legten. Eine Konservenfabrik war entstanden, ihre Spargel und Erbsen waren bekannt. Bahnlinien berührten Algesheim; das Städtchen erhielt einen neuen Rangierbahnhof. Bald bildeten mehrere

Häuserblocks, meistens von Eisenbahnern und Eisenbahnarbeitern bewohnt, ein Anhängsel mehr als einen Vorort. Frau Denhöfer war zu allen freundlich, wenn sie auch im Herzen die alten Käufer bevorzugte, Handwerker, Geschäftsleute wie sie selbst und kleine Beamte.

Agathe freute sich auf die Schulentlassung, denn in Zukunft konnte sie ohne Behinderung der Mutter im Laden helfen.

Da im selben Sommer der erste Weltkrieg ausbrach, schien ihre Hilfe fast unerläßlich. Die Stadt war voll Soldaten, Tag und Nacht fuhren Truppentransporte über die Rheinebene nach Frankreich. Mit den Fahnen und mit der Marschmusik kam eine neue, hitzige, unbekannte Geschäftigkeit über ganz Algesheim, selbst über Frau Denhöfer. Fremde Menschen in Uniformen, alte Bekannte, die aber in Uniformen völlig verändert schienen, forderten ihren Bedarf an Knöpfen und Litzen und Garnen, goldenen und silbernen, an aller Art Kurzwaren, die mit Uniformen zusammenhingen, mit vaterländischen Festen und auch schon mit Trauerkleidern. Frau Denhöfer, in ihrem Geschäft von jeher gefaßt auf Veränderungen, ließ sich nicht so leicht schwindelig machen. Sie hob einen Notpfennig auf und auch ein kleines geheimes Warenlager, falls der Notpfennig schmelze. Und Agathe vertraute der Mutter. Sie sprach im gleichen eifrigen Ton mit den Käufern über Siege und Generale, und nach der Marneschlacht sprach sie beklommen.

Als mit den Niederlagen der Hunger kam, schien es zuerst, Frau Denhöfer und ihre Tochter seien an Einschränkungen gewöhnt, die neuen könnten ihnen nichts anhaben. Von einer Hamsterfahrt in die Dörfer bei frostigem Herbstregen kam aber Frau Denhöfer mit einem für ihre Kleinheit und Magerkeit erstaunlich wilden Husten zurück. Daraus entstand Lungenentzündung; sie starb.

An dem Leben der Tochter war dadurch nicht viel verändert. Die dünne, aber bis in die Todesstunde hartnäckige Stimme der Mutter fehlte ihr abends beim Kassemachen. So sehr glich die schmächtige, zuerst schwarz, dann grau gekleidete Agathe ihrer Mutter, sie war so eifrig und aufmerksam, daß auch die Käufer keine Veränderung merkten. Sie vergaßen manchmal den Tod der Mutter und sagten Frau Denhöfer statt Fräulein Denhöfer.

Agathe selbst schien immer weiter von denselben Sorgen und Mühen bedrängt. Sie öffnete, als die schwerste Notzeit gekommen war, die von ihrer Mutter für diesen Fall vorbereitete Kiste. Jetzt konnten die Leute schlechterdings jeden Lappen verwerten. –

Manchmal humpelte auf Krücken ein Landsturmmann namens Schweigert in den Laden. Seine Frau war an Grippe gestorben. Sie hatte die Nachricht von seiner schweren Verwundung noch empfangen, seine Heimkehr hatte sie nicht mehr erlebt. Schweigert sah düster aus, das mühsame Gehen auf Krücken war ihm zuwider. Sein bißchen Essen machte er sich allein zurecht in der einsamen Küche. Er war Eisenbahner gewesen, ein guter Kollege, hilfsbereit, witzig. Er sehnte sich wohl noch immer in seinem Herzen nach etwas Glück. Die Einsamkeit fraß an ihm. Obwohl ihm das Gehen schwerfiel, zerlegte er jeden kleinen Einkauf in winzige Kleinigkeiten. Statt ein halbes Dutzend Knöpfe kaufte er dreimal zwei Knöpfe. Vor Ladenschluß kam er wieder: Die Nähnadel sei ihm zersprungen. Rangieren, das hätte er gelernt, aber Knöpfe annähen falle ihm schwer.

Agathe nähte ihm, ohne zu lächeln, zwei Knöpfe fest. Und er sah erstaunt ihren weißen glasfeinen Fingern zu. Seine Frau war gutmütig und vergnügt gewesen, aber breit und lärmig. –

Die letzten Niederlagen, die Oktoberrevolution in Rußland, die Flucht des Kaisers nach Holland, die Gründung der Weimarer Republik, der Einmarsch der Franzosen, die Kämpfe in Berlin und an der Ruhr – das alles gab Anlaß genug zum Grübeln und Fragen und Streiten. Überall und in Algesheim. Niemand kümmerte sich darum, daß Agathe Denhöfer den Franz Schweigert geheiratet hatte.

Es sollte auch niemand erfahren, ob diese Ehe schlecht oder mittelmäßig oder besonders glücklich geworden war. Denn sie war sehr kurz, und fast jeder Mensch trug damals sein eigenes, fast unerträgliches Kriegsleid. Franz Schweigert starb, wie ihn auch Agathe pflegen mochte, an den Folgen seiner schweren Verwundung.

Sie besorgte emsig wie vorher ihr Geschäft. Darin schien nichts verändert zu sein, bis auf die Anwesenheit des Kindes, ein stilles, sauberes Büblein. Bei jedem Sonnenstrahl schlug ihm Agathe den Stall, den noch Schweigert gebastelt hatte, im Hof auf. Sie gab ihm zum Spielen Reste von Litzen und goldene und silberne Knöpfe, an denen kein Bedarf mehr war. Manche Käufer verwechselten immer noch Agathe mit ihrer Mutter, Frau Denhöfer. Und sie hielten das Kind für den Enkel. Es kam auch manchmal vor, daß ein Fremder die schmächtige Agathe für ein Schulmädchen hielt und das Kind für ihren kleinen Bruder.

Sie rechnete so genau, wie ihre Mutter ihr's beigebracht hatte. Die Inflation hatte den Notpfennig verzehrt, Agathe begann von neuem zu sparen. Sie übernahm verschiedene Handarbeiten, ob Stricken, ob Stopfen, ihr war es gleich. Ganz langsam kam wieder etwas zusammen. Sie brauchte das Geld für den Sohn, er sollte etwas Besonderes werden, sie wußte noch nicht genau, was.

Bisweilen kam ein Gerücht von der Ruhr her oder aus Sachsen, von Hamburg oder von München. Sie kannte sich weder in der Zeit aus noch im Land, in dem Algesheim lag. – Einmal, frühmorgens, als sie vor Geschäftsbeginn ihr Ladenfenster säuberte, führten Polizisten einen wilden, immerzu in die Dämmerung schreienden Burschen an geketteten Händen zum Bahnhof, den Stadtrand entlang, damit die Begebenheit keine Wellen schlage. Agathe Schweigert war ganz verstört, ihr kam es vor wie ein böser Traum. Sie sagte nichts davon zu ihren Käufern, da diese auch nichts sagten.

Im selben Jahr saß ihr Sohn Ernst in der Schulbank, mit

seinem blankgebürsteten Scheitel, mit seinen klugen Äuglein. Sie war fast enttäuscht, wie gut ihm die Veränderung schmeckte. Er spielte bald nicht mehr in ihrem Hofviereck, sondern in fremden Höfen. Er lernte leicht. Ein Freund, den er sich in der Schule zugelegt hatte, war ihr lästig.

Reinhold Schanz hieß der Freund. Ein grober Bengel. Er war das jüngste von vielen Geschwistern. Sein Vater hatte mit dem Schweigert auf dem Rangierbahnhof zusammen gearbeitet; das bedeutete viel für Ernst. Der Mutter aber war diese Familie Schanz fremd, ja befremdlich geblieben. Auch kaufte Frau Schanz von jeher in einem der anderen Geschäfte, die sich inzwischen in Algesheim aufgetan hatten.

Wenn Reinhold pfiff, war es um Ernst geschehen. Er sprang weg, oder er schlich sich weg durch fremde Höfe, zu ungelegenen Zeiten. Wenn er schließlich heimkam, war es schon dunkel, denn sie waren bis zum Rhein vorgedrungen. Das war es, was beide lockte, weil alles erst richtig am Ufer anfing, was überhaupt etwas wert war. Ernst begann nach seiner verspäteten, mit Besorgnis erwarteten Heimkehr rasch von ihren Erlebnissen zu erzählen. Dann ging auch der Schatten weg von dem Gesicht der Mutter, der ihn verwirrt hatte wie einstmals seinen Vater der Schimmer auf demselben Gesicht. Die Schweigert vergaß beim Zuhören all die ausgestandene Angst: ihr schien es, den Jungen seien Dinge begegnet, die Angst und Warten wettmachten. Sie hatten in dieser kurzen Zeit Schiffe und Menschen gesehen, die die Schweigert selbst niemals zu sehen bekam. Wann hätte sie auch die vielen Stunden Weg zu Fuß oder mit der Bahn zum Rhein machen sollen, wozu? Mit wem? Drei Schulausflüge in ihrer Kindheit waren verweht mit dem Staub jener heißen Sommertage. Ihr Mann war Invalide gewesen, ihre Mutter hatte bloß Geschäftsfahrten unternommen und zuletzt die tödliche Hamsterfahrt.

Ernst, während er gierig verschlang, was Agathe ihm vorgesetzt hatte, erzählte, bis in ihren Augen die Trauer völlig verschwunden war.

Trotz aller Abenteuer gelangen ihm seine Schulaufgaben, er wurde ein ausgezeichneter Schüler. Der Klassenlehrer kam eines Tages zu Frau Schweigert und sagte, der Junge sei für die höhere Schule geeignet, was ihr keine andere Kosten verursachen würde als die für Bücher und Hefte.

Zu groß war die Freude, das Ziel geheimer Wünsche zu nahe gerückt, als daß sie sich gescheut hätte vor ein paar Lasten und Mühen mehr.

Die Anschaffungen waren, wie es sich zeigte, gar nicht einfach. Sie übernahm alle möglichen Nebenaufträge: Knopflöchernähen, Kunststopfen. Ernst brachte ihr gute Zeugnisse auch aus der neuen Schule.

Es war eine Enttäuschung, daß er den kleinen Reinhold Schanz, obwohl dieser nur acht Schuljahre machte, keineswegs aufgab. Er besuchte ihn erst recht, weil es lustig zuging unter so vielen Geschwistern und auch weil der Vater Schanz ihm mancherlei seltsame Vorkommnisse aus der Zeit seines Vaters erzählte.

Für die Familie Schanz war es, als die Krisenzeit kam, unmöglich, das Lehrgeld für den jüngsten Sohn, den Reinhold, aufzubringen. So kam er denn schließlich doch noch von Algesheim weg in eine Nachbarstadt, in die Werkstatt irgendeines Verwandten.

Da die Kundschaft durchweg ihre Einkäufe erschreckend herunterschraubte, verdiente die Schweigert das Geld für die Schuhe und Kleider und auch für die vielen Schulbücher vor allem durch Nachtarbeit. Ernst stieg vergnügt und ganz leicht von einer Klasse zur anderen. Er las ihr oft etwas vor mit seiner eindringlichen Stimme, und was sie hörte, auch wenn sie es nicht völlig verstand, erschien ihr all die Nachtarbeit wert.

Bei den Gesprächen über den Ladentisch verhielt sie sich still; sie wurde ohnedies nicht schlau aus den Meinungen. Über den Reichstagsbrand wurde von ihren Käufern kopfschüttelnd, erstaunt, manchmal mit einem gewissen Unglauben berichtet. Doch bald klang in vielen Gesprächen die Hoffnung auf eine Veränderung, auf feste Arbeit und reichlich Essen.

Agathe Schweigert hatte für Hitler so viel und so wenig übrig wie vormals für Kaiser Wilhelm oder den Präsidenten Ebert. Nur ihr Sohn Ernst ließ dann und wann eine spitze Bemerkung fallen, die von dem Vater Schanz stammen mochte, auf dem Umweg über Reinhold, den er, wie sich dabei erwies, immer noch hin und wieder traf. Obwohl ihr Reinhold zuwider war, horchte sie unbewußt auf die Meinung des Vaters. War der doch der einzige Mensch, von dem sie annehmen konnte, daß er ihrem Mann einstmals nahegestanden hatte. Sie brachte es aber nicht über sich, so wenig wie sie so was als Kind vermocht hätte, ihn anzusprechen, ihm Fragen zu stellen.

In ihrem kleinen Geschäft war eine Belebung spürbar. Sie erschrak, wenn Ernst ihr unbedacht die Meinung des Schanz wiederholte, das sei für die Katz, man werde schon sehen, was nachkomme. Es war ihr leid, daß sie nicht immerzu bis ins kleinste den Ratschlägen ihrer Mutter gefolgt war. Dann hätte sie sich eine Kiste mit Borten und Litzen und Tressen und Garnen aufbewahrt, die sie als unverwertbar zum Teil verschludert hatte. Wieviel weißes Zeug, sogar weißes Band war von einem Tag zum andern verlangt worden – in den Schulen hatten die Lehrerinnen aus den Fahnen die gelben Streifen herausgeschnitten und durch weiße ersetzt. Was ihr an den regen, beinahe erregten Bestellungen von allerlei Stücken in vorgeschriebenen Farben und Mustern wichtig dünkte, war die Möglichkeit, wieder ein bißchen Geld zurückzulegen. Ernst hatte unterdes sein Abitur gemacht. Er sollte in Frankfurt am Main Deutsch und Geschichte studieren, um Oberlehrer zu werden. Sie war über diese Aussicht glücklich und über den Abschied voll Kummer.

Die Briefe, die zuerst regelmäßig kamen, hielten sie aufrecht hinter dem Ladentisch und auch ein gewisser Stolz, daß ihm das Studium nur möglich war, weil sie ihr kleines Geschäft unerbittlich versah. Sie las sich seine Briefe abends vor, und dabei entstanden in ihrem Kopf die Menschen und Orte, die er beschrieb.

Bei seinem dritten oder vierten Besuch kam er ihr nicht mehr so fröhlich wie früher vor. Sein Gesicht war verärgert, es wurde ganz blaß vor Zorn, als er richtig sah, was die Mutter in ihrem Laden verkaufte, all das Zeugs, bestickt und bedruckt mit großen und kleinen und winzigen Hakenkreuzen. Er schimpfte zwischen den Zähnen. Sie sagte erschrokken: „Wenn ich nichts verkaufe, wie kannst du sonst weiterlernen?“ Als er sich verabschiedete nach einem abgekürzten, bedrückenden Aufenthalt, gab sie ihrem Bedürfnis nach und strich ihm über sein schönes dichtes Haar. Er sah sie traurig erstaunt an. Sein Mund war gleich darauf wieder bitter.

Seine Briefe kamen bald seltener, sie wurden knapper und frostiger. –

Eines Abends, es war schon spät, hörte sie einen leichten Sprung in ihr Gartenviereck, jemand drückte die Klinke der Hoftür herunter, sie fuhr freudig hoch, weil sie dachte, das könne nur Ernst sein. Es war aber Reinhold Schanz. Ihr kam er noch rauher als früher vor. Er sagte: „Hier ist ein Brief von Ihrem Sohn. Bitte tun Sie, was drin steht.“

Ernst Schweigert schrieb: „Liebe Mutter, gib meinem Freund Reinhold das Geld für das nächste Semester. Hoffentlich hast Du’s greifbar. Gib ihm auch meinen Wintermantel und meine alten zwei Hemden, selbst wenn sie noch nicht geflickt sind. Ich danke Dir sehr, liebe Mutter, Dein Ernst.“

Frau Schweigert sagte: „Warum nur?“, und Reinhold Schanz sagte: „Er ist in Gefahr, und er muß schnell weg.“

Frau Schweigert fiel der Mann mit geketteten Händen zwischen zwei Polizisten ein, den sie einmal frühmorgens erblickt hatte. – Das Geld war zur Hand; es war ja die Woche, in der sie es abzuschicken pflegte, und sie tat dazu, was in ihrer Tageskasse war; in die Manteltaschen steckte sie Sokken, und sie machte mit ihren geübten Fingern sehr schnell ein Wäschepaket. Sie fragte: „Wieso in Gefahr?“, und Reinhold Schanz antwortete: „Die haben was gegen Hitler verteilt, ein paar Studenten." Er versuchte den Mantel anzuziehen, der war ihm aber zu eng und zu kurz, so nahm er ihn über den Arm, und das Geld steckte er ein, und das Paket klemmte er unter die Achsel. Er nickte dankend. Er sagte noch: „Wenn jemand fragt, ich war gar nicht hier." Dann ging er rasch fort. Die Schweigert löschte das Licht. Sie saß im Dunkeln und horchte, als ob die Nacht ihr mehr erklären könnte als Reinhold Schanz.

Am nächsten Morgen war es gut vor den Augen der Käufer, daß sie von jeher nur wenig sprach und immer bläßlich und kränklich aussah. Von der Nachtwache war ihr nichts anzumerken und auch von der nächsten nichts und von der übernächsten. Sie war erst beruhigt, als ein Zettel unter die Hoftür geschoben wurde: „Alles ging gut, er ist weg."

In derselben Woche kamen zwei von der Staatspolizei, die fragten sie, wo ihr Sohn sei. Sie sah sie traurig an mit ihren müden und grauen Augen und erwiderte: „In Frankfurt, wo er studiert." Schließlich nach bohrender Befragung und aller Art Quengelei ließ man die Frau in Ruhe. Die kam ihnen gar zu dümmlich vor.

Sie versah wie in der Vergangenheit ihr Geschäft, nur war sie jetzt vom Warten verzehrt, die Zeit schien ihr aus Schubladen zu bestehen, die sie andauernd öffnen und schließen mußte. Vor Uniformen war ihr nicht bang, weder vor braunen noch vor schwarzen. Sie hatte ja von klein auf mit den tausend winzigen Kleinigkeiten zu tun gehabt, die unerläßlich waren zu ihrer Anfertigung. Wenn einer, was jetzt häufig geschah, großspurig ihren Laden betrat, würde er wohl so ein winziges Bestandteilchen fordern.

Ihr Ernst schrieb endlich aus Paris. Die Stadt sei wunderbar, und er könne ganz gut die Sprache verstehen, und er hätte alte und neue Freunde. Sie dachte: Jetzt muß er was anderes lernen, aber er lebt. Sie haben ihn nicht gefangen. – Saß sie abends in ihrem Hofzimmer, las sie, was Ernst inzwischen geschrieben hatte, sie überdachte auch, was er ihr gesagt hatte bei seinem letzten Besuch. Sie sah sein schönes

Haar, seinen bitteren Mund. Und sie hörte den verächtlichen Ton in seiner Stimme, als er über den Krimskrams schimpfte, den sie verkaufen mußte. Jetzt erst recht. Algesheim war ja wieder voll Soldaten, seit die Wehrmacht auf der Rheinebene lag.

Was sie furchtbar erregte, war die Rücksendung eines Briefes mit dem Vermerk „Adressat unbekannt". Sie zerwühlte ihr Bett in den kommenden Nächten, oder sie legte sich gar nicht schlafen. Ihr Warten war aber völlig fruchtlos, es gab keinen Boten, der eine Nachricht durch die Türspalte schob. Sie nahm alle Briefe des Sohnes wieder und wieder vor, viele waren es nicht. In einem Brief stand, vielleicht würde sie eine Zeitlang nichts von ihm hören. Doch diesem Brief war noch einer gefolgt. Ihr blieb nichts anderes übrig, als in die öde Zeit hineinzuwarten.

Als sie nachts wiederum einen Brief nach dem anderen vornahm, stutzte sie über den Stempel „Toulouse" auf einer Briefmarke. Der war ihr zwar gleich aufgefallen, da ihr nichts in und an seinen Briefen entging, jetzt begann sie darüber nachzudenken. Auf den Briefbogen war „Grappe d'Or" gedruckt. Wenn Ernst nicht mehr am alten Ort war, war er vielleicht in dieser Stadt, vielleicht in der „Grappe d'Or", sicher war er einmal dort gewesen, hatte dort an einem Tisch nach Algesheim geschrieben, jemand mußte ihn dort kennen.

Ihr Gesicht flog rot an vor Nachdenken, und ihre Augen glänzten. In ihrem Innern hatte sich ein Entschluß zu regen begonnen.

Es fiel niemand auf, daß sie gesprächiger wurde, auch nicht, daß sie achtgab auf die Gespräche im Laden. Von jeher hatte ihr unter den Käuferinnen ein altes Fräulein gefallen, das in der ersten Schulklasse ihren Sohn unterrichtet und ihn beim Einkaufen manchmal gelobt hatte. Als das Fräulein atemlos bei Geschäftsschluß noch etwas kaufte, faßte sich die Schweigert ein Herz, sie versuchte sich im Schwatzen über dieses und jenes, ihr Erröten verbarg sie im Suchen und Ordnen. – Ihr Zutrauen wurde rasch belohnt; denn als sie sich überwand und fragte, was es mit der Weltausstellung in Paris auf sich hätte, über die sie so oft reden höre, wußte die Lehrerin Bescheid. Ihr Bruder besaß einen Freund, auch ein Lehrer, der fahre hin, alles sei verbilligt, Reise und Aufenthalt, alles sei darauf zugeschnitten, sogar die Behörden hier zu Land erlaubten diese Reise.

Da dem Fräulein die Absicht des Freundes ihres Bruders bemerkenswert dünkte, brachte sie ganz von selbst bunte Prospekte und erklärte sie weitschweifig, wie es sich für eine Lehrerin gehörte. Und die Schweigert horchte so aufmerksam, ihre Fragen waren so genau, daß die Lehrerin lächelnd bemerkte: „Frau Denhöfer“ – sie hatte sich nie an den Namen Schweigert gewöhnen können –, „mir kommt's vor, Sie wären auf einmal reiselustig?“ – „Kann schon sein“, erwiderte Agathe mit ihrem blassen Mund.

Verschiedene Vorbereitungen hatte sie gleichlaufend mit den Erkundigungen betrieben. Sie hatte sich einen kleinen Handkoffer angeschafft und ihre Ersparnisse abgehoben.

Als in Algesheim eine milde Sommernacht endete, die Sterne waren fast verblaßt, und einige Straßen waren noch farblos im Morgengrauen, in den Fensterscheiben am äußersten Stadtrand blinzelte schon die Sonne, die über der Rheinebene aufging, verschloß sie ihr Kurzwarengeschäft. Sie trug die Schlüssel zur Aufbewahrung in die Wohnung der alten Lehrerin. Es war erleichternd, daß auch der Freund des Bruders zuerst nach Frankfurt am Main fuhr, so daß sie sich dort beide zum französischen Konsul begeben konnten.

Im stillen hatte sie nur darum gefürchtet, ob ihr die Heimatbehörde den Paß ausstellen würde. Doch seit der fluchtartigen Abfahrt des Sohnes waren schon fast zwei Jahre vergangen; der neue Beamte hatte sie gar nicht gekannt, er hatte nur ihren frischen Fragebogen besehen, der glatt und sauber ausgefüllt war.

Sowohl die Fahrt über die Rheinbrücke wie der verzwickte Weg vom Frankfurter Bahnhof zum Konsulat und wieder zurück und ihre nächtliche Fahrt nach Frankreich mit den

Kontrollen auf beiden Seiten der Grenze ließ sie ohne besonderes Staunen, ohne Erregung über sich ergehen. Denn sie hatte schon im voraus daheim alle möglichen Reisefälle durchgehechelt, ihr Kopf war jetzt zu müde zum Denken und ihr Herz zum Erregen, sie war ihres Zieles sicher geworden. In dem vollen Abteil war sie ein Krümelchen unter kräftigen, lebhaften Menschen. Ein schönes, schwarzäugiges Kind, das nicht mehr still sitzen konnte, sobald es in Frankreich Tag war, riß sich den Rock ein zum Ärger ihrer Mutter. Die Schweigert griff ihr Nähzeug und stopfte den Riß; das Kind war endlich still vor Verwunderung.

Sie konnte kein Wort mit den Fremden sprechen, doch wurden ihr diese zum Beistand am Ostbahnhof von Paris. Der Plan der Schweigert war, hier zuerst in das Haus zu fahren, in dem ihr Sohn gewohnt hatte; die fremde Frau setzte sie in den Autobus und reichte ihr den Handkoffer und sagte noch einmal: „Merci.“

Sie fand das kleine Hotel auf dem linken Ufer der Seine. Zuerst war die Wirtin unfreundlich, sie musterte verdrießlich diese hagere Fremde. Die war kläglich dran an Kleidung, Aussehn und Worten. Doch als Agathe ihren Familiennamen aufschrieb, erinnerte sich die Wirtin an den Sohn, sie rief: „Ah, Ernest!“, aufrichtig erstaunt, daß solch dürftiges Wesen so einen lustigen hübschen Burschen zur Welt gebracht hatte. Ihr war es selbst leid, daß er fort war, warum und wohin, das wußte sie auch nicht. Ein Mieter, der Deutsch verstand, war gerufen worden. Zu dritt beratschlagten sie, Agathe zeigte den Briefumschlag aus Toulouse, man meldete auf ihre Bitte eine Verbindung am Telefon mit der „Grappe d'Or“ an.

Sie nagte, wartend, ein wenig an ihrem Reisevorrat. Bald gab niemand mehr auf sie acht. Sie kraulte die Katze der Wirtin. Ihr Herz fing kräftig zu klopfen an, als stünde ihr etwas Besonderes bevor. Als das Telefon läutete, war ihr Sprung so jäh, daß die Katze von ihren Knien fiel und sich wütend sträubte.

Am Telefon in Toulouse erklang eine Männerstimme – vielleicht der Wirt der „Grappe d'Or“. Die Schweigert rief mehrmals den Namen des Sohnes, dazwischen rief sie: „Sa mère, seine Mutter!“ Auf einmal schien es ihr, der Wirt in Toulouse hätte etwas begriffen, sie hörte ein Stimmengewirr, als frage er in das Zimmer zurück und man gebe ihm einen Bescheid, und man berate hin und her. Dann kam eine andere Stimme, die irgendwie deutsch sprach: „Er ist nicht mehr hier, ich kann Ihnen nicht mehr sagen. Sie kommen her? Wann? Morgen schon?“

Die Schweigert seufzte, sie hatte geahnt, sie müsse bis nach Toulouse, und wenn sie es mußte, dann gleich.

In Algesheim hatte sie immer wieder versucht, sich etwas vorzustellen unter der Stadt, die ihrem Sohn überaus gut gefiel, es war ihr nicht gelungen. Jetzt, zwischen den Bahnhöfen von Paris, sah sie, durcheinandergeschüttelt, all die Bilder, die er in Briefen beschrieben hatte. Sie brauchte sich nichts mehr vorzustellen, sie brauchte sich auch nichts einzuprägen. Selbst in Gedanken wollte sie keine Sekunde verlieren. Sie fragte sich zum Billettschalter durch, sie wagte es kaum, einen heißen Kaffee zu schlucken, und im Zuge wagte sie kaum zu schlafen.

Beißend hell war der Morgen in Toulouse. Manchmal tappte die Schweigert blind vor Erschöpfung die weiße Mauer entlang. Manchmal setzte sie sich auf ihren Koffer. Zum Glück war es beinahe dunkel, ja kühl in der Gasse, in der die „Grappe d'Or“ lag. Über der Tür und über den Fensterrahmen standen, wenn auch verwaschen, abgebröckelt, die Buchstaben, die sie vom Briefbogen kannte. Der Wirt betrachtete sie verwundert und mitleidig, auch mit ein wenig Belustigung. Er war fest und breit, und er hatte einen Schnurrbart. Und kümmerlich war die fremde Frau, aber sie war die Mutter des Jungen, der vor kurzem sein Gast gewesen war. Und er ließ den Mann rufen, der ihr gestern am Telefon auf deutsch geantwortet hatte.

Er erschien sofort, sogar atemlos. Er war jung, vielleicht

so alt wie Ernst, mager und lang, sein Blick war gut – er rückte neben die Schweigert, um Auge in Auge mit ihr zu sprechen. Er nahm ihre Hand und strich ihr beruhigend über den Arm und hörte sich zuerst an, was sie von der Reise erzählte. „Ernst Schweigert war hier“, sagte er, „aber er ist nicht mehr hier. Sein letzter Brief ging vielleicht verloren. Er ist nach Spanien.“ Frau Schweigert starrte ihn an, und wie sie fragte: „Wieso? Warum?“, begriff er, daß diese Frau mit seiner Auskunft nicht das geringste anfangen konnte. Und wie er sich auch anstrengen mochte, warum er selbst und seine Freunde, darunter Ernst Schweigert, in Internationalen Brigaden für die Spanische Republik zu kämpfen beschlossen hätten, wie er auch nach Worten suchte, um etwas davon zu erklären, er sah in dem fahlen Gesicht der Schweigert nur die quälende Anstrengung, ein einziges Wort zu begreifen. Sie fragte immer: „Wieso? Warum?“ Zuletzt nicht einmal mehr mit der Stimme, die krank und heiser geworden war, nur mit den Lippen. Schließlich preßte sie den Mund zusammen, ihre blaugrauen Augen, die er dicht vor sich hatte, waren sehr hell geworden, fast weiß, ihre Pupillen winzig, als sehe sie in ein Licht. Sie zog den Arm unter seiner Hand weg und stand auf und sagte: „Da geh ich hin.“ Er fragte, was sie dort anfangen wolle. Jetzt war sie es, die ruhig und geduldig erklärte, sie wolle ihren Sohn sehen, und als er behauptete, das sei unmöglich, erwiderte sie, doch, sie würde sicher nach Spanien fahren, wohin sie sonst fahren solle? Sie sprach in entschiedenem Ton, und er fragte sie schließlich etwas härter, was sie denn dort zu tun gedächte, um nicht der Spanischen Republik zur Last zu fallen. Herumhocken, ein hungriges Maul mehr und warten, warten? Da kam er schön an. Sie erwiderte gleichfalls härter, sie sei noch nie im Leben jemand zur Last gefallen, sie verstehe sich beinah auf jede Art Arbeit, Kriegszeit hätte sie auch schon erlebt, am Rhein kenne man so was, waschen und scheuern und stopfen und nähen und pflegen sei sie gewohnt. Nur, er müsse ihr helfen, diese Fahrt zu bewerkstelligen.

Inzwischen hatte der Wirt den Tisch gedeckt, er hatte Wein und Brot gebracht; wenn er die Sprache auch nicht verstand, er hörte die große Erregung heraus, und er dachte, seine Fischsuppe könne nicht schaden. Sie aßen und tranken zu dritt, beide betreuten die Schweigert, wie nie Menschen sie zuvor betreut hatten. Eine große Bangnis und ein großer Trost kamen zusammen in diesem Haus.

Der nächste Morgen erschien ihr nicht mehr so grell und heiß. Auch kam, wie er versprochen hatte, pünktlich der lange und magere Mensch, der über Ernst Bescheid gewußt hatte. Er führte sie durch die Stadt über einen weiten Platz, der gefegt war von Sonnenstrahlen, in eine Gasse, so eng und düster wie die Gasse der „Grappe d'Or". Er sagte, hier sei das Haus, in dem man ihre Sache beraten würde. In engen Zimmern, die sie als eine Art Amt erkannte, mit Regalen und Pulten, schrieben und wühlten einige Männer und Frauen, die riefen sich Worte zu in verschiedenen Sprachen. Eine Frau sprach auf deutsch lange und leise mit dem Begleiter der Schweigert. Streng sah die Frau aus, sie trug eine Brille, darum dachte die Schweigert an die Lehrerin in Algesheim, bei der sie die Ladenschlüssel gelassen hatte, wie man an eine Traumperson denkt, das Schlüsselbund war so groß und wichtig wie das Gesicht mit der Brille.

Auf einmal drehte sich diese Frau zu ihr hin, sie fragte streng, was die Schweigert wolle und könne. Die Schweigert erwiderte klar und entschieden, sogar mit einem gewissen Stolz. Die bebrillte Frau, nicht unfreundlich, aber nüchtern und aufmerksam, gab ihr zuletzt einen Fragebogen, wie man einen auf jeder Art Amt den Leuten gibt.

In der folgenden Zeit gewöhnte sich die Schweigert daran, in einem Café unter den Arkaden im Schatten zu sitzen und den großen Platz zu betrachten. Der Wirt der „Grappe d'Or" war ganz verwundert, als sie rechtzeitig vor der Abreise ohne Zögern genau bezahlte. Und er stieß mit ihr an, und er betrachtete sie noch einmal erstaunt und mitleidig wie bei der Ankunft, aber ohne Belustigung. Sie hatte Vertrauen zu ihm gefaßt und überließ ihm zur Aufbewahrung einen Rest ihres Geldes. –

Dicht vor der spanischen Grenze erkannte sie drei, vier Menschen wieder, die im selben Zug mit ihr gefahren waren. Ihr Herz war dumpf in dem langen Tunnel unter der Erde, der nach Spanien führte. Ihre Begleiter, meistens so jung wie ihr Sohn und der magere Mensch von Toulouse – aber es gab auch einen weißhaarigen, der mindestens so alt wie sie selbst war, und es gab auch ein blutjunges Mädchen –, nahmen sich ihrer an, als hätten sie's untereinander ausgemacht, trugen abwechselnd ihren Handkoffer, obwohl alle selbst beladen waren. Die Schweigert wunderte sich noch immer, wie sich solche fremden Menschen durch Gesten und Worte ständig miteinander verbanden. Auch sie wandte sich schließlich an diese Leute, als hätte sie lange zuvor unter ihnen gelebt, aber in Wirklichkeit hatte sie niemals unter solchen gelebt wie die, die mit ihr in dem dumpfen Tunnel auf die spanische Seite gingen.

Sie sah erstaunt, ohne Ängstlichkeit an dem Soldaten hinauf, der mit einem harten Gesicht unter der Fahne rot-gold-violett ihre Papiere prüfte. Er hatte eine Furche zwischen den Brauen, und er sah kurz herunter auf das Gesicht der Schweigert, das auch eine Furche hatte zwischen den Brauen. Nicht mehr fassungslos, aufs Geratewohl, sondern fest überzeugt, sie könne, wenn sie nur unumwunden darauf bestünde, ihr Ziel erreichen, gelangte sie schließlich durch viele Kontrollen nach Barcelona.

In der deutschen Abteilung der Interbrigaden erfuhr sie den Standort des Regiments, zu dem ihr Sohn gehörte. Sie schrieb ihm: „Jetzt bin ich hier."

Man beriet noch, welche Arbeit man dieser Frau zuweisen könne, als eine Nachricht vom Regiment kam, der Sohn läge mit einem Streifschuß im Lazarett in Albacete. Man gab ihr zu dem Passierschein einen Brief, sie könne nach ihrer Ankunft eingesetzt werden an Ort und Stelle.

Im Zug, im Lastwagen, nie kam es ihr vor, als fahre sie

weiter und weiter fort, vielmehr war sie des Glaubens, sie sei bald angelangt. Jeder Aufenthalt war ihr quälend. Nur, manche Nacht lag sie im Freien. Sie sah in den ausgestirnten Himmel. Dabei vergaß sie das Warten hier unten. Sie hatte noch nie so viele, so funkelnde Sterne gesehen. Sie hatte nur einmal in Algesheim am Ende der Nacht die letzten paar Sterne gesehn, verblassende, kümmerliche, als sie endgültig wegfuhr. Hier gab es wohl immer nachts solchen Prunk. Und dann, auf der Fahrt, die violetten Berge! Und Dörfer in Felsspalten! Und eine Ebene, so froh, als sei nichts anderes als Sonne möglich! Und weiche, waldige Berge und Meer – alles kam, wenn man die Ladentür hinter sich abschloß! Oft zeigte sie ihren Passierschein vor, ganz froh, wenn man ihn forderte, sie spürte jedesmal Stolz und Genugtuung. Im Lastwagen oder im vollen Abteil, immer fand sich noch ein schmaler Platz, mehr brauchte sie nicht. Allerorts waren Soldaten und Bauersleute und selbst die Kinder heftig erregt. Manchmal blieb ein Blick an ihr hängen, manchmal schlang jemand plötzlich den Arm um ihre Schulter und rief ihr, als sei sie taub, das Wort „Teruel“ ins Ohr. Es klang oft in den Gesprächen, „Teruel“, „Teruel“. Ob es ein Mensch oder ein Ort war, wußte sie nicht. Und immer wieder zeigte sie ihren Passierschein mit Stolz und mit strenger Miene.

Das Krankenhaus war vordem ein Schloß gewesen und der Park ein Schloßpark. Sie sah beklommen dahin und dorthin. Einige Soldaten übten sich auf Krücken, mit zusammengebissenen oder lachenden Zähnen. Andere lagen, dick verbunden, im Schatten. Von ihrem Sohn wußte sie nur: ein Streifschuß. Nicht schwer. – Was hatte das zu bedeuten? Sie besaß ihre eigenen Erfahrungen von unheilbaren Wunden. Jetzt, da ihr Ziel erreicht war, fing ihr Herz erst an, sie mit schweren Schlägen zu warnen. Sie stieg die große weiße Treppe hinauf mit ihrem Handkoffer.

Im Verwaltungsbüro, als man endlich begriff, wer sie war, gab man ihr einen Brief. Sie sah die Handschrift des Sohnes. Sekundenlang war sie so erleichtert, ihr lange entbehrtes Glück wieder vor Augen zu haben, daß die Enttäuschung nicht gleich kam.

„Wie ich froh war, Mutter! Wie ich auf Dich gewartet habe! Aber ich durfte nicht länger bleiben. Ich komme zu Dir, sobald ich kann. Sicher ganz bald. Wie gut, daß Du nicht mehr weit weg bist, niemand von uns hat es so gut wie ich. Wirst Du hier bleiben? Sie brauchen ja alle Hände, und Du, Mutter, kannst alles.“

Trotz ihres Kummers war sie stolz auf die weiße Schürze, die sie von nun an trug wie die Krankenschwestern, obwohl ihre Arbeit nur darin bestand, Wäsche im Stand zu erhalten. In der ersten Zeit war davon reichlich vorhanden. Bald aber hieß es, nicht viele gebrauchte Stücke auszubessern, sondern aus allerlei brauchbaren Resten ständig genügend Bettzeug bereitzuhalten.

Aus der deutschen Brigade wurden viele Verwundete gebracht. Die Schweigert machte sich in den Krankensälen zu schaffen, um ihre Gespräche zu hören, um zu begreifen, welcher Mütter Söhne sie waren. Und sie suchte jetzt auf der Karte, wo ihr Sohn lag.

Eine spanische Krankenschwester namens Luisa hatte sie bald nach der Ankunft gefragt, so gut es ging, ob Ernst Schweigert wirklich ihr Sohn sei. Jedes Land, dachte Agathe, gibt seinem Namen eine Silbe dazu. Ernest hieß er in Frankreich, und in Spanien heißt er Ernesto. Dieses Mädchen war zart; seine Haut war so weiß, daß es kaum zu begreifen war, sein Haar war so schwarz wie ein Amselgefieder. Frau Schweigert betrachtete die Bilder, auf denen ihr Sohn mit Luisa zu sehen war. Sein Arm war verbunden; er sah aber froh und gelassen aus, wie er daheim nie ausgesehen hatte.

Wenn Luisa einen Brief bekam, lief sie damit zu der Schweigert, und die Schweigert lief zu Luisa, wenn sie selbst einen Brief bekam.

Eines Tages erschien es ihr, als ob die Menschen bei ihrem Anblick zögerten, ja, ihrem Blick auswichen. Etwas trieb sie, Luisa zu suchen. Die lag auf ihrem Bett und weinte. Die

Schweigert berührte ihr Haar, da fuhr sie hoch und warf sich ihr an den Hals und weinte laut. Sie wiegte den Oberkörper der Schweigert, den sie fest umfaßt hielt, hin und her, doch die Schweigert hielt sich so steif, daß es war, als wiege sie ein Brett. Agathe Schweigert hatte bereits verstanden, daß Ernst gefallen war.

Später spürte sie mit gerunzelter Stirn, daß manch einer sie sanft berührte. Gute Worte wurden an ihr vorbei gemurmelt. In ihrem Innern und auch in ihrem Gesicht zog sich alles zusammen. Niemand erfuhr, ob sie nachts weinte.

Ihr eigenes Unglück war dicht gefolgt von den Unglücksschlägen auf die Menschen der Spanischen Republik. Während Frankreich keine Waffensendung durchließ, halfen die Italiener und Deutschen ungestört dem General Franco. Die Republikanische Armee war in zwei Teile zerrissen.

Im Krankenhaus lagen Verwundete auf jedem freien Stück Fußboden. Der Krieg war so nahe gerückt, daß man ihn hinter den Bergen hörte. Man würde bald aufbrechen müssen. Agathe Schweigert war wie gefeit gegen Schrecken und Furcht. Sie hatte keinen Schlaf nötig. Ihre Hände brachten andauernd alles fertig, Soldaten verbinden, blutiges Zeug waschen, Bettzeug und Wäsche flicken.

Wie sie da umherlief, lautlos, aber mit ständig regen Fingern, rief es plötzlich aus einem Bett: „Frau Schweigert!" Sie brauchte sich, weil sie klein war, nicht einmal über den Mann zu bücken. In dem bleichen, hochmütigen Gesicht im weißen Verband erkannte sie Reinhold Schanz. Er war gar nicht erstaunt, sie hier plötzlich zu sehen, vielleicht weil ihm, von Wundfieber gequält, immerzu unwahrscheinliche Bilder vorschwebten, vielleicht, ganz einfach, weil ihm Ernst Schweigert selbst noch von der Ankunft der Mutter erzählt hatte. Und er zog sie auf seinen Bettrand und erzählte ihr schonungslos, aber Klarheit verschaffend und dadurch erleichternd, Ernst sei vor seinen Augen gefallen. „Er hat nicht gelitten, Frau Schweigert, er hat einen guten Tod gehabt."

Sie nestelte an seinem Hemd und an seiner Decke. – Da

Reinhold Schanz transportfähig war, benützte man die nächste Gelegenheit, um ihn mit mehreren Kameraden wegzuschaffen. Am zweiten Morgen lag schon ein Fremder in seinem Bett.

Luisa fuhr mit einem der nächsten Transporte ab. Sie warf sich an den Hals der Schweigert und weinte laut. Dabei fühlte die Frau noch einmal statt ihres andauernden dumpfen Kummers einen Stich, der unerträglich gewesen wäre, hätte er länger als eine Sekunde gedauert. Niemand hatte es ausdrücklich angeordnet, niemand erstaunte sich, daß die Schweigert half bis zuletzt, und sie half auch die letzten Verwundeten verbinden und in die Wagen schleppen. –

In dem Flüchtlingsstrom, der über die Pyrenäen zog, von Francos Soldaten auf der Erde und aus der Luft bis zur äußersten Grenze des Heimatbodens verfolgt, war die Schweigert allein mit ihrem kleinen, leichten Handkoffer. Den trug sie aber jetzt auf dem Rücken wie einen Tornister. Es gab viele einzelne Menschen auf diesem Weg. Die hatten entweder gleich beim Aufbruch ihren Anschluß verpaßt, oder sie hatten die Ihren unterwegs bei einem Fliegerangriff aus den Augen verloren. Mütter suchten ihre Kinder, Kinder ihre Eltern, Bräute ihre Freunde. Agathe Schweigert suchte niemand, sie hatte niemand aus den Augen verloren. Sie nahm sich unterwegs eines kleinen Jungen an, der sich am Fuß verletzt hatte, sie verband ihn, er war eins von mehreren Geschwistern, Mutter und Großvater gelang es kaum, die Kinder zusammenzuhalten und auf der Flucht zu versorgen. Aus ihrem Kopftuch stellte die Schweigert eine Trage her, auf der die zwei größeren Knaben den Kleinsten eine Zeitlang abwechselnd schleppten. Bald kamen die Mutter – sie hieß Maria Gonzalez – und ihr Schwiegervater, der Großvater, ein düsterer, kräftiger alter Mann, gar nicht ohne die Schweigert aus. Sie versorgte die jüngsten Kinder, Alfonso, der älteste, half ihr viel, der war wie sein Großvater, düster und kräftig. Ob der Vater, ein Offizier in der Republikanischen Armee, gefangen oder gefallen war, wußte niemand.

Als all diese spanischen Menschen, für die ein Leben unter der Herrschaft Francos undenkbar war, die Pyrenäen herunterzogen, entstand eine fassungslose Verwirrung an der französischen Grenze. Doch die Behörden, von der Regierung angewiesen, faßten sich und sperrten in Lager ein, wen sie greifen konnten. Die Familie Gonzalez, die aus einem alten Mann bestand und einer Frau und Kindern und schließlich auch Agathe Schweigert, die andauernd helfend ein großes Stück mit ihnen gezogen war, gelangte in die Nähe von Perpignan.

Mitleidig, in Ehrfurcht vor soviel aus eigenem Entschluß ertragenem Leid, nahm eine Bauernfamilie die Familie Gonzalez auf. Sie gab ihnen eine Scheune als Unterkunft und brachte ihnen zu essen, was möglich war. Die beiden Frauen verdienten sich bald ihre Unterkunft. So lebten sie alle zusammen, betreut von diesen französischen Bauern und ihnen zugleich eine Erntehilfe bis in den Herbst hinein. Der Weltkrieg brach aus. Zuerst lag die französische Armee der deutschen Wehrmacht an der Maginot-Linie starr gegenüber. Eine Ahnung bemächtigte sich der Menschen, daß das, was im Vorfrühling geschehen und in Spanien wie ein Ende erschienen war, den Anfang unerhörter Schrecken und Leiden auf dem ganzen Erdteil bedeuten könne.

Die Familie Gonzalez fror schon in ihrer Scheune; durch mancherlei Arbeit beschafften die beiden Frauen Decken und Kinderzeug. Sie waren froh, wenn sie im Bauernhaus in der warmen Küche beim Schälen, beim Nähen und Flicken helfen konnten. Niemand gab auf die Schweigert acht. Die war so stumm wie ihr Schatten, nur ihre Finger waren immer geschmeidig und rege.

Inzwischen hatte die Frau Gonzalez Nachricht von ihrem Mann erhalten. Er war interniert und in einem Lager an der Küste, das nur einen halben Tag entfernt lag. Sie besuchte ihn bald. Die Schweigert hörte sich stumm, ohne etwas zu äußern, die Freude über das Wiedersehen an.

Eines Tages rief die Gonzalez: „Da ist auch für Sie ein

Brief!“ Diese Handschrift hatte Agathe noch nie erblickt. Im selben Lager, in dem der Mann der Gonzalez eingesperrt war, war auch Reinhold Schanz eingesperrt. An einem der öden Gefangenschaftstage, da jeder Brief etwas Neues für alle bedeutete, hatte Gonzalez dem Schanz von der fremden Frau erzählt, die mit seiner Familie in der Nähe von Perpignan lebte. Als Reinhold Schanz nach manchen Rückfragen festgestellt hatte, daß diese Frau keine andere sein könne als die Mutter seines gefallenen Freundes, schrieb er ihr einen Brief.

„Ich bin so allein auf der Welt, Frau Schweigert, wie Sie. Bis auf die Genossen und Freunde. Im Sommer war es hier glühend heiß. Jetzt geht ein kalter Wind. Meine Malaria macht mir wieder zu schaffen. Ich weiß nicht, ob Sie das könnten, mir etwas Chinin zu beschaffen. Verzeihen Sie bitte.“

Bis jetzt hatte die Schweigert dahingelebt. Sie las ein paarmal den Brief und dachte nach. Wenn der Wirt der „Grappe d'Or“ in Toulouse brav und anständig war, dann war gewiß ihr Geld noch unberührt. Sie schrieb ihm. Frau Gonzalez stellte verwundert fest, daß etwas wie eine Erregung in die Schweigert gekommen war. Kurz darauf traf ein Brief des Wirtes ein. Er schickte das Geld zurück.

An einem Wintermorgen, sie hatte den Nachtzug benutzt, um rechtzeitig anzukommen, stand sie vor dem Lagertor, durchweht und verfroren. In ihrem Handkoffer lagen ein Päckchen Chinin und auch etwas warmes Zeug für den Reinhold Schanz. Erstaunt, ungehalten betrachtete sie die Baracken hinter dem Stacheldraht. Es war ein Glück, daß sie den Nachtzug genommen hatte. Denn da sie von keiner Behörde eine Erlaubnis besaß, brauchte sie Zeit, um sich hier Einlaß zu verschaffen.

Die Garde mobile am Tor wollte sie durchaus nicht ins Lager lassen. Da sie den Mann aber nicht verstand und nur immer denselben Namen sagte, holte er seinen Vorgesetzten. Mit diesem begab sich dasselbe, und er führte sie vor den

Leutnant. Der Leutnant sagte sich, daß die armselige Frau ihm bestimmt keinen Schaden bringen könnte. Auf seinen Befehl führte man sie in die leere Besuchsbaracke, und man holte den Reinhold Schanz.

Er sah rauh und verwildert aus. In seinem Gesicht lag ein großer Stolz. Um seinen Mund lag ein Zug von Spott über alles, was sich seinem jungen Leben entgegenstemmte. Dann ruhte sein Blick nachdenklich auf der Schweigert. Er dankte ihr für die Dinge, die sie aus dem Handkoffer nahm. Er hätte ihr gern über den Kopf gestrichen, aber er wagte es nicht recht.

Eines erzählte dem andern, wie sein Leben verlaufen war, seit sie sich im Lazarett getroffen hatten. Ein Soldat erschien und rief: „Fini!" Die Schweigert stand zögernd auf, der Soldat wartete vor der Tür. Reinhold brachte sie ein paar Schritte heraus. Im hellen Sonnenschein wehte ein eisiger Wind. Sie nahmen Abschied voneinander; da drehte er sich noch einmal um. Er bückte sich und sagte schnell: „Bald fahren die Gonzalez ab, viele fahren bald ab. Damit uns die Nazis nicht fangen, wenn der Krieg auch hierher kommt."

Der Soldat rief noch einmal: „Fini!" Er wartete aber ein wenig. Ihn dauerte die alte Frau, die da im eisigen Wind stand, zum Umblasen leicht und klein, und zu dem Mann hinaufsehen mußte, wie er sich auch bückte. Reinhold Schanz fuhr fort: „Ein paar Länder in Südamerika versprechen uns Asyl und Arbeitserlaubnis, auch die Schiffsbillette wird man uns schicken. Es helfen sich gegenseitig die Freunde der Spanischen Republik. Jetzt stellen wir eine Liste auf, wer mit uns fahren soll. Und Sie, Frau Schweigert, Sie sind die Mutter von Ernst, und Sie haben auch viel selbst getan. Sie sollen darum mit uns fahren. Wo sollen Sie sonst auch hin? Doch nicht zurück nach Algesheim?"

„Nein, nein", sagte Agathe Schweigert, „ich will mit euch."

Im Frühjahr 1941 schlief ich auf einer Antillen-Insel in einer Baracke mit vielen spanischen Frauen. Wir warteten alle auf Schiffe, um in die Länder zu fahren, die uns Asyl versprochen hatten.

Die spanischen Frauen sangen oft, sie waren erregt in Leid und Freude, in Sicherheit und Ungewißheit. Unter ihnen saß eine kleine dünne Frau, grau waren ihr Haar und ihr Gesicht, sie sah anders aus als die spanischen Frauen, sie war auch immer stumm.

Einmal, als sie einem Kind einen Knopf annähte, entfuhr es ihr auf deutsch: „Halt still!"

Ich fragte sie, woher sie stamme, und sie erwiderte: „Aus dem Rheinland, aus Algesheim."

Wir saßen an diesem Abend lange zusammen. Bald darauf fuhr ich ab. Ich weiß nicht, ob sie noch lebt. Hier steht, was ich von ihr weiß.

F. C. WEISKOPF

# Die Zigarre des Attentäters

Bis auf die Straßentafeln (die von den Nazis neu angebracht und nach der Befreiung mit roter Farbe überstrichen worden waren) schien die stille Staße am Hang des Rokoskahügels ganz unverändert. Unverändert sah auch das Haus von Frau M. aus, in dem wir fünf Jahre lang, zwischen dem dunklen Frühling 1933 und dem ebenso unheilschwangeren Frühling 1938, gewohnt hatten. Nur das Gartentor, einst kahl und weiß, war jetzt völlig von üppigem, grünem Efeu überwuchert.

Ich drückte auf den Klingelknopf.

Es rührte sich nichts.

Ich wartete eine Weile, schob dann die Efeublätter etwas auseinander und schaute durch das Loch.

Die Jasminbüsche waren stark in die Höhe geschossen. Auch gab es zwei neue Blumenbeete mit Astern und Dahlien. Sonst alles wie zuvor. Von den sechs Rosenstöcken trugen fünf schon, in Erwartung der ersten Rauhreifnächte, ihre Winterröcke aus Stroh; der sechste blühte noch. Es war der Stock, den Frau M. mit Stolz einen „garantiert echten Marschall-Niel“ zu nennen liebte, obwohl es sich offenbar nur um einen Bastard, noch dazu einen ziemlich struppigen, handelte.

Im ersten Stock des Hauses stand ein Fenster offen. In allen übrigen waren die Jalousien heruntergelassen. Das offene Fenster gehörte zu unserer ehemaligen Wohnung. Es war das Küchenfenster. Weil Frau M. eines Tages entdeckte, daß sie die Küche für sich selbst brauchte, mußten wir ausziehen. Der Verlust so guter, alter Mieter ging Frau M. sehr nahe. Andererseits sah die Zukunft damals – Hitler hatte gerade das benachbarte Österreich besetzt – nicht gerade heiter aus, und die Trennung von Mietern, deren Schriften schon seit geraumer Zeit auf der schwarzen Liste der Nazis standen, war vielleicht gar nicht so betrüblich für eine vernünftige und vorsichtige Hausbesitzerin.

Vernünftigkeit und Vorsicht waren in der Tat Frau M.s Lieblingstugenden. Sie führte bei jeder passenden Gelegenheit ihre „drei Regeln für ein geruhsames Leben" im Munde. Erstens: man exponiere sich nie für andere Leute. Zweitens: man errege nie Aufmerksamkeit, weder im guten noch im bösen Sinne. Drittens: man lasse die Finger von der Politik und kümmere sich nur um die eigene kleine Welt.

Wie mochte es Frau M. in all den Jahren ergangen sein?

Ich drückte nochmals auf den Klingelknopf.

Keine Antwort.

Aus einer Seitengasse, in der sie mit Reifen gespielt hatten, kamen zwei Jungen – etwa sechs und neun Jahre alt – zu mir herüber.

Der Kleinere sagte: „Wenn Sie Herrn Autotransport sprechen wollen, müssen Sie später kommen. Er ist tagsüber nicht hier, stimmt's, Edi?"

„Klar", sagte der ältere Junge, „er schläft nur hier. Seine Familie ist noch auf dem Land bei Verwandten."

Ich fragte, wer Herr Autotransport sei.

Der Kleine sagte: „Herr Král. Wir nennen ihn Autotransport, weil das lustiger ist. Stimmt's, Edi?"

„Klar", sagte Edi. „Es ist lustiger. Außerdem schreibt er sich so auf dem Schild."

Erst jetzt bemerkte ich an der Gartenmauer eine Tafel mit der Inschrift: „B. Král, Autotransport".

Ich fragte: „Wißt ihr vielleicht, was mit den Leuten passiert ist, die früher hier gewohnt haben?"

„Ach, die sind weg", sagte der Sechsjährige. „Das waren

Nazis, und deshalb mußten sie weg. Alle Nazis, die hier auf der Rokoska gewohnt haben, mußten weg. Die in unserem Haus auch." Er sah seinen Freund zustimmungheischend an. Und Edi bestätigte bereitwillig, daß die Nazis alle entweder geflohen oder nach der Befreiung des Landes vom Sicherheitskorps verhaftet worden waren.

„Und die Leute, die vor den Nazis hier gewohnt haben?" fragte ich.

„Die sind auch weg", sagte der Kleine. „Das waren Juden, die sind von den Nazis vergast worden. Alle Juden auf der Rokoska sind vergast worden. Die in unserem Haus auch."

Wieder sah er zustimmungheischend zu Edi auf, und wieder stimmte der bei. Jawohl, die Nazis hatten alle Juden von der Rokoska nach Polen geschickt und dort vergast. Frau M. und ihre Angehörigen waren etwas länger dageblieben (wahrscheinlich wegen der zwei nichtjüdischen Schwiegersöhne), aber nach Heydrichs Ankunft in Prag hatten auch sie den Weg nach Polen ins Vernichtungslager angetreten.

Der Sechsjährige fragte: „Wissen Sie alles über den Heydrich?"

„Nun, ich weiß einiges über ihn", antwortete ich, „gerade genug, will mir scheinen."

„Hm, wissen Sie, daß er in dieser Straße niedergeschossen wurde?"

Schon damals, im Frühsommer des Jahres 1942, als ich in einer kleinen Zeitung im nördlichen New Hampshire die erste ausführliche Beschreibung des Attentats auf den blutigen Reichsprotektor von Böhmen las, war mir klar, daß der Tatort nicht weit von meinem ehemaligen Wohnsitz liegen konnte. Aber daß es in „meiner" Straße gewesen war . . .

Währenddessen plapperte der Junge weiter: „Wissen Sie, wo die Straßenbahnhaltestelle oben auf der Höhe ist? Dort haben sie ihn angeschossen. Und gestorben ist er im Bulovka-Spital, hier rechts um die Ecke. Und der Mann, der ihn erschossen hat, ist durch unseren Hof geflohen. Der Wirt weiter unten hat noch eine Zigarre von ihm. Stimmt's, Edi?"

Zum ersten Male blieb die Zustimmung aus. „Das war nicht der Mann, der Heydrich erschossen hat", erklärte Edi gewichtig, „er wollte schießen, aber sein Handmaschinengewehr ist nicht losgegangen. Klicks machte es, und das war alles. Glücklicherweise waren sie zu zweit. Und der zweite hatte eine Handgranate. Die ging los: päng, dum dum dum."

Der Kleinere rief ärgerlich: „Na, und wennschon. Aber der, von dem ich gesprochen habe, rannte durch unseren Hof, stimmt's? Und er fuhr dann den SS-Mann um, stimmt's? Und seine Zigarre hat der Wirt unten, stimmt's?"

Edi nickte versöhnlich. „Das ist wahr, das mit der Zigarre."

„Aha, sehen Sie, es ist seine Zigarre", sagte der Kleine. „Wenn Sie alles darüber hören wollen, gehen Sie hin und lassen Sie sich's von dem Wirt erzählen."

„Klar", meinte Edi, „gehn Sie nur hin."

Aus der Seitengasse tönte eine Frauenstimme: „Edi, Rudi! Essen!"

„Jaa . . .", schrien die Jungen aus einem Mund und fegten davon.

Ich spähte noch einmal in den Garten, der sich plötzlich mit dem Treiben einer sonntäglichen Kaffeegesellschaft zu füllen schien.

Frau M. hatte ihre Kaffeegesellschaften auf einige wenige „Auserwählte" beschränkt, acht oder neun Freunde und Verwandte, die nach ihren Lebensregeln lebten. Keiner von ihnen exponierte sich für andere. Keiner erregte öffentliche Aufmerksamkeit. Jeder einzelne hielt sich von der bösen Politik fern und hockte in seiner kleinen Welt . . . bis eines Tages die Politik und die große Welt über sie hereinbrachen und sie zerdrückten.

Ein Windstoß fuhr durch den Garten, entführte eine Handvoll Rosenblätter und die Schatten der Kaffeegesellschaft.

Mich fröstelte. Ich machte mich eilends davon.

Die Tür der Kneipe wurde aufgestoßen, gerade als ich vorbeiging, und der Wirt, ein kurzbeiniger Mann mit einem

Katergesicht, trat auf die Schwelle, um frische Luft zu schöpfen.

Verwundert starrte er mich an. Ich war nicht oft in seine Kneipe gekommen, aber hie und da hatte ich dort einen Krug Bier oder ein paar Sodawasserflaschen geholt. Daran schien er sich nun zu erinnern. „Guten Tag", rief er mir zu. „Sagen Sie, Herr, haben Sie nicht hier in der Nachbarschaft gewohnt . . . so um das Jahr . . . ah?"

„Ganz recht. Vor dem Krieg. Oben im Haus von Frau M."

„Natürlich", sagte er. „Sie sind der Schriftsteller. Ich wußte auf den ersten Blick: Den Mann kenne ich doch. Also sind Sie zurückgekommen. Wollen Sie jetzt hierbleiben? Ich habe mal gehört, daß Sie in Amerika sind. Tatsächlich? Also da müssen Sie hereinspazieren und einen Schluck trinken. Auf Kosten des Unternehmens selbstverständlich." Er faßte mich am Arm und zog mich in die Kneipe.

Im Schankraum waren drei Gäste. Sie saßen an einem Tisch im Hintergrund und unterhielten sich halblaut. Bei unserem Eintritt blickten sie für eine Weile auf, setzten dann aber ihr Gespräch fort.

Alles war ruhig, ordentlich, sauber. Rotweiß karierte Tischtücher, frisch geweißte Wände, glänzende Messinghähne, blitzende Bier- und Schnapsgläser.

„Das Smichover ist noch nicht so stark wie vor dem Krieg, aber wenigstens haben wir schon richtige, gute Hähne gekriegt", sagte der Wirt, während er das helle Bier in zwei Seidel fließen ließ. Seine Hand liebkoste das blanke Messing. „Es ist ein Vergnügen, die hier anzudrehen. Im Krieg mußte ich meine alten Hähne abgeben und konnte keinen halbwegs anständigen Ersatz kriegen. Ich kann Ihnen verraten, es hat mich melancholisch gemacht: ich konnte die Dinger stundenlang polieren, und sie blieben stumpf und schmutzig wie . . . wie . . . na, einfach scheußlich."

Der Wirt setzte den Seideln hohe Mützen aus Schaum auf und trug sie zu dem Tisch im Hintergrund, wobei er mir ein Zeichen gab, ihm zu folgen.

„Die drei Herrschaften sind Freunde von mir", erklärte er, „nicht bloße Stammgäste. Darf ich vorstellen?"

Der jüngste von den dreien, ein Vetter der Wirtin, war Feldwebel in einem Sappeurregiment. Seine Ordensbänder verrieten, daß er in der tschechoslowakischen Auslandsarmee gedient und an einer guten Anzahl von Gefechten teilgenommen hatte. Der zweite arbeitete im Bulovka-Krankenhaus als eine Art „Monteur für alles". Er war dürr, grauhaarig, kurzsichtig; seine verbogene Brille saß unsicher auf dem großen Nasenhöcker; man hatte den Eindruck, sie werde im nächsten Augenblick herunterrutschen. Der dritte, ein einarmiger Invalide des ersten Weltkriegs, war Tabaktrafikant.

„Prost", der Wirt hob mir sein Glas entgegen, „auf Ihre Rückkehr!"

Wir tranken.

„Also Sie sind ein Schriftsteller", sagte der Monteur. „Da haben Sie sich hier den richtigen Platz ausgesucht. Wenn Sie nämlich eine prima Geschichte hören wollen, die Sie nachher aufschreiben können. Glaubst du nicht auch, Wirt?"

Der Wirt grunzte beifällig, während er die leeren Biergläser einsammelte. „Das will ich meinen. Was mich anlangt, so kann ich Ihnen mehr erzählen, als in zwei Bücher, so dick wie ‚Der Graf von Monte Christo', hineingeht. Haben Sie je davon gehört, daß dieser Gabčik hier war, knapp bevor er mit seinem Kollegen auf die Heydrichjagd gegangen ist?"

„Um Gottes willen!" rief der Trafikant und streckte seinen Arm klagend in die Höhe. „Die Geschichte haben wir mindestens schon hundertmal gehört."

„Jetzt paß mal auf", sagte der Wirt, „hast du nicht mehr als hundert große Helle hinter die Binde gegossen? Ja? Na siehst du, und trotzdem bestellst du dir immer wieder eins. Und überhaupt: Ich will die Geschichte ja gar nicht dir erzählen, sondern dem Herrn hier, der sie sicher noch nie gehört hat und den so was interessieren muß. Ganz abgesehen davon, daß ich mich einfach nicht über den Fall hinwegsetzen kann: Da kommt so ein Mensch herein, zu dir an die

Theke, und du unterhältst dich mit ihm, und dann geht er hin . . ."

Er mußte abbrechen. Drei Kinder mit großen Krügen kamen herein, um Bier fürs Abendessen zu holen. Während sie bedient wurden, stellten sich einige weitere Kunden ein.

„Zu dumm", sagte der Monteur, „jetzt werden Sie wer weiß wie lange auf die Geschichte warten müssen."

Ich fragte: „Handelt sie vielleicht von einer Zigarre?"

„Habt ihr gehört", schrie der Monteur, „er hat sogar in Amerika von der Zigarre erfahren."

„Immer mit der Vorsicht, Freundchen", warnte der Einarmige, „du wirst noch deine Brille verlieren, wenn du dich so aufregst."

„Nur keine Angst", entgegnete der Monteur und fing die fallende Brille mit einer Bewegung, die Übung verriet, auf. „Immer noch besser, man erregt sich, als man schläft zur falschen Zeit." Er wandte sich an mich. „Das hat nämlich unser Kollege hier gemacht, sonst hätte er eine Geschichte zu erzählen, und was für eine! Bitte stellen Sie sich vor: im zweiundvierziger Jahr hatte er seine Tabaktrafik oben auf dem Hügel, genau gegenüber der Stelle, wo die zwei Fallschirmspringer das Auto von Heydrich angegriffen haben. Aber ausgerechnet da mußte er sein Nickerchen machen. Was sagen Sie dazu?"

„Gut, gut, ich machte mein Nickerchen", brummte der Trafikant. „Was hätt ich denn sonst tun sollen an einem Mittwoch um zehn? Den Tabak und die Zigaretten hatten sich die Kunden auf ihre Karten schon am Montag geholt, und die Morgenzeitungen waren um die Zeit auch schon alle verkauft . . . Ich hatte natürlich die zwei Männer auf ihren Fahrrädern ankommen sehen. Sie standen eine hübsche Weile an der Straßenbiegung. Heydrich war nämlich gerade an jenem Tag spät dran. Die zwei mußten fast anderthalb Stunden warten, ehe sie das verabredete Spiegelsignal von zwei Helfern, weiter weg, kriegten. Aber niemand beachtete sie. Vielleicht dachten die Leute, daß die zwei von der Gestapo waren und die Straße bewachten, auf der Heydrich jeden Morgen von seinem Landsitz nach der Prager Burg fuhr. Aber ob Sie's nun glauben oder nicht: Es war kein Gestapospitzel, kein SS-Mann, überhaupt keine Amtsperson da, und die zwei, Gabčik und Kubiš, konnten ihr Attentat ungestört ausführen, dann noch den Chauffeur, der hinter ihnen her war, niederknallen und auf ihren Rädern davonfahren."

„Ja, das kommt von der berühmten deutschen Organisation", sagte der Monteur. „Genauso war es im Spital. Wissen Sie, daß man den Herrn Reichsprotektor in einem Lastauto hingeschafft hat? In einem ordinären alten Lastauto. Er lag auf ein paar Kisten und Ballen, und mit ihm war der Lastwagenchauffeur und ein tschechischer Protektoratspolizist. Aber als sie dann angerückt kamen, gleich eine ganze Kompanie stark, Totenkopf-SS und solche Brüder, mußten alle tschechischen Patienten aus dem chirurgischen Pavillon hinaus. Und alle Fenster in den umliegenden Pavillons wurden verschalt. Es sollte niemand auch nur einen Blick nach dem Zimmer werfen dürfen, wo er lag. Bloß ein Fenster vergaßen sie, ein Abortfenster, aus dem man durch eine Glastür direkt in das Zimmer schauen konnte. Es waren nur seine Füße zu sehen, aber ich versichere Ihnen, man merkte es den Füßen an, daß die Bestie auf dem letzten Loch pfiff. Natürlich mußte jeder Tscheche unter dem Krankenhauspersonal mindestens einmal am Vormittag und einmal am Nachmittag auf den betreffenden Abort. Das ging so über eine Woche lang, bis der Heydrich endlich abkratzte."

Der Raum vor der Theke leerte sich. Die Frau des Wirts kam, um ihn abzulösen, und er setzte sich wieder zu uns an den Tisch.

„Ich hoffe, ihr habt unterdessen nicht in meinem Revier gewildert", sagte er und blickte die drei Freunde der Reihe nach durchdringend an.

Der Einarmige winkte ab. „Es wird langsam Zeit, daß du deine alte Geschichte los wirst, sonst muß der Herr noch hier übernachten."

„Richtig“, fiel die Wirtsfrau ein, „mein Alter verschwendet immer so viel Zeit. Zum Beispiel: Wenn ich nicht gewesen wäre, er hätte diesen Gabčik überhaupt nicht zu Gesicht gekriegt, sondern alles verschlafen.“

„Na, na, na, Marie, du weißt ganz gut, daß an dem betreffenden Tag die Reihe an dir war, zuerst aufzustehen“, erwiderte ihr Mann.

„Einerlei“, sagte sie kichernd, „ich mußte dir dreimal sagen, daß ich mich an einem Waschtag nicht auch noch um einen verrückten frühen Gast kümmern kann. Sonst wärst du gar nicht aus dem Bett gekrochen.“

Der Wirt zwinkerte nachsichtig. „In Ordnung, Marie. Du hast damals recht gehabt, wie immer. Wie immer, sage ich. Bist du jetzt zufrieden? Gut, also, ich stehe auf und gehe in den Schankraum. Da steht er an der Theke, ein ziemlich kleiner Bursche mit roten Backen und sehr viel Haar, braunem Haar. Die Ballonkappe und den Regenmantel, die dann später auf all den Plakaten mit der Zwanzig-Millionen-Belohnung abgebildet waren, hatte er auf die Theke gelegt. Aber seine Aktenmappe hielt er die ganze Zeit unterm Arm. Die ganze Zeit . . . Er wollte was zu essen haben, und ich sagte: ‚Es ist Rollmops hier, sonst nichts.‘ Aber für Rollmops hatte er nichts übrig. Ob ich vielleicht Hämeneggs habe, wollte er wissen. Er sagte es in englisch – Hämeneggs –, und es war natürlich ein Spaß, denn wo sollte unsereins damals Schinken und Eier hernehmen? Dann mußte ich ihm das Telefon zeigen. Er drehte eine Nummer und fragte nach einem Mädchen, aber dann sagte er gar nichts zu ihr. Er wollte nur eben ihre Stimme hören. Nach der Befreiung habe ich irgendwo gelesen, daß er mit der Tochter des Ehepaars verlobt war, bei dem er Unterschlupf gefunden hatte. Die Nazis haben die ganze Familie erschossen; das Mädchen war kaum zwanzig Jahre alt. Nach dem Telefonieren wollte er wissen, ob ich Schnaps habe. Ich sagte ihm: ‚Wissen Sie nicht, daß an tschechische Zivilisten kein Schnaps verkauft werden darf?‘ Er grinste nur und meinte, daß das vielleicht in irgendeiner Verordnung stehe, daß ich doch aber sicher einen kleinen Schnaps für einen wirklich guten tschechischen Kunden habe. Ich schaute mir ihn daraufhin noch einmal an und nahm dann eins von den Likörgläsern vom Wandbrett herunter. Aber er sagte, ich solle zwei Gläser herunternehmen, und nicht gerade die kleinsten. Na, und dann tranken wir je drei Sliwowitze."

„Das ging wie der Wind, kann ich Ihnen sagen", unterbrach ihn die Wirtin. „Eins, zwei, drei, war die halbe Flasche leer. Aber als ich meinen Alten darauf aufmerksam machte, daß das unsere vorletzte Flasche war, lachte der Gabčik bloß und meinte, bei gewissen freudigen Gelegenheiten darf man nicht kleinlich sein. Er hatte, scheint's, Eile, denn er schaute fortwährend nach der Uhr, aber dabei war er nicht etwa aufgeregt, was, Karl?"

„Nicht die Bohne. Er war ruhig und sicher wie ein Baumklotz. Wir tranken noch je einen Sliwowitz. Dann wollte er zahlen. Ich sagte ihm: ‚Herr, ich kann Ihnen keinen Preis nennen.' Er lachte darauf und sagte: ‚Sind fünfzehn Kronen für das Glas genug?' Das war aber genau der Preis, den man damals auf dem schwarzen Markt für einen Schnaps zahlte. Sie sehen, er kannte sich aus. Ein Kerl eben! Er zahlte für acht Glas. Ich sagte: ‚Das ist zuviel, Herr. Vier gehen auf meine Rechnung.' Aber davon wollte er nichts wissen. ‚Glauben Sie, ich bin auf der Brennsuppe dahergeschwommen?' fragte er und schlug auf seine Brieftasche. Sie war gespickt mit großen Scheinen. Gespickt, sage ich Ihnen."

Wieder fiel ihm die Frau in die Rede: „Und du, schlau wie du nun einmal bist, hast ihn für einen Einbrecher oder Geldmacher gehalten!"

Der Wirt schielte sie über die Schulter an. „Und wer hat mir zugestimmt, Liebling? Wer hat gar wollen, daß ich ... na, schon gut, schon gut, wir wollen keinen Streit anfangen. Übrigens kriegte er es ein bißchen mit der Angst zu tun. Warum sonst hätte er mir gesagt, ich soll vergessen, wovon er geredet hat? In der Tür drehte er sich dann nochmals um und fragte mich, ob ich eine Zigarre haben möchte. Mir wäre eine Zigarette lieber gewesen, aber er gab mir eine Zigarre, weil das angeblich ein besseres Souvenir ist."

Ein ganzer Schwarm neuer Kunden drängte sich durch die Kneipentür, und der Wirt eilte zur Theke.

„Ein Mordskerl, dieser Gabčik, finden Sie nicht?" bemerkte der Monteur.

„Gewiß", antwortete ich, „nur scheint mir . . ."

Ich zögerte, den Satz zu vollenden. Da begann der Feldwebel, der bisher schweigend und gleichsam uninteressiert dagesessen hatte, zu sprechen. „Nur scheint Ihnen, daß er ein bißchen zu tollkühn und unvorsichtig war, nicht wahr?" Er fuhr fort, ohne erst auf meine Bestätigung zu warten. „Ich will ihm beileibe nichts wegnehmen von seiner Statur. Er war ein Mann mit Kurasche im Leib, alles, was recht ist. Ich erinnere mich noch, mit welcher Genugtuung uns die Nachricht von dem Attentat auf Heydrich erfüllte. Mich und alle meine Kameraden im Übungslager von Busuluk, wo unsere erste tschechoslowakische Brigade darauf wartete, an die ukrainische Front zu gehen. Wir waren freilich der Meinung, daß es sich um ein Unternehmen von Untergrundkämpfern handelte. Und wenn Untergrundkämpfer das Attentat ausgeführt hätten, wäre es auch viel besser gewesen. Denn sehen Sie, diese Fallschirmspringer, die da von England nach Böhmen geschickt wurden, waren zwei tapfere und aufopferungsvolle Burschen, aber es fehlte ihnen gerade das, was die Partisanen hatten: politisches Verständnis. Sie waren ausgezeichnet geschulte Soldaten, für ein Sonderunternehmen gedrillt. Aber das ist nicht genug, wenn man im Untergrundkampf eingesetzt wird. Es mag Ihnen seltsam vorkommen, daß ich als Soldat so rede. Aber ich war in der Slowakei, bei den Partisanen, und da hab ich gelernt – wie ein gebranntes Kind lernt, mit dem Feuer umzugehen –, daß man in dieser Sorte Krieg ebensoviel vom militärischen Handwerk wie von der Politik verstehen muß. Und weil die Herren, die darüber bestimmten, wer für Fallschirmexpeditionen ausgesucht werden sollte, sich nur von militärischen Gesichtspunkten leiten ließen, ohne die politische Seite der Angelegenheit zu beachten, griffen sie natürlich immer wieder daneben. So erklärt es sich, daß unter den Fallschirmspringern Typen waren wie dieser Čurda, der die Nerven verlor und alle Kameraden der Gestapo verriet. Aber selbst wenn das nicht geschehen wäre, hätte man mehr erreicht, wenn die Fallschirmspringer nicht unabhängig von der Untergrundarmee, sondern in ihrem Rahmen gehandelt hätten ... Aber tapfer waren sie. Bis zum bittern Ende. Wie sie sich geschlagen haben, sieben gegen fünfhundert, in der halb überschwemmten Krypta der Kyrill-und-Methodius-Kirche ... also, das macht ihnen so leicht keiner nach."

Der Feldwebel schwieg.

Eine Weile lag Stille über unserer Runde.

Dann kam der Wirt wieder herüber. „Was ist los", rief er aus. „Er war ein lustiger Kerl, dieser Gabčik, und ich bin sicher, er würde sich im Grab umdrehen, wenn er wüßte, daß wir hier mit hängenden Köpfen an ihn denken. Da, stoßt an: auf sein Andenken!" Er sog den Schaum von den Fransen seines Katerbarts und fügte hinzu: „Jammerschade, daß seine Zigarre hin ist."

„Hin?" stieß ich hervor. „Ja, wie ist denn das passiert?"

„Wie das passiert ist? Geraucht hat er sie", sagte die Wirtin. „Oder glauben Sie etwa, ein Mannsbild kann der kleinsten Versuchung widerstehen? Wie's mal geheißen hat, es gibt jetzt vierzehn Tage lang keine Zuteilung auf die Raucherkarten, hat er die Zigarre hervorgeholt und zu Pfeifentabak zerschnitten ... Wenn er wenigstens ein Ende aufgehoben hätte! Das wäre heute ein unschätzbares Museumsstück. Wir könnten es hier haben, eingerahmt und unter Glas, als Attraktion; oder wir könnten es stückchenweise verkaufen, wie es die Dominikaner mit dem Holz von dem Speer gemacht haben, mit dem der heilige Wenzel erstochen worden ist. Steinreich hätte man daran werden können. Und er, was hat er davon gehabt! Rauch, Rauch. Ein bissel Rauch."

Der Wirt ließ sich weder durch ihre Worte noch durch die lebhaften anklägerischen Handbewegungen aus der Ruhe bringen.

„Ja, siehst du, Marie“, meinte er und strich sich seinen Katerbart, „vielleicht ist gerade das die eigentliche Ursache. Vielleicht habe ich gerade darum die Zigarre geraucht. Nämlich: Es geht mir nun mal gegen den Strich, auf Kosten von einem Märtyrer reich zu werden.“

WILLI BREDEL

# Frühlingssonate

An einem Hochsommertag des Jahres 1945 meldete der Offizier vom Dienst dem Kommandanten von Rostock, die Militärpolizei habe Hauptmann Nikolai Pritzker arretiert. In betrunkenem Zustand habe der sowjetische Offizier die Wohnungseinrichtung eines deutschen Professors demoliert und die Familienmitglieder bedroht.

Oberst Pernikow ließ den Kopf sinken. Pritzker gehörte zur Politabteilung seines Regiments. Der kleine, schmächtige und immer verträumte Hauptmann demolierte in fremden Häusern Wohnungseinrichtungen? War der Satan in den Mann gefahren? Der Oberst hatte beide Hände vor sich auf dem Tisch liegen; sie ballten sich zu Fäusten. Da wagten andere ihr Leben, um die Stadt vor Banditen zu schützen, und dieser Offizier benahm sich wie ein Rowdy!

Er hob den Blick. „Wo ist er?"

„Im Arrestkeller, Genosse Kommandant!"

Pernikow erhob sich. „Kommen Sie mit mir!"

In der schmalen Kammer, die als Arrestzelle diente, lag der Hauptmann, wie leblos, mit angezogenen Beinen, auf einer kahlen Holzpritsche. Der Oberst trat zu ihm. „Einen Eimer Wasser!" befahl er dem Wachoffizier. Er riß den Schlafenden hoch, packte ihn mit beiden Händen und schüttelte ihn. Der Betrunkene versuchte, die Augen zu öffnen. Er lallte. Speichel troff ihm aus dem Mund. „Wachen Sie auf, Mann!" Der Hauptmann hob abwehrend die Hand, dabei traf er den Oberst unglücklich ins Auge. Pernikow konnte sich nicht mehr beherrschen – er schlug zurück, ließ den Betrunkenen zu Boden fallen und verließ die Zelle. Der Wachoffizier, ein Leutnant, hob ihn wieder auf die Pritsche. Da hörte er von draußen den Posten rufen: „Genosse Leutnant! Genosse Leutnant, schnell, kommen Sie!"

Oberst Pernikow hielt auf dem Kellergang einen Treppenpfosten umklammert. Er stöhnte. Schweiß stand ihm auf der Stirn.

„Was haben Sie, Genosse Kommandant?" Der Offizier stützte Pernikow.

Der flüsterte mit schwacher Stimme: „Nach Hause! Bringen Sie mich nach Hause, Genosse."

Thomas Waiß erfuhr, was sich in der Wohnung des Professors abgespielt hatte, und rief Kowalenko an. Aber der war über Land gefahren und wurde erst am späten Abend zurückerwartet.

Greta drängte Thomas, er solle sofort mit dem Professor sprechen. Am besten sei es, ihn und seine Frau einzuladen.

Professor Manfred Rinberger, hochgewachsen, mit länglichem Gelehrtenschädel und angegrautem Haar, folgte auf der Stelle dieser Aufforderung zu einem Besuch. Seine Haltung war herzlich und ungezwungen. Seine Frau hingegen, das dunkelblonde Haar in Schnecken an den Ohren aufgesteckt, blieb zurückhaltend und schweigsam.

„Ich kann mir schon denken, Herr Oberbürgermeister, weshalb Sie uns hergebeten haben", begann der Professor. „Es war der sehr unglückliche Abschluß einer Reihe von schönen Abenden."

„Allzu betroffen scheinen Sie nicht zu sein, obwohl doch Ihre Wohnungseinrichtung beschädigt wurde", meinte Greta, während sie den Tisch deckte.

„Der Schaden ist halb so arg; der Schreck war schlimmer. Aber das muß im Zusammenhang erzählt werden. Die Vorgeschichte ist das Wichtigste."

Thomas und Greta baten ihn, zu berichten.

„Sie werden uns wahrscheinlich für hoffnungslos altmodisch halten“, begann der Professor, „wenn ich Ihnen verrate, daß wir zu Hause weder ein Grammophon noch ein Rundfunkgerät haben. Aber Sie finden dafür bei uns einen Flügel, auch ein Cello, eine Bratsche, Violine und Flöte und im Zimmer meiner Frau ein Spinett. Wir pflegen die Hausmusik. Sie hat meine Frau und mich zusammengeführt, in der Wandervogelbewegung, wo wir uns kennengelernt haben. Wandern und Musizieren sind seitdem unsere Liebhaberei geblieben. Wenn ich in meinem Labor zwischen Reagenzgläsern, Tiegeln und Geräten nicht vertrocknet, in den Dämpfen der Chemikalien nicht versauert bin, so verdanke ich es der Musik. Über wieviel Schweres hat sie uns hinweggeholfen, wie viele böse Tage hat sie uns verklärt. Immer wieder hat sie uns aufgerichtet und uns mit neuem Lebensmut erfüllt.

Etwa Mitte vorigen Monats nun begann es. Ich erinnere mich noch gut, wir hatten ein Brahms-Quartett eingeübt, und Ruthilde, unsere Älteste, die Violine spielt, kam mit ihrem Solopart nicht zurecht; wir wiederholten wieder und wieder. Da klopfte es bei uns. Leise nur, zaghaft geradezu. Wir sahen uns erstaunt an, denn der Abend war schon vorgeschritten. Meine Frau ging, um nachzusehen. Mit verstörtem Gesicht kam sie ins Wohnzimmer zurück. ‚Was gibt's?‘ fragte ich und erhob mich beunruhigt, als auch schon ein uniformierter Russe in der Tür auftauchte. Ich blieb stehen. Meine Frau, die Kinder, wir alle starrten erschrocken auf den Eindringling.

Man erzählt soviel Unerfreuliches von den Russen, und auch wir sahen in diesem unerwarteten Besuch nichts Gutes. Dann freilich fand ich, daß der Fremdling recht harmlos aussah. Beinahe schüchtern stand er im Türrahmen und blickte aus großen dunklen Augen auf uns. Als er seine Mütze abnahm, sah man einen dunklen Wuschelkopf, dichtes, krauses Haar. Ich weiß nicht, wie lange wir uns gegenseitig schweigend angestarrt haben. Als ich einen Schritt auf ihn zuging und etwas sagen wollte, hob er die Hand und flüsterte, es klang fast bittend: ‚Ni-icht Angst ha-aben, bi-itte. Ich hören Musik. Ich lieben Musik. Bi-itte, ich hören darf Musik?' Da mußte ich lächeln, wir alle mußten lächeln. ‚Kommen Sie herein', sagte ich, ‚seien Sie unser Gast.' Ich gab ihm die Hand, er nahm sie und wiederholte: ‚Ich nur hören Musik. Bi-itte.' Er zeigte auf einen Stuhl am Fenster. ‚Ich hier sitzen und hören Musik, ja?'

Er setzte sich, die Mütze vor sich auf den Knien. Kerzengerade saß er da, und seine dunklen Augen glänzten. Was blieb uns anderes übrig, als weiterzuspielen? Na, dachte ich, diesmal wird es bestimmt nicht klappen, die Kinder werden viel zu aufgeregt sein. Und erst meine Frau!

Aber gerade sie ging an den Flügel, als wäre absolut nichts geschehen, setzte sich und lächelte mir aufmunternd zu. Ich sah auf die beiden Mädchen, die ihre Instrumente stimmten und dabei neugierig zu dem Offizier hinüberschielten. Besonders Irmgart zeigte sich ganz unbefangen, und Hans, unser Jüngster, der die Flöte bläst, stellte sich neben seine Mutter, um ihr das Notenblatt umzuschlagen.

Wir spielten dann ein Streichquartett von Tartini, ich erinnere mich genau, und es war, fand ich, wirklich und wahrhaftig eine Freude, uns zuzuhören. Die Einsätze gelangen; unser Zusammenspiel war vorzüglich. Es war, als gebe sich jeder besondere Mühe, seit wir einen Zuhörer, also Publikum, hatten. Der Russe saß unbeweglich auf seinem Stuhl, als hätte er einen Stock verschluckt, steif und mucksmäuschenstill; einzig seine dunklen Augen sahen zuweilen freundlich hierhin und dahin. Als wir geendet hatten und Miene machten, die Instrumente beiseite zu stellen, bat er ‚Bi-itte noch!' und lächelte glücklich. Ich wollte nicht, denn ich fürchtete, unser Gast würde nach jedem Musikstück sein ‚Bi-itte noch!' wiederholen; aber meine Frau zwinkerte mir zu und zeigte auf die Noten, die sie schon aufgeschlagen hatte. Ich verständigte flüsternd unsere Töchter, und wir intonierten den zweiten Satz Andante aus Mozarts Quatuor in g-Moll, unser Bravourstück, wenn ich so sagen darf, das wir gerne spielen und fehlerlos.

Der Russe glich einer Buddhafigur; nicht ein Muskel in seinem Gesicht bewegte sich, und doch wollte uns allen scheinen, daß sein Gesicht vor Glück strahlte. ‚Wie ein Napfkuchen‘, behauptete hinterher Irmgart, die eine freche Göre ist.

Als wir dann noch die ‚Kleine Nachtmusik‘ gespielt hatten, erhob sich der Russe, verbeugte sich und sagte: ‚Ich danke serr vielmals!‘ Er gab jedem die Hand, erst meiner Frau, dann mir, den Töchtern und Hans. An der Türschwelle drehte er sich noch einmal um und verbeugte sich, bevor er das Haus verließ. Als wir die Tür hinter ihm verschlossen hatten, war uns – offen gestanden – doch wohler. Und nun lachten wir; besonders die Kinder amüsierten sich über das merkwürdige Erlebnis.

Am nächsten Abend spielten wir nicht; meine Frau und die Töchter waren bei meiner Schwester eingeladen, die in Biestow eine kleine Landwirtschaft besitzt. Wenn Biestow auch nur einige Kilometer von Rostock entfernt liegt, so ist doch die Reise dahin ohne Wagen, ohne Bahn ein richtiges Abenteuer. Aber diese Besuche sind für uns lebenswichtig, denn sie füllen ein wenig unsere Speisekammer.

Am Abend darauf zögerten wir allen Ernstes, ob wir musizieren sollten; womöglich lockten wir damit wieder unseren musikbesessenen Russen herbei. ‚Ach was!‘ sagten wir uns schließlich. ‚Der kommt nicht wieder!‘ Dabei hatte ich die Kinder im Verdacht, sie wünschten, daß er wiederkäme. Also wir spielten. Kaum hatten wir angefangen, klopfte es. ‚Da ist er!‘ riefen die Mädchen und kicherten. Er war es wirklich. ‚Darf ich?‘ fragte er an der Haustür. Sein Stuhl stand bereits am Fenster. Er verbeugte sich, begrüßte jeden, ging an seinen Stuhl und setzte sich.

Er kam kurz nach acht Uhr und ging gegen elf. Während dieser Zeit saß er wie versteinert und sagte nicht ein einziges Wort. Wir übten, brachen mitten im Spiel ab, wenn ein

Einsatz nicht gelungen war oder das Zusammenspiel zu wünschen übrigließ, und vergaßen beinahe die Anwesenheit des Russen. Die Kinder lachten, neckten sich und machten ihre Späße. Der Russe saß da, seine großen Augen blickten freudig, oft verwundert, mitunter aber auch traurig.

Am folgenden Tag brachte er ein Paket mit und legte es schweigend auf den Tisch. ‚Für Ihnen!‘ sagte er zu meiner Frau. ‚Für alle!‘ setzte er dann hinzu. Es war ein großer Laib Brot, eine Büchse mit Fleisch- und eine andere mit Fischkonserven. Sosehr wir auch in ihn drangen, die Sachen wieder mitzunehmen, so anschaulich wir ihm auch klarzumachen versuchten, wir kämen schon durch, er lächelte und wiederholte: ‚Für alle!‘ Erst nachdem er gegangen war, fiel uns auf, was er damit gemeint haben mochte. Für alle, das hieß wohl: auch für ihn. Es war uns sehr peinlich, daß wir erst so spät daraufgekommen waren.

Am nächsten Abend warteten wir mit dem Abendbrot, bis er da war. Er brachte diesmal ein großes Stück Butter mit, eine Rarität, wie Sie wissen. Und er aß mit uns. Ich muß Ihnen sagen, er war ein angenehmer Gast; ich gestehe, daß ich anfangs gewisse Befürchtungen hatte. Unser Hauptmann aber – er hieß übrigens Pritzker, ein Jude, vermute ich – zeigte sich in jeder Hinsicht als ein Mensch von Bildung und Manieren. Er wurde gesprächig, antwortete witzig und schlagfertig und lachte mit den Mädchen um die Wette, oft genug aus reiner Lachlust.

So ergab es sich, daß Hauptmann Pritzker mit der Zeit beinahe zur Hausgemeinschaft zählte und für ein Ausbleiben – das kam nur ein- oder zweimal vor – am folgenden Tag gescholten wurde.

Er hätte gewiß jeden Abend Lebensmittel mitgebracht, wenn meine Frau es sich nicht energisch verbeten hätte. Dann und wann aber ließen wir uns ein paar Kleinigkeiten gefallen. Eines Abends brachte er eine Flasche Wodka mit. Aber er schien kein Trinker zu sein, er nippte nur an seinem Glas. Ich erinnere mich, daß unsere Ruthilde ihn bei Tisch fragte, ob er verheiratet sei. Da wurde er auf einmal verstört und blaß, und in seinen Augen zuckte es. Mit einem Kopfschütteln verneinte er. Heute, wo ich mehr weiß als damals, verstehe ich auch, weshalb er an diesem Abend so auffallend schweigsam blieb. Eines der Mädchen fragte ihn nach seinem musikalischen Lieblingsstück. Er antwortete mit leiser, fast zitternder Stimme: ‚Die Frühlingssonate von Beethoven.'

Frühlingssonate? Ich wußte nicht gleich, welche es sein könnte. Die Mädchen gaben keine Ruh und durchstöberten am nächsten Tag Bücher und Notenhefte, bis sie herausgefunden hatten, daß Beethovens Sonate in F-Dur, Opus 24, gemeint war. Sie beschlossen, unsern russischen Gast und Musikfreund mit seinem Lieblingsstück zu überraschen, und quengelten so lange, bis ich einwilligte.

Die Sonate in F-Dur ist ein Frühwerk Beethovens; das tragende Motiv besitzt noch, wenn ich so sagen darf, Mozartsche Anklänge, besonders im ersten Satz. Aber schon der zweite Satz, das Adagio, ist in seiner Ausdruckskraft ein ganzer Beethoven, vortrefflich korrespondieren Klavier und Violine miteinander. Ruthilde entschied sich sogleich für das Adagio. Ich aber hatte – ich sagte es schon, nicht wahr? – ein ungutes Gefühl. Wenn ich aber sagen sollte, weshalb, wüßte ich keine Antwort zu geben. War es das schwierige Violinsolo? War es mehr? Eine unklare Vorahnung?

Meine Frau und Ruthilde übten am Tage, denn Hauptmann Pritzker sollte ja überrascht werden. Ruthilde übertraf sich selbst, sie führte den Bogen, daß es eine Freude war; zart und doch kräftig, dann wieder klagend, fragend und zugleich wie weltentrückt.

Für den Abend, an dem wir die Frühlingssonate spielen wollten, hatten wir ein kleines Fest vorbereitet. Der Tisch wurde besonders schön gedeckt. Meine Frau hatte, ich weiß heute noch nicht, woher, einige Flaschen Bier beschafft. Auch war von dem Wodka ein Rest übriggeblieben, der nun in einer kleinen Karaffe auf dem Tisch stand. Feuerrote Gladiolen schmückten die Tafel.

Der Hauptmann erschien, und wir sahen auf den ersten Blick, daß er getrunken haben mußte. Er sprach etwas schwer und undeutlich. Ruthilde war traurig und enttäuscht. Sie flüsterte mir zu: ‚Nicht einen Tropfen hätte er getrunken, wenn er geahnt hätte, was wir heute vorhaben!' Ich nickte und tröstete sie. Heute möchte ich sagen: Er hat geahnt, wenn nicht gar gewußt, welch Überraschung auf ihn wartete; es wäre sonst unbegreiflich, daß er ausgerechnet an diesem Abend angetrunken kam – was vorher nie geschehen war. Er war kein Trinker, wie ich wohl schon gesagt habe.

Wir baten unsern Gast, im Sessel am Fenster Platz zu nehmen. Irmgart sprach zur Eröffnung des Abends ein Gedicht von Hermann Hesse, ‚Flötenspiel'. Kennen Sie es? Es ist eins der schönsten von Hesse, in einfachem Volksliedton drückt es den völkerverbindenden Charakter der Musik aus. Ich kenne es auswendig, und wenn es Sie nicht stört, einen Professor Gedichte aufsagen zu hören, will ich es gern sprechen:

Ein Haus bei Nacht durch Strauch und Baum
Ein rotes Fenster glühen ließ,
Und dort im unsichtbaren Raum
Ein Flötenspieler stand und blies.

Es war ein Lied, so altbekannt,
Es floß so gütig in die Nacht,
Als wäre Heimat jedes Land,
Als wäre jeder Weg vollbracht.

Es war der Welt geheimer Sinn
In seinem Atem offenbart,
Und willig gab das Herz sich hin,
Und alle Zeit ward Gegenwart.

Darauf begannen meine Frau und meine Tochter das Adagio aus der F-Dur-Sonate zu spielen.

Ich sah den Blick Ruthildes auf den Hauptmann gerichtet. Ihr Einsatz kam etwas später.

Schon bei den ersten Tönen hob unser Gast den Kopf und lauschte. Er blickte jeden einzelnen von uns an, aber nicht erfreut, wie wir gehofft hatten, eher erstaunt, sogar zornig; auch bemerkte ich, daß sein Atem schwerer wurde.

Ich weiß nicht, ob Sie das Adagio kennen, dieses kleine Kunstwerk mit seiner wunderbaren Lieblichkeit, die, entschuldigen Sie das triviale Wort, ins Herz dringt, daß einen Zittern überfällt vor Wonne. Ich beobachtete Ruthilde, sie spielte vortrefflich. Plötzlich aber sah ich sie erschrecken: Hauptmann Pritzker wankte an den Tisch und goß den Inhalt der Wodka-Karaffe in ein Bierglas. Ich weiß nicht, warum ich nicht hingegangen bin und ihm das Glas aus der Hand genommen habe. Ich verstehe auch nicht, wie Ruthilde weiterspielen konnte. Sie hielt die Augen geschlossen, als wolle sie nicht sehen, was wir doch alle sahen. Der Hauptmann goß in einem einzigen Zug den Wodka in sich hinein. Dann starrte er uns wieder an. Aufhören! Um Gottes willen aufhören! dachte ich. Ruthilde aber spielte weiter – und wie sie spielte! Meine Frau mußte einsetzen. Der Hauptmann hatte beide Hände vors Gesicht gepreßt, als litte er Qualen. Was bedeutete das alles nur? Warum eigentlich spielten sie noch?

Plötzlich geschah es. Ein Schrei, dem unverständliche Worte folgten – und dann riß der Hauptmann mit einem Ruck die Tischdecke samt allem, was darauf stand, herunter. Meine Frau schlug mit dem Kopf auf die Tasten des Flügels – wie ohnmächtig. Irmgart und Hänschen, zu Tode erschrokken, rannten aus dem Zimmer. Der Hauptmann zog mit seinem ganzen Gewicht an dem Schrank, in dem unsere Gläser und etwas Geschirr standen, so daß er über den Tisch fiel. Er zerrte mit einem Griff Vorhänge und Gardinen vom Fenster. Einem Stuhl gab er einen Tritt. Und ununterbrochen schrie er Flüche oder Drohungen in seiner Muttersprache heraus. Ruthilde, Geige und Bogen noch in der Hand, stand da und rührte sich nicht. Gleich wird er über sie herfallen, dachte ich, bereit, mich ihm entgegenzuwerfen. Statt dessen aber hockte er sich plötzlich in den Sessel, legte den Kopf auf die Lehne und weinte, schluchzte herzzerreißend.

Ich hatte meine Frau auf das Sofa gebettet, jetzt trat ich zu meiner Tochter und legte den Arm um ihre Schulter. So blickten wir auf den Unglücklichen, der den Kopf hin und her warf und wie ein Kind wimmerte.

Endlich kamen Soldaten der Militärpolizei und führten ihn ab.

Niemand von uns fand in dieser Nacht Schlaf. Was wir alles vermuteten! Plötzlichen Wahnsinnsausbruch. Mein Gott, so etwas soll es geben. Und wer hat nicht schon von Amokläufern gehört? Nervenzusammenbruch, ja, das war unsere Meinung, anders konnten wir uns sein Verhalten nicht erklären. Und hätte ich vor einigen Stunden diese Geschichte erzählen müssen, so hätte ich mit diesen vagen Vermutungen und einer qualvollen Ungewißheit geendet. Seit ein paar Stunden aber weiß ich mehr.

Heute mittag nämlich hat mich ein junger Offizier von der Kommandantur aufgesucht. Er bat für seinen Landsmann um Entschuldigung und erbot sich, den Schaden zu ersetzen. Dann erzählte er mir das Schicksal des Hauptmanns. Es ist noch tragischer, als wir vermuten konnten. Hören Sie nur:

Hauptmann Pritzker war vor seiner Einberufung zur Sowjetarmee Musikpädagoge am Konservatorium in Kiew. Er war verheiratet, hatte eine Tochter und einen Sohn, beide noch schulpflichtig. Im Jahre 1942 haben deutsche Soldaten der Hitler-Wehrmacht in Kiew Zehntausende Juden, Männer, Frauen, Kinder, zusammengetrieben wie Vieh und unweit der Stadt vor ihren Gräbern erschossen. Unter den Opfern befanden sich des Hauptmanns Frau und Kinder. Die Familie hatte am Abend, bevor Pritzker einberufen wurde, die Frühlingssonate von Beethoven gespielt. Der zwölfjährige Sohn Jason galt als ein hoffnungsvolles Talent im Violinspiel.“

Der Professor schwieg. Seine Frau hielt den Kopf tief gebeugt. Er strich ihr über das Haar und legte seinen Arm um ihre Schulter.

Greta war aufgestanden, sie wußte offenbar nicht recht, wohin sie sich wenden sollte.

Nachdenklich fragte sie: „Was haben Sie unternommen, Herr Professor?"

„Ich?" fragte Rinberger überrascht. „Ich bitte Sie, was könnte ich unternehmen?"

„Aber, Herr Professor, Sie können doch diese Sache nicht auf sich beruhen lassen!"

Thomas schlug vor, Professor Rinberger solle an den Kommandanten schreiben, alles genau schildern und wissen lassen, daß er dem Hauptmann nichts nachtrage. „Wahrscheinlich wird der Oberst nicht antworten", fügte er hinzu, „aber geschehen wird etwas, verlassen Sie sich darauf."

„Die Schuldigen sind doch eigentlich wir", sagte der Professor, „ich meine, wir Deutschen." Er blickte auf und fuhr fort: „Man stelle sich vor: Ein Offizier befindet sich als Sieger in dem Land, aus dem die Menschen kamen, die in seiner Heimat seine Frau und seine beiden Kinder umgebracht haben. Die Mörder sind besiegt, aber die Menschen dieses Landes sind den Mördern nicht in den Arm gefallen, sie haben sie gewähren, das heißt morden lassen. Und einsam geht er durch die Stadt der Besiegten. Da sitzt in ihrem Haus eine Familie – nicht einer fehlt: Mann, Frau, Töchter, Sohn –, sie musizieren, spielen Schumann, Brahms und Mozart. Er steht auf der Straße und lauscht. Jeden Akkord kennt er; er ist Musiklehrer, ein Freund der Hausmusik. Musik ist stärker als Haß. Gleich einem Bittsteller klopft er an die Tür der Besiegten und – ja, der Mitschuldigen an seinem und seines Landes Unglück. Er darf zuhören und ist glücklich. Bei Deutschen, den Landsleuten derer, die seine Frau und Kinder und ungezählte Tausende anderer Frauen und Kinder in seiner Heimat ermordet haben. Er denkt daran, er muß immer wieder daran denken, und ihn packt, ihn überwältigt das ihm zugefügte Leid. Er will es betäuben, er will nicht, daß seine deutschen Bekannten etwas davon bemerken. Er trinkt, um zu vergessen. Und gerade das Stück, das sie nichtsahnend ihm zur Freude spielen, wird ihm zur größten Qual ... Ja, wir sind die Schuldigen, wir. Die Schuldigen sind wir.“

Professor Rinberger lehnte sich in seinen Sessel zurück. Seine Frau, die ihm mit großen Augen zugehört hatte, konnte ihre Tränen nicht mehr zurückdrängen.

Lange war es wieder still im Zimmer. Thomas unterbrach das Schweigen. „Herr Professor, Sie haben den Brief an den Kommandanten schon entworfen. Schreiben Sie ihm das, was Sie soeben gesagt haben.“

Oberst Pernikow stand, die Hände auf dem Rücken verschränkt, ein wenig steif, wie es seine Art war, minutenlang vor der offenen Doppeltür, die auf die Veranda führte, und schaute hinaus in den Garten. An dem Strauchwerk, das sich den Zaun entlangzog, leuchteten goldgelbe Dolden in der Sonne, und im Steingarten, den der Gärtner an einem künstlichen Hügel angelegt hatte, blühte eine bunte Wunderwelt. Er blickte auf sie, ohne sie wahrzunehmen, denn seine Gedanken waren bei den Briefen, die auf dem Tisch lagen. Er hatte sie mehrere Male gelesen, Zeile für Zeile. Gretas Brief, der gestern abend gekommen war, hatte ihn nicht sonderlich berührt, eher geärgert. Was erdreistete sich dieses Mädel? Wer gab ihr das Recht, ihm Vorhaltungen zu machen? Dann aber war der Brief dieses deutschen Professors gebracht worden. Pernikow war beim Lesen errötet, aber nicht vor Zorn. Von den Zusammenhängen, die der Professor schilderte, hatte er nichts geahnt. Und nun fragte er sich: Was weiß ich eigentlich von den Offizieren, die unter meinem Befehl stehen, die in meinem Regiment gekämpft haben? Er wußte von ihnen beinahe nichts. Schon Kowalenkos Familienverhältnisse kannte er kaum, und der war sein Stellvertreter. Hatte Kowalenkos Frau nicht kommen sollen? Das war doch schon vor vielen Wochen bestätigt worden. Warum war sie noch nicht da? Er erinnerte sich, daß Kowalenko ihm vom Tode seines Sohnes erzählt hatte. Die Frau konnte es nicht über sich bringen, nach Deutschland zu fahren. Ja, davon hatte ihm Pawel Iwanowitsch erzählt. Und er hatte es angehört und – vergessen. Nichts wußte er von den Schicksalsschlägen, den Konflikten im Leben seiner Offiziere und Soldaten, die doch nicht schlechthin seine Untergebenen waren, sondern seine Kameraden, seine Genossen ... Und dieser Hauptmann? Der war in seinem Regiment gewesen, in der Politabteilung. Von Krasnodar bis Rostock. Und in Kiew hatten also, während er in der Armee stand, die Deutschen seine Familie umgebracht.

Der Oberst überlegte ... Da liest man in den Zeitungen, hört in Rundfunksendungen, auch in Gesprächen: Bei Woroschilowgrad zwölftausend Juden massakriert. In Kertsch Tausende Einwohner vor der Stadt füsiliert. In Kiew Zehntausende Juden und Kommunisten gemeuchelt und in Massengräbern verscharrt. Man liest es, ist entsetzt, es dringt aber nicht mehr richtig ins Bewußtsein; der Verstand wehrt sich, diese Häufung von Verbrechen aufzunehmen. Das Verbrechen wird in seinem grauenvollen Übermaß gesichtslos. Dabei umschließt es Tausende, Hunderttausende Einzeltragödien. Der Oberst hatte den Tod oft und in verschiedenartiger Gestalt aus der Nähe kennengelernt. Nichts aber hatte ihn so erschüttert wie der Tod Nikitas, seines einzigen Sohnes, und er war nicht einmal dabeigewesen.

Der Tod eines Angehörigen, schon der eines guten Freundes, bewegt uns ungleich mehr als der Tod Tausender Unbekannter.

Und der Hauptmann? Hart ist er geprüft worden, dieser Musikpädagoge. Wahrscheinlich führte er ein zufriedenes, glückliches Familienleben, freute sich über seine heranwachsenden Kinder, wie ich mich über meinen Nikita. Plötzlich steht er nun da, mutterseelenallein, vereinsamt, hadernd mit seinem Geschick, das Leben verfluchend und doch am Leben hängend ...

Der Oberst setzte seinen Gang durch das Zimmer fort. Hatte sein Leben nicht mit dem des kraushaarigen Hauptmanns viele verwandte Züge? Hatten sie nicht gleichartige

Schicksalsschläge zu ertragen? Waren sie nicht beide allein – und hatten doch einmal Familie, Frau und Kind, gehabt?

Vor der Verandatür hielt der Oberst inne. Er dachte: Und ich habe ihn ins Gesicht geschlagen. Ins eigene Gesicht möchte ich mich schlagen! Dummkopf, der ich bin, Narr, verfluchter! ...

Die Blumen standen da in ihrer farbenfrohen Unschuld. Das helle Laub der Birken leuchtete auf dem Hintergrund des blauen Sommerhimmels. In der schweren, gesättigten Luft lag ein süßer Duft. Bienen umsummten die Blüten. Von den Zweigen zwitscherte es. Überall Leben und Lebensfreude ...

Plötzlich schlug sich der Oberst die Faust vor die Stirn. Der Hauptmann saß ja immer noch im Keller! Vor lauter Überlegungen und Einsichten vergesse ich wieder den Menschen, dachte er. Er nahm seine Mütze von der Dielengarderobe und rief seinem Burschen Aljoscha zu, er käme bald zurück.

Vor dem Kellereingang in der Kommandantur wurde ihm doch ein wenig beklommen zumute. Kühl war es hier unten. Auch modrig.

Er blieb im Gang stehen und blickte sich um. „Wieviel Mann befinden sich im Arrest?“ fragte er den Sergeanten, der ihm aufschloß.

„Acht Arrestanten haben wir, Genosse Kommandant! Sechs Soldaten und zwei Offiziere.“

Der Oberst nahm sich vor, in die Personalakten dieser Arrestanten hineinzusehen. Vielleicht konnte man sie herauslassen. Es war doch wirklich hart, an solchen Sommertagen in einem Keller kampieren zu müssen ... Ich bin heute zu ungewöhnlicher Milde aufgelegt, dachte er, während er dem Sergeanten durch den langen Kellergang folgte. Milde und Weichheit ist aber ein Unterschied. Für Weichheit war der Oberst nicht.

Eine Kellertür wurde aufgeschlossen. Der Oberst betrat den schmalen, länglichen Raum und blickte dem Hauptmann fest ins Gesicht. Der stand in strammer Haltung an der Wand unter dem vergitterten Fenster, durch das ein wenig Licht hereinfloß. Erst wollte der Oberst den Sergeanten fortschikken; aber er unterließ es. Kein Geheimnis daraus machen! Er hatte nichts zu verbergen.

„Genosse Hauptmann, ich komme, um mich bei Ihnen zu entschuldigen! Ich habe Ihnen unrecht getan, verzeihen Sie mir!“

Pritzker starrte auf den Kommandanten. Einen Augenblick lang standen sich die beiden Männer schweigend gegenüber. Dann streckte der Oberst dem Hauptmann die Hand hin. „Seien Sie mir nicht mehr böse!“

„Genosse Kommandant, ich bin nicht unschuldig. Ich habe gegen die Vorschriften verstoßen.“

„Ich weiß, mein Lieber“, erwiderte der Oberst. „Und dafür haben Sie im Arrest gesessen. Aber ich . . . ich habe Ihnen unrecht getan. Ich kannte die Zusammenhänge nicht, verstehen Sie? Also, vertragen wir uns wieder, ja?“

Der Hauptmann ergriff die Hand des Obersts. Tränen rannen ihm übers Gesicht. Der Oberst konnte keine weinenden Männer leiden, weinende Soldaten schon gar nicht. Aber plötzlich fühlte auch er seine Augen feucht werden. Er dachte wieder daran, daß sie beide, der Hauptmann und er, am gleichen Unglück zu tragen hatten. Einer impulsiven Regung folgend, zog er den Hauptmann an sich und umarmte ihn.

„Kommen Sie, Nikolai Samuelowitsch, Ihre Strafe haben Sie abgebrummt.“ Der Oberst lächelte in das Gesicht des Offiziers. „Seien Sie heute mein Gast. Essen wir gemeinsam.“

OTTO GOTSCHE

# Sturmsirenen über Hamburg

Über den Elbmarschen und der Hohen Geest lag seit Tagen dichter Nebel. Von der Stadt her waren die Flußniederungen, der Hafen und die Schwarzen Berge drüben nach Harburg zu nicht mehr zu übersehen. Und doch hatte es den Anschein, als seien die durcheinanderquirlenden grauen Nebelschwaden über der Süderelbe, dem Köhlbrand und dem Reiherstieg, der Norderelbe und Finkenwärder immer noch durchsichtiger als der Nebel über dem weitausgedehnten Häusermeer Hamburgs und Altonas.

In den Häuserschluchten der Neustadt, die eigentlich der älteste Stadtteil der Hansestadt Hamburg war und den Namen nicht verdiente, in den engen, gewundenen Durchlässen des Gängeviertels und über den trüben Wassern der Fleete stand der hier fast schwärzliche Dunst unbeweglich still, schlug sich an festen Gegenständen feucht nieder und tropfte rußig schillernd herab. Trotz der Vormittagsstunde waren die Straßen in Dämmerlicht getaucht, und die Laternen brannten.

Das Wetter paßt haarscharf in die Untergangsstimmung, die all und jeden gepackt hat, dachte Jan Tyrroff. Es sieht aus, als ginge in diesem schwarzgrauen Nebel alles unter, dieser ganze erbärmliche Staat samt seinen Nutznießern. Jan Tyrroff schneuzte sich laut und lachte grimmig. Zu guter Letzt frißt die Inflation noch ihre eigene Amme, dachte er weiter, diesen überfälligen Wechselbalg von Weimar, diese Stinneskasse, dieses Noske-Paradies ... Soll die Wucherrepublik eingehen! Wir wollen nicht mit unter die Erde, wir helfen diesen Geldsackstaat stürzen. Es ist Zeit. Heute wird Schluß gemacht, jawohl, heute noch ...!

Tyrroff ballte die Fäuste in den schrägen Taschen seiner Winterjoppe und ging mit hochgezogenen Schultern durch die Kohlhöfen. Nur unwillig wich er entgegenkommenden Passanten aus, die wie Schemen aus dem Nebel tauchten. Den Kopf nach vorn geneigt, ohne aufzusehen, mit seinen rebellischen Gedanken beschäftigt, steigerte er seine Haßausbrüche immer mehr.

Sonst scheuchten an der Wasserkante solche feuchtkalten Oktobertage die Straßen menschenleer. Heute trieb anscheinend die gärende Unruhe die Bewohner aus den Häusern. Und der Hunger, natürlich, schlicht und einfach der Hunger! Diese Feststellung blieb hartnäckig in Tyrroffs Hirn haften.

Im Arbeitsamt in den Kohlhöfen herrschte Hochbetrieb. Man wußte nicht, ob dieses Zentrale Hamburger Arbeitsamt mehr Wärmehalle oder mehr Stempelstelle war. – Instinktiv schwenkte Jan Tyrroff nach drüben, zur anderen Straßenseite, auf den Haupteingang zu.

Im Treppenhaus wurde eine Versammlung abgehalten. Die Männer umdrängten den Redner.

„Kohlen verlangen wir, Kohlen! Keine Kohlenscheine! – Was sollen wir mit Papier, wer kann mit Scheinen seine Bude warm kriegen?“ schrie jemand erbost.

Jan Tyrroff preßte die Lippen fest aufeinander. Recht hat der Mann, dachte er. Scheine, Scheine, alles wollen die da oben mit Scheinen machen. Genauso ein Dreck wie das Geld. Zuerst gab es Tausender, dann Hunderttausender, dann Millionenscheine, zehn, hundert, fünfhundert Millionen. Dann Milliarden, zehn, hundert, fünfhundert Milliarden. Jetzt sind sie bei Billionenscheinen angelangt. Aber Brot gibt es nicht dafür, jedesmal soll der Dollar davongelaufen sein. Und Arbeit gibt es für Millionen Menschen auch nicht mehr ... Wie hatte Ernst Thälmann gesagt, vorhin, im Valentinskamp vor den Funktionären des Ordnerdienstes der Partei? – Diese

Republik ist am Ende, hatte er gesagt. Ein Hexensabbat, den die Herrschaften selbst heraufbeschworen haben, verschlingt eine Regierung nach der anderen. Und alle helfen, das Volk splitternackt auszuziehen. Nun haben sie den Reichswehrgeneralen die Macht offiziell übergeben. Die hatten sie sowieso, die sind schon immer mit Granaten gegen den Hunger vorgegangen. Die Arbeiterklasse kann und will das nicht mehr hinnehmen. Wir setzen Gewalt gegen Gewalt. Die Zeit ist reif! Jetzt heißt es Einzelaktionen organisieren, sie von Stufe zu Stufe erhöhen, zu größeren Bewegungen zusammenfassen, Demonstrationen und eine einheitliche, das ganze Land umfassende Massenaktion auslösen, den Kampf zum Generalstreik steigern und diese ganze Bewegung mit dem bewaffneten Aufstand verbinden. Darin muß alles einmünden. Die bewußtesten Teile der Arbeiterschaft müssen vorangehen. In Chemnitz werden heute die entscheidenden Beschlüsse gefaßt. Alles ist vorbereitet. Geht jetzt auf eure Posten . . .!

So soll es sein, dachte Jan Tyrroff, jeder auf seinen Posten. Teddy hat jedem einzelnen klar gesagt, was zu tun ist: mit Kohlen für die Frierenden beginnen. Brot fordern, Streiks organisieren, steigern, steigern, dann zupacken, der Sache ein Ende machen. – Heute beginnt der Tanz!

Tyrroff drängte die Treppe hinauf, sprach hier und da mit einem Genossen und gab ihm Order. Ein Dutzend Männer sammelte sich draußen vor dem Eingang.

„Endlich", sagte ein junger blasser Mann, „einmal müssen wir ja aus den Vorbereitungen herauskommen."

Er klopfte an seine Brusttasche. Es klang hart. Unter der abgetragenen blauen Matrosenjacke beulte sich ein flacher Gegenstand.

Wieder trägt er sein Schießeisen mit sich herum, dachte Tyrroff ärgerlich. Das soll doch nicht sein. Aber er sagte nichts. Mit knappen Worten teilte er die Gruppe ein, auf offener Straße, mit nicht einmal sehr leise gesprochenen Worten: „Der Ordnerdienst bezieht die vorgesehenen Punkte.

Jeder von euch geht sofort klar Schiff machen. Neun Uhr abends treffen wir uns in der ‚Süffigen Barke'. Ich gehe in meinen Betrieb, dort haben wir für Schichtwechsel auch Knopfdruck angesetzt. Wäre gelacht, wenn wir nicht jedes Rad anhalten könnten."

Die Männer fragten nicht mehr, eilig gingen sie in verschiedenen Richtungen davon. Tyrroff blickte ihnen einen kurzen Augenblick nach.

Im Hafen und auf den Werften wurde gestreikt. Seit Tagen flackerten immer wieder neue Ausstände auf. Es ging im wahrsten Sinne des Wortes um Brot, um die allerdringlichsten Tagesbedürfnisse. Aber es mußte jetzt um mehr gehen. Waren die vielen zehntausend Streikenden bereit, weiterzugehen, den nächsten Schritt zu tun?

Jan Tyrroff wußte sehr gut, wie es in den Köpfen der Arbeiter aussah. – Sie sind dazu bereit, dachte er, sie wollen aus dem erpresserischen Kreislauf heraus, der ihnen alles verriegelt. Wenn es aber weitergehen soll, genügt nicht, daß der Hafen stilliegt, die Werften nicht arbeiten. Dann müssen auch die Hochbahn stehen, die Metallbetriebe . . .

Er überschritt den Damm und setzte seinen Weg fort. Vom Großneumarkt her war Lärm zu hören. Lautes Stimmengewirr drang durch den Nebel. Tyrroff vernahm hinter sich Getrappel. Im Laufschritt kamen Polizisten heran und überholten ihn. Voran lief ein Offizier; der lange, aufgeregte Mensch riß die Pistolentasche auf und machte seine Waffe schußfertig.

Auf dem Großneumarkt mußten viele Leute versammelt sein. Aus den Seitenstraßen erhielten sie noch immer Zuzug. Dann stieg der Lärm zum Getöse an, aus dem Geschrei wurde ein einziger Ruf. „Hunger! Hunger . . .!"

Tyrroff blieb in einer Menschengruppe stehen, die die Straße versperrte. Frauen drängten sich vor der heruntergelassenen Jalousie eines Fleischerladens. Mit Reißzwecken war ein Anschlag angeheftet: Heute bleibt mein Geschäft geschlossen!

„Der Hund wartet, bis der Dollar steigt!“ schrie jemand aus der Menge.

„Der ist schlau. Wenn er das Geschäft geschlossen hält, hat er Geld verdient.“

„Weiß doch jeder. Die Bande verschiebt das Fleisch nur wertbeständig.“

„Mit dem Dollar höhlen sie uns aus!“

„Der Dollar, der Dollar ... Sollen wir krepieren?“

Alle redeten aufgebracht durcheinander. Dann kreischte die Stimme einer Frau: „Dem muß man den Laden einhauen!“

Für einen Augenblick ragte ihr magerer Arm aus ihrem Umschlagtuch. Die erhobene Hand hielt krampfhaft einen Steinbrocken fest. Dann warf sie. Der kraftlos geworfene Stein schepperte an der Jalousie herunter.

Ein Mann lachte höhnisch.

„Wenn du dem Fettlatz da drin ein Stück Suppenfleisch für deine Gören aus den Rippen leiern willst, mußt du mit ganz anderen Brocken aufkreuzen.“ Er trat heftig gegen die Jalousie, schrie wütend und schlug in Erkenntnis seiner Ohnmacht fröstelnd den Kragen seiner Joppe hoch. „Schiet!“ stieß er hervor.

Da fiel vorn im Nebel ein Schuß, kurz danach noch einer ...

Ein furchtbarer Aufschrei folgte, hastiges Laufen. Die Menge vom Großneumarkt wälzte sich lawinenartig heran. Mitten unter den schreienden Menschen sah man auch Uniformierte. Sie wurden einfach mit fortgeschoben. Schläge prasselten auf sie ein; in der Menge eingekeilt, wurden sie niedergetrampelt. Tyrroff sah, wie ein etwa siebzehnjähriger Junge einem Schupo den Karabiner entriß und ihn mit dem Kolben niederschlug. Plötzlich klirrten Schaufensterscheiben, irgendwelche Waren flogen auf das Pflaster.

Tyrroff wurde von der Menschenmenge mit fortgeschwemmt. Von den Ordnungshütern konnte er keinen mehr sehen. Er begriff, daß aus dem panikartigen Fortlaufen der

Menge vor den ersten Schüssen der Polizisten nun eine mächtige Demonstration wurde. Die Masse hatte die Schrecksekunde überwunden. Gesang stieg auf, gewaltig, dröhnend, unheilvoll. Die Straße war von einem brausenden Menschenstrom erfüllt.

„Vorwärts, vorwärts!" schrie jemand. „Zum Rathaus!"

War das der Junge mit dem Karabiner? – Der Zug schwenkte nach rechts ein, überflutete die Kaiser-Wilhelm-Straße und wuchs immer mehr an. Straßenbahnen blieben stecken. Tyrroff hatte Tritt gefaßt. Gut, dachte er, wir werden jetzt alle Ströme vereinigen, alle Schleusen aufreißen. Der aufgestaute Zorn der Volksmassen wird endlich diesem unerträglichen Auspowerungssystem und dem Hunger ein Ende setzen. Es ist unser Wille ... Er wunderte sich über sich selbst, wie er jede Gedankenregung in wohlgesetzte Worte fügte.

Dann fiel ihm ein, daß die Genossen im Betrieb auf ihn warteten. Er durfte sich hier nicht länger aufhalten lassen. Mit großer Anstrengung ruderte er aus den Strudeln, die ihn umgaben, heraus und rannte im Trab die Wexstraße hinauf. Bald hielt ihn ein neuer großer Auflauf auf. An einer Brotverkaufsstelle staute sich der Verkehr. Der Lieferwagen einer Großbäckerei stand quer auf der Straße, die Pferde gingen hoch und drängten aufgeregt gegen einen Laternenkandelaber. Wütende Frauen schrien auf den Kutscher ein. Andere drängten in den Laden. Mit hocherhobenen Händen stand der pausbäckige Verkäufer hinter dem leeren Ladentisch und beteuerte, Brot und Gebäck seien nicht angeliefert worden. Draußen hieb der Kutscher auf sein Gespann los. Es war unnütz. Eine Schar junger Leute warf den Wagen um. Der Aufsatzkasten brach auseinander. Im Handumdrehen fanden die über das Pflaster rutschenden Brote ihre Besitzer. Irgendwo klang eine Trillerpfeife. Tschakos tauchten aus dem Nebel. Der schneidige Anführer der Schupostreife schrie: „Halt! Ich schieße! Plünderung ...!"

Die harte Kante eines rechteckigen Schwarzbrotes traf die

Nasenwurzel zwischen seinen Augen. Er stürzte. Seine Begleiter liefen um ihr Leben. Einer kam nicht mehr davon und wurde verprügelt. Als ihm die Schußwaffe abgenommen wurde, sagte er, er habe genausoviel Hunger wie andere auch. Ihm und seinen Kameraden stünde der Dienst bis zum Halse. Seit Tagen sei er nicht aus den Sachen gekommen. Die ständige Alarmbereitschaft mache jeden fertig, und nur der übermächtige Druck der Offiziere halte noch die zerbrökkelnde Disziplin aufrecht.

Der Besitzer des Lebensmittelgeschäftes nebenan hatte die Eingangstür seines Ladens verriegelt. Er riß furchtsam am Gurt des Rolladens. Ehe er ihn schließen konnte, klirrten die Scheiben. In das Geschrei dröhnten Schiffssirenen. Das war nichts Besonderes, es schien nur, als würden die Nebelmassen durch die tiefen Töne in Schwingungen gesetzt. Das sich fortsetzende Gebrumm hörte sich geradezu unheimlich an.

In das erste Sirenengeheul vom Waltershofer Hafen her waren bis Billwärder Ausschlag aufwärts der Stadt die Stimmen unzähliger Schiffe eingefallen. Was war das? Kündeten sie neuen Kampf, heulten sie auf Verabredung?

Ein alter Schauermann sagte: „Klingt ganz neu. Ich kenne hier jede Pfeife; aber die mit dem Hafenkonzert zuerst begonnen haben, waren keine Steamer. Sonderbare Vermutung, aber ihr Geheul hört sich an, als gäben Torpedoboote ihren Einstand."

Da war es gesagt. Tyrroff zog den Nacken ein und horchte. Er suchte in dem Sirenengeheul nach Anhaltspunkten für die Behauptung des Alten, fand aber nichts, was sie hätte bestätigen können.

Und doch könnte es so sein, dachte er. Die Hamburger Pfeffersäcke hatten jedesmal eine gute Nase gehabt, wenn es ihnen an den Kragen gehen sollte. Sie sichern sich. Kriegsschiffe im Hamburger Hafen, heute . . .?

Nach seiner Ankunft im Betrieb hatte es nicht vieler Worte bedurft. Die Belegschaft der Maschinenfabrik machte keine

Umstände, die Arbeiter waren zu allem bereit; sogar Teile der Angestellten vorn aus dem Bürohaus der Werksverwaltung schlossen sich an und gingen mit auf die Straße. Es war, als habe sich jedes Belegschaftsmitglied tagelang auf die Abstimmung vorbereitet; als zum Streik aufgerufen wurde, standen die Arme der Versammelten wie ein Wald aufgerichtet in der Werkhalle. Tyrroff marschierte in der ersten Reihe durch das weitgeöffnete Fabriktor. An den Straßenkreuzungen standen Polizei-Doppelposten. Als der Zug nahte und Gesang und Niederrufe laut wurden, bogen sie in Nebenstraßen ab. Die übermüdeten, von ununterbrochenen Einsätzen abgestumpften Polizisten unternahmen nicht einmal den Versuch, der Polizeizentrale im Stadthaus die Demonstration zu melden. Das besorgten aufgeregte Geschäftsleute, die sich um ihr Eigentum ängstigten. Vergeblich. Das Polizeieinsatzkommando verfügte nicht über ausreichende Kräfte, um etwas gegen die in Aufruhr geratene Bevölkerung zu unternehmen. Der Senat der Freien und Hansestadt Hamburg rief die Hilfe der Reichsregierung in Berlin an. Und die hatte ihr Geschick in die Hände der Reichswehrgenerale gelegt.

Gespenstisch ging der Nachmittag des 22. Oktober 1923 in Dämmerung und Nebel unter. Tyrroff hatte sich von seinen Arbeitskameraden verabschiedet. Es war soweit, er mußte sich auf die ihm zugewiesene Aufgabe vorbereiten. Zu Hause angekommen, führte er noch ein einsilbiges Gespräch mit seiner Frau. Sie schimpfte, daß sie ihm wieder nur eine dünne Kohlsuppe vorsetzen konnte.

„Und wenn du deinen Lohn statt im Rucksack in einem Waschkorb heimbringen würdest – es reicht doch zu nichts anderem ...!“

Er suchte sie zu begütigen.

„Das wird anders. Wir werden nicht zulassen, daß die Kapitalisten-Bande das Volk restlos verderben kann. Die Arbeiterschaft wird es nicht dulden. Wir Kommunisten werden das Beispiel geben. Alle werden sich erheben. Und nicht nur um ein Stück Brot. Es geht um die Macht, um die Arbeitermacht."

Seine Frau sah aufmerksam zu, als er seine alten, schweren Stiefel vorkramte und anzog. Er hatte sie frisch eingefettet; sie spürte, daß er sich schon seit längerem vorbereitet hatte, er hatte auch schon andeutungsweise darüber gesprochen, aber ihr war die Tragweite nie so klar gewesen wie eben jetzt.

„Was habt ihr vor?"

„Wir heben ihre Ordnung heute aus den Angeln."

Er vermied ihren Blick, als sie den Arm um seinen Hals legte.

„Denkst du auch an die Kinder, Jan . . .?"

Die Kinder? – Ja, ich denke an sie, dachte er, als er schon auf der Treppe zum Boden war. Gerade an sie denke ich. Und an dich, Ellen, an die achtzehn Jahre mit dir. Was für schlimme Jahre sind dabeigewesen . . .

Der Lauf des Gewehres faßte sich eiskalt an, als er die Waffe zwischen der Verschalung der Dachsparren herauszog und aus der geteerten Jutehülle wickelte. Er öffnete das Schloß und ließ es wieder zuschnappen. Alles war in Ordnung. Den Rahmen mit den fünf grünspanig gewordenen Patronen steckte er in die Hosentasche, bevor er das Gewehr unter seinen langen Militärmantel nahm und aus dem Hause ging.

Die „Süffige Barke" war eines jener zahlreichen Bierlokale in Hamburg-Barmbek, in denen zu jeder Tageszeit Gäste ihren steifen Grog tranken. Tyrroff nickte einigen Bekannten in der vorderen Gaststube zu, ehe er das sogenannte Klubzimmer betrat. Es schien, als sei alles in bester Ordnung. Der Wirt hinter der Theke zeigte ihm das auch noch mit einer weitausholenden und zufriedenen Handbewegung an.

Normal also, hat seine Richtigkeit, sagte sich Tyrroff. Und gut für unseren ganzen Plan ist, daß der dicke Nebel in der Dunkelheit die Sicht noch mehr einschränkt. Kaum die Hand vor den Augen ist zu sehen . . .

Er stapfte steif in den Klubraum. Zwölf Männer erwarteten ihn. Es war nicht sehr hell im Raum.

„Na, alles zur Hand?" fragte einer lächelnd.

Als gelte es, eine sakrale Handlung vorzubereiten, nahm Tyrroff statt einer Antwort das Gewehr hervor. Alle blickten auf ihn. Er schob die Patronen ein, sicherte die Waffe und legte sie unter eine der mit Wachstuch bezogenen Sitzbänke.

Ein bedächtiger Mann in abgewetztem feldgrauem Uniformrock entfaltete auf dem Tisch einen großen Stadtplan. Die Polizeiwache 23 war durch ein mit Rotstift umrahmtes Viereck gekennzeichnet. Der Stummelfinger des Bedächtigen wies darauf.

„Sehen wir uns die Sache noch einmal genau an. Wir gehen vom Personenbahnhof aus vor, Genossen. Hier steht einer von uns, da! Mit acht Mann heben wir die Wache aus. Drei Mann sichern die Straße. Tyrroff mit dem Gewehr führt die Sturmgruppe. Petersen bleibt mit der Handgranate an der Kreuzung. Sollte dort was sein, kommt es so und so nur auf einen Donnerschlag an, das schüchtert ein. Bewaffnen, richtig bewaffnen können wir uns erst, wenn wir die Wache haben. Es kommt darauf an, daß wir das Überraschungsmoment ausnützen. Der Überfall muß wie ein einziger Schlag sein. Und nur schießen, wenn wir auf Gegenwehr treffen. – Was haben wir an Waffen zur Hand? Das Gewehr, die Handgranate, meinen Colt und deinen Trommelrevolver, Hannes . . ."

Die Männer der Kampfgruppe des Ordnerdienstes der Kommunistischen Partei, deren Aufgabe nach dem bis in alle Einzelheiten festgelegten Aufstandsplan darin bestand, die Polizeiwache am Markt in Barmbek auszuheben, redeten wenig. Sie wußten, daß mit ihrer spärlichen Bewaffnung nicht viel zu erreichen war, wenn sie den Mangel nicht durch Mut und entschlossenes Handeln ausglichen. Sie wußten aber auch, daß zur gleichen Zeit mit ihnen alle Ordnergruppen aufbrechen würden, um die Hamburger Polizeiwachen schlagartig zu überrumpeln, und daß einige Hundertschaften die Polizeikasernen an der Rennbahn in Wandsbek stürmen würden. Nur im Handstreich war die starke Polizeigarnison zu entwaffnen ...

Die Zeit in der Nacht vom zweiundzwanzigsten zum dreiundzwanzigsten Oktober neunzehnhundertdreiundzwanzig floß träge dahin. Einige Male kamen noch Kuriere. Früh erschien noch einmal einer und tuschelte mit dem Bedächtigen. Der antwortete laut: „Wenn die ihre Hosen voll haben – wir nicht! Abgeblasen wird bei uns nicht! Hau nur ab, du Angstmeier. Bestelle dem Oberdistriktleiter, daß wir stürmen!"

Er sah nach der Uhr und knirschte mit den Zähnen. Tyrroff schlug das Herz unruhig. Er griff nicht in die entstehende Diskussion ein. Durch seinen Kopf huschten unruhige Gedanken. Wer wollte da abbremsen, kampflos nach Hause gehen? Gab es Verräter? Verwirrte das lange Warten? – Das durfte nicht sein. Wäre es doch erst so weit, daß losgeschlagen werden könnte. Er spürte, daß seine Handflächen schweißnaß waren.

Da klopfte der Truppführer auf den Tisch.

„Vier Uhr fünfundfünfzig! Los! – Um fünf kracht es!"

Es fiel kein Wort, als Tyrroff mit sieben Genossen auf die Wache losstürmte. Eine funzlige Lampe über dem Eingang ließ den davorstehenden Posten nicht einmal undeutlich erkennen, was da auf ihn zukam. Er war schon entwaffnet, ehe er nur ein Wort hervorbringen konnte. In der Wachstube nahmen die Beamten vor Schreck die Hände hoch. Gewehre und Pistolen wurden aus den Schränken gerissen. Ein Telefon schrillte. Tyrroff stieß es mit dem Kolben vom Tisch.

„Die Grünen in die Haftzelle schließen", sagte er.

„Quatsch. Laß sie laufen. Siehst ja, wie ihnen die Knie schlottern", widersprach einer und jagte die Polizisten ins Freie.

Tyrroff konnte ihn nicht hindern. Er schrie nur: „So eine Dummheit! Das haben wir schon immer teuer bezahlt!"

Die Polizisten rannten barhäuptig in die Nacht. Die Wache war den Arbeitern ohne jedes Blutvergießen in die Hände gefallen. Aus den Wohnungen der Nachbarstraßen strömten Männer. Sie erhielten Gewehre. Der bedächtige Truppführer teilte die Genossen neu ein. „Vier Mann halten die Wache besetzt. Wir anderen helfen die große Doppelwache 46 nehmen. Das ist der wichtigste Polizeistützpunkt in Barmbek. Haben wir den, na! – Hört ihr . . .?"

Überall wurde im Dunkel geschossen. Es schien, als sei die ganze Stadt in eine einzige Schießerei verwickelt. Draußen stießen die OD-Männer auf zwei Revierwachtmeister. Einer schoß sofort auf die Genossen und wurde niedergestreckt, der zweite wurde entwaffnet und eingesperrt.

Die Männer eilten durch die Vogelweide weiter. Am Holsteinschen Kamp kam ihnen ein Radfahrer entgegen. „Schnell! Die Wache 46 in der Von-Essen-Straße haben wir noch nicht. Ein Zwischenfall, einer von uns hat sich undiszipliniert benommen."

An der Straßenecke peitschten Schüsse. Im Licht, das aus dem Flur der Wache fiel, sah man Gestalten. Polizisten wurden entwaffnet. Drinnen aber wurde aus Pistolen geschossen. Tyrroff stieß den Lauf seines Gewehres durch die Scheiben und drückte ab. Er sah, wie jemand niederstürzte. Aus dem oberen Stockwerk prasselte ein Kugelhagel.

Die Genossen wichen und nahmen aus den Hauseingängen der gegenüberliegenden Straßenseite die Wache unter Beschuß. Sie hatten kaum bemerkt, wie in der Morgenkühle die Nebelschleier zerrissen. Schuß um Schuß fiel. Dann trieb sie ein aus der Innenstadt zu Hilfe kommender Panzerwagen noch weiter zurück.

Auf der Flucht durch die Hansdorferstraße sah Tyrroff jemanden in der Straßenmitte liegen. Er drehte den auf dem Gesicht Liegenden herum. Es war der Bedächtige, er war tot.

Hinter ihm rumpelte der Panzerwagen über das Pflaster. Seine MG-Garben, die auf den Granitsteinen Funken sprühten, trieben Tyrroff in eine Hausnische. In diesem Augenblick erblickte er auch ein Stück weiter vorn Petersen. Zurückgebeugt stand er hinter einer Laterne und zog seine Handgranate ab. Tyrroff erschienen die Sekunden, bevor Petersen warf, wie Ewigkeiten. Aber dann drehte der Panzerwagen in der aufblitzenden Detonation ab. Tyrroff schoß mehrmals schnell hintereinander aus nächster Nähe auf die hinter dem Wagen geduckt vorgehenden Polizisten. Einer warf schreiend den Karabiner fort und flüchtete. Auch seine Kumpane liefen, an die Hauswände gedrückt, davon. Tyrroff wollte weiterschießen, aber das Gewehr klickte nur noch. Die letzte Patrone war verschossen.

Ehe er den auf der Straße liegenden Karabiner des Polizisten ergreifen konnte, hatte Petersen diesen an sich gerissen und feuerte. Er stieß ein Triumphgeschrei aus: „Jagt sie, Genossen! Fünftausend sind die, aber wir sind mehr . . .!“

Dann war die Straße schwarz von Menschen, und harte Pickenschläge klangen auf. Dort, wo der Stoßtruppführer des OD-Trupps auf dem Pflaster lag, wurden die Steine herausgerissen. Ein Sanitäter und zwei Frauen trugen den Gefallenen davon. Achtzig, hundert Männer waren plötzlich da und bauten eine Barrikade, die erste Barrikade der Hamburger Arbeiter im Oktober neunzehnhundertdreiundzwanzig.

BODO UHSE

# Die Aufgabe

Die Schmidt, wie ihre Freundin Jeep sie noch immer nennt, schiebt die Tasse zur Seite, in der ein bräunlicher Satz gebrannter Gerste zurückgeblieben ist, und fegt mit der gewölbten, kräftigen Arbeitshand die Krümel des flockigen Brotes zusammen. Damit beendet sie das Frühstück – der Krieg ist vorüber, aber die Not ist nicht geringer geworden –, stemmt die Hände auf den Tisch und richtet sich seufzend auf, um sich für ihren schweren Weg bereit zu machen.

Ich hätte es längst tun sollen, sagt sie sich, hätte nicht eine ganze Woche verstreichen lassen dürfen. Und sie spart nicht mit Vorwürfen, daß sie so lange gewartet hat, bis zu diesem letzten Tag, bis Sonja, die Witwe Karls, zu ihr geschickt hat.

Freilich, es geht der Schmidt nicht gut. Das kann sie zu ihrer Entschuldigung schon anführen. Gerade in diesen Tagen und Nächten, da Schüsse die Straßen durchpeitschten und das dumpfe Gebell der Geschütze und Minenwerfer in der Stadt dröhnte und die Fenster erzittern ließ, hat ihr das Herz zu schaffen gemacht. Dabei sind einundfünfzig Jahre kein Alter, wenn man aus kräftigem Holz geschnitzt ist, und das sollte man wohl sein mit dem Rebellenblut des aufrührerischen Pfarrers Rupp in den Adern und der vom Vater Schmidt ererbten Lebenstüchtigkeit und all dem, was man sonst noch aus der ostpreußischen Heimat in sich aufgenommen hat, so daß es einem unverkennbar ins Gesicht geschrieben ist. Nicht umsonst wurde sie zu Haus das Kaschübchen, das Kaschubenmädchen geheißen.

Obwohl sie sich sehr gerade hält, hat ihr Schritt etwas unwillig Schleppendes, als sie nun hinübergeht – wie jeden Morgen – in das Zimmer des Sohnes, das seit über vier Jahren unverändert geblieben ist, seit jenem Tage, da sie die Nachricht von Peters Tod erreicht hat, seit jenem Tage, da das Herz nun manchmal nicht mehr so recht will. Sonst verweilt sie stets ein wenig in diesem Zimmer, setzt sich und liest und grübelt.

Heute, da ein anderer Toter sie ruft, ist nur Zeit zu einem kurzen Blick, zu einem zärtlich sehnenden Morgengruß, zur Wiederholung des so oft gegebenen und immer noch nicht eingelösten Versprechens, ein Denk- und Grabmal zu schaffen für Peter, der dem lockenden Trommelschlag des Todes freiwillig auf die flandrischen Schlachtfelder gefolgt ist.

„Ich tu es noch", verspricht sie von neuem und nickt schwermütig bekräftigend mit dem Kopf. „Verlaß dich drauf! Noch bin ich ja nicht mit allem fertig, was mir dein Tod an Leid und böser Verwirrung gebracht hat. Ach, mein ganzes Leben ist ja nur ein Dein-Gedenken und Dich-Erinnern."

Aber nun ist wirklich keine Zeit mehr, sich länger in Vergangenem aufzuhalten. Der Tag muß begonnen werden. Man wird lange zu stehen haben, da müssen die hohen Stiefel heran, die sie sich eigens für die Arbeit hat anfertigen lassen. Im Schlafzimmer setzt sie sich, angelt nach dem kleinen Bänkchen, auf das sie dann die Füße stützt, um bequemer das Band durch die vielen Ösen der Schuhe zu führen, die enganliegend bis hoch über die Fesseln hinaufreichen. So steht man fest auf den Beinen und ermüdet nicht so schnell.

Im dunklen Flur der Wohnung zieht sie den grauen Mantel an und knüpft das graue Wolltuch über das in der Mitte gescheitelte, straff zurückgekämmte Haar, das ebenfalls grau ist.

Sie braucht kein Licht zum Anziehen und wirft auch keinen Blick in den Spiegel. Wie sie aussieht, das weiß diese Frau nur allzu genau. Sie weiß es besser, als andere es von ihr oder von sich selbst wissen. Sie hat an diesem Gesicht gearbeitet, wieder und wieder. Jahrzehnte hindurch. Vom dunkelhaarigen, flächig-stupsnäsigen Kaschübchen ist nicht viel geblieben, und auch vom heiter-breitmäuligen Kasperlegesicht des Tintarolo nicht. Immer ähnlicher ist sie sich selbst und ihren Gestalten geworden, Arbeit und Leid und wieder Arbeit haben ihr Gesicht geprägt, das kräftig ist mit seiner breiten hochwandigen Stirn, den starken Jochbogen und den auseinanderstrebenden Backenknochen, erdgebunden – allzusehr – durch den grüblerischen Blick der tiefliegenden dunklen Augen. Die Nase freilich ist nicht ganz so gerade, wie man sie selber gern darstellt, sondern gleicht eher dem, was man den vielen anonymen Frauengestalten ins Gesicht zeichnet; der volle Mund hat bereits den sinnlich-fragenden Zug wieder verloren, zu dem die Lippen so spät, um die Vierzig erst, aufblühten, ist wissend und kraftvoll und herb und gut.

Mit einem solchen Gesicht – das unter dem Schal nun aussieht wie ein rechtes Alltagsgesicht – steht man mitten im Leben und hat keinen Anspruch auf Ausreden und Ausflüchte, wie die Schmidt sie auch jetzt noch gern gebraucht hätte, um den unaufschiebbaren Gang trotz allem aufzuschieben. „Jede Gabe ist eine Aufgabe", mahnt ein Wort vom Großvater Rupp.

Es trifft sich gut, daß die Küchentür aufgestoßen wird und Lina mit dem Tablett für Karl kommt.

„So spät schon? Da bring ich selbst noch das Frühstück meinem Mann hinunter."

Lina hat ein Recht auf Rücksichtnahme – nicht nur um der vielen Jahre willen, die sie schon im Hause ist, diesem großen, ungewöhnlichen Hause, das auch, seit der eine Junge tot und der andere nicht mehr da ist, nie leer wird, so daß der zahlreichen Gäste wegen Buch geführt wird, wer auf diesem Bett und wer auf jener Couch schlafen soll. Die Schmidt weiß: von ihrem eigenen Werk würde so manches Stück nicht existieren, gäbe es die Lina nicht, ihre Zuverlässigkeit und ihr sorgendes Tun.

So haben sich die Dinge im Laufe der Zeit verschoben, und aus Linas Pflichten sind eifersüchtig gewahrte Rechte geworden, die dann und wann ihr abzunehmen man erbitten muß.

Und man darf sich nicht schämen, wenn man durchschaut wird, wie eben jetzt, denn natürlich spürt Lina, daß die Sache mit dem Frühstück ein Vorwand ist, daß die Frau, die sonst den ganzen Tag ihrer eigenen Arbeit nachgeht, ihren Mann jetzt sehen und sprechen muß. Lina drückt ihr das kleine Tablett in die Hand, ein Kännchen Tee steht darauf, eine Scheibe Brot liegt daneben, dünn mit Butter bestrichen.

„Werden Sie zum Essen wieder hiersein, Frau Kollwitz?"

„Ich weiß nicht, wie lange ich zu tun habe."

Lina mahnt: „Es war bitter kalt heute morgen. Haben Sie Ihre Handschuhe dabei?"

„In der Manteltasche."

Sie sind am Ende des Flurs angelangt. Vorsichtig, das Tablett in der Linken, mit der Rechten sich am Geländer haltend, steigt die Schmidt ins zweite Stockwerk hinunter, wo Doktor Kollwitz seine Kassenpraxis hat.

Hier steht die Flurtür offen, und auch die Tür zum Wartezimmer ist geöffnet. Das ist überfüllt um diese Zeit, da der Arzt seine morgendlichen Krankenvisiten beendet hat und die Sprechstunde beginnt. Durch den offenen Türspalt dringt über das Gemurmel halblaut geführter erregter Gespräche hinweg das monotone Wimmern eines Kindes. Der Schmidt dringt dieser Laut ins Herz. Davon hat man zu viel gehört, das möchte man nicht mehr hören. Aber das Elend ist groß, die Republik hat nichts gebessert.

Feuchtlaue Luft und der zähe Geruch abgetragener Kleider schlägt ihr entgegen, als sie die Tür passiert und einen Blick in den Raum wirft, in dem sich auf Bänken und Stühlen Frauen und Kinder aneinanderdrängen und ein paar gebeugte weißhaarige Rentner.

Zwischen ihnen steht breitbeinig mit dunklem Schnurrbart im knochig-aschigen Gesicht ein etwa dreißigjähriger Mann, der, trotz der Kälte draußen, die Jacke nur übergehängt hat und um die Stirn und den rechten Arm dicke, unsachgemäß angelegte Verbände sehen läßt. Ein Verwundeter, ohne Zweifel, aus den Kämpfen der letzten Tage. Wie der es nur hat wagen können, sich auf der Straße blicken zu lassen, denkt die Schmidt, winkt ihm zu und führt ihn schweigend in den kleinen ans Ordinationszimmer anschließenden Raum, wo Karl Kollwitz mit einer Krankengeschichte beschäftigt ist. Er sieht auf, gewahrt den Verwundeten hinter ihr und begreift sofort.

„Daß Sie so herumlaufen! Ich besuche ja auch meine Patienten", schilt er.

Der Verwundete öffnet kaum die Lippen.

„Wen hätte ich denn schicken sollen? Und den Schuppen, in dem ich mich verkrochen habe, hätten Sie sowieso nicht gefunden."

„Wie alt ist denn die Wunde?" fragt der Arzt, die Schere schon in der Hand.

„Vom Achtzehnten."

„Da waren die Kämpfe doch schon vorüber."

„Die sind noch lange nicht vorüber."

Doktor Kollwitz tut, als hätte er das nicht gehört, und fragt: „Wann wurden Sie das letzte Mal verbunden?"

„Vor fünf Tagen."

„Fieber?"

„Wird wohl sein. Ich weiß nicht. Heute ist die Beerdigung. Da muß ich jedenfalls hin."

„Das werden wir erst mal sehen. Hier herein!"

Der Arzt öffnet die Tür zum Ordinationszimmer und läßt den Mann vor sich eintreten. Die Klinke in der Hand, bleibt er stehen, zögert einen Augenblick.

Die Frau ist gekommen, um ein Wort von ihm zu hören, den Druck seiner Hand zu spüren, sich Kraft von ihm zu holen für ihren Weg. Das ist nun anders, da sie in sein abgezehrtes Gesicht blickt mit der Hakennase und dem kurzen Seemannsbart. Müde stehen die Augen hinter der kalten Brille.

Sie deutet mit der Hand auf den Tisch, auf dem sie den Tee abgestellt hat, und bittet: „Iß und trink erst was!"

„Dazu ist jetzt keine Zeit", sagt er und setzt hinzu: „Die Verwundeten kommen zu mir. Du gehst zu den Toten."

„Aber ich stehe bei den Lebenden", antwortet die Schmidt.

Der Doktor spürt, daß das ihm gilt, ein Trostwort sein soll, ihm und dem erstgeborenen Sohne Hans, die in der Trauer um den abgöttisch geliebten Peter durch Jahre vernachlässigt worden sind. So hingegeben hatte sich die Frau dem Schmerz, daß man um ihren Verstand fürchten mußte.

„Besser sind wir durch Peters Tod nicht geworden", sagt Kollwitz und bereut, kaum daß es heraus ist, das bittere Wort. „Wenn ich erst das Grabmal gemacht habe ...", flüstert sie mit gesenktem Kopf. Da legt er seine weiche und doch so kräftige Hand auf ihre Hände, die sie vor der Brust gefaltet hat.

„Gib acht auf dich", bittet er. „Die Stadt ist noch keineswegs ruhig. Man erwartet neue Zusammenstöße bei der Beerdigung. Konrad hat es auf der Redaktion gehört."

Ihr Bruder Konrad ist Redakteur beim „Vorwärts". Wie verändert hat er sich doch seit jenen Jahren, da er, aus London kommend, Mutter und Schwester in St. Moritz besuchte, erschüttert war über den Tod Karl Marx' und schwärmend vom alten Friedrich Engels erzählte, mit dem er in London häufig zusammen war. Mit welchem Respekt doch hat sie damals zu ihm aufgesehen.

Jetzt wehrt sie sich gegen seine Hiobsbotschaften.

„Nach der Erstürmung des ‚Vorwärts' meinte er, nun ist es mit Spartakus vorbei. Ach, Karl – daß es gut ist, was jetzt geschieht, das kann doch niemand glauben."

So trennen sie sich. Die Schmidt huscht noch einmal hinüber ins Atelier, das im gleichen Stockwerk wie Karls Praxis liegt, so daß sie sich ihre Modelle oft aus seinem Wartezimmer hat holen können.

Einen Block Papier, das Schächtelchen mit Kohle und Bleistift steckt sie zu sich und geht.

Zögernd tritt sie vor die Haustür, saugt die kalte Januarluft ein und schaut nach rechts und links über den Wörther Platz und die vertraute Weißenburger Straße hinauf mit der grauen Reihe der vierstöckigen Bürgerhäuser. Auf den Balkons, deren Eisengitter wie Bänder über das Grau der Mauern entlanglaufen, steht hier und da von Weihnachten her ein trockenes Tannenbäumchen mit vereinzelten Strähnen silbernen Lamettas.

Seit Jahrzehnten wohnt sie in dieser Straße, die ihr heute fremd vorkommt. Die Häuser machen einen verschlossenen, stumm abwehrenden Eindruck.

Als ein loser Fensterladen irgendwo gegen eine Hauswand schlägt, fährt die Schmidt erschrocken zusammen. Sie hat gemeint, es sei ein Schuß gewesen, wie man sie ja immer noch vereinzelt in den Nächten hört.

Sie ist ärgerlich, daß sie sich hat erschrecken lassen. „Was ist nur aus dir geworden!“ brummt sie – und drückt sich nun doch unwillkürlich so dicht an die Häuserwand, daß sie mit dem Ellenbogen die Mauern streift. Nur unten, am Platz, bevor sie abbiegen muß, wagt sie sich in die Mitte vor, um zurückzuschauen nach dem Haus Nummer fünfundzwanzig und mit einem Blick auf das zweite Stockwerk noch einmal Abschied zu nehmen von ihrem Mann. Sie denkt an den Verwundeten, den sie dort oben aus dem Wartezimmer geholt hat. Jetzt fällt ihr ein, daß ihr sein Gesicht vertraut schien, und sie glaubt nun auch zu wissen, warum das so war. Erinnert er sie nicht an den Mann mit der Axt über der Schulter, der da im Zug der finster entschlossenen Weber dahinschreitet?

Über die Schönhauser Allee führt ihr Weg weiter in die Stadt hinein, deren froststarre Straßen sich auf eine unwirkliche Art beleben. Denn jeder, der hier geht, hat es eilig. Blaßgesichtig, die Mantelkragen hochgeschlagen, den Kopf zwischen die gekrümmten Schultern gezogen, hasten die Menschen dahin, Verdrossenheit um den Mund, Mißtrauen im Blick.

Unheimlich ist der Schmidt die Stadt.

Vom Oranienburger Tor sind es nur noch ein paar Schritte die Hannoversche Straße entlang, und die Schmidt atmet auf. Vor dem Knick an der Endstation stehen die gelben schmuddligen Wagen der Straßenbahn und daneben ein paar Leute, Schaffner und Fahrer in langen Wintermänteln, Arbeiter und wahrhaftig auch ein Matrose, obwohl man auf die Blaujacken in diesen Tagen Jagd macht. Der aber mit seinem roten Gesicht und dem borstigen Schnurrbart läßt die Mützenbänder fröhlich im pfeifenden Ostwind flattern und redet auf die Umstehenden ein, wobei er die erhobenen Fäuste wie Paukenschlegel über dem Kopf herumwirbelt.

Was er sagt, kann die Schmidt nicht verstehen. Sie sieht nur den weißen Hauch seines Atems, wenn er den Mund öffnet. Im Grunde fühlt sie sich angezogen von der Gruppe, möchte gern wissen, worüber man da redet. Aber sie traut sich nicht hin, stapft vielmehr verdrießlich in ihren festen Schuhen quer über den Damm auf die andere Straßenseite.

Da knallen hinter ihr die genagelten Stiefel einer Militärstreife auf das Pflaster. Furchtsam wendet sie im Gehen den Kopf über die Schulter und sieht drei graue Soldaten, im Stahlhelm, das Gewehr unter dem Arm, nebeneinander in langsam gleichem Schritt dahinmarschieren. Ein wenig abseits, ihnen um einen Schritt voraus, geht ein Offizier in einem sehr langen, strahlend hellen Mantel. Eine Zigarette klebt an der Unterlippe im Winkel des schmalen Mundes. Die Linke hat er in die Manteltasche geschoben, die Rechte mit der Pistole hängt herab.

„Auseinandergehen! Gehen Sie sofort auseinander!" ruft er mit lauter, aber gleichgültiger, fast gelangweilter Stimme den Leuten neben der Straßenbahn zu und hebt, ohne in seinem Wege einzuhalten, ebenso gelangweilt und gleichgültig die Rechte.

Inzwischen sind die Menschen hastig in die Straßenbahn gesprungen. Der Fahrer auf seinem Stand dreht den Schalthebel zur Seite, läßt den Wagen anfahren und mahnt mit ärgerlichem Geläut der Fußglocke die drei Soldaten auf der Straßenmitte, den Fahrweg freizugeben.

Der Schuß, den der Offizier aus seiner Pistole feuert, hat kein Ziel, ist in die Luft gerichtet. Sein Echo hallt in der engen Straße wider. Der Schmidt klopft das Herz gewaltig. Zusammengeduckt eilt sie an der übermannshohen gelbbraunen Ziegelmauer des Gerichtsmedizinischen Instituts entlang. Sie verschwindet im schmalen Mauerdurchlaß, steigt rasch die Stufen hinauf zum Mittelportal des häßlichen Baues, atmet befreit auf, da sie die Tür hinter sich zudrückt, und fühlt sich geborgen im Hause der Toten.

Der fadsüße, rauchige Leichengeruch ist schon im Flur zu spüren. Sie schmeckt ihn auf Lippen und Zunge und merkt, wie er in die Nasenwände aufsteigt.

Heute ist in diesem Hause alles anders als sonst. Es birgt mehr Gäste, als ihm das Schicksal üblicherweise zuführt. Es gibt keine Wasserleichen und keine verhungerten Landstreicher, keine Selbstmörder, die durch das Gas oder den Strick oder die Kugel dem wahren oder eingebildeten Elend ihres Lebens ein Ende machten.

Die heute hier liegen, liegen heute hier, weil sie das Leben liebten und nach seiner höchsten Krone griffen.

Der Pförtner weist der Schmidt den Weg. Die Leichen sind nicht mehr in den Kühlräumen des Schauhauses, sondern liegen bereits in ihren Särgen aufgebahrt im weißgekalkten breiten Flur, dessen stumpfe Deckenwölbung vergeblich den Eindruck eines Bogenganges erwecken möchte. Sarg reiht sich an Sarg. Die Schmidt hat es nicht schwer, unter den toten Kämpfern der Januartage Liebknecht herauszufinden. Ein Bund roter Rosen leuchtet an seiner Stirn und verdeckt die tödlichen Wunden.

Langsam schiebt sich die Frau an den Särgen vorbei, grüßt mit dem Blick ihrer warmen dunklen Augen jeden einzelnen der toten Spartakisten und bleibt schließlich vor dem vertrauten Gesicht Karl Liebknechts stehen. Wie bei den anderen, deren mitfühlender Anwalt er sein ganzes Leben bis zum letzten bitteren Augenblick gewesen, ist der Körper von einem glatten, straffen Leinentuch bedeckt. Die Arme liegen ausgestreckt darauf. Die Hände, die in der Mitte des Leibes zusammengefügt sind, halten ein paar rote Rosen wie eine leuchtende Flamme.

Eine Weile verharrt die Schmidt an der Seite des Sarges, ohne den Toten anzusehen. Ihr ist, als müsse sie sich erst sammeln für ihre Aufgabe. Zudem sind ihre Hände klamm vor Kälte, damit läßt sich nichts aufs Papier bringen. Sie verschränkt die Arme über der Brust und drückt die Finger in die Achselhöhlen, um sie anzuwärmen.

Während sie den Blick auf den Boden richtet, um Kraft zu gewinnen für ihre Arbeit, die bis auf den Grund forschende Neugier und leidenschaftliches Beobachten verlangt, und auch Klarheit über sich selbst und über den darzustellenden Gegenstand und über die Beziehung, die man zu ihm hat, versucht sie herauszufinden, wie sie eigentlich zu dem Toten steht. Dabei wird wieder die Mahnung in ihr laut, daß sie früher hätte kommen sollen, ungerufen, aus eigenem Antrieb.

Man muß ehrlich mit sich selber sein, denkt sie: Ich bin wohl immer etwas spät dran gewesen, aber am Ende habe ich dann doch das Rechte getan.

Du, Liebknecht, hast freilich schon im Jahre sechzehn aufgerufen zum Kampf gegen den Krieg mit jener Mairede auf dem Potsdamer Platz, deren wenige Worte den Kaiser und die Generäle erschreckten und dich auf Jahre ins Zuchthaus brachten. Ich habe deine Stimme gehört, ich habe gewußt von deinem Ruf und bin ihm damals nicht gefolgt . . . habe mit mir gerungen, ob ich, dir folgend, dem Peter nicht untreu würde, der doch freiwillig in den Krieg gegangen ist. Wenige Tage, bevor er auszog, habe ich noch an seinem Bett gesessen und ihm aus dem Zarathustra vorgelesen. Im Oktober schon ist er gefallen. Wie habe ich mich gequält! All das Morden und Sterben wollte mir das Herz abdrücken. Aber erst, als sich Peters Todestag zum vierten Male jährte und all seine Freunde gefallen waren, sprach ich aus, was ich fühlte. Dehmel rief die Jugend zum letzten Aufgebot. Ich schleuderte ihm die Worte Goethes entgegen: Saatfrüchte sollen nicht vermahlen werden.

Alt wie ich bin, muß ich lernen, rascher meinem Herzen zu folgen.

Längst hat sie den Blick erhoben. Sie ist um den Sarg herumgeschritten und steht an dessen Fußende. Mit der Linken hält sie den Block so vor sich, daß er auf dem Unterarm Stütze findet. Unruhig dreht sie die Kohle zwischen den Fingern.

Liebknechts Gesicht, wie sie es vor sich sieht: von oben betrachtet, auf dem flachen Kissen ruhend mit den tief geschlossenen Augen, ist nicht leicht zu fassen. Es ähnelt in nichts dem bekannten Profil des zürnenden Redners und flammenden Agitators, der mit zurückgeworfenem Kopf und ausgestrecktem Arm den hungernden und empörten Massen am ersten Tage der Revolution vom Balkon des Schlosses das Ziel wies: die sozialistische Republik.

Forschend gleitet der Blick der Schmidt über den in so ungewöhnlicher Perspektive sich präsentierenden Kopf. Erst als sie den Standort verändert, einen Schritt zur Seite macht, gelingt es ihr, mit einem einzigen festen Kohlestrich den Rahmen zu ziehen, der vom äußersten Punkt der zurückfliehenden Stirn über Augenbogen und weitabstehenden Bakkenknochen zur Mundgrube führt und am tief eingekerbten Kinn endet.

Immer noch über die seltsame Veränderung dieses Gesichts nachgrübelnd, meint sie zuerst: es ist eben die Brille, die fehlt. Aber sogleich schüttelt sie unzufrieden über solch oberflächliche Erklärung den Kopf. Denn es ist ja nicht so, daß hier etwas fehlt. Was sie irritiert und in der Arbeit unsicher macht, ist eine ihr unbekannte, sie überraschende Qualität, ein neuer Zug in diesem Gesicht, um den sie ringen muß. Solange sie den nicht ergründet hat, steht sie wie vor einer verschlossenen Tür.

Die äußerlichen Merkmale lassen sich leicht setzen mit der feierlichen Rundung der schweren Augenbrauen und den beiden Strichen des kurzen Bartes auf der hochgewölbten Oberlippe.

Aber damit ist noch nichts getan, um das Eigentliche und Besondere, das Leben gewissermaßen im Gesicht dieses Toten einzufangen. Und während die Kohle mit hauchleisem Scharren, das der Schmidt ein so wohlvertrautes Geräusch ist, über das rauhe Papier gleitet, enthüllt sich ihr langsam das Geheimnis dieses Antlitzes in seiner Schönheit, die auch der Gewehrkolben des Jägers Runge und die schmalkalibrige Pistole des Leutnants Vogel nicht haben zerstören können.

Dabei ist dieses Gesicht gar nicht gefällig, ist stolz auf eine geradezu herausfordernde Art, und sein Reiz, dem die Schmidt sich ganz ergibt, entspringt dem wirr Unregelmäßigen der Züge, die sich irgendwie nicht zusammenfügen wollen und dann doch zu einer verwegenen Harmonie vereinigen. Ähnlich stand es wohl mit dem Charakter dieses Mannes, in dem es an Widersprüchen nicht fehlte. Und doch verband sich seine beherrschte, von aller Pedanterie freie Klugheit gut mit jener so heißen Leidenschaft, die menschlich und durchaus nicht dämonisch war, da sie aufging in der Sache, für sich nur das Opfer forderte und bei aller kämpferischen Heftigkeit voller Güte war und voll tiefer Wärme der Seele.

All das kann man nun aus dem Blatt lesen, unter das die Schmidt den Namen des Toten setzt, die Anfangsbuchstaben lateinisch, die kleinen in gotischen Schriftzeichen. In den rechten unteren Rand schreibt sie den eigenen Namen. So sind sie miteinander vereint; Karl Liebknecht und Käthe Kollwitz.

Noch einmal vergleicht sie das Antlitz des Toten mit dem Bild auf ihrem Block. „Le beau c'est le laid" – ist es Zola, bei dem sie das gelesen hat? Immer wieder hat sie Arbeiter dargestellt und deren Frauen, vor allem die Frauen. Gerade dort fand sie die Schönheit. „Das Proletariat hat einen großen Wurf", hat sie später geschrieben. Und einen großen Wurf eben auch hat dieser Mann, Karl Liebknecht.

„Dir kann man sich nicht entziehen", flüstert die Schmidt vor sich hin. „Diese Stunde an deinem Sarge, dafür muß ich dir dankbar sein." Sie weiß, daß diese letzte Begegnung erst ein Beginn ist, und in der Hingabe an den Toten ist zugleich Auflehnung, wie es lange auch Peter gegenüber gewesen ist.

Muß ich denn den Toten immer etwas schuldig bleiben? fragt sie sich voller Bitterkeit. Sie reibt die Kohle von den Fingerspitzen und löst das Blatt vom Zeichenblock. Das reißende Geräusch des Papiers zerschneidet mit grellem Ton die glashelle Stille der Leichenhalle.

Erschrocken aufblickend, gewahrt die Schmidt erst jetzt, daß sie nicht allein ist. Da wandern andere, Männer, die zerdrückte Schirmmütze in den Händen, stoppelbärtige Soldaten in grauen Mänteln, schmalgesichtige Frauen mit verhärmten Augen, wandern auf Fußspitzen, gebeugten Hauptes, lautlos und schattenhaft im fahlen weißen Licht durch die Reihen der Särge, blicken abschiednehmend in die Gesichter der toten Spartakisten und immer wieder auf Liebknecht, von dem sie sich nicht trennen können.

Die Schmidt steckt das Blatt in die Mappe und ist gar nicht einverstanden mit dem, was sie getan, und auch nicht mit dem, was sie gedacht hat. Sie ist noch nicht fertig, muß sich noch auseinandersetzen mit dem toten Karl Liebknecht, kann sich nicht davonschleichen, jetzt, beschwert mit dieser Trauer, die ihr Herz lähmt. Ihre Füße würden sie nicht tragen.

Die Arbeit neu beginnen fällt ihr nicht leicht. Aber sie begreift, sie muß Liebknecht so festhalten, wie ihn die sehen, die hier trauernd an ihm vorübergehen. Ein paar Schritte sind es nur bis zum Kopfende des Sarges. Aber sie vermag nicht mehr zu stehen.

Mit dunkler Stimme flüsternd bittet sie den Wärter, der ihr einen Hocker bringt.

So sitzt sie neben dem Toten, wie eine Mutter neben ihrem Kind, wie sie im Krankenzimmer manche Nacht neben ihren

Söhnen gesessen hat. Ganz nah ist ihr der Kopf mit der blumenbedeckten Wunde. Sie möchte ihre Hände auf die Stirn legen, die so kühn und rein dachte, und auf die Wangen, die nicht mehr glühen werden im Feuer des Kampfes. So könnte er ruhen im Frieden ihrer Hände.

Mit Bleistift erst, dann mit Kohle bildet sie das Profil Liebknechts nach. Plötzlich die klassische Form dieses Rebellenkopfes entdeckend – in dem sie eine Verwandtschaft mit Lenin zu spüren meint, dessen Foto ihr neulich jemand gezeigt hat –, verwandelt sich ihre Trauer in schüttelnden Schmerz. Sie spürt ihn wie Messerschnitte in der Brust und glaubt, das Blut trete aus ihren Poren. Ein Schleier von Tränen tritt vor ihre Augen, und die Hand mit dem Kohlestift zittert und rutscht mit schwerem Strich quer über den Bogen.

Sie muß warten, blinkt mit den Augenlidern, fühlt mit der Hand das klopfende Herz. Was haben wir an dir verloren, Liebknecht! Was hat Deutschland an dir verloren! – Und in unheimlich bedrängender Ahnung dann: Wie schwer werden wir es haben ohne dich!

Sie erinnert sich mit Schrecken an den Traum, da die Welt sich vor ihr verdunkelte und sie blind wurde. „Aber ich muß doch arbeiten!" hat sie damals geschrien.

Endlich beginnt sie ein neues Blatt, ist ganz bei der Sache und hält weiter flüsternd Zwiesprache mit Liebknecht.

„Immer hab ich nur Proletarier gemalt", wiederholt sie, „Mütter und Kinder. Mein erstes Blatt waren die ‚Auswanderer' nach Freiligraths Gedicht. Mit dreißig hab ich die ‚Weber' vollendet. Proletarier im Elend, Proletarier im Aufstand, Proletarier im Tod. Dann las ich den Bauernkrieg von Zimmermann. Was für ein Buch, wie das lebt! Danach dann hab ich meinen Zyklus gestochen. Die ‚schwarze Anna', von der da die Rede ist, ich hab sie nachgeschaffen, wie sie schwerfüßig ausschreitend mit hochgereckten Armen die Bauern zum Sturme treibt. Das war auch ein Selbstporträt. Du kannst es mir glauben. So wollte ich sein. Damals war ich jung, jetzt bin ich gealtert – ich hasse das Alter –, ich bin nicht geworden, was ich werden wollte, und bin es doch auf andere Art. Von den Kinderträumen, auf der Barrikade zu kämpfen, ist mir nur geblieben, die toten Kämpfer zu betrauern, wie die Frauen im letzten Blatt der ‚Weber' oder wie die ‚schwarze Anna' auf dem nächtlichen Feld nach der Schlacht.

Den Platz auf der Barrikade an deiner Seite, Liebknecht, hat eine andere eingenommen. Sie hat den Tod mit dir geteilt, und wir wissen nicht, wo sie ist und ob sie je dein Grab wird teilen können. Sie liebte die Gräser und die Blumen und die Vögel. Sie liebte das Leben und die Menschen. Sie war klug und konnte träumen und kämpfen. Wo mag Rosa Luxemburg sein?"

Mit starrem Blick schaut sie über den Toten hinweg auf die Reihe der Trauernden, die an der anderen Seite des Sarges in langsamem Zug vorbeischreiten, tränenden Auges, die Hände vor dem zuckenden Mund. Ihr unterdrücktes Schluchzen verschmilzt zu einem dunkel summenden Ton wie der verklingende Baß einer Orgel.

Noch ein letztes Mal greift sie zum Stift, hält in flüchtigen Umrissen den Zug der Trauernden fest.

Das ist es, denkt sie. Und wird noch lange daran arbeiten, fast auf den Tag zwei Jahre, bis dieses Blatt, ihr erster Holzschnitt, gelungen ist.

Der Saal hat sich geleert. Der Wärter kommt und berührt sie an der Schulter.

„Es ist Zeit", sagt er. „Wir müssen die Särge schließen."

Die Schmidt blickt noch einmal auf den Toten und dann auf die vier Blätter in ihrer Mappe. Inzwischen werden polternd die Sargdeckel hereingetragen.

„Nun können Sie zumachen", sagt sie. „Wer der war, wird nicht mehr vergessen werden."

JAN PETERSEN

# Der Frack

Man hielt G. für einen Sonderling, und manche nannten ihn, wenn er es nicht hören konnte, einen Spinner. Er war der schweigsamste und verschlossenste Mensch in unserer Lagerbaracke. Fragte ihn jemand etwas, so sah er so abwesend drein, als müsse er seine Gedanken von weit herholen, um antworten zu können. Er war auch der einsamste Mensch unter uns. Er wollte es sein und tat alles, daß es so blieb. Dafür hatte er seine Gründe. In unserer Baracke lebten fünfzig Menschen eng zusammengepfercht. Wenn G. bei den täglichen kurzen Zusammenkünften, in denen der „Barackendienst" besprochen und eingeteilt wurde, fehlte, so sagte sicher ein Witzbold: „Der sitzt wieder im Trockenraum und paßt auf, daß niemand unsere Wäsche stiehlt!"

In diesem kleinen rechteckigen Raum entging man dem ständigen Hin und Her, dem Stimmengewirr in unserer Wohnbaracke. Schnüre durchzogen ihn kreuz und quer, auf denen Wäschestücke trockneten. Die zwei kleinen Tische darin, gegen das Fenster geschoben, waren gewissermaßen unsichtbar, denn reihenweis hängende nasse, tropfende Wäsche entzog sie allen Blicken. Von uns fünfzig hatte immer jemand Waschtag.

Hier saß G. oft, still und in sich gekehrt. Seine Blicke eilten über die Partitur, die vor ihm ausgebreitet lag, und nur seine Hände bewegten sich. Im Rhythmus unhörbarer Musik. Er war groß und überschlank, sein volles dunkles Haar, das ihm bis in den Nacken reichte, umrahmte ein blasses, geistvolles

Gesicht. Seine empfindsamen, feingliedrigen Hände, für einen Mann ungewöhnlich schmal, verrieten seine Sensibilität. Einst hatten sie, sicher und beherrschend, mahnend und anfeuernd oder behutsam dämpfend, den Taktstock geführt, dem Spiel des Orchesters bezwingende Zartheit und mitreißende Kraft gegeben, Tongemälde mit leuchtenden Farben und strahlender Schönheit erfüllt. G. hatte viele Jahre die Wiener Philharmoniker dirigiert. Jetzt, hier im kanadischen Internierungslager, war er wie wir alle zur Untätigkeit verurteilt.

Auf seinen Spaziergängen hielt sich G. stets allein. Langsamen Schrittes umkreiste er den Lagerplatz, den Blick geradeaus und in so aufrechter Haltung, als habe er einen Stock verschluckt. Eines Tages überholte er mich dort und fragte höflich: „Darf ich mich Ihnen anschließen?"

„Aber natürlich, gern", forderte ich ihn auf, etwas überrascht. Wir hatten einander stets gegrüßt, doch zu einem Gespräch war es nie gekommen. Ich hatte immer das Gefühl gehabt: Dräng dich nicht auf!

„Ich bin eben zum Kommandanten gerufen worden", begann er, während wir weitergingen. „Wir sollen Musikinstrumente bekommen! Und ich soll dann im Lager ein Orchester aufbauen!" Er war aufgeregt und sah mich erwartungsvoll an. Ein ganz anderer Mensch ging plötzlich neben mir. Bevor ich antworten konnte, setzte er jedoch hinzu: „Wissen Sie, der Gedanke, ein Gefangener zu sein, stört mich nicht mehr allzusehr. Ich habe dagegen angekämpft, mit intensiver Arbeit. Man darf sich eben nie verlieren . . ." Er sah mich wieder an. „Du mußt jeden Tag mit deiner Musik leben, ihr innerlich fest verbunden bleiben, dann kann dir die Zeit im Lager nichts anhaben! habe ich mir gepredigt."

Ich nickte ihm zu.

„Doch für Sie muß das alles ganz anders sein", fuhr er lebhaft fort. „Sie arbeiten mit dem Wort. Schöpfen aus dem Leben. Wie viele Menschen, so ganz verschiedene Menschen haben Sie hier kennengelernt! Kluge und einfältige, skurrile und völlig unausgegorene. Und jeder hat andere Gedanken und Sorgen! Und was hier so zusammengeredet wird, Tag für Tag. Doch selten etwas Kluges, eher Unsinn und unverstandenes Zeug. Bei manchen kommt es mir vor, als ob sie reden müssen, ganz gleich, worüber, nur um nicht allein zu sein, um eine Geräuschkulisse um sich zu haben. Mir wird das oft unerträglich!"

Seine letzten Worte klangen hochmütig, und im Grunde bestätigten sie mir nur, was ich seit langem wußte: Stille und Alleinsein waren für ihn eine Hülle, die ihn von allem, was sich um ihn tat, abschirmen sollte.

Ich erwiderte: „Das Leben formt die Menschen. Wer sich schwer durchbringen muß, hat es auch schwer, sich Wissen und Bildung anzueignen. Er braucht dafür tausendmal mehr Energie und Fleiß als jemand, der im Hörsaal einer Universität sitzt. Die Volksschulbildung war ja nur eine Krücke, an der man ins Leben stolperte. Das weiß ich nur zu gut."

Er schwieg zunächst. Erst nach einer Weile sagte er, und sehr nachdenklich: „So habe ich das nie gesehen."

Das kannte ich. Mir fiel eine Szene vor dem Ausländer-Tribunal in England ein. Es war kurz vor unserer Internierung. „What university?" fragte mich damals der Richter. Für ihn war es selbstverständlich, daß ein Autor, der in England drei Bücher veröffentlicht hatte, Hochschulbildung haben mußte. Als ich aber mit „None, Sir!" antwortete, sagte der Richter nur zwei Worte: „I see!" Mit so eisigem Unterton, daß man deutlich heraushörte: „Aha! Plebs!" Der Beisitzer des Tribunals hatte dann dem Richter ein Exemplar des nazistischen „Reichsanzeigers" vorgelegt und ihm erklärt, daß darin meine Ausbürgerung veröffentlicht sei. Er fügte hinzu: „Das ist eine große Ehre, Sir!" Doch der Richter, in Amtsrobe und grauer, gut ondulierter Perücke, wischte die Zeitung zur Seite und antwortete mürrisch: „Das kann ich nicht lesen!" Plebs war Plebs, und damit basta!

Meine Gedanken hatten mich weit fortgetragen. Auch G.

sagte nichts mehr. Doch als wir auseinandergingen, hatte ich das Gefühl, daß wir uns nähergekommen waren.

Einige Tage danach kam ein Sergeant in unsere Baracke und fragte nach G. Jemand schickte den Sergeanten in den Trockenraum. Gleich darauf gingen beide auf das Kommandanturgebäude zu. G. sah nicht nach rechts und links und machte so große Schritte, daß ihm der Sergeant kaum folgen konnte. Lange blieb er fort, und ich vergaß ihn über dem Buch, in dem ich las, bis er plötzlich vor mir stand. „Ich möchte Ihnen etwas zeigen“, flüsterte er aufgeregt und griff nach meinem Jackenärmel. Ich stand auf. Was hatte er? Voller Hast und ohne ein weiteres Wort führte er mich zur Recreation-hut des Lagers. Dort öffnete er einen Abstellraum, knipste Licht an und rief: „Hier! Für das Orchester! Und ich bin dafür verantwortlich!“ Die kleine Kammer war mit Musikinstrumenten angefüllt. Trompeten glänzten goldgelb, ein Saxophon hellsilbern, ein dicker Brummbaß stand dort und viele Instrumentenkästen. G. bückte sich, hob einen der Kästen hoch, öffnete ihn, strich zärtlich über die Geige darin. Dann drängte er: „Schnell zurück!“ Es war kurz vor dem allabendlichen Appell, und alle Internierten hielten sich in den Baracken auf. Als wir den leeren Lagerplatz überquerten, ertönte ein Trompetensignal. Vom Fahnenmast vor der Kommandantur wurde der Union Jack eingeholt. Eine Wache war aufgezogen, präsentierte das Gewehr, und neben ihr stand ein Offizier, die Hand an der Schirmmütze. Wir blieben stehen. So schrieb es die Lagerordnung vor. Über uns flammte der weite kanadische Abendhimmel in einem Meer von roten, goldenen und violetten ineinanderfließenden Farben. Nie konnte ich mich daran satt sehen.

Nach jenem Abend war G. wie verwandelt. Der schweigsame, stets für sich lebende Mann gönnte sich keine ruhige Minute mehr. Er war ständig unterwegs, ging von Baracke zu Baracke, suchte nach Musikern. Immer sah man ihn mit jemandem reden, freundlich und aufgeschlossen, bittend und überzeugend.

„Ich habe drei entdeckt, die in Tanzkapellen gespielt haben!“ verkündete er mir. „Freilich, die andern haben nur ‚für den Hausbedarf‘ gefiedelt. Trotzdem! Wir werden es schaffen!“

Unser Trockenraum war jetzt nicht mehr sein Zufluchtsort, sondern wurde Übungsraum. Tag um Tag arbeitete er dort mit seinen Schützlingen. Übte mit jedem einzeln, rastlos und unermüdlich. Die Mahlzeiten waren für ihn unliebsame Unterbrechungen geworden, er aß hastig und entfernte sich dann sofort, als verliere er sonst unersetzliche Zeit. In unserer Baracke nannte ihn niemand mehr einen Sonderling oder gar einen Spinner. „Der macht sich!“ oder „Das hätte ich ihm nicht zugetraut!“ hieß es statt dessen. Eines Tages saß G. auf seinem Feldbett und schnitzte an einem Stock. Im Nu stand eine neugierige Gruppe um ihn. „Was soll denn das werden?“ fragte jemand. „Ein Taktstock“, antwortete er lächelnd. „Den mache ich für Sie“, antwortete ein anderer aus dem Kreis und nahm den Stock an sich. Es war einer unserer Seeleute, ein Meister im Holzschnitzen. Er hatte viele Miniatursegelschiffe geschnitzt, sie dann, Teil für Teil, mit einem dünnen Draht durch enge Flaschenhälse bugsiert, in den Flaschen zusammengeleimt und aufgebaut. Das brachte Geld für Tabak. Die kanadischen Soldaten und Offiziere rissen sich um solche Souvenirs. Nun saß der Seemann und arbeitete an dem Taktstock. Schnitzte und schmirgelte und polierte so lange daran, bis die Spitze haarnadelfein, das Holz so glatt und geschmeidig war, daß es schimmerte und glänzte. G. probierte den Taktstock sofort aus, begann damit zu dirigieren, ungehemmt, als sei er allein. Und rief begeistert: „Großartig ausbalanciert! – Vielen Dank!“ Der Seemann nickte lächelnd und verlegen. Einer klopfte ihm freundschaftlich auf die Schulter.

So vergingen einige Wochen. Dann begannen die Orchesterproben. Wenn man an der Recreation-hut des Lagers vorbeiging, hörte man es daraus blasen, flöten und fiedeln. Und dazwischen immer wieder G.s Stimme. „Hört sich schon ganz gut an", sagte jemand, und die andern, die um ihn standen, nickten zustimmend. Das ganze Lager freute sich auf sein Orchester.

Dann war es endlich soweit. Ein großes Plakat, das einer unserer Zeichner entworfen hatte, kündigte das erste Konzert an. An diesem Tag, schon am frühen Morgen, kam G. zu mir. Er wollte mit mir etwas Wichtiges besprechen, erklärte er. „Aber allein, bitte. Draußen!" Ich folgte ihm verwundert.

„Es handelt sich . . .", begann er draußen. Er zögerte. „Um meinen Frack! Er ist in meinem Gepäck und . . . Ich muß ihn für heute abend haben! Sonst werde ich nicht dirigieren!"

Ich sah ihn verdutzt an. Und da kam er zu mir? Dann ging mir erst richtig auf, was G. gesagt hatte. Davon wollte er abhängig machen, ob er . . . Von seinem Frack!

„Aber ich bitte Sie!" sagte ich brüsk. „Alle im Lager freuen sich auf das Konzert. Und Sie wollen es nun ausfallen lassen!"

„Ohne meinen Frack ist es für mich keine Premiere!" antwortete G. verbissen. „Ich – ich will mal wieder Mensch sein! Können Sie das nicht verstehen?"

„Doch, doch, schon . . .", sagte ich gedehnt, nur, um etwas zu sagen. Wir hatten bei unserer Ankunft im Lager unser Gepäck und unsere Zivilkleidung abgeben müssen. Alles wurde in eine besondere Baracke gebracht und eingeschlossen. Das sollte Fluchtversuche erschweren. Aus dem gleichen Grund mußten wir grell gestreifte Gefangenenkleidung tragen. Trotzdem! Er redete von einer Premiere? Hier, im Gefangenenlager? Bis in dieses Camp hatte er also seinen Frack mitgeschleppt. Wozu eigentlich? Für öffentliche Konzerte? Als Gefangener? Was es doch für Menschen gab . . . Aber vielleicht hatte ich unrecht? Seine Partituren und auch sein Frack waren für ihn so wichtig wie für mich meine Schreibmaschine. Hatte ich sie nicht ebenfalls bis hierher geschleppt? Und jedesmal, wenn wir „gefilzt" wurden, um sie gekämpft? Im Camp in England, auf der Insel Man, auf dem Schiff, das uns über den Atlantik brachte, und in drei kanadischen Internierungslagern?

„Überlegen Sie es sich noch einmal, ich bitte Sie“, wandte ich mich wieder an ihn. „Das können Sie doch wirklich nicht machen!“

Doch er blieb störrisch. „Ich habe es mir überlegt. Es bleibt dabei!“ Einige Augenblicke vergingen. Dann beugte er sich vor und sagte leise: „Können Sie nicht beim Lagerkommandanten ein gutes Wort für mich einlegen? Sie verstehen doch mit Menschen zu reden. Ich nicht . . .“

Ich soll wegen seinem Frack . . .? Das einfachste ist doch, er geht selbst zum Kommandanten, dachte ich.

Ich sagte: „Aber Sie wissen doch, wie der Kommandant meine Genossen und mich einschätzt. Als Unruhestifter!“

G. lächelte. „Er weiß jedoch genau, wer Sie sind“, erwiderte er. „Zumindest, seit das hier mit Ihren Büchern passiert ist.“

Er wußte davon? Wieso? Der Gedanke verflog, wie er gekommen. Ich überlegte. Sollte ich doch . . .? Warum eigentlich nicht? Es ging nicht um den Frack, sondern um das Konzert! „Also gut. Ich will's versuchen“, stimmte ich zu.

„Vielen Dank!“ Wir trennten uns, und ich ging zum Kommandanten.

Woher wußte G. von dem Vorfall mit den Büchern? Einige von uns hatten damals, beim Postempfang, neben mir gestanden, erinnerte ich mich. Der diensttuende kanadische Offizier fragte mich überrascht: „Hier steht – Jan Petersen! Sind Sie denn der Autor?!“

„Ja“, sagte ich trocken.

Der Offizier schüttelte verwundert den Kopf und gab mir die Sendung. Drei Exemplare eines meiner Bücher. Dies Buch war im größten englischen Verlag in einer Massenauflage erschienen. Kurz vor meiner Internierung. Als man uns auf dem Londoner Bahnhof Baker Street in einen Zug stopfte, sah ich es wieder. Im Zeitungs- und Buchkiosk des

Bahnsteigs. Zwischen den aufgepflanzten Bajonetten der uns bewachenden Soldaten hindurch konnte ich noch einmal den auffälligen rotgedruckten Werbetext auf seinem Umschlag lesen:

*Episoden aus dem Leben der Antinazis, die tagtäglich in großer Gefahr gegen das Naziregime kämpfen. Ein wichtiges und aufregendes Buch.*

Der kanadische Offizier hatte zum erstenmal Postdienst gehabt. Aushilfsweise. Er war für den englischen Abwehroffizier des Lagers eingesprungen, der Urlaub hatte. Dieser aber, Captain Camp, ein kleines schmächtiges Männchen, dessen Blicke immer umherirrten, der einen mit seinen schmalen, grauen Mausaugen nie offen ansehen konnte, hatte mir stets erklärt: „Bücher sind für Sie nicht angekommen!" Er log. Das wußte ich seit geraumer Zeit. Ich hatte mehrmals an meine englischen Verleger geschrieben, und Kameraden sahen Exemplare meiner Bücher im Camp – in der Kommandantur! Diese Sendung bekam ich also nur durch Zufall ausgehändigt. Und der kanadische Offizier hatte Grund gehabt, verwundert zu sein. Als er nämlich den Werbetext auf dem Buchumschlag las.

Der Lagerkommandant wies mich kurz und bündig ab, als ich ihm G.s Wunsch vortrug. „Das ist unmöglich! Es verstößt gegen die Vorschriften für Internierte."

„Dann muß das Konzert leider ausfallen, Sir."

„Wieso muß es denn ausfallen!" brauste der Kommandant auf und machte einen Schritt auf mich zu.

„Wieso?" wiederholte ich ruhig. „Weil er nicht dirigieren will – ohne seinen Frack!"

Die nachtdunklen Augen des Kommandanten begannen zu funkeln. „Das ist doch ...!" Er stammt sicher von Indianern ab, dachte ich. Er war groß und sehnig, bewegte sich schwerelos und geschmeidig, hatte eine Adlernase, und sein Gesicht war dunkel getönt. Jetzt war es noch um einen Schein dunkler geworden. Wir wußten: er und alle Offiziere des Lagers hatten bereits ihre Frauen eingeladen. In dieser Abgeschiedenheit und Eintönigkeit bedeutete das Konzert auch für sie Freude und Genuß. „Ich werde mit ihm sprechen!" sagte er jetzt scharf. Es klang wie ein Befehl.

Wie mit mir damals? Nach der Buchsendung? dachte ich. Da hatte er mich zu sich rufen lassen. „Ich habe volles Verständnis dafür, daß ein Schriftsteller seine Arbeit nicht unterbrechen möchte. Deshalb will ich Ihnen einen Arbeitsraum zur Verfügung stellen. Allerdings, der einzige freie Raum im Lager ist – die Arrestzelle." Einen Augenblick sah ich ihn verblüfft an. Dann antwortete ich: „Der fünffache Stacheldrahtzaun des Lagers genügt mir vollkommen, Sir." Das Versehen bei der Postausgabe war dem Kommandanten wohl unangenehm gewesen. Er hatte noch lang und breit auf mich eingeredet.

Daran knüpfte ich jetzt an: „Sie haben mir mal gesagt, daß Sie Künstlern schon oft geholfen haben, Sir..." Der Kommandant nickte zustimmend. Er sei im Zivilleben Angestellter einer Konzert- und Theateragentur, hatte er mir an jenem Tag erzählt, und kenne daher viele kanadische Künstler persönlich. Weil er für sie – die Werbeanzeigen geschrieben habe. „... ich möchte auch gern helfen", fuhr ich fort, „und habe mir etwas ausgedacht, was man vielleicht machen kann. Ohne daß dabei gegen die amtlichen Bestimmungen verstoßen wird. Schließlich soll der Frack ja nur für heute abend, für dieses Konzert herausgegeben werden, Sir." Ich entwickelte meinen Vorschlag so, als dächten wir zusammen darüber nach. Der Kommandant hörte schweigend zu. Dann sagte er, doch schon weniger emphatisch, wie es mir schien: „Also – ich werde das alles klären!"

Wenige Minuten später verständigte ich G. von unserem Gespräch. Keinen Augenblick zu früh. Schon wurde er zur Kommandantur geholt. Und kam aufgeregt, mit hochrotem Gesicht zurück. Aber seine Augen glänzten. „Ich bin fest geblieben! Und da ist er auf Ihren Vorschlag eingegangen!"

Es wurde Abend. Die Recreation-hut war im Handumdrehen so überfüllt, daß die Stühle darin nicht ausreichten und viele fortrannten, um sich schnell ihre selbstgebauten Hocker zu holen. Sie quetschten sich damit zwischen die bereits Sitzenden. Doch auch das half nicht viel. Bald mußten andere, dicht an dicht, in den Gängen stehen, und selbst auf den Fensterbrettern saßen Zuhörer. Die erste Stuhlreihe war für den Kommandanten, die anderen Offiziere des Lagers und für ihre Frauen reserviert worden. Sie war ebenfalls „ausverkauft". Auf der kleinen Bühne stimmten die Musiker leise ihre Instrumente. Hin und wieder hörte man verhaltenes Wispern oder ein unterdrücktes Hüsteln. Dann wurde es stiller im Raum. Alles war bereit. Doch wo blieb der Dirigent?

Er stand neben mir. Bei einer kleinen offenen Tür, die vom rückwärtigen Teil der Bühne ins Freie führte und den Menschen im Zuschauerraum durch einen Vorhang verborgen blieb. Wir spähten beide ins Lager hinaus. Wie ein riesiges, grellweißes Tuch lag das Scheinwerferlicht, das von den Wachtürmen kam, auf dem Lagerplatz. So durchdringend hell, daß man eine Maus entdeckt hätte. Und niemand war zu sehen! Hinter uns, im Zuschauerraum, begannen sie plötzlich wie wild zu klatschen. Dann zischten viele. Das Klatschen verebbte. G. warf mir einen verzweifelten Blick zu. Seine Finger trommelten nervös auf dem Türrahmen.

Jetzt! Drüben von der Baracke, in der unser Gepäck eingeschlossen lag, löste sich eine Gestalt. Ein Soldat. Er trug ein dickes Paket unter dem Arm. Wir sahen es deutlich. Er brachte den Frack! „Endlich!" flüsterte G. aufatmend und wie erlöst.

Ich half ihm, sich umzukleiden. Er war sehr nervös, nestelte mit fahrigen Handbewegungen bald hier, bald dort an dem Frackhemd herum. Als er dann aber in den Handspiegel schaute, den ich ihm hinhielt, lächelte er glückselig. Während der ganzen Zeit stand der Soldat, ein Sergeant, dicht neben uns. Mit todernster Miene und wie angenagelt. G.s Gefangenenkleider über dem Arm. Er hatte strikten Befehl, auf der Bühne zu bleiben, den Frack sofort nach Beendigung des Konzerts in Empfang zu nehmen und ihn in die Verschlußbaracke zurückzubringen. „So kann gar nichts passieren“, hatte ich dem Kommandanten auseinandergesetzt. „Hinter dem Dirigenten steht eine Wache, und vor ihm sitzen Sie selbst, Sir.“

„Fertig! – Vielen Dank!“ raunte G. jetzt. Er griff nach seinem Taktstock, nickte mir lächelnd zu, schob den Bühnenvorhang etwas zur Seite und schlüpfte hinaus. Unten im Raum wurde es andachtsvoll still.

Ich tastete mich vorsichtig zu einer Seitenkulisse und sah hinunter. Es war ein seltsamer Anblick. Hunderte Gefangene in blauen Drillichanzügen mit den roten Interniertenzeichen und den aufgenähten „Generalstabsbiesen“. Gestreift und gescheckt saßen sie da. Schulter an Schulter. Ihre innere Spannung entlud sich in kleinen, nervösen Bewegungen. Und in der vordersten Sitzreihe die Khakiuniformen mit den silbernen Sternen, die gewollt vornehme Steifheit der Offiziere und ihrer Damen. Sie saßen hochgereckt, die Schirmmützen auf den Knien, und spielten mit ihren kurzen, dicken Holzstöckchen, den Symbolen ihres Ranges. Die Damen, in buntgeblümten, duftigen Kleidern und breitrandigen Sommerhüten, ließen die Arme mit den langen, weißen, durchbrochenen Handschuhen auf dem Schoß ruhen. Und ganz dicht vor mir, auf der Bühne, auch Gefangene im rotgesprenkelten Drillich. Die Orchestermitglieder. Sie saßen im Kreis. Die Streicher hatten ihre Geigen sorgsam auf die Knie gestützt. Alle sahen erwartungsvoll auf ihren Dirigenten. Hochaufgerichtet stand er vor ihnen. In tadellosem Frack, mit steifem Hemd, weißer Binde und Lackschuhen. So kannte ihn keiner von uns. Und doch: nun, da er die Gefangenenkleider abgestreift hatte, hörten auch wir auf, nur Gefangene zu sein. Denn er war einer von uns.

Einige Augenblicke lang stand er regungslos da. Den Kopf stolz erhoben. Mit geschlossenen Augen. Sein Gesicht leuchtete.

Jetzt hob er den Taktstock. Das Konzert begann.

WOLFGANG JOHO

# Die Hirtenflöte

Als die Sonne aufging, fuhren sie zwischen endlosen Maisfeldern, die selten durch ärmliche Hütten und kleine Bahnstationen unterbrochen wurden, an denen Frauen in bunten Kopftüchern halbreifes Obst anboten, während zu beiden Seiten des Zuges bald ferner, bald mehr in die Nähe rückend, scharfkantige kahle Gebirgszüge die Weite der Felder begrenzten. Als die Sonne am Sinken war – dunkelrot und klar umgrenzt wie an einem Theaterhimmel verschwand sie hinter der ausgedörrten Ebene –, ging die Fahrt immer noch zwischen Maisfeldern, in die sich Tabakpflanzungen mischten, an ärmlichen Hütten und kleinen Bahnstationen vorbei. Nur die unwirtlichen Berge waren dichter herangerückt, als wollten sie den langen Güterzug in die Zange nehmen.

Um acht Uhr abends, es war noch hell, hielt der Zug auf freier Strecke, mitten zwischen den Feldern. „Wein empfangen!“ wurde an den Wagen entlanggerufen. Der Ruf pflanzte sich freudig fort und brachte plötzliches Leben in die dahindämmernden, von der großen Hitze des Tages und der gleichförmigen Fahrt abgestumpften Gemüter. Als es hieß, jeder Mann erhalte ein ganzes Liter, erklärten die eingefleischten Pessimisten das für eine Parole. Aber sie blieben diesmal im Unrecht. Tatsächlich wurde jedes Kochgeschirr mit einem Liter Rotwein gefüllt. Die Pessimisten, die sich noch nicht geschlagen gaben, meinten, das sei verdächtig und habe etwas zu bedeuten. Die Optimisten aber meinten, das bedeute nichts anderes, als daß man den Wein schleunigst loswerden wolle, ehe er bei der ungewöhnlichen Hitze in den Fässern schlecht werde. – Die Geschehnisse schienen den Pessimisten recht zu geben. Während sich die Mannschaften draußen die Beine vertraten und manche sich in das dürftige Gras legten und Maiskörner aus den dicken Kolben kauten, fast friedlich gestimmt, mußten die Gruppen- und Zugführer zum Befehlswagen. Man spürte, es war etwas im Gange. In der Tat versammelten die Gruppenführer nach kurzer Besprechung die Mannschaften in den Wagen um sich. Man komme in dieser Nacht durch stark bandengefährdetes Gebiet, es seien zwei Doppelposten für jeden Wagen befohlen, es dürfe in der Nacht nicht geraucht werden, und jeder habe angekleidet, umgeschnallt und mit griffbereiter geladener Waffe zu schlafen.

Die Dämmerung ging in rasche Dunkelheit über, als sich die riesige Schlange des Transportzuges wieder in Bewegung setzte. Vorn die in diesem Zug wie zivile Fremdkörper wirkenden Personenwagen des Transportführers und der Offiziere, dann die Güterwagen mit den Kompanien, die Wagen mit den Fahrzeugen, der Küche, den Geschützen und zum Schluß die auf dem Dreibein aufmontierten Maschinengewehre mit steil drohenden, für Fliegerbeschuß eingerichteten Läufen.

Die Stimmung war angeregt, nicht durch den Wein allein. Die Aussicht auf Abwechslung nach tagelanger eintöniger Fahrt belebte jeden auf seine Art. Daß es eine recht gefährliche Abwechslung sein könne, kümmerte die Männer nicht viel – das war man gewöhnt. Die meisten tranken ihren Wein in großen schnellen Zügen, um sich, wie sie sich gegenseitig lachend und etwas großsprecherisch versicherten, für den kommenden Kampf zu stärken und um den Partisanen nur keinen Tropfen in die Hände fallen zu lassen. Obwohl viele von ihnen die ernstere Wirklichkeit kannten, schwangen für sie doch in dem Wort „Bandenkämpfe" abenteuerliche Erinnerungen an verklungene Schulzeiten mit. Die meisten wollten, was sonst selten genug geschah, freiwillig die Nachtwachen übernehmen. Auch die keine Wache hatten, blieben in fast ausgelassener Laune noch lange wach und ließen sich in ihrer Fröhlichkeit auch nicht durch die Erzählungen von Kameraden stören, die berichteten, daß das, was man „Banden“ nenne, in Wirklichkeit meist wohlorganisierte Truppen unter Führung von Berufsoffizieren seien. – Erst als es völlig Nacht geworden war, legte sich einer nach dem anderen auf das Stroh. Und bald gingen die Atemzüge so ruhig, als fahre man durch friedliches Land. Fast unmerklich hatte sich die Zange des Gebirges noch enger um den Zug geschlossen. Hatte er am Tag noch die weite Ebene beherrscht, so erschien der Zug jetzt kaum anders als eine Raupe, die sich mühsam vorwärtsarbeitet, fast erdrückt von der Wucht der Felswände, die bis an die Bahngleise herantraten.

Wendt, der, zur Wache eingeteilt, neben einem Kameraden an der offenen Tür des Güterwagens saß, den Karabiner geladen und gesichert neben sich, empfand die plötzliche Veränderung ganz deutlich. Die Gespräche, auch zwischen den vier Posten, waren verstummt. Es war ähnlich, wie es in einer angeregten Gesellschaft oft zu gehen pflegt: nach einem Zuviel an Ausgelassenheit kam plötzlich ein Absinken in Schweigsamkeit und Leere. Am Tag waren die dreißig Soldaten des Wagens gleichsam ein Körper und eine Seele gewesen. In der stillen Nacht geschah die allmähliche Rückverwandlung in lauter Einzelwesen. Und diese Empfindungen der einzelnen, das spürte Wendt sehr deutlich, waren ganz andere als die der Gruppe, weniger unwahr und weniger zuversichtlich. Er merkte es an sich selbst. Es war eigentlich nicht so, daß er nun Angst empfunden hätte vor dem, was kommen konnte, aber die Dinge nahmen mit einemmal ein nüchterneres Gesicht an, dem kein Schimmer des Abenteuerlichen mehr anhaftete. Wendt kam sich ein wenig lächerlich vor mit seinem Karabiner, wenn er die Bergwände, die unübersichtlichen Schluchten, die Felsvorsprünge betrachtete. Ehe hier einer etwas bemerkte, konnten die Partisanen den Zug längst überfallen oder in die Luft gesprengt haben.

Dieses Wachesitzen, Angekleidetschlafen, Nichtrauchendürfen – im Grunde war das alles ein mechanischer Leerlauf, Phantasielosigkeit, Ratlosigkeit und, vielleicht, auch etwas Angst gegenüber dem Unbekannten, Elementaren, gegenüber dem, was man einfach mit dem Ausdruck „Banden“ abtat.

Der Mond war aufgegangen, und wie eine Illustration zu Wendts Gedanken ragten auf dem Nebengleis und seitlich verstreut die Trümmer eines ausgebrannten Güterzuges, verbogenes Gestänge, halb verkohlte Wagen, empor gleich Skeletten übergroßer Tiere. Mit einer Handbewegung machte Wendt den Kameraden neben sich darauf aufmerksam. Der nickte stumm und sagte nach einer geraumen Weile gleichmütig: „Vielleicht wird es doch Ernst . . .“ Wendt antwortete nicht, und beider Gedanken gingen weiter ihre eigenen einsamen Wege.

Wendts Gedanken waren nicht froh. Es kam ihm mit einemmal alles sinnlos und ohne Größe vor, was sie taten und was sie schon seit Jahren getan hatten, und er suchte, flüchtend und in Abwehr, nach der Erinnerung an irgend etwas Freudiges, Eigenes in seinem Leben in dieser Zeit, nach etwas, das ihm allein gehörte. Und ohne daß er sich Rechenschaft gab, ob es das Gesuchte sei, fiel ihm die Nacht in Semlin ein, die Nacht vor dieser, da er am offenen Güterwagen saß, die Nacht, die so ganz anders gewesen war. Und alles war wieder zum Greifen lebendig.

Sie hatten wegen irgendwelcher Schwierigkeiten des Weitertransportes einen Tag und eine Nacht in Semlin in geräumten Privathäusern gelegen. Vom Balkon des Hauses, in dem Wendt Quartier hatte, konnte man auf die Straße und auf die gegenüberliegenden Häuser sehen. Es war gegen Abend, und die Straßen schon ziemlich leer, als Wendt auf dem gegenüberliegenden Balkon zum erstenmal Jarmila erblickte. Schwarze starke Brauen über großen Augen und einem schmalen Gesicht. Sie mochte siebzehn Jahre alt sein.

Beider Blicke trafen sich und ruhten sekundenlang fast mit Verwunderung aufeinander. In dieser ersten Begegnung lag schon das Nicht-Alltägliche. In dem unterworfenen Land, dessen Bewohner den Eroberern überwiegend feindlich gesinnt waren, traf man im allgemeinen nur zwei Arten von Frauen: solche, die in den fremden Soldaten nur die Eindringlinge in die Heimat sahen und sie darum kühl übersahen, wenn nicht haßten, und solche, die sich wie überall mit werbendem Lächeln verkauften. Jarmila gehörte zu keiner der beiden Arten – dies war das Außergewöhnliche. Mit einem langen, immer noch gleichsam verwunderten Blick, der nur ihn traf und die gleichfalls auf dem Balkon lachend und schwatzend stehenden Kameraden ausschloß, verschwand das Mädchen langsam durch die Tür in den Hintergrund des Zimmers. Dieses allmähliche Verschwinden in die ungewisse Dämmerung des Raums, bis nur noch eine Ahnung ihrer Gestalt blieb, gab der Begegnung für Wendt etwas von einer traumhaften Erscheinung, so daß er sich schon in der nächsten Minute fragte, ob er das denn überhaupt erlebt habe. Es war zur Zeit des Sonnenuntergangs, und drüben über dem Fluß sah man im klaren Licht die Dächer und Türme von Belgrad aufleuchten.

Wendt blieb noch eine Weile auf dem Balkon stehen und wartete, ob das Mädchen wieder heraustreten würde, doch hatte er nur wenig Hoffnung. Das bereitete ihm einen fast körperlichen Schmerz, denn die Gestalt des Mädchens hatte nach Wochen und Monaten der Leere, des Sinnlosen und Häßlichen und des Getriebenwerdens durch fremden Willen eine fast leidenschaftliche Sehnsucht nach persönlichem Erleben in ihm erweckt.

Es geschah das Verwunderliche, daß sie nach wenigen Minuten wieder heraustrat und, ohne ihre Absicht zu verbergen, ganz frei zu ihm herüberblickte. Dabei ging ein Lächeln über ihr Gesicht, das eine Spur von Traurigkeit in sich barg und auch sogleich wieder hinter einem fast nachdenklichen Ernst verschwand, der seltsam gegensätzlich war zu der Jugend des Mädchens. Eine Weile blieb sie an das Gitter gelehnt stehen. Dann machte sie eine leichte Geste mit der Hand, die vielleicht Zufall, vielleicht Ausdruck einer Stimmung, vielleicht auch ein Zeichen für ihn sein mochte – Wendt konnte es nicht deuten. Keineswegs aber war es eine bewußte Aufforderung der Art, wie sie die Soldaten bei den Mädchen zur Genüge kannten. Viel eher ein müder Verzicht. Dann verschwand sie zum zweitenmal und schloß diesmal die Tür zwischen Balkon und Zimmer hinter sich zu. Wendt durchfuhr ein bitterer Schmerz, und er fühlte, wie stark sich schon die Fäden zwischen ihm und dem fremden Mädchen gesponnen hatten. Warum war sie noch einmal herausgetreten, warum hatte sie zu ihm herübergelächelt, wenn sie nun die Tür endgültig hinter sich schloß? Hatte sie ihn nur narren wollen?

Während Wendt noch, in der Dämmerung stehend, grübelte, vernahm er von drüben das Geräusch einer sich öffnenden Haustür: sie trat heraus! Sie hatte ein Kopftuch umgebunden und wandte sich, ohne den Blick heraufzuwenden, mit langsamen, aber entschiedenen Schritten zum Gehen. Wendt, ohne sich auch nur einen Augenblick zu besinnen, griff nach Mütze und Koppel und stürzte davon. Im Vorüberrennen sah er wie Schemen die verwunderten Gesichter der Kameraden und hörte ihre Fragen nach dem Wohin. Das war der Beginn einer besinnungslosen Unordnung, denn Wendt wußte wie alle, daß eigenmächtiger Ausgang streng untersagt war, insbesondere wo man jeden Augenblick mit einer Weiterfahrt rechnen konnte.

Als er hinter dem Mädchen durch die nicht sehr belebte Straße ging – er spürte, ohne es begründen zu können, daß sie um seine Verfolgung wußte, ja, daß sie sie gewollt hatte –, sah er mit geradezu schmerzhafter Leidenschaft auf die Gestalt der vor ihm Schreitenden: hochbeinig, schlank, mit schmalen Fesseln, jung mit einem unnennbaren Schimmer von Fraulichkeit. Ihr Schreiten war tierhaft schön, geschmeidig und weich wie das einer Katze. Ein Wesen, das ihm fast die Besinnung raubte, so sehr entsprach es einem Wunschbild, das ungestillt in ihm lebte. Dieses Empfinden und das Außergewöhnliche ihrer Begegnung nahm Wendt alle Bedenken. Er trat rasch neben sie und fragte sie in einem Gemisch serbischer und französischer Worte, ob er sie begleiten dürfe, wobei seine Stimme einen ihm selbst fremden Klang hatte. Ohne Überraschung wandte sie den Kopf nach ihm – wie schön war dieses Antlitz in der Umrahmung des farbigen Kopftuches –, sah ihm mit jenem traurigen und gar nicht anlockenden Lächeln voll ins Gesicht und erwiderte auf deutsch „Ja . . .“ in einem Ton, als wolle sie sagen, daß ihr ja doch nichts anderes übrigbliebe.

Sie gingen schweigend nebeneinander; nur ihre Arme berührten sich manchmal leicht, wenn sie auf dem schmalen Bürgersteig Vorübergehenden ausweichen mußten. Er folgte der Richtung, die sie ihn führte. Bis jetzt war alles traumhaft leicht gegangen, was sonst für ihn das Schwerste war, das Anknüpfen der Beziehung. – Nun wurde es mit einemmal schwer. Er, vagabundierender Soldat, der kreuz und quer durch fremde Länder und ab und zu durch flüchtige Abenteuer gegangen war, hatte ein solches Erlebnis noch nicht gehabt. Er dachte nicht nach, er ließ sich treiben, wie man sich etwa treiben lassen kann, wenn man vor der Leinwand im Kino sitzt. Er folgte dem Mädchen einfach, als ob es so sein müsse.

Als sie in eine menschenstille Straße gekommen waren, brach sie das Schweigen und sagte in dem harten Deutsch der Slawen: „Sie können ruhig deutsch mit mir sprechen, ich verstehe die Sprache.“ Es war keine Ironie in ihrer Stimme, mit der sie seine unbeholfene Stummheit vielleicht hätte verhöhnen können; aber es war auch keinerlei Zärtlichkeit in ihr. Wendt aber machte keinen Gebrauch von der Möglichkeit, sich zu unterhalten, die ihm sonst vielleicht willkommen gewesen wäre. Was gab es auch zwischen ihnen, das der Worte bedurfte, der deutschen, serbischen oder der Worte irgendeiner Sprache?

Als sie an den Fluß kamen, nahm er ihren Arm, den sie ihm ohne Widerstreben, freilich auch ohne den werbenden Druck seiner Hand zu erwidern, überließ. Mit dieser bewußten körperlichen Berührung machte sich das offene Begehren, das bisher durch das Seltsame ihrer Begegnung noch verhüllt gewesen war, in ihm frei. Seltsamerweise war die erste Äußerung dieses Begehrens, daß Wendt einen fast haßerfüllten Grimm gegen dieses schöne Mädchen empfand, weil sie alles mit einem unbeteiligten Lächeln geschehen ließ, obwohl doch sie es war, die zu dieser Begegnung die Hand geboten hatte. In einer Mischung von Grimm und wachsender Leidenschaft blieb er plötzlich stehen und riß das Mädchen so heftig an sich, daß sie fast gestrauchelt wäre und er sie halten mußte. Als er seine Lippen auf ihren Mund preßte, fühlte er endlich in ihrem ganzen Körper ein Widerstreben, das ihn mit größerer Wonne erfüllte als die lächelnde Ergebenheit von vorhin. Und er küßte sie, gleichgültig, ob sie es wollte oder nicht oder ob irgendein Vorübergehender es sah, wie er nie in den Jahren dieses Krieges eine Frau geküßt hatte. Sie mußte spüren, daß es mehr, viel mehr war als ein Abenteuer.

Als er sie endlich freigab, sah sie ihm einen Augenblick lang wortlos ins Gesicht, und in ihren großen braunen, gar nicht mädchenhaften Augen glomm etwas ganz anderes als das traurig lächelnde Geschehenlassen, ein flackerndes Erstaunen, als ob sie aus einem Traum erwache. In diesem Augenblick waren sie sich wirklich begegnet. Dann schlang sie mit jäh entschlossener Bewegung die Arme um ihn und küßte ihn mit halbgeöffneten Lippen wieder. Danach zögerte sie einen Augenblick, als gelte es eine letzte Überlegung, und wandte sich schließlich um, und sie gingen miteinander den gleichen Weg, den sie gekommen waren, schweigend zurück. –

Wendt erlebte mit dem fremden Mädchen Jarmila eine Nacht voll besinnungsloser Leidenschaft, die ihn alles, alles vergessen ließ, was vorher gewesen war, und auch alles, was nach dem kommen würde, eine Nacht, wo er kein Soldat mehr war, kein Vagabund und kein Befehlsempfänger, sondern ein freier Mensch.

Erst gegen die Dämmerung hin sagte er ihr, daß er wohl schon in der Frühe weiterfahren müsse, in jener schrecklichen Stunde zwischen Nacht und Tag, wo alles fahl und nüchtern zu werden beginnt und die Träume der Maßlosigkeit verblassen. Nach einer Sekunde seltsamer Erstarrung fragte sie ihn ängstlich, als habe sie nicht recht verstanden: „Heute früh willst du fahren?“ – „Heute früh muß ich fahren“, gab er zurück. Er wollte die Augen von ihr wenden, wie sie so dalag, weil er ihre Tränen fürchtete. Aber Jarmila sah ihn mit einem ganz merkwürdigen Blick an, tränenlos und mit jenem Lächeln voll geheimer Trauer, das in ihrer ersten Begegnung gewesen war, das ihm aber nach dieser Nacht so unerklärlich schien, weil es noch die Fremdheit von gestern trug. „Unsere erste und unsere letzte Nacht“, murmelte sie dann; aber ihre Augen blieben trocken und blickten starr, während sich auf ihrem Antlitz eine Überlegung spiegelte, die er nicht begriff. Dann fuhr sie hoch. „Fahre nicht, fahre bitte heute nicht!“ Trotz seiner Erschütterung über die Heftigkeit ihrer Bitte mußte er ein wenig lächeln. Was wußte sie vom Soldatsein, von diesem Dasein ohne eigenen Willen, von dem Leben im sinnlosen Krieg, der in diesem Augenblick wie eine graue, endlose Ebene vor ihm lag, ohne Ziel, ohne Aussicht und ohne jede Größe. Es wurde ihm schwer, ein Stöhnen aus tiefstem Herzen zu unterdrücken, als er wiederholte: „Ich muß fahren, Jarmila.“

Im gleichen Augenblick, da er diese Worte sprach, fühlte er, daß sie kein Zeugnis der Stärke waren, sondern der jämmerlichen sklavischen Schwäche, die wider eigenes Wollen einem Willen gehorcht, der nicht der ihre ist. Und er schämte sich vor sich selbst, weil er das tat, was man Millionen zu tun gelehrt hatte, Millionen, die es ebensowenig wollten wie er. Jarmila aber sprang von ihrem Lager auf, raffte hastig seine Sachen zusammen und half ihm beim Anziehen, als sei höchste Eile nötig. Die Hast hätte lieblos erscheinen können – aber Wendt ließ sich nicht täuschen: er spürte hinter dem hastigen Tun des Mädchens die tiefe Verzweiflung. Sie lag in dem letzten Blick Jarmilas, den er mit sich nahm.

An diese Nacht in Semlin mußte Wendt denken, während er auf Wache im südwärts rollenden Zug saß. Er hatte die Erinnerung an etwas Freudiges, Glückliches, Tröstendes beschwören wollen – aber nun fand er, daß nichts Befreiendes in dem Erlebnis lag. Die Gestalt von Jarmila und aller Rausch der Leidenschaft war überschattet von diesem Schamgefühl, das er bei dem Aufbruch von ihr empfunden hatte, von diesem Sklaventum seiner Entscheidung, von dieser feigen Furcht, einen Gedanken, der auch früher schon flüchtig in ihm aufgeglommen war, zu Ende zu denken und Tat werden zu lassen.

Eine Weile saß er ohne Gedanken. Dann ergriff ihn plötzlich, und damit kehrte er wieder ganz zur Gegenwart zurück, Furcht, er könne auf eine sinnlose Weise aus diesem Leben abberufen werden, ohne zuvor etwas Wesentliches gefunden oder getan zu haben. Es mochte vielleicht kindisch sein, aber er hielt von diesem Augenblick an einen Überfall durch die Partisanen für wahrscheinlich, für fast gewiß, und für kaum weniger gewiß, daß er nach einem ehernen Gesetz, das er nicht kannte, aber ahnte, ihm in seinem Zustand innerer Hilflosigkeit und schwächlicher Unentschiedenheit zum Opfer fallen müsse. Diese fixe Idee fraß sich gleichsam in ihm fest, sosehr er ihr zu wehren suchte. Und das Alleinsein mit seinen Gedanken wurde ihm plötzlich unerträglich, er sehnte sich aus der Einsamkeit, in die er geflüchtet, nach den Kameraden zurück. Doch die schliefen ihren leichteren oder schwereren Schlaf; zuweilen stöhnte einer auf; ein anderer sprach verworren und abgehackt im Traum, um plötzlich wieder zu verstummen; sie alle waren auf irgendeine Weise bei sich daheim, in ihrem eigenen Wesen.

Wendts Blick fiel auf Bergmann, den Kameraden, der

neben ihm als Zugwache saß. Er blickte so regungslos hinaus in die Nacht, als sei er erstarrt oder lebe gar nicht mehr. Wendt kannte ihn seit Jahr und Tag, wie man Menschen in täglichem ununterbrochenem Beisammensein kennenlernt. Er war ein guter Kamerad und ein stiller, sicherer Mensch, der wenig sprach. Inmitten manchen Streits war er ein ruhender Pol, und auch jetzt, wo er so stumm dasaß, das Gewehr zwischen den Beinen, mit gleichmütigem Gesicht, strömte er Ruhe aus.

Gleichmäßig pochten die Räder des Zuges; der Mond hob die Formen der Berge in starre Helle. „Du hast es gut, du hast eine Familie", sagte Wendt mitten in das Schweigen der Fahrt hinein. Bergmann hob ein wenig überrascht den Kopf. „Seltsam – gerade habe ich an zu Hause gedacht", antwortete er ganz wach. „Aber meinst du", fuhr er dann fort, wies auf sein Gewehr und meinte damit das ganze Soldatsein, „meinst du, das da ist leichter zu ertragen, wenn man zu Hause eine Frau und zwei Kinder hat?" – „Ja! Du hast deinen festen Grund. Du bist nie ganz allein. Du hast deinen Sinn, den du überallhin mit dir trägst." Wendt sprach eindringlich, als hinge alles davon ab, dem anderen zu beweisen, daß er es besser habe. „Und wenn ich nicht wiederkomme?" gab Bergmann zurück. „Das ist es eben: Du wirst wiederkommen. Denn du hast einen Zweck zu erfüllen, einen Platz einzunehmen ..." – „Und du meinst, es geschehe alles zweckvoll? Betrachte doch ..." – „Ich weiß, ich weiß wohl, was du sagen willst", unterbrach ihn Wendt, „aber ich muß einfach an einen Zweck und einen Sinn in diesem Schicksal glauben – sonst könnte ich nicht leben." Er hielt erschreckt inne, denn es fiel ihm ein, daß er ja eben darum sein Leben gefährdet sah, weil er keinen Sinn und keine Kraft darin entdecken konnte. Um einen Sinn wissen, eine Kraft in sich haben – das war wie ein Schutzpanzer gegen alle Ungewißheiten. Bergmann trug wohl jetzt wie immer das Bild seiner Frau und seiner Kinder in der Tasche, jenes abgegriffene Bild, das schon an vielen Spinden angeheftet gewesen, das schon Tausende von Kilometern gereist war und das er schon viele Male stolz den Kameraden gezeigt hatte: „Das ist meine Frau, das sind meine Kinder.“ Wendt verlor sich schon wieder in seinen einsamen Gedanken, als Bergmann plötzlich als Frucht längeren Nachdenkens sagte: „Aber du hast wohl doch recht: der feste Grund, das gibt Kraft ...“ Dann schwieg er wieder, träumte wachend und sah in die Nacht, aus der jeden Augenblick feindliche Schüsse fallen konnten. Seine Gesichtszüge waren einfach, sicher und fast von einer stillen Heiterkeit erfüllt. Er war um viele Jahre älter als Wendt. Der aber fühlte fröstelnd, daß er nach diesem Gespräch noch einsamer und unsicherer war als zuvor.

Irgendwo hielt der Zug auf freier Strecke. Die Wachposten lehnten sich aus den Wagen, viele Schläfer wurden munter, und die Spannung, die sich durch die Ereignislosigkeit der Nacht gelöst hatte, entstand aufs neue. Natürlich waren auch sofort Gerüchte im Umlauf: eine Brücke sei gesprengt worden, meinten die einen, während andere wissen wollten, man habe Minen unter den Gleisen gefunden. Dritte wollten sogar von einem Befehl gehört haben, zurückzufahren. Es wurde besondere Wachsamkeit befohlen, weil der stehende Transportzug ein besseres Angriffsziel bot als der fahrende. Einmal durchzitterte ein Heulen die Luft, langgezogen und schrecklich, als schreie ein Mensch in höchster Todesnot. Dann folgte ein kurzes, abgehacktes, jammerndes Bellen. Alle schraken zusammen, obwohl sie sich über Art und Herkunft des Geräusches im klaren waren: es war ein Maultier, das irgendwo so seltsam menschenähnlich stöhnte. Wendt wurde ein Gefühl des Grauens nicht los, eines ganz ursprünglichen Grauens der verlorenen Kreatur, die das Woher und Wohin nicht kennt und dem unsichtbaren Schicksal blind ausgeliefert ist. Alles atmete dieses Grauen aus: die knorrigen Sträucher, die im Licht der Nacht wie lauernde hockende Männer aussahen, die fratzenhaften Bildungen der Felsvorsprünge, das ganze fremde feindliche Land, durch das sie als Eindringlinge fuhren. Ja, selbst die steilen Läufe der Maschinengewehre auf dem letzten Wagen sahen wie emporgereckte Arme von Skeletten aus. Wissen und Denken fruchteten nichts dagegen. Es war wie die Angst der frühen Kinderzeit, wenn man nachts im Bett aufwachte und die Umrisse eines Stuhles, einer Kommode die Gestalt von Ungeheuern annahmen. Das Grauen entsprang weder der Übernächtigung noch der Angst vor einem Überfall, sondern der Unsicherheit der eigenen Existenz.

Plötzlich sprang ein Gedanke in Wendt wie ein leuchtender Funke auf: Wenn es so wäre, daß nicht der vom Schicksal verschont bliebe, der seinen festen Grund hatte, sondern umgekehrt gerade der, der ihn noch nicht gefunden, der eine ungelöste Aufgabe noch vor sich hatte, einen Gedanken oder eine Tat zu Ende bringen mußte?

Ehe Wendt den Gedanken weiterspinnen konnte, zerriß hart und trocken ein Schuß die Stille. Einen flüchtigen Augenblick lang dachte Wendt: nun ist es soweit . . . Dann verstummte alles Denken, und er reagierte, wie man es ihm seit Jahr und Tag eingeschärft hatte: er legte sich auf den Boden des Wagens, das Gewehr angedrückt, und spähte angestrengt hinaus in die mondhelle Nacht. Es schien, als bliebe es bei dem einen, vielleicht zufälligen Schuß. Doch plötzlich tackten aus den Bergen kurz hintereinander mehrere Gewehrsalven, ohne daß man irgendwo ein Mündungsfeuer sah. Sehr schnell wurde das Feuer vom Zug aus erwidert; auch die Maschinengewehre am Ende des Zuges ließen sich, wohl mehr heftig als wirksam, vernehmen. Einige, die das Dramatische liebten, gerieten in Erregung und gaben vor, stürzende Partisanen gesehen zu haben. Die meisten aber, unter ihnen Wendt, hatten den Eindruck, als gingen die Schüsse ins Leere und dienten eigentlich nur dazu, die Pflicht zu erfüllen und die Existenz zu beweisen. Die Geschehnisse – oder besser: das Nichtgeschehen verbanden sich mit Wendts Gedankengängen in dieser Nacht: er fühlte stark die Sinnlosigkeit von alldem und den krassen Gegensatz zu dem, was man so landläufig vom Krieg als einer heroischen Angelegenheit berichtete und daheim wohl auch glaubte. Er hatte, während er seine ganze Aufmerksamkeit nach draußen richtete, noch genug Zeit, zu denken: ich bin kein Soldat ... Die Ereignisse waren so plötzlich gekommen, daß Wendt erst nach einigen Minuten völliger Ruhe Gelegenheit fand, sich nach Bergmann umzusehen. Da packte ihn fassungsloses Staunen: Bergmann saß, an die Tür gelehnt, ganz friedlich da, als halte er nur Wache und habe von den Schüssen gar nichts bemerkt. Schlief er vielleicht? Oder war er am Ende so ruhig, weil er es für unmöglich hielt, daß ihm etwas geschehen könne? „Bergmann, geh in Deckung! Auch du bist nicht unverwundbar", sagte Wendt halb scherzend zu ihm. Bergmann gab keine Antwort und rührte sich nicht. Da stieß Wendt ihn an, und auch die anderen, bisher mit der Schießerei und mit sich selbst beschäftigt, wurden aufmerksam. Freilich rührte sich Bergmann auch auf ihre Zurufe nicht. Er würde sich nie mehr rühren, denn er war tot. Unbemerkt war ihm ein Schuß, wohl der allererste, mitten durchs Herz gegangen, unbemerkt, ohne Laut, hatte er sich von den Kameraden und von dem Krieg und von allem fortgemacht, Kamerad Bergmann mit seinem abgegriffenen Familienbild in der Tasche, den Wendt mit seinem Denken vor allen anderen, vor allem vor sich selbst gegen den Überfall des Schicksals für gefeit gehalten hatte. Grauen vor der Unbegreiflichkeit des Schicksals durchrieselte ihn, und er schämte sich vor der Einfachheit dieses Sterbens all seiner Philosophie, schämte sich seines eigenen gesunden Lebens, wie sich manchmal Gesunde an Krankenbetten ihrer eigenen Frische schämen, mit der sie dem Kranken nicht mehr helfen können. Dann flüsterte er in die beklommene Stille des Wagens: „Wir wollen ihn hinlegen, er kann doch nicht so sitzen bleiben ..." Ruhig erwiderte einer, ein älterer: „Warum nicht? Laßt ihn sitzen. Mögen die ihn für lebend halten und weiter auf ihn zielen. Ihm tut kein Schuß mehr weh." Die anderen, wenn auch einige mit zögerndem Widerstreben, gaben den nüchternen Worten schweigend recht. Es kam kein Gespräch mehr auf.

Immer wieder gingen scheue Blicke zu dem starr dasitzenden toten Kameraden. Als weiterhin alles ruhig blieb, wurden die Pioniere nach vorn befohlen, und es wurde als Tatsache bekannt, was bis dahin nur Gerücht gewesen war, daß Minen unter den Gleisen eingebaut waren, die vor der Weiterfahrt entfernt werden mußten. Diese Arbeit dauerte bis zum Morgengrauen. Dann setzte sich der Transportzug wieder stöhnend in Bewegung. Beim ersten Anrucken des Zuges fiel Bergmanns Körper hart und schwer um. Nun betteten ihn die Kameraden in der Wagenecke auf Stroh. Der Rest der Fahrt verlief so ruhig, als fahre man daheim in den Ferien durch die Berge. – Die Sonne stand, früh schon brennend, über den Feldern. Man war aus dem gefährlichen Engpaß des Gebirges herausgekommen. Wieder breiteten sich rechts und links Maisfelder und Tabakpflanzungen. Alles war wie an den Tagen zuvor, nur die Schilder der kleinen, abseits der Ortschaften gelegenen Bahnhöfe zeigten eine andere Schrift: man fuhr durch Griechenland. Grenzen, im Frieden voll aufregender Bedeutung, wurden unbemerkt überfahren. Die Soldaten, überall und nirgends zu Hause, wußten oft nicht einmal, durch welches Land sie gerade fuhren.

Griechenland . . . Manchen, und Wendt unter ihnen, war das Wort diesmal mehr als ein bloßer Ländername. Die Augen, vom tagelangen Sehen stumpf geworden, blickten nun mit einemmal wieder aufmerksamer in das Land, als müßten draußen doch wenigstens die Reste einer Welt zu entdecken sein, die lange Schuljahre hindurch fast so vertraut gewesen war wie die der heimatlichen Städte, Berge und Täler. Und doch war die Dürre der Felder, die Kahlheit der in der Ferne verschwimmenden Gebirge nicht anders als jenseits der Grenze. Nicht der verfallene Rest eines Tempels, nur bescheidene Hütten waren zu sehen. Kein heiliger Zypressenhain, in dem man den Atem der alten Götter hätte spüren können, nur Mais und Wein und Tabak, unscheinbar unter der Glut der unbarmherzigen Sonne. Allein die Frauen schritten manchmal, die tönernen und kupfernen Wassergefäße auf dem Kopf, mit nackten Sohlen so stolz und ebenmäßig daher, als lebe noch ein Funken Hellas in ihnen – wenn auch die Amphoren auf ihren Köpfen nicht kunstvoll geschmückt waren wie jene, die man in den Museen der Welt bewunderte. Zweimal nur wurde für Wendt die Gleichförmigkeit der Stunden unterbrochen: als links drüben ein tiefblauer Streif aufblitzte – das Meer, und dann, als sich zur Rechten die Umrisse eines Berges erhoben, der, höher als seine Umgebung, aus der Kette des Gebirges hervorragte: der Olymp! Als sei damit das Ziel erreicht – das militärische Ziel der Fahrt lag freilich noch weit –, hielt der Zug an einer kleinen Station. Es wurde Aussteigen befohlen. Der Termin der Weiterfahrt war noch ungewiß.

So stark war die Wirkung des friedlichen Tages gewesen, daß man die Nacht fast ganz vergessen hatte, als sei alles nur ein Spuk gewesen, die Nacht, die Schüsse, die Minen und der Tote, der, wie sich nun herausstellte, das einzige Opfer des mißglückten Überfalls geblieben war. Wendt erschrak, und wieder bemächtigte sich Scham seiner: er hatte stundenlang nach Griechenland und den alten Göttern Ausschau gehalten und dabei den Toten, der wenige Handbreit neben ihm lag, ganz vergessen. Die Schuld wurde dadurch nicht kleiner, weil es den Kameraden nicht anders gegangen war, die sich über das Essen, das voraussichtliche Ziel der Fahrt, den unvermuteten Einsatz oder über die Bordelle von Belgrad unterhalten hatten. Erst jetzt trat Bergmann mitten in der Hast des Ausladens für einige Zeit wieder in den Mittelpunkt: es mußte etwas mit dem Toten geschehen, er mußte, schon der Hitze wegen, schnell an Ort und Stelle beerdigt werden. Er wurde auf ein Brett gelegt, mit Zeltbahnen bedeckt und ausgeladen, wie man andere Gegenstände auslud. So waren die Gedanken rein sachlich, die um den Toten kreisten. Die Erschütterung der Nacht war wie ein Hauch vorübergeglitten. Der Transportführer ordnete für den Mittag, wenn alle ausgeladen waren und ihre Zelte aufgeschlagen hatten, das Begräbnis an. Drei Soldaten wurde befohlen, einen geeigneten

Platz auszusuchen und eine Grube auszuheben. Bei dem überall harten und steinigen Boden und der starken Hitze war das keine sehr angenehme Aufgabe. Wendt meldete sich sofort freiwillig dazu aus dem mit keinem Verstand zu begründenden Gefühl heraus, er habe eine Schuld gegen den toten Kameraden abzutragen. Jenseits des Lagerplatzes der Truppe, gegen das Gebirge zu, fanden die Soldaten eine kleine Schlucht, die von Bäumen umsäumt war und durch die ein Bach mit starkem Gefälle über Geröll von Stufe zu Stufe herabsprang, ein Bach, der, selten für diese Jahreszeit, reichlich Wasser führte. Es kamen wohl kaum Menschen hierher, denn vor den sich nahenden Schritten der drei Soldaten flüchteten langhaarige Ziegen erschreckt in die Felsen, von wo sie, Standbildern gleich, unbeweglich die Eindringlinge beäugten. Diese fanden dicht bei dem Bach ein kleines Rasenstück, das ihnen als schöner und geeigneter Platz erschien. Hier hoben sie das Grab für Bergmann aus. Am Nachmittag – Tischler der Kompanie hatten einen einfachen Sarg und ein Holzkreuz gezimmert – verwunderten sich die Bergziegen noch mehr: in geordneten Reihen kamen hinter dem Sarg die Kameraden mit dem Kompanieführer, um Bergmann das letzte Geleit zu geben. Der Tag war strahlend, der Bach plätscherte munter über die blanken Steine herab, und die Bäume bewegten leise im aufkommenden Meerwind die Wipfel – alles war so heiter, daß es eines Blickes auf den Sarg bedurfte, um sich des Todes zu erinnern. Der Kompanieführer hielt eine kurze Ansprache, die nichts mit dem unbegreiflichen Schicksal und nichts mit Bergmann, seiner schweigenden Schlichtheit und seinem abgegriffenem Familienbild zu tun hatte, eine Ansprache, durch die leere Worte, wie Krieg, Sieg, Heldentod und Pflichterfüllung, abgegriffen und hohl tönten und die die Form einer Kompaniebelehrung hatte. Wendt, der zuerst versucht hatte, seine Gedanken auf den Sinn der Worte zu sammeln, fühlte aufsteigenden Unwillen gegen jenen Mann, der da sprach, und eine wachsende Unrast in sich selbst. Er spürte, daß das allein Wichtige und

Wesentliche nicht ausgesprochen wurde und daß er auf etwas wartete, das er freilich selbst nicht hätte benennen können, weil es in seinem Innern noch wie hinter einem Schleier verborgen lag. Er hörte das Rauschen des Baches und daß Erde und grüne Zweige auf die Grube fielen. Dann wurde ein kleiner Hügel aufgeworfen und das Kreuz mit dem Namen dareingesetzt. Und alles war vorüber. Wendt aber dachte plötzlich an Jarmila, ganz deutlich sah er sie vor sich und sich selbst, wie er sie fest in den Armen hielt und ihren Mund, ihren Körper mit Küssen bedeckte. Er wollte das Bild verscheuchen, aber es blieb hartnäckig in ihm, und er spürte, daß er lebte, während Bergmann tot war. Erst das Kommando zum Antreten schreckte ihn auf, und nun wurde wieder der Unwille in ihm lebendig über die Kommandoworte und darüber, daß er selbst ohne eigenen Willen war, eingespannt in ein Dasein, das nicht sein eigenes Leben war. –

Am Abend, als die Kameraden vor den Zelten saßen, wurde von Bergmann kaum mehr gesprochen. Man unterhielt sich über die Partisanenkämpfe, und einige, die sich auf ihre Erlebnisse etwas zugute taten, wußten von allen möglichen Greueln zu berichten. Einer zweifelte ihre Berichte an und meinte, diese Partisanen seien schließlich nichts anderes als Patrioten, die ihre Heimat gegen fremde Eindringlinge verteidigen. „Ja, ja!" rief da plötzlich Wendt, der bisher schweigend zugehört hatte, selbst überrascht über seine Zustimmung. Einige schauten ihn mißbilligend an. Dann erzählte einer von Frauen, die von der Widerstandsbewegung beauftragt seien, sich an die deutschen Soldaten heranzumachen, um sie auszuhorchen und den Aufständischen wichtige Nachrichten zu übermitteln.

In diesem Augenblick schoß Wendt plötzlich ein Gedanke durch den Kopf, der ihn dermaßen verwirrte, daß er nicht mehr hörte und sah, was weiter gesprochen wurde: Jarmila!! In blitzhafter Schnelligkeit erlebte er alles noch einmal, von der ersten seltsamen Begegnung an auf dem Balkon in der Straße von Semlin. Ihr merkwürdiges Gebaren, ihr trauriges

Lächeln, ihr Zögern, ihr Verhalten am Morgen, nachdem er gesagt, er müsse heute noch abfahren, ihre eindringliche Bitte, es nicht zu tun – alles, was ihm seltsam, dunkel und rätselhaft erschienen, lag nun mit einemmal im klaren Licht: Jarmila gehörte zu jenen Frauen, von denen die Kameraden sprachen! Die Gedanken stürzten überwältigend und ungeordnet auf ihn ein, und er hatte nur das eine Bedürfnis, jetzt allein zu sein und mit ihnen fertig zu werden. Er stand auf und wandte sich, um aus dem Bereich der Gespräche und der Zelte zu kommen. Unwillkürlich, wenn auch vielleicht nicht ohne innere Absicht, schlug er den Weg nach der „Ziegenschlucht" ein, wie sie jenen Begräbnisplatz Bergmanns getauft hatten. Er fühlte, daß alles auf irgendeine Weise zusammenhinge und daß der Augenblick nahe war, wo sich etwas in seinem Leben entscheiden müsse. Der Abend war warm und die Landschaft taghell vom Mondlicht übergossen. Schon von weitem erkannte Wendt den frisch aufgeworfenen Hügel. Dann stand er lange vor dem Grab und versuchte noch einmal, den rätselhaften Gang des Schicksals zu begreifen. „Du hast es gut", hatte er zu Bergmann gesagt und ihn um sein ruhiges sicheres Antlitz und um das abgegriffene Familienbild in der Tasche beneidet. Das war noch keine vierundzwanzig Stunden her. Und nun lag der, der auf so sicherem Grund gelebt hatte, wenige Handbreit unter dem Boden in einem fernen Land, das er nicht hatte erobern wollen und das nichts von ihm gewollt hatte, und er, Wendt, der Vagabund, der keine Familie besaß, lebte. Warum vollzog sich das alles so sinnlos? Wendt war knapp zwanzig Jahre alt. Schon durch Jahre des Krieges hatte er Tote gesehen, Kameraden waren neben ihm gefallen, und er hatte sich nach Überwindung des ersten Schrecks kaum Gedanken darüber gemacht, weil eben Krieg und alles ganz selbstverständlich gewesen war. Nun merkte er zum erstenmal, daß er über seine Jahre hinaus älter geworden war und daß es nur ein bestimmtes Maß gab, bis zu dem sich die Dinge widerspruchslos ertragen ließen.

„Kamerad, wollen wir tauschen?“ sagte er laut in einem Übermaß innerer Verzweiflung und glaubte, es ganz ehrlich zu meinen. Wäre Bergmann aus seiner Grube plötzlich aufgestanden – Wendt hätte sich in diesem Augenblick willig und ohne Zögern in die kühle Erde gelegt wie zu einem langen, gedankenlosen Schlaf, erfüllt von der letzten Genugtuung, daß nun alles seine Richtigkeit habe: der Kamerad mit Frau und Kindern würde heimkehren, und der Mensch ohne feste Wurzeln, verstrickt in ein Chaos von Sinnlosigkeiten, würde irgendwo bleiben, unbeweint . . .

Doch diese Stimmung währte nur Minuten. Dann kamen wie zum Hohn ganz irdische, banale Gedanken: er fühlte den Staub und den Schweiß der Fahrt wie ein widerliches Gewand auf seiner Haut, ging zum Bach, befreite sich von Uniform und Wäsche und stieg nackt in das klare Wasser, das ihm fast bis zu den Hüften reichte. Als verwandle ihn diese Berührung, durchströmte ihn ein jauchzendes Lebensgefühl, und voll Grauen hätte er abgewehrt, hätte ihm ein Toter seinen Platz angeboten. Er legte sich auf den Rücken, so daß das angestaute Wasser ihn heftig umspülte und ihn talwärts zu drängen suchte. Lange lag er so, fast bewegungslos. Der Mond und die Berge standen über ihm, die Stille war rings um ihn, und er war wunschlos und gar nicht traurig.

Dann stieg er aus dem Bach und ließ sich von der Nachtluft trocknen. Er hatte keine Lust, die schmutzige Uniform wieder anzuziehen, keine Lust, zum Zeltlager zurückzukehren nach diesem wunderbaren Bad, und lachte über die Bedenken, die sich in seinem zu willenloser Disziplin gedrillten Hirn regen wollten. Die Verwandlung, die mit dem Bad begonnen hatte, wirkte in ihm fort. Er fühlte sich in einen freien Zustand der Ursprünglichkeit versetzt, einen anarchischen, natürlichen Zustand, dessen äußere Zeichen seine eigene Nacktheit und die Natur um ihn waren. Er dachte auch nicht an Bergmann, obwohl er dicht neben dessen Grabhügel saß. Er genoß einfach gedankenlos dieses neue glückhafte Gefühl der Ungebundenheit. Er suchte in der Tasche seines Uniformrocks nach Pfeife und Tabak. Dabei fiel ihm eine halbwelke Blume in die Hand – da war mit einem Male das andere, halb schon Vergessene in voller Stärke wieder da: Jarmila! Jarmila hatte ihm unbemerkt diese Blume, er kannte sie wieder, in die Tasche gesteckt als ein Zeichen nach ihrer ersten und letzten Nacht! Jarmila, die Patriotin für ihr Land, hatte ihn, den fremden Eindringling, geliebt! Sie hatte sich ihm ganz geschenkt, obwohl sie ihn hätte aushorchen sollen. Aber sie hatte – plötzlich stockte ihm das Blut in den Adern –, sie hatte ihn, als er als feiges und willenloses Geschöpf einer fremden, grausamen Maschine weggegangen war, nicht gewarnt, hatte ihm nichts davon gesagt, daß der Zug in die Luft gesprengt werden sollte, sie hatte ihm nur diese Blume auf die letzte Fahrt mitgegeben. Ja, so entschleierte sich alles: sie hatte um das geplante Attentat gewußt – nur so waren ihr Erschrecken und ihre Bitten zu deuten. Sie hatte ihn geliebt, wie ein junger Mensch einen jungen Menschen liebt, jenseits aller Grenzen und Nationen. Aber sie hatte ihr Land und ihre Aufgabe nicht verraten. Wie groß war Jarmila, die kleine siebzehnjährige Jarmila, und wie klein war er, der willenlose Knecht einer fremden Sache! Jubel und Jammer durchtobten Wendt, wie er so in der Ziegenschlucht, nackt, mit der welken Blume in der Hand, dasaß. Jubel, daß ihn jemand geliebt hatte, und Jammer, daß er ein kleiner, unentschiedener und unzulänglicher Mensch war. Unzulänglich und willenlos? Mußte es so sein? Wendt saß lange und dachte darüber nach und suchte nach dem Ariadnefaden, der ihn aus dem Labyrinth führen sollte.

Die Pfeife war längst erkaltet; der Mond war höher gestiegen und sah klein und bleich auf Wendt herab. Der Bach rauschte gleichförmig, und Wendt fröstelte in seiner Nacktheit. Rasch und etwas widerwillig zog er sich den Uniformrock über. Aber mit dieser Handlung schien alle Kraft erschöpft: er blieb auf der Wiese sitzen, sehr müde und ein wenig traumverloren, einer, der die Dinge nicht mehr lenkt, sondern sie mit sich geschehen läßt, ähnlich einem Kind nach einem bis zum Rande durchtobten und ausgefüllten Tag. Die Bilder verwirrten sich mehr und mehr, die Gedanken wurden nebelhaft, und es schien gar nicht mehr so wichtig, zu einem Ergebnis des Denkens zu kommen.

Während es Wendt schwach durch den Sinn ging, daß er sich jetzt wohl zum Lager aufmachen müsse, vernahm er durch das Rauschen des Baches hindurch ein anderes Geräusch, so monoton, daß er es zuerst für eine Sinnestäuschung hielt; die Klänge einer Hirtenflöte kamen vom Berg herab. Fünf Töne in immer gleicher Reihenfolge, die zusammen eine ruhige, klagende Melodie ergaben. Dazwischen und wie zu dieser Melodie gehörig klingelten kleine Glocken, wie sie die Leittiere der Ziegenherden um den Hals tragen. Vielleicht ertönte die Melodie schon lange, aber erst jetzt nahm Wendt sie wahr, und sie erfüllte ihn mit einer unsagbar friedevollen Ruhe und inneren Seligkeit, so als sei jetzt alles gut und könne nichts Schlimmes geschehen. Und mit halb schon schlafenden Sinnen wanderte er den Tönen nach, die bald näher, bald ferner vom Berg her klangen, der klar im Mondlicht und unnahbar die Ziegenschlucht und den Bach und das einsame Grab überragte.

Wendt ging den Berg hinauf, immer den Gipfel vor Augen und die Hirtenflöte im Sinn, und obwohl der Weg bald steil aufwärts führte, bereitete ihm das Gehen gar keine Beschwerden. Die von Schluchten durchzogenen Hänge waren gar nicht so trostlos grau, wie sie von der Ferne aussahen, sondern grün überwuchert und mit Blumen bewachsen. Sie berührten den Schreitenden nicht wie die Fremde, sondern erschienen ihm wie heimatliche Gefilde. In heiteres, unbeschwertes Anschauen versunken, gewahrte er erst nach einer Weile, daß ein Mädchen neben ihm ging. Überrascht sah er ihr ins Gesicht, und sie kam ihm bekannt vor, ohne daß er sich auf ihren Namen besinnen konnte; sie mußten sich vor Jahren, lange, lange vor dem Krieg, begegnet sein. Sie grüßte ihn mit einem stummen herzlichen Lächeln, das ihn glücklich machte, und ging mit ihm bergan. Die Matten wurden immer bunter und strahlender. Es war Tag, hoher Mittag. Wendt wunderte sich ein wenig, daß Tag war, er wunderte sich auch, daß er inmitten dieser fremden Einsamkeit eine frühere Bekannte getroffen hatte. Doch seine Verwunderung war ganz leise und ohne Grübeln – er nahm alles fröhlich hin, wie es ihm begegnete. Auf ihrem Weg trafen sie auf eine Ziegenherde, die von einem Hirten in altertümlicher Tracht geführt wurde. Er grüßte, die Hand winkend erhoben, freundlich zu ihnen herüber; und während Wendt und das Mädchen immer höher stiegen, begleiteten sie bald näher, bald ferner wieder die friedevollen Töne der Hirtenflöte, fünf Töne immer auf und ab, auf und ab in einem Rhythmus, der zur Freude anstieg und in leise Trauer absank. „Dort oben wohnen wir“, sagte das Mädchen. Und Wendt wußte nun plötzlich, daß sie Hanna hieß und er seit der Kinderzeit mit ihr befreundet war. Wie hatte er das auch vergessen können? Sie wies mit lächelnder Gebärde nach einem kleinen weißen Haus, das, zwischen Bäume geschmiegt, von ferne fast wie ein kleiner Tempel anmutete. „Das ist ja fast auf dem Olymp“, rief Wendt aus. „Wo?“ fragte Hanna erstaunt, und da fiel ihm ein, daß sie ja gar nicht wissen konnte, was der Olymp war. Und er war es auch ganz zufrieden und freute sich nur im stillen, daß er nun mit ihr zusammen den alten Götterberg der Schulzeit besteigen durfte. Einmal glitt leichtfüßig, auf schlanken Beinen in der Ferne eine Gestalt vorbei, die Wendt zulächelte, das farbige Kopftuch um ein schmales, dunkeläugiges Gesicht. Wendt stockte in seinem Lauf und verspürte Lust, auf sie zuzueilen. Verwundert schaute Hanna auf und folgte dann mit den Augen seinem gebannten Blick. „Wer ist es?“ fragte sie, und ihre Stimme schien ein wenig zu zittern. Wendt wollte einen Namen aussprechen, aber er kam ihm nicht über die Lippen. Und so erwiderte er nur, noch eine halbe Unruhe im Herzen: „Oh, das ist ja alles längst vorüber...“, ohne seine Gefährtin anzublicken, denn er fürchtete, sie könne weiter in ihn dringen und ihre Begegnung könne plötzlich ein Ende finden. Aber Hanna schwieg. In diesem Augenblick fühlte er, daß er sie zärtlich liebte. Sie wechselten keine Worte weiter; aber die Liebe war auch im Schweigen zwischen ihnen, während sie, den Blick immer auf das weiße Haus gerichtet, bergan gingen.

Sie waren nicht mehr weit davon entfernt, und Wendt strebte mit schwerelosen, immer mehr sich beflügelnden Schritten darauf zu, als sei da oben schon längst und ganz selbstverständlich sein Heim, als ihnen ein Wanderer entgegenkam. Wendt erschrak. „Das ist doch ...?“ – „Ja, das ist Bergmann; er wohnt auch hier oben“, fiel Hanna gleichmütig ein. „Aber er ist doch im Krieg gefallen“, erwiderte Wendt gequält und fürchtete, nun würde plötzlich alles zerstört werden, was er ersehnte, die Heimkehr in das weiße Haus, Hanna, der Friede ... „In welchem Krieg denn? Ich glaube, du hast geträumt“, beruhigte ihn Hanna. Da war er sehr glücklich und wußte, daß nur ein Alpdruck ihn genarrt hatte.

Dann standen sie endlich vor dem Haus, vor ihrem Haus. Es war einstöckig, weiß gekalkt, und die Tür, über der einfache alte Zeichen in Stein eingehauen waren, war von einer Weinlaube überdacht. „Hier sind wir“, sagte Hanna, und sie traten ein. Dann stellte sie, als seien sie nur kurze Zeit weg gewesen, das Abendbrot unter der Laube auf den Tisch: Brot, Käse, Butter und Wein. Und beide aßen. „Ich habe einen solch quälenden Traum gehabt“, erzählte Wendt, „da warst du gar nicht da und unser Haus nicht, und ich war unterwegs mit Bergmann und vielen anderen, wir wußten nicht, wohin, und dann war er plötzlich tot ... Oh, ich weiß die Einzelheiten nicht mehr. Aber es war sehr quälend ...“ Wendt schwieg und seufzte tief auf. Da trat Hanna zu ihm, die alte Jugendfreundin, ganz dicht, so daß er ihre feinen Haare auf dem Gesicht spürte, lehnte ihre Stirn an die seine und sagte: „War es so schlimm?“ – „Was denn?“ fragte er wie erwachend und konnte sich gar nicht mehr besinnen, was er ihr erzählt hatte. – Nach dem Essen traten sie vor das Haus, wo auf dem Felsvorsprung eine Bank stand, von der man einen weiten Blick auf Täler und Höhen hatte. Die Sonne stand schon tief am Horizont. Der Gipfel des Berges leuchtete rot auf. Aber es war ja gar nicht der Olymp, sondern ein vertrauter Berg aus Wendts Heimat. Nun erkannte er auch in freudigem Wiedersehen die übrigen Berge und Höhenzüge und die Wege, die hinab in bekannte Ortschaften führten, die ihm auch alle von Kindheit an bekannt waren. Aus der feierlichen Stille der Tiefe kam das Geläut von Abendglocken, dazwischen das Geräusch einer Sense, die gedengelt wurde, und ab und zu, bald deutlicher, bald ferner, der Klang der Hirtenflöte, fünf Töne, auf und ab, auf und ab, fröhlich ansteigend und in leiser Trauer verklingend ... Und der letzte Hauch von Fremdheit schwand. Wendt war daheim. Von namenlosem Glück erfüllt, legte er den Arm um Hanna. Sie standen lauschend und sahen die Sonne langsam versinken. Als sie untergegangen war und nur noch auf den Wolken ein rosiger Abglanz ihres Lichtes dahinschwamm, sprang Wendt von der Bank auf, breitete die Arme und jubelte voll Wonne über die Täler hin ...

Wendt erwachte von seinem eigenen Ruf. Er saß, gegen den Grabhügel gelehnt. Der Bach rauschte, und der Mond stand ganz hoch. Sekundenlang wußte er nicht, wo die Wirklichkeit geendet und der Traum begonnen hatte. Gab es Hanna oder Jarmila, Bergmann oder den Hügel, den Olymp oder die Heimatberge, den Frieden oder den Krieg, die Freiheit oder den Zwang? Erst allmählich, nun ganz erwachend, stellte er die Wirklichkeit fest. Nun wäre es höchste Zeit gewesen, nach dem Zeltlager zurückzukehren. Wendt zog sich vollends an. Es war empfindlich kühl geworden. Stück um Stück der verstaubten Uniform zog er an, und immer langsamer wurden seine Bewegungen, immer größer sein Widerwille. Er mußte lange geschlafen haben, denn das Mondlicht kam aus einer anderen Richtung, und er fühlte sich ganz frisch. Als er als letztes das Koppel umgeschnallt und die

Mütze aufgesetzt hatte, wurde ihm plötzlich ganz klar und unabwendbar bewußt, daß er nicht zum Lager zurückkehren konnte, jetzt nicht und morgen früh nicht und überhaupt nicht mehr. Und es lag keine Ungeheuerlichkeit für ihn in diesem Gedanken, sondern eine Selbstverständlichkeit, eine Unabwendbarkeit, gegen die es keinen Widerspruch gab. Er war ein anderer Mensch oder wurde ganz einfach wieder der Mensch, der er von Jugend an gewesen war. Und diese letzten Jahre, dieses nach Schweiß riechende Zeug, das er trug – das war nichts als eine fremde, fremde Hülle, die man nur abzuwerfen brauchte. Er hatte gar nichts zu schaffen mit diesem Krieg, in den er von der Schulbank weg getrieben worden war, er, der die Wälder und die Berge und den Sommer und den Schnee und die Bücher und hundert, tausend Dinge liebte und der ein freier Mensch sein wollte. Alles andere war nur so über ihn gekommen, wie es über Millionen anderer gekommen war, und hatte ihn betäubt, so sehr, daß er niemals gefragt hatte und immer mitgelaufen war, mitgefahren, mitmarschiert durch die Länder, mit dem Gewehr in der Hand, hinter einem fremden Willen her. Hie und da hatte er sich aufgebäumt, wie es manche andere auch getan; aber tiefer nachgedacht hatte er kaum, weil man nur in der Einsamkeit nachdenken und das eigene Wesen fühlen kann wie einen Herzschlag und er ja keinen Augenblick allein gewesen war. Aber nun war alles ins Gleiten gekommen. Mit der Nacht in Semlin hatte es begonnen, mit der Scham über das eigene Sklaventum; dann war das Grübeln über den Sinn während der Bahnfahrt, der Tod Bergmanns, die Gespräche der Kameraden über die Partisanen und sein ungestümes „Ja“, das er in die Unterhaltung geworfen hatte, die Entdeckung, daß Jarmila ihn geliebt hatte und daß er ein feiger, schwacher Mensch gewesen, hinzugekommen, das Bad in der Ziegenschlucht, das herrliche Gefühl der Freiheit und der Nacktheit und der Traum von der Kindheit, vom Heim, von der Heimat, vom Frieden . . . Ja, es war gekommen wie ein Bergsturz, der alles mit sich reißt.

Und nun war er reif zur Tat. Wendt nahm das Koppel ab und warf es in den Bach. Dann ging er den Lauf des Wassers entlang, weg vom Zeltlager, immer weiter weg. Er dachte an nichts als daran, daß er die Freiheit wiedergewonnen hatte, und schritt bald aus wie ein Wanderer im Frieden. Gegen Morgen, als sich der Himmel schon rötlich färbte, traf er auf einen alten Ziegenhirten, der ihm verwundert nachsah. Er ging weiter, gewundenen Maultierpfaden entlang, ohne ein anderes Ziel als das, sich vom Lager zu entfernen. Er hatte sich die verwelkte Blume von Jarmila angesteckt und dachte, daß er sie vielleicht wiedertreffen würde. Ja, er wollte zu Jarmila gehen. Aber dann lächelte er selbst über diesen Gedanken, denn er träumte nicht mehr und wußte wohl, daß es im Leben nicht so leicht ging wie im Traum. Müdigkeit spürte er nicht; er war immer ein guter Wanderer gewesen. Als die Sonne schon höher stand, trank er aus dem Bach, dann zweigte er talwärts ab, vermied es aber, auf die große Landstraße zu kommen. Allmählich spürte er Hunger, und als er an einem Gehöft vorüberkam, trat er ohne Scheu ein und bat eine ältere Frau, die zuerst erschreckt aufsah, mit Zeichen und einigen Brocken der fremden Sprache um etwas zu essen. Die Alte sah ihn verwundert an; aber dann brachte sie ihm Brot und Käse und Wein und einige Früchte, und er aß, während sie ihm zusah. Sie hatte ein gutes Gesicht unter den Runzeln, und er fürchtete nicht, daß sie ihn verraten würde, falls man nach ihm forschen sollte. Oh, er fühlte sich jetzt, im Besitz seiner Freiheit, so sicher, und er spürte, daß er, der einzelne, der Mann ohne Gewehr und Koppel, in keinem feindlichen Land mehr war.

Gegen Mittag ruhte er sich aus, dann wanderte er weiter, immer nordwärts. Wo er eintrat, bewirtete man ihn unaufgefordert und ohne zu fragen, als sei alles in Ordnung und selbstverständlich und zwischen ihnen ausgemacht. Des Nachts schlief er gut und fest unter einem alten knorrigen Olivenbaum, ohne ängstigende Träume und keineswegs wie ein Mann, der ein todeswürdiges Verbrechen begangen hat.

Und so wanderte er weiter, die große Straße und die Ortschaften vermeidend, und dachte weder an das, was gewesen war, noch an das, was kommen würde. Frauen und Männer folgten ihm mit verwunderten Blicken; aber es lauerte nichts Falsches und keine aufdringliche Neugier in ihnen, und wenn sie ihm eine Weile nachgesehen, wandten sie sich wieder ihrer Arbeit zu, wie sie es zuvor und wie sie es vor Jahren, Jahrhunderten und wohl Jahrtausenden schon getan hatten. Es gab keine Götter und Tempel und keine heiligen Zypressenhaine, aber Wendt bedurfte ihrer auch nicht und die Menschen auch nicht – sowenig sie des Krieges und der großen Reden bedurften und der Uniformstücke und Koppel und Abzeichen. Nach einigen Tagen hätte sich Wendt vielleicht selbst kaum mehr erkannt, denn der Bart war ihm stark gewachsen. Das kümmerte ihn nicht, und er fühlte manchmal, wie er sich auch in seinem Wesen mehr und mehr zurückverwandelte und fast schon zu den Menschen ringsum gehörte, die der Natur ihre Früchte abrangen. Manchmal sahen ihn die Kinder neugierig an. Dann mußte er lachen, und sie lachten auch, freundlich und ohne Harm über den seltsamen fremden Mann in der Uniform.

So wäre alles gut gewesen, wenn er nicht eines Tages unvermutet einer Militärstreife in die Hände gefallen wäre. Da gab es kein Entrinnen mehr, und Wendt wußte, daß nun doch alles nur ein Traum gewesen war, das vom freien Leben und von der Heimkehr und von Jarmila – der Traum eines einzelnen, der zu schwach war, sich zu behaupten gegen eine harte, unerbittliche Maschine einer ganzen Gesellschaft. Man nahm ihn wie einen Verbrecher in die Mitte, man brachte ihn zur nächsten Ortskommandantur, man verhörte ihn, man stellte die ewigen Fragen, ohne die es nun einmal nicht geht, nach Name, Geburtstag, Soldbuch, Nummer, Truppenteil und was der feierlichen Lächerlichkeiten mehr sind, und er gab gleichmütig Antwort, weil nun doch alles zu Ende war und er mit Schweigen auch nichts gewonnen hätte. Nur auf die eine Frage nach dem Grund seiner

Desertion gab er keine Antwort, weil er wußte, daß er das doch niemandem erzählen konnte. Oder hätte er von Bergmann und der Ziegenschlucht und von Jarmila und seinem Traum vom Olymp reden sollen, der gar nicht der Olymp war, sondern ein Berg daheim? Oder von der Wonne des Wanderns unter Menschen, die nicht fragen und keine Feinde sind? Er mußte bei diesem Gedanken lächeln, wenn er in die uniformierten Gesichter sah.

Man wollte wissen, ob er Kommunist sei, und nun lächelte er wirklich ein wenig. Ging es denn bei ihnen wirklich niemals ohne die großen Schlagworte und Begriffe? Das Lächeln wurde ihm sehr übelgenommen; man fuhr ihn hart an, wollte etwas von seinen Komplicen und Hintermännern erfahren und erklärte ihn für einen ganz abgefeimten und verstockten Verräter. Das kümmerte ihn wenig, denn die Sprache seiner Richter war der seinigen fremder als die der Bauern und Kinder in diesem fremden Land und seine eigene. Die letzten Stunden in einem muffigen Raum hinter vergitterten Fenstern waren häßlich und schmerzlich nach einem so wunderbaren Schluck vom Trank des freien Lebens. Es war alles schlecht ausgegangen. Aber Wendt bedauerte keinen Augenblick, was er getan hatte; er hatte nur in den letzten Stunden manchmal das Gefühl, daß man es anders, umfassender hätte tun müssen, nicht er allein, sondern viele, Hunderte, Tausende, und daß es dann vielleicht hätte anders enden können . . .

In den frühen Morgenstunden führte man ihn zur Hinrichtung. Er ließ sich die Augen gern verbinden, um die verhaßten Uniformen und die uniformierten Gesichter nicht als letzten Eindruck mitnehmen zu müssen aus einer Welt, in der soviel Süße und Freiheit lebte und soviel Liebe, in der es Berge und Täler und Bäche gab, in denen man nackt baden konnte, in der die geliebte Jarmila und die liebe Hanna nebeneinander Platz hatten. Er hatte Glück: der erste Schuß traf ihn mitten ins Herz, nicht anders, als Bergmann, der Familienvater, getroffen worden war.

LOUIS FÜRNBERG

# Vuk

## 1

Draußen schneit es. Der Kalimegdan glitzert im Licht spärlicher Bogenlampen ins Zimmer. Es ist überheizt, wie gewöhnlich. Es ist, als ob der zarte Körper Vuk Petrović' nicht genug Wärme bekommen könnte. Mitternacht ist vorüber. Mara hat sich zurückgezogen. Vuk schläft lange in den Tag hinein, aber Mara muß früh aufstehen. Vuk löscht nie vor drei oder vier. Kommt Kolja oder einer der anderen aus Zagreb, dann dehnen sich die Symposien bis in den hellen Morgen. Auch heute hat Vuk einen Gast, einen jungen Tschechen, einen Emigranten. Jan Vacek kommt häufig – viel zu häufig. Er hat eine Art, über Vuks Zeit zu verfügen, die an Unverschämtheit grenzt. Dennoch sind Vuk und Mara in Jans Fall nachsichtig. Nicht nur, weil sie von einem geradezu ängstlichen Zartgefühl sind. Aber Jans ein wenig ambitiöse Art gefällt ihnen. Sie erinnert sie an gewisse Freunde in Paris, von denen sie nun durch den Krieg getrennt sind und die sie früher teils in Erstaunen setzten, teils amüsierten. Wahrscheinlich deshalb, weil sie auf eine Weise dachten und handelten, die weder dem Temperament Vuks noch Maras entsprach: aggressiv.

Das Zimmer ist groß, die Wände sind mit Bücherregalen bedeckt; auf einem freien Plätzchen hängt eine alte, vergilbte Photographie von Baudelaire. Jan liebt das Zimmer sehr, er liebt die Abende bei Vuk und Mara – manchmal weiß er nicht, ob er des Zimmers oder der Menschen wegen kommt. Seit einigen Monaten ist er in Belgrad, nachdem er sein

Vaterland heimlich verlassen mußte. Er führt das sinnlose Leben des Emigranten, von einem Tag zum anderen auf Dinge und Entscheidungen hoffend, die nicht eintreten, und leidet daran, müßig zu sein. Er ist von Beruf Lehrer. Von seinen Landsleuten, die sein Exil teilen, hält er sich fern; er mag sie nicht, und sie mögen ihn nicht. Sie wissen, daß er Kommunist ist, und fürchten sich, er könnte sie kompromittieren vor der Polizei des Prinzen Paul. Durch einen Zufall kennt er Kolja, den jungen Zagreber Maler, der wegen kommunistischer Aktivität fünf Jahre im Zuchthaus verbrachte. Dieser hat Jan, als er nach Belgrad übersiedelte, an die beiden Petrović gewiesen.

Sie sind Altersgenossen, die beiden Petrović und Jan. Mara arbeitet im Sekretariat des Theaters. Vuk ist Rechtsanwalt, aber er übt seinen Beruf seit Jahren nicht mehr aus. Er ist ein angesehener Essayist und Lyriker, stammt aus einer Bauernfamilie, die sich in den nationalen Kämpfen der Serben Ruhm erwarb, besitzt aber nichts in seinem Äußeren, das darauf hindeutet – im Gegenteil: er ist von zarter Konstitution und einer äußersten Verfeinerung des Geistes. Seine Kindheit, die in die Zeit des ersten Weltkrieges fiel, verlebte er in Frankreich, in einem Orte nahe der spanischen Grenze. Seine Schulkameraden waren Franzosen spanischen Einschlags, die ihn, den scheuen Knaben aus einer fremden Welt, mit altkluger Ritterlichkeit behandelten, eine zauberhafte Kindheitserinnerung, die er Frankreich und Spanien mit lebenslanger Liebe vergilt. Er vermag sich in Französisch und Spanisch wie in seiner Muttersprache auszudrücken. Seinem Volke schenkte er in vorbildlichen Übertragungen die Verse Verlaines, Baudelaires und Garcia Lorcas.

Der Zusammenbruch Frankreichs unter dem Ansturm Deutschlands, die furchtbare Folge des Verrats, den Frankreichs herrschende Klasse übte, liegt schwer auf Vuk Petrović' Herzen. Vergebens sucht er zu begreifen. Er bangt um das Schicksal seiner Freunde, er ist entsetzt über die Haltung Claudels und anderer, die Vichy ihre Reverenz erweisen, und er ist froh, als er Jan Vacek kennenlernt, der von Frankreich spricht, als ob er den Schlüssel dazu besäße, merkwürdig unterrichtet und mit einer Ruhe, die Vuk wohltut. Denn auch Jan liebt Frankreich, kennt und liebt es, wenn auch aus anderen Gründen – mit der Liebe und überspitzenden Logik des Revolutionärs, dem unverrückbaren Glauben an die Beweiskraft der Geschichte. So werden die Gespräche mit Jan, auch wenn Vuk dessen Ansichten keineswegs teilt, zu einem wohltuenden Ersatz, einer heilsamen Ablenkung.

Und wie schon bemerkt: da ist sein Temperament, seine Aggressivität, die kein Zaudern zuläßt, sich bald da, bald dort Luft macht und nicht fragt, ob sie anstößig wirkt oder nicht. Dazu kommt sein Optimismus, der in dieser trostlosen Zeit wie Trotz anmutet. Jedes Fünkchen Licht, mag es noch so schnell verlöschen, dient ihm zum Beweis gegen das Dunkle und Abgründige – auch heute, auch soeben, da er das Fenster schließt, das eine Weile geöffnet werden durfte, hat er seiner Überzeugung beredt Ausdruck gegeben, daß es mit Italien aus, mit Mussolini aus, mit dem Faschismus aus sei, jawohl, futsch, kaputt, finalmente, vom Himmel mit Schnee zugedeckt, von den Griechen ausgetreten in den rauhen Bergen Albaniens. Alles Nähere im griechischen Heeresbericht, den Radio London gerade ausgegeben. Vuk ist schweigsam. Er bückt sich zum Ofen nieder, um ein neues dickes Scheit Holz in die glimmende Asche zu schieben.

„Warum heizen Sie?“ fragt Jan. „Das hält doch kein Mensch aus.“

„Finden Sie?“ entgegnet Vuk, und nach einer kleinen Pause: „Ja, Sie haben es gut. Sie können sich an Ihrer Begeisterung wärmen.“ Er lächelt.

„Und Sie werden sich in Ihrem Treibhaus verkühlen“, sagt Jan und lächelt gleichfalls. „Sie glauben, es schützt Sie? Sie irren.“

„Gewiß, Jan. Womit meine Sonderstellung nicht berührt wird. Schließlich ist es weiter kein Malheur, wenn mein Refugium nächstens in Stücke geht.“

„Und Ihre Arbeit?“

„Gedichte! Anno domini 1941 die Liebhaberei eines vorsintflutlichen jungen Mannes. Es kommt eine Zeit, Herr Kollege, wo man die Humanität für die Weltanschauung der Steinzeit halten wird.“

Jan lacht. Er zündet sich eine Zigarette an und setzt sich Vuk gegenüber. „Das ist immer so bei Nacht“, sagt er. „Das sind die Rudimente der Kinderangst. Jeder Schatten wird zu einem Gespenst.“

„Eine schöne Kinderangst!“ sagt Vuk. „Aber passen Sie auf: Sie werden noch das Gruseln lernen.“

„Kaum anzunehmen. Und wenn auch: zu allem Ende bleibt es doch ein Spuk. Eines Tages wird man sich die Augen reiben und fragen, ob man geträumt hat.“

„Ich zweifle daran.“

„Das ist Ihr persönlicher Eigensinn. Das ist wie mit dem Fenster, das Sie so selten öffnen. Sie leben in Ihrer Stickluft und haben Angstzustände. Aber draußen machen die Griechen ein neues Thermopylae.“

„Es wird niemand sein, der dem neuen Leonidas und seinen Helden eine Tafel setzt. Diesmal ist die Reihe an den Barbaren.“

„Ich gehe“, sagt Jan und erhebt sich. „Ich bin traurig, Sie mit Ihrem Pessimismus allein lassen zu müssen.“

„Ich bin kein Held wie Sie“, sagt Vuk.

„Im Gegenteil“, antwortet Jan. „Sie sind ein Held, wenn auch nach der negativen Seite. Mit Ihrer Skepsis zu leben ist ein Kunststück.“

„Ich bilde mir nichts darauf ein“, lächelt Vuk. „Ich würde aber lügen, wenn ich mir etwas einredete, das es nicht gibt.“

„Weshalb arbeiten Sie denn? Wozu mühen Sie sich mit Ihrem Werk?“

„Aus einer albernen Pedanterie, um an dem Tag, an dem ich umgebracht werde, mit einem reinen Gewissen vor Gott zu erscheinen als einer, der alle seine Tage tätig verbracht hat und mit verhältnismäßig harmlosen Dingen.“

„Und Mara?“ fragt Jan. „Teilt Mara Ihre Ansichten?“

„Es sind Überzeugungen. Ihre Frage zu beantworten, fällt mir schwer. Ich vermute, sie teilt sie. Weshalb?“

„Warum packt ihr dann nicht und verflüchtigt euch? Irgendwohin, wo ihr sicher seid vor eurem Weltuntergang. Noch seid ihr Besitzer von Reisepässen – noch dürft ihr reisen.“

„Emigrieren?“ sagt Vuk und schaut Jan verstört an. Dann lächelt er peinlich berührt. „Weshalb? Es bleibt doch egal.“

## 2

Nein. Vuk emigriert nicht. Der Winter ist hartnäckig. Wenn Vuk durch den Park geht, dann knackt das Eis unter seinen Füßen. Der Park ist leer, und die Schneedecke, die gefroren ist, wirft das graue Licht des schwermütigen Himmels zurück. Die nach Frankreich weisende kolossale Statue Mestrović', die sich mitten im Park erhebt, ist von einer pathetischen Sinnlosigkeit, eine gewaltige Vogelscheuche, ein Steinungetüm, das Ekel einflößt. Am Zusammenfluß der Donau und der Save im Tale dehnt sich eine riesige Eisfläche, über die mit krächzenden Schreien die hungrigen Möwen hinflattern. Eines Nachmittags verfärbt sich der Horizont schwefelgelb. Es entsteht ein so fürchterliches Licht, daß die Menschen die Hände vor die Augen schlagen. Vergebens sucht Vuk die Farbe zu fixieren. Wenngleich er weiß, daß es nichts als ein ungewöhnlicher Sonnenreflex ist, kann er sich eines Schauderns nicht erwehren. Die Erscheinung hält lange an und wird endlich von einem gewaltig sich erhebenden Sturm gespalten, einer mit aller Wucht losbrechenden Koschawa, die mit Wutgeheul durch die Straßen stürzt und sich durch die geschlossenen Fenster in die Häuser zwängt. Ziegel wirbeln durch die Luft, Bäume stürzen, und schwere Leitungsdrähte wehen wie leichte Fäden von ächzenden, sturmgerüttelten Stangen.

Nein, Vuk emigriert nicht. Einmal am Nachmittag sitzen er und Jan und Mara ums Radio herum und hören die belfernde Stimme Hitlers aus dem Berliner Sportpalast. Das Auditorium dort sind Frauen; der Widersinn der hysterischen Rufe und Beifallsausbrüche ist gar nicht auszudenken. Hitlers Stimme ist heiser, ordinär und überschlägt sich, sie spricht von der Schlacht um England, von den Divisionen im Wüstensand, sie beschwört die Zweifelnden und zählt die Siege auf. Jan lächelt, er reibt sich die Hände und blickt mit triumphierender Miene bald auf Mara, bald auf Vuk, deren Gesichter unbeweglich sind wie starre Masken.

Vom Frühling redet Hitler. Der Frühling werde Deutschlands Heer auf neuen Siegeszügen sehen – und Jan lacht laut auf. „Ja, der Frühling!“ sagt er und versucht Hitlers Krächzen und Kreischen nachzuahmen. „Der Frühling wird es machen! Wenn Herr Hitler auf dem letzten Loch pfeift, dann wird der Frühling zum Sturm blasen! Natürlich! Der neue Bundesgenosse, nachdem Herr Mussolini schmählich versagte!“

Aber weder Mara noch Vuk vermögen für Jans Heiterkeit Verständnis aufzubringen. Sie begreifen einfach nicht. Das sei doch alles andere eher als eine Rede, die beruhige. Zugegeben, sie enthülle gewisse Schwächen Deutschlands, die ja aller Welt offenbar seien; desto ernster aber habe man Hitlers Hinweis auf den Frühling zu nehmen. Je verzweifelter es mit Deutschland stünde, desto sicherer würde er amoklaufen. Und dieser Lauf gelte diesmal – –

„Nein, nein!“ Jan ist von seiner Ansicht nicht abzubringen. „Das ist der Ausverkauf“, sagt er. „Das sind leere Versprechungen. Damit will er die Stimmung heben. Griechenland, Abessinien, Eritrea, Ägypten, die mißglückte Invasion. Kein Zweifel – es geht bergab.“

Die beiden Petrović haben schwere Herzen, aber sie wollen Jan die Laune nicht verderben. Im Grunde hat sein Optimismus etwas Gutes, denn man hört wenigstens eine Weile etwas anderes, wenn dieses andere auch ein Traum ist, eine

Kombination, die auf Wolken schwebt. Alle Menschen machen düstere Gesichter und reden vom kommenden Unheil. Und über allen ist diese Lähmung, die den Entschluß verhindert und jeden Gedanken an ein Mittel, dem blutigen Regen zu entrinnen. Es gibt kein Entrinnen. Man schaut nach dem Wetter aus und wartet.

Am Abend gehen Vuk, Mara und Jan zu Verdis Requiem. Der Saal ist überfüllt – dabei spielt man es schon zum vierten, fünften Mal innerhalb weniger Tage. Warum, zum Teufel, gerade jetzt das Requiem? denkt Vuk. Warum drängen sich die Leute so, es zu hören? Warum bin ich gegangen, der ich gar kein Verhältnis zur Musik habe?

Es ist ein Chor aus Ljubljana, kein guter Chor. Die Stimmen der Frauen sind spröde, die der Männer zu schwach und flackernd. Jan ärgert sich. Vuk hört nur mit halbem Ohre zu, selten dringt ein Wort des Textes in sein Bewußtsein. Sein Blick fällt auf das Programm. Er liest, daß das Werk dem Andenken Manzonis gewidmet sei. Dem Andenken Manzonis, denkt er und wundert sich, weshalb die Musik so stille geht, so im Halbdunkel, als tupfe sie nur irgendwo an, als sei sie sich selber zuviel. Später erst ergreift es ihn unsagbar, unausfühlbar, und als dann die Sturzwellen des Dies irae – dies illa an sein Herz schlagen und seine Hand die Maras sucht, fühlt er, daß sie weint.

## 3

Jan schimpft. Zum erstenmal empfinden die Petrović seine Gegenwart störend, und Mara fragt sich im stillen, ob seine Lebhaftigkeit nicht ein wenig affektiert ist. So lassen sie Jan ziehen, ohne ihm anzutragen, sie zu begleiten und noch auf einen Sprung zu ihnen zu kommen. Dann gehen sie Arm in Arm durch die schlecht beleuchtete, vereiste Straße, die menschenleer ist und deren engbrüstige, verbaute Häuser dastehen, als hätte sie der Frost zusammengezogen. Sie schweigen, aber sie wissen, daß ihrer beider Gedanken die gleichen sind. Sie kommen vor ihr Haus, sie treten ein, sie steigen langsam die Stiegen empor, plötzlich legt Mara ihren Arm um Vuks Schulter. „Vuk", flüstert sie, „Vuk... was wird aus uns werden?"

„Warum denn?" sagt Vuk leise und versucht ein Lächeln. „Warum denn? Du hast doch gehört – – – nichts wird werden." Er öffnet die Türe zu ihrer Wohnung und schaltet das Licht ein. Der helle Schein blendet sie. Sie schälen sich aus ihren Mänteln. „Alles wird gut werden", sagt Vuk und lächelt. „Ja", sagt Mara und schaut zu Boden.

## 4

Stürme, Stürme, schneidende Regen, Tage mit einem blauen, lachenden Himmel, ein erstes Grün, der zärtliche Triumph des Frühlings und wieder Stürme, des Winters furchtbare Agonie. Aber diesmal ist alles wie von weit her, nicht von dieser Welt – eine Metamorphose zum Entzücken der Liebenden auf einem anderen Stern, nicht hier, nicht auf diesem bösen, kalten.

Die Straßen widerhallen von der Pestklapper der Gerüchte. Himmler sei in geheimer Mission in Belgrad eingetroffen, im deutschen Umsiedlungslager drüben in Zemun sei es zu einer Schlägerei zwischen Siebenbürgern und SS gekommen. General Nedić plane einen Putsch gegen den Prinzen, der „Zigeuner" Cvetković befände sich auf dem Berghof bei Hitler, Maček bilde eine Gegenregierung, die Deutschen forderten freien Durchmarsch ihrer Truppen zum Angriff auf Griechenland. Von allen Gerüchten erhält sich eines hartnäckig: das Königreich Jugoslawien bereitet den Anschluß an die Achse vor.

Eines Morgens läutet Jan an Vuks Tür. Er ist verstört, er zwingt sich zu einem Lächeln, das freilich ein böses Lächeln ist. „Die Engländer packen, die Tschechen packen. Große

Evakuation!“ Also ist es schon soweit. Vuk fühlt, wie ihm sein Herz in den Schläfen hämmert. „Wann reisen Sie?“ fragt er.

„Ich?“ sagt Jan und zuckt die Achsel. „Ich habe keine Aufforderung erhalten.“

„Das geht doch nicht“, sagt Vuk nervös. „Da müssen Sie sich doch selbst dahintermachen!“

„Wieso?“ fragt Jan ärgerlich. „Wieso ich? Ich bin genauso ein Tscheche wie alle anderen. Man hat mich zu verständigen.“

„Machen Sie doch keine Prestigeangelegenheit daraus“, drängt Vuk. „Es kann sich um ein Versehen Ihrer Landsleute handeln. Mit solchen Dingen spielt man doch nicht!“

Nein – mit solchen Dingen spielt man nicht. Als Jan in das Haus kommt, wo der ehemalige tschechoslowakische Gesandte amtiert, der jetzt die Emigranten betreut, hört er, daß Seine Exzellenz bereits abgereist sei. Wer evakuiert werden wolle, habe sich an das britische Konsulat zu wenden.

Im britischen Konsulat spricht Jan mit einer jungen Tschechin. Er fragt, warum man ihn nicht verständigt habe. Das Mädchen hat keine Ahnung. Sie ist zum Umfallen müde. Alle Verantwortlichen sind bereits fort, sie ist allein da mit einem Kollegen, die ganze Arbeit lastet auf ihr. „Sie sind ja nicht der einzige Nachzügler“, sagt sie und lächelt schwach. Wohin es gehe, fragt Jan. „Nach Palästina“, sagt das Mädchen. „Zur Auslandsarmee.“ Jan könne sich morgen sein Not-Zertifikat mit allen Transitvisa holen.

Zur Auslandsarmee, denkt Jan. Zur Auslandsarmee! Natürlich hatte Vuk recht. Mit solchen Dingen spielt man nicht! Endlich geht es los, endlich bekommt alles einen Sinn, und ich will hier sitzen bleiben und warten, bis man mich verständigt. Daß mir nicht selbst der Gedanke kam!

Er eilt zu Vuk. Kolja ist aus Zagreb gekommen. „Also wirklich“, sagt Jan. „Morgen hab ich mein Visum, und am Abend fahre ich. Zur Auslandsarmee!“

Es fällt Vuk schwer, sich zu freuen, aber er freut sich. Kolja schaut Jan groß an. „Habt ihr ein Glück!“ sagt er.

„Warum?“ fragt Jan und ist betroffen. „Weil wir von hier wegkommen?“

„Weil ihr kämpfen werdet, während wir hier still krepieren.“

## 5

Jan wartet in der Halle des Polizeigebäudes auf seine Ausreiseerlaubnis. Die Halle ist grau und kalt wie das ganze Gebäude. Zum erstenmal befindet er sich hier ohne jene Nervosität, die alle um die Aufenthaltsbewilligung bittstellenden Emigranten befällt. Die Belgrader Fremdenpolizei ist gefährlich und nicht weniger brutal als die politische, mit der sie Hand in Hand arbeitet. Erst unlängst hat man zwei tschechische Emigranten verhaftet und der Gestapo ausgeliefert. Die Belgrader Polizei ist überhaupt eine blutige Schweinerei. Für die meisten Serben ist sie der Inbegriff des Grauens. Schon der Anblick des Hauses ist schauererregend. Es gibt Tage, an denen das Jammern der Gefolterten auf die Straße dringt. Dann weiß man, daß es wieder einmal eine Razzia auf Kommunisten gegeben hat. Überall begegnet man den verstümmelten Opfern des Polizeiregimes. Wie wird das erst werden, wenn die Gestapo eingezogen sein wird, denkt Jan. Er denkt an Vuk, den zarten Vuk, an Mara und an Kolja. Ich fahre, denkt er. Morgen fahre ich fort und lasse sie hier und lasse sie warten auf das, was kommt. Was müssen sie sich denken?

Du fährst ja zum Kampf, beruhigt ihn sein Gewissen. Du wirst die Waffe tragen, du wirst vielleicht durch die Hölle gehen, um gegen die Nazis zu kämpfen. Wo du gegen sie kämpfst, ist doch egal. Wo immer du zuschlägst, dort schlägst du zu. Und hier? Sie werden das Land überrumpeln, wie sie Rumänien überrumpelt haben und Ungarn und Bulgarien. Es wird kein Schuß fallen, und du wirst allein sein. Du wirst ins Versteck gehen, und wenn du Glück hast, werden sie dich nicht finden. Du wirst in einem Keller sitzen oder anderswo und warten und warten und die Zeit vertun und Angst haben, und alles wird keinen Sinn haben. Heute beneiden sie dich und schauen dich mit Augen an, in denen du genau den Vorwurf lesen kannst, weil du sie verläßt. Aber morgen werden sie begreifen, daß du gegangen bist, um deine Pflicht zu tun. Und sie? Auch sie werden ihre Pflicht tun. Wenn sie nicht in die Gefängnisse wandern, werden sie, jeder auf seine Weise, ihre Pflicht tun. Sie sind Serben. Aber der Verrat wird ihre Möglichkeiten schmälern. Die Kroaten werden abfallen, und die Slowenen werden abfallen, und die großen serbischen Herren werden nicht besser sein als die großen Herren überall.

Du mußt keine Zweifel haben, denkt er, du mußt ihrem Vorwurf deine Vernunft entgegensetzen. Du tust das Richtige...

6

Der Zug nach Saloniki verläßt Belgrad eine Stunde vor Mitternacht. Wie er ihren Augen entschwunden ist, gehen sie langsam aus der Halle. „Ein netter Kerl", sagt Vuk. „Ich bin froh, daß er draußen ist."

„Vuk", fragt Kolja, „– wie steht es mit dir? Hast du einen Plan?"

„Was für einen Plan?" fragt Vuk.

„Man muß wissen, was man tut", antwortet Kolja. „Man kann die Dinge nicht an sich herankommen lassen, ohne auf sie vorbereitet zu sein. Was immer passiert – gewissen Gefahren läßt sich vorbeugen."

„Zum Beispiel?"

„Deine Manuskripte. Du mußt zusehen, daß sie in Sicherheit sind."

„Lächerlich. Wenn es einmal soweit ist, ist alles sinnlos geworden. Alles kommt unter den preußischen Stiefel."

„Es kann vieles geschehen. Es kann auch ganz anders kommen, als du glaubst."

„Es kommt, wie es kommt, Kolja. Es ist längst alles abgemacht. Die eiserne Ferse – – – es hilft nichts."

„Vielleicht. Vielleicht nicht. Die Serben haben harte Schädel."

„Aber keine Flugzeuge, Kolja, keine Tanks, keine Munition. Und die Regierung des Prinzen Paul."

„Trotzdem!"

„Schau doch, wie die Monturen unserer Soldaten aussehen. Zerfetzte Pelerinen, Stiefel mit halben Sohlen. Und das nennen sie Mobilisierung!"

„Vielleicht haben sie die Männer nur mobilisiert, weil sie Angst vor ihnen haben."

„Und wenn auch – – die Geschichte wiederholt sich nicht. Es ist alles umsonst."

„Wer weiß. Bei euch in Serbien ist eine ganz andere Stimmung als bei uns in Zagreb."

„Das stimmt. Aber mit Stimmung allein kann man einer motorisierten Armee nicht widerstehen. Außerdem: Du hast selbst zu Jan gesagt, wir werden still krepieren."

„Das war gestern. Heute bin ich dessen nicht mehr so sicher."

„Und du? Was wirst du tun, Kolja?"

„Das hängt von den Umständen ab. Meine Bilder sind bei verschiedenen Leuten, von denen ich annehme, daß ihnen nichts passieren wird."

„Du denkst an deine Bilder, Kolja, und an meine Manuskripte. Schade, daß es schon so spät ist, sonst wäre es wunderbar."

„Was soll das heißen: spät? Wozu zu spät?"

„Ich bin nicht für sinnlose Präventiven. Wenn wir einmal fort sind und die Welt dem Geschlecht der Hitlers gehört, dann hat alles seinen Sinn verloren. Auch das Pantheon, auch die Mona Lisa, auch Homer."

„Auch die Skepsis hat ihre Grenzen."

„Nicht die meine."

„Du hast dich immer geweigert zu generalisieren. Du hast uns öfter als einmal vorgeworfen, daß wir in Pauschalen denken. Jetzt tust du es selbst – wir haben es nie getan. Wir tun es auch heut nicht."

„Das stimmt. Jetzt, wo ihr ruhig dürft, weil euch die Wirklichkeit recht gibt, jetzt klammert ihr euch an die individuelle Bereitschaft, zu widerstehen. Und irrt euch wieder."

„Das ist eine Platitüde. Wir halten uns an die Wirklichkeit."

„Meine Wirklichkeit ist der Alptraum."

„Den Alptraum haben wir alle. Aber nur, wenn wir ruhen. Wenn wir wach sind, schätzen wir die Kräfte ab."

„Unsere Kraft existiert nur in der Einbildung. Es wird Hekatomben von Märtyrern geben – das wird alles sein."

„Es kommt nicht auf die Märtyrer an – das solltest du wissen, und du weißt es. Es kommt auf die objektiven Verhältnisse an. Wenn sie gegeben sind, dann können die Wunder geschehen, die wir nicht erwarten, die aber möglich sind."

„Zum Beispiel?"

„Wir machen den typischen Fehler der Intellektuellen, konkrete Dinge abstrakt zu betrachten und abstrakte Schlüsse zu ziehen. Den normalen gewöhnlichen Menschen interessiert das nicht. Er denkt und handelt konkret. Wenn uns morgen Hitler den Krieg erklärt, dann – – –"

„Er wird uns keinen Krieg erklären, sondern in Begleitung des Prinzen Paul die Ehrenkompanie abschreiten."

„Auch dann. Hitler in Jugoslawien – das geht einfach nicht. Du kennst unsern Bauern und unsern Arbeiter nicht. Hitler ist der Feind – ganz konkret: der Eindringling, der Schwab, die unmittelbare Bedrohung. Ob er durch die Hintertüre, das heißt durch unseren Beitritt zur Achse, hereinkommt oder ob er uns überfällt."

„Davon ist nicht die Rede. Die Frage ist, ob die Verteidigung einen Sinn hat oder nicht, ob Hitler eine Epoche ist oder nicht, das heißt: ob endgültig die Barbarei anbricht, weil sie offenbar die Mittel hat, sich zu behaupten und sich als Weltanschauung zu girieren oder nicht. Und weil ich glaube, daß unsere Zeit vorläufig zu Ende ist, daß wir die Waffen strecken müssen, ehe wir sie erheben – einfach deshalb, weil alles gegen uns verschworen ist, weil die deutsche Hysterie – du siehst es in Frankreich – Schule zu machen beginnt, resigniere ich. Ich kann es nicht konkreter sagen."

„Du hast unrecht, Vuk. In allem. Auch in der deutschen Hysterie und in Frankreich. Und du hast unrecht, weil du mit keinem Gedanken an die Sowjetunion denkst."

„Auch an die Sowjetunion denke ich. Aber auch für sie ist es zu spät. Auch sie kommt an die Reihe. Wenn heute nicht, dann morgen oder übermorgen. Sie wird sich vielleicht länger wehren als die anderen. Aber auch sie wird erliegen. Denn das, was geschehen ist und was immer größer und finsterer wird, das hält nicht an, das läßt sich nicht aufhalten, das nennt sich mit Recht dynamisch. Und auf das, was daraus entstehen wird in hundert oder tausend Jahren – darauf bin ich nicht neugierig."

„Du bist ja ein schönes Wrack", sagt Kolja und lächelt. „Und darf man fragen, womit du dich im Untergang beschäftigst?"

„Ich lese Baudelaire, ich lese Goethe, ich lese Cervantes, ich lese kurzum am Ende der Ewigkeit die ewigen Werte."

## 7

Vorbei, geschehen. Der Pakt mit dem Teufel geschlossen. Die Luft ist schwer. Wer weiß, wie lange man noch seinen Turm hat. Tage, Wochen. Der Weg zur Hölle ist offen. Glücklicher Jan, der jetzt wahrscheinlich schon auf dem Meer treibt. Und Kolja? Er baut sich mit dem Kokain seiner Hoffnung auf. Wie lange noch?

Jetzt erst haben sie Sinn, diese verlängerten Abende und diese Nächte, in denen man barmherzig allein gelassen ist.

Die ewigen Werte! Wie stolz dieses Menschengeschlecht einmal gewesen ist und wie es dahinsank! Woher stammt dieser Atavismus, dieses übermütige Verlangen nach dem Untergang? O Cervantes! O armer, armer Träumer Don Quichotte!

Das Feuer im Ofen ist ausgebrannt, die Augen trüben sich vom langen Lesen im künstlichen Licht. Langsam schlägt Vuk das Buch zu und legt es auf den Tisch. Er wird noch eine Zigarette rauchen und dann schlafen gehen. Wie müde ich bin, denkt Vuk. Er schaut auf die Uhr. Es ist doch noch gar nicht so spät.

Die Stille der Nacht wird auf einmal von Motorengeräuschen durchbrochen. Ein Lastwagen, denkt Vuk. Im selben Augenblick sieht er den Strahl eines Scheinwerfers aufschießen und wieder versacken. Was ist denn los? Vuk tritt eilig ans Fenster. Durch die Ritzen der geschlossenen Läden sieht er den dem Hause gegenüberliegenden Parkrand voller Bewegung. Er traut seinen Augen nicht, er stößt das Fenster auf. Wirklich. Soldaten in den Uniformen der Flieger. Zwei Panzer, die Geschützrohre gegen die abfallende Straße gerichtet.

Krieg!! schießt es Vuk durch die Stirn. Es ist etwas geschehen. Die Deutschen sind eingebrochen!! Die Brust zieht sich ihm zusammen, aber nicht vor Schrecken, sondern vor Überraschung. Hinunter. Ich muß hinunter und hören, was los ist. Mara wecken? Er überlegt eine Sekunde. Nein, sie soll schlafen. Er wirft den Mantel über die Schultern und eilt die Treppe hinab. Vor Nervosität krampfen sich seine Finger zusammen.

Vor dem Haustor stehen Soldaten. Wie er öffnet, richtet sich ein Revolver auf ihn. „Zurück!"

„Was ist los?"

Der junge Flieger herrscht ihn an: „Marsch! Gehen Sie schlafen!"

„Krieg?"

„Nein. Verschwinden Sie!!"

## 8

Der Platz vor dem Theater ist voll von lachenden, singenden, jubelnden Menschen, die nicht wissen, wie sie ihren Gefühlen laut und lärmend genug Luft machen können, die einander die Hände schütteln und küssen und in die Arme fallen, applaudieren, den General Simović hochleben lassen, die Sowjetunion, England und Amerika, „Nieder mit den Nazis!“ schreien, „Nieder mit Paul! Nieder mit Cvetković!“. Mit lautem Geklirr zersplittern die großen Glasfenster des deutschen Reisebüros unter einem Hagel von Steinen, eine Hakenkreuzfahne geht in Stücken und Fetzen, Schreibmaschinen und Vervielfältigungsapparate fliegen auf die Straße, Papier wirbelt durch die Luft. Auf dem Balkon des Theaters, von dem sie alles beobachten können, entdeckt Kolja Vuk und Mara. Er eilt zu ihnen hinauf.

„Na also!“ schreit er und schlägt Vuk auf die Schulter. „Was jetzt? Wer hat recht gehabt, du oder ich? Das ist ein Tag, Mensch! Das ist der größte Tag meines Lebens!“

„Ja“, lachen auch Vuk und Mara und nehmen Kolja in ihre Mitte. „Wer hätte das gedacht? Wunderbar ist es – unbeschreiblich wunderbar!“

„So“, sagt Kolja, und sie schauen in das tobende Menschenmeer in der Tiefe – „jetzt mag geschehen, was will. Jetzt ist alles gut! Jetzt lebt es sich leichter!“

„Und stirbt sich's leichter“, fügt Vuk mit dem glücklichen Lächeln hinzu, das nicht aus seinem Gesicht weicht.

„Immer noch sterben? Immer noch?“ sagt Kolja. „Du bist verrückt! Jetzt wird gelebt und gelebt, daß es eine Lust ist!“

„Natürlich“, lacht Vuk. „Warum nicht? Ich hab ja nichts dagegen. Ich bin ja glücklich.“ Soll ich ihm die Freude verderben? denkt Vuk. Sieht er nicht, daß das der Krieg ist, daß sich Hitler das nie und nimmer gefallen lassen kann?

Später gehen sie hinunter auf die Straße. Im Nu verlieren sie sich in den hin und her strömenden Menschenmassen.

Vuk schaut nach Mara aus. Er findet sie nicht. Es geht auf Mittag. Immer dichter wird das Gedränge. Am Himmel erscheint eine schwarze Wolke und verdunkelt ein paar Augenblicke lang die Sonne. Dann scheint sie wieder hell und strahlend. Vuk läßt sich treiben. Er fühlt sich so leicht, so von der Last befreit, die ihn die ganze Zeit niedergedrückt hat. Er hört mit halbem Ohr zu, was die Leute neben ihm erzählen. Ein Gerücht macht die Runde, daß dreihunderttausend britische Soldaten in Griechenland gelandet seien, um den Jugoslawen beizustehen, falls es zum Krieg komme. Warum nicht, denkt Vuk – warum soll es nicht wahr sein! An Jan denkt Vuk. Schade, daß er nicht dabei ist! Das wäre etwas für ihn gewesen, das hätte er genossen! Sollte es doch noch nicht vorbei sein? Sollte Kolja recht behalten und Jan und alle die Jans und Koljas in der Welt recht behalten? Sollte es am Ende doch niemals verlöschen, das Lichtlein, das ewige Lichtlein? Spielt ein höherer Zufall die Geige, und ist dies der Sinn jener unglaubwürdig tröstlichen Vision von unlängst, und sollte es hier geschehen, in diesem Lande, hier geschehen, das Unvorhersehbare, das Unglaubwürdige, hier anbrechen der Tag? Klang das Dies irae unlängst deshalb wie ein Donnerwetter in ihre Herzen, die wissentlich verzagten Herzen?

Dann wieder findet er seinen Enthusiasmus lächerlich und durch nichts gerechtfertigt. Wie leicht man angesteckt wird von einem Ausbruch wie diesem, daß man einfach die Realität negiert – kein Wunder: Der Mensch erhält sich durch Illusionen. Gegen Glasscheiben zu kämpfen ist noch törichter als gegen Windmühlen . . .

## 9

Es ist Samstag nachmittag. Mara und Vuk sind mit der Tramway ins Dedjiner Wäldchen hinausgefahren, jetzt gehen sie zwischen den jungen Bäumen, seitab der Autostraße. Die Stadt ist voller Geflüster, die Menschen sind gedrückt, sie wollen es nicht wahrhaben, sie machen bittere Witze und zwingen sich, nicht daran zu denken. Daran – das ist das, was in der Luft hängt, in dieser durchsichtigen, scharf klaren Atmosphäre eines Frühlings, dem sie nicht trauen, der herzlos ist, weil er gar so zärtlich tut, der es eilig hat auf einmal. Sie lesen die Zeitungen, die ihnen weh tun, weil jedes Wort der gedruckte Katzenjammer ist oder, wie in der „Vrême", in der die Faschisten sitzen, die unverhohlene Schadenfreude. Die Nachrichten widersprechen einander, und die Regierung des Generals Simović hat entweder den Kopf verloren oder nie einen besessen. Auf einmal weiß sie von nichts, kriecht vor Hitler, kriecht vor Mussolini, schwört feierliche Eide, daß sie den Achsenpakt erfüllen würde, läßt nach dem Westen hin durchsickern, daß sie nicht daran denke, und scheint es im Innern auf das Chaos abgesehen zu haben, denn alles geht durcheinander, nichts funktioniert, nur die Nervosität steigt und wird künstlich gesteigert durch Maßnahmen, die vorgeben, dem Bevölkerungsschutz zu dienen, in Wirklichkeit aber das gerade Gegenteil auslösen. Luftschutzübungen werden abgehalten, alle paar Stunden heulen die Sirenen, besonders abends und in der Nacht, wenn Verdunkelung geprobt wird und die Kraftzentrale in der ganzen Stadt den Strom ausschaltet. Die Leute wissen nicht, ist es diesmal Ernst oder wird nur „gespielt", sie rennen in die Keller, sie schrekken aus dem Schlaf, und dann werden sie stumpf und lassen sich nicht stören, haben nur das unangenehme Gefühl in der Magengegend, wenn die Sirene aufheult, und lachen dann und winken spöttisch ab.

Auch Vuk und Mara haben es sich abgewöhnt, auf die Sirene zu reagieren, sie blicken aus dem Fenster, sie horchen angespannt, aber sie sehen nichts und hören nichts und lachen und sagen: „Der General spielt Krieg." Seit dem 27. März, dem Tag von Simović' Putsch, ist unmerklich eine Veränderung in ihnen vorgegangen, sie fühlen, es ist etwas anders geworden, aber sie wissen nicht, was es ist. Vuk rührt die Ewigkeitswerte nicht an, er liest Zeitungen, er sitzt über der

Landkarte, er dreht am Radio und fängt aus aller Welt Nachrichten ein, und neben ihm sitzt Mara und liest Zeitung, studiert die Landkarte, hört Radio und hat Zeit, immerzu bei Vuk zu sein und daheim, weil sie einen Vorwand gefunden hat, nicht zur Arbeit zu gehen – man weiß nicht, was geschieht, man kann bei so ungewissen Zeiten nicht aus dem Haus. Sie lauschen den wutschäumenden Drohungen der Deutschen, der ängstlichen Reaktion des offiziellen Belgrad, sie hören aus Rom die Kroatenpropaganda ab, wobei ihnen auffällt, mit welcher Rücksicht der Doktor Maček behandelt wird, sie hören die ungarischen Propagandahysterien, sie schauen sich bei der Meldung vom Selbstmord des Grafen Telecky an und verstehen einander, ohne ein Wort sagen zu müssen – sie horchen natürlich gespannt auf jedes Wort der BBC, die sehr ermutigend ist und sehr unverbindlich, und dann schalten sie auf die klaren, trockenen Moskauer Nachrichten um, aus denen diejenigen, die ein Ohr dafür haben, die Diagnose lesen können und wissen, woran sie sind.

Nun schlendern sie durch den Wald, wie zwei junge Verliebte, die die Welt nichts angeht, die nur eins fürs andere da sind und nur füreinander Augen haben, für sonst nichts. Was den andern ungewiß ist und den Schlaf raubt – ihnen ist es irgendwie weit und fern und fremd, und so, als ob ihr eigenes Schicksal nicht damit zusammenhinge. Sie freuen sich der samtenen Kätzchen an den Haselnußstauden, sie finden Veilchen, sie sprechen von tausend Dingen und scheuen sich auch nicht, heiter zu sein, von jener Heiterkeit nämlich, die zum Frühling gehört.

Sie nähern sich den schönen, unter Bäumen verborgenen Villen, und sie sagen: wir sind eigentlich dumm, daß wir in der Stadt wohnen – warum haben wir nie daran gedacht, hier draußen zu mieten. Sie finden überhaupt, daß sie an so vieles nicht gedacht haben, daß es eigentlich komisch sei, wie blind man für gewisse Dinge ist, daß man eine etwas vulgäre Art habe, sich im Leben einzurichten – vorausgesetzt natürlich, daß die äußerlichen Bedingungen dafür gegeben sind.

Damit ist man freilich wieder dort, wo sich in die individuelle Befriedigung, die man finden könnte, die allgemeine Misere hineinmischt; man würde, und mit Recht, etwas Parasitäres darin erblicken müssen, ein Privileg, das einem nicht gebührt, etwas Geschmackloses, dessen sich geistige Menschen niemals schuldig machen dürfen. Auch darin stecke vielleicht ein Stück Unehrlichkeit gegen sich selbst, denn im Grunde sei ja Selbstbeschränkung, die nur dem Scheine diene, genauso anstößig wie Protzerei – Heuchelei nach unten gewissermaßen.

Das führt aber zu weit! Man würde ja schön aussehen, wenn man sich alles mit solchen Überlegungen, Hin- und Rücksichten, Ängsten und Sorgen komplizieren wollte. Man würde, im Hinblick auf die sozialen Konflikte in der Gesellschaft, aufhören müssen, schöne Bilder zu haben, sich Bücher zu kaufen, Musik zu hören, auf Urlaub zu fahren und so fort und so fort.

Seltsam – wie müde der Frühling macht; nicht wirklich müde, anders müde, angenehm müde. Heute abend müßte man eigentlich einen richtigen schönen Abend machen, einen Abend, der sich sozusagen nicht gehört, einen Abend, wie er sein muß, wenn ein schöner, schöner Tag ausströmt – – –

## 10

Zum Teufel! Spielt der General schon wieder in aller Herrgottsfrühe? Hat man wirklich keine anderen Späße, als die Leute aus dem Schlaf zu schrecken? Die Sirene heult auf und winselt aus, heult auf und winselt aus. Mara zieht die Decke über die Ohren, aber die Sirene hört nicht auf, und Vuk entschließt sich, aufzustehen und nach dem Himmel zu schauen. Er geht auf den Balkon hinaus, die Morgendämmerung malt den Himmel rot und blau und violett, über der Flußseite hängt ein ganz feiner zarter Nebel. Die Sirene heult, aber die Straße ist leer, der Himmel ist leer – – natürlich, der General spielt. Er soll nur den Teufel an die Wand malen. Und die verdammte Sirene hört nicht auf zu heulen. Vuk dreht sich um, er tritt ins Zimmer zurück, schließt die Balkontüre und kriecht wieder in sein Bett. Weiterschlafen, denkt er. Es wird zwar eine Weile dauern, eh ich wieder einschlafe, aber ich bin hundemüde. Mara schläft wirklich wieder, den Kopf tief in die Polster gebettet. Die Decke hochgezogen, die sich unter den ruhigen Atemzügen der Schlafenden kaum merkbar hebt und senkt. Nun ist alles wieder stille. Die Sirene hat aufgehört. Wenn das „Gefahr vorbei"-Signal kommt, denkt Vuk, werde ich wieder eingeschlafen sein und wieder geweckt werden.

Er legt sich auf die Seite, er schließt die Augen, er döst – ganz fein spielt sich ein leises, fernes Summen in sein Ohr, als habe sich eine Biene im Zimmer verflogen, eine Biene – – er hebt den Kopf, das Summen kommt näher, es ist schon nicht mehr leise, er springt aus dem Bett, er reißt das Fenster auf, daß Mara davon wach wird. „Was ist denn?" fragt sie verschlafen. Es ist nichts zu sehen, aber nun hört auch sie es, es summt nicht mehr, es dröhnt bereits, und schon mischt sich das Geknatter von Maschinengewehren darein, Rauchwölkchen spritzen gegen den Himmel, eine Kanone beginnt dumpf zu feuern, Schrapnelle bersten.

„Um Gottes willen, schnell, schnell!" schreit Vuk, „da kommen sie – – viele – viele – – –!" Mara ist mit einem Sprung aus dem Bett, sie greift nach ihren Kleidern, sie läuft zu Vuk und zieht ihn vom Fenster weg – nun sieht auch sie die Formation, die hoch und langsam anfliegt und jetzt über ihnen zu stehen scheint. „Schnell – rasch! Hinunter!" Sie werfen einander Decken zu und Kleider, draußen auf der Treppe treffen sie Hausbewohner, die gleich ihnen aus den Wohnungen stürzen. „In den Keller!" ruft jemand und ein anderer: „Nur nicht in den Keller! Wenn das Haus einstürzt, sind wir begraben! Drüben im Park ist es besser!" Die schon im Keller waren, stürzen wieder hinauf und den anderen ins Freie nach. Wie Vuk und Mara auf die

Straße kommen, sehen sie, wie sich am Himmel die Formation teilt, wie die Flugzeuge auseinanderschwärmen und wie eines in der Richtung, in der sich Belgrads größtes Hotel befindet, im Sturzflug niedergeht. Sie wissen, was das bedeutet. Sie laufen, aber ehe sie noch den Park erreicht haben, kracht es, erschüttert ein furchtbarer Schlag die Erde und dann ein zweiter, ein dritter, ein vierter, und dann bricht die Hölle los. Im Park sind ein paar Luftschutzkeller, aber die Menschen quellen schon aus ihnen heraus, Schreie sind, Geheul mischt sich mit Flüchen, in einem dichten Strauchwerk suchen Vuk und Mara Schutz. Sie halten einander umklammert, sie sehen die Flieger über den ganzen Himmel verteilt, der ganzen Stadt, ihr schaukelndes Spiel, ihr Stürzen, ihren Tiefflug und ihr Steigen. Die Erde dröhnt, allenthalben steigen Wolken aus Rauch und Staub, und dann fliegt einer dieser grauenhaften schwarzen Vögel auf sie zu, genau auf sie und senkt sich und stürzt und – – ein Schlag, ärger als alle vorher, Bäume scheinen durch die Luft zu wirbeln, Feuer und Erde schießt auf, und dann Schreie und Schreie, die durch Mark und Bein gehen, die Bombe hat hart neben ihnen eingeschlagen, mitten in eine Gruppe Menschen. Als wollte sie ihn mit ihrem Körper decken, hat sich Mara über Vuk geworfen. „Du – – – du – –", flüstert sie und hält ihn umfangen. Er lächelt, er schämt sich und löst sich aus ihrer Umklammerung. Als hätten sie genug, formieren sich oben am Himmel die Flieger aufs neue und ziehen langsam fort, aber da wächst das Gedröhn von neuem, den Abfliegenden kommt eine neue Formation entgegen, langsam, ruhig, als flögen sie Parade, gehen mitten über die Stadt, teilen sich, schwärmen auseinander, sausen im Sturzflug einzelweis nieder, einer hinter dem anderen, jeder in eine andere Richtung, jeder nach seinem bestimmten Ziel, und wieder die krachende, dröhnende, spritzende, rauchende, berstende, brodelnde, schreiende, tobende Hölle. „Diese Schweine!" schreit Mara, „diese elenden Schweine!", denn jetzt fliegen sie kreuz und quer, jetzt können sie kein Ziel mehr haben als das eine, ihre

Last abzuwerfen, ihre fürchterliche Last, überallhin, auf alles, auf alle Straßen, in alle Häuser. Wenn die Aeroplane im Sturzflug niedergehen, dann schneiden ihre Flügel die Luft wie mit riesigen Messern, ihre Motoren setzen aus und springen wieder an und im selben Augenblick der fürchterliche Schlag der explodierenden Bomben in der bebenden Erde. Drüben saust ein Ambulanzwagen über die Straße, in all dem Gedröhne ist sein Tuten klar und deutlich vernehmbar. Von dort, wo vorhin die Bombe eingeschlagen, gellen ununterbrochen Schreie; auf einmal, als rufe sie ein Kommando ab, sammeln sich die Flugzeuge aufs neue, bilden Formation, die Motoren dröhnen, die Luftabwehr böllert und knattert, und wie sie gekommen, ziehen sie wieder fort, fort, fort – – – dann ist Ruhe, eine ungeheuere, schreckliche Stille, die das Schreien der Verletzten nur noch ungeheurer macht . . .

## 11

In der Stadt wüten Brände, stürzen Mauern, gibt es kein Licht, kein Wasser, Straßen und Plätze sind mit Leichen bedeckt, Sterbende röcheln, Verwundete wälzen sich unter Staub und Trümmern, Autos bahnen sich durch Schutt und Geröll ihren Weg, blutbeschmierte, freiwillige Helfer sind überall an der Arbeit, Verzweifelte schreien irrsinnige Beschwörungen, Wimmern und Stöhnen, gewaltige Blutlachen, prasselnde, qualmende Balken, Geruch von ausströmendem Gas und Verwesung, zerfetzter Gliedmaßen blutige Knäuel, Bombentrichter mit steigendem Grundwasser, Feuerglocken und abermals und immerzu das Gebrüll der schrecklich Verstümmelten.

Die schwarzen Vögel, die mörderischen schwarzen, in der Sonne silberngleißenden Vögel kommen wieder, am Tage, in der Nacht und wieder am Tage, ziehen ihre Spiralen, stürzen sich auf das schreiende Leiden, das sich ihnen in Todeszuckungen entgegenwirft, und werfen ihre berstenden Lasten hinein und bestreuen es aus dem zynischen Spielzeug ihrer Maschinengewehre. Rot ist der Himmel Belgrads bei Nacht und rot unter den dicken schwarzen Rauchwolken bei Tage. Rot, von den flackernden Flammen umspielt, vom rinnenden Schweiß überglänzt, von Schmutz und Blut entstellt sind die Gesichter derer, die, als ginge sie die Vernichtung über und unter ihnen nichts an, mit mechanischer Zähigkeit, verbissen, taub, wortlos, unermüdlich ihr barmherziges Werk tun, Verschüttete aus den Trümmern ziehen, schreckliche Wunden verbinden, zuckende Leiber bergen. Sie halten nicht ein, sie werden nicht müde, nicht hungrig, nicht durstig, sie kriechen und graben und tragen und ziehen, die Wimpern versengt, die Hände verbrannt und verschwollen, die Zähne blutig verbissen. Einander fremd, doch wie unter geheimnisvollem Gesetz gebunden, sich nicht zu verlieren, Vuk und Mara. Nichts in ihren Blicken und mit versteinten Zügen, stumpf gegen die Hölle, nicht anders als die anderen, sich bückend, zerrend, der Glut nicht achtend, des Steinschlags, der spritzenden, fauchenden, trommelnden, röchelnden, berstenden, brüllenden, krachenden, tobenden Orgie des Todes . . .

## 12

Schwer geht es sich auf Krücken, aber man geht. Noch schmerzen die Achselhöhlen von der Reibung an der samtbezogenen Krücke, aber mit der Zeit werden sie dagegen immun sein. Von der Spitalbaracke bis zu dem kleinen Zypressenwäldchen, zu dessen Füßen sich das ungeheure Panorama der Jerusalemer Altstadt, des Kidrontales, der jüdischen Wüste und des Toten Meeres entrollt, sind es kaum zwanzig Minuten. Täglich, sowie die ärztliche Visite vorbei ist, wandert Jan hinaus – er humpelt, vielmehr er schaukelt, die Kameraden stehen am Stacheldrahtzaun und lachen und machen Scherze: „Lauf nicht so, Jan! Schaut an – er trainiert für den Langstreckenrekord der Einbeinigen!"

Draußen am Waldrand, der hart über einer steinigen Tiefe ist, steht eine Bank, auf der sich Jan niederläßt. Die Krücken hängt er in den Ast einer Zypresse, er holt ein Buch oder eine Zeitung aus der Tasche und liest, oder er tut gar nichts, sitzt nur da, schaut in die violetten Steinmassen, die den Horizont begrenzen, oder in den milchigen Glast, der über dem schweren, bleiernen Spiegel des Toten Meeres hängt. Auch heute hat er Zeitungen gelesen, er faltet sie langsam zusammen, steckt sie in die Tasche und denkt: Es ist zum Heulen; nein, es ist noch viel schlimmer. Draußen tobt es, draußen geht eine neue Welt an, und ich bin nicht dabei. In Stalingrad gehen jetzt die roten Fahnen hoch, und ich sitze da, darf auf meinen Beinstrunk schauen und nicht daran denken, wie ich roste und roste. Und wenn ich auch beide Beine hätte und heil wäre und nie in Tobruk gewesen und nie auf diese verfluchte Mine aufgefahren wäre – – – umsonst! Daß es gerade mich in dieses Etappenleben verdammte! Daß gerade ich in diesen Weltteil abgeschwemmt werden mußte, wo alles verfault und verfault.

Ein Gedicht von Wolker geht Jan seit Tagen nicht mehr aus dem Sinn. Der todkranke Jüngling liegt in seinem Bett im Krankenhaus, draußen ist es Tag und Leben, draußen ziehen die Genossen in den Kampf – ihm aber ist es bestimmt, zu sterben; ihm, der *fallen* wollte . . .

Das Datum der Zeitung erinnert Jan daran, daß heute serbischer Neujahrstag ist. Wäre ich dort geblieben, denkt Jan – wäre ich in Jugoslawien geblieben! Daß mich der Teufel reiten mußte und ich bei Nacht und Nebel davonfuhr, wirklich bei Nacht und Nebel, denn sonst hätte ich ja sehen müssen, was kommt, es den Menschen ansehen müssen, dem zähen Schlag. Aber sah es denn Kolja, der selber einer von ihnen war? Und Vuk? Ach, Vuk und Mara – – –

Kolja! Jan denkt viel an Kolja, und er denkt auch viel an Vuk und Mara. Die langen Wochen im Spital. Er ruhte, als das Ärgste vorbei und die süßlich-betäubend-ekelerregende Narkose gewichen war, in seinem Bette, unfähig zu lesen, zusammenhängend zu denken. Nicht weil er Schmerzen hatte; sie ließen allmählich nach. Aber weil etwas unsagbar Bedrückendes da war, das sich nicht auf seine plötzliche Krüppelhaftigkeit zurückführen ließ, sondern noch weit unmittelbarer weh tat: dies Wissen, daß sein Verschwenden nur mehr platonisch sein durfte, daß er von außen würde teilhaben müssen am Weltgeschehen, nicht von innen, daß er aufhörte, ein Agens zu sein, wie es einst ein Lehrer nannte, der seinen Schülern Vorbilder zu setzen pflegte. Damals also im Krankensaal, in dem sich der Chloroformgeruch mit dem Duft der Orangen mischte draußen vor dem Fenster, hatte sich Jan ein eigenes Ritual zurechtgelegt. Wenn es dämmerte, schloß er die Augen und wandelte sich. Er saß in Vuks Zimmer, im Schatten des weichen Lichts einer hohen Stehlampe, im Ofen knisterte das Holz, an den ins Dunkel getauchten Wänden standen die Bücher, und irgendwo hing das blassende Daguerrotyp Baudelaires. Beim Schreibtisch saß Vuk, feierlich fast und mit verschränkten Armen, lauschend und den feinen ironischen Zug um den Mund, der Güte war und ein bißchen Skepsis. Leise wurde ein Gespräch geführt, so wie man es in Vuks Haus führte und von dem einem erst nachher zum Bewußtsein kam, wie groß es die geringen, wie menschlich es die großen Dinge machte. Bisweilen trat Mara ins Zimmer, legte ihren Arm um Vuks Schulter und horchte zu, warf ein leises Wort dazwischen und machte das Sanfte durch ihre Gegenwart sanfter.

Alle Abende, die Jan bei Vuk verbracht hatte, standen auf in diesen Dämmerungen. Rede und Widerrede hoben sich scharf vom Grunde der Erinnerung, die sie bewahrt hatte mit erschreckend-erstaunlicher Treue, ein geheimes Phonogramm, überraschend und beglückend zugleich für Jan in seinem Spitalbett, der sich des Trugs ja bewußt war, den sich seine Phantasie erschuf. Dabei fühlte er schmerzhaft deutlich noch dies: Daß das Vergangene auf immerdar vergangen sei und daß er, ein Überlebender, zu Schatten rede – – den Schatten Vuks und Maras, deren Tod ihm irgendwie gewiß schien. Daß sie nicht überleben konnten, gleich ihm, daß sie entweder beim Bombardement Belgrads den Tod gefunden, freiwillig geschieden oder hingemetzelt wurden – dessen war er sicher.

Manchmal nun trat in dieses Spiel der Dämmerung auch die Erscheinung Koljas. Aber nicht in so schattenhaften Zügen wie Vuk und Mara. Für Jan stand fest, daß er lebte. Er mußte leben. Er war aus einem anderen Holze geschnitzt als die beiden Zarten. Er trat ins Zimmer, er brachte den Winter mit von draußen. Um die Schulter trug er ein Gewehr ...

Wie sich Jans Herz zusammenkrampft und so schneidend weh tut, daß das Bild jedesmal jäh verlischt. Wie jedes Denken an Kolja weh tut! Auch jetzt, am hellen Tage, oder erst recht jetzt, wo einen ein geopfertes Bein nicht darüber hinwegtrösten kann, daß man am Ende ist.

Über der steinigen Tiefe kreist ein Raubvogel. Jan schaut ihm nach. Das Ende, denkt er ... muß es denn gleich das Ende sein? Ich lebe ja! Und in der Tat: Ist da nicht seit einigen Tagen ein Strahl Hoffnung, daß es doch noch Dinge gibt, das Unglück zu überwinden? Darf man sich verlieren, wie sich Vuk verlor – überwältigt vom Gaukelspiel einer Ohnmacht? Das Bild des einbeinigen englischen Fliegers, der sich in der Schlacht um London als einer der Kühnsten hervortat – war es nicht ein Zeichen des Himmels, daß gerade jetzt das Zeitungsblatt in seine Hand fiel, das es enthielt?

Nicht nachgeben! Widerstehen! Noch ist so viel zu tun.

## 13

Am späten Nachmittag des dritten Tages ist die Umzingelung durchbrochen. Während die Ausgänge gesichert werden, schiebt sich die Partisanenbrigade wieder vorwärts. Im Dorf haben die Deutschen gewütet, wie sie überall wüten.

Eh sie abzogen, legten sie Feuer und sprengten die Gehöfte mit Dynamit. Seit vierundzwanzig Stunden machen die auffliegenden Landminen einen Höllenlärm. Auch bei der Minensuche hat es Tote gegeben. Sie werden in einem gemeinsamen Grab bestattet.

In der Schule arbeiten bereits die Ärzte. Draußen wird zum erstenmal seit drei Tagen wieder abgekocht, wobei der Proviant zugute kommt, den man den Deutschen abgenommen hat. Schnell sinkt der Abend herein. Die Partisanen fassen ihr Essen. Die Feuerstellen werden gelöscht. Anweisungen werden ausgegeben, kurze Meldungen. Dann ist der Tag zu Ende.

Es ist vollkommene Stille. Aber noch nach Stunden läßt jedes kleinste Geräusch die Leute aus dem Schlaf fahren. Die meisten schlafen gar nicht. Sie liegen auf der flachen Erde und sind müde, unsagbar müde. Wie gut, daß man wenigstens liegen kann, die Beine von sich strecken und atmen darf, ruhig atmen. Wie gut, daß es endlich Frühling wird.

Das Dorf ist ausgebrannt, aber es ist ein Dorf. Die Schule ist beinahe unversehrt, sie trägt sogar noch ihr Dach, wenn es auch zerschossen ist. Die Fenster sind verhängt, so daß das Licht von den Öllampen nicht herauskann. Die Verwundeten schlafen, und die nicht schlafen können vor Schmerzen, schweigen, um die Schlafenden nicht zu wecken.

Die Wachen kauern vor ihren Maschinengewehren. Sie blicken nach dem dunklen Wald hin, der das Lager nach drei Seiten umgibt. Der Mond steht in einer Viertelscheibe am Himmel. Ganz fein duftet das junge Gras.

Vuks Nachbar spricht aus dem Schlafe. Er ist jung, fast ein Knabe noch. Der Mond scheint ihm ins Gesicht. Vuk nimmt seine Mütze und deckt damit dem Jungen die Augen

Mara ist drüben in der Schule bei den Verwundeten. Welch ein Glück, daß man beisammen ist! Das Leben ist eine endlose Wohltat!

Wenn man ein paar Tage wenigstens Ruhe hätte, bleiben

könnte, so wie jetzt. Die letzten Wochen waren schwer. Gewiß – die Müdigkeit zählt nicht, fast ist man zu müde, um noch müde zu sein. Die Paradoxen werden zur Regel. Die drüben hinterm Wald haben alles: Tanks und Flugzeuge und Munition, und trotzdem – – –

Vuk liegt auf dem Rücken, er schaut in die Sterne.

## 14

Über dem Walde hebt sich blaß der Morgen. Noch ist die Sonne nicht aufgegangen, aber in dem feinen graublauen Schleier, hinter dem die weißen Wolken ziehen, ist schon ein fernes Leuchten. Auf den Gesichtern der Schlafenden ist Tau.

Die Wachen frieren, sie entzünden ihre Pfeifen. Sie reiben sich die Hände, sie schlagen die ermüdeten Arme um sich. Ein Vogel zwitschert. Der Morgenwind geht durchs Gras und spielt in den Haaren der Schlafenden.

Es ist so friedlich.

Sekunden noch, Minuten, Stunden oder Tage. Die Erde unter den schlafenden Leibern ist kalt, aber sie spüren sie nicht. Wie ein Panzer liegt die Erschöpfung um sie, schmiegt sich an sie und wärmt sie von innen.

Daß dorten, drüben hinterm Wald, das Tier zum Sprung geduckt, mit entzündeten Augen auf der Lauer liegt – – –

Allmählich färbt sich der Himmel . . .

EDUARD CLAUDIUS

# Wie die Dschungelsoldaten zu Söhnen des Himmels wurden

Angenehm war der Abend auf der Veranda des soeben erst fertiggestellten Bungalowhotels von Dien-bien-phu und der Wind im Gesicht wie eine kühle Hand. Träge floß der Strom der Worte. Wir waren müde von all den Dingen, die wir tagsüber gesehen hatten – die neue Kautschukplantage, die Rizinuspflanzung, angelegt, damit wir in der DDR genug von diesem Heilöl haben, die vielen Stallungen, die Pfahldörfer der Thau mit ihren Bananenblattdächern –, müde von viel Dingen mehr, und so bot das Gespräch nicht viel Ermunterndes.

Um uns herum hüpften nicht gar große, tiefbraune Ziegen, meckerten in das aufkommende abendliche Zikadengezirp, und wir, aufgestört plötzlich, da wir uns entsannen, auch über Tag Unmengen von Ziegen gesehen zu haben – eine Seltenheit für Vietnam –, fragten: „Hat die Volksarmee mit der Ziegenzucht angefangen?"

Der Direktor des Armeegutes, ein ehemaliger Offizier, schmal, hager, mit dünnen Lippen und schräggeschlitzten Augen, lächelte, und auch die Soldaten, die rundum saßen, konnten ihr Lächeln nicht verbeißen.

„Sie wachsen für die Götter", sagte der Direktor.

„So, für die Götter."

Wir machten wohl verdutzte Gesichter, denn er lachte hell heraus und fuhr fort: „Tritt irgend etwas Unvorhergesehenes ein, ein Unglück oder eine Seuche, müssen sie ihre Köpfe lassen, denn sie werden dann vor dem Hausaltar den Göttern geopfert, und den alten Riten nach muß man dabei zwischen den Hörnern durchspringen."

„Und das hilft? Schöner Mumpitz ... heutzutage, gibt's das auch noch?"

Der Direktor wurde ernst und fragte: „Kann man verändern mit Reden, was nur das Leben selbst mit seiner Weisheit verändern wird?" Anzusehen war ihm, er erwartete keine Antwort. Plötzlich aber war wieder das lustige Blinzeln in seinen Augen, und er sagte: „Hören Sie ... ich erinnere mich da an eine Geschichte ..."

Einer der Soldaten mit einem ein wenig mürrischen Gesicht sagte etwas auf vietnamesisch, aber der Direktor lachte nur und sagte französisch: „Warum soll man sie ihm nicht erzählen? Er ist doch ein Freund!" Und zu mir gewandt, fuhr er fort: „Ja, also ... der Aberglauben ... Keiner von uns hätte geglaubt, daß es soweit kommen könnte, und niemand auch nur im Traume gedacht, daß der Aberglauben zu einer politischen Waffe des Gegners werden würde. Hören Sie ...

Als wir aus den Bergen kamen, nach den ersten Siegen über die vorgeschobenen Posten der Franzosen, und als wir in die Täler vorrückten, flüchteten vor allem die Thai aus ihren Dörfern. Nein, nicht nur in einem einzelnen Fall. Regelmäßig, wenn wir uns einem Dorf näherten, war es leer, obwohl die Feuerstellen noch warm waren und Hühner, Schweine und Ziegen noch umherliefen. Das war nicht einfach für uns. Wir brauchten Reis und Fleisch. Was aber hatten wir uns vorzuwerfen, was wohl mochte ihnen eine solche Furcht vor uns eingejagt haben? Nichts hatten wir uns vorzuwerfen, nichts! Es war streng verboten, nur einen Halm auf dem Feld anzurühren, ein Huhn zu schnappen oder sich etwa gar mit einem Mädchen einzulassen ... Ihr Himmlischen, dafür hätte es die Ausstoßung aus der Armee gegeben! Unsere Kämpfer waren diszipliniert: den Hühnern liefen sie nicht nach, auch in den leeren Dörfern nicht, und die Mädchen konnten sie nicht ansehen, da die nicht in den Dörfern waren und sich keinerlei Gelegenheit dazu bot. Das also konnte nicht die Ursache sein. Was aber?

Eines Tages gerieten wir an einen alten Thai, einen grauhaarigen würdigen Herrn, der sich wohl zu gut dazu war, so schnell vor uns zu flüchten. Man brachte ihn uns in den Stab. Er hielt die Hände vor die Augen, blinzelte durch die Finger, und erst, nachdem wir ihm Tee und Tabak und auch ein Glas Maisschnaps gegeben hatten, wagte er ein erstes Wort.

‚Söhne des Teufels', sagte er, und noch einmal: ‚Söhne des Teufels.' Und dann verlangte er ein zweites Glas Maisschnaps und fuhr tapferer fort: ‚Teufel, Teufel seid ihr . . . aus der Unterwelt seid ihr gekommen . . .'

Wir horchten auf. Viel Aberglauben gab es und gibt es auch noch heute. Sie haben die Unmasse Ziegen gesehen. Viel Mühe kostete es uns, aus dem Alten herauszuholen, was eigentlich los war. Wir gerieten ins Lachen und lachten, daß uns die Bäuche weh taten, obwohl alles so bitter und so verzweifelt ernst war, denn als Armee inmitten einer feindlichen Leere zu leben ist unmöglich. Unsere Anständigkeit in bezug auf die Frauen, die strengen Befehle gegen jegliche Übergriffe dieser Art und die strikte Befolgung dieser Befehle durch unsere Soldaten hatten die Franzosen genutzt, um eine schlaue Propaganda gegen die Befreiungsarmee zu starten.

‚Zwischen den Beinen habt ihr nicht das, was alle normalen Männer dort haben', stotterte der Alte, redseliger nun schon durch den Schnaps, ‚nichts . . . nichts . . . Söhne des Teufels seid ihr und gekommen, uns zu verderben . . . Wärt ihr menschliche Wesen, wie könntet ihr unsere hübschen Mädchen so verachten und auch die alte Sitte der Gastfreundschaft, die gebietet, daß der Gast bei dem schönsten Mädchen der Gastgeber die Nacht verbringt.'"

„Gibt es diese Sitte auch noch heute?" fragten wir schnell.

Aber der Direktor antwortete nicht, sondern fuhr fort: „Schwer war es, einen Weg zu finden, um unser Menschsein zu beweisen. Lieber hätten wir einen Schlachtplan ausgearbeitet. Wir überlegten und überlegten und fanden dann einen Weg. So glaubten wir!

Bis zum nächsten Dorf hatten wir es nicht gar weit. Eine Einheit wurde abkommandiert, sich in der Nacht an das Dorf heranzuschleichen, in Begleitung des Alten, und im Morgengrauen im Bach nahbei im Angesicht des Dorfes zu baden. Nackt natürlich!

So geschah's auch. Es muß ein tolles Bild gewesen sein, diese Kompanie nackter, ausgemergelter Soldaten, im Fluß planschend wie junge Hunde, jeder davon überzeugt, daß rings in den Büschen das ganze Dorf kauert. Auch die Mädchen!

Aber gewonnen? Wenig war damit gewonnen. Als die Soldaten angezogen, sauber gewaschen und strahlend auf die Hütten zukamen, waren diese leer. Bis auf die Hühner und die Hängebauchschweine.

Wie vor den Kopf gestoßen waren wir, und der Alte murmelte: ‚Was ist damit schon bewiesen? Sicher, ihr seid wie andere Männer, aber ... kann nicht das auch Blendwerk sein, Teufelswerk?'

Wir überlegten und überlegten, und wir sahen ein, es mußte in den sauren Apfel gebissen werden. Ein junger, nicht unübler Bursche aus dem Delta wurde ausgewählt und dazu bestimmt, sich ordnungsgemäß um ein Thaimädchen zu bemühen und es zu heiraten.

Er erklärte sich dazu bereit: ‚Mache ich ... mache ich ...!' Die Thaimädchen sind ja auch wirklich hübsch.

Mit Hilfe des Alten wurde die Gelegenheit herbeigeführt, und der junge Bursche schaffte es nicht schlecht, denn er war wirklich ein hübscher, kräftiger Bengel. Mag sein, daß er auf das neugierigste Mädchen des Dorfes getroffen war, vielleicht auch ... nun, sei es, wie es sei ... Am Morgen nach der Hochzeitsnacht war die Hütte der zwei umlagert, und als die junge Frau herauskam, wurde sie ausgefragt. Sie antwortete errötend, alles sei in Ordnung, richtig in Ordnung, und wenn der junge Mann auch ein Sohn des Teufels sei, ihr bleibe das gleich.

Und wir, froh und erleichtert, hänselten den jungen Mann und fragten ihn, wie sauer der Apfel gewesen sei, und er lachte und antwortete, es sei kein saurer Apfel gewesen, sondern ein süßer, ein richtiger süßer Apfel aus dem Paradies.

Wirklich in Ordnung aber war erst alles, als sich in sämtlichen Thaidörfern die Nachricht verbreitete, das Mädchen sei guter Hoffnung und erwarte ein Kind. Unsern Befehl, nichts mit den Thaimädchen anzufangen, mußten wir freilich erneuern, immer wieder, denn die Schlacht gegen die Franzosen war ja nun gewonnen."

„Und der Soldat", so fragten wir, „hat er einen Orden bekommen? Er allein war doch mehr wert als eine Division!"

Der Direktor sah mich erst verdutzt an, lachte dann hell heraus und antwortete: „Bis jetzt nicht, nein! Aber das sollte man wirklich nachholen, obwohl es ihm wohl nicht besonders schwer gefallen sein dürfte, die Schlacht zu gewinnen."

Die Soldaten um uns herum, alle noch in Uniform, wie eben erst aus dem Dschungel niedergestiegen, tiefbraune Gesichter mit breiten Backenknochen und aufgeworfenen Lippen, drahtig-schwarzes Haar, Sandalen aus alten Autoreifen an den Füßen, alle lachten. Nur einer sah säuerlich und mißbilligend den Direktor an.

Wir wiesen auf ihn und sagten: „Er scheint ärgerlich, daß er nicht den Kampfauftrag bekommen hat."

Als der Dolmetscher übersetzt hatte, stimmte auch er in unser Lachen ein, und ich setzte hinzu: „Nicht wegen der Arbeit, meine ich, sondern wegen des Ordens, den er sich sicher auch gern verdient hätte!"

Und da konnte er sich nicht verkneifen, mürrisch und tadelnd zu sagen: „Ach, geht doch! Geschichten ... Ihr Himmlischen! Solche Geschichten sind meist erstunken und erlogen!"

HARALD HAUSER

# Der illegale Casanova

Vorsichtig verließ der Rapide 507 den Pariser Gare de Lyon. Monsieur Aristide kannte den Grund der Vorsicht: Lokomotivführer, Heizer und der deutsche Leutnant, der für die Fahrt des Schnellzuges bis Lyon verantwortlich war, mußten damit rechnen, daß schon wenige hundert Meter nach dem Verlassen der Bahnhofshallen eine falsch gestellte Weiche, ein herausgerissenes Stück Schiene, losgelöste Bolzen oder eine unter den Schwellen versteckte Mine auf den Zug lauerten. Immerhin waren vor sechs Wochen englische, amerikanische und gaullistische Truppen in der Normandie gelandet, und die wenigen Züge, die im Innern Frankreichs noch verkehrten, hießen im Volksmund „Mixed pickles", gemischte Transporte: ein Waggon französische Zivilisten, ein Waggon deutsches Militär. In der Vorstellung des faschistischen Oberkommandos würde dieser Kniff die Partisanen davon abhalten, die Züge in die Luft zu jagen, und die englischen und amerikanischen Tiefflieger, die Züge mit Bordwaffen anzugreifen. Freilich flogen die Züge nach wie vor in die Luft, und freilich wurden sie nach wie vor von Tieffliegern durchsiebt ... Das wußte nicht nur Aristide, das wußten alle, auch die Deutschen. Also lautete die Generalanweisung: Mit äußerster Vorsicht fahren!

Der sehr langsam den Bahnhof verlassende Zug erlaubte es Aristide, erst am Ende des Perrons aufzuspringen, nachdem er überzeugt war, daß ihn niemand beobachtet hatte.

Auf dem Trittbrett stehend, stellte er fest, daß nach ihm kein anderer mehr den Zug bestieg. Das hieß: Bis dahin war alles gut gegangen.

Aristide verschwand in der nächsten Toilette und brachte sein Äußeres in die Ordnung, die ihm die richtige schien: den steifen schwarzen Hut mit dem hochgebogenen Rand eine Spur schräg gesetzt, die braunrote Farbe des verblaßten Adolphe-Menjou-Bärtchens mit Irenes winzigem perlmuttnem Wimpernbürstchen aufgefrischt, das blütenweiße Taschentuch diskret und kunstvoll zufällig aus der Brusttasche gezupft, die schwarzseidene Hülle des Regenschirms glattgestrichen, die gestärkten weißen Manschetten gerade so weit in den Rockärmel bugsiert, daß sie noch bemerkt, aber nicht beachtet werden, den gut geschnittenen dunkelblauen Anzug von jedem Haar und jedem Staubkorn gesäubert, das Gesicht mit einer leichten Eau-de-Cologne-Lösung betupft, die Fingernägel, den Sitz der Krawatte, den Glanz der Schuhe überprüft, dann eine Zigarette angezündet – nun war „Bel ami“ klar zum Gefecht.

Nonchalant und mit der unbekümmert heiteren Miene eines Außenseiters, dem die welthistorischen Ereignisse weniger bedeuten als die Farbe einer Orchidee, schlenderte er durch den 1.-Klasse-Waggon und blickte gelangweilt in jedes Abteil, ob noch ein bequemer Platz frei sei. Aber wie das in Zügen so ist, der bequeme Fenstereckplatz hatte ein unerträgliches Visavis: einen ballonbäuchigen, schwitzenden Endfünfziger, der sich fortwährend die Julitropfen von der Glatze tupfte und dabei stöhnte und prustete, als säße er in der Sauna. Dagegen war im Nebenabteil ein Mittelplatz unbesetzt, weniger bequem zwar, aber insofern angenehm, als rechts davon in der Fensterecke eine schwarzhaarige, blasse Dame saß mit großen dunklen Augen und einem Näschen, das, nach Aristides Berechnung, höchstens achtundzwanzig bis dreißig Frühlingswinde geschnuppert haben mochte.

Mit „Pardon, Mademoiselle, ist der Platz noch frei? Stört es Sie, wenn ich mich hier niederlasse?“ und „Danke bestens, es geht schon“, als sie ihren überdimensionalen Koffer wegen der schwarzen Aktentasche des höflichen Herrn im Gepäcknetz zur Seite rücken wollte, hatte Aristide bereits alle Präliminarien hinter sich gebracht. Zigarette anbieten, Schokolade annehmen („aus der Schweiz, von einer Freundin, die im Roten Kreuz arbeitet“), einen Schluck heißen Kaffee aus der Thermosflasche der Schönen probieren, sie zu einem Schluck aus der eigenen Cognacflasche veranlassen, waren die nächsten Etappen, die der Lyon-Reisende mit äußerer Gelassenheit absolvierte. Ein wenig weniger gelassen war er – aber das bemerkte die Dame nicht –, als die deutsche Zugkontrolle die Papiere zu sehen wünschte. Aber der Blick des Sicherheitsoffiziers, der jedem unmißverständlich ausdrückte: im Grunde seid ihr alle Banditen und gehört ins KZ; auf eure Ausweise pfeif ich, ich kann sowieso nicht feststellen, ob sie echt oder gefälscht sind; und ich weiß, daß ihr nur auf den Tag lauert, an dem wir aus Frankreich hinausgeschossen werden! – dieser unverhohlen mißtrauische Blick fand in dem aufgeschlossenen freundlich-naiven Gesicht Aristides nichts, was seinen besonderen Verdacht hätte erregen können. Der Deutsche gab Aristide zwei Ausweise zurück, den eigenen und den seiner zarten Nachbarin.

„Entweder ist er ein Psychologe, oder ich bin ein Trottel“, sagte Aristide, als er der Eigentümerin den Ausweis wiedergab, und fügte nach einer absichtlichen Pause, während der er einen schnellen Blick aus den Augenwinkeln der Schwarzhaarigen eingefangen hatte, hinzu: „Er hält uns für ein Paar.“

Die Dame, von der galanten, leicht blasierten Gleichgültigkeit des Mannes beeindruckt, der neben ihr saß, las derweilen seinen Namen auf dem Ausweis, den er noch immer vor sich in der Hand hielt: Aristide Deligny, Ingenieur des ponts et chaussées. Sie ahnte nichts von seiner inneren Erregtheit, von seinem intensiven, lauernden, alles registrierenden Wachsein. „Seit wann verstehen Straßenbauingenieure etwas von Psychologie?“ sagte sie nach einer Weile ohne Betonung.

Aristide antwortete sofort: „Die Alternative war ja, daß ich ein Trottel bin, daß jeder Ochse mein Innenleben von meiner Nasenspitze ablesen kann.“

„Wie wünschen Sie, daß ich das verstehe?“

„So, wie Sie es verstehen möchten – wenn ich schon wünschen darf.“

„Und wie möchten Sie, daß ich es möchte?“

Jetzt erhob sich Aristide, ebenso verführt von ihrem Charme wie beglückt von der willkommenen Ablenkung, bot seiner Nachbarin mit einer leichten Verbeugung den Arm und bat sie, ihn in den Speisewagen zum Abendessen zu begleiten. Ob die Dame von der prompten Reaktion des jungen Mannes wirklich verblüfft war oder ob sie nur tat, als sei sie es, hätte Aristide in diesem Augenblick allerdings nicht sagen können; es schien ihm aber belanglos.

Im Speisewagen mußten die beiden warten, um Plätze zu bekommen. Über die Hälfte der Gäste waren deutsche Offiziere. Endlich wurden zwei Fensterplätze frei. Das Menü war mager, aber appetitlich serviert, und das glich bis zu einem gewissen Grad die fehlenden Kalorien aus. Außerdem gab es seltsamerweise Kakao, und obgleich weder Aristide noch seine Begleiterin in Friedenszeiten jemals zu strohigem Kabeljaufilet Kakao getrunken hätten, taten sie es an diesem Abend mit Genuß und bestellten eine zweite Portion. Über das merkwürdige Menü und über ihre kindliche Freude daran mußten beide lachen. Ein paar Gäste wandten sich um, unter ihnen auch ein deutscher Offizier, dessen Gesicht indessen mehr Beunruhigung als strafenden Verweis ausdrückte. Die Tischnachbarin flüsterte Aristide, der wieder sein naivverständnisloses Gesicht aufgesetzt hatte, ins Ohr: „Man kann es verstehen, daß denen der Sinn für Humor vergangen ist, zumal sie keinen hatten!“

„Etwas verlieren, was man nicht besaß, das ist lustig . . .!“

In diesem Augenblick wurde der Zug von einem Ruck gepackt, der alle Fahrgäste durcheinanderrüttelte. Die spärliche Beleuchtung erlosch. Die Wagen zuckten noch zweimal und blieben stehen. Stimmengewirr, Fluchen, vor allem in deutscher Sprache, Stoßen und Drängeln und immer wieder die Worte: „'raus, alles 'raus!" – „In Deckung gehen!"

Aristide und seine Begleiterin befanden sich plötzlich draußen. Wie sie hinausgelangt waren, wußten sie selbst nicht. Jetzt lagen sie hinter der Böschung und lauschten. Als Aristide das Wespengesumm heranrasender Jagdmaschinen hörte, riß er seine Nachbarin mit beiden Armen vom Boden hoch und zog sie fort. Er rannte mit ihr etwa fünfzig Meter, bis das Maschinengewehrfeuer des ersten Tieffliegers auf den Zug niederzuprasseln begann. Beide warfen sich hin, Aristide drückte den Kopf der Frau tief ins Gras. Ein zweiter Tiefflieger jaulte heran, verschoß seine Garben und verschwand. Die Deutschen hatten ein Maschinengewehr in Stellung gebracht und ballerten gegen die Flugzeuge, aber das Schießen klang nicht überzeugend. Es wurde bald unterbrochen und versandete schließlich, obwohl die Flieger noch dreimal zurückkehrten. Dann war wieder Ruhe. Im Dreivierteldunkel der mondlosen Nacht sah man überall Gestalten sich erheben und dem Zug zustreben. Deutsche Kommandorufe wurden laut.

„Ich danke Ihnen, Monsieur Aristide."

„Wofür?"

„Sie scheinen Erfahrung zu haben mit solchen Angriffen, ich reise zum ersten Mal, seit es nur noch diese gemischten Züge gibt."

„Wie heißt du eigentlich?"

Lange Pause, während der die beiden langsam dem Zug entgegenstolperten und fast über einen Mann fielen, der sich gerade fluchend aufrichtete. Es war ein Franzose. „Wie lang brauchen diese Boches noch, um zu begreifen, daß ihr dreckiger Krieg verloren ist?"

Aristide antwortete dem Mann freundlich: „Sie haben Glück, mein Guter, daß ich Franzose bin; wenn ein Deutscher Sie gehört hätte, könnten Sie unserem schönen Frankreich Lebewohl sagen."

Der Alte brummelte: „Wär mir egal ..." und trottete zu seinem Waggon zurück.

Als Aristide der Fluchtgefährtin auf das hohe Trittbrett half, beugte sie sich zurück, kniff ihm die Nase, gerade so, daß es weh tat, ohne zu schmerzen, und sagte: „Ariane heiß ich, Casanova."

Aristide wußte sofort, daß sie so wenig Ariane hieß wie er Aristide, aber dieses Wissen erzeugte keinen Verdacht in ihm. Dann hievte sich Ariane mit Schwung an den eisernen Griffen hoch und stieß einen Schrei aus. Ihr Fuß war an die Schulter einer Frau gestoßen, die vor ihr auf dem Fußboden lag. Über das fahle blutüberströmte Gesicht glitt der schwache Lichtkegel einer Taschenlampe. Neben der Frau kniete ein Mann in Zivil. Er fühlte ihren Puls und tupfte mit einem Bausch Zellwolle die Blutrinnsale von Schläfe und Hals. Ariane hatte die Hand vor ihren Mund gepreßt.

Aristide, der jetzt hinter ihr stand, blickte auf die Liegende mit merkwürdig gespanntem, blassem Gesicht. Um seine plötzlich schmal gewordenen Lippen lief ein wiederholtes Zucken. Durch die Ziehharmonikaverbindung kam ein deutscher Militärarzt aus dem Nebenwagen. Er beugte sich herunter, forderte den Franzosen auf, die Augen der Verwundeten zu beleuchten, hob deren Lider hoch, drückte sie wieder zu, fühlte den Puls, ließ ihn los und sagte kurz auf französisch: „Morte." Dann richtete er sich auf, legte für einen Augenblick die rechte Hand an den Mützenrand, machte auf den Absätzen kehrt und zog sich in den deutschen Wagen zurück.

Aristide und Ariane kehrten langsam an ihre Plätze zurück. Sie schwiegen. Jeder war mit seinen Gedanken beschäftigt. An einem der nächsten kleinen Bahnhöfe – der Rapide 507 hatte inzwischen zum vierten Mal seine Route verändert und hielt oft an winzigen Haltestellen, während er große Stationen, an denen er haltmachen sollte, durchfuhr – wurde die

Frau mit fünf weiteren Verletzten und zwei Toten ausgeladen. Unter den französischen Reisenden zirkulierten widerspruchsvolle Gerüchte über die Verluste der Deutschen bei dem Luftangriff. Während die einen mindestens ein Dutzend verwundete Soldaten gesehen haben wollten, versicherten andere, daß die Besatzer keine Ausfälle gehabt hätten, weil sie neuerdings Stahlwesten trügen, um gegen Partisanenüberfälle gefeit zu sein. Jedem sichtbar waren hingegen die materiellen Spuren der englischen Maschinengewehre: fingergroße Löcher in den Waggondecken und -wänden und zersplitterte Fensterscheiben. Da und dort betrachtete einer resigniert die Löcher in Unterwäsche, Pantoffeln und Reisenecessaire. Aber niemand beschwerte sich. Von Arianes Koffer hing der Griff herunter.

Während der weiteren Fahrt, die noch langsamer zu sein schien als bisher, zupfte die weißhaarige Dame, die dem Pärchen gegenübersaß, gedankenverloren Watte aus einem Loch im Sitzpolster. Ihre müden Züge waren von einem zufriedenen Lächeln entspannt. Als sie gewahr wurde, was sie tat, erschrak sie, blickte sich verlegen um und stopfte hastig alle erreichbaren Watteklümpchen wieder in das Loch zurück. Dann fuhr sie mit den Fingern mehrmals zärtlich über den abgenutzten Polsterbezug und blickte entschuldigend zu Ariane und Aristide hinüber, als ob sie sagen wollte: Ich hatte ganz vergessen, daß ich auf einem Polster sitze, das wieder uns gehören wird, wenn die Deutschen zum Teufel gejagt sein werden; auf einem französischen Polster.

Aristide bemerkte, daß Ariane sich in die Ecke gekuschelt hatte und durch leises regelmäßiges Atmen den Eindruck erweckte, als ob sie schliefe. Er lehnte vorsichtig seinen Kopf an ihre Schulter und zog nach einer Weile ihren scheinbar willenlosen Arm um seinen Hals. Dabei rutschte sein Kopf langsam und völlig unbeabsichtigt von Arianes Schulter zu ihrer Brust. Später – irgend jemand hatte inzwischen das Notlicht gelöscht – legte sich Aristides Hand um die andere

Rundung seiner schönen Reisebegleiterin. Und erst nach einer geraumen Weile entschloß er sich zu bemerken, daß Ariane ihm von Anfang an mit fast nur gehauchter Berührung den Nacken gekrault hatte. Er drückte seine Lippen fest auf ihre Brust. Ein unerwartetes und völlig unpassendes Gefühl, irgendwo in einem fernen Friedensmärchenland geborgen zu sein, überkam ihn. Er schloß die Augen. Immer wieder glitt Arianes Hand über sein Haar, immer wieder und ganz langsam . . .

Aristide kämpfte gegen den Schlaf . . . und schlief ein. Kaum hatte er die zwielichtige Wirklichkeit verlassen, da erwachte er. Aber die Brust, an der sein Mund geruht hatte, war nicht von duftiger, sanft gespannter Weichheit. Sie war knotig und drohte kalt hinter straffem Uniformstoff. Schweißüberströmt richtete Aristide seinen Blick in das Gesicht der Frau. Ihre Augen waren stahlblau, wie zwei herausfordernde Zielscheiben, und auf ihrem semmelblonden Haar saß kerzengerade das Käppi der Wehrmachtshelferin mit der häßlichen Spinne auf weißem Grund im roten Kreis. Das Weib – eine Mischung zwischen Zarah Leander, Mata Hari und Eva Braun – hieß ihn aufstehen und legte ihm Handschellen an. Dabei zogen sich die Winkel ihres Mundes, der wie mit einem Teutonenschwert ins Gesicht geschnitten war, spöttisch nach unten: „So etwas will Partisan sein, Maquisard, Terrorist und fällt auf unseren billigsten Agententrick herein.“ Dann öffnete sich ihr Mund zum Schlund einer Kanone. Gellendes Lachen ertönte, das Aristide das Blut in den Adern gerinnen ließ, Bertrand und Julien wurden hereingestoßen. Ihre Hände waren auf dem Rücken gefesselt, ihre Gesichter trugen die Spuren der Folter. In ihren verschwollenen blutunterlaufenen Augen war die wilde Anklage zu lesen: Du hast uns verraten, deinetwegen sind wir noch immer in den Händen der Gestapo. Sie werden uns hängen! Sie werden uns hängen, hängen! Weil du den Casanova spielst, dich mit einem Weib einläßt! Du verrätst deine Kameraden, du bist des Vertrauens unwürdig, das deine Einheit zu dir hat. Für dich durfte es nichts anderes als deinen Auftrag geben: unsere Befreiung organisieren! Du hast die Verbindung, kannst erfahren, wann wir von wo nach wo überführt werden. Nur du kennst uns, deshalb hat man dir den Handstreich anvertraut, uns vor der Hinrichtung zu retten...! Was aber tust du?! Läufst der ersten besten Naziagentin in die Fänge, in die Arme, an die Brust...! Dann verspuckten Bertrand und Julien Aristide ins Gesicht und verschwanden. Hinter der Hitlerrike erschien ein baumlanger SS-Mann mit Schultern wie ein Geldschrank. Er fletschte die Zähne, und seine Gorillahände drückten Aristides Kopf in einen Mehlsack, tief in das Mehl, immer tiefer...

Als Aristide schon überhaupt keine Luft mehr bekam und wußte, daß er in den nächsten Sekunden ersticken werde, hörte er noch, schon ganz von fern, das Naziweib zufrieden seinen Tod feststellen: „So, nun ist's genug." Mit letztem verzweifeltem Kraftaufwand versuchte Aristide seinen in das Mehl gewühlten Kopf aus dem stählernen Griff des Gorillas zu befreien. Er bäumte sich hoch, riß die Augen auf ... und blickte in das schöne, lächelnde Gesicht Arianes. „Sei mir nicht böse", sagte sie leise und um Entschuldigung bittend, „ich mußte dir ein wenig die Nase zudrücken, du hast so laut geschnarcht, daß niemand ein Auge schließen konnte. Schau mich nicht so entgeistert an, schlaf weiter, aber schnarch nicht." Damit schmiegte sie seinen Kopf wieder an ihre Brust und schloß ihm mit Daumen und Ringfinger die Augen. Er ließ es geschehen und schwieg. Verstohlen wischte er sich mit dem Ärmel den Schweiß von der Stirn. Lange ließ er die Augen weit geöffnet, um der häßlichen Vision nicht ein zweites Mal den Zugang zu seiner Traumwelt zu ermöglichen.

Irgendwann in der Nacht stiegen zwei Mitreisende aus. Aristide rollte seinen und Arianes Sommermantel zu einer Schlummerrolle zusammen und bettete die junge Frau auf die frei gewordene Sitzbank. Ariane, die offensichtlich die ganze Zeit nicht geschlafen hatte, schlief nun sofort ein. Aristide betrachtete die schönen entspannten Züge der Liegenden. Ein Glücksgefühl überkam ihn, das ihn traurig stimmte. Dann richtete er sich in seiner Ecke ein und drehte sich zur Wand,

Als er erwachte, war es heller Tag. Ariane saß ihm gegenüber und las in einem Buch. Sie hob den Kopf, blickte ihn an und lachte. Ihre Zähne waren von schönem Gleichmaß und glitzerten in der Sonne. „Nerven haben Sie!“

„Nerven, ich verstehe nicht.“

„Sie waren sieben Stunden weg. Den Partisanenangriff haben Sie verschlafen, die Schießerei, die wir hier alle für die letzte in unserem Leben hielten. Sie haben die Mine verschlafen, über die wir gefahren sind und die den Wagen hinter uns aus den Gleisen gehoben hat. Verstehen Sie, daß ich sage: Ihre Nerven möchte ich haben!“

Inzwischen war Aristide zu sich gekommen und hatte seine Geistesgegenwart wiedergefunden. Er antwortete: „Ich verstehe nicht, warum du Sie zu mir sagst. Wenn ich mich nicht irre, habe ich die Ursache dieser Änderung auch verschlafen.“

Jetzt errötete Ariane, und ihr Gesicht war bei Tag noch schöner als gestern abend. Aber sie schloß ihre Lider nicht und senkte auch nicht den Blick, sondern richtete ihre großen schwarzen Augen auf Aristide. „Da du es bemerkt hast . . .; gib mir eine Zigarette.“

Aristide gab sie ihr. Dann wollte er frühstücken gehen.

Sie lachte. „Wenn wir Glück haben, bekommen wir noch ein Mittagessen, es ist halb zwei.“

„Wann werden wir in Lyon sein?“ fragte Aristide unüberlegt. Wie sollte sie das wissen!

„Früher brauchte der Zug sechs Stunden“, sagte Ariane mit einem resignierenden Lächeln, „jetzt fahren wir schon mehr als siebzehn; und soweit ich die Landschaft hier kenne, hat sie mit der Umgebung von Lyon nichts gemein. Komm, ich bin hungrig.“

Als die beiden am Speisewagen ankamen, kontrollierte ein deutscher Uniformierter die Papiere eines Zivilisten, gab ihm den Ausweis zurück und beschied ihm, er möge sich zum Teufel scheren, er habe keinen Zutritt zum Speisewagen. Der Franzose wollte wissen, weshalb, aber der Deutsche sagte nur mit gelangweilter Stimme, daß er ihm keine Rechenschaft schuldig sei, und brüllte dann plötzlich: „'rraus!" Der erschrockene Zivilist hätte Ariane umgeworfen, wenn Aristide den Zurückprallenden nicht aufgefangen hätte. Der entschuldigte sich hastig und verschwand. Durch dieses Schauspiel wenig ermutigt, wollte Ariane umkehren. Aristide aber, von Tollkühnheit, Angeberei oder weiß der Kuckuck wovon gepackt, faßte sie am Arm und zog sie nach vorn. Den sie mißfällig anglotzenden Posten passierte Aristide lächelnd mit erhobenem Haupt und den in französischem Akzent komisch klingenden Worten: „Eil Itler!" Der Posten zuckte zusammen, stand stramm und war drauf und dran, den Arm hochzureißen und „Heil Hitler" zu brüllen, als er sich der Situation bewußt wurde. Aber da war es schon zu spät. Aristide und Ariane befanden sich bereits im Speisewagen. Der Soldat, der offenbar nicht daran interessiert war, bei seinen zahlreichen Vorgesetzten im Innern des Wagens Aufsehen zu erregen, machte gute Miene zum bösen Spiel und grinste den beiden unsicher durch die Glastür nach, die vor ihm zupendelte. Wohlig durchrieselte Aristide die Anerkennung Arianes, die sie ihm durch einen Druck ihrer Hand mitteilte.

Nun war man im Speisewagen, aber es gab nicht einen freien Platz. In der Mitte des Wagens saßen und tranken in angeregtem Zustand drei deutsche Offiziere. Als der ältere die unschlüssig dastehenden Franzosen sah, ließ er das Monokel aus seinem Auge springen, erhob sich etwas umständlich und lud sie höflich, aber in kaum verständlichem Französisch ein, an seinem Tisch Platz zu nehmen. Der heftige Druck, den Ariane jetzt auf Aristides Arm ausübte, war unmißverständlich nach rückwärts gerichtet. Aber geschlagen wieder an dem deutschen Posten vorbeigehen, das war für Aristide ein unzulässiger Gedanke. Freundlich nickte er und zog mit sanfter Gewalt Ariane, deren Fingernägel sich in seinen Arm bohrten, zum Tisch der deutschen Offiziere. Die drei standen nun vor ihnen, ein wenig schief, grinsten, nickten und sagten: „Bongschur", und der mit dem Monokel setzte triumphierend hinzu: „Matame, Möschiöh."

Mit Verständnis für ihre Scheu oder vielleicht ihr Entsetzen bugsierte Aristide Ariane als erste in die Bankreihe, so daß er neben ihr sitzen konnte und sie nicht unmittelbar in Tuchfühlung mit einem der deutschen Offiziere geriet.

Die drei überschlugen sich in Aufmerksamkeit Ariane und ihrem Begleiter gegenüber. Sie bemühten sich, französisch zu parlieren, schenkten den beiden vorzüglichen Bordeaux ein, den sie aus einem Koffer unter dem Tisch hervorholten, befahlen dem Kellner, von der für die Deutschen reservierten Gänseleberpastete aufzufahren, eine Büchse Hummer zu öffnen und zwei Brathähnchen herbeizuzaubern, die ebenso duftig und knusprig zu sein hätten wie die, die er ihnen vor einer halben Stunde serviert habe. Wehe, wenn er nicht spure! Deutschland und Frankreich seien nun für alle Zeiten alliiert, das müsse sich auch in der Gastronomie ausdrücken. Gastfreundschaft sei heilig, nicht wahr! Und da es sowieso nur noch eine Alternative gebe: gemeinsam zu siegen oder gemeinsam unterzugehen, sei es wohl nicht mehr angebracht, mit den letzten Reserven zu sparen! Was wir haben, gehört euch, was ihr habt, gehört uns, nos habit humus! Außerdem bewiesen Mut und Kaltblütigkeit ihrer beiden französischen Gäste, in einem so oft angegriffenen deutschen Militärzug mitzufahren, deren europäische Gesinnung. Offensichtlich habe es sich inzwischen bis in die Kreise der klugen Franzosen herumgesprochen, daß Hitlers Wunderwaffe in den kommenden Monaten die entscheidende Wende dieses Krieges und damit die Weltenwende bewirken werde. Darauf solle man trinken. Gläser klirrten gegeneinander, schwappten über, die Rotweinflecke wurden breit und lila. Die Makkaroni dufteten schwindelerregend nach gebräunter Butter und nach dem über sie gestreuten Parmesankäse; die Brathähnchen waren knusprig und zart; die Weinflaschen wurden nicht leer, und Ariane fing an zu lachen. Sie lachte über alles und jedes, und je mehr sie lachte, desto mehr freuten sich die Offiziere, und desto nüchterner wurde Aristide.

„Wohin fahrt ihr Turteltäubchen mitten im Krieg?" wollte der Monokelmann wissen. „Ihr könnt's uns ruhig verraten, wir sagen es eurem Marschall Pétain bestimmt nicht weiter", mischten sich die anderen ein.

Ariane lachte und gluckste etwas Politisches, das glücklicherweise niemand verstand, von dem aber keiner der Deutschen vor dem anderen zugab, daß er es nicht verstanden hatte. So lachten alle drei breit, nickten und versicherten unablässig: „Oui, oui, compris; compris, olala!"

Aristide sagte, er sei ein Pantoffelheld, Ariane habe zu bestimmen, er selbst kenne das Ziel der Reise nicht, er habe alles seiner Herzdame überlassen. Auf die direkte Frage, ob sie auf Hochzeitsreise seien, antwortete Aristide mit einem wohlabgestimmten Lächeln: „Das nicht gerade, aber man kann sagen: so gut wie", und erntete damit einen Beifall, der seine Erwartungen übertraf.

„Das ist Frankreich! ‚Noch nicht, aber so gut wie', hahaha!" Alles lallte in weinseliger Lust. Lallte, trank, sang, klopfte Aristide auf die Schulter, zeigte Fotos von Frauen und Kindern, versicherte, daß im Falle eines Irrtums der Vorsehung die Sintflut komme, trank mit Aristide auf du und du und küßte der pausenlos lachenden Ariane den Handrücken, bis auch er lila von Rotweinflecken war.

Plötzlich stand ein Unteroffizier neben dem Tisch, gab dem Monokelmann einen Zettel, den der erst nicht lesen wollte, dann aber doch las und aufstand, seine verrutschte Uniform zurechtrückte, zuknöpfte und sich mit grau gewordenem Gesicht und heruntergeklappten Augendeckeln steif verbeugte.

Er flüsterte dem ihm Zunächstsitzenden zwischen den Zähnen etwas ins Ohr und verschwand. Die beiden verstummten, erhoben sich linkisch, gaben vor, bald aussteigen zu müssen, und verschwanden ebenfalls. Aristide nahm die widerstrebende Ariane, die ihr halbgefülltes Glas Burgunder nicht losließ, fest am Arm und zog sie unmittelbar hinter dem letzten der beiden Offiziere hinaus. Dabei fragte er den Deutschen teilnahmsvoll über die Schulter, ob er seinen charmanten Gastgebern auf irgendeine angemessene Weise bei ihren offensichtlich plötzlichen Sorgen behilflich sein könne. Die Antwort war ein müdes Achselzucken, ein stumpfer Blick nach rückwärts und ein paar leblose Worte: „Durchbruch im Norden; aus der Traum vom Süden – ,Wanderer, kommst du nach Sparta ...'" Dann lachte der Mann kurz auf und verschwand.

In ihrem Abteil angekommen, war es nun Ariane, die verstummte, während Aristide einem ihn überkommenden Lachreiz nicht widerstand. Laut und hemmungslos lachte er hinaus. Und je mehr er lachte, desto ungestümer durchströmte ihn das starke Gefühl: Dir kann nichts widerfahren – du bist unter einem guten Stern geboren. Er küßte Ariane die Hände.

Es war zum zweiten Mal dunkel geworden, als der Zug endlich im Lyoner Hauptbahnhof einfuhr. Fast ebensolange hatte es gedauert, bis Ariane ihren Ärger und ihren Mißmut über Aristides unfeines Gelächter überwunden hatte. Er konnte lange versichern, er habe sich über die Deutschen amüsiert; diese fand sie, jetzt, da sie mit einem Schlage nüchtern war, gar nicht komisch und zweifelte noch immer, ob er nicht doch über sie, über ihren angetrunkenen Zustand gelacht habe, zumal in seinem Lachen etwas Wildes, ihr Unbegreifliches gewesen war. Erst die selbstverständliche Zuvorkommenheit, mit der er ihr in den Mantel half, den im Gepäcknetz vergessenen Schal brachte, den zentnerschweren Koffer trug, sowie die wohltuende Entschlossenheit, mit der er ihren Arm nahm und sie eng an sich drückte, als sie durch die Bahnhofssperre schritten, versöhnten sie.

Noch vor einer halben Stunde war sie gewillt gewesen, ihre Reise in Lyon nicht zu unterbrechen, sondern nur den Bahnsteig zu wechseln und mit dem in ein paar Stunden nach Chamonix fahrenden Zug weiterzureisen. Dort wurde sie erwartet, sie wollte sich ein wenig von den Strapazen des Kriegslebens in dem Pariser Krankenhaus erholen: keine Sterbenden sehen, keine Leichen, keine Hungernden, deren Schicksal, weil sie eben hungern mußten, besiegelt war; und auch keine nervösen, herumschimpfenden Ärzte, die sich mit dem täglich fühlbarer werdenden Mangel an allem Notwendigen nicht abfinden wollten und ihren Unmut an den Schwestern ausließen. Operationsschwester Margot – so hieß Ariane in Wirklichkeit – wollte ein paar Wochen lang nichts anderes tun als gute Luft atmen, Buttermilch trinken, ausschlafen, nicht an die Deutschen, nicht an den Krieg denken, sie wollte überhaupt nicht denken. Nicht denken hatte allerdings für Margot nie bedeutet: sich gehenlassen. War das für „Ariane" anders? Da stand nun neben ihr dieser fremde, galante junge Mann auf dem Bahnhofsplatz im nächtlichen Lyon. Mit einem Dutzend anderer Reisender wartete man, ob sich ein Taxi blicken ließ, und kein Wort war darüber gesprochen worden, wohin man fahren wollte. Margot-Ariane versuchte, sich bei der Konversation mit dem eigenen Gewissen die Ohren zuzuhalten. Was für einen Sinn hatte es schließlich, immer wieder zu hören: Du wirst in den nächsten Stunden tun, was dieser Mann von dir verlangt, du wirst keinen eigenen Willen haben, du bist ein haltloses Mädchen, denk an deine gute Erziehung, an deine guten Vorsätze und so weiter ... Was sollte das jetzt? Margot war des Überlegens und Erwägens überdrüssig, und Ariane hatte sich ganz einfach unversehens verliebt. Überall war Krieg, es herrschten Not, Hunger, Angst, Verzweiflung, Leid, immer nur Leid, immer nur Angst. Es gab keine Gewißheit, nur vage Hoffnungen, allzuoft schon enttäuschte. Und es gab diesen

Fremden, ein wenig merkwürdig zwar, aber männlich, selbstsicher, so, als ob er wisse, wozu er lebe, warum man überhaupt lebt, ein Draufgänger mit schönen Lippen und lustigen Augen, die immer nach einem schwachen Punkt suchten und fröhlich zwinkerten, wenn sie ihn gefunden hatten. Der Kerl war frech, aber sympathisch. Und dann war da noch etwas: Ariane empfand ein seltsames und lange nicht mehr erlebtes Gefühl der Geborgenheit in seiner Nähe. Es gab allerdings keinen Beweis, daß man in der Nähe dieses Burschen wirklich geborgen war, aber wenn man für alles immer erst Beweise beibringen mußte ... Übrigens gab es einen Beweis: den Angriff der Tiefflieger. Sie, die Unerfahrene, wäre neben dem Zug hinter der Böschung liegengeblieben und wahrscheinlich, so nahe bei dem Schienenstrang, von einer alliierten Kugel getroffen worden.

Den fünfzig Metern Abstand, die der Fremde zwischen sie beide und den Zug gebracht hatte, verdankte sie also möglicherweise das Leben ...

Irgendwo stiegen die letzten Fahrgäste aus der überfüllten Taxe aus. Jetzt waren Aristide und Ariane allein, wußten aber noch immer nicht, wohin sie fahren sollten. Der scheinbar mitleidlose, geschwätzige Taxichauffeur berichtete bereitwillig, daß es in keinem Lyoner Hotel ein einziges freies Bett gebe. Außerdem dürfe er auch nicht mehr lange in der nächtlichen Großstadt herumkutschieren, ohne Gefahr zu laufen, von einer deutschen Patrouille angehalten, requiriert oder vielleicht sogar angeschossen zu werden. Heute sei alles möglich. Man wisse überhaupt nicht mehr, woran man sei. Und die beiden sollten endlich aussteigen. Schließlich hielt der Mann an und fragte barsch: „Also, wohin wollen Sie nun endlich?"

Aristide beugte sich vor, legte ihm eine Hand auf die Schulter, die andere ans Ohr und flüsterte in einem vertraulichen, bei dem Geschlechtsgenossen um Verständnis bittenden Ton, so, daß die in ihre Polsterecke zurückgelehnte Ariane das Gespräch nicht hören konnte: „Denk doch mal scharf nach, ob sich für die Nöte eines Verliebten kein Ausweg finden läßt. Ich möchte mit dieser Dame, mit der ich nicht verheiratet bin, eine Nacht oder zwei oder drei Nächte irgendwo zubringen, wo wir unsere Ruhe haben, wo uns niemand stört und keiner nach uns fragt, verstehst du das?" Gleichzeitig ließ Aristide diskret, aber immerhin so, daß der andere es bemerkte, einen Hundertfrancschein in die Brusttasche des Chauffeurs gleiten.

Der schwieg eine Zeitlang und tat, als denke er intensiv nach. Schließlich sagte er mit hin und her pendelndem Kopf und in einem Ton, der klarmachte, daß seine geänderte Haltung nicht mit Aristides Manipulation an seiner Brusttasche, sondern nur mit seinem angestrengten Nachdenken in Verbindung gebracht werden dürfe: „In den normalen Hotels ist überhaupt nichts zu machen. Wenn Sie mit einem . . ., sagen wir zweitklassigen Haus vorliebnehmen wollen . . .; in puncto Sauberkeit ist übrigens alles in Ordnung, aber es ist eben kein Hotel. Sie dürfen sich auch nicht daran stoßen, daß das Etablissement von unseren lieben Freunden, den Deutschen, frequentiert wird."

„Soll das heißen, daß Sie mir eine Absteige für Deutsche anbieten?"

„Ich biete gar nichts an, ich schlage höchstens vor. Das Haus gehört Franzosen, aber Franzosen müssen auch leben, und so ist es eben in diesen miserablen Zeiten eine Art Stundenhotel geworden. Geld stinkt bekanntlich nicht. Wer bezahlt, bekommt ein Zimmer. Mit Papieren, Ausweisen und so nimmt man es nicht sehr genau."

„Und wie steht's mit Kontrollen, Polizeikontrollen, nachts?"

Das verständige Lächeln des Eingeweihten überzog das Gesicht des Chauffeurs. – „Das gerade gibt's nicht. Man weiß, daß SS und so dort verkehren; wer wird schon die Oberkontrollierer kontrollieren wollen?"

Zehn Sekunden lang war es ganz still. In diesen zehn Sekunden befragte Aristide den Chef, Julien und Bertrand und das eigene Gewissen. Dann sagte er: „Bringen Sie uns dorthin."

Die Nacht unterschied sich von anderen Liebesnächten nur dadurch, daß die Geliebte am nächsten Morgen beim Erwachen nach der Überraschung, den Geliebten nicht mehr neben sich zu ertasten, ein Zettelchen auf dem Nachttisch fand, das besagte, daß dringende geschäftliche Obliegenheiten den Herrn Ingenieur bedauerlicher-, aber unumgänglicherweise zu früher Stunde und bis Mittag von den zärtlichen Armen der Schönen fernhalten würden. Gewöhnt, pünktlich zu sein, werde er indessen Schlag dreizehn Uhr im Speisesaal des „Hotels du Rhône" ein Menü für zwei Personen bestellen.

Eine Minute nach dreizehn Uhr betrat auch Ariane den Speisesaal des Hotels. Sie hatte im Schutz eines dicken Akazienstammes die Ankunft des Mannes beobachtet. Schließlich – Männer sind unzuverlässig –, wozu sich die Blöße geben, sichtbar auf einen Liebhaber zu warten, der möglicherweise nicht kommt? Und niemand, am wenigsten dieser selbstsichere Monsieur Aristide, würde etwas von der Erregung ahnen, die Arianes Herz während der vorausgegangenen Warteminuten bis an den Hals hatte schlagen lassen. Nun war er da, nun konnte man erhobenen Hauptes eintreten. Die wohltuende Pünktlichkeit, zärtliche Handküsse, aufrichtige Bitten um Verzeihung und ein der Aktentasche entnommenes, ein wenig verknittertes, aber ungestüm duftendes Veilchensträußchen glätteten rasch die vorsätzlich gelegte Falte der Ungehaltenheit auf der schönen weißen Stirn. Man aß, eher schlecht als recht, und Aristide berichtete vom Gang seiner Verhandlungen über den Bau einer neuen Saônebrücke, für die es zur Zeit leider an Eisen zur Armierung des Betons fehle. Ariane verstand und hatte Verständnis; auch dafür, daß Aristide am heutigen Abend durch ein persönliches Gespräch mit einem der einflußreichsten Lyoner Industriellen, der, wie man munkle, gute Beziehungen zur deutschen Stadtkommandantur habe, einen letzten Versuch unternehmen müsse, das unerläßliche Eisen zu erhalten. Schließlich hingen von diesem Projekt Aristides Einnahmen der nächsten Jahre ab. Das war kein Pappenstiel, und Arianes Ärger darüber, daß es an diesem Abend möglicherweise spät werden würde, wischte Aristides verrückter Vorschlag weg, sogleich eine Ruderpartie zu einer romantischen kleinen Kneipe am unteren Ufer der Rhône zu unternehmen, wo es angeblich den letzten echten Cointreaux Frankreichs gebe.

Der Sommertag war strahlend, Ariane, in deren Handtasche sich freilich kein Badeanzug befand, saß Aristide in duftigem Büstenhalter aus zitronengelber Seide gegenüber. Er ruderte kräftig, schaukelte mit dem Boot, ließ es von Wirbeln im Kreise drehen, steuerte auf eine Sandbank zu, durchschwamm die seichte Uferströmung, das Boot hinter sich herziehend, legte sich mit Ariane ins Gras, küßte sie, redete verliebtes, unsinniges Zeug, nieste, als sie ihn mit einem Grashalm kitzelte, lachte, küßte sie wieder und bemerkte die blaugraue, tief hängende Gewitterwolke, die den Fluß heraufzog, erst, als auf seinem nackten Rücken prall gefüllte Tropfen platzten wie ein Hagel unreifer Kirschen . . .

In der romantischen Kneipe gab es tatsächlich echten Cointreaux. Er war allerdings dünn, aber man trank um so mehr davon. Der Wirt, eine undurchdringliche kaffeebraune Fleischkugel mit schwarzem, buschigem Schnurrbart und fettigem, schwarzem Haar, das ihm tief in die Stirn hing, seufzte beim Füllen eines jeden neuen Glases, als sei es sein eigenes Blut, das er verschenke, obwohl von „verschenken" nicht die Rede sein konnte: Für jedes karg gefüllte Gläschen reichlich gepanschten Cointreaux' verlangte er das Dreifache des auf der Preistafel verkündeten gesetzlichen Preises, und wahrscheinlich hätte niemand außer einem oder zwei Eingeweihten zu sagen vermocht, in welcher und in wie vieler Herren Dienst der undefinierbare Budiker stand. Auch Aristide nicht, obwohl der mehr wußte als die anderen Gäste. Als er Ariane und sich selbst das zwölfte Gläschen Cointreaux füllen ließ, sagte er wie beiläufig in den routinemäßigen Stoßseufzer der braunen Kugel hinein: „Wenn das Dutzend voll ist, soll's an der Rhône immer einen orangefarbenen Sonnenuntergang geben, stimmt das?"

Für den Bruchteil einer Sekunde weiteten sich die hinter dem Schlitz zwischen tief herunterhängenden Lidern und mächtigen Tränensäcken gut versteckten Pupillen des Budikers, der sich indessen durch keine Bewegung verriet. Erst nach einer angemessenen Pause antwortete er, ebenfalls ganz beiläufig: „Man sagt so hierzulande, weiß der Teufel, ob's stimmt."

Darauf Aristide lachend: „Ich hab so eine Vorliebe für Teufel."

Die Kugel verschwand hinter der Bar, holte neuen Stoff, machte sich an anderen Tischen zu schaffen, verschwand erneut, kam wieder hinter der Bar hervor, seufzte wie eh und je bei jedem Glas Cointreaux, das sie sich aus dem Herzen riß, und schenkte dem Tisch, an dem Ariane und Aristide saßen, keine Beachtung mehr. Aber als sich Aristide eine Viertelstunde später bei Ariane für einen Augenblick entschuldigte, war dem ein keinem anderen bemerkbares Kopfnicken der Fleischkugel vorausgegangen.

Auf dem speckigen Plüschsofa in einer winzigen Kammer unmittelbar hinter der Bar saß ein schmächtiger Mann mit eingefallenen Wangen. Die blaue Baskenmütze hatte er so weit ins Gesicht gezogen, daß nur das Ende einer kräftigen Hakennase, ein schmaler, mit einem schütteren, graublonden Bärtchen versehener Mund und ein knochiges, vorstehendes Kinn zu sehen waren. Wortlos setzte sich Aristide neben den Wartenden, der ohne Gruß sofort leise zu sprechen anfing: „Zwischen zweiundzwanzig Uhr dreißig und dreiundzwanzig Uhr Ecke Chemin des tisseurs und Rue du pont. Wir kommen mit einem gewöhnlichen ‚panier à salade'[1], Marke Citroën, von der Brücke und biegen rechts ein: zwei Vichy-Gendarmen, ängstlich bis feige, drei bis fünf SS-Leute – die genaue Zahl weiß man nie vorher – mit Maschinenpistolen, Bertrand, Julien, ein Offizier der AS[2], von de Gaulle aus England vor einer Woche hier abgesprungen. Der AS-Mann wird erst auf der Fahrt informiert. Wieviel Bewaffnete werdet ihr sein?"

Aristide zögerte. Dann schob er seinem Gegenüber unvermittelt die Baskenmütze aus der Stirn und sah ihm in die Augen. Sie waren graublau. Kein Zucken, kein Zwinkern, keine Bewegung. Nur ein kleines, gutes Lächeln um die dünnen Lippen des Hageren. „Sieben", sagte Aristide.

„Das genügt. Ich werde unter den Fahrersitz verschwinden, ich bin unbewaffnet. Wenn möglich, verschont mich."

„Kommst du dann mit uns?"

Jetzt drehte der andere Aristide das Gesicht zu. „Wer fragt schon, was ich will! Der Krieg ist nicht zu Ende, und bei uns kommen jeden Tag neue Gefangenentransporte an. Ich bin Soldat und muß auf meinem Posten bleiben wie du auf deinem." Bei diesen Worten erhob sich der Mann, gab Aristide die Hand und sagte, schon im Gehen und ohne Betonung: „Die Schwarze hast du zur Tarnung mitgenommen, wie ...?" Dann verließ er, ohne eine Antwort abzuwarten, die Kneipe durch eine kleine Tür, die auf den Hof hinausführte.

Als Ariane mit spöttischen Lippen fragte, ob es die Rhône oder der Cointreaux gewesen sei, die Aristides Magen in Aufruhr versetzt hätten, antwortete er abwesend: „Vermutlich beide", gab Ariane einen Kuß auf die Schulter, schob zwei Hundertfrancscheine unter den Aschenbecher und warnte, da er bemerkte, daß Ariane von dem Gedanken aufzubrechen nicht angetan war: „Überlege: einen halben Tag ohne Poli-

1 Volkstümlicher Ausdruck für Gefängniswagen, „Grüne Minna"
2 Armée secrète; Geheimarmee

zeirazzia! Das ist mehr, als wir in diesen Zeiten erwarten dürfen. Man soll das Schicksal nicht herausfordern. Laß uns die Tapeten wechseln." Er faßte Ariane um die Taille, küßte ihr duftendes Haar und zog sie mit sich hinaus zu dem Ruderboot, das sich von den Uferwellen sanft hin und her schaukeln ließ.

Eine Minute vor Mitternacht betrat Aristide das Zimmer in der Absteige. Ariane hatte in einem Magazin geblättert und schien über dem Lesen eingeschlafen. Das Magazin lag auf dem abgenutzten Teppich neben dem Bett. Die Nachttischlampe brannte, und der Atem des Mädchens hob und senkte mit beruhigender Gleichmäßigkeit ihre halb entblößte Brust. Einen Augenblick blieb Aristide auf der Schwelle stehen. Er holte tief Luft, zog vorsichtig die Tür hinter sich zu und drehte den Schlüssel herum. Der Spiegel hinter dem Waschbecken verriet ihm trotz des schummerigen Lichts die Blässe seines Gesichts. Beim Ausziehen bereitete ihm die linke Schulter große Schwierigkeiten; außerdem klebte das schweißnasse Hemd so fest an seinem Rücken, daß er es wie eine Haut abziehen mußte. Seine Finger zitterten, als sie über die blaugrün unterlaufene Schulter tasteten, die ihn von Minute zu Minute mehr schmerzte. Er mußte alle Verrichtungen mit der rechten Hand ausführen. Das war umständlich. Nachdem Aristide entkleidet war, trat er noch einmal an das Bett, neigte sich tief zu Ariane hinunter und lauschte ihrem Atem. Dann erst nahm er den Revolver aus der Gesäßtasche seiner Hose, die über dem Stuhl lag, wickelte ihn sorgfältig in ein dunkles Tuch, löschte die Nachttischlampe, öffnete das Fenster und beugte sich weit hinaus. Mittels eines Kleiderhakens schob er das kleine dunkle Bündel in der Regenrinne des Daches nach links, bis es unter einem überstehenden Dachziegel verschwand. Leise schloß er das Fenster und legte sich an Arianes Seite, ohne zu ahnen, daß die ewige Eva hinter ihren langen Wimpern alles beobachtet hatte. Behutsam schmiegte er sich an sie und küßte sacht ihren

Nacken. Nur der linke Arm, mit dem er ihre Brüste umschließen wollte, gehorchte nicht.

Er mochte wohl eine gute Viertelstunde mit offenen Augen neben ihr gelegen haben, als sich Ariane auf die andere Seite drehte und ihre rechte Hand wie zufällig auf seine blutunterlaufene Schulter legte. Aristide biß sich auf die Lippen, er zuckte nicht zusammen. Dennoch sagte Ariane leise und zärtlich: „Tut's sehr weh, mein kleiner, geheimnisvoller Casanova?" Es war wahrscheinlich das erste Mal, daß die Frage einer Frau Aristide die Sprache verschlug. Schließlich hörte er sich mit einer lächerlichen, ihm unbekannten Stimme sagen: „Was ist mit dir, chérie, träumst du?"

Aber chérie streichelte ihm das Haar aus der Stirn und fuhr im gleichen liebevollen Ton fort: „Hat alles geklappt? Wieviel Zeit haben wir noch füreinander?"

Nach einer neuen Pause antwortete Aristide zu seiner eigenen Überraschung: „Es hat alles geklappt, und wieviel Zeit wir noch haben, hängt von der Gestapo ab. Bist du zufrieden?"

Daß chérie zufrieden war, brauchte sie nicht zu erklären. Sie küßte Aristides erstaunte Augen, streichelte ihn, stand auf und kam mit einem kleinen, naßkalten Frottiertuch zurück, das sie vorsichtig auf seine linke Schulter legte. Dann nahm sie ihren Regenschirm aus dem Kleiderschrank, lehnte sich, wie vorhin Aristide, weit aufs Dach hinaus und schob mit dem Schirm das kleine dunkle Bündel in der Regenrinne noch einen guten halben Meter weiter vom Fenster weg unter die Dachziegel. Nachdem sie sich wieder an Aristides Seite gelegt und er sie zweimal gefragt hatte, wie sie ihm auf die Schliche gekommen sei, sagte sie schließlich: „Falls sie kommen, merk dir: Wir sind seit gestern abend zehn Uhr im Hotel und haben dieses Zimmer keinen Augenblick verlassen. Das könnte der Pförtner notfalls bestätigen."

Aristide drehte mit einem plötzlichen Ruck den Kopf herum.

Da fragte Ariane, zum erstenmal mit einer Spur Unruhe

in der Stimme: „Hat dich etwa sonst wer gesehen, als du um Mitternacht zurückkamst?"

„Nein, aber . . ."

Doch Ariane, beruhigt aufatmend, unterbrach ihn: „Dann ist alles gut. Der Pförtner wird nicht reden, dafür habe ich gesorgt. Wie fühlst du dich?"

Aristide fühlte sich chaotisch: glücklich, beschämt, aufgeregt, in bezug auf die Schulter ausgesprochen schlecht, außerdem verliebt und unsicher. Dieses Gefühl war ihm neu. Was war von dieser Frau zu halten? Was wußte sie, wer war sie, was dachte sie selbst über all das? Er schwieg, und sie interpretierte sein Schweigen richtig.

Nach einer Weile forderte sie ihn auf: „Zerbrich dir nicht den Kopf! Du hast nichts falsch gemacht, mein kleiner, lieber Brückenbauingenieur, du hast nur etwas vergessen: Auch Frauen besitzen, außer Kleidern und dem Hang zum Abenteuer, ein bißchen Verstand. Für euch ‚kluge Männer' ist es in diesen aufregenden Wochen eine Selbstverständlichkeit, die Franzosen nach drei Typen einzuordnen: mit den Nazis kollaborierende Verräter, Waschlappen und Patrioten. Mir, weil ich eine Frau bin, traust du nicht zu, bestimmen zu können, zu welcher Kategorie du gehörst. Und davon, in welche Kategorie du mich einordnest, will ich schon gar nicht reden. Gib zu, daß das ein bißchen schäbig ist."

Er gab es gern zu und mit all dem hingebenden Feuer, das seine Schulter zuließ.

Während das hektische Jaulen der deutschen Überfallwagen aus den nahen Straßen durch die schmale Spalte des Dachfensterchens hineindrang und plötzliche MPi-Salven aus verschiedenen Entfernungen die Nervosität der Besatzer verrieten, las Aristide in den Augen seiner tapferen Gefahrengefährtin den Wunsch, mehr über das Geschehen dieser Nacht zu erfahren. Aber sie wußte schon zuviel.

Sollte er weiterschwindeln? Er konnte es nicht, und sie hätte ihm auch kein Wort geglaubt. Reden durfte er nicht, das war selbstverständlich. Abgesehen davon, daß strenges

Schweigen ein militärisches Gesetz der Partisanenarmee war, hätte sie und ihn jedes zuviel gesprochene Wort im Falle einer in den nächsten Stunden durchaus möglichen Verhaftung das Leben kosten können. Wie konnte er ihr aber beweisen, daß sein Schweigen kein Mißtrauen war? Als er anfing, etwas von Konspiration, Schweigepflicht und militärischer Disziplin zu erzählen, verschloß ihre weiche Hand seinen Mund. Mit freundlichem Spott sagte sie: „Streng dich nicht an." Dann erneuerte sie den Schulterumschlag und versicherte Aristide mit forscher Beiläufigkeit: „Ich bin gewiß, daß sie dich nicht finden werden. Lyon ist groß, wo sollten sie mit dem Suchen anfangen?!"

Aristide wurde es warm ums Herz, und er zog das Mädchen, über dessen glatte weiße Haut jetzt allerdings ein verräterischer Schauer lief, an sich und flüsterte ihr ins Ohr, das er gleichzeitig auf erfinderische Weise küßte: „Sie können mich nur erwischen, wenn sie sämtliche Absteigen Lyons durchkämmen. Und fänden sie mich, wäre ich dein Liebhaber, der sich infolge der Verdunkelung und einer Flasche Rotwein an dem gußeisernen Treppengeländer dieses Palasthotels Punkt zweiundzwanzig Uhr gestern abend die Schulter blau gestoßen hat – das stimmt doch?"

Ariane lag auf dem Rücken und starrte mit weitgeöffneten Augen an die graue, rissige Zimmerdecke. „Da bisher alles gestimmt hat, was du dir vorgenommen hast, wird auch weiter alles stimmen ..." Aber als Aristide sie jetzt an sich ziehen wollte, widerstand sie. Er schickte sich drein und überdachte den Ablauf des Handstreichs, den er Ariane so gern erzählt hätte.

... Seine Kameraden aus dem Lyoner Maquis hatten sich in Hausfluren und hinter Mauervorsprüngen verteilt, als der Gefängniswagen mit wenig Verspätung in die Straße einbog. Kurzer Schreck: Es war kein Citroën, sondern ein kleines gepanzertes Transportfahrzeug aus den Renault-Werken, das mit Infanteriewaffen nicht aufgehalten werden konnte. Aristides schnelles Reaktionsvermögen hatte ihn die einzige

Chance wahrnehmen lassen: einen Betrunkenen spielend, dicht vor dem Fahrzeug über die Straße zu torkeln. Der Fahrer, der ja auf stürmische Ereignisse vorbereitet war, trat heftig auf die Bremse, um den Mann nicht zu überfahren. Aristide prallte zurück, kletterte aber sofort behend und laut rülpsend auf das Trittbrett, um dem menschenfreundlichen Chauffeur seinen überschwenglichen Dank auf überschwengliche Weise auszudrücken. Das war freilich nicht nach dem Geschmack der begleitenden SS-Leute. Der Beifahrer hieb sogleich und ohne Warnung mit der Armstütze seiner Maschinenpistole auf Aristide ein, der den auf den Kopf gezielten Schlag mit der Schulter abfangen konnte. Der Schmerz ließ ihn aufstöhnen, aber nicht loslassen. Zum zweiten Schlag, den Aufsässigen endlich vom Trittbrett herunterzuprügeln, kam dieser Genickschußspezialist nicht mehr. Die gewonnene Zeit hatte es den fünf Maquisards – die anderen zwei sicherten die Straßenzugänge – erlaubt, den Gefangenentransport zu stürmen, die SS-Leute zu töten und die Gendarmen zu entwaffnen. Aristides unmittelbarer Widersacher wurde im Augenblick, da er den Lauf seiner MPi auf das Gesicht des Franzosen richtete, durch einen wohlgezielten Kopfschuß in Wotans Reich befördert.

Aristide übergab Bertrand und Julien einem mächtigen Metzger, der die beiden in einem bereitstehenden alten Vehikel für Fleischtransporte unter Rinder- und Schweinehälften verstaute und saôneaufwärts entführte.

Den Offizier und die restlichen vier befreiten Todeskandidaten begleiteten zwei Partisanen zum Fluß, wo sie auf einem Fährkahn ans andere Ufer übersetzten. Dort mußte jeder sehen, wie er auf eigene Faust weiterkam. Dem Chauffeur war es geglückt, unter dem Fahrersitz eine schutzbietende Zuflucht zu finden. Wenn ihm der schlaglüsterne SS-Mann im Todeskampf nicht drei Finger der rechten Hand zertreten hätte, wäre der Hakennasige mit der Baskenmütze gänzlich heil davongekommen. Doch die Verletzung, so schmerzlich sie war, hatte andererseits den Vorteil, der angstschlotternden, heulenden Jammergestalt, als die der Partisanenhelfer für Minuten später den anbrausenden, bis an die Zähne bewaffneten deutschen Rettern entgegentrat, eine Nuance mehr Glaubwürdigkeit zu verleihen.

Der ganze Überfall hatte knappe zwei Minuten gedauert. Und sogar die Freudentränen, Umarmungen und das „Merci, camarades!“ waren der lebensentscheidenden Notwendigkeit geopfert worden, mit jeder Sekunde zu geizen.

Das wärmende Gefühl, seinen Auftrag erfolgreich ausgeführt zu haben und, zumindest für ein paar Stunden, an der Seite einer Frau geborgen zu sein, deren Haut nach Mandeln duftete und die, wer sie auch immer sein mochte, eine gute Französin war, entspannte Aristides Muskeln und beruhigte seine überreizten Nerven. Tiefer erholsamer Schlaf überkam ihn.

Um neun Uhr am Frühstückstisch erfuhr unser ungewöhnliches Paar aus den spöttischen Worten des Kellners, daß zwischen Mitternacht und vier Uhr sämtliche Lyoner Hotels von der bisher größten Razzia heimgesucht worden waren. „Nur unser kollaboratistisches Hurenhaus ist wieder einmal verschont geblieben. Da hätten sie zuviel besoffenen eigenen Unflat auflesen müssen, heute nacht sogar einen hohen Hengst von der Gestapo.“

Der Mann mit der roten Mütze hatte bereits gerufen: „Vorsicht am Zuge, zurücktreten bitte!“, als Ariane auf das Trittbrett stieg, Aristides Kopf zwischen ihre Hände nahm und ihm in die Augen sah. „Daß du in die Höhle des Löwen gingst, war, wie sich herausstellte, klug berechnet. Daß ich dir als Alibi hätte nützlich sein können, war ebenfalls klug berechnet. Wahrscheinlich werden wir uns nicht wiedersehen. Du kannst also die Wahrheit sagen, wenn ich dich frage: War alles Berechnung?“

Der illegale Casanova küßte Ariane auf den Mund und sagte ehrlich: „Nein.“

Ariane stieg ab und ging neben dem langsam anfahrenden Zug. Rasch und ohne Betonung sagte sie: „Ich heiße Margot. Ich arbeite im Pasteur-Krankenhaus als Operationsschwester. In vierzehn Tagen bin ich wieder in Paris.“

Aristide beugte sich zu ihr hinunter und flüsterte, nahe am Ohr der nun rascher Gehenden: „Ich werde dich nicht vergessen. Spätestens am Tag des Waffenstillstands stehe ich mit einer Orchidee auf der Schwelle des Pasteur-Krankenhauses.“

Der Zug fuhr schneller, Margot blieb zurück . . .

ERWIN STRITTMATTER

# Die blaue Nachtigall

Es geschah, als ich mich aus den Armen einer Geliebten löste, daß ich eine blaue Nachtigall fliegen sah, und ich konnte die blaue Nachtigall nicht vergessen, und ich konnte sie den ganzen Tag nicht vergessen, und mir fiel ein, was man mir über die Nachtigall beigebracht hatte, und danach war sie ein Tier, ein Insektenfresser aus der Gattung der Sperlingsvögel, ein Eierleger, der mit dem Säuger Mensch nichts zu tun hatte. Aber je länger ich über die Nachtigall nachdachte, desto fragwürdiger und oberflächiger wurde mir, was ich über sie gelernt hatte, und sie erschien mir wie ein singendes Gewächs aus dem Luftraum, und mir schien, daß es von altersher Beziehungen zwischen Kreatur und Kreatur gäbe, die noch ungeklärt sind, weil wir nur klären, was uns nützlich erscheint.

Aber Unnützlichkeit ist ein Synonym für Unwissenheit. Bis man entdeckte, daß sich aus Lehm Gefäße fertigen ließen, war er nur eine Art gelbkleberiger, gehbehindernder Erde, und der Seetang erschien uns als eine unnütze Verunreinigung des Meerwassers, bis wir ahnten, daß sich einmal die Menschheit würde von ihm ernähren müssen.

Verdankt nicht mancher den Anstoß für den Einschlupf in sein Leben dem Gesang einer Nachtigall? Wenn ich vom Leben rede, so meine ich jenen Zustand, in dem wir einander sichtbar sind, und denkt ihr nun nicht, daß ich Spiritist oder geistergläubig sei, wenn ich sage, daß es ein unsichtbares Leben gibt, denkt an Atome!

Nach den romantisierenden Erzählungen meiner Mutter hat eine Nachtigall in den Buchsbaumhecken am Georgenberg den Anstoß gegeben, daß ich in der Dachkammer eines Kleinstadthauses, hart hinter dem kleinen Fluß, gezeugt wurde.

Diese unzureichende Antwort gebe ich auf die Frage, was eine Nachtigall ist, und ich wünschte, daß mir besser gelänge zu beantworten, weshalb sie blau war, jene Nachtigall, die da aufflog, als ich mich gestern nacht aus der Umarmung einer Geliebten löste.

Meine Kindheit verbrachte ich auf der Sandheide, und es gab dort die Nachtigall nicht, doch ich ertappe mich bei einer Ungenauigkeit, wenn ich sage: „nicht", weil sich dieses „nicht" auf ein kurzes Menschenleben bezieht; denn als die Braunkohle, die wir aus dem Heidesand gruben, noch ein Schachtelhalmdickicht war, hat es dort Tiger und Bären gegeben, und weshalb sollte es dazumalen oder später nicht auch Nachtigallen auf der Heide gegeben haben? Ich schreib also, um genau zu sein: Als m e i n kleines Leben in dieser Heide begann, gab es die Nachtigall dort nur einen Frühling lang, und man hörte sie aus den Wacholdern hinter dem Friedhofshügel singen, und sie sang dort nachts, wenn diese Wacholderbüsche sich darin gefallen, Geistermenschen und Riesen vorzutäuschen.

Die Nachtigall war also um jene Zeit eine Fremde, eine Zugereiste, in dem Landstrich, den ich meine Heimat nenne, und sie war dort ein Vogel von wer weiß woher, und die alten Kossäten hatten den Gesang dieses Vogels nie gehört, und wieder heißt das: jene Kossäten, die bis zu jenem Frühling dort lebten, die an ihrem Leben die Zeit und die Welt maßen, denn jede Menschengeneration, die diesen Planeten gerade bevölkert, hält sich für d i e , um die sich der ganze Weltenraum dreht. Der Erdenmensch ist „die Krone der Schöpfung", hieß es bislang, aber wenn Wissenschaftler und Weltraumfahrer demnächst erfahren werden, daß der Erdenmensch keine KRONE ist, so werden wir ihnen vielleicht sagen: Also, daß wir von affenähnlichen Tieren abstammen, haben wir euch allmählich abgenommen, aber, wenn ihr nun schon wieder höherstehende Affen entdeckt haben wollt als uns Menschen, dann schert euch zu ihnen, marsch, marsch!

Die alten Kossäten traten nachts in die Vorgärten, um ihr Wasser mit einigem Nutzen für die Obstbäume abzuschlagen, und sie hörten die Nachtigall singen, und sie fürchteten sich. Was war das für ein Vogel, der vor Übermut zur Nacht auf dem Friedhof sang, der den Toten die Ruhe nahm, der vielleicht mit seinem Gesang die Lebenden auf den Hof der Toten lockte?

Die Maiabende waren kühl, und der Wind wehte aus den schlesischen Birkenwäldern herüber, und man hörte die Signale der Fördertürme. Man vernahm die Laute der Lebendbegrabenen, die da unter der Erde die Kohlenadern der Heide auskratzten, und es verging viel Zeit von Signal zu Signal, und es lag viel Raum zwischen dem Verschwinden des leeren und dem Auftauchen des gefüllten Kohlenwagens, und dazwischen konnte man das Kichern der schüchternen Quellen am Mühlenberg und die tief hergeholten Töne der Nachtigall hören.

Ich war ein Junge, und ich war zwölf Jahre alt, aber als ich den Gesang des zugereisten Vogels hörte, fühlte ich, als ob mir's aus dem Weltenraum zugeweht worden wäre, was die Liebe ist; nicht die Liebe zur Mutter, nicht die zu den Brüdern, sondern jene Liebe, die etwas mit jeder Zelle des Körpers zu tun hat, denn ich näherte mich dem Zustand, den man mit dem Begriff PUBERTÄT abtut. Aber was sind wissenschaftliche Begriffe in solchen Fällen? Wir sagen „Instinkt“ und wir sagen: „Komplex“, wir sagen: „Sexualität“ und wir bilden uns ein, damit alles erklärt zu haben, und wir sind so selbstsicher dabei wie die Kartenspieler, wenn sie behaupten, ein As zähle elf Augen.

Der Lehrer fragte uns, ob wir den Sprosser gehört hätten.

„Jenen Vogel, der in der Nacht singt?“

„Jenen Vogel!“

„Ja, wir hörten ihn, es war die Nachtigall.“

„Nein, es war nicht die Nachtigall, es war der Sprosser; übrigens hast du dich nachts herumgetrieben, wenn du ihn gehört hast!"

Der Lehrer erklärte uns, weshalb es nicht die Nachtigall, sondern der Sprosser war, den wir nachts gehört hatten, und die Erklärung war umständlich, und sie war unsicher, und nur abgefeimte Vogelkenner vermochten bei gut Glück den Unterschied von Nachtigall und Sprosser am Gesang zu erkennen. Der Lehrer erklärte, der Sprosser wäre vielleicht ein zu groß gewordener Familienangehöriger der Nachtigallen, und man nenne ihn deshalb auch die Nordische Nachtigall, und alles wäre wissenschaftlich verbürgt, aber nicht ganz geklärt.

Aber ob Nachtigall, ob Sprosser, ich spürte schon damals, daß nicht wichtig ist, wie etwas benamst wird, sondern ob es mit seinem Dasein große Gefühle in einem auslöst, die einem Leben helfen.

Die Zeit verging, und das ist wieder ungenau, denn wir vergehen, und unser Heranwachsen ist der Anfang unseres Vergehens. Ich sage das nicht aus Trauer, nicht aus Wehmut, nicht aus Weltschmerz, nicht aus Lebensmüdigkeit. Ich sage es mit einer mir langsam zuwachsenden Neugier auf das, was kommen wird.

Ich war Handwerksgeselle geworden, und ich trug meinen Gesellenbrief in der Tasche, und der war mir weniger ein Ausweis dafür, daß ich bestimmte Griffe des Bäckerhandwerks beherrschte, als ein Paß, der mir erlaubte, ungestraft Zigaretten zu rauchen, Bier zu trinken und Liebschaften zu beginnen.

Ich wanderte nicht mehr, „ein Sträußchen am Hute, den Stab in der Hand . . .", um nach Arbeit anzuklopfen, sondern ich fuhr, und ich benutzte die in einem Wasserkessel zu Dampfdruck und die in einem Stahlzylinder zu Radumdrehungen verwandelte Kohle aus unserer Heide, um mich zu den Meistern ziehen zu lassen.

Im Gepäckwagen hinter der Lokomotive reiste in einem

verschließbaren Korb aus geschälten Weidenruten mein Oberbett. In dem Inserat in der Bäckerzeitung, auf das ich mich meldete, hatte man gefordert, daß ich mein „Oberbett“ mitzubringen hätte. Hat man je einen Vogel, eine Nachtigall zum Beispiel, gesehen, der sein Nest mit sich schleppt, hat man je einen Affen gesehen, der seine Laubhütte umherträgt? Nein, das blieb den Bäckergesellen vorbehalten, einer Spezies des vernunftbegabten Menschen, einem Edelstein aus der Krone der Schöpfung und den Muscheln und sonstigen Niedertieren, und man darf gespannt sein, wie die Wesen, die im Weltraum zu entdecken uns bevorsteht, es in dieser Hinsicht halten.

Fast wäre der Schnellzug ohne mich an Bord in die Ferne gefahren. Die Ferne, die Ferne ... für meinen Großvater war sie der Nachbarkreis, und für mich war sie Halbsachsen, das heißt, ich vertauschte eine deutsche Landschaft, in der man das Personalpronomen „mich“ mied wie eine Kränzchenschwester ein Kraftwort, mit einer Landschaft, in der das Personalpronomen „mir“ gemieden wurde wie ein Fluch unter Frömmlern.

Ich sprang auf den anfahrenden Schnellzug wie ein Gepard auf einen zur Flucht ansetzenden Bison, und ich fuhr ins Leben hinaus, wie es heißt, als ob ich vorher nicht gelebt hätte und als ob alle, die ich zurückließ, außerhalb des Lebens gestanden hätten.

Die Situation war filmgerecht, und der junge Mann, der mich in den fahrenden Schnellzug hineinzog, in jene Wohnung für Stunden, war ein Barbiergeselle, einer, der das Leben schon abschmeckte. Er verließ eine Lebensstelle, verließ unsere Kreisstadt, und er reiste in eine „größere Stadt“ zu einem „besseren Meister“, und er nannte sich nicht Barbier, und er nannte sich nicht Friseur, er nannte sich Bubikopfschneider, und er war ein begehrter Mann, und er stand hoch in Ansehen bei den Frauen, die ihr Langhaar vor ihn auf den Hackklotz legten. Er war eine Art milderer Scharfrichter, ein Sex-Appeal-Schaffender, ein schöpferischer Haarvernichter, und er trug selber einen Bubikopf, und sein Bubikopf war künstlich gewellt, und der Bubikopfträger war vielleicht ein Mittelmensch, nicht Mann, nicht Weib – ein Bubikopfschneider.

Er trug einen saffiangelben Ledermantel, und der war aus vielen Trinkgeldern von Damen zusammengesetzt, die der Mittelmensch modernisiert hatte. Der Ledermantel des Bubikopfschneiders erschien mir als das Eleganteste, was die Welt zu bieten hatte, und er wurde für mich zu einem langen, langen Traum, und wer mich heute mit einer saffiangelben Lederjacke umhergehen sieht, der halte mir zugute, daß sich die Hinwendung zu einem solchen Kleidungsstück in jenem Augenblick vollzog, da ich auf den Schnellzug sprang, um mich von der Heimat abtreiben zu lassen, in die ich fortan nur noch als Gast zurückkehrte.

Es gab keine Musik bei meiner Landung auf dem Kleinstadtbahnhof in der „Fremde“, und es gab keinen roten Läufer bis zur Kutsche, die mich zum Präsidenten zu bringen hatte, und es wird diesen weichen Läufer niemals in meinem Leben geben, weil mir zum Diplomaten mehr fehlt als der Frack.

Ich war in einem Badeort gelandet – oder war ich gestrandet? Es war ein Eisenmoorbad, und man heilte dort die Kranken mit Moorschlamm, den wir daheim DRECK nannten, und da die Damen und die Herren nach solchen Schmutzkuren genasen und umhertollten, dachte ich nicht mehr ganz so abfällig von dem KLUGEN MANN daheim im Lande der Sorben, denn dieser KLUGE MANN hatte Krankheiten mit Kuhmist geheilt.

Der Meister war freundlich zu mir, und das hatte seine Gründe, und es stellte sich später heraus, welche Gründe. Die Meisterin war nicht daheim, und auch das hatte seine Gründe, sie war zur Kur. Jawohl, sie war zur Kur in einem anderen Badeort, denn am Platze kannte sie die Ärzte, und die Ärzte kannten sie, und ihre Krankheit war nicht so beschaffen, daß sie im heimischen Badeort, gewissermaßen am heimischen Herd, repariert werden konnte.

Ich wurde also Lebensrätseln gegenübergestellt, aber für mich war damals vieles rätselhaft, und jeder Mensch war für mich eine Einmaligkeit und ein Rätsel. Später stumpften mich verschiedene Lebensereignisse ab, und ich fand alles weniger rätselhaft, und ich glaubte eine Weile, alle Menschen wären gleich, aber heute will mir scheinen, als ob ich in der Jugend mehr recht gehabt hätte, und als ob ich, mit einigen Säcken voll Lebenskenntnis ausgerüstet, in die Gefilde der Naivität zurückkehren müßte. NAIVITÄT? – Muß ich erklären, was das ist, nachdem wir uns bereits über die Willkür und die Relativität der von Menschen geprägten Begriffe einigten?

Im Meisterhaushalt gab es eine sogenannte Haustochter, eine Art Haushaltsschülerin, und die mußte unter dem Kommando der Meisterin von früh bis spät schuften, und die Eltern der Haustochter zahlten den Leuten, die ihre Tochter schuften ließen, monatlich eine Geldsumme, und mit der Geldsumme bezahlten sie den Titel „Haustochter“, weil sie es nicht hätten ertragen können, wenn man ihre Tochter DIENSTMÄDCHEN genannt hätte, nein, lieber lieferten die Erzeuger einer solchen HAUSTOCHTER noch ein Taschengeld überdrauf, damit die Haustochter ihre Kleider und ihr Unterzeug in Ordnung halten konnte.

In der Zeit, da die Meisterin auswärts kurte, war dem Meister die Ausbildung der Haustochter übertragen, und der Meister verabsäumte nicht, die Tochter des Hauses zu einer Zierde des Mittelstandes auszubilden.

Der Meister, der Lehrling, die Haustochter, das Tellermädchen, die Zugeherfrau, Hausknecht Läppchen und ich – wir hatten eine Bäckerei, eine Konditorei, ein Ladengeschäft, ein Kaffeehaus und eine Ziegenlandwirtschaft zu bewalten, und der Meister holte alles an Arbeitskraft aus uns heraus, was er kriegen konnte, und er tat es nicht schlechter und nicht besser als alle anderen Handwerksmeister des Städtchens, unter denen es als ehrenwert galt, alles aus ihren Leuten herauszuholen, was sie kriegen konnten, und einer, der es nicht getan hätte, wäre von ihnen für unfähig gehalten worden, einen Handwerksbetrieb zu leiten, und wer will, ohne geistige Not, für unfähig gehalten werden?

Mein künstlerisches Gewissen beginnt sich zu regen: Ist das, was ich hier erzähle, wichtig für den Existenznachweis meiner blauen Nachtigall? Oder ist's gar nicht mein Gewissen, sind's die bekannten Fragen von bekannten Nützlichkeitsaposteln, die ich im Ohr habe, die Fragen jener besorgten Leute, die Auskunft von mir verlangen, weshalb ich wertvolles Papier, sozusagen reine Devisen, unnütz bekritzele? Was Unnützlichkeit ist, habe ich am Beispiel des Lehms und des Seetangs nachgewiesen, und so darf ich, glaube ich, unangefochten weiter nach der blauen Nachtigall fahnden. Wo wird sie sich hernehmen?

Morgens um vier Uhr stand ich auf, bereitete in der Backstube die Teige vor und schickte den Lehrling den Meister wecken. Wir arbeiteten gemeinsam bis gegen sieben Uhr, und der Meister legte sich wieder schlafen, aber der Lehrling und ich schleppten, was wir produziert hatten, in Kiepen in die Stadt und verteilten es in den Häusern.

Dann arbeiteten wir weiter, arbeiteten über den Mittag hinaus und bis in den Spätnachmittag hinein. Wir fertigten aus pulverisierten Getreidekörnern, Wasser, Salzprisen und jacher Ofenhitze eßbare Gegenstände an, denen nicht mehr anzumerken war, daß sie aus pulverisiertem Getreide, Wasser, Salzprisen und jacher Ofenhitze gemacht waren. Wir färbten Butter rosarot und veilchenblau, blättergrün und steinpilzbraun und formten Frösche, Schwäne, Pilze, Rosen und Ornamente aus der gefärbten Butter und ließen sie auf die Menschen des kleinen Städtchens los, auf Gesunde und Kranke, und die Menschen standen unserer Kunst so aufgeschlossen gegenüber, daß sie die von uns gefertigten Gebilde einfach auffraßen, unsere Rosen zum Beispiel, die wir mit angehaltenem Atem gespritzt, in die wir unseren Feinsinn gelegt und durch die wir unserem Hang zur Schönheit Ausdruck verliehen hatten.

Am Frühabend verwandelte ich mich, und aus dem mehlverstaubten, teigverkleisterten, schokoladenbeschmierten Bäcker und Konditor wurde ein geschniegelter Kellner: Ich trug eine dunkle Hose, in der ich jede Kirche hätte betreten dürfen, und ich trug eine weiße Jacke, mit der man mich in jeder Sekte aufgenommen hätte, und ich band mir einen Schleifenschlips unter den Adamsapfel und dressierte meine Haarwellen, an die heute nicht einmal mehr Falten auf meiner Glatze erinnern. Ich spielte zwei verschiedene Rollen, denn ich sah die menschlichen Berufe wie Theater-Rollen. Es machte mir Spaß, eine Anzahl von Rollen zu erlernen, und wenn ich sie beherrschte und wenn ich sie eine Weile gespielt hatte, reizten sie mich nicht mehr, und sie wurden mir langweilig, und wenn mich eine Berufsrolle zu langweilen begann, suchte ich nach einer neuen, bis ich den Beruf fand, in dem ich alle Rollen spielen durfte.

Ich bediente also die Gäste im Café und durfte zehn Prozent Aufschlag für Arbeit, Bedientenumsicht und Lauffleiß kassieren, und ich fühlte mich wie ein Artist, der den Tag lang im Stall gearbeitet hatte und der abends im Scheinwerferlicht einem hochverehrlichen Publikum die Tiere (in meinem Falle Frösche und Schwäne aus Butterkreme) vorzuführen hatte und der anschließend mit einem Teller umhergehen und sich sein Trinkgeld kassieren durfte.

Schon in meinen ersten Kellnertagen gewahrte ich, wie Zeit und Schaum miteinander korrespondierten: Je energischer der Zeiger der elektrischen Ladenuhr, die dem Schokoladenschrank als Krone eingearbeitet war, auf die Mitternachtsstunde vorrückte, desto eifriger sorgte der Chef und Meister für die Höhe der Schaumkronen auf den Bieren, die ich servierte.

Bis ein Uhr nachts hatte ich Gäste zu bedienen, und es gab solche, die auch dann noch nicht gehen wollten. Sie hatten getrunken und waren fröhlich, andere wurden ausfällig oder traurig, je, was der Alkohol von ihnen verlangte, und es war eigentlich ihre Privatsache, aber sie wollten auch nach ein

Uhr morgens noch nicht gehn, lieber noch eins mit dem Kellner trinken, aber nicht gehn.

Endlich, wenn der letzte Gast gegangen war, räumte ich die Tische ab, und manchmal verweilte auf einem Sessel oder in einer Sofanische noch ein wenig Duft von einer Dame, und er hing da selbstverständlich und dicht wie ein seidenes Tuch im runzelig gewordenen Tabakrauch, und er gaukelte mir ein kleines Versprechen vor, und er erregte mich trotz meiner Müdigkeit.

Ich lieferte die Geldsumme ab, die die Kellnerkasse, die Großmutter des Computers, addiert hatte, und was in meinen Taschen zurückblieb, wenn ich die Summe aufgezählt hatte, das war mein Wechselgeld, waren meine Prozente, und das war mein Trinkgeld. Weshalb eigentlich Trinkgeld, Trinkgeld und niemals Eß- oder Schlafgeld?

Oh, was war ich müde! Und damals glaubte ich, wer nie von früh um vier Uhr in einer Backstube und abends und in der Nacht als Kellner arbeitete und wer das nicht an fünf von sieben Wochentagen tat, könnte ermessen, wie müde ich war, aber ich täuschte mich, und ich werde darauf zurückkommen.

Solange abends die Apparate in beiden Kinos der Stadt schnurrten, war der Geschäftsgang träge, und es saßen nur wenige Gäste im Café, zum Beispiel der Sohn eines Gutsbesitzers, und der war Weltkriegsleutnant gewesen, und er machte keinen Hehl draus, daß er auf den nächsten Krieg wartete. Der Weltkriegsleutnant lehnte „Lichtspiele“ ab. „Was sind das für Menschen, Kellner“, fragte er, „die über Bilder auf einem rollenden Zelluloidstreifen lachen oder weinen?“ Ich wußte es nicht.

„Es sind Menschen, die nicht richtig verpackt sind, kriegsuntaugliches Gelichter.“

Andere Gäste, die zur Zeit der Geschäftsträge im Café saßen, waren Liebespaare; ein durchreisender Kaufmann und eine frauenleidende Badedame zum Beispiel, die sich wie zwei Schmetterlinge auf einer besonnten Margueritenblüte trafen und die Fühler nacheinander ausstreckten; und wenn zwei oder drei Liebespaare im Café saßen, so hatte ich eine besonders ruhige Stunde, weil auch die Liebespaare eine ruhige Stunde benötigten. Es war, als ob solche Paare bei ihrer Zweimannliebe eine Art allgemeiner Menschenliebe mitproduzierten und als ob diese Abfalliebe auf mich überginge. Bis zum Freitag meiner ersten Kellnerwoche hatte ich eine Methode gefunden, nach der ich ein wenig schlafen konnte, wenn Filmgegner und Liebespaare das Café bevölkerten: Ich hakte das Anhängerband der Kellnerjacke in der Küche am Garderobenrechen fest, an dem die Zugeherin und das Tellermädchen ihre Tücher hängen hatten, ja, ich hängte mich in der zugeknöpften Jacke dazu, hängte mich neben den Wischtüchern auf, und diese Methode ließ nicht zu, daß ich umfiel, wenn ich einschlief, und ich schlief sofort ein, und ich schlief fest ein, und manchmal gewahrte ich vor dem Einschlafen, wie meine Knie einknickten, aber ich konnte nicht umfallen, weil ich hing.

Der Nachteil dieser Methode war, daß ich, wenn plötzlich „Kellner“ oder „Ober“ gerufen wurde, oder wenn mir das mitleidige Tellermädchen einen Schubs gab, weil ich den Ruf der Gäste nicht gehört hatte, nicht frei verfügbar war, weil ich am Garderobenrechen hing, und daß ich den Aufhänger meiner Jacke zerriß, und daß mir das zusätzliche Näharbeit verschaffte, die von der Schlafzeit abging. Für mich war das allemal eine Wiedergeburt: Ich mußte meine Rolle erst wiederfinden, und ich hatte vergessen, wo im Weltraum ich eigentlich hing.

Später ersetzte ich die leinenen Jackenaufhänger durch solche aus feinem, allerdings etwas graufarbenem Chromleder, doch das war in der Zeit, als die Meisterin schon aus der Kur gekommen war, und sie hatte etwas gegen diese Art von Jakkenaufhänger, weil sie sich nach einer kleinen Schlaftour nicht wieder in den Jackenkragen hineinlegten, sondern eigenwillig wie Aufhänger von Räucherwürsten aufrecht standen, und so mußte ich die Methode, meinen fehlenden

Nachtschlaf sozusagen in Pfennigbeträgen einzukassieren, aufgeben, weil die Meisterin nicht nur etwas gegen meine chromledernen Jackenaufhänger, sondern auch etwas gegen mich hatte, wie sich herausstellte, und was ihr an mir nicht gefiel, das war mein Blick, aber an meinem Blick war ich schuldlos, denn ich hatte ihn nicht gemacht, mein Vater und meine Mutter hatten ihn mir gemacht, und sie waren wohl auch nur blind handelnde Blickvermittler, wenn sie mich und meinen Blick sozusagen auf den Wink einer Nachtigall hin anfertigten.

Seid nicht ungeduldig, wenn ich meine Schlafgewohnheiten hier vor euch ausbreite; aber sie gehören zur Geschichte, denn von meinem Schlaf hing das Erscheinen der blauen Nachtigall ab, und ich schwör's, daß ich das Nützlichkeitsprinzip in der Kunst nicht verlasse.

Es wurde Sonnabend, und es wurde Sonnabend in einer Zeit, da ich mich an den Namen der Wochentage durchs Leben hangelte, und ich schätzte den Sonnabend damals so wie heute eine Frühherbstreise in den Kaukasus.

Die Badegäste des Ortes waren Rheumatiker, unterleibskranke oder unausgefüllte Frauen, erlebnishungerige, gut situierte Handwerker und Gattinnen von mittelbestallten Beamten. Am Sonnabend trafen sich die Kurgäste im Festsaal des Kurhauses, und diese Wiedervereinigung (sie hatten sich am Freitag zum letzten Male gesehen) nannten sie Reunion, und das hörte sich fast so nett an wie heute „mai hoobi", und um diesen gesellschaftlichen Höhepunkt der Kurwoche nicht zu stören, schlossen wir sonnabends unser Café. Der Meister sagte: „Gehn auch mir auf die RE-UNION! Ich werde Sie dort einführen", und wir gingen dorthin. Ich wunderte mich, daß der Meister, der die Mittel hatte, wochüber soviel Mehl und Bier und all die Buttercreme – und Agar-Agar-Fruchttorten und uns, seine gemieteten Leute, in Bewegung zu setzen und in Vertretung Gottes, der eigentlich für unsere Ernährung zuständig war, zu versorgen, mit einem mittellosen, von Trinkgeld und Dienerprozenten abhängigen Handwerksgesellen zur Reunion ging, aber er hatte seine Gründe.

Ich vergaß, daß ich mich ausschlafen wollte, daß ich mich ausschlafen mußte; denn der Meister lud mich ein, und ich vergaß den Schlaf.

Auf den Tischen im Kurhaus ging es sehr weiß zu, und vom Musikpodium blinkte es verchromt; man hatte sie soeben neu entdeckt, jene blecherne Lure, die ein gewisser Herr Sax unnützerweise (da haben wir's wieder!) erfunden hatte, denn als er sie erfand, war ihre Zeit noch nicht gekommen, aber jetzt schien ihre Zeit gekommen zu sein, und sie blinkte von allen Bühnen und Musikpodien, und sie fand eine Weile später sogar Aufnahme in den konservativsten und barbarischsten Musikbanden der Welt, den Militärkapellen, denn sie hatte nicht das ordinäre Bedürfnis, mit einem Bein auf der Erde zu stehen wie ein Cello zum Beispiel; sie war wendig, vielverwendungsfähig, ließ mit sich umspringen und war glänzend zum Marschieren zu benutzen.

Ich trug eine kurze Jacke, die dort aufhörte, wo mein Gesäß begann, und die Jacke war schwarz, weil Schwarz Feierlichkeit ausdrückt, was ich nie in meinem Leben begriff und begreifen werde, weil meine sorbischen Mütter sich in weiße Tücher hüllten, wenn sie ernst und feierlich erscheinen wollten.

Das Gesäß und die dürren, ein wenig vom Mehlsackschleppen angekrümmten Bäckerbeine steckten in einer Hose, deren Beinlinge sich über den schwarzen Halbschuhen glockenförmig verbreiterten und so lang waren, daß ich wie eine fußlose Marionette auf dem Parkett stand. Allen meinen Altersgenossen, die heute die Nasen rümpfen, wenn junge Leute in ähnlich geschnittenen Hosen durch die Straßen steppen, sei das ins Gedächtnis gerufen!

Ich tanzte Charleston wie eine Vogelscheuche im Wind, und auch daran erinnere ich meine gleichalterigen Genossen mit Augenzwinkern, denn auch wir unterwarfen uns Moden, die vom Westwind ins Land geweht wurden, aber damals waren wir machtlos – und jetzt? Weshalb machen wir keine Moden? Gekrauste Stirnen, erhobene Zeigefinger und der Typ des gnatz-deutschen Oberlehrers haben keine Chancen, Jugendmode zu werden, und damit die Lehrergewerkschaft nicht erzwingen muß, daß diese Geschichte nicht gedruckt wird: Es gibt auch gute Oberlehrer.

Ich tanzte Charleston mit der Haustochter, und als ich dabei einen Blick auf das Meistergesicht warf, fand ich etwas, was man in Gesichtern von Mitmenschen findet, denen ein Zug oder Schiff vor der Nase wegfuhr, und ich tanzte fortan nicht mehr mit der Haustochter, von der ich nicht mehr weiß, wie sie hieß, von der ich aber erinnere, daß sie klein und blond und aus Wismar war und klangvoll Mecklenburgisch sprach. Im übrigen lullten mich sächsische und halbsächsische Laute ein, und sie erschienen mir damals wie Taubengurren, und die Stimmen von Berliner Kurgästen, die zu hören waren, klangen wie Spechtgeklopf. „Det, det, det, det", und wenn ich selber sprach, so hörte es sich an wie die Verlautbarungen einer Dohle, die sich zwischen Tauben und Spechten in den Frühlingswald verirrt hatte.

Der Meister spendierte Wein, und das war der teuerste Wein des Hauses, denn der Meister war verpflichtet, „Zeche zu machen", um seine angezweifelte Zahlungskräftigkeit zu beweisen. Am Montag besuchten dann „die Herrschaften" von der Kurverwaltung unser Café und „fanden sich ab", und sie tranken bei uns Sekt, und ihre Damen verschlangen Fürst-Pückler-Eis-Portionen von Umfang und Höhe kleiner Granaten. Es gab viele Dinge auf der Welt, und es gibt sie, wie ich höre, in einem anderen Lande noch, die da beweisen helfen müssen, daß ein Mensch zahlungskräftig, kreditwürdig und in der Lage ist, sich seinen Lebensunterhalt von seinen Mitmenschen verdienen zu lassen, als da sind Kleider, Autos, Schmuck, seltenes Gestein und rare Metalle, und wenn gewisse Cliquen eines Tages übereinkämen, daß nunmehr Roßäpfel das Rareste und darum das Edelste auf Erden sind, so würden sie und ihre Damen nicht anstehen, auch diese Afterfrüchte von Vierbeinern in Gold und Platin einfassen zu lassen und sie als Schlipsnadeln, Krawattenknöpfe und Kolliers zu tragen.

Mir war es gleich, was für einen Wein ich auf meine schwelende Müdigkeit goß; denn Birnensaft erschien und erscheint mir bis heute wohlschmeckender als Wein.

Der Tanz im Kurhaussaal wurde von Soloeinlagen unterbrochen, und jene „Künstler“, die sie produzierten, wähnten, daß ihre Soloeinlagen die Hauptsache der Reunion wären, deshalb behandelten sie die Musiker der Kurkapelle wie ihre Diener. Die Solointerpreten waren Rheumatiker, hielten sich zur Kur im Städtchen auf und stellten sich „hochherzigerweise“ für die Verschönerung der Reunion zur Verfügung, und die Kurverwaltung gewährte ihnen dafür „hochherzigerweise“ freie Sonnabendzeche, und das hatte zur Folge, daß ein Operettist mit platter Nase das obligate Lied des Analphabeten aus dem „Schweinebaron“ sang und daß man es ihm glaubte. Ein anderer „Künstler“, in dessen Glatze sich das Licht der Lüster spiegelte, sang eine Partie aus dem „Weißen Pferd“, und die Damen aller Leidensschattierungen verschlangen ihn samt seinem weißen Frack mit den Augen.

Mich ermüdeten diese Darbietungen. Ich begann einzunicken. Der Meister bemerkte es und bestellte Kaffee, und er quälte mich weiter mit seiner Reunion, aber damals fühlte ich mich nicht gequält, denn ich war neugierig auf alles wie ein halbjähriger Hund. Der Mokka-double-double, den der Meister bestellte, verwandelte mich für kurze Zeit in einen Marokkaner, und damit der südliche Impuls, den ich erhielt, mich nicht veranlaßte, wieder mit der Haustochter zu tanzen, stellte mich der Meister einigen Damen des Ortes vor. Es waren Damen, die ich schon bei uns im Café gesehen und bedient und von denen ich meine Kellnerprozente eingefordert hatte, aber jetzt war ich kein anonymer Kellner, sondern ein Mensch mit Familiennamen, ein Mann, der mit seinem

Meister und dessen Haustochter eine Reunion besuchte, ein Teilnehmer am Kurleben der Stadt.

Vielleicht hätte ich damals nichts dagegen gehabt, ein Mann zu sein, von dem die Leute des Städtchens, die leidenden Frauen und die Mädchen auf den Elbwiesen, mehr Notiz nahmen, als sie es taten, aber das war mit der Anfertigung von Rosen, Fröschen und Schwänen aus Butterkreme nicht zu erreichen. Heute sehne ich mich oft in die Anonymität meines Kellnerdaseins zurück, und das ist natürlich, und das hat was mit Dialektik zu tun, und das ist das Leben.

Unter den Damen der Stadt, die mir vom Meister vorgestellt wurden, befand sich eine, die ich in unserem Café noch nicht gesehen hatte. Sie trug ein langes wasserehrenpreisfarbenes Ballkleid (Chiffon oder Crêpe de Chine). Eine schmale, edelwirkende Nase regierte ihr Gesicht, und die Flügel dieser Nase bebten wie die Flügel eines Schmetterlings an einer besonnten Hausmauer. Wenn die Dame lachte, zeigte sie in der Mitte der oberen Zahnreihe einen Goldzahn, und sie zeigte ihn mehr wie einen Goldring, wie eine Verzierung, weniger wie eine Notwendigkeit. Ich hatte damals etwas für Sommersprossen und Goldzähne übrig, und während sich die Vorliebe für Sommersprossen erhielt, verflüchtigte sich die für Goldzähne. Oh, wenn ich Listen über alles führen würde, was mir einmal sympathisch war, und auch über das, was mir im Laufe des Lebens sympathisch wurde, so würden sie einen Schnellhefter füllen und wissenschaftlich beweisen, daß der Mensch unterderhand und oft, ohne sich selber von diesem Vorgang zu verständigen, ein anderer wird.

Hinter dem Kurhaus lag der Park. In den Eichen, Buchen und Linden dort schliefen während der Reunion die Vögel. Saal und Park verhielten sich zueinander wie kommunizierende Röhren: Aber die Parkröhre lag im Dunkeln, und ihr Inhalt schien mit einer Chemikalie angereichert zu werden, die Frühlingsnacht hieß, denn die Tanzpaare, die aus der dunklen Parkröhre in die beleuchtete Saalröhre zurückkehrten, wiesen psycho-chemische Veränderungen auf.

Der Park hieß damals Kurpark, und wie er heute heißt, werde ich im Frühling erfragen gehn; noch früher hieß er Schloßpark, und in seiner Jugend war er die Erweiterung eines Gefängnishofes, denn das Schloß war ein Gefängnis gewesen, und in dem Gefängnis hatte eine Königin gesessen. Die Königin hieß Eberhardine, und sie war, wie damals üblich, von ihrem Manne zur Gefängnishaft verurteilt worden. Ihr Mann aber war der starke August aus Dresden, und der war katholisch geworden, um ein paßrechterer polnischer Herrscher sein zu können. Eberhardine aber blieb reformistisch, eine Sozialdemokratin der Gläubigkeit.

Auf dem Podium produzierte sich jetzt ein etwas krummbeiniger „Künstler", der sich Wangenvokalist nannte und seine schon faltigen Gesichtshälften mit zwei Holzlöffeln bearbeitete, und je nachdem, ob er nun die Wangen aufblies oder sie in mehr oder weniger tiefe Gruben verwandelte, muckerten Töne aus seinem Mund, die man bei gutem Willen als die Töne des Liedchens „Du, du liegst mir im Herzen" entziffern konnte, und der Wangenvokalist hielt seinen Mund dabei so o-rund wie jene aus Holz geschnitzten Männer im Folklore-Museum in Moskau, die eigentlich Bienenbeuten sind, und die Kurkapelle untermalte dieses Liedchen, das sich der krummbeinige Vokalist aus den Wangen prügelte, und hielt es ein wenig zusammen.

Mein Meister konnte sich nicht genügend über die Möglichkeit wundern, daß man das Fleisch seiner Wangen musikalisieren könne, und er sah in diesem Vokalisten einen hundertprozentigen Kunstschaffenden: „Können Sie von mir denken, was Sie wollen!" Sogleich versuchte er mit dem Teelöffel seine Wangen mit den schwarzen Bartstoppeln zum Klingen zu bringen, aber es gelang ihm nicht, nein, es gelang ihm lediglich, die Haustochter zum Lachen zu bringen, und das war auch nicht wenig wert. Mir schien, als hätte der Meister seine Wangen nur belöffelt, um die Haustochter zum Lachen zu bringen, denn er ließ nichts unversucht, ihre Sympathie zu gewinnen, und er suchte und suchte bei anderen Frauen, was er bei seiner Frau nicht gefunden zu haben schien, man mußte Mitleid mit ihm haben. Ich weiß nicht, weshalb mich das Mitleid mit dem Meister dazu bringt, wieder an Eberhardine zu denken; ich hatte doch mit Königinnen, ob Monarcho-, Himmels-, Bett-, Mode- oder Schönheitsköniginnen, nie etwas im Sinn!

Der starke August aus Dresden ließ durch seine Geheimpolizei verbreiten, die Landeskinder sollten ihre Landesmutter, die sich nicht rekatholisieren lassen wollte, die BETSÄULE VON SACHSEN nennen. Überdies ließ er das polnische Volk fordern, man solle der reformistischen Eberhardine die Einreisegenehmigung ins katholische Polen verweigern, und als das alles gediehen war, stellte August Eberhardine anheim, sich freiwillig ins Gefängnis zu begeben, damit sie vor dem „Volkszorne" geschützt wäre. Aber die Sache war die: Eberhardine sollte ihrem August und einer gewissen Gräfin von Kosel, auch anderen Damen und Müttern von zweihundertundfünfunddreißig August-Kindern, aus den Augen gerückt werden, und um das dem Volke verständlich zu machen, glaubte August, alles ins Ideologische transponieren zu müssen.

Eberhardine war gezwungen, die körperlichen Genüsse, die ihr zustanden, durch geistige zu ersetzen, und sie schwärmte für den verstorbenen Übersetzer, Liederdichter und Kirchenreformator Dr. Luther, und sie hing seiner Reformation an und träumte elbabwärts, träumte von der WITTENBERGISCH-NACHTIGALL. Da war sie also, die Nachtigall, und ich weiß, weshalb ich auf Eberhardine zurückkommen mußte.

Aber jetzt zur Sache, zur Sache! denn l'art pour l'art ist schlimmer als die Cholera!

Hinter dem Kurpark floß die Elbe durch eine Landschaft aus Wiesen, und im Frühling, wenn sie sich wild erinnerte, daß sie einmal ein Urstrom gewesen war, benutzte sie diese

Wiesen eine Zeitlang als Brautbett, und wenn der Brautrausch endete und die Elbe ihr Matronenleben wieder aufnahm, ließ sie Schlafgeldtaler in Form von Tümpeln in den Wiesen zurück, und aus diesen Tümpeln klangen die Glokkenrufe der Unken.

Ich tanzte stumm mit der Dame, die das lange wasserehrenpreisblaue Ballkleid trug, und ich wußte wohl, daß sich das nicht ziemte, aber ich war zu müde, und außerdem fürchtete ich, daß die Dame etwas hätte sagen können, was meine Vorstellung von ihr zerstört haben würde. Ich weiß bis heute nicht, ob es eine Stärke von mir ist, daß ich mehr in die Menschen, die mir begegnen, hineinlege, als in ihnen ist, oder ob es eine Schwäche von mir ist, nicht geduldig genug nach den großen Zügen bei ihnen zu suchen, die ich vorausahnte.

Es ging ohne Worte bei mir und der Dame und mit dem, was man landläufig Liebe nennt, voran, denn daß das möglich ist, versicherte der plattnasige Operettist mit kiloschweren Worten: „Lippen schweigen . . .“ und so weiter. Ich spürte jedenfalls, daß die Sympathie, die ich für die Dame empfand, nicht einseitig war, und daß die Dame auch mich kreditwürdig in Sachen Liebe fand. Ich brachte sie nach dem Tanz an ihren Platz und verzierte meinen stummen Dank mit der Seidenschleife eines Lächelns. Es war ein echtes Lächeln, denn nach kurzer Kellnerzeit schaffte ich mir ein Ersatzlächeln, ein Zweitlächeln, an, um das echte nicht so sehr abzunutzen, ein Kellnerlächeln. Und ich warf dieses Lächeln auch später, als ich kein Kellner mehr war, nicht in den Lumpensack, denn ich benötigte es immer wieder einmal, es wurde von mir verlangt, und obwohl wir unsere Gesellschaft doch revolutionierten, wird es heute noch dann und wann von mir verlangt.

Die Dame im wasserehrenpreisfarbenen Kleide erwiderte jedenfalls mein echtes Lächeln, und ihr Goldzahn leuchtete wie eine kleine Sonne aus ihrem Mund. – Darauf tanzte mein Meister einen Tango mit ihr, aber er tanzte ihn wie einen

Marsch-Fox, und er tanzte auch den etwas schief, denn was der Statur des Meisters wirklich gemäß war, war Walzer rechts herum. Er trug, nein, er zelebrierte auf seiner Oberlippe den Restposten eines Bartes, eine spätere Hitlerfliege, und auch der Marsch-Fox, den er tanzte, entsproß seinem halbmilitärischen Hang. Es war ein Höflichkeitsakt, wenn der Meister mit der Dame im wasserehrenpreisblauen Kleide tanzte; doch er machte sie dadurch zu *meiner* Dame und Gespielin, was mich wiederum zwang, ein wohlerzogener Tanzbodenmensch zu sein und doch wieder mit der Haustochter zu tanzen. Ich stieg wieder aufs Parkett, und ich tanzte Tango mit ihr nach der Schnur, und die Tango-Phase, in der man seine Partnerin mit einem marionettenhaften Anrucken über die Tanzfläche reißt, schubst oder schleudert, als wäre man ein gebleichter Argentinier, beherrschte ich besonders gut. Ich steigerte dieses Tanzteil zu einem Kraftakt, der die Zuschauer fürchten ließ, ich würde meine Partnerin durch die Wand ins Freie befördern. Aber kurz vor dem Hindernis mäßigte ich den r u n, und ich blieb doch im Saal, bis der Rhythmus forderte, daß mich eine neue Welle packte, die mein Blut wieder argentinisierte. Die Haustochter aus Wismar legte sich, wie man in Fachkreisen zu sagen pflegt, in den Tango hinein, und ich fragte sie, wie sie sich fühle, und sie sagte, sie fühle sich fischfrisch, nur fürchte sie sich ein wenig, und sie sah dabei zum Meister hinüber, und ich tröstete sie und sagte ihr, daß sie nichts zu fürchten habe als sich selber. Damit war sie zufriedengestellt, und sie sagte, sie hätte mich gleich für einen gelehrten Menschen gehalten, und das schmeichelte mir. Ich hatte damals noch Respekt vor Gelehrsamkeit, und jetzt habe ich nicht mehr soviel Respekt vor Gelehrsamkeit, besonders nachdem einer meiner besten Freunde, den ich einmal kannte, Texte aus vierundzwanzig Büchern zitierte und abschrieb und daraus ein fünfundzwanzigstes Buch machte, für das er den Doktortitel erhielt, womit ich außer gegen diesen Freund gegen keinen Doktor sonst etwas gesagt haben will.

Ich arbeitete mich also durch den Reunionsabend. Nicht, daß es mich anekelte, nein, dazu war ich zu jung, aber ich war müde, und ich schlief ein, wenn ich mich setzte, und das war das Übel, denn jedes Vergnügen zerbröckelt, wenn der Körper durch Dienstverweigerungen bekanntgibt, daß man die ihm zustehenden Rechte mißachtete. Aber ich kam trotz meiner Müdigkeit mit der Dame, die mir der Meister als Haustochterersatz zugeschoben hatte, ins Gespräch; denn ich konnte sie nicht drei, vier Male zum Tanzen holen, ohne mich zu verlautbaren. Überdies wurde ich von ihr bei der Damenwahl engagiert, und es kam zwischen uns – fast ohne Worte – zu einer Vereinbarung, einem Abkommen oder einer Demarche, des Inhalts, daß ich die Sicherheit ihres Heimtransportes zu gewährleisten hatte, und ich weiß nicht mehr, ob die Dame mir das nahelegte oder ob ich mich aus Anstandsgefühl, trotz meiner Müdigkeit, dazu verpflichtet fühlte.

Gleich darauf mußte ich, wie man sagt, stehenden Fußes eingeschlafen sein, obwohl ich noch agierte, engagierte, vielleicht sogar tanzte. Als ich zu mir kam oder erwachte, wie man will, lag ich auf einer Bank, fast hätte ich „im Park" dazugeschrieben, doch es fiel mir rechtzeitig ein, daß das der Titel eines Tanzschlagers aus jener Zeit gewesen wäre („Auf einer kleinen Bank im Park") und daß ich damit in den Verdacht gekommen wäre, ein Plagiator zu sein. Man kann in dieser Hinsicht merkwürdige Dinge erleben, und kürzlich wurde ich Zeuge, wie ein Referent einen anderen Referenten bezichtigte, er habe einen Satz aus seinem Referat plagiiert, und der Satz hieß: „Ich habe jetzt die Probleme, die auf uns zukommen, herausgearbeitet."

Die Bank stand unter Lindengesträuch in der Nähe des Deiches, und vom Flusse wehte Wasserduft herüber. Als ich meine Augen öffnete, jene Schlitze im Gesicht, die das Vordringen gewisser Lichtschwingungen zum Hirn ermöglichen, war es, ins allgemein Menschliche übersetzt, ringsum dabei, Morgen zu werden, und hinter dem Deich gongten die Unken schon in ihren Tümpeln, und ich hörte über mir in den großen Lindenstrauchblättern jene Töne, die tief aus dem Blut eines Vogels perlten, die Triller der Nachtigall, wie ich sie als Knabe auf der Heide gehört hatte, und ob das damals nun der Sprosser gewesen war oder nicht, hier handelte es sich vielleicht sogar um eine Nachkommin jener Nachtigallen, die schon zur Zeit einer gewissen Ex-Königin Eberhardine oder noch früher im Park geheckt hatten. Mag sein, daß mein Blick, als ich nach dieser Nachtigall in den Lindenblättern suchte, erst ein wasserehrenpreisblaues Kleid streifte, denn als ich die Nachtigall erblickte, war sie blau, und ich wunderte mich nicht darüber, denn mein Blick kam von hinter soviel Bergen unbewältigten Schlafes her, daß ich auch nicht erstaunt gewesen wäre, wenn die Dame, die meinen Kopf – schon wer weiß wie lange – in ihren Armen gehalten hatte, sich Nofretete oder die Königin von Saba genannt hätte. Und als diese Dame nun bemerkte, daß ich erwacht war, beugte sie sich zu mir, und es war kein langer Weg von ihrem zu meinem Mund, und sie ließ mich nicht aus den Armen und beugte sich zu mir . . .

Es widerstrebt mir, zu beschreiben, was jeder auf seine Weise weiß oder was jeder, der es nicht weiß, einmal auf seine Weise wissen wird. Ich spare aus und überlasse jedem die Möglichkeit, hinzuzufügen, was nur er weiß.

Eigentlich habe ich mein Versprechen erfüllt, wenn ich hier redlich niederschrieb, weshalb die erste Nachtigall, die ich zu Gesicht bekam, eine blaue Nachtigall war, aber ich spüre bis hierher an meinen Schreibplatz in der Kammer eines Pferdestalles die Unzufriedenheit von Lesern, die an perfekte Geschichten gewöhnt sind, die sich außerdem auf den viel zitierten Revolver berufen dürfen, den Tschechow erwähnt, jenen Revolver, der, wenn er in einer Geschichte an der Wand hängt, auch loszugehen habe. Diesen Lesern sei gesagt, daß mir am fortgeschritteneren Morgen jenes Sonntags nicht vergönnt war, in meinem Bett in der Gesellenkammer, dessen Benutzung mir vom Lohn abgezogen wurde, zu schlafen; denn als ich heimkam, war die Kammer von innen verriegelt, und als ich empört an der Klinke rüttelte, lugte die Haustochter beim Türspalt heraus. Sie war sehr unangezogen und wies drauf hin, daß sie mir bereits beim Tanz angedeutet hätte, sie fürchte sich. Ich konnte nicht verstehen, weshalb sie sich noch immer vor dem Meister fürchtete, obwohl sie jetzt in meiner Kammer in Sicherheit war. Aber die Sache war die: Sie fürchtete den Meister nicht, sondern die Meisterin, denn der Meister war bei ihr, und sie waren beide in meiner Schlafkammer.

Die Haustochter erklärte mir, daß weder das Tellermädchen noch die Putzfrau oder der Hausknecht, und nicht einmal der Lehrling etwas Schlechtes von ihr denken könnten, wenn der Meister im Laufe des Vormittags die Gesellenkammer verlassen würde und so weiter. Sie bot mir ihr Zimmer und ihr Bett an, weil niemand der Meisterin etwas berichten würde, der mich aus dem Zimmer der Haustochter kommen sehen würde, auch und so weiter.

Das Leben tritt uns zuweilen kompliziert entgegen, und hier hatte ich es mit einem Fall zu tun, in dem es verkompliziert wurde, und das war nur ein kleiner hausbackener Schlafzimmerfall; an die großen überdimensionalen Fälle, die in die Weltdiplomatie hineinreichen, wage ich nicht zu denken.

Ich benutzte das Bett und das Zimmer der Haustochter nicht, sondern machte, trotz aller unvertilgter Müdigkeit, einen Spaziergang in den Park, und daß ich die Bank aufsuchte, auf der ich – wie mir schien – vor Wochen einmal geschlafen hatte, die Bank, auf der mir die blaue Nachtigall erschienen war, bewies, daß ich mich verliebt hatte. Jeder Verliebte glaubt, er könne, wenn er an den Platz zurückkehrt, an dem die Liebe ihn und er die Liebe packte, alles noch einmal und unversehrt wiederhaben, aber er kann es nicht wiederhaben, denn die Welt ist im Fluß, obwohl wir nicht wissen, in welchem.

Natürlich sah auch ich die Nachtigall nicht wieder, weder eine blaue noch eine graue, denn sie schlief auf irgendeinem dämmergrauen Plätzchen aus Blattschatten und ruhte sich von der Balz aus.

Ich sah später Nachtigallen, viele, viele Nachtigallen – in Sotschi am Schwarzen Meer, in Karelien, und dort war es womöglich wieder der Sprosser, und ich sah Nachtigallen auf Naxos und Santorin in der Agäis, Nachtigallen in Kiew am Dnjepr, und ich sah Nachtigallen in einer Mühle bei Wusterhausen an der Dosse und im Nikidskij Sad auf Jalta – viele hundert Nachtigallen, aber alle waren grau gefiedert, keine war blau, und ich war verwundert, daß ich nun, nach so langer, langer Zeit, wieder eine blaue Nachtigall sah, just, als ich mich aus den Armen einer Geliebten löste; ich sagte es schon, und daß ich es wieder sage, zeugt von meiner Verwunderung.

Die Sache aber war die: Ich wollte eine Geschichte schreiben, und ich dachte tagelang an nichts als an diese Geschichte. Ich schlief wenig, und wenn ich schlief, so schlief ich schlecht, und zwei Tage schlief ich gar nicht, und alles, weil ich eine Geschichte schreiben w o l l t e.

Damals brachte mich ein Meister, ein kleiner Auskenner, dadurch, daß er aus mir, seinem Gesellen, ohne Kosten für sich und sein Geschäft, auch noch einen Kellner machte, und indem er, wie ich später erfuhr, bei einem Marsch-Fox eine Dame charterte, die mich für längere Zeit im Moorbad halten sollte, in den ausgemergelten Zustand, in dem einem blaue Nachtigallen erscheinen. Wer aber versetzte mich nun, da ich mich ums tägliche Brot nicht mehr zu sorgen hatte, in den Zustand, dem blaue Nachtigallen entfliegen? Wenn es das Unterbewußtsein war, wie ich dem Zuruf von Gelehrten aus der Psychologen-Branche entnehme, so ist dieses Unterbewußtsein der größte Ausbeuter, den ich je kennenlernte, und dazu einer, der es sich leisten kann, auf eine Geschichte zu spucken, die ich schreiben *wollte*, an der ich tagelang arbeitete und über der ich fast zusammenbrach, um zu einer Geschichte zu kommen, die ich schreiben mußte: Die blaue Nachtigall.

STEFAN HEYM

# Ein sehr guter zweiter Mann

„Robert!"

Der Mann, der unter dem Ventilator saß, wandte sich träge um. Dann erkannte er mich. „Mein Gott!" Er sprang auf. „Wie in aller Welt kommst du denn hierher?" Über die offene Veranda hinweg wies er auf die staubigen Palmen, die dastanden wie die abgekämpften Letzten eines verlorenen Bataillons. Aus dem Lautsprecher, der an einem weißgetünchten Pfosten hing, klangen in monotonem Wechsel monotone Sätze, zuerst in unserer Sprache, dann in der Sprache des Landes.

„Ich bin hergekommen, um über die Sache hier zu schreiben", sagte ich. „Das ist doch einen Artikel wert – besonders für unsere Blätter zu Hause –, daß wir diese Brücke gebaut haben. Immerhin ist unser Projekt den besten Entwürfen der westlichen Konkurrenz vorgezogen worden. Aber wem erzähl' ich das – schließlich bist du der Mann, der die Brücke gebaut hat . . ."

„Der Mann, der die Brücke gebaut hat", sagte Robert, „steht jetzt dort und hält eine Rede."

„Oh!" sagte ich.

„Whisky und Soda?" Robert setzte sich wieder hin und schob Flaschen und Glas über den Tisch. Das stetige Schwirren des Ventilators, der unter der Decke angebracht war, hielt die spärlichen Haare auf seinem sonnengebräunten Schädel in leiser Bewegung. Robert war älter geworden. Hagerer und älter, mit einem sehnigen Hals und müden, rotumränderten Augen. Vielleicht trank er zuviel.

„Und was ist das für ein Mann?“ fragte ich.

„Er heißt Kriwitzky“, sagte er.

„Hoffentlich versteht er von der Technik mehr als vom Reden“, sagte ich.

„Willst du damit sagen, daß du noch nie von Kriwitzky gehört hast?“ erkundigte sich Robert. „Was bist du für ein Journalist! Er hat den großen Viadukt über die Lungfo-Schlucht gebaut und den Damm, der Nord- und Süd-Machabar verbindet, und die Hängebrücke über den Blauen Mvani – du müßtest doch etwas gelesen haben von der Berühmtheit, die unser großer Ingenieur erlangt hat, und von dem großen Ansehen, das er unserer Republik eingebracht hat?“

Er trank.

Ich erinnerte mich dunkel; da hatte in den Zeitungen und Zeitschriften einiges gestanden über diese Brücken, die gleichzeitig auch Brücken waren von unserer sozialistischen Republik zu den von dem Kolonialismus befreiten Ländern, und daß wir nicht bloß technische Kenntnisse exportierten, sondern auch Freundschaft zwischen den Völkern. Nur dachte ich immer . . .

„Ich dachte immer, der Lungfo-Viadukt wäre deine Arbeit, Robert!“ meinte ich. „Hast du mir das nicht selber gesagt, als wir uns das letztemal trafen?“

„Das war vor vier Jahren!“ erklärte er. „Inzwischen bin ich eines Besseren belehrt worden.“

Ich goß meinen Whisky in einem Zug herunter. Mein Buschhemd, so dünn es war, kam mir vor wie eine mittelalterliche Rüstung. Dem Ventilator schien es schwerzufallen, die dicke, heiße Luft zu durchschneiden. Kriwitzkys Stimme klang auf uns herab, voller Würde und Schmelz.

„Bei uns hieß er immer die Maus.“

„Wer?“ fragte ich, erstaunt über sein scheinbares Ab schweifen vom Thema.

„Kriwitzky“, sagte Robert. „Er hat so ein Mausegesicht,

alles läuft spitz auf die Nase zu; aber selbst der Nase fehlt Charakter. Und wenn er schon ankam mit seinen gezierten Schrittchen ... Nein, damals schwang er noch keine Reden. Und wenn er etwas sagte, leitete er es immer mit dem gleichen Satz ein: Natürlich kann ich mich irren, ich bin ja nur der einfache Sohn eines einfachen Arbeiters ..."

„Robert!" wandte ich ein. „Übertreibst du nicht ein bißchen? Oder macht das die Hitze? ..."

Er lachte freudlos. „Geh und schreib deinen Artikel!" sagte er. „Sammle seine Weisheiten und serviere sie – der Leser ist Kummer gewöhnt. Ich kenne Kriwitzkys Rede schon. Du hast noch mindestens fünfzehn Minuten vor dir, mit Übersetzung sogar dreißig, das dürfte dich hinreichend beschäftigen, und ich habe meine Ruhe."

Ich goß mir noch ein Glas ein, ein Drittel Whisky, zwei Drittel Soda, und setzte mich in meinem Stuhl zurecht. Es gibt dort unten diese Stühle mit langen Armlehnen, auf denen man die Füße ausstrecken kann; mit einem Drink daneben ist das in neun von zwölf Monaten die einzige erträgliche Stellung in diesem Lande.

„Also erzähl, Robert", sagte ich. „Ich bin bereits bei meinem Artikel."

Er schaute mich über den Rand seines Glases hinweg an. „Wirklich? Man wird dir die Geschichte nicht drucken; sie ist weder schön noch genügend positiv, noch regt sie zur Vollbringung von Heldentaten sozialistischer Arbeit an."

„Du bist Ingenieur für Stahlbau und ich für menschliche Seelen", sagte ich. „Mach dir daher um mein Fach keine so großen Sorgen. Ich werde das Positive aus der Sache schon herausholen."

„Na schön", sagte er, rieb sich die Augen und knöpfte sein Hemd auf. „Angefangen hat es mit der Verwechslung an der Lungfo-Schlucht. Irgendeiner in unserer Kaderabteilung hatte entschieden, daß Kriwitzky mitkommen müsse. Vielleicht wollte ihn jemand für ein Weilchen los sein, oder jemand hatte ein schlechtes Gewissen, weil der einfache Sohn des einfachen Arbeiters niemals irgendwohin kam, oder vielleicht..."

„Aber du bist doch auch ein Arbeiterkind!"

„Ich habe als Schweißer angefangen", sagte Robert ungeduldig. „Soll ich damit Reklame machen?"

Ich verscheuchte ein paar müde Fliegen, die sich auf meinem Knöchel ausruhen wollten. Ich kannte den Weg, den Robert gegangen war, die schwere körperliche Arbeit am Tage, die durchstudierten Nächte, dazwischen die Jahre im Gefängnis, während Hitler Europa einkassierte...

„Ich hatte nichts für und nichts gegen diesen Mann", fuhr er fort. „Ich empfand höchstens eine Art Mitleid mit ihm – diesem Mäuschentyp, der versuchte, jemand zu sein, und dabei genau wußte, daß er für die Arbeit nicht zu gebrauchen war, und sich dennoch ständig bemüßigt fühlte, eine Meinung zu äußern, und weder Russisch noch Englisch, noch eine der asiatischen Sprachen kannte, und überhaupt verratzt und verraten war... Sooft ich eine freie Minute hatte, übersetzte ich für ihn oder zeigte ihm die Sehenswürdigkeiten oder versuchte ihm einen Begriff zu geben von dem Land, in dem er sich befand, und dem Volk, mit dem er arbeiten sollte. Bis er mir einmal erklärte, daß er als Marxist nicht viel von einem Lande gesehen zu haben brauchte, um zu wissen, was dort los sei. Auch danach zog ich ihn immer noch hinzu, wenn wir mit den einheimischen Ingenieuren verhandelten oder mit den Behörden oder den Arbeitern und ihren Organisationen. Du weißt ja, wie das ist, du weißt, wie die Menschen hier auf Europäer reagieren – sogar auf Europäer aus dem sozialistischen Teil Europas –, und wir zwei waren die einzigen Vertreter unserer Republik. Ich wollte die Leute hier nicht merken lassen, daß einer von den zweien, die zu ihnen geschickt wurden, ein Versager war."

Er schwieg einen Augenblick. Die Stimme aus dem Lautsprecher, die das Nebengeräusch zu seiner Erzählung geliefert hatte, wurde deutlicher. Sie sprach über unsere sozialistische Republik und über dieses vom Kolonialismus befreite Land, die beide durch diese Brücke verbunden wurden, und daß wir nicht bloß technische Kenntnisse exportierten, sondern auch Freundschaft zwischen den Völkern ...

„Als der Lungfo-Viadukt fertig war“, sprach Robert mit geschlossenen Augen weiter, „gab es eine kleine Feier – das Übliche, Reden und Fahnen und ein paar Trinksprüche, und dann wurde ein Band durchschnitten, bevor der erste Zug mit wehenden Flaggen über die Brücke polterte. Wie Weintrauben hingen die Menschen an der Lokomotive! Es war schon großartig, die Lokomotive mit dem roten Stern am Bug! Es war großartig, weil das die erste Lokomotive war, die je die Schlucht überquerte, ganz hoch oben – wie einer von diesen winzigen Käfern auf einem Grashalm, die man auf chinesischen Aquarellen sieht –, und weil sie ein neues Land erschloß für ich weiß nicht wie viele Millionen Menschen ...“

Der Hals der Flasche klirrte hart gegen Roberts Glas; seine Hand zitterte beim Eingießen.

„Nimm es nicht so schwer“, sagte ich.

„Es packt einen eben manchmal“, meinte er, ließ aber offen, was ihn packte.

„Kann man diesen Krach nicht abstellen?“ fragte ich.

Er zuckte die Achseln und fuhr fort: „Ich mußte damals eine Rede halten. Ich versuchte zu sagen, was ich empfand. Ich bin kein besonders guter Redner; ich sehe etwas, ich spüre es bis in die Fingerspitzen, aber ich habe Hemmungen und kann es nicht in die richtigen Worte fassen. Doch damals waren meine Hemmungen wie weggeblasen. Ich dachte an die vielen Menschen, die gemeinsam gearbeitet hatten, an die vielen tausend Bauern, die geschippt und gehackt und mit ihren Karren den Dreck abgefahren hatten, an die Arbeiter, die in schwindelnder Höhe gehangen hatten, nietend und schweißend, in eisigen Stürmen, in der schlimmsten Hitze, in Nächten, in denen man keinen Hund hinausjagen würde. Und ich glaube, ich habe das einigermaßen zum Ausdruck gebracht, denn nachher kamen ein paar von diesen

Bauern und ein paar von den Arbeitern und umarmten mich, als wäre ich ihr Bruder. Und dann, ein paar Tage später, zeigte mir jemand einen Artikel in der Zeitung der nächsten Bezirksstadt und übersetzte mir, daß der weltberühmte Ingenieur B. R. Kriwitzky, den die Arbeiter unserer sozialistischen Bruderrepublik zu uns gesandt hatten und so weiter und so fort, bei der Einweihung des Lungfo-Viadukts, zu dessen Bau er so viel beigetragen hatte und so weiter und so fort, äußerst bewegende Worte fand und erklärte, daß – und so weiter und so fort."

Ich lachte.

„Ich habe damals auch gelacht", sagte Robert. „Was kommt es darauf schon an, habe ich mir gedacht. Irgendein Lokalreporter, der weder den einen noch den anderen von uns kennt, hat sich im Baubüro erkundigt und unsere Namen verwechselt, und so ist Kriwitzky endlich in die Zeitungen gekommen, wenn sie auch in Buchstaben gedruckt war, die er nicht entziffern konnte, und in einer Stadt erschien, die kaum mehr als eine Ansammlung von Lehmhütten war. Ich gab ihm sogar ein Exemplar der Zeitung als Andenken, und er hat es mit vielem Dank eingesteckt."

„Hat er denn das Witzige der Sache nicht begriffen?"

Robert überlegte einen Augenblick. „Vielleicht", meinte er schließlich. „Aber wenn auch, auf wessen Kosten ging der Witz? Jedenfalls glaube ich nicht, daß er Sinn für Humor besitzt. Sonst hätte das, was nachher kam, nie geschehen können."

„Was kam nachher?"

„Diese verfluchte Zeitungsnachricht hat uns verfolgt, den ganzen Weg von der Lungfo-Schlucht bis nach Hause ins Hauptbüro. Als wir in der Hauptstadt jenes Landes eintrafen, war die Geschichte schon bis dorthin gedrungen und begrüßte mich auf der ersten Seite der englischsprachigen Zeitung, die dort erscheint. In Moskau mußten wir das Flugzeug wechseln. Ich hatte gerade genug Zeit, die Abendzeitung zu kaufen – zweite Seite, dritte Spalte: *Brücke von*

*Rekordlänge und Rekordhöhe in Rekordzeit errichtet – Einweihung durch den bekannten Ingenieur B. R. Kriwitzky.* Und als das Flugzeug den Boden unserer kleinen Republik berührte, warteten die Photographen schon auf Kriwitzky, und die Leute von der Wochenschau filmten ihn, wie er die Lauftreppe heruntertrippelte und von sechs kleinen Mädchen in Pionierkleidung mit einem Strauß rosa Rosen begrüßt wurde. Vielleicht hast du's sogar zu Haus im Kino gesehen."

Ich stand auf. Sobald ich außer Reichweite des Ventilators kam, umhüllte mich die erbarmungslose Hitze. Ich ging trotzdem weiter, aus dem Zimmer über die Veranda, aus dem Schatten in die Sonne, bis zu dem weißgetünchten Pfosten. Mit einem Daumendruck ließ ich die große Klinge meines Taschenmessers herausspringen und zerschnitt das Kabel.

Die gesegnete Stille, die dann folgte, wurde durch das Lachen hinter mir, wo Robert saß, zerrissen. Ich ging zu ihm zurück. Ich hob meine Füße wieder auf die Armlehnen meines Stuhls und unterbrach sein Lachen mit einer ärgerlichen Handbewegung und fragte: „Und er? Was hat er eigentlich zu der ganzen Komödie gesagt?"

„Er? Er hat sich gesträubt, mit genau dem richtigen Aufwand an Bescheidenheit – es wäre zu viel Auszeichnung für ihn, und ich müßte die Hälfte seiner Rosen bekommen, und schließlich mußten die Pressephotographen ein Bild von uns beiden aufnehmen, von ihm und von mir, umgeben von den sechs kleinen Mädchen . . ."

„Rührend", sagte ich.

„Rührend", bestätigte Robert.

„Aber bei deiner Firma hätten sie doch Bescheid wissen müssen", sagte ich. „Sie wußten doch, wen sie geschickt hatten, und sie kannten die Fähigkeiten von euch beiden!"

„Gott, ja", sagte er. „Natürlich wußten sie. Aber das Komische an den Menschen ist, daß sich die meisten ihres eigenen Urteils nicht ganz sicher sind. Ich erkannte das an der Art, wie sie mich in der Kaderabteilung ausfragten. Sie haben es niemals ausgesprochen, aber ich konnte es förmlich riechen: Vielleicht war doch etwas dran an der Geschichte, die von der Lungfo-Schlucht gekommen war und die die bedeutendsten Zeitungen unserer Republik gebracht hatten. Vielleicht hatte ich mal Pech gehabt bei der Arbeit oder die Übersicht verloren, oder ich war einfach krank geworden, und Kriwitzky hatte die Leitung übernommen. Deswegen war er ja hingeschickt worden, um sie im Notfall übernehmen zu können, das stimmte doch? Und konnte man einen Bericht, der in unseren wichtigsten Zeitungen erschienen war, einfach so außer acht lassen? Schon hatte jemand von der Regierung angerufen und angedeutet, daß im Hinblick auf die Bedeutung des Lungfo-Projektes für die Freundschaft unserer Republik mit den Brudervölkern der anderen sozialistischen Staaten sowie den vom Kolonialismus befreiten Menschen der unterentwickelten Länder Ingenieur Kriwitzky beim nächsten Staatsfeiertag durchaus eine ehrenvolle Erwähnung, wenn nicht gar für einen mit Prämie verbundenen Orden in Frage kommen könnte."

„Nein!" sagte ich.

„Nein", sagte er, „er hat es nicht bekommen. Damals jedenfalls nicht."

Die Fliegen waren wieder da. In diesem Teil der Welt veranstalteten die Fliegen ganze Völkerwanderungen, und wo der Stammeshäuptling hinfliegt, fliegen sie alle hin, und wo er sich niederläßt, lassen sich alle nieder und trotzen jeder Gegenmaßnahme. Die Fliegen saßen wieder auf meinem Knöchel.

„Du mußt sie marinieren", schlug Robert vor. „Versuch's mit Whisky."

Ich griff nach der Flasche, füllte mein Glas und schlug mit meinem Notizbuch auf die Fliegen ein. „Ich werde mich lieber selber marinieren", sagte ich. Der Einband meines Notizbuches war mit toten Fliegen beklebt. Der Häuptling der Fliegen führte sein Gefolge auf den Lampenschirm, zwecks Umdisponierung der Truppe.

„Warum hast du geschwiegen und kein Wort gesagt?“ fragte ich.

„Warum?“ Robert runzelte die Stirn. „Wahrscheinlich weil es zu peinlich gewesen wäre.“

„Peinlich! Auch noch! Der Tag, wo wir uns Empfindsamkeit und andere edle Gefühle leisten können, wird kommen; wir arbeiten darauf hin; aber es wird noch ein paar Jahre dauern.“

„Nun“, sagte er, „versetze dich in meine Lage! Auf der einen Seite stehe ich, ein Fachmann von Renommee, bekannt, geschätzt wegen einiger sehr großer Projekte, und schlage Lärm wegen einer Sache, die letzten Endes nichts weiter ist als ein Druckfehler. Und auf der anderen Seite Kriwitzky, das Mäuschen, der einfache Sohn eines einfachen Arbeiters, und er hat seine erste Chance bekommen, sich draußen zu bewähren, und ich erdrücke ihn. Ich sage, er hat überhaupt nichts beigetragen zu dem Viadukt über die Lungfo-Schlucht, alles habe ich selber geleistet, einschließlich der Abschlußrede. Wie hört sich das an? Gut oder schlecht?“

„Schlecht“, sagte ich.

„Na also“, fuhr er fort. „Dazu kommt, daß sie ihn immer übersehen haben, weil er so klein ist und so mäuschenhaft und gehemmt. Aber andere, so fürchten sie, haben ihn nicht übersehen – ein Reporter in dem fremden Land dort an der Lungfo-Schlucht, dann Dutzende von Redakteuren, und jetzt sogar jemand vom Ministerium. Womöglich haben sie einen Fehler gemacht? Sie sind unsicher. Ihr Gewissen macht ihnen zu schaffen. Ein Wort von mir gegen ihn, und sie würden noch entdecken, daß sie schon immer gewußt haben, wer der größte Ingenieur der Republik ist, und daß Leute wie ich sich verschworen haben, Kriwitzky nicht hochkommen zu lassen.“

„Ich verstehe“, sagte ich.

„Aber gewiß verstehst du“, sagte Robert, trank, wischte sich mit dem Handrücken den Mund und dann die Stirn. „Aber gewiß verstehst du – und er verstand auch. Er spielte seine Karten richtig aus. Er bezwang sich, obgleich er fast platzte im Bewußtsein seiner neuen Persönlichkeit. Er trippelte immer noch herum und leitete seine abgedroschenen Bemerkungen in der üblichen Weise ein, aber seine Bemerkungen wurden häufiger und ihr Ton autoritativer, und bei den Konferenzen in unserm Büro saß er manchmal mit großartiger Geste da, den Arm über die Rückenlehne des Stuhls gehakt."

Robert drapierte sich in seinem Stuhl und zauberte allein durch seine gewundene Haltung eine perfekte Mischung von Eitelkeit und falscher Bescheidenheit hin. Eine Sekunde später schlug er auf die Fliegen ein, die sich auf seinem verschwitzten Nacken niedergelassen hatten, und der widerliche Eindruck war verschwunden.

„Dann kam der Machabar-Damm", sagte er, „und die Frage, wer dort hingehen und die Verantwortung für den Bau übernehmen sollte. Bist du mal über den Damm gefahren?"

Ich schüttelte den Kopf. „Aber ich habe gelesen, daß es eine sehr schwierige Arbeit war."

„Leicht war es nicht", sagte er. Die Fliegen hatten sich davongemacht, und er war wieder ruhig geworden und trank in kleinen Schlucken. „Nicht etwa, daß die Bucht von Machabar besonders tief wäre; aber sie hat praktisch überhaupt keinen Grund. Was man auch hineinkippt, wird vom Schlamm aufgesaugt. Unheimlich! Und ein Teil des Damms mußte als Drehbrücke gebaut werden, damit die Schiffe vorbeikommen."

„Also hat man dich geschickt?"

Er nickte.

„Zusammen mit Kriwitzky?"

Er nickte wieder.

„Und du hast dir das gefallen lassen?"

Er trank. Er wollte das Glas von neuem füllen, aber die Flasche war leer, und er warf sie durch die Tür. Sie fiel auf die Veranda und rollte die Treppen hinunter.

„Wir hören wohl besser mit dem Trinken auf", sagte ich.

„Du begreifst nicht", sagte er. „Du begreifst überhaupt nicht, worum es geht. Es gibt in der ganzen Welt vielleicht ein halbes Dutzend Männer, die den Damm hätten bauen können, und nur ein einziger davon ist Bürger unserer Republik ..."

„Um so eher hättest du deine Bedingungen durchsetzen können!" warf ich ein.

Er winkte ab. „Sie luden mich zu einer kleinen Besprechung mit dem Leiter der Kaderabteilung ein", sagte er, „in der Gegenwart von noch ein paar anderen hohen Tieren. Sie beglückwünschten mich zu dem großen Projekt, das sie mir anvertrauten, und erzählten mir, was für eine Aufgabe und von welch politischer Wichtigkeit es wäre und daß sie sicher seien, ich würde es so glänzend schaffen wie immer, und daß sie sich schrecklich freuten, das gleiche Kollektiv hinschicken zu können, das bei der Lungfo-Schlucht so harmonisch zusammengearbeitet hätte ... Da unterbrach ich sie."

Er schwieg einen Augenblick. Er kicherte in sich hinein. Seine Augen suchten den Whisky, fanden keinen, wurden ärgerlich.

„Aber warum denn nur? fragten sie mich. Was hätte ich gegen Kriwitzky einzuwenden? Der Mann fände nur Anerkennung für mich; er liefe herum und erzählte jedem, was für ein großartiger Ingenieur ich wäre und wie ich die Arbeiter begeistert hätte und daß er überzeugt sei, ohne mich wäre man heute noch bei dem Versuch, die Lungfo-Schlucht zu überbrücken – und ob ich mich nicht ein wenig zu subjektiv verhalte in bezug auf einen unglückseligen Irrtum eines fernen Zeitungsreporters ..."

Er bemerkte mein Grinsen.

„Keine Sorge!" sagte er. „Ich habe ihnen die Meinung gesagt. Ich habe ihnen gesagt, sie sollten Kriwitzky Pissoirs bauen lassen, aber für den Damm tauge er nicht. Ich sagte ihnen, sie sollten ihn zum Nordpol schicken, aber nicht an die Bucht von Machabar. Ich sagte ihnen ..."

„Und sie?"

„Sie lächelten. Sie klopften mir auf den Rücken. Warum ich bloß so störrisch wäre, sagten sie. Und ob ich wirklich mich und mein eigenes Urteil über das des Kollektivs stellen wollte? Das Kollektiv sei der Meinung, daß Kriwitzky und ich, selbst bei einigen persönlichen Gegensätzen, großartig zusammenarbeiteten, und wenn Kriwitzky vielleicht auch nicht der allerbeste sei, so müsse man doch bedenken, daß er nur der einfache Sohn eines einfachen Arbeiters wäre, und objektiv betrachtet, wäre es doch eigentlich meine Pflicht, ihm bei seiner Weiterentwicklung zu helfen ..."

Er brach ab. „Ich bin völlig ausgedörrt von dem vielen Gerede", sagte er. „Ich muß noch etwas zu trinken haben."

„Trink Limonade", sagte ich. „Oder Tee."

Er schüttelte sich. „Du kennst das doch", sagte er. „Wenn sie eine Weile auf dir herumgeritten sind, wirst du langsam weich. Du fängst selbst an zu glauben, daß du die Dinge vielleicht doch nicht richtig siehst und daß du dich möglicherweise doch geirrt haben könntest und daß du deine persönlichen Zuneigungen und Abneigungen nicht mit dir durchgehen lassen darfst und daß größere Dinge auf dem Spiel stehen als die Frage, ob Kriwitzky mit an die Machabar-Bucht kommt oder nicht ... Aber ich bestand darauf, daß absolut und hundertprozentig klargemacht würde, wer der Chef ist; und sie sagten, selbstverständlich, und wenn das meine ganze Sorge wäre, dann sollte ich es schleunigst vergessen ..."

Er stand auf. Er faltete eine Zeitung der vorigen Woche zusammen und begann damit auf die Fliegen einzuschlagen, wild, unsystematisch, aber mit großer Wirkung. Endlich fiel er atemlos auf seinen Stuhl zurück.

„Nach unserer Ankunft in der Bucht von Machabar", sagte er, „stellte ich fest, daß jedem von uns beiden genau die gleiche Stellung gegeben worden war."

„Das war zu erwarten", sagte ich. „Ich bin ein großer Freund der kollektiven Arbeit und des kollektiven Denkens, aber wenn jemand das Kollektiv als Knüppel über deinem Haupt benutzt, dann ist gewöhnlich etwas faul an der Sache. Warum hast du nicht auf der Stelle kehrtgemacht? Warum bist du nicht nach Hause geflogen und hast ihnen erklärt, sie sollen Kriwitzky den Damm bauen lassen?"

„Das meinst du doch nicht im Ernst?" sagte er. „Ich bin Ingenieur!"

„Ich verstehe!" sagte ich. Ich blickte ihn an, seinen dürren Hals, seine müden Augen, die eingesunkenen Wangen, und ich erinnerte mich, wie er vor wenigen Jahren noch ausgesehen hatte, straff und stämmig. Und ich wußte, daß er einen Teil seiner selbst hingegeben hatte an die Stahlträger, die sich über die Lungfo-Schlucht schwingen, und an den Beton des Machabar-Damms und an die Kabel, die die Brücke über den Blauen Mvani halten, und an alles, was er mitgeholfen hatte zu bauen, damit die Welt wohnlicher werde. „Ich verstehe", sagte ich noch einmal.

„Ich hatte in der Machabar-Bucht nicht viel Zeit, mich um Kriwitzky zu kümmern", begann er wieder. „Ich steckte bis über beide Ohren in der Arbeit. Jede Stunde war ein anderes Problem zu lösen, und der Damm wuchs und mit ihm die Menschen, die daran arbeiteten. Ich begegnete Kriwitzky nur gelegentlich. Er hatte ein Motorboot für sich organisiert und ein verkrachtes, versoffenes Subjekt als Dolmetscher gefunden, und überall dort, wo er Leute bei der Arbeit fand, erschien er mit seinem Boot und sah zu, Arme in die Hüfte gestemmt und seinem schwankenden Adjutanten zuweilen bedeutsam zunickend. Manchmal richteten die Leute über diesen Kerl eine Frage an ihn, und Kriwitzky gab dann eine jener Antworten, die alles bedeuten konnten und die durch die Übersetzung noch unverständlicher wurden. Es war sehr eindrucksvoll, und das Verwaltungspersonal begann zu ihm aufzublicken. Ein Mann, der nichts anderes zu tun hatte, als in einem Boot herumzufahren und anderen Leuten bei der Arbeit zuzusehen, mußte ein wahrer Chef sein. Die örtlichen Beamten fingen an, sich an ihn zu wenden, und bald lud er sie ein zu Rundfahrten durch den Bau und erklärte ihnen den Fortschritt der Arbeit entsprechend seinen begrenzten Fähigkeiten und den begrenzten Möglichkeiten seines Übersetzers. Eines Tages hörte jemand zufällig, wie er zu einem beturbanten, juwelenbehängten Ehrengast, der mich bemerkt hatte und Näheres wissen wollte, erklärte: Ach der . . ., das ist auch ein Ingenieur, . . . ein sehr guter zweiter Mann . . . Ich erfuhr das erst ein paar Tage darauf, und irgendwie kam ich nicht dazu, Kriwitzky zur Rede zu stellen, und der Mann, der mir das berichtet hatte, war inzwischen fort, so daß nichts übrigblieb als unbewiesene Worte, und womöglich hätte Kriwitzky alles abgestritten oder auf seinen betrunkenen Dolmetscher geschoben . . .“

„Und nach der Fertigstellung des Dammes“, fragte ich, „wer hielt da die Rede?“

Robert senkte den Kopf. „Wir beide.“ Wenn es je einen Augenblick gegeben hat, wo ich mich für ihn schämte, dann jetzt. „Ich sprach am Anfang der Feier und er am Ende.“

Ich griff in die hintere Hosentasche und stellte das flache Fläschchen vor ihn hin, das ich für Notfälle stets bei mir habe.

„Danke“, sagte er.

„Bitte“, sagte ich. Und dann: „Also habt ihr beide gesprochen. Aber in den Zeitungen zu Hause, nehme ich an, wurde nur sein Name erwähnt und deiner nicht. Stimmt's?“

„Ja.“

„Und was geschah dann?“

„Gar nichts. Wir kamen zu Hause an, und das Blaue-Mvani-Projekt wartete schon auf uns.“

„Uns?“

Robert entkorkte meine Flasche. „Diesmal versuchten sie nicht mehr, schonend zu sein. Sie sagten, Kriwitzky hätte bewiesen, daß er eine Chance verdiente. Sie hätten eine Menge Berichte von den örtlichen Behörden in der Machabar-Bucht bekommen, und die waren allesamt des Lobes voll über Kriwitzkys Arbeit. Sie beabsichtigten, Kriwitzky zum

Chef des Projekts am Blauen Mvani zu machen, und verlangten von mir, daß ich mitgehe, um die praktische Seite der Arbeit zu leiten, während Kriwitzky sich sozusagen der Gesamtleitung des Projektes widmen sollte."

„Ein ziemliches Stück!" sagte ich.

Er schnupperte an meiner Flasche. Der Geruch schien ihn zu befriedigen. „Hol's der Teufel!" sagte er. „Da fiel mir doch diese Bemerkung Kriwitzkys wieder ein, und ich fragte sie, ihr meint also, ich wäre ein sehr guter zweiter Mann."

Ich lachte.

„Sie blickten einander an", sagte er, „und dann blickten sie Kriwitzky an, und dann sagten sie, na ja, so ungefähr. In diesem Augenblick hakte sich Kriwitzky von seinem Stuhl los und trippelte zu mir herüber und sagte, das käme für ihn gar nicht in Frage. Für ihn gäbe es keinen ersten und keinen zweiten Mann, es gäbe nur das Kollektiv, und entweder gingen wir beide zum Blauen Mvani, oder er bliebe auch hier. Es war eine herrliche Szene."

„Er muß eine höllische Angst vor dem Blauen-Mvani-Projekt gehabt haben", sagte ich.

„Es war eine herrliche Szene!" wiederholte Robert. Er goß etwas von dem Inhalt meiner Flasche in sein Glas und lauschte dem Blub-Blub. „Der Leiter der Kaderabteilung kam hinter seinem Schreibtisch hervor und ergriff meine Hand und legte sie in Kriwitzkys Hand und sagte, wir sollten uns die Hände schütteln, und wies darauf hin, um wieviel großzügiger Kriwitzkys Verhalten wäre als meines damals vor unserer Abreise zum Machabar-Damm und daß Kriwitzky uns allen ein praktisches Beispiel unserer neuen Ethik gegeben hätte und daß jeder von uns daraus lernen sollte."

„Warum hast du nicht einfach Schluß gemacht?" sagte ich.

Robert trank. Er goß meinen Whisky in einem Zug herunter, ohne Soda. „Weil ich wußte, wie wichtig dieses Blaue-Mvani-Projekt war", sagte er, „für das Land dort und für unseres. Und weil ich ein verantwortungsbewußter Bürger einer sozialistischen Republik bin", fügte er hinzu.

Er verfiel in Schweigen. Der Häuptling der Fliegen hatte beschlossen, seine Truppen zurückzuziehen, und nur noch die Flügel des Ventilators und die leicht schwankenden Kronen der Palmen bewegten sich. Dann kamen Stimmen, eine davon in unserer Sprache. Die Einweihungsfeierlichkeiten schienen beendet zu sein.

Draußen verabschiedeten sich Leute mit viel Lärm voneinander, dunkelhäutige und solche mit hellerer Gesichtsfarbe. Nur ein einziger Mann kam näher. Er trippelte die Stufen herauf, betrat die Veranda und dann den Raum. Er sah mich und zögerte.

„Dies", sagte Robert, „ist Ingenieur Kriwitzky." Und auf mich zeigend, erklärte er Kriwitzky, daß ich gekommen sei, um über die Eröffnung der neuen Brücke und über die Einweihungsfeier zu schreiben.

„Aber ich habe Sie draußen doch gar nicht gesehen", sagte Kriwitzky zu mir, mit einem leicht argwöhnischen Unterton und einem vorsichtigen Blick auf Robert.

„Ein guter Journalist", erwiderte ich, „kann sich sein Material überall besorgen." Ich sah ihn mir an. Die Leute, die ihn die Maus getauft hatten, hatten gar nicht unrecht, aber seither war die Maus fett geworden, aufgeschwemmt durch die Körner des Erfolges und den Speck der Selbstzufriedenheit. „Also Sie haben diese Brücke gebaut, Herr Kriwitzky?" erkundigte ich mich gleichgültig.

Wieder warf Kriwitzky einen Blick auf Robert. Seine Unsicherheit war offensichtlich.

„Nun, Sie sind doch der Chefingenieur", fragte ich weiter, „nicht wahr?"

„Bin ich, ja . . ."

„Also haben Sie die Brücke gebaut!"

„Ja", sagte er, „sozusagen . . . Sie wissen ja . . ., es sind doch immer die Arbeiter . . . Ich selbst bin nur der Sohn eines einfachen Arbeiters . . ."

„Wenn also Sie es sind, der die Brücke gebaut hat“, fragte ich, „was denken Sie, wird sie halten?“

„Halten?“

Kriwitzkys Gesicht zog sich zur Nase hin zusammen und schien zu etwas Verschrecktem, Häßlichem einzuschrumpfen. „Halten?“ sagte er verwirrt und beleidigt. „Was meinen Sie damit?“

„Nun“, wandte ich mich an Robert. „Was glaubst du? Wird diese Brücke nicht einstürzen?“

Robert hob sein Glas. Ein Finger breit Whisky war noch drin. Ein langsames Lächeln breitete sich über die Falten seines Gesichts.

„Wie kann die Brücke halten“, beharrte ich, „wenn *er* sie gebaut hat?“

„Mach dir da keine Sorgen!“ sagte Robert. „Die Brücke stürzt nicht ein!“ Er trank und schmetterte das Glas gegen den Türpfosten, als wollte er diesen statt der Brücke taufen. Er schaute Kriwitzky an, der sich geduckt hatte. Er lachte. „Die Brücke wird stehen“, sagte er, „weil sie von Menschen gebaut wurde, von unseren Arbeitern und von den Menschen hier – und weil ich ein sehr guter zweiter Mann ...“

Seine Stimme erhob sich –

„... und weil ich Kommunist bin!“

STEPHAN HERMLIN

# Die Kommandeuse

Am 17. Juni 1953, kurz vor Mittag, betraten zwei Männer die Zelle einer gewissen Hedwig Weber in der Saalstedter Strafanstalt und machten, als die Weber auf die Frage nach dem Grunde ihrer Haft erwidert hatte, sie habe fünfzehn Jahre abzusitzen wegen Verbrechens gegen die Menschlichkeit, ihr mit den Worten: „Solche wie Sie suchen wir gerade!" die Mitteilung, sie sei frei.

Spät am Vorabend hatte die Prostituierte und Kindesmörderin Rallmann, die in der darübergelegenen Zelle saß, sie mit dem verabredeten Zeichen ans Fenster geholt. Die Weber hatte sich am Fenster hochgezogen und ein Flüstern gehört, in der Stadt werde gestreikt. Sie wollte zurückfragen, aber die Rallmann war schon weggesprungen. Frühmorgens, während der Freistunde, war zum erstenmal etwas zu ihnen herübergedrungen wie Singen und Rufen. Die Weber hatte faul, unwillig gedacht, was die wohl wieder einmal feierten, sie hatte dann in Gedanken nach dem Datum gesucht, das ihr nicht einfallen wollte, und wozu auch, die erfanden ja immer neue Feiertage. Während sie jetzt den Männern gegenüberstand, schien ihr, als sei die Freistunde heute kürzer gewesen als sonst. Sie hatte dann ein, zwei Stunden später erneut vielstimmigen Lärm gehört, viel näher als sonst, schärfer, bestimmter, aber ohne deutliche Worte. Die Weber hatte vor ein paar Jahren einmal wegen Diebstahls vier Monate im Gefängnis gesessen. Jetzt hatte im Strichkalender an der Wand die achtundzwanzigste Woche begonnen. Sie saß lange genug, um gegen die Geräusche der Haft abgestumpft zu sein. Der Flügel der Strafanstalt, in dem die Frauen untergebracht waren, lag ein gutes Stück von der Straße weg. Das, was gelegentlich von draußen hereindrang, wurde von ihr nicht immer genau erkannt, es war auch nicht wichtig an sich, es wurde nur zum Anlaß, in einen Gedanken, eine Vorstellung hineinzuspringen, wie man auf eine fahrende Bahn springt: man brauchte sich nicht weiter zu rühren, man war drin, alles kam von selbst auf einen zu. Sie träumte dann wild, gierig vor sich hin, aber doch ohne Ziel, ohne Glauben. Auch heute früh hatte sich daran gar nichts geändert, nicht einmal, als die Rallmann sie wieder ans Fenster geholt hatte: sie sehe Rauch. Die Weber konnte keinen Rauch sehen. Was denn, es war leichter Südwind und heiß, die Sonne drückte den Rauch von der Pumpenfabrik herunter. Der Rauch war in ihr selbst, ein Nebel breitete und breitete sich in ihr aus, sie hörte ein Hasten in den Gängen und dumpfe Schläge von unten zwischen dem Lärm der Menge. Dann kam von weit her ein Schrei, den die Weber kalt registrierte: es war ein unmenschlicher Schrei, wie ihn nur ein Mensch ausstoßen kann.

In den Zellen war es bisher still geblieben. Jetzt begann dort ein Sprechen, laut, hastig, mit schrillem Lachen; es kam näher mit Schritten und dem Schließen von Türen. Dann klirrten Riegel, und die Weber sah die beiden Männer. Der sich nach dem Grund ihrer Strafe erkundigt hatte, war jung, hübsch, groß; an dem anderen, Älteren, fiel ihr nur der Blick auf, der dem ihren, als sie antwortete, ganz schnell begegnet war. Der Blick streifte sonst immer um Haaresbreite an einem vorbei, aber auf Leute mit diesem Blick war Verlaß. Die beiden standen in der Tür; sie trugen Baskenmützen und Sonnenbrillen, und hinter ihnen sah man Häftlinge den Gang hinunterlaufen. Sie erkannte die Inge Grützner aus dem oberen Stockwerk, die ihr über die Köpfe der beiden Männer weg lustig zuwinkte und auch schon verschwunden war. In der Weber lief eine rasende Folge von Glaubenwollen und Nichtglaubenkönnen ab. Dieser Nebel, das, was sich in ihr breitmachte und blähte, war eine wilde, verworrene Sucht zu schreien, zu toben, etwas in Trümmer zu schlagen. Die Männer sagten, in Berlin und überall sonst seien große Dinge im Gang, die Regierung sei gestürzt, die Kommune gehe stiften, die Amis seien schon im Anrollen.

„Und der Russe?"

„Der Russe will doch keinen Krieg haben wegen Ulbricht", sagte der Hübsche und betrachtete pfeifend die Wände, als sei da wer weiß was zu sehen. „Der geht auf die Weichsel zurück."

„Leute wie Sie", sagte der Ältere, „können wir brauchen. Sie müssen in den Saalstedter Führungsstab. Ich kann jetzt schon sehen, was alles sich uns an den Hals schmeißen wird. Da braucht man Leute mit Erfahrung und Überzeugung."

Die Weber fragte aus ihrem Nebel heraus: „Sagt ihr auch die Wahrheit? Bin ich wirklich frei?" Die beiden lachten.

Die Weber hörte den Lärm in den Gängen und auf der Straße, ihr war, als höre sie plötzlich eine halbvergessene Musik, das Gellen der Pfeifen über dem Knattern der Trommeln, das den folgenden Marsch einleitete, und diese Musik eingebettet in tobendes Heil-Gebrüll, das sich von Straße zu Straße fortpflanzte, und in diesem Moment war sie aus dem Nebel heraus. Sie sah deutlich und gleichgültig auf die sieben Monate in dieser Zelle zurück, in der sie fünfzehn Jahre hatte verbringen sollen, und auf die sieben Jahre vor diesen sieben Monaten, voller Angst, Verstellung, Hoffnungslosigkeit, voll unausdrückbarem Haß auf alles, was sie unter sich geahnt hatte und nun über sich sah, auf diese neuen Leute in den Verwaltungen und ihre Zeitungen und Fahnen und Wettbewerbe und Spruchbänder. Diese ganze Zeit war ein langer Alptraum gewesen mit unbegrenzten, unbegrenzbaren Drohungen, vor denen man nicht fliehen konnte, weil etwas in einem nicht an die Möglichkeit einer Flucht, einer Änderung glaubte. Alte Verbindungen hatte sie nicht gesucht. Sie hörte nur regelmäßig bei einer Bekannten, die nicht wußte, wer sie war, am Radio die Suchmeldungen der Kampfgruppe.

Sie hatte ein, zwei Namen gehört, die sie von früher kannte. Eines Tages hörte sie ihren eigenen Namen: „Gesucht wird die Angestellte Hedwig Weber, zuletzt gesehen im März 1945 in Fürstenberg." Sie hätte sich fast verraten. Es war auch klug, daß sie „Fürstenberg" sagten, das gleich neben Ravensbrück liegt.

Sie hatte ein paarmal in Fabriken angefangen, es aber immer schnell satt bekommen mit den Leuten und auch mit der Arbeit. Die falschen Papiere, die auf den Namen Helga Schmidt lauteten, zwangen sie in eine aus tausend Einzelheiten bestehende fremde Vergangenheit, von der sie nichts wußte. Sie hatte Geschichten mit Männern gehabt, damit die Zeit schneller verging. In Magdeburg hatte sie jemand kennengelernt, der sie an den Oberscharführer Worringer erinnerte, mit dem sie in Ravensbrück ein Verhältnis gehabt hatte. Als sie nach dem Diebstahl einer Rolle Kupferdraht zu vier Monaten verurteilt worden war, hatte sie sich zum erstenmal beruhigt – die Strafgefangene Schmidt konnte man nicht mehr beobachten, man konnte ihr keine Fragen stellen, sie brauchte nicht mehr zu befürchten, auf der Straße erkannt zu werden. Sie hatte danach von ihrem Vater aus Hannover einen Brief bekommen – dort kümmerte sich kein Mensch um einen, im Gegenteil, seine frühere Tätigkeit im Reichssicherheitshauptamt sei für die Justizverwaltung eigentlich eine Empfehlung gewesen, er könne nicht klagen, aber sie solle lieber noch nicht kommen, er habe noch Schwierigkeiten mit einer Neubauwohnung. Sie hatte dieses Leben bald wieder so über, mit den blauen Hemden und dem ganzen Betrieb von Unterschriftenlisten und Kultur und Fakultäten und Ferienheimen und den Volkspolizisten auf ihren Lastwagen und mit dem Gelaufe nach einem Stück Wäsche, das einfach nicht aufzutreiben war, und vor allem hatte sie das Gehen auf der Straße und das Sitzen im Café satt, wo sie immer darauf achten mußte, nicht aufzufallen und das Gesicht möglichst im Profil zu zeigen – sie hatte das alles so über, daß sie ernsthaft daran dachte, einfach nach Hannover zu fahren, obwohl sie fürchtete, dort eher gesucht zu werden als hier, wo sicher niemand mehr sie vermutete. Aber damals war geschehen, was sie tausendmal ins Auge gefaßt und erwogen und gerade aus diesem Grund schließlich für unmöglich gehalten hatte: ein ehemaliger Häftling hatte sie hier in Saalstedt auf der Straße erkannt, als sie einen Laden verließ, sie war festgenommen und zu fünfzehn Jahren Zuchthaus verurteilt worden.

In diesem Augenblick jetzt sagte sich die Weber, daß Alpträume nicht ewig dauern und daß, was oben war, wieder oben sein wird. Es hatte einfach so kommen müssen. Sie mußte lächeln, weil ihre Hand unwillkürlich, vielleicht schon eine ganze Weile, eine ihr seit langem vertraute bestimmte Bewegung vollführte: sie schlug mit einer unsichtbaren Gerte gegen einen unsichtbaren Stiefelschaft.

„Auf den Blümlein können Sie sich verlassen. Der weiß, was gespielt wird“, sagte der Hübsche, „der war noch gestern in Zehlendorf. Der hört das Gras wachsen. Daher der Name.“ Er lachte wieder.

„Mir scheint, wir können uns überhaupt alle aufeinander verlassen“, sagte der Mann, der Blümlein hieß, bescheiden. „Sie müssen vor allem was anderes auf den Leib bekommen. So fallen Sie zu sehr auf. Na, das können Sie sich bei der HO aussuchen. Kostet heute nichts.“ Er ließ der Weber an der Tür den Vortritt.

Auf dem ersten Treppenabsatz lag die fröhliche blonde Wachtmeisterin Helmke, mit zertrampeltem Gesicht, aber noch atmend.

„Das war bestimmt eine der größten Quälerinnen“, sagte der Hübsche im Vorbeigehen.

Die Weber war nie gequält worden. Niemand war gequält worden in Saalstedt. Das war etwas, was die Weber nie hatte verstehen können, und gerade darum sagte sie jetzt: „Na, und ob . . .“ Dabei bemerkte sie, daß Blümlein einen kurzen Blick zu ihr hinüberschoß. Der Mann konnte lachen, ohne sein Gesicht zu verziehen. Der Blick besagte: Wir beide verstehen uns schon . . . Die Weber verspürte etwas wie Geborgenheit. Das Zuchthaus war nun beinahe leer. Irgendwo hatte jemand einen Radioapparat so laut wie möglich aufgedreht.

„Man hätte Lust, den ganzen Tag am Kasten zu sitzen", sagte Blümlein, „der Rias bringt eine Sondermeldung nach der anderen."

Die Weber erinnerte sich, wie sie die Einnahme von Paris gefeiert hatten und die von Smolensk und von Simferopol und wie die Nester alle hießen. Man darf gar nicht daran denken, dachte sie.

Es trieb sie, irgend jemand Nachricht zu geben von dem, was mit ihr geschehen war. Niemand fiel ihr ein; Worringer hätte es eigentlich sein können, aber er war weg wie eine Erscheinung; einmal hatte es geheißen, er sei in Argentinien. Sie dachte an ihren Vater in Hannover.

„Wartet doch mal eine Minute. Ich möchte einen Brief schreiben." Sie traten zu dritt in eine Art Wachstube, deren Tür weit offenstand. Eine Schreibmaschine lag neben einem umgeworfenen Stuhl ohne Lehne. Durch die leeren Fensterrahmen, in denen noch zackige Splitter steckten, kam ein heißer Wind. Die Weber angelte sich von einem Stoß Papier ein Blatt herunter. Sie fand auch einen Bleistift in einer Schublade. Halb auf dem Tisch sitzend, schrieb sie rasch:

„Lieber Vater, es ist soweit. Der Osten mußte ja mal frei werden. Bald ziehen wir wieder unsere geliebte SS-Uniform an. Dann wird auch die Stunde kommen, da ich meinen Dienst in der politischen Abteilung oder bei unserer Gestapo versehen kann. Gute Freunde haben sich meiner angenommen, bis endgültig unsere Fahne weht. Das wird nicht mehr lange dauern. Deine Hedi."

Sie suchte nach einem Briefumschlag, konnte aber keinen finden. Das kann man immer noch erledigen, dachte sie und schob den Brief in die Tasche.

Auf der Straße wurde sie vom Licht geblendet. Sie hatte nicht gedacht, daß die Straße so leer sein würde. Vor dem

Zuchthaus lungerten noch ein paar Leute herum und sahen ihr nach. Der Lärm war abgelaufen wie Wasser nach einem Sturzregen. Alles war heiß und leer, und sie schwamm wie in einem Element in dieser Leere und in dem heißen Wind, der mit früh gefallenen verbrannten Blättern spielte. An der Ecke der Merseburger Straße hatte ein Trupp einen Bierwagen angehalten. Zwei Männer luden die Kästen ab, andere teilten Flaschen aus an Umstehende und Passanten. Ein Alter in Weste und kragenlosem Hemd nahm die schweißnasse Mütze ab und sah die Weber mit angestrengtem, müdem Blick an. „Kannst ruhig mithalten. Der Ami zahlt alles."

Durch die Straße fuhr langsam ein kleiner Lautsprecherwagen und rief die Einwohner von Saalstedt für sechs Uhr zu einer Freiheitskundgebung auf dem Marktplatz zusammen. Die Weber sah in einem Vorgarten einen Mann, der ein Taschentuch auf dem Kopf trug, in einem winzigen Beet wühlen. Sie sah auch, daß jemand das Fenster schloß, als der Lautsprecherwagen vorbeifuhr. Sie überraschte sich wieder dabei, wie ihre Hand die unsichtbare Gerte pfeifen ließ. Sie wünschte plötzlich, die Leute in den Häusern und Vorgärten und überall sonst vor sich zu haben, den Blick in ihre Gesichter zu zwängen wie auf dem Appellplatz von Ravensbrück. Als sie in die Feldstraße einbogen, stapelte sich vor einem Haus mit eingeschlagenen Scheiben ein Haufen Papier, das sich in einer unsichtbaren Flamme krümmte und schwärzte. Zwei, drei Leute kümmerten sich um das Feuer, das große schwarze Flocken an den Häuserwänden hochtrieb. Aus dem zweiten Stock fiel durch flatternde Gardinen ein verspäteter Aktendeckel knallend auf die Straße. Die Buchhandlung im Erdgeschoß stand offen mit durcheinandergewirbelten Auslagen. Der Hübsche griff sich das oberste Buch von dem Stoß, den ein Bursche in buntem Hemd gerade auf die Straße trug, und entzifferte die Aufschrift: „Tschechoff . . . Noch so ein Iwan. Ab dafür." Sie sahen eine Weile zu, wie die Flamme in dem Band blätterte.

Der Führungsstab befand sich im dritten Stock eines Mietshauses. Man ließ die Weber ein paar Minuten in einem leeren Zimmer warten, dann rief Blümlein sie hinüber, wo die übrigen saßen. Sie kannte keinen von diesen sieben oder acht Männern. Man fragte sie nach Ravensbrück und allem möglichen anderen. Blümlein und ein großer Mann mit kahler Stirn und schweren Lidern schienen die Respektspersonen zu sein; sie konnte sich beide gut in Uniform vorstellen. Später verlangte sie etwas zu essen und zog sich dann im Badezimmer um. Während sie beim Waschen war, dröhnte und rasselte etwas die Straße herunter. Sie stieß das Fenster auf und folgte mit dem Blick der kleinen Kolonne sowjetischer Panzer, während es ihr im Hals trocken wurde. Von hier oben ging der Blick über die Dächer weg, er faßte sogar noch ein Stück des Flusses, weil die Stadt zum Markt und zum Fluß hin abfiel. Es waren jetzt mehr Menschen in den Straßen, man konnte Spaziergänger erkennen und Frauen mit Kinderwagen, als sei Sonntag, es gab auch eine Menge Betrunkener, deren Gegröl dünn und fern heraufdrang, und durch alle Geräusche knirschten die Panzer, mit ihren Kommandanten in den offenen Türmen, gleichmütig und hartnäckig die Straße hinab und verschwanden mit kreischenden Ketten um die Ecke.

Die Weber kehrte rasch ins Zimmer zurück. Es kamen und gingen Leute, manche aufgeräumt, manche kopfhängerisch und flackernd. Einer berichtete, die Pumpenfabrik sei nicht zum Streik zu bringen, die Arbeiter hätten einen Trupp mit Knüppeln vom Fabrikhof getrieben.

„Man muß mit dem roten Pack rechnen", sagte der Mann mit der kahlen Stirn zur Weber. Er zog sie in eine Ecke und fuhr fort: „Nur die Nerven behalten, Parteigenossin . . ." Er sprach halblaut und lächelte. „Merken Sie sich eins: Wir haben auch hier mit allen möglichen Leuten zu rechnen, denen wir nicht fein genug sind oder die uns an die Wand drücken wollen. Wir sind nicht ganz unter uns, verstehen Sie? Auch jetzt heißt es: Legal an die Macht. Noch sind wir nicht soweit. Wir sind nicht das einzige Eisen, das der Ami im Feuer hat. Man muß noch auf das liberale Kroppzeug gewisse Rücksichten nehmen."

Blümlein stellte sich dazu. „Na, Chef, kleiner NS-Schulungsbrief?"

Der Kahlstirnige sprach weiter: „Ich sage Ihnen das, weil Sie heute abend auf der Kundgebung als Vertreterin der politischen Gefangenen sprechen sollen. Also: immer gut auf die Tube gedrückt, aber auf die richtige ..." Die Weber fragte nach den Panzern, wie es mit dem Abzug der Russen sei. „Kommt Zeit, kommt Rat. Die Volkspolizei haben wir weggefegt, die hat sich verkrochen. Die hat ja nicht mal geschossen. Der Russe wird auch noch klein werden." Mit solchen Männern an der Spitze, dachte die Weber, müssen wir es schaffen. Eine Sekunde lang dachte sie sich eine ganze unendliche Zukunft, erfüllt von Aufmärschen, Sondermeldungen, brüllenden, jubelnden Lautsprechern; sie stellte sich eine Menge verschiedenfarbiger, adretter Uniformen vor, die eine zivile Masse neidisch und respektvoll musterte; aus den Giebelfenstern schleiften die langen Fahnen bis fast in die Straße hinunter; sie sah sich selbst, ganz in Weiß, und Worringer, ganz in Schwarz, aus dem Standesamt treten, vor dem sein Trupp Spalier stand. Eine blinde, wilde Wut wischte das Zimmer fort, die Gespräche, die Geräusche. Sie sah sich wieder an der Arbeit, einer genau eingeteilten, auf lange Sicht berechneten, vernünftigen, nützlichen Arbeit: Ermittlungen, Verhöre, später Ravensbrück, das hatte alles seine Ordnung, seinen Sinn gehabt. Nur habt ihr uns noch nicht gekannt, dachte sie, aber das nächste Mal werdet ihr uns kennenlernen. Das andere ist nur ein Vorspiel gewesen.

Sie gingen in Gruppen zu zweit und zu dritt zum Markt. Leute lagen in den Fenstern und sahen auf die Menge hinab, die zur Kundgebung zog. Die Menge ging schlendernd, schwatzend; sie blieb gelegentlich vor den Anschlägen stehen, auf denen der Militärkommandant die Verhängung des Belagerungszustandes verkündete. Die Weber hörte vor einem geplünderten Laden, den eine Gruppe schweigend betrachtete, im Vorbeigehen einen breitschultrigen Mann sagen: „Das kostet nur unser Geld. Lumpenpack . . ."

Eine Stimme erwiderte schnell und spitz: „Wo gehobelt wird, fallen Späne."

Der Mann wandte sich drohend um, aber die Weber konnte seine Antwort nicht mehr hören. Am Eingang zum Markt stießen sie auf die ersten Panzer. Ein kleiner Soldat mit rasiertem Kopf lehnte an der Fassade und drehte sich eine Zigarette. Eine Frau, die vor der Weber ging, spie ihm theatralisch vor die Füße. Der kleine Soldat sah ihr verwundert ins Gesicht und tippte ein paarmal vorsichtig mit dem Finger an die Schläfe. Jemand lachte verlegen.

Man hatte die Rednertribüne an der Rückseite der Marienkirche errichtet und hinter die Tribüne ein weißes Spruchband gehängt, auf dem „Freiheit!" stand. Die Weber hatte nur die Tribüne und das Spruchband im Auge, sie bemerkte kaum die Panzer, die auf allen vier Seiten um den Markt standen; sie kümmerte sich auch nicht um die Menge, die in lockeren Strudeln durcheinanderquirlte. Die Russen hatten die Kundgebung zugelassen. Gut, das würden sie noch bereuen. In ihrem Kopf war ein Gewoge von Glockengeläut und Kommandos auf dem Appellplatz, eine eisige Raserei, in der sie sich an die Stichworte zu klammern suchte, die ihr der Kahlstirnige eingeschärft hatte. Sie hörte Blümlein die Kundgebung eröffnen, einem Redner das Wort erteilen, sie hörte nach einer Weile: „Es spricht zu Ihnen ein Opfer des kommunistischen Terrors, die ehemalige politische Gefangene Helga Schmidt."

Sie begriff erst nach Sekunden, daß sie gemeint war. Es war vielleicht ganz gut, daß man auf diesen Namen zurückgekommen war. Dann vernahm sie eine alte halbvergessene Stimme, ihre eigene: „Volksgenossen . . ." Vielleicht wäre es besser gewesen, mit einer anderen Anrede zu beginnen. Aber nun machte sie keinen Fehler mehr. Es war alles so leicht, als habe sie die ganze Zeit nichts anderes getan als gerade das. Sie sagte, daß die lange Not der Nachkriegszeit, der totalitäre Terror die Bevölkerung Mitteldeutschlands geläutert habe. Dieses Volk wisse wahrhaft, was Freiheit und Menschenwürde bedeute, besonders seine politischen Gefangenen; in den Kerkern und im von Elend und Hunger geprägten Alltag des Regimes sei die unverbrüchliche Verbundenheit zum Abendland erwachsen, die dem Westen die Befreiung der achtzehn Millionen nach Recht und Freiheit Schmachtenden zur Pflicht gemacht habe, jene Befreiung, die jetzt gerade Wirklichkeit werde.

Die Menge lief vor ihrem Blick zu veränderlichen farbigen Flecken zusammen, zwischen denen Streifen des staubigen Pflasters sichtbar wurden. Das werdet ihr uns auch noch büßen, dachte sie, daß wir euch so nehmen müssen. Sie hatte die Empfindung, daß jemand sie beobachte, auf besondere Weise. Sie hakte sich in einem Gesicht fest, dem alten bartstoppeligen Gesicht eines kleinen Mannes in schäbigem Anzug, der mit blassen, ängstlichen Augen zu ihr hinaufsah. Er hatte ein-, zweimal geklatscht, ein-, zweimal den Kopf geschüttelt. Es wurde öfters applaudiert, einmal hier, einmal dort; es war ein zögernder, verwirrter Beifall, der manchmal an der falschen Stelle kam. Sie sprach jetzt zu dem schäbigen alten Mann, als sei er der einzige Zuhörer. Wer bist denn du, dachte sie, jetzt klatschst du, aber wenn es hart auf hart geht, haust du in den Sack. Wer seid ihr denn überhaupt. Verräter und Defätisten wart ihr alle mehr oder weniger. Ihr habt unseren Krieg verloren, weil es euch um euern Fraß ging und um eure vier Wände statt um den Führer und das neue Europa. Und als Schluß war, haben wir euch angewidert, und ihr habt euch denen mit dem roten Winkel und den Bolschewisten an den Hals geschmissen. Ihr seid Mörtel, im besten Fall, wenn es um den Bau von Großdeutschland geht, und ihr wart ein Drecksmörtel beim letztenmal. Jetzt gebt ihr uns den kleinen Finger, ihr Idioten, aber wir nehmen die Hand dazu und alles übrige, und dann drehen wir euch durch den Wolf. Sie sagte laut: „Die Stunde der Abrechnung naht. Die Gnadenfrist der roten Unterdrücker läuft ab. Nur diese Panzer schützen sie noch. Haltet euch bereit: und dann leuchtet ihnen heim mit Kugel und Strick!"

Sie trat einen Schritt zurück. Die Menge brach auseinander. Der alte Mann war fort, ohne sich umzusehen. Gruppen steuerten auf die Nebenstraßen zu. Dicht neben sich hörte sie eine tiefe Stimme das Niederländische Dankgebet singen. Weiter hinten hatten ein paar Leute das Horst-Wessel-Lied angestimmt, und zugleich entstand ein Tumult, der in das Lied einbrach. Man sah einige Männer, die auf die Singenden einschlugen. „Welche von der Pumpenfabrik!" rief jemand. Aber gerade jetzt begann der Platz zu brüllen und zu beben: die Panzerleute hatten ihre Motoren angeworfen und ließen sie auf Touren laufen, sie lehnten an den riesigen Maschinen und lachten. Die Panzer standen an ihrem Platz, nur ihre Motoren donnerten. Die Weber war von der Tribüne gestiegen. Vor ihr gingen die Menschen auseinander, und sie begriff, daß die Kundgebung beendet war. Sie suchte mit den Blicken den Kahlstirnigen, Blümlein, den Hübschen, irgend jemand, den sie kannte. Sie machte ein paar Schritte in Richtung Feldstraße. Da stand sie zwischen zwei jungen Leuten in Trenchcoats, von denen einer sich zu ihrem Ohr beugte, um durch das Motorengebrüll zu sagen: „Hedwig Weber? Bitte folgen Sie uns!" Sie machte keinen Versuch, davonzulaufen oder um Hilfe zu rufen. Niemand hätte sie gehört, niemand achtete auf sie. Es war alles so schnell, so rasend schnell gegangen, daß es nicht wahr sein konnte. Es konnte nicht das Ende sein, es war nicht das Ende. Und sie dachte: Vielleicht laß ich euch noch heute abend baumeln.

Drei Tage später stand sie vor Gericht. In der Nacht vor der Verhandlung hatte sie einen Traum gehabt: Ein ungeheures Glockengeläut war in den Lüften, ein Tosen und Schreien ging durch die Straßen, tausendfacher, unwiderstehlicher Marschschritt hallte vor dem Fenster, ein feldgrauer und khakifarbener Heerwurm durchzog die Stadt. Da ging die Tür ihrer Zelle auf, und ihr Vater erschien in der schwarzen Uniform, mit dem Totenkopf an der Mütze, und sagte: „Hedi, der Führer erwartet dich unten.“ Vor Gericht leugnete sie nicht, denn es gab nichts zu leugnen. Sie war zwei Jahre hindurch Lagerführerin in Ravensbrück gewesen. Sie hatte vorher bei der Gestapo gearbeitet. Man fragte sie, wie viele Häftlinge auf ihre eigene Anweisung hin ermordet worden seien. Sie antwortete, nicht mehr als achtzig oder neunzig. Ja, sie habe auch selber Häftlinge mißhandelt, mit Fußtritten und Peitschenhieben, und habe die Bluthunde auf sie gehetzt. Alles das hatte sie schon einmal gestehen müssen, sieben Monate zuvor, als sie zu fünfzehn Jahren Zuchthaus verurteilt worden war. Sie begriff, aus welchem Grunde man sie alles wiederholen ließ. Der Saal war bis auf den letzten Platz gefüllt, und im Publikum mußten sich viele befinden, die ihre Rede auf dem Markt angehört hatten. Man verlas das Protokoll dieser Rede, man verlas auch den Brief, den man bei ihr gefunden hatte.

Bis zum Beginn der Verhandlung hatte sie eine immer schwächer und schwächer werdende Hoffnung bewahrt, daß der Prozeß nicht stattfinden, daß diese Rote-System-Regierung doch noch über den Haufen geworfen würde. Vielleicht kamen doch noch die Amerikaner, die längst gemerkt hatten, daß sie den Krieg gemeinsam mit Hitler hätten führen müssen, und holten sie heraus. Wenn sie sich setzen konnte und der Verteidiger oder der Staatsanwalt oder irgendwelche Zeugen das Wort hatten, ließ sie sich in einem Strom von Vorstellungen und unhörbaren Verwünschungen treiben. Das Geschwätz da vorn interessierte sie nicht. Die Feiglinge von Amis, dachte sie, fressen wir, wenn wir die Russen und Franzosen und das übrige Gesindel gefressen haben. Sie werden mich zu zwanzig Jahren oder zu Lebenslänglich verurteilen, dachte sie, aber nicht einmal ein Viertel davon werde ich absitzen. Dann sah sie wieder den Appellplatz vor sich und eine gesichtslose Masse in gestreiften Lumpen bis zum Horizont. Und jeden Sommer geht's dann in die Ferien, dachte sie und sah sich mit Worringer in einer Landschaft mit Meer und

Bergen und Palmen, wie sie es auf Bildern von der Riviera gesehen hatte, und zugleich erinnerte sie sich an einen Kameraden, der ihr erzählt hatte, wie sie in der Gegend von Avignon eine ganze Landstraße mit Franzosen behängt hatten, einen an jeden Baum rechts und links. Dann war sie in Gedanken wieder in Ravensbrück, wie sie die Hunde rief und Häftlinge in die Latrinen trieb: „Faß, Thilo! Faß, Teut!"

Die Beratung des Gerichts dauerte nur wenige Minuten. Als man sie in den Saal zurückbrachte, bemerkte sie unter den Zuhörern den kleinen schäbigen Mann, der ihr auf dem Markt aufgefallen war. Sein Gesicht war ihr zugekehrt; sie las darin nichts als Ekel und Haß. Sie dachte, als das Gericht erschien, ganz schnell: Lebenslänglich, lebenslänglich, lebenslänglich. Man hatte sie aufstehen lassen. Sie war zum Tode verurteilt. Durch ein Brausen hörte sie einzelne Worte: das Urteil sei endgültig und sofort vollstreckbar. Sie wollte nicht schreien und umfallen. Zum ersten und letzten Male in ihrem Leben suchte sie in sich vergeblich die unbekannte Kraft, die sie an ihren eigenen Opfern toll gemacht hatte. Da war eine deutsche Studentin gewesen, die sich stumm zu Tode prügeln ließ; eine Russin hatte vorher noch „Hitler kaputt!" gerufen; vier Französinnen waren, die „Marseillaise" singend, zum Erschießen in den Bunker gegangen. Eine Stimme in ihr jammerte um ihr Leben. Da war nur diese Stimme in ihr und eine blutige wüste Leere, als zwei Volkspolizisten sie abführten.

HERBERT JOBST

# Das Puppenauge

Er lief mitten auf der Straße. Zu beiden Seiten dehnte sich die Ebene. Vor ihm lag der Kasernenkomplex. Am rechten äußeren Gebäude konnte er weiße Tücher mit rotem Kreuz erkennen.

Knapp zwei Kilometer, dachte er, genau das Richtige. Aber er lief noch ein gutes Stück weiter, und plötzlich wußte er, daß es schwer sein würde, viel schwerer, als er angenommen hatte. Es war nicht Angst vor dem Schmerz, darüber war er hinaus. Er sah das Gesicht des Arztes, und das Gesicht sagte: Glatter Durchschuß, wie bestellt.

Er wischte ärgerlich das Gesicht weg und dachte: Nur keine Panik, mein Junge, nur nicht die Nerven verlieren.

Er lief nun am Rande der Straße, und als er einen Weg sah, der zwischen Gestrüpp zu einem abgebrannten Haus führte, beschloß er, die Sache dort zu machen.

Er balancierte über ein Brett, sah unter sich den Straßengraben und hörte Wasser glucksen. „Es taut", sagte er, „morgen stehen sie bis zum Bauch im Schlamm."

Er hatte sich vorgenommen, nicht zurückzusehen, nicht dahin, wo er hergekommen war. Aber nun, jenseits des Brettes, sah er doch zurück. Er sah die flache Hügelkette und davor die Ebene. Es stand schlimm für die Männer in der Ebene und gut für die Männer auf der Hügelkette. Er wußte, daß oben Panzer standen und unten nichts, daß man sich oben vorbereitete zum Angriff und unten zum Sterben. Aber er wollte nicht sterben, nicht jetzt, nicht in dieser schlimmen

Ebene. Er lief den Weg hinunter. Mit einemmal endete das Gestrüpp. Er sah das Haus und tiefe, wassergefüllte Granattrichter. Es war kein guter Anblick: umgekippte Wagen mit Matratzen und Geschirr, Hühner und Enten und eine Nähmaschine und ein Hund, da lagen Frauen und Männer und Kinder. Er stieg zwischen ihnen hindurch, immer darauf bedacht, ihnen nicht weh zu tun. Es war die Angst vor den Toten, daß sie wach werden könnten und ihn fragen, was er hier zu suchen habe. Einen Atemzug lang war er entschlossen umzukehren.

Er hörte den Abschuß, ein Säuseln, es schwoll, krachte und donnerte. Vor ihm stand eine Feuerwolke. Er ließ sich fallen und legte beide Arme schützend vor den Kopf. Er hörte Splitter surren, Dreckklüten klatschen auf seinen Rücken. Es war nicht aufregend, er war lange genug Soldat und verließ sich auf seinen Instinkt. Sein Instinkt sagte: Sie kleckern die Gegend ab, der nächste liegt drüben auf der Straße.

Er hob sich auf die Knie und sah zu den Höhen hinüber. Könnte mir gegolten haben, dachte er, vielleicht haben sie mich im Fadenkreuz. Er versuchte sich vorzustellen, wie der Mann aussehen könnte, der ihn von den Hügeln herab beobachtete. Aber dann kam der Drang, aus der Ebene fortzulaufen. Das Haff, dachte er, du mußt hinüber, bevor sie den Sack zubinden.

Der nächste Einschlag lag wirklich drüben auf der Straße und der übernächste weit rechts. Dann schwiegen die Hügel.

Einen Splitter von so einem Ding, dachte er, so ein ganz kleines Splitterchen. Er war nahe daran, die Männer da oben um einen Abgangsschuß zu bitten.

Aber da waren sechs Kriegsjahre und Auszeichnungen, die letzte war fast neu. Ohne seine Nahkampfspange stünden mehr Männer auf den Höhen.

Gewiß, er hätte das Zeug abpflücken und in den nächsten Granattrichter werfen können, dann war es leichter, wenn man mit denen oben ins Gespräch kam. Aber das behagte ihm nicht. Er hatte getan, was all die anderen auch getan hatten, er hatte Großdeutschland verteidigt. Nun war aus Großdeutschland Kleindeutschland geworden, schlimmer: wenige Quadratkilometer Sandkuhle, flach wie ein Brett. Er wußte, wie der Hase lief, und deshalb wollte er sich beim Krieg abmelden.

Um es schnell zu erledigen, ging er um das Haus herum. Zwischen verkohlten Balken und niedergebrochenem Mauerwerk fand er den Einstieg zum Keller. Die Öffnung war sehr schmal. Er steckte seinen Kopf hindurch, die linke Schulter, die rechte, die Brust mitsamt den Orden. Er kannte französische, belgische und russische Keller, denn Eingewecktes schmeckt in allen Ländern.

Die Düsternis des Kellers war ihm unheimlich. Aber bald hatten sich seine Augen an die Dunkelheit gewöhnt. Er sah einen Herd und Strohhaufen und ein aufgeklapptes Kinderbett, er sah Schränke und Truhen und ein Grammophon, er sah verstreute Kleidungsstücke und Eingewecktes in Gläsern und dicke Steintöpfe. Die Puppe sah er zuletzt. Es war keine großartige Puppe, sondern ein abgegriffenes Dingelchen. Er wollte darübersteigen wie über die Toten oberhalb der Kellermauer. Doch statt den Fuß zu heben, bückte er sich.

Sie gehört einem der Kinder draußen, dachte er, man sollte sie mit dazulegen. Seine Hände umschlossen den Puppenbalg. „Armer Teufel“, sagte er, „armer nackter kleiner Teufel.“

Er sah lange in das Puppengesicht mit den blauen Glasaugen und den Borstenwimpern. Sie sind nachts vom Weg abgekommen, dachte er, und keiner hat sie gewarnt.

Plötzlich drängte es ihn zu schreien. Er riß der Puppe den Kopf ab und schmiß ihn an die Kellerwand, er zerfetzte den Sägespänebalg und schrie: „Verdammter Krieg! Schluß, Schluß, Schluß!“ Der Schrei fegte die Hemmung beiseite. Er ließ sich auf einen Strohhaufen fallen. Alles war lange und gut durchdacht, er mußte nur aufpassen, daß ihm in der Reihenfolge kein Fehler unterlief. Er riß die Schutzhülle vom Verbandpäckchen und legte es rechts neben sich, das

Kommißbrot legte er auf die linke Seite. Es war knochenhart und roch schimmelig. Beim Durchladen der Pistole merkte er, daß seine Hände zitterten. Er legte die entsicherte Pistole auf das Brot und dachte: Zigarettenpause. Im gleichen Moment wußte er, daß es ausgehen würde wie in den vergangenen Tagen. „Diesmal nicht", schrie er, „diesmal knallt's!"

Er legte schnell das Brot auf den Arm und griff nach der Pistole. Du mußt nicht hinsehen, dachte er, du darfst auch nicht daran denken, du mußt ganz ruhig bleiben.

Da war das Gesicht des Arztes, und das Gesicht sagt: Selbstverstümmelung. Er sah eine Schlinge aus Hanfstrick und den Querbalken, von dem sie lang und schwer herabbaumelte. „Bloß das nicht", stöhnte er, „bloß das nicht."

Er hörte, daß etwas ins Stroh fiel, und sah, daß es das Brot war. Er stieß es mit dem Fuß beiseite und zündete eine Zigarette an. Die Einsamkeit des Kellers tat ihm gut. Er sah auf Truhen und Schränke, auf die verstreuten Kleidungsstücke und das Kinderbett. „Die haben es hinter sich", seufzte er.

Die Pistole lag noch immer in seiner Hand. Eine schmale solide Mauser mit geriffelten Griffschalen. Wenn sein Daumennagel darüberfuhr, gab es ein schnarchendes Geräusch. Ihn überkam Müdigkeit, sie war grenzenlos tief und angenehm. Schlafen, dachte er, ungestört pennen. Er drückte die Mündung gegen die Schläfe und kniff beide Augen zu. Es war wie auf dem Schießstand. Er nahm Druckpunkt und wartete auf das Kommando: Feuer frei! Er hörte, wie sie hinter der Deckung rumorten, dann rumpelte die Scheibe hoch. Es war sein eigener Kopf, völlig zerfurcht und zerfaltet. Am schlimmsten war der Mund und die Verzweiflung drumherum.

„Tu's nicht!" schrie der Mund.

Die Scheibe rutschte weg, die Stimme blieb. Er ließ die Mauser fallen. Als er die Augen öffnete und die Frau sah, sagte er einfach: „Danke."

Sie stand klein und schmal hinter dem Kinderbett und sah zerbrechlich aus. Mehr konnte er im Halbdunkel nicht erkennen. Es war ihm nicht peinlich, daß sie alles mit angesehen hatte, er fühlte sich auch nicht überrumpelt. Sie war da, und er fand es gut so. Flüchtig kam ihm der Gedanke, daß er etwas versäumt habe. Wenn nun an Stelle der Frau . . .

Er bückte sich, um die Mauser aufzuheben, denn auf einmal hatte er Angst, daß sie von selbst losgehen könnte. Als er sich wieder aufrichtete, war der Platz am Kinderbett leer. Er stand auf und ging um einen Schrank herum. Der ausgesparte Raum war eng, eine Wohnkombüse. Ohne sich nach ihm umzudrehen, fragte sie: „Hast du Hunger?" Er sagte: „O ja, Hunger hätte ich schon" und sah zu, wie sie dickes Mus aus dem Steintopf nahm und auf eine Brotscheibe häufte.

Das Mus war ausgezeichnet, er kaute lange und gründlich. Sie hockte auf einem Brett und sah zu ihm hin. Ihr Gesicht war ein heller Fleck vor der dunklen Schrankwand. „Setz dich doch", sagte sie. Sie saßen beieinander wie zwei Schiffbrüchige und horchten. Einige Streuschüsse, weit weg. Dann grollten die Hügel von einem Ende zum anderen, der Himmel klagte, orgelte und jaulte. Der Schmiedehammer schlug zu. Die Ebene brüllte vor Schmerz. Als sie sich schutzsuchend an ihn lehnte, spürte er, wie sie litt. „Ich bin nicht feige", sagte er. „Das vorhin . . ." Er wußte nicht weiter.

Langsam flaute das Feuer ab, der Schmiedehammer ruhte. Sie weinte. Er saß mit leeren Händen neben ihr. Du mußt was unternehmen, dachte er. Ihm fiel nichts ein als sein Taschentuch, er hielt es ihr hin und sagte: „Da, nimm." Sie nahm es. Er sah zu, wie sie die Augen trockentupfte und die Nase putzte.

„Die Puppe hättest du nicht kaputt machen dürfen", sagte sie, „nun bleibt mir nichts mehr."

Statt zu antworten, legte er behutsam seine Hand auf ihren Arm.

„Wenn du nicht gekommen wärst, hätte ich Schluß gemacht“, flüsterte sie.

Er riß sie herum und schrie: „Niemals, hörst du? Es ist so ganz genug. Du mußt weg von hier, du mußt alles vergessen. Laß mich das mal machen, ich hab schon ganz andere Sachen geschaukelt!“ Sie ließ ihn reden, endlich sagte sie: „Du hast das Haff vergessen. Man läßt niemand hinüber, nicht mal Frauen und Kinder.“

„Aber Verwundete!“ Es war ihm herausgefahren.

Sie nickte und flüsterte: „Hol das Verbandpäckchen, es muß drüben im Stroh liegen.“

Er horchte lange in sich hinein. Schließlich schüttelte er den Kopf und sagte: „Es tut weh, verstehst du, und die Ärzte sind in solchen Dingen sehr genau.“

„Und wennschon“, schrie sie, „ich will übers Haff, ich halte es hier nicht mehr aus. Geh schon, geh!“

Er stand auf und ging um den Schrank herum und am Kinderbett vorbei zum Strohhaufen und dachte: Das kann sie nicht von mir verlangen, so was kann man doch nicht machen. Mensch, Junge, hau ab!

Wäre die Glaskugel nicht gewesen, hätte er sich durch das Loch in der Kellerwand verdrückt. Das Kügelchen lag im schmalen Licht, er wollte darübersteigen wie über die Toten oberhalb der Kellermauer. Doch statt den Fuß zu heben, bückte er sich. Du hast ihre Puppe kaputt gemacht, dachte er, nun bleibt ihr nichts mehr. Er sah scheu auf das Glasauge in seiner Hand. Als er es in die Hosentasche gleiten ließ, hatte er sich entschieden.

Er fluchte, weil er das Verbandpäckchen nicht gleich fand. Dabei horchte er zum Schrank hinüber und freute sich: nun weinte sie nicht mehr. Weiter so, dachte er, du mußt poltern und krakeelen, das lenkt sie ab.

Als er mit Brotlaib und Verbandpäckchen in der Hand auf sie zukam, sah sie weg. „Die Stulle war gut“, sagte er, „du solltest mir noch eine zurechtmachen, ich habe Hunger wie ein Wolf.“

Sie überhörte das winzige Klick, als er die Pistole entsicherte. „Aber gern“, antwortete sie, „ich mach dir eine. Du mußt aber meinen Arm loslassen.“

„Still halten“, schrie er und drückte ab, sie hörte ihn sagen: „Fürs Haff reicht es, sauberer Durchschuß“, dann wurde es dunkel um sie.

Als sie erwachte, sah sie kahle Äste vor einer zerfaserten Wolke. Die Wolke hing sehr tief, es schien, als habe sie sich in den Ästen verfangen. „Mein Gott“, seufzte die Frau. Sie hatte fast vergessen, daß es Bäume und Wolken gab und einen unendlich weiten Himmel darüber. Da fitzte sich die Wolke los und floh vor den Astspießen über die Straße hinweg zu den Hügeln hinüber. Gleich kam die nächste Wolke, die übernächste. Mit den Wolken kam der Schmerz, und mit dem Schmerz die Angst. Er hat mich liegenlassen, dachte die Frau, ich bin ihm lästig geworden. Sie mühte sich, hochzukommen. Da sah sie, daß er dicht bei ihr saß, und hörte ihn sagen: „Immer sachte, gleich geht die Fuhre weiter. Bloß mal verpusten.“ Sie ließ sich zurückfallen und wurde ganz klein vor Glück.

Wenig später nahm er sie wieder Huckepack. Sie hatte ihren gesunden Arm um seinen Hals gelegt und die Beine in seine Arme gefädelt. Er lief nahe am Graben, den Kopf seitlich, als horche er zu den Hügeln hinüber. Einmal fragte sie: „Bin ich dir nicht zu schwer?“

„Deine paar Pfund“, antwortete er, „wenn das Wasser Balken hätte, würde ich dich ohne abzusetzen übers Haff tragen.“

„Und dann?“ fragte sie.

Es tat ihr fast ein bißchen weh, weil er nicht gleich antwortete. Endlich sagte er: „Zuerst müßte man dich rausfüttern, das andere würde sich finden.“ Sie kniff ihm vor Freude ins Ohr.

Der Kasernenkomplex war mit meterhohen Eisenstäben umzäunt, eine respektable Grenze zwischen Zivil und Kommiß. Aber der Zaun funktionierte nicht mehr, hüben wie drüben die gleiche gespenstische Stille. Verdammt, dachte der Soldat, sie sind getürmt. Wo kriegen wir jetzt Tetanus her, ohne Spritze hält sie nicht durch.

Der Zaun machte einen Knick, gleich dahinter sahen sie das Tor und das Schilderhaus und Laternen mit Gehenkten.

„Das ist nichts für uns!“ keuchte er, aber er konnte seinen Blick nicht losreißen von den Toten und den Pappschildern, die man ihnen umgehängt hatte: *Ich habe mir einen Heimatschuß verpaßt!* und *Hineinschlüpfen und sich wohl fühlen!*

Die Frau umklammerte den Hals des Soldaten und flehte: „Nicht in die Kaserne, bitte, laß mich runter!“

Zwischen den Laternen stand ein Sanitäter. Er hatte Runzeln im Gesicht und einen viel zu großen Stahlhelm auf dem Kopf. „Schuhkarton“, sagte er, „als ob die nicht was anderes gehabt hätten. Dauernd dreht der Wind die Dinger um. Wollt wohl ins Lazarett, he? Wo hat's euch denn erwischt?“

„Wir brauchen keinen Arzt“, sagte die Frau, „nur Verbandstoff. Ein Pflaster würde auch genügen. Ich habe gar keine Schmerzen, wirklich nicht.“ Sie versuchte ihre Beine aus den Armen des Soldaten zu befreien.

„Trotzdem“, sagte der Sanitäter, „wenn ihr schon mal hier seid, würde ich meinen, ihr geht rein. Es ist gleich um die Ecke, wo die Rotkreuzfahnen hängen. Man darf so was nicht auf die leichte Schulter nehmen, liebe Frau. Der da oben zum Beispiel, nicht der mit der Schuhreklame, der andere, hatte, bevor sie ihn henkten, auch bloß einen leichten Kratzer am Arm. Der hätte ihm beinahe das Leben gekostet. Man mußte sich sehr beeilen mit dem Aufhängen.“

„Idiot“, sagte der Soldat, „halt deine Fresse.“

Der Sanitäter zuckte die Schultern und sagte: „So eine junge Frau, so eine arme junge Frau. Ausgerechnet der linke Arm, und womöglich noch mit der Pistole. Davonjagen sollte man euch, ihr Pfuscher, ihr Dreckskerle, ihr Stümper! Als ob es nicht schon genug Gehenkte gäbe.“

Die Frau hatte endlich ihre Beine freibekommen, klein, schmal und tapfer stand sie am Schilderhaus.

„Sie braucht Tetanus", sagte der Soldat. „Kamerad, gib ihr eine Spritze. Sollst es ja nicht umsonst machen. Sieh mal, da ist 'ne Uhr, was? Siebzehn Steine, wasserdicht. Los, sei kein Frosch, nimm schon!"

„Schöne Uhr, schöne Spritze", sagte der Sanitäter. „Haste sonst noch was zu bieten?"

„Meine Pistole", sagte der Soldat, „Mauser, Kaliber sieben Komma fünfundsechzig. Enorme Durchschlagskraft, trifft haargenau. Willst du sie haben?"

„Nee", sagte der Sanitäter, „mit so was geb ich mich nicht ab. Kaliber sieben Komma fünfundsechzig. Die arme Frau, mein Gottchen, die arme Frau."

„Leck mich am Arsch!" fauchte der Soldat. „Du bist kein Mensch, du bist ein Stinktier, ein . . ."

„Still", sagte der Sanitäter, „da rummelt was!"

Ihre Köpfe fuhren gleichzeitig herum. „Hört sich an wie Raupenfahrzeuge", sagte der Soldat. Er sah mißtrauisch die Straße hinunter. „Nordwest, verdammt und zugenäht, sie kommen vom Haff. Wißt ihr, was das bedeutet?"

Sie wußten es. Bescheiden und zerbrechlich hockte die Frau auf der Schwelle des Schilderhauses. Vor Angst hätte sie gern geweint, aber die Tränen waren verbraucht.

„Jetzt bloß nicht schlappmachen, Frauchen", sagte der Sanitäter, „gleich wirst du verarztet. Zeig deinen Arm her. Ach je, nicht mal verbinden kann er, der Dreckskerl, der Pfuscher. Bloß Löcher machen." Er kniete vor der Frau, sein viel zu großer Stahlhelm wippte hin und her.

„Tiger", schrie der Soldat, „Leute, das ist gar nicht der Iwan. Ein Tiger, und Möbelwagen, lauter Möbelwagen! Mädchen, die wollen das Lazarett evakuieren, wetten?"

Er riß die Armbanduhr vom Handgelenk und stopfte sie dem Sanitäter in die Tasche, er rannte die Straße hinunter und schwenkte die Arme und rief: „Kameraden, Menschenskinder, deutsche Kameraden!"

Der Panzer dröhnte, und Raupenfahrzeuge schepperten, und die Möbelwagen rumpelten.

Gegenüber den Kasernen scherte der Panzer nach rechts aus. Die Zugmaschinen mit den Möbelwagen rollten durch das Tor. Es waren robuste Holzkästen mit leuchtend roten Kreuzen auf Dächern und Seitenwänden.

Die Frau, der Sanitäter und der Soldat sahen, wie das Turmluk des Panzers geöffnet wurde. Aus dem Loch kam ein Kopf und schließlich ein kompletter Panzermann, ein kleiner drahtiger Kerl in ölverschmierter Kluft. Man merkte sofort, daß er auf dem Tiger zu Hause war, kein Griff zuviel und keiner zuwenig.

„Aufstehn, Frau", sagte der Sanitäter. „Baut euch nebeneinander hin. Brust raus, Kinn an die Binde. Ich muß melden." Er hatte Kummerfalten im Gesicht, denn das disziplinlose Pärchen stand Hand in Hand. Ihm blieb keine Zeit, militärisch einzuschreiten, der drahtige Kerl kam schon über die Straße gelaufen. Er winkte ab, als der viel zu große Stahlhelm auf ihn zuschaukelte. Aber der Sanitäter ließ sich nicht abwinken. Er klappte die Hacken zusammen und rief: „Melde Herrn Leutnant, ein Sanitätsdienstgrad, eine blessierte Zivilperson und ein Soldat, der die Zivilperson dem Lazarett zugeführt hat."

„Sieht eher aus wie Kriegstrauung", sagte der Leutnant. „Verschwinde, du Mondkalb, und nimm die Frau mit. Gleich in den ersten Wagen. Daß sie gut versorgt wird! Sonst noch was?"

„Die Gehenkten", sagte der Sanitäter, „sollte man runternehmen."

„Nicht meine Sache", sagte der Leutnant, „damit bleib mir gefälligst vom Halse." Er ging am Sanitäter vorbei zu der Frau und fragte: „Schmerzen?"

„Jetzt nicht mehr", sagte sie, „nur als es passierte, hat es sehr weh getan."

„Wo ist es denn passiert?" fragte der Leutnant.

„Gleich hinter der Hauptkampflinie", schaltete sich der Soldat ein, „gestatten Herr Leutnant, daß ich sie wegbringe?"

„Sie bleiben hier", sagte der Leutnant, „könnte sein, daß

ich Sie einsetzen muß. Scheinen brauchbar zu sein. Nahkampfspange, alle Achtung!"

„Jawoll", sagte der Soldat. Er war verlegen und stolz zugleich. Als der Sanitäter die Frau unterhakte, sagte sie zu dem Soldaten: „Vielen Dank für alles, auf Wiedersehn!"

Er gab ihr flüchtig die Hand und murmelte: „Schon gut, grüß die Heimat." Er hatte hinter dem buntkarierten Schal des Leutnants etwas Blitzendes entdeckt. Es faszinierte ihn so, daß er darüber vergaß, der Frau nachzusehen. Sie drehte sich vergebens um und winkte.

Der Leutnant saß auf der Schwelle des Schilderhauses, wo eben noch die Frau gesessen hatte. Er streckte die Beine weit von sich und befühlte der Reihe nach alle Taschen. Schließlich rief er zum Panzer hinüber: „He, Jungs, schafft mal was Rauchbares ran."

Aus dem Luk kam eine Stimme: „Geht klar, Käptn."

Der Leutnant sagte: „Ruhig heute. Kann mir nicht helfen, das hat was zu bedeuten. Was meinen Sie?"

Der Soldat sah auf den bunten Schal und das blitzende Ding dahinter und sagte: „Jawohl, Herr Leutnant!"

„Mann Gottes", sagte der Leutnant, „den Kasernenhoftext können Sie sich schenken. Was würden Sie tun, wenn der Iwan plötzlich angreift?"

„Dazwischenrotzen", sagte der Soldat.

Der Leutnant machte eine Handbewegung, als müsse er etwas wegscheuchen. Er sah an dem Soldaten vorbei auf den schwarzen Kerl, der breitbeinig über die Straße lief. Im Turmluk erschien ein Kopf und zwei Hände, die ein Fernglas schwenkten. „Hallo, Käptn, der Iwan schießt Leuchtkugeln!"

„Scheiße!" schrie der Leutnant. „Los, Jungs, Panzerfäuste runter. Verbindung zum Regiment, Tempo, Tempo!" Er rannte über die Straße, neben ihm rannte der Soldat, er hatte auf einmal unter jedem Arm eine Panzerfaust. „Können Sie damit umgehen?" fragte der Leutnant.

„Jawoll", sagte der Soldat. Ihm fiel die Frau ein. Nicht mal ihren Namen weiß ich, dachte er. Verdammt schwerfällig, so ein Möbelwagen. Dreißig Stundenkilometer höchstens. Zu Fuß wäre sie besser dran.

Im Innern des Panzers fluchte der Leutnant. Der Motor wurde angeworfen, die Ketten ruckten, der Koloß bebte in allen Fugen.

„He, Sie, aufsitzen!"

Sie rumpelten unter den Gehenkten hinweg durch das Kasernentor und am Stabsgebäude vorbei, an Zugmaschinen und Möbelwagen und weißbekittelten Ärzten und Sanitätern mit Tragen. Das Geschützrohr glitt an einer Klinkerwand entlang, der Motor heulte noch einmal auf, die Ketten rotierten nicht mehr.

Der Soldat sah einen wehenden weißen Kittel und ein rotes Gesicht darüber, und das Gesicht schrie schon von weitem: „Was soll das? Seid ihr verrückt geworden? Macht, daß ihr fortkommt!"

Jetzt stand der Leutnant neben dem Weißkittel. „Reg dich nicht auf, Doktorchen", sagte er, „bin auch bloß ein kleines Kirchenlicht. Befehl ist nun mal Befehl." Er faßte den widerstrebenden Arzt am Ärmel und zog ihn mit sich fort. Gemeinsam liefen sie zum Lazarett hinüber, sie gestikulierten heftig. Der Soldat verstand nicht, worum es ging. Ihm schien, als trabten die Sanitäter schneller. Immer zwei Mann und eine Trage. Er hörte Verwundete stöhnen und „Hau ruck!" und „Vorsicht!", und manchmal fluchte einer. Schwere Türen wurden zugeschlagen, und ein Riegel kreischte.

Nun ist sie eingeschlossen, dachte der Soldat, wenn das mal gut geht. Er hörte, daß jemand „He, Sie!" rief, es war die Stimme des Leutnants, er stand breitbeinig über einer Öffnung und winkte. Heizungsschacht, dachte der Soldat, keine dumme Idee. Im Zuckeltrab lief er über den Platz, unter jedem Arm eine Panzerfaust.

„Gutes Schußfeld", sagte der Leutnant. „Wenn Sie sich

auf die untersten Klammern stellen, sieht nur der Kopf raus. Notfalls könnte man die Kanäle als Fluchtwege benützen. Aber nicht, bevor die Verwundeten abtransportiert sind. Hoffe, wir haben uns verstanden."

„Geht klar", sagte der Soldat. Er legte die Panzerfäuste ab und schwang sich in die Öffnung.

„Sollte es zum Gefecht kommen, schirmen Sie die Flanke des Panzers ab", sagte der Leutnant. „Wenn alle Stränge reißen, wird gesprengt. Wir schlagen uns gemeinsam zum Haff durch, haben Sie mich verstanden?"

„Jawoll", sagte der Soldat.

„Das ist noch nicht alles", sagte der Leutnant. „Was wir jetzt besprechen, muß unter uns bleiben. Kann ich mich auf Sie verlassen?"

Das Gesicht des Soldaten hellte sich auf. Er wollte etwas erwidern, fand aber nicht die richtigen Worte.

„Schon gut", sagte der Leutnant, „zwei alte Fronthasen lassen sich nicht im Stich." Er dämpfte seine Stimme und fuhr fort: „Es handelt sich um die Zugmaschinenfahrer, ich traue den Brüdern nicht. Bisher hatten wir noch keine Feindberührung. Heute stinkt es aus allen Knopflöchern. Eventuell müssen Sie nachhelfen. Wie Sie das machen, ist mir völlig schnurz. Hauptsache, die Verwundeten werden abgefahren. Sobald die Kästen draußen sind, haben wir gewonnen. Die Herren Russen respektieren das Rote Kreuz. Hernach beginnt die eigentliche Arbeit: Wir halten den ersten Ansturm auf. Wenn es nur zehn Minuten reicht, für die Kameraden am Haff können sie über Leben und Tod entscheiden. Tja, und jetzt wirst du eine Zigarette nötig haben, mein Junge, ich seh dir's an."

„Es ist kalt", sagte der Soldat, „verdammt kalt, Herr Leutnant."

„Nenn mich Käptn wie die anderen Jungs", sagte der Leutnant, „und greif zu."

„Danke, Käptn", sagte der Soldat.

Sie rauchten schweigend und sahen zu den Sanitätern hinüber und zu den Tragen mit Verwundeten. Es war ein Zug ohne Ende. Ganz hinten war eine kleine brüchige Kinderstimme, sie rief: „Mama." Die Sanitäter fluchten nicht mehr, die Verwundeten waren still, die Ärzte riefen sich gedämpft Namen zu.

„Zum Kotzen", sagte der Leutnant, „wenn es bloß bald losginge." Er warf die Zigarette weg und knurrte: „Junge, sieh hin. Vier Kästen hilflose Kreaturen, und du trägst die Verantwortung."

„Sie können sich auf mich verlassen, Käptn", sagte der Soldat. Der Leutnant ging zum Tiger hinüber. Er zog die Beine nach wie ein sehr alter Mann.

Zuerst die Panzerfäuste fertigmachen, dachte der Soldat, wenn sie kommen ... Er mochte den Gedanken nicht zu Ende denken. Mit wenigen Handgriffen war alles getan. Er peilte das Stabsgebäude an, schwenkte, bekam einen Möbelwagen ins Visier und schließlich den Tiger. Der Leutnant stieg ins Turmluk.

Solange sie den Deckel nicht runterlassen, ist alles halb so wild, dachte der Soldat. Kaum zu glauben, daß so ein Blechding Panzer knacken kann. Er visierte den Bug an, das Heck. Wenn es ein T 34 wäre, müßte ich abdrücken, dachte er. Ihm wurde bewußt, daß er mit seiner Panzerfaust den Tiger gefährdete. Er warf den Sicherungsflügel herum und schwenkte weit nach links hinüber in den freien Raum zwischen Stabsgebäude und Küche.

„Eine Beruhigungszigarette", sagte er, „eher wird das Ding nicht wieder angefaßt, nicht ums Verrecken."

Der Wind blies ihm das Streichholz aus. Er stieg zwei Klammern tiefer. Schön warm, dachte er, so läßt es sich aushalten. Er hörte Schritte und dachte: Der Leutnant, los, hoch.

Aber es war nicht der Leutnant, sondern ein Zugmaschinenfahrer. Er sah die Panzerfäuste und das Kanalloch und den Kopf darin und fragte: „Was machst'n da unten?"

„Siehst du doch", sagte der Soldat, „aufwärmen."

„Quatsch kein Blech", sagte der Fahrer, „denkste, wir merken nicht, daß dicke Luft ist? Panzerfäuste hat's noch nie gegeben, seit ich die Tour mitkutsche."

„Mach dir keinen Fleck ins Hemd", sagte der Soldat, „kümmert euch um eure Zugmaschinen, alles andere könnt ihr uns überlassen."

Der Fahrer sah zum Panzer hinüber und sagte: „Feines Gespann, der da und du. Aber ohne uns, Kamerad. Dem geht's doch bloß um drei Abschüsse, die fehlen ihm noch zum Eichenlaub. Der ist geil auf Orden."

„Jetzt reicht's mir", sagte der Soldat. „Hier wird nicht gestänkert. Hau ab!"

„Eigentlich müßten wir im Dunkeln kutschieren", sagte der Fahrer. „Aber nachts setzen nur noch Stäbe mit ihren Klamotten und Burschen und Huren über. Die Verwundeten dürfen verrecken. Was meinst du, was tagsüber so absäuft? Über den Daumen gepeilt: von jedem Transport die Hälfte. Unsere bolzen wie die Verrückten, und der Iwan knallt zurück. Und nun frag ich dich: Was hat ein Panzer beim Verwundetentransport verloren? Sicherung? Daß ich nicht lache. Himmelfahrtskommando nennt man das! So, und nun kannste von mir denken, was du willst, darfst mich sogar verpfeifen. Ob früher oder später, ins Gras beißen wir alle. Du auch!" Er schüttelte sich, als sei ihm kalt, dann spuckte er aus, machte kehrt und lief mit großen Schritten über den Platz.

„Kamerad, bleib noch", rief der Soldat, „auf eine Zigarettenlänge." Der Angerufene schien taub zu sein.

Der Soldat sah über die Kasernendächer hinweg in die grauen, tiefhängenden Wolken. Am Horizont hingen rote und grüne Leuchtkugeln, die langsam niedergingen.

„Abfahren!" schrie er. „Kameraden, haut ab, es geht los!"

Sein Schrei wurde vom Geschützdonner überbrüllt. Sanitäter rannten, Ärzte rannten, Verwundete stöhnten, Türen wurden zugeschlagen, der erste Möbelwagen kroch schwerfällig über den Platz. „Schneller!" brüllte der Soldat, aber die Einschläge brüllten lauter. Die Fahrer hockten vornübergebeugt auf den Zugmaschinen. Bravo, Jungs, dachte der Soldat, das müßte der Leutnant sehen. Er wußte, daß der Leutnant nichts sehen konnte, die Zugmaschinen und Wagen waren schon im toten Winkel des Tigers. Wenn sie erst mal draußen sind, sieht man die Roten Kreuze, dachte er. Vielleicht werden sie bemerkt, bevor es wieder losgeht. Absaufen oder Gefangenschaft, Jungs, fahrt schneller! Alle Gebäude haben was abbekommen, nur das Lazarett nicht. Gebt Vollgas! Mein Gott, was ist denn los mit euch?

Er schwang sich aus dem Loch und horchte zum Tor hinüber. Die Fahrer stritten miteinander. Die vorderste Zugmaschine hatte eine Laterne umgefahren und die Durchfahrt blockiert.

„Los", sagte jemand, „den Leutnant verständigen. Für den Tiger ist das 'ne Kleinigkeit, der walzt ein Loch in den Zaun." Einer rannte über den Platz, er wedelte mit den Armen und rief: „Hallo, Leutnant, hallo!"

„Nützt nichts", schrie der Soldat, „die haben dicht gemacht. Mußt ganz nahe ran!"

Der Fahrer hatte verstanden, er trabte um den Tiger herum. An die Sehschlitze klopfen, dachte der Soldat, man stellt sich doch nicht unters Rohr. Im gleichen Augenblick riß der Fahrer beide Arme hoch und fiel kopfüber auf das Pflaster. Der Tiger schoß.

Blubb, blubb, blubb, antwortete der Krieg, und gleich noch einmal: blubb, blubb, blubb.

Granatwerfer, dachte der Soldat, sie sind schon im Kasernengelände. Er hörte harte trockene Explosionen, sechsmal hintereinander. „Es hat einen Möbelwagen erwischt", schrie er, „nicht schießen, Käptn, mach Schluß! Die Russen sehen die Roten Kreuze nicht!"

Der Tiger schoß.

Blubb, blubb, blubb, machten die Granatwerfer.

Der Soldat riß eine Panzerfaust hoch und brüllte: „Käptn, hörst du sie nicht schreien? Gleich sind alle tot, und ich trag die Verantwortung. Du, nimm dich in acht, ich brauche nur meinen Finger . . ."

Als der Tiger auseinanderbarst, schwiegen die Granatwerfer. „Käptn", schluchzte der Soldat. Er wollte den Rotarmisten nicht sehen, er sah nur das qualmende Panzerwrack. Der Rotarmist stand drüben bei den Möbelwagen und rief: „Gitler kaputt, komm, Kamerad, komm!"

„Ich wollte es nicht", stammelte der Soldat, „Käptn, sag doch was." Schräg über seinem Kopf klirrte ein Fenster. Der Soldat sah eine Rotkreuzfahne und einen weißen Kittel und ein rotes Gesicht, es rief: „Danke, Kamerad! Schönen Gruß von unserem kleinsten Patienten. Kannst du ihn hören?"

Der Soldat legte den Kopf schräg und lauschte. Fern krähte ein Kinderstimmchen. Darüber lag ein rauher Baß: „Dawai, Kamerad, dawai!"

Der Soldat hob beide Hände und ging langsam der Stimme entgegen. Das Kind, dachte er, hoffentlich ist die Verwundung nicht schlimm. Auf einmal blieb er stehen. Da war doch was? Der Keller, die Frau, die Puppe . . . Ich hab sie kaputt gemacht, dachte er, aber das Auge . . . Natürlich, in meiner Hosentasche, in der rechten.

„Ruki werch!" donnerte der Baß. „Tempo, Fritz!"

„Ja doch, ja", sagte der Soldat. „Moment. Ich werd es doch nicht verloren haben."

Zwischen seinen Fingern war etwas Hartes, Rundes. „Na also", seufzte der Soldat, „so hat es nämlich ange . . ."

Er hörte eine Maschinenpistole hämmern. Als er die Hand öffnete, entfiel ihr das Puppenauge. Gemächlich kullerte es über das Pflaster.

KARL MUNDSTOCK

# Bis zum letzten Mann

Hollerer und Kohlmeyer hatten gemeinsam fliehen wollen. Doch Kohlmeyer hatte eine sichere Chance ausgenutzt. Mit einem Spähtrupp geriet er in die Nähe des Muonioelf, der die schwedische Grenze bildet. Da lockerten sich die Bindungen seiner Skier. Weiß vermißte Kohlmeyer sofort, dennoch wäre es zu spät gewesen. Die Kameraden erspähten Kohlmeyer im Tal, gerade als die Grenzpatrouille herbeilief. Kohlmeyer warf die Waffen fort und streckte die Hände. Die Grenzer riefen ihn auf schwedisch an, er winkte und lachte und lief über das Eis des Flusses auf sie zu, und da schossen sie, zuerst in die Luft, dann auf die Beine, und ihre Schüsse zerschmetterten ihm das rechte Knie, und Kohlmeyer glaubte noch in der Schlinge des Galgens an ein Mißverständnis, und mit dem zerschmetterten Knie schleppte er sich beinah bis zu ihnen hinüber, und mitten auf der Grenze holte Weiß ihn ein, der hatte die Maschinenpistole entsichert in der Faust, und auf den schossen sie nicht. Die Kameraden betteten Kohlmeyer fürsorglich auf seine Skier, sie führten ihn behutsam heim. Am Abend wurde er gehenkt. Den ganzen nächsten Tag baumelte und knarrte der schwarz und steif gefrorene Leichnam im Wind, bis Hollerer den Strick mit einem einzigen Schuß zerschoß. Er begrub den Freund in einem Loch, das die Norweger, als man sie vertrieb, zwischen den Felsen ausgehoben hatten, um ihre Habseligkeiten vor Plünderern zu verstecken. Er brach die Erkennungsmarke, nahm den Pukko des Freundes an sich und schickte seine

Brieftasche den Eltern. All das tat er offen, herausfordernd, schweigsam, umlauert von Weiß, dabei grübelnd, was Kohlmeyer getrieben haben mochte, seinen Weg für sich zu gehen. Welch unergründlichen, von Furcht verschleierten Winkel mußte der Argwohn in seine Seele gehöhlt haben!

Die Nacht, da Kohlmeyer gehenkt worden war, verbrachten Weiß und Hollerer unten bei der Kompanie, in einer Hütte am Rande des Richtplatzes, in der Dachkammer, die der Spieß ihnen beiden mit dem Blick auf den Galgen angewiesen hatte. Der Schattenriß des Gehenkten, schwarz in der hellen Mondnacht, hing im Rahmen ihres Fensters. Weiß lag angekleidet auf der Pritsche, die entsicherte Maschinenpistole unter der Decke, seine Augen flackerten in der Finsternis. Hollerer hätte ihn töten können. Er spürte die flackernden Augen in seinem Rücken und rührte sich nicht. Er merkte, wie die Angst seinen Feind allmählich irrsinnig machte, und zuletzt, es dämmerte schon, begann Weiß haltlos vor sich hin zu winseln. Hollerer widerstand der Lockung, die ekelhaften Laute zu ersticken. Er sagte sich: Ich erwürge ihn, und was dann? – Und was dann?

Und er hörte – Echo der Erinnerung – durch das Gewinsel hindurch, höhnisch hechelnd: „Gaas! Gaas! Mann, eh Sie ..." Er schreckte hoch, am ganzen Körper brach ihm der Schweiß aus ... Mann, eh Sie ... ich ... Schluß ... Nein, man kann es nicht aushalten mit Weiß zusammen auf einer Welt: Lautlos rief er es hinüber. Der Gehenkte gab keine Antwort und regte sich nicht. „Die Gasmaske vor der Gusche haben!" Hollerer stieß das Fenster auf, er krallte die Hände ins Holz des Rahmens, er schlürfte die Frostluft tief in die Lungen. Nicht jetzt, nicht hier, nicht für den toten Weiß sterben ... ein andermal, irgendwann einmal ... Aber ist damit das Problem Weiß aus der Welt geschafft? Das Gewinsel in seinem Rücken wurde leiser und leiser, und plötzlich explodierte es in schrillen heiseren kreischenden Lauten. Der Gehenkte drehte sich knarrend im Wind und blickte Hollerer mit seinem fahlen Antlitz wortlos an.

„Gaas! Gaas! Mann, eh Sie die Gasmaske vor der Gusche haben! Rücken Sie den Stahlhelm gerade! Mann, Sie haben wohl Helium im Rucksack! Sie fliegen ja! Gehn Sie gefälligst auf die Hacken runter, strecken Sie das Gewehr ordentlich durch, lauter zählen, ich höre nichts, keine Müdigkeit, hunderteinundvierzigmal zur Ehre des Regiments, auf – nieder, auf – nieder ...!"

Klirr! Der Pukko war zu Boden gefallen, er war gegen den Stahlhelm gescheppert. Die Klinge des Dolchmessers blitzte. Hollerer wurde totenblaß, seine Hand krümmte sich vor, das Gewinsel wurde lauter, entsetzter und zerflatterte in einem wirren Geflüster, das Blut pochte dumpf in Hollerers Schläfen. Pochte: „... unddreißig ... undvierzig ... und ..." Gasmaske, Stahlhelm, Rucksack, rote Schleier, heiße zerrissene Lippen, Stirn im Sand. Weiß' dickes wollüstiges zynisches Gesicht. Auf die Ellbogen, auf die Knie! Mit blutigen verschleierten Augen, auf Knien, starrt er hinauf in das dicke wollüstige zynische Gesicht. Schweigende taumelnde Minute zwischen den Schlachten, heiße Sonne zwischen den Schlachten, hagerer fahler torkelnder Schatten, er, Hollerer ... Gaas! Gaas! ... lauter zählen ... auf – nieder ... Ehre des Regiments ...

Das Gewinsel erstarb. Hollerer stellte den Fuß auf die blitzende Klinge. Er wandte sich langsam um. Weiß kroch zurück bis an die Wand, seine Augen standen still. Hollerer sagte ihm alles, noch nie sei ihm ein Wesen begegnet so schmierig, so gummiartig und so tief heimtückisch, sagte er ihm, nannte ihn: Häuflein haßdurchtränkten Kotes. Wir haben dich oben auf der Feldwache erschlagen wollen, wir haben gemeinsam fliehen wollen, sagte er ihm. Und auch, wie die Kameraden bei der ersten leisen Andeutung stumm geworden waren, wie sie sich umgesehen hatten, ob da nicht ein schleichender Schritt, ein horchendes Ohr. Wie einfach war alles erschienen, da jedermann im stillen die Nazis und ihren Krieg verflucht hatte! Aber einfacher war es, zu gehorchen und zu sterben. Sehr leise, angewidert, als im

Morgenschein der Schatten des Gehenkten ihre Kammer verdüsterte, sprach Hollerer von der Unerträglichkeit, mit Weiß in einer Welt auskommen zu müssen.

Weiß verzog nicht eine Miene seines schon wieder zynischen Gesichtes. Er hatte begriffen, ihm geschehe nichts. Er merkte sich jedes Wort und vergaß nicht eines. Er hatte, als er aus der Etappe gekommen war, Hollerer hunderteinundvierzigmal feldmarschmäßig mit Gasmaske und Stahlhelm „pumpen" lassen; aber in der Nähe der Front war er der liebenswürdige, der schmeichlerische, der Kamerad Oberjäger geworden. Er merkte sich jedes Wort und vergaß nicht eines und tat so, als prallten alle Worte von ihm ab. Er wurde nur noch liebenswürdiger, oben am Rande des Haldefjeldes, wohin sie tags darauf zu ihrer Feldwache zurückkehrten. Der Oberjäger duzte sich mit jedermann, er war väterlich besorgt, er erleichterte den Dienst, er redete zum Mund. Man konnte keinen ehrlichen Gedanken mehr denken, man lag dauernd auf der Hut vor sich selbst; flüsterte man mit dem Kameraden, so tauchte Weiß unverhofft auf, anbiederisch beflissen, tückischen Glanz in den ehrlichen Augen. Weiß erteilte Lehren in seiner liebenswürdig-niederträchtigen Art. Hollerer fühlte sich dauernd herausgefordert. Weiß erniedrigte sich in dem Verlangen, Hollerer Worte abzulisten, die das Leben kosteten. All dies unternahm er mit freundlicher Miene in einer unwiderstehlichen schmeichelhaften Art. Die Kameraden beschworen Hollerer in aller Heimlichkeit, um Himmels willen zu schweigen und auszuharren. Denn das Ende des Krieges war schon zu erblicken, die Rote Armee hatte den norwegischen König in Kirkenes wieder auf den Thron gesetzt und kümmerte sich um nichts mehr. Die deutschen Feldwachen in der granitenen Einöde des Hochgebirges waren ihnen keinen Schuß Pulver und nicht einen Blutstropfen ihrer Söhne wert. Im hohen Norden gab es den Krieg nur noch auf dem Papier, das wußten die Kameraden, und sie sahen zugleich den Tag näher rücken, an dem sie Hollerer ohne Waffen, ohne Schulterstücke, ohne seine Auszeichnungen, die entsicherten Gewehre auf seinen Rücken gerichtet, den höhnischen Weiß auf ihren Fersen, hinabgeleiteten zur Kompanie. Doch Hollerer war auf der Hut, verschwiegen, schweigsam, hellwach noch im Schlafe. Weiß legte seine Schlingen immer geschickter. Man konnte beinahe errechnen, wann Hollerer hineintappte. Weiß wurde so harmlos, so treuherzig, daß jeder, der von ihm angesprochen wurde, erst einmal das Gefühl kalten Entsetzens überwinden mußte, ehe er auf eine harmlose Frage mit zitternden Lippen eine harmlose Antwort zu geben vermochte. Kohlmeyer war nicht vergessen. Hollerer konnte seinen Abscheu nicht länger verbergen. Und sie lagen nebeneinander auf der Pritsche, Weiß war Wachhabender, Hollerer sein Stellvertreter.

Ihre Feldwache hatten sich die Landser aus Balken oberhalb einer Quelle errichtet. Im Sommer war hier eine riesige Alm, von den Bergrändern natürlich eingezäunt. Das Wasser der Quelle hatte sich eine Schlucht geschaffen, der Wildbach schäumte und quirlte in Kaskaden und Katarakten hernieder, schwoll zum ungebärdigen Flüßchen an, furchte zwischen zwei Gebirgszügen ein fruchtbares Tal und vermählte sich im Lyngenfjord mit dem Meer. Dorthin kamen im Frieden die Vergnügungsdampfer und Luxusyachten, deren verwöhnte Passagiere nichts ahnten vom kargen Leben der Hirten im Hochgebirge, in den auf Erdplaggen gebildeten Rundhütten, zwischen den äsenden Rentierherden, die ihnen Nahrung und Kleidung geben. Jetzt umklammerten die Gebirgsjäger der sechsten Division den schroffen Winkel zwischen dem Fjord, dem Städtchen Altengaard, dem Muonioelf und der finnisch-norwegischen Grenze, die zwei Tagesmärsche lang parallel mit der schwedischen lief und dann nach Osten umbog. Bis zur Herbstschlacht 1944 hatten Hollerer und Weiß zum Gebirgsjägerregiment 141 gehört, jetzt dienten sie in der Aufklärungsabteilung 218, die den nördlichen Rand des Haldefjeldes besetzt hielt. Das Fjeld wurde von einer Felsenkette abgeschlossen, bis dorthin erstreckte sich flimmernd und wogend die Schneewüste, in deren Mulden und Rinnen man sich unsichtbar machen konnte. Hinter der Felsenkette gab es einen Hochpaß, den Einstieg in ihn hatte Hollerer mit dem Feldstecher erspäht, aber dann begann unbekanntes Gebiet. Vom Hörensagen wußte er, der Gebirgsstock falle in Terrassen nach Süden ab, während die Tundra zu den Granitbergen aufstieg; Schluchten verwandelten sich hier in Täler, Schroffen in Hügel. So weit vor drang kein deutscher Spähtrupp, das Städtchen Ennontekis war bereits in den Händen der Roten Armee.

In einer der Erdhütten, die im Winter von ihren Besitzern verlassen waren, hatte sich Hollerer ein Versteck angelegt. Er hatte in die Asche der Feuerstelle Proviant eingegraben: Knäckebrotpäckchen, Pappschachteln mit Fliegerschokolade, Büchsen mit eiserner Ration. Hollerer tat nichts halb. Er war Metallarbeiter, Preuße, hatte bei den Brandenburgischen Skimeisterschaften einen beachtlichen Platz im Abfahrtslauf errungen und war durch den Wintersport zu den Gebirgsjägern gekommen. Er bedachte alles genau und kam stets zu spät zum Zuge. Den Weg seiner Flucht legte er sich im Geiste hundertmal zurecht, erforschte ihn auf Spähtrupps und bei der Schneehendljagd. Und wäre vielleicht doch in der Schlinge geendet. Er hatte nie auf die andere Seite gehen wollen, er wollte es bis zum letzten Augenblick nicht. Es erschien ihm feig, sich selber zu retten und die andern ihrem Schicksal zu überlassen.

Eines Abends, draußen im Geisterschimmer des Polarlichts, unter vier Augen, sprach Weiß zu ihm: „Du, Hollerer, ich habe ganz andere Burschen fertiggemacht als dich. Du springst mir in den nächsten Tagen an die Kehle, und dann bist du reif. Du hast mir mal die Stange gehalten, gegenüber dem General, entsinnst du dich? Du hast mir aus dem Schlamassel am Tanaelf herausgeholfen, du bist zu fein gewesen, mir bei Parkkina eins über den Schädel zu wichsen, du bildest dir auf deine Großmut sicher 'ne Menge ein. Ich sage dir, gerade darum mußt du umgelegt werden. Du bist ein Roter oder ein Heiliger, von der gefährlichen Sorte, du hättest schon längst bei deinem Freund Kohlmeyer vermodern müssen. Ich hab' dich kirre gekriegt, und ich schaff' dich ganz, du hast auf der Gusche gelegen und zu mir hochgeplinkert, geröchelt hast du, entsinnst du dich?" Und mit seinem vom Kettenrauchen und Schnapstrinken verdorbenen Atem zischelte ihm Weiß ins Ohr: „Entsinnst du dich? Gaas! Gaas! Mann, eh Sie ..."

Am Morgen sagte Hollerer zu ihm: „Ich geh Schneehendl jagen." Der Oberjäger musterte ihn kurz mit seinen wäßrigen freundlichen Augen und nickte. Hollerer schien es, als leuchtete für den Bruchteil einer Sekunde Befriedigung aus dem Grunde seiner Augen hervor. Er machte sich keine Gedanken darüber. Er zeigte sich etliche Male auf den Hügeln, holte sich seinen Proviant aus dem Versteck und spurte außer Sicht der Feldwache auf die Felsenkette zu.

Ein sanfter trüber Tag begann. Die Luft war still, der Frost milde. Der Himmel verschmolz mit der Erde, und aus dem roten Dunst, in welchem die Sonne wandelte, trat die Silhouette der Berge nur zögernd und ungewiß hervor. Obwohl der Schnee gräulich aussah, wie hinabgeschmolzen aus dem gräulichen Himmel, tat er doch den Augen weh. Das alles bedeutete Sturm. Bis das Unwetter losbrach, gedachte Hollerer den Paß zu erreichen. Er erwartete die Verfolger erst am Abend und hoffte auf die Nacht. Gegen Mittag erklomm er die Felsenkette am Ende des Haldefjeldes, und da erspähte er das Kommando, das aus dem Osten kam und ihm den Weg verlegte. Hollerer erstarrte zu einer Felszacke, er war fahl wie das Gestein. Im trüben Licht der verschleierten Sonne war jenseits der Schlucht, die Hollerer hatte durchqueren wollen, erst eine, dann die zweite, die dritte Gestalt eines Gebirgsjägers erschienen; ein ganzer Trupp stieg hinter dem rauchigen Dunst des Gebirgskammes im Gänsemarsch empor und tauchte wieder in ihn hinein, lautlos wie ein Spuk. Sie schossen einer nach dem anderen aus dem Dunststreifen hervor, formierten sich auf dem Grunde der Schlucht zu einer Reihe und liefen in zügigem Tempo zielstrebig weiter. Kein Laut war zu hören gewesen. Ihr Auftauchen war kein Zufall. Weiß hatte Verdacht geschöpft, er hatte alarmiert. Aber Weiß war ein Feigling, er hatte ihm bestimmt nicht nachspioniert. Wie hatte Weiß ihn durchschauen können? Mit einemmal fiel es Hollerer ein: er hatte Schneehendl jagen wollen, und es war kein einziger Schuß gefallen! – Der Flüchtling biß in den harschen Schnee, um nicht aufzuschreien. Er schaute auf, sein Mund, blutend, war wie eine klaffende Wunde. Eine Jagd ohne Schüsse! Im Haldefjeld rollte das Echo der Schüsse die Bergränder entlang! Die Stille hatte ihn preisgegeben. Schweigen war Verrat, er hatte immer geschwiegen, jetzt verriet das Schweigen ihn. Wie mag Weiß Minute um Minute gelauert haben, wie mag er vielleicht nach anderthalb Stunden, als noch immer kein Schuß gefallen war, durch das Feldtelefon zur Kompanie hinabtriumphiert haben: „Obergefreiter Hollerer desertiert!"

Wie ein Jagdhund saß der ihm jetzt auf der Fährte, aber er würde ihn täuschen. Hollerer legte eine Spur in Richtung des Muonioelf. Sie endete auf felsigem, vom Wind hartgefegtem Grat. Der Schnee nahm keine Eindrücke auf. Hollerer sah das Talbett des Flusses zu seinen Füßen hingewunden, wie eine weiße Schleife zwischen blauschimmernden Granitwänden, erstarrt in der Stille und Weite der Landschaft, die hinter dem Granit und Eis der Bergrücken begann. Hier irgendwo hatte Kohlmeyer dem Krieg zu entkommen versucht. Hollerer erlag dem Frieden, der von drüben herüberschwieg. Er trat hinter seinem Felsen hervor und wendete die Skier talwärts. Eine Weile zögerte er, und da tauchte die Grenzerpatrouille auf. Hollerer mußte an seinen Freund Kohlmeyer denken.

Er kehrte in seiner eigenen Spur zurück. Es sah aus, als sei er nach Schweden geflohen. Er kam nur langsam voran, denn er mußte darauf achten, nicht danebenzutreten. Als er harten Boden fand, der keine Eindrücke aufnahm, setzte er sich von seiner Spur ab. Er war auf einen Bergpfad gestoßen.

Lange Strecken trug er die Skier in einer Hand, während er sich mit der anderen an den Felsen hielt. Manchmal mußte er klettern. Dann wieder kam er nur auf allen vieren voran. Um das Kommando zu umgehen und um Weiß glauben zu machen, er sei nach Schweden geflohen, verlor er kostbare Stunden. Er hetzte sich ab. Der Pfad führte ihn in den Rükken der Gebirgsjäger, die ihm den Weg verlegten. Er sah sie unter sich mit schußbereiten Gewehren in ihren Stellungen liegen. Sicher war das gesamte Gebiet vom Muonioelf bis zur norwegisch-finnischen Grenze abgeriegelt. Sie hatten mit ihren knöchernen Fingern auf der Karte sehr klug ausgemacht, wo sie ihn stellen würden. Er war aber immer noch ein bißchen schlauer als sie! Hollerer stellte sich vor, wie Weiß fluchend nach der Spur des Flüchtlings suchte. Er zweifelte nicht am Erfolg seiner List. Dennoch war er vorsichtig. Er hielt sich am Rande der Höhen, wo er gut beobachten konnte und selber nicht leicht zu entdecken war. Er war bereits ermattet, und jetzt strengte ihn der Gewaltmarsch schräg am Hange noch mehr an. Er mußte die Skier fortwährend kanten. Die Fußknöchel schmerzten, und die Muskeln begannen zu erlahmen. Naßkalter Wind kam auf, er stob dünnen Schnee vor sich her. Der Dunst hatte sich zu bleigrauen tiefhängenden Wolken zusammengezogen. Als Hollerer die Felsenkette durchstoßen hatte und auf dem Grat des letzten Höhenzuges raste, trieb Schneestaub über die Berge. Zu seinen Füßen lag der Paß, und er fürchtete die kurze Abfahrt, so zitterten ihm die Knie! Hollerer nahm das Gewehr von der Schulter und stützte sich darauf. Er ließ sich nicht nieder, er fürchtete, nicht mehr hochzukommen. Ehe der Sturm losbrach, mußte er aus den Felsen heraus sein, er mußte bis zur Nacht dorthin gelangen, wo sich der Paß zur Hochfläche erweiterte. Dann, in der Dunkelheit und im Sturm, mochte der Teufel ihn suchen! Hollerer spähte die Felsenränder ab, die den Paß säumten, so daß er einer Wanne ähnelte. Noch war die Sicht ausreichend, aber schon drückte der immer unangenehmere Wind die Wolken ins Gebirge.

Nichts regte sich, alles lag still, nur Schneestaub trieb wie wehende Schleier. Hollerer vergaß für einige Minuten, warum er sich hier befand. Er versank in den Anblick der friedlichen Natur, der Wolkengebirge, durch die noch die Strahlen der Sonne zuckten, so daß sie vom Abendgold durchglüht waren, der finsteren wuchtigen Berge, die den Wolken zu drohen, sie mit düsterer Gewalt zu bedrängen schienen, und der wehenden weißen Schleier, die nun schon den ganzen Raum ausfüllten und das großartige und bedrückende Gemälde allmählich verwischten.

Hollerer erholte sich, er besann sich und riß sich los vom Schein eines Friedens, der den Sturm verbarg. Er blickte hinter sich zurück, wandte sich ganz um, schwankte zwei, drei Schritte vorwärts, wie um besser sehen zu können, und erbebte wie ein Baum, den der Orkan bis in die Wurzeln erschüttert hat. Seine Lippen zitterten und flüsterten sinnlose Worte. Er krallte die Faust um den Gewehrriemen.

In dem wehenden Schleier von Schneestaub, vor dem Hintergrund der düsteren, verschwommenen, golddurchwirkten Wolkengebirge, in dieser täuschend friedlichen und bräutlichen Landschaft hielt Weiß mit seinen Leuten. Sie standen in einem Haufen beisammen und deuteten mit den Skistökken zu ihm hinüber. Eine Wirrnis von Schluchten trennte sie. Für einen Gewehrschuß war die Entfernung zu weit. Hollerer konnte die Gesichter nicht erkennen, aber für ihn stand fest: Weiß war gekommen. Weiß kannte das abgekartete Spiel um die Neutralität an der Grenze, Weiß fiel auf keine List herein, Weiß ließ sich nicht ablenken. Weiß hatte genau gewußt, was er sagte! Er hatte alles vorausberechnet, er hatte ihn, Hollerer, genau dorthin bekommen, wo er ihn haben wollte! Aber noch hatte er nicht gewonnen. Den letzten überraschenden tödlichen Trumpf zog er, Hollerer! Weiß oder er, einer war zuviel. Du oder ich, das war die Tundra, das Wolfsgesetz.

Hollerer war weit herumgekommen, der zivile Obergefreite, der keine Aussicht hatte auf Unteroffizierstressen, war Führer des Spähtrupps seiner Kompanie bei den Hunderteinundvierzigern gewesen. Er war durch das Niemandsland der Tundra bis hinab in den Süden gestreift, wo die mächtigen Urwälder Kareliens begannen und wo zwischen der sumpfigen Kandalakschafront und der steinigen Lizzafront sich die Feldwachen der finnischen Kehlkopfjäger verbargen. Kehlkopfjäger: sie schlichen in die russischen Stellungen und brachten Kehlköpfe, für die sie Urlaubstage erhielten, als Trophäen heim. Hollerer hatte sich 1941 aus den Eisstürmen der Dezemberschlacht das Eiserne Kreuz zweiter Klasse und das silberne Verwundetenabzeichen geholt. Am Fischerhals und am Handgranatenköpfl hatte er Aug' in Aug' dem Feind, der nicht sein Feind war, gegenübergelegen. In der Abwehrschlacht an der Lizza hatte er sich, schon als Gefreiter, erfrorene Füße und das Infanteriesturmabzeichen erkämpft. Und dann hatte in diesem Herbst der General, der einsam und traurig im Regen die Narvikstraße heraufkam, ihn, einen von wenigen, die dem Tode noch einmal ein Schnippchen geschlagen hatten, ihn hatte dieser ergreifend einsame und traurige General mit dem Eisernen Kreuz erster Klasse dekoriert. Aber den Weiß hatte er gefragt: „Wo haben Sie Ihre Waffe?" Er, Hollerer, hätte nur zu melden brauchen: Weggeworfen, Herr General, ergeben wollte er sich, dann wäre ihm diese Flucht erspart geblieben. Aber er hatte mit Generalen nichts gemein. Er hatte mit dem ganzen verhaßten System nur so viel zu tun, daß er dafür starb. Mit dem Weiß mußte er selber fertig werden, das war seine Sache.

Weiß war Dorfschullehrer im Vorarlbergischen gewesen. Sein Herz schlug großdeutsch, seitdem Österreich an Deutschland angeschlossen war. Er hatte sich bis zum Januar 1944 als Ausbilder in der Innsbrucker Klosterkaserne gehalten. Seine Spezialität war das „Pumpen". Alle seine Rekruten hatten wegen irgendeines Vergehens oder Versehens pumpen müssen. Seine Lieblinge waren mit dem einfachen Pumpen davongekommen. Ohne Rucksack, ohne Gasmaske, ohne

Stahlhelm, nur Kniebeugen und Gewehrstrecken bis vierzig. Oberjäger Weiß liebte die geraden Zahlen. Die ihm gleichgültig waren, hatten mit dem gepackten Rucksack auf dem Rücken bis sechzig gepumpt. Dann hatte es noch solche Rekruten gegeben, die er wegen eines Tabakkrümels in ihrer Tasche, weil die Gedanken in ihren Augen ihn erbosten, feldmarschmäßig bis achtzig hatte pumpen lassen. Im Gehirn des Oberjägers aber gab es noch eine vierte Kategorie: jene sagenhaften, ganz gefährlichen Burschen, von deren Umtrieben gegen das Reich man nur immer flüstern hörte. Solch einen zur Strecke zu bringen, das hatte sich Weiß seit je gewünscht und erträumt.

Auf der Reise in den hohen Norden war es ihm gelungen, sich bei einer finnischen Witwe und ihrem kahlköpfigen Oberst des Armeestabes unentbehrlich zu machen. Schon war er in Rovaniemi etatmäßiger NS-Schulungs-Unteroffizier, als er in der Besoffenheit vor den Kumpanen prahlte, der kahle Zeisig könne der Witwe schon lange nicht mehr besorgen, was sie brauche, er mache sie nur läufig für Weiß-Alwin, und dafür lasse er sich gern einen Schlammreiter nennen. Am nächsten Tage erhielt der NS-Schulungs-Unteroffizier den Marschbefehl an den Südabschnitt der Lizzafront. Statt seiner verrichtete der Putzer des Obersten den Dienst bei der Witwe, und der bekam auch das Kriegsverdienstkreuz zweiter Klasse. Der Oberjäger fand seine neue Kompanie aus der vorderen Stellung zurückgezogen an einem stillen dunklen See in Ruhe. Das Lager aus Schwedenzelten zu Füßen der graugrünen Hügel sah verträumt aus. Nur russische Granaten und deutsche Befehle störten hin und wieder die Stille. Man war daran gewöhnt und scherte sich wenig darum. Hollerer erklärte Weiß für übergeschnappt, als der ihn wegen einer Lächerlichkeit – „Können Sie nicht grüßen, Mann? Wissen wohl nicht, wen Sie vor sich haben, was?“ – einen Kilometer von den russischen Stellungen entfernt pumpen lassen wollte. Indes, Weiß war nicht übergeschnappt, und die Sache war kein Jux, das spürte Hollerer, als er in der brüllenden Mittagssonne mit aufgesetztem Stahlhelm und übergestülpter Gasmaske, Kategorie vier, hunderteinundvierzigmal pumpte. Der Kompaniechef pfiff Weiß zurück – insgeheim, aber jeder erfuhr es vom Putzer. Fortan hatte Hollerer Ruhe, und eine Zeitlang ließ er sich täuschen. In den Herbstschlachten des Jahres vierundvierzig organisierte Weiß den Nachschub für die Kompanie, die in rasch aufgeworfenen Schützenlöchern verdarb. Er stritt sich mit Zahlmeistern, die ihre vollgestopften Lager, ehe diese niederbrannten, immer noch wem übergeben wollten. Das war sein Krieg. Aber einige Male hätte es ihn beinahe erwischt. In jener Nacht, als die Reste der Aufklärungsabteilung auf der Kirkenesstraße eingeschlossen waren und im Feuer russischer Panzer verheizt wurden, lief er wie ein Idiot auf der von brennenden Wagen rot erleuchteten Straße hin und her und schrie: „Nicht schießen, ich ergebe mich, nicht schießen!" Die Panzergranaten peitschten waagerecht in die Wagenkolonne, Leuchtspurmunition aus schweren Maschinengewehren blitzte von allen Seiten dazwischen, und diesem vollgeseichten Helden wurde kein Härchen versengt! Hollerer lag hinter einem Torfhaufen, er hätte Weiß unbemerkt erledigen können. Kohlmeyer, neben ihm, legte das Gewehr an. Hollerer schob es beiseite. Sie retteten sich durch die einzige Lücke, die sie am Aufblitzen der Maschinengewehre in der feindlichen Linie festgestellt hatten. Weiß, im Instinkte seiner Feigheit, mußte auch durch diese Lücke gefunden haben. Sie stießen im Dschungel auf ihn. Er war ohne Waffe und plärrte wieder sein „Nicht schießen, ich ergebe mich, nicht schießen!". Er hielt sie für Russen. Als sie ihn erreichten, konnte er sich nicht mehr auf den Beinen halten. Er sackte auf die Knie und glotzte sie von unten her erbärmlich an. Da konnte auch Kohlmeyer, der den Spaten schon in der Hand hatte, ihn nicht mehr erschlagen. Und dann, auf der regennassen Straße nach Narvik, auf der die Pioniere die Minen zuschütteten . . . „Jawoll, Herr General, die Waffe von Oberjäger Weiß ist durch Granatsplitter . . ." Nein, er,

Hollerer, war kein Denunziant. Komme, was da wolle, ein Denunziant würde er nie werden. Vielleicht war dieser Weiß doch nicht so schlecht, vielleicht glimmte noch ein Fünkchen Anstand in seiner Brust, vielleicht, und es schien so, vollzog sich unter dem Schauder des Todes die Metamorphose des alten barbarischen, katzbuckelnden, gewinngierigen Menschen.

Es war in der letzten Schlacht, im Nordzipfel Finnlands zwischen dem Enaresee und dem Tanaelf. Sie waren aus ihren Stellungen an den schlammigen Gewässern des nordischen Dschungels entkommen. Hollerer versuchte das umgestürzte Motorrad des Finnen mit einem Nagel zu starten, Kohlmeyer, der Landarbeiter aus Tirol, stach mit dem Pukko eine Kuh ab, die vor Euterschmerzen wie wahnsinnig brüllte. Die schweren Koffer torkelten über ihre Köpfe hin und schlugen mit dumpfem Gebrüll weit hinten auf der Straße und auf den fernen Hängen ein. Die Stalinorgel zwitscherte ihre schaurigen Melodien, und wo ihr Feuer durch brechende Äste herniederwinselte, stöhnte und kreischte die Erde und verbluteten die Schreie nach der Mutter, nach Christus und Maria. Selbst Hollerer und Kohlmeyer verzagten, durch den todgeweihten Wald hindurchzugelangen. Die von ihren Schmerzen erlöste Kuh schlug auf die Erde, sie streckte die Füße von sich und glotzte sterbend auf ihren Mörder und Retter. Hollerer ließ fluchend vom Motorrad ab. Er eilte Kohlmeyer nach, der die einzige Möglichkeit zur Flucht ausgeknobelt hatte. Sie hielten sich dicht neben den russischen Truppen, nur durch das Flüßchen von ihnen getrennt und nur durch einen Streifen dichten Gestrüpps vor ihnen geborgen. Sie hörten das Dröhnen der Panzer und Geschütze, die sich in ununterbrochener Reihe zum Flußübergang fortbewegten. Kohlmeyer bog in einen Pfad, der bald am Rande eines Sumpfes entlangführte. Er rannte, so schnell er vermochte, in jeder Minute konnte die Rote Armee zum Zipfel des Sumpfes durchstoßen. Hollerer mußte eine Atempause einlegen. Er hörte Zweige brechen,

Keuchen; ehe er sich verbergen konnte, kollerte Weiß durch das Gestrüpp den Abhang herunter. Weiß wollte über die weite kahle Fläche des Sumpfes hinweg, er wollte sich nicht davon abhalten lassen in seiner Scheißangst, da trieb Hollerer ihn mit der Maschinenpistole auf dem Trampelpfad vor sich her ans Ende des Sumpfes. Bei jedem Geräusch, das der andere verursachte, stieß er ihm die kalte Mündung der Waffe in den Rücken. Auf der anderen Seite des Sumpfes war Gebrüll; rauh klang es ihnen in die Ohren: „Halt Germanski, hurra!" Dort zog sich die Straße hin, durch undurchdringlichen Dschungel vom Sumpf getrennt. Weiß klappte zusammen, er hockte am Boden und glotzte trüb zu Hollerer hinauf. Über ihren Köpfen peitschten Schüsse durch das Herbstlaub. Zweigstücke schwirrten herab, und ein Querschläger pläschte gegen Hollerers Stahlhelm. Sie hörten die Schützen fünf Meter über sich auf der steilen Erhöhung atmen. Sie sahen einen Trupp Landser, lebende Zielscheiben, in der Mitte des Sumpfes waten. Einer nach dem andern blieb im Feuer liegen. Weiß wandte sein von tödlichem Entsetzen verzerrtes Gesicht Hollerer zu. Er war drauf und dran, wieder sein „Nicht schießen, ich ergebe mich, nicht schießen!" zu plärren. Hollerer stieß ihm die Maschinenpistole, Hand am Abzug, vor die Stirn. Der Obergefreite trieb den Unteroffizier auf der andern Seite des Sumpfes, dicht neben dem „Halt-Germanski-Hurra"-Gebrüll der roten Infanterie, im Schutze des Dschungels von den russischen Schützen fort. Warum? Warum?

Er haßte die Russen nicht. Er haßte seinen wirklichen Feind im eigenen Land. Dieser wirkliche Feind trug in seiner Kompanie den Namen Weiß. Nur, das hatte er damals noch nicht gewußt. Schon am Fischerhals und am Handgranatenköpfl und dann im Südabschnitt der Lizzafront und in der Schlacht bei Liinahamari und am Brückenkopf von Parkkina hatte Hollerer Schluß machen wollen mit dem Krieg. Aber die Kameraden im Stich lassen, um die eigene Haut zu retten? In der ruhigen Zeit zwischen den Schlachten hatte Hollerer im Niemandsland der Tundra ein rauhes befriedigendes Leben geführt. Seine Schießkunst hatte ihm zu einem erträglichen Dienst verholfen. Er hatte den Silberfuchs gejagt und den Elch und das Rentier. Schneehühner und Schneehasen schmorten im Kessel seiner Kompanie. Beinahe hatte er sich mit dem Barras ausgesöhnt. Bis es auch in der Tundra wieder Ernst geworden war.

Hollerer legte eine schnurgerade Skispur in den Paß hinein. Die Kameraden konnten und sollten sie nicht verfehlen. Früher oder später erreichten sie ihn doch. Nun gut, dann bestimmte er, wo und wann sie einander töteten. Er schnallte die Skier ab und sprang eine Geröllhalde hinauf. Er verbarg sich zwischen mächtigen Gesteinsbrocken am Fuße des Gebirgsstockes. Aus seinem Felsennest beobachtete er, wie die Kameraden einer nach dem andern durch den V-förmigen Einschnitt in den Paß drangen. Sie blieben dicht beisammen, bewegten sich vorsichtig in seiner Spur und spähten nach allen Seiten. Sie entdeckten die Skier, stutzten, glitten zu einer Schützenlinie auseinander und stiegen vorsichtig, die Gewehre im Anschlag, zur Geröllhalde auf. Sie trafen bei den Skiern zusammen, blieben stehen, besprachen sich leise, spähten dabei unablässig zu den Felsen hinauf und starrten plötzlich alle auf den gleichen Fleck. Einer sprang vor und streckte einen Gegenstand triumphierend in die Höhe. Hollerer konnte nicht erkennen, was es war. Er betrachtete seine Waffe, sie war geladen, gespannt, entsichert. Er griff nach dem Brotbeutel, der ihm hinten am Koppel hing. In seiner Stellung liegend, tastete er die Uniform ab, und plötzlich schwankte der Lauf seines Gewehres, sein dunkles Antlitz verschwand aus der Schießscharte.

Wenige Sekunden später zeigte es sich wieder, gelassen und feierlich. Hollerer hatte die Patronentasche verloren. Das morsche Leder der Laschen, an einer Seite eingefetzt, war durchgerissen. Längst hätte er die Tasche umtauschen müssen, aber er hatte sich gesagt, er brauche sie nicht mehr lange, der Krieg sei bald aus. Hollerer hatte fünf Schuß in der

Kammer und einen im Lauf, zusammen sechs. Die anderen waren sieben, Weiß eingeschlossen, der sich in einer windgeschützten Mulde am Eingang des Passes auf die Lauer gelegt hatte. Hollerer mußte seiner Ziele gewiß sein. Niemand durfte entkommen. Auge, Kimme, Korn – eine zielgerade Linie auf Wegleitner-Seppl –, so beobachtete er, wie die Kameraden sich etliche Schritte hinaufwagten, sich unschlüssig hin und her wandten, sich zurückziehen wollten und, als Weiß, ohne sich zu zeigen, hinten in seinem Schneeloch plärrte, zögernd vorrückten. Kurz danach hielten sie wieder an, und sofort war Weiß' plärrende Stimme zu vernehmen. All das in dem aufflammenden Schneesturm und im Erlöschen des Tages. Hollerer glaubte in diesen Minuten sehr heftig, die Kameraden würden Weiß das Maul stopfen, sie würden die Gewehre umdrehen und mit ihm gemeinsame Sache machen. Das war der letzte bittere Selbstbetrug.

Sie wußten, er holte beim Bataillonsschießen die Preise für die Kompanie, und sie gingen ihn an, weil Weiß hinten in seinem Schneeloch plärrte, und sie waren seine, Hollerers, Kameraden, und sie liebten ihn; den Weiß aber haßten sie, und sie sagten: wir können nichts dafür, Franz, es tut uns leid, mach keine Dummheiten, komm raus. Dämmrung und Sturm. Der Wind riß die schweren Wolken auf, die auf die Berge drückten und allem, was darunter atmete, den Atem nahmen; er riß sie auf und schüttete sie aus. Hollerer hatte das Schneetreiben im Rücken, die Kameraden hatten es im Gesicht. Hollerer lag versteckt und geschützt, sie kamen die kahle schneeverschleierte Halde herauf. Er sah die Umrisse ihrer Gestalten, sie sahen nichts. Er hatte die Überraschung für sich, sie glaubten an die Dummheit des Menschen. Er schoß zuerst. Seine Schüsse mußten ins Leben treffen. Das war die Tundra. Das Wolfsgesetz. Du mir, ich dir.

Die Überlebenden suchten Deckung, nur einer wollte fliehen. Er kippte im Sprung vornüber, überschlug sich und lag dann still für immer. Hollerer dachte: Mayrhofer-Martin, schade, war der beste von allen, wollte vielleicht nicht mehr, vielleicht ... Die Kugeln schwirrten wie wütende Hornissen, sie verzischten im Schnee und zerplätschten an den Steinen. Sie streiften Hollerer heiß, und nur einmal, als er sich unvorsichtig bewegte, traf es ihn schmerzlich ins Fleisch. Er nahm eine kriechende Gestalt wahr und schoß. Sie sackte in die Knie, wehrte sich lange gegen die unheimliche Gewalt, die sie starr und steif auf den gefrorenen Schnee streckte. Die beiden letzten wagten sich nicht vor und nicht zurück, vorn wachte Hollerer, und hinten ließ Weiß die Maschinenpistole aufgellen. Hollerer wechselte die Stellung, feuerte, sprang vor und feuerte noch einmal, seinen letzten Schuß. Wiederum hatte es ihn erwischt. Er zuckte auf. „Besser treffen", rief er den Toten höhnisch zu.

Sie hatten geglaubt, er lasse sich wie ein Schaf zum Metzger führen, alles wegen „Kamerad", für „Kamerad" lasse er sich henken. An ihrem Tod waren sie selber schuld, mit ihrem Glauben an Dummheit und Feigheit.

Der Schnee stob nun von den Höhen herab wie die Brandung eines ungeheuren Meeres, eines Weltozeans, der das All aufwühlt. In diesem Wetter fand man Hollerer nie. Doch es vernichtete auch die Hoffnung des Flüchtlings, sich die Munition der Toten zu holen. Als es finster genug war und er sich hinabwagen konnte, hatte der Schnee alles begraben.

Wogen von Schnee schäumten gegen ihn, aber er spürte nichts. Sein Anorak war steif gefroren, an den Brauen hingen ihm Eiszapfen, vom Atem verharschte das Kinn, und das alles spürte er nicht. Er schleppte seine schmale Blutspur durch den Schnee, und der Schnee deckte sie sofort wieder zu. Er mußte Weiß finden. Der Oberjäger hockte unter dem Felsen am Eingang des Passes. Er hatte sich auch dieses Mal fein im Hintergrund gehalten. Hatte die andern draufgehen lassen und nicht einen Fetzen seiner kostbaren Haut gezeigt. Hatte sich bestimmt eine Schneemauer gegen den Sturm errichtet, dahinter kauerte er und verzehrte seine Ration. Diese Vorstellung des friedlich kauernden und fressenden Weiß, nach all den blutigen Geschehnissen, peitschte Hollerer auf.

Der sollte das Maul gestopft bekommen, für immer und ewig, amen! Hollerer lästerte, er empfand es nicht. Er war ein Christ mit dem starren finsteren puritanischen Glauben an irdische Gerechtigkeit für irdischen Frevel, Auge um Auge, Zahn um Zahn, wer das Schwert zieht . . . Er glaubte sich selbst, Gottes strafende Hand, Blitz der Vorsehung zu sein, in dem kurzen finsteren Augenblick, da er überhaupt seines Gottes gedachte. Weiß war an der Reihe, unwiderruflich. Wolfsgesetz. Tundra. Du mir, ich dir.

Der Sturm hatte noch immer nicht seinen Höhepunkt erreicht. Der lautlose Tanz der weißen Teufel wurde von Minute zu Minute wilder. Hollerer kam immer langsamer voran. Frost krallte sich ihm ins Antlitz, Frost lähmte seine Glieder, Frost glomm in seinen Lungen und brannte ihm in den Adern. Der frisch gefallene Schnee war wie Schlick und sog seine Füße ein. Manchmal versank er bis an die Hüften. Seine Wunden waren nicht tödlich, aber sie öffneten sich immer wieder und schwächten ihn, wenn das Blut auch unter dem brettsteifen Anorak versickerte, verkrustete und keine Spur mehr zog. Der Sturm nahm sprunghaft an Stärke zu. Hollerer hielt inne, um Atem zu schöpfen. Nichts war zu sehen als der lautlose Tanz der weißen Teufel. Aber irgendwo am Fuße der Felsen hockte Weiß und malte sich aus, wie er nach dem Sturm zur Kompanie zurückkommt: Ich habe Hollerer erledigt! – Ohne einen Schuß hat er mich erledigt, dachte der Flüchtling.

Sein Antlitz erschien schwarz in der weißen Finsternis, dunkel gebrannt vom Frost. Der Flüchtling rieb es mit Schnee ab, brach das Eis von den Brauen und taute es mit der Wärme seiner Hand vom Kinn. Er kehrte der Grenze den Rücken zu und wandte die Stirn wieder gegen den Sturm. Der Umriß eines Felsens tauchte auf, wie vorbeigeschwemmt vom Strom der tanzenden weißen Teufel, wie ertrunken in der eisigen stummen Brandung. Der Schnee wurde fester. Hollerer hatte das Massiv erklommen. Er brach nicht mehr ein, kam aber nur noch Fuß um Fuß voran. Sein Oberkörper war weit vorgebeugt, fast waagerecht. Versuchte er, sich aufzurichten, so stießen die weißen Teufel ihn schweigend zurück. Hollerer nahm das leergeschossene, sinnlos gewordene Gewehr vom Rücken und stützte sich darauf, dennoch kam er bald keinen Schritt mehr vorwärts. Aber irgendwo unter ihm befand sich Weiß. Hollerer hing sich das Gewehr vor die Brust und schob sich bäuchlings über den Boden, dessen eisige Starre ihn mehr und mehr durchdrang. Seine Hände ertasteten durch die dicken Handschuhe den Fels. Er machte, ohne sich zu erheben, eine Wendung. Der Sturm packte ihn jetzt von der Seite. Hollerer hielt das Gesicht in den Windschatten. Wie er sich da über den verharschten Fels schob, ähnelte er einem riesigen unbeholfenen Wurm. Er konnte nun ein wenig vor sich hinsehen. Er fühlte indes mehr, als er sah, wo es hinabging. In einer Mulde streckte er sich aus, ließ den Sturm über sich hinpeitschen und kratzte mit erstarrenden Fingern Preiselbeergestrüpp unter dem Schnee hervor. Er stillte seinen Durst an den roten gefrorenen Beeren. Jetzt, da er zum erstenmal nach der Hetzjagd ruhte, spürte er Hunger. Er nahm Knäckebrot und Fliegerschokolade aus seinem Brotbeutel. Weiß entkam ihm nicht mehr. Verflucht, und wenn man verreckte, und man verreckte, daran war kein Zweifel mehr, aber der Weiß bekam sein Teil. Der ist so vollkommen erledigt, wie nur ein Toter erledigt sein kann. Dieses Kapitel wird endlich einmal zu Ende gebracht. Aber wie sieht das neue Kapitel aus, wer schlägt es auf, und warum haben die Kameraden dran glauben müssen? Herrgott, mit einem Schuß hätten sie Weiß auslöschen können, und Weiß war nur einer gegen sechs, und sie fürchteten seine plärrende Stimme mehr als den Tod, den sie starben. Und er, Hollerer, hatte er bis zu dieser Stunde den Weiß nicht auch mehr gefürchtet als den Tod?

Der Flüchtling kniff die Augen zusammen. Er spähte und lauschte in die weiße, lautlose, rasende Finsternis. Das Gewehr zerrte an ihm, es war leer geschossen und nutzlos geworden, und er schleppte es mit sich. Er trieb schwankend am

Rande der Felsen entlang. Mehr als einmal stolperte er und war nahe daran abzustürzen. Er kam immer nur wenige Schritte vorwärts, dann mußte er Atem schöpfen und neue Kraft sammeln. Mit dem Sturm rasten die Stunden hinweg, lautlos, eine nach der andern, vielleicht war es Mitternacht, vielleicht war es später, als die Kräfte der weißen Teufel endlich erlahmten. Hollerer richtete sich kerzengerade empor. Das Geradestehen war Labsal, Genuß. Hollerer hielt die Hand an die Stirn und schien weit hinüberzuschauen, dorthin, wo die Tundra sich schmeichlerisch an die Granitberge schmiegte, sie umarmte und in sich verstrickte, sie hinabzog in ihren sanften gefährlichen Schoß und verdarb in der Unergründlichkeit ihrer Sümpfe und Einöden. Dort war jetzt Rettung, Zukunft, das neue Kapitel. Das letzte Stück seines Weges würde Hollerer nun auch noch schaffen, nachdem er den Tod überlebt hatte. Nach dieser Nacht und in diesem Sturm suchte ihn niemand mehr. Er mußte nur immer nach Süden und konnte gar nicht fehlgehen, der Paß war breit, bequem, danach ging es sanft abwärts, immer abwärts, ohne Klettereien oder Hindernisse, sein Proviant reichte genau, bis er die Zelte der Roten Armee erreicht. Es kam nur darauf an, durchzuhalten. Es war jetzt alles ganz einfach und ungefährlich. Ein bißchen Ruhe, dann wurde er Herr über die Schwäche. Er mußte so schnell wie möglich zurück in den Paß.

In den Paß, wo die Toten lagen.

Wo die Toten . . .

Hollerers Augen, nicht mehr von vereisten Brauen eingekerkert, blickten starr, kalt, wie gefroren und verbrannt, in die weiße Finsternis. Das schwarze Antlitz lag geschützt und versteckt unter der Kapuze des Anoraks, nur die starren, kalten, gefrorenen und verbrannten Augen waren zu sehen. Sie glühten auf und zogen sich wieder erlöschend zusammen. Das Schneegestöber blendete. Oder was war es? Hollerer blinzelte über die verschwimmenden Felskanten in die Tiefe. Seine Augen tränten. Die Tränen erstarrten. Kleine eisige

Tränen an den Wimpern, blinzelte Hollerer hinab in die Tiefe zu den Toten. Er kam an ihnen nicht vorbei, er hatte sie noch nicht gerächt.

Er konnte den Grund unter sich nicht erkennen. Alles war weiße torkelnde Finsternis. Herrgott, dachte er, sechsundzwanzig bin ich, und was hab ich vom Leben gehabt? Alles ist schiefgegangen. Alles hab ich verkehrt angepackt. Nichts ist richtig getan worden. Nichts hab ich gewußt. Man ist so gotterbärmlich einsam, das ist das schlimmste von allem. Bist du einsam, machen sie dich fertig. Die Kameraden könnten am Leben sein, und ganz allein Weiß hätte den Schnee gerötet. Aber ich habe geschwiegen, und die Kameraden haben für sich gelebt, und Kohlmeyer hat sich auch abgeschlossen, und wir haben doch alle zusammengehört. Herrgott, wenn man zur rechten Zeit miteinander spricht, braucht man nicht einander zu töten! Getrennt haben sie uns, zerrissen, jeden mit sich selbst entzweit, Freundschaft und Edelmut mit Haß und Mordgier getränkt, auch mich ... auch mich ... nichts als Haß und Blut und Asche ... Wenn wir nein gesagt und nein gewollt und nein gehandelt hätten – was vermochten Weiß und seinesgleichen gegen alle? Ja, du mußt draufzahlen, und die Kameraden mußten draufzahlen, und die plärrende Stimme erledigt alle aus der Deckung heraus. Weiß sitzt wieder hinten und hat uns wieder geschafft, und so geht das die ganze Weltgeschichte lang.

Hollerer stützte sich auf das Gewehr. Aus seinem in der Erregung noch schwärzeren Antlitz glommen die Augen wie letzte Funken unter der Asche. Die Wunden waren wieder aufgebrochen. Langsam, zäh entrann das Leben. Hollerer schleppte sich weiter. Seine Gedanken verwirrten sich ... Gaas! Gaas! ... Dieser Hund, am Ende hat er sich doch verrechnet ... Dieses eine einzige Mal in seinem Leben hat Weiß falsch spekuliert.

Hollerer fiel vornüber. Er kam wieder hoch, hockte sich hin, suchte das Gewehr. Er bewegte sich taumelnd durch das nun sanfte Unwetter. Weit würde er nicht kommen, das war ihm selber klar. Seine Chance hatte eins zu zehn gestanden. Jetzt war sie gleich Null. Er hatte geahnt, daß es so kommen mußte. Weiß war das Verhängnis, es folgt einem überallhin, sitzt einem auf der Spur und hockt sich zu dir an dein Lager und grinst dich an und hängt dich auf. Es folgt dir bis an das Ende von allem.

Hollerer bemerkte einen dunklen verschwimmenden Fleck. Er kroch auf allen vieren über die Felsplatte, an deren Fuß es sich bewegte. Er erkannte die Umrisse eines Körpers. Weiß vertrat sich die Füße. Er machte sich warm in seinem Schneeloch. Er fühlte sich vollständig sicher. Für den gab es nur eines zu tun: zu überleben.

Hollerer zog die rechte Hand aus dem Handschuh. Sie war froststarr. Kohlmeyers Pukko entfiel ihr. Hollerer versuchte hochzukommen. Die Beine trugen seinen Körper nicht mehr. Jetzt, dachte er, jetzt könnte ich am Rande der Tundra sein. Er hing mit dem Kopf über dem Felsen und starrte mit glimmenden Augen aus dem verbrannten Antlitz auf den ausgeruhten und bewaffneten Feind. Über dem Felsen hängend, an den eisigen Boden geklammert, von der frostigen Hand des Sturmes gezüchtigt, erlöschende Augen in einem erloschenen Antlitz, so sann Hollerer der unendlichen Kette von Fehlern nach, die er in seinem Leben bis hierher zu diesem letzten und logischen Schluß begangen hatte.

„Ich bin einsam gewesen, ich habe geträumt, ich habe mich selbst betrogen, ich habe die Wahrheit nicht wahrhaben wollen, ich habe nur noch gehaßt, ich habe keine Zukunft gesehen, ich bin meinen Weg allein gegangen, und Kohlmeyer ist seinen Weg allein gegangen, und die Kameraden sind ihren Weg allein gegangen, und das war der tödliche Irrtum. Und nur Weiß, Weiß, Weiß hat sich nicht geirrt“, flüsterte Hollerer. „Weiß, Weiß, Weiß“, stammelte er sinnlos vor sich hin. Weiß hatte den Glauben vergiftet und mit dem Glauben den Menschen. Weiß hatte den Menschen mit sich selbst entzweit, den Mut mit sich selbst entzweit und die Feigheit mit sich selbst entzweit, so daß Feiglinge mutig und Mutige feig erschienen. Weiß hatte immer desertieren wollen, wie er im März 1938 zu den Nazis desertiert war und wie er nach diesem Krieg wieder desertieren wird. Und so stand denn nach alledem fest, zu spät erkannt und zu teuer bezahlt: Mit Weiß zusammen auf einer Welt gibt es kein Auskommen. Mit Weiß mußte er fertig werden, in seinem Land, in seinem Haus, auf der ganzen Welt, in der eignen Familie. Im Frieden mußte man mit dem lebenden Weiß rechnen. Immer klarer sah es Hollerer: im Frieden leben und mit Weiß abrechnen, die Blutschuld aufrechnen und begleichen, im Angesicht des Volkes, des betrogenen und verratenen, gehenkten und in den Tod getriebenen.

Hollerer zog die Hände unter der Pelzweste hervor. Er klaubte den Pukko aus dem Schnee, in den er eingefroren war. Er nahm das Gewehr vom Rücken, aber er ließ es nicht los und stemmte sich auf Knien und Händen hoch. Und da blickte Weiß nach oben. Beide schrien auf. Hollerer sah Weiß die Maschinenpistole hochreißen. Im selben Augenblick sprang er ab. Im selben Augenblick blendete und durchschnitt ihn ein gellender Feuerstrahl. Im selben Augenblick prallte er auf einen harten keuchenden Körper. Er stieß zu. Weiß, dabei, sich ihm zu entwinden, kippte vornüber. Seine Hände griffen weit aus und scharrten im Schnee. Er tastete nach der Maschinenpistole, die ihm entfallen war. Er versuchte, sich auf den Knien hochzurichten. Er sackte wieder zusammen. Seine krauchenden Finger berührten den Lauf der Waffe, sie zuckten zurück, als hätten sie sich verbrannt, krochen wieder vor, umklammerten den Pistolenkolben. Hollerer hockte auf Knien und Händen und starrte verständnislos auf die krampfigen Bewegungen des Feindes. Je heftiger Weiß sich bewegte, desto eher kam das Ende. Der Pukko saß ihm bis ans Heft unter dem linken Schulterblatt. Ein Schauer durchlief seinen Körper, dann lag er still, eingewühlt im roten Schnee. Hollerer ergriff mit steifen Fingern sein Gewehr. Es dauerte lange Zeit, bis er es in die Höhe gehoben und in den knirschenden Schnee gebohrt hatte. Das Blut rann warm aus der frischen Schußwunde und verklebte ihm das Hemd. Er war zu schwach, sich aufzurichten, drehte seinen Körper mit unsäglicher Mühe herum und fiel, schwer atmend, mit dem Rücken gegen das Gewehr. Er war unendlich müde. Aber er wollte nicht einschlafen. Wenn er geradenwegs nach Süden marschierte, mußte er in anderthalb Tagen die russischen Stellungen erreichen. Der Weg war frei. Warum waren die Kameraden nicht mit ihm gegangen? Er mußte mit ihnen sprechen. Er durfte sich nicht fürchten und mußte mit ihnen sprechen. Wenn nur nicht diese verdammte Müdigkeit gewesen wäre! Schlief er jetzt ein, so wachte er nie wieder auf. Kohlmeyer hat ihnen nicht getraut, er hat geflucht und geschrien, als sie ihn fürsorglich auf die Skier betteten, ihn behutsam hinabführten zum Henker. Man muß sie dennoch lieben, man darf nicht aufhören, sie zu lieben. Hollerer hob den Kopf, er blinzelte in das Schneetreiben, es war still und friedlich, und er konnte daran denken, seinen Weg fortzusetzen. Er hatte einen neuen Weg gefunden und mußte ihn zu Ende gehen und mußte die Kameraden mit sich nehmen; er geht seinen Weg von heute an nie mehr allein. Hollerer spürte keinen Wind und keine Kälte. Ihm war warm und wohl. Irgendwie hab ich was verkehrt gemacht, das nächste Mal mach ich's richtig, dachte er. Das Kinn sank ihm auf die Brust, er blinzelte zu dem toten Weiß mit dem Pukko zwischen den Schulterblättern hinüber, sprach laut: „Dem hab ich's besorgt“, und war, an das Gewehr gelehnt, fest eingeschlafen. Der Schnee bedeckte den Toten und den Schlafenden, der nie mehr erwachte, um es richtig zu machen.

JURIJ BRĚZAN

# Krauzezy

Gleich nach dem Kriege oder besser: in den ersten Nachkriegsjahren konnte ein Fremder annehmen, im Dorf gäbe es ausschließlich Krauze.

Nimm das Gemeindeamt: Du klopfst an die Tür, innen ruft man „Bitte", mit zarter, aber fester oder fester, aber zarter Stimme – ob so oder so, das hängt nicht vom Wetter ab, sondern von den Launen, und das Wetter hat seinen Hundertjährigen Kalender, die Launen aber richten sich nicht einmal nach sich selbst – also von drinnen ruft es: „Bitte."

Du trittst ein, und hinter dem gemeindeamtlichen Tisch sitzt ein mitteljunges Mädchen, Augen wie Steinkohle, Haare wie Rabengefieder, und wenn sie aufsteht, siehst du, daß sie bei Gott weder ein hungerdürrer Rabe noch ein kantigsteifes Stück Kohle ist.

Wie das mit dir weiter abläuft auf dem Gemeindeamt, hängt davon ab, ob sich das Fräulein Gemeindesekretärin im Augenblick in guter oder unguter Stimmung befindet.

Wenn in guter, so hockt ein Junggeselle eine Stunde dort und weiß nicht, wie ihm die Stunde weggelaufen ist; Verheiratete kleben meistens noch fester und gehen dann heim, als kämen sie aus der Kneipe, wirr im Kopf und verdreht in der Seele. Ist das Fräulein aber schlecht gestimmt, schwören Junggesellen, nie zu heiraten, und Ehemänner loben sich ihre Ehefrauen.

Zu solchen Zeiten zittert selbst der Bürgermeister vor seiner Sekretärin, und sogar der Landrat, der hergekommen war, um irgendwelcher Dinge wegen Donner und Doria mit dem Bürgermeister zu spielen, soll verdonnert und zerwettert vor der Sekretärin Ursel Krauz aus der Gemeinde geflüchtet sein.

Ursel Krauz also, auf dem Gemeindeamt.

Ein paar Schritt, und du triffst auf die Bäckerei, M. Pech steht schwarz auf orangenem Grund über dem Eingang und, ins Glas geritzt, auf der Tür: Theodor Krauz, Inhaber.

Theodor – oder auf deutsch: Gottesgabe – ist ohne Zweifel ein ausgezeichneter Vorname für einen Bäcker, vor allem in Notzeiten, wenn die Leute einen Laib Brot eine wahre Gottesgabe nennen und zeitlebens lieber trocken Brot essen wollen statt ... Nun, man kennt das ja oder hat es schon wieder vergessen.

Theodor Krauz verfertigt nicht nur Brotlaibe, fünf Dutzend am Tag, sondern auch aus hundertunddrei verschiedenen Zutaten und Ingredienzien Torten und Törtchen, wie sie vor ihm kein Bäcker im Dorf nicht einmal gekostet hat.

Die Torten und Törtchen natürlich nur auf Bestellung und aus – wie man sagt – Rohstoffen des Bestellers.

Der alte M. Pech war ein gewöhnlicher Brotbäcker gewesen – und auch er hatte sich das Seine zusammengebacken –, aber der junge Theodor, der M. Pechs Tochter zur Frau hatte, buk sich mit seinen sonn- und festtäglichen, ganz und gar unnachkriegsmäßigen Produkten so viel Ruhm, Ansehen und Ehre ins Haus – vom Geld spricht er nicht gern –, daß er an ein und demselben Tag zum Kirchendiener berufen, zum Kassierer der Domowina-Ortsgruppe gewählt und zum Gemeinde-Feuerwehrhauptmann ernannt wurde. Das geschah anläßlich Theodors dreißigstem Geburtstag und bedeutete einen nicht unbeträchtlichen Gewichtszuwachs der Krauze im Dorf. (Letzteres ganz abgesehen davon, daß die Bäckersfrau mit dem fünften Kind schwanger ging, wobei sie noch nicht einmal ganze achtundzwanzig Jahre alt war, was man perspektivisch sehen muß.)

Mitten im Dorf liegt ein irgendwie undörfliches Haus, eine Mini-Villa etwa, im Garten Rosen, Azaleen und Rhododendron, auf dem Dach ein grüner Wetterhahn, an der Tür eine elektrische Klingel, neben der Klingel zwei blecherne Schilder: „Deutsche Post“ und „Versicherungsagentur“ und ein hölzernes: „Hebamme.“

Der Besitzer der Mini-Villa und Zugehöriger der beiden Blechtafeln ist Cyrill Krauz, dünn, lang, rheumatisch und hartköpfig wie eine Hobelbank. In Kooperation mit seiner Frau macht er die beste Propaganda für deren Beruf: Die Hebamme hat privat sechs Jungen und drei Mädchen zur Welt gebracht, die Kinder sind gesund und munter, in der Schule nicht eben die besten, was aber – wie Cyrill Krauz beim Postaustragen mit austrägt – an der blödsinnigen Schule liegt.

In der Schule gibt es keinen Krauz als Lehrer, aber das soll sich bald ändern, indem nämlich Benno Krauz, der jüngste Sohn, und Hanka Krauz, der Schlußmann der Familie überhaupt, noch in diesem Jahr die Lehrerbildungsanstalt verlassen und man damit rechnen kann, daß der Alte Krauz – der Ahn aller Krauze – seinen Bäckersohn nicht erfolglos berät. Der Alte hat seine Erfahrungen und meint, daß es gut und nützlich sei, den Herrn Schulrat nach jedem Besuch der hiesigen Schule in die Bäckerstube zu bitten auf eine Tasse Kaffee, ein abgebliebenes Sondertörtchen, ein Hausmacherschmalzbrot. Für ein solches Schmalzbrot gebe er, so pflegt der Schulrat zu sagen, gern seine letzten Haare her, und der Schmalztopf in der Bäckerei steht niemals leer.

Mag also nun die Rede sein vom Alten Krauz, obwohl man auch noch vom Konsum reden könnte.

Der Konsum ist neu im Dorf. Bis zum Kriegsende hat das „Kolonialwarengeschäft“ einem gewissen Zakrzeczki gehört, einem Nazi und Sorbenfresser. Der Zakrzeczki ist über die Elbe, das Geschäft ist ein Konsum, und den Konsum leitet Paul Krauz, ihm haben sie den linken Fuß unter dem Knie weggeschossen, aber singen kann er noch wie eine Heidelerche und auf der Geige fiedeln wie Paganini. Er hat eine kleine Musikkapelle gegründet, und Sonntagstanz, Hochzeiten und Begräbnisse mit Kondukt gibt es nicht ohne Paul Krauz.

Soll der Konsum Konsum sein, hier steht der alte Peter Krauz, die Zeitung hat schon über ihn geschrieben und auch der Heimatkalender, und er würde sich sehr wundern, wenn nicht auch hier über ihn geschrieben würde.

Manch einer möchte befürchten, daß einem Schreiber unter die vielen guten Worte auch ein Wörtchen der Kritik hineingeraten könnte, der Alte Krauz fürchtet sich nicht. Er weiß, daß er ein lauteres Gefäß aller Tugenden ist, und er weiß, daß das alle wissen.

Er ist erstens Glöckner.

Der Pfarrer der Kirchengemeinde, Michael Hejduschka, hat ein Gedächtnis wie eine Kräuterfrau, er merkt sich wirklich jede Brennessel und jede Lindenblüte. Er würde es bis zu seinem Tode nicht vergessen, wenn der Alte Krauz – auch damals, als er noch jung war und einfach der Peter Krauz –, wenn der also einmal um eine einzige Minute zu spät geläutet oder zu einer Gesindehochzeit vielleicht an der Bauernglocke gezerrt hätte.

Selbst an jenem schrecklichen Tag, als die Totenkopfleute auf dem Turm hockten und mit dem Maschinengewehr zur Ostluke hinausballerten, selbst an jenem schrecklichen Tag zog der Alte Krauz Punkt zwölf Uhr am Seil der letzten, einzig übriggebliebenen Glocke, der ewig heiseren Sterbeglocke.

Auch alle anderen Glöcknerpflichten hat der Alte Krauz während seiner fünfzigjährigen Dienstzeit mit gleicher Treue erfüllt; er brüstet sich dessen nicht, er ist demütig und sagt: Mit Gottes Hilfe habe ich das gut besorgt.

Zweitens ist der Alte Krauz Standesbeamter.

Mit akkurater, geschwungener Schrift trägt er die auf die Welt Kommenden und die aus der Welt Scheidenden in seine Folianten ein und schließt mit weichem Bariton im Namen des Staates Ehen.

Auch hier braucht man nicht zu befürchten, daß vielleicht einer auf der Welt herumliefe, den der Alte Krauz in sein Totenbuch eingeschrieben hat, oder daß eine Ehe, durch ihn geschlossen, wegen ungenau erfüllter Formalitäten in Scherben gehen könnte.

Gesagt werden muß allerdings, daß der Alte Krauz einem gewissen Glausch – der auf eine mittlere Nazilaufbahn aus war und dazu seine arische Großmutter standesamtlich bescheinigt brauchte – diese Großmutter vorenthielt, obwohl er genau wußte, daß sie als Smola in seinen Folianten stand und nicht als Pech, wie jener Glausch sie kannte.

Diese Sache rechnet der Alte Krauz allerdings zu seinen guten Taten, und wir haben keinen Grund, hierin anderer Meinung zu sein.

Drittens war der Alte Krauz der Gründer und einzige Vorsitzende eines vor dem Krieg in der ganzen Lausitz bekannten sorbischen Gesangvereins und fungierte vom ersten Friedenstag an als Vorsitzender der Domowina-Ortsgruppe.

Muß man hinzufügen, daß im Gemeindeparlament drei Krauze und eine Krauzin saßen? Daß der Bürgermeister der Bürgermeister war, der Alte Krauz aber der erste und wichtigste Mann im Dorf? Daß man in den Nachbarorten bisweilen, statt das Dorf mit seinem rechten Namen zu nennen, es Krauzezy – Krauzdorf nannte? Und daß das recht und richtig war und daß der Alte Krauz am Tage seines siebzigsten Geburtstags die Seinen zählte und wog und sich in all seiner Bescheidenheit und Demut als Patriarch sah?

Das alles ist weit und breit bekannt, und es ist nicht nötig, auch nur ein Wort darüber zu verlieren.

Vielleicht aber ist es nötig, zu erwähnen, daß von diesem nämlichen Tage an die Krauze einen Mythos neuer Art im Dorf zusammenzubasteln sich anschickten, die Krauzsche Bescheidenheit in ihnen zu bröckeln und zu brücheln begann und sie anfingen, die Krauz-Familie anderen Leuten auf die Schulter zu stellen und sich als Maß und Maßnehmer zu betrachten.

An diesem nämlichen Tage aber begann die Geschichte den Krauzen – wie man sagt – Knüppel zwischen die Beine zu werfen, sozusagen. Und zwar auf eine höchst ungehörige Weise, hinter dem Rücken aller nämlich, und nicht etwa, daß die Geschichte mit dem Patriarchen Krauz angebunden hätte, bei Gott nicht, oder mit dem angesehenen Tortenbäcker oder vielleicht mit der Ursel im Gemeindeamt – die hätte der Geschichte schon heimgeleuchtet.

Die Geschichte warf sich auf das schwächste Glied der Krauze, auf Hanka, die Beinahe-Lehrerin.

Die Geschichte tritt verschiedenartig auf: freundlich, grob, komödiantisch, grausam, intrigant, gerecht ... In diesem Fall war sie intrigant. Sie schlüpfte in die Gestalt eines jungen Angestellten vom Rat des Kreises, versorgte ihn mit einem Blumentopf und einem offiziellen Glückwunschschreiben des Landrates und schickte ihn auf die Siebzig-Jahr-Feier des Standesbeamten Peter Krauz.

Es war nichts Besonderes an dem Überbringer der landrätlichen Glückwünsche, er war weder klein noch groß, hieß Georg, sprach sorbisch so gut wie irgendein Krauz, war der Sohn eines Steinbrucharbeiters, gelernter Müller, hatte leichte Reiterbeine und lachte gern wie ein Töpfer oder aber: wie ein Weber auf einen Bauernkuchen.

Auf der Geburtstagsfeier – er blieb nur eine anständig kurze Zeit – lachte er weniger den Kuchen als das Mädchen Hanka an. Niemand verübelte ihm das, weswegen sollte auch ein Bursche mit einem Parteiabzeichen nicht Krauzens Jüngste anlachen, wo doch jedermann sie mit Wohlgefallen ansah?

Wenige Monate später aber wurde die Hinterhältigkeit und Heimtücke der Geschichte augenfällig für alle. Das heißt, zunächst nicht *augenfällig* für alle, dem Ahn Krauz kam es vorerst nur zu *Ohren.* Hanka erschien und erklärte ihrem standesbeamteten Vater, daß er seine Feder für sie schon immer ins Tintenfaß stecken dürfe.

Der Alte Krauz hatte die Fülle seiner Lebensweisheit in feste Formeln gegossen und sie so Stück um Stück noch zu Lebzeiten seinen Kindern als Erbe abgelassen. Eine solche gut gegossene und glatt gefeilte Weisheit hieß: „Wenn du viel redest, brauchst du nichts zu sagen."

An diese Weisheit hielt sich jetzt die Studentin Hanka, doch ihr Vater unterbrach sie sehr bald. „Rede kein Wollknäuel, mein Kind", sprach er milde, „sondern sag, was du willst."

Und durch den Kopf ging es ihm, ob er es ihnen denn nicht erklärt habe, daß solcherart Prinzipien nur für den außerfamiliären Verkehr gelten.

Ich bekenne, daß ich mir hier etwas ausdenke: Ich war nicht dabei, und niemand war dabei. Bewiesen ist nur, daß Hanka schließlich aus dem Hause stürzte, rot im Gesicht, die Augen funkelnd – vor Tränen oder vor Zorn, wahrscheinlich beides –, sich aufs Fahrrad schwang, sie hatte einen lindgrünen seidenen Unterrock mit schwarzer Spitze an, jeder konnte das sehen, und niemand kann es irgend jemandem übelnehmen, wenn der sich Gedanken machte, warum wohl Hanka Krauz so in die Pedale trat, daß ihr der Unterrock um die Ohren flog, sozusagen.

Und wer dazu noch den Alten Krauz sah: auf der Schwelle stehend, den Arm ausgestreckt, Hanka nachsehend wie der Engel Gabriel Adam und Eva, den eben aus dem Paradiese Vertriebenen – der also durfte wahrhaftig den Kopf wiegen und, ohne etwas zu erfinden, sagen, daß sich hier etwas tat.

Und wer darüber hinaus noch wußte, daß die Sanftheit der Sanften härter ist als die Festigkeit der Sturköpfe, dem war, als habe die Erde soeben gewackelt und Krauze und Krauzdorf erschüttert.

So arg hinwiederum meinte es die Geschichte nun auch nicht, sie hatte nur Hanka Mitte Juni – jetzt rodete man

Kartoffeln – auf einem Feldrain (damals gab es noch genügend Feldraine), sie also auf einem Rain zwischen zwei blühenden Roggenschlägen verführt, nicht das Mädchen allein, sondern samt jenem Georg aus dem Kreisratsamt. Was die beiden jungen Leute dort taten, kann wieder niemand mit Bestimmtheit sagen. Aus Erfahrung freilich darf behauptet werden, daß Ameisen sie dort bissen und Mücken sie stachen.

Jedenfalls, im Oktober war Hochzeit – nicht im Dorf und ohne den Alten Krauz und ohne die Torten und Törtchen des Gottesgab-Theodor, und die Leute erzählten, daß es hohe Zeit gewesen sei mit der Hochzeit, erzählten sie.

Hier soll nicht gesprochen werden über das, was sich die Leute ausdenken, sondern über das, was passiert. Sonst würde schließlich jeder bloß noch schreiben, was ihm so einfällt, würde pfeifen auf die Wahrheit, und die Leute könnten am Ende nur noch das lesen, was sich die Schreiber gern als Wirklichkeit wünschen, und nichts mehr könnten sie lesen über die Wirklichkeit selbst.

Abgesehen also von dem Geschwätz der Leute, geschah auf jener Hochzeit, daß der Konsum-Krauz – der Einbeinige und gern Singende –, der als einziger von der Familie am Hochzeitstisch saß, mit Mühe aufstand – das eine Bein aus Fleisch und Blut, das andere aus Holz – und zur Braut sprach. Einige Leute behaupten, er habe verdrehtes Zeug geredet, wahr ist, daß er keine Späßchen über Brautbett und Brautglück gemacht hat, sondern erzählt, wie er im Krieg sein eines Bein verloren habe, wie ihn dieses verlorene Bein noch oft schmerze und daß er über sein abgeschossenes Bein häufiger nachdenke als über sein gesundes. An dieser Stelle fingen einige Freundinnen der Braut an, unruhig zu werden, und der Konsum-Krauz kam nicht dazu, den Leuten zu erklären, welche tiefen Gedanken er sich über die Hochzeit seiner Schwester machte. Er geriet ein wenig ins Stottern, setzte sich, und das ist schade, denn er ist der einzige Krauz, der mehr denkt, als er redet.

Möglicherweise hätten wir – wenn jene jungen Dinger ihn nicht aus dem Konzept gebracht hätten –, möglicherweise also hätten wir etwas über das Familientreffen der Krauze, stattgefunden am Sonntag vor der Hochzeit, erfahren. Doch die Gänschen wollten schnattern, und wir müssen uns mit trokkenen Fakten von jener Krauzschen Gipfelkonferenz begnügen.

Sonntags nach der Vesper also.

Der Bäcker Theodor trank seine Tasse Kaffee aus, warf einen Blick in die Sparbücher seiner Frau und Kinder – für sich selbst hatte er aus gewissen, nicht unklugen Gründen keines angelegt –, verlor sich ein paar Atemzüge lang in die Betrachtung seiner Feuerwehrhauptmannsuniform und begab sich auf den Weg.

Unterwegs traf er seine Schwester Ursel, die sah aus wie der Himmel vor einem Gewitter.

„Die hat eine Hochzeit nötig, dieses Hosennässerchen!“ sagte sie.

„Leider Gottes“, meinte Theodor.

„Verzogen hat sie der Vater, sein Nesthäkchen!“ donnerte der Gewitterhimmel.

Theodor verzog den Mund, das konnte *ja* heißen oder auch *nein*, er war es vom Geschäft her gewohnt, den Mund so zu verziehen, daß es jeder nach seinem Belieben für Ja oder Nein nehmen konnte.

Zur gleichen Zeit humpelte, auf seinen Stock gestützt, der rheumatische Cyrill Krauz aus der Tür seiner Mini-Villa. Er war eben wütend – das war er ja meistens –, daß er sich in den Wettbewerb bei der Gewinnung neuer Abonnenten für Parteizeitungen hatte hineinwerben lassen. Schon aus diesem Grund war er ganz entschieden gegen die Hochzeit einer Krauz mit einem mutmaßlichen Leser jener Zeitungen.

Den Cyrill holte Benno, sein jüngster Bruder, mit dem Fahrrad ein. Der Älteste fuhr den Jüngsten an: „Etwas Verrückteres hast du wohl nicht anziehen können!“

Benno Krauz trug einen roten Pullover, er hatte sich wirklich nichts dabei gedacht.

Er entschuldigte sich: „Ich habe ihn aus Prag."

Cyrill antwortete nicht einmal, und Benno streifte sich im Hausflur den unmöglichen Pullover über den Kopf und begrüßte seinen Vater im reinweißen Hemd.

Sein Vater – der Alte Krauz – saß in seinem hochrückigen Sessel, aufrecht und steif, und der Konsum-Krauz, als letzter eintretend, dachte: Wie Abraham.

Ich meine, ihm wäre es zuzutrauen, daß er so etwas gedacht hätte.

Hanka, der nun auch die Krauze ansahen, was ihr andere Leute schon längst angesehen hatten, war herbestellt als Opferlamm oder etwas Ähnliches. Aber statt demütig zu warten, auf welche Art und Weise sie ihr Vater Abraham opfern würde, wurde sie wütend, als ihr der dauernd wütende Bruder Cyrill nicht einmal die Hand zum Gruß gab.

Sie stellte sich – schamlos, sagte der Alte Krauz später – mitten in die Stube, schüttelte ihre schwarze Mähne zurecht und sprach – ich ging eben draußen vorbei – mit klarer, spröder Stimme und ganz und gar nicht leise. „Am Dienstag – nach altem sorbischem Brauch – habe ich Hochzeit. Mein hochwohllöbliches Gericht ist herzlich dazu eingeladen, bis auf diesen Erzpharisäer hier!"

Sie zeigte auf den Rheumatikus, lächelte dem Bäcker Theodor zu, der eben sein Ja-Nein auf den Lippen hatte, öffnete die Tür, wandte sich noch einmal um, sah die konsternierte Versammlung an, lachte auf, ganz ungemacht, und sagte: „Ihr seid lächerlich. Einfach lächerlich."

Ich sah ihr hinterdrein, als sie die Dorfstraße hochschritt, und ich muß sagen, ich wundere mich nicht über den Burschen, daß er sie auf jenen versteckten Rain zwischen den zwei Kornfeldern geführt hat. Er wartete halbwegs zwischen Bäckerei und Gemeindeamt mit seinem Motorrad auf sie. Sie knatterten an mir vorüber, und Hanka rief mir zu: „Komm zum Hochzeitstanz!"

Der war am Dienstag, zunächst aber muß über den Sonntag zu Ende berichtet werden. Hierbei bin ich wiederum gezwungen, Mutmaßungen hinzuschreiben: Möglicherweise also hat der Alte Krauz erklärt, daß er aus Protest gegen die Verführung seiner Tochter Hanka durch einen sorbischen Hundsfott – diesen Ausdruck hat er wirklich gebraucht – den Vorsitz in der Domowina-Gruppe niederlege und gleichzeitig aus der Domowina austrete. Er erwarte – so dürfte er fortgefahren sein –, daß die Seinen Mann für Mann sich an seine Seite stellten und ihre Funktionen niederlegten, ausgenommen das Kirchendieneramt des Theodor.

Wie es scheint, hat nur der Konsum-Krauz gewagt, seinem Patriarchen sanft zu widersprechen. Der Bäcker Theodor hat etwas von Törtchen gemurmelt, die er noch heute vorzubereiten habe, durch den Kopf ist ihm geschossen, daß er sein Kassiereramt seiner Frau übertragen könnte, und ist gegangen. Gleich nach ihm ist Benno abgefahren, wieder im roten Pullover, er hatte es eilig auf den Fußballplatz. Unser Vater hat gut reden, hat er abends zu seiner Freundin gesagt, der hat seine Rente, aber ich bin Student.

Am Tage der Hochzeit traten aus der Domowina aus: der Alte Krauz, der rheumatische Posthalter und die Gemeindesekretärin Ursel. Natürlich war das ein Dorfskandal, aber die Leute hätten ihn bald vergessen, sie hatten andere Sorgen, als sich wochenlang darüber zu wundern, wie wunderlich sich die Krauze zeigten.

Aber gewisse Dinge haben ihren eigenen Mechanismus. Der ausgetretene Posthalter fiel den nicht ausgetretenen Bäcker an, das sei Hundsfötterei, Mißachtung der Familienehre und überhaupt gegen das vierte Gebot: Du sollst deinen Vater . . . und so weiter.

Der Bäcker war altbacken genug, daß er nicht sich verteidigte, sondern den Bruder angriff: Wie sich das vierte Gebot vertrüge mit der Werbung für jene Zeitungen? Und überhaupt schon mit ihrer Verbreitung?

Der Posthalter machte sein rheumatisches Rückgrat steif,

hörte auf, neue Abonnenten zu werben, und weigerte sich endlich, weiterhin jene Zeitungen auszutragen, die er auf der Seite des unerwünschten Schwiegersohnes des Patriarchen Krauz vermutete. Die Post ist verhältnismäßig großzügig, aber daß jeder Postler nach eigenem Gutdünken festlegen dürfte, was er austragen wolle und was nicht, so viel Großzügigkeit kann sich selbst die Post nicht leisten. Cyrill Krauz aber machte sein Rückgrat noch steifer und trat – der Familienehre halber – auch aus der Post aus.

Jedermann weiß, daß eine Versicherungsagentur auf dem Dorf keine Reichtümer einbringt. Das ländliche Hebammengeschäft beginnt ebenfalls schwache Füße zu kriegen, seitdem es Mode geworden ist, daß auch Frau Hinz und Kunz sich ihre Kinder in der Klinik holen. Die Hebamme, Frau Krauz, starkknochiger und fester im Fleisch als ihr Mann, grollte und wetterleuchtete ein paar Tage von weitem, dann aber begann sich der Sturm zu heben, er trieb das Himmelsgewitter herbei, Donner und Blitz heizten dem charakterfesten Cyrill so ein, daß er schließlich seine Lade auf den Handwagen setzte, das Hebammen-Himmelsgewitter, die Mini-Villa und seine Mandel Kinder verließ und in das Haus seines Vaters zurückkehrte.

Da lachten die Leute zum ersten Mal – wenigstens in diesem Jahrhundert – über die Krauze. Hinter vorgehaltener Hand zwar, aber immerhin.

Der Alte Krauz, klüger als sein Ältester, fing wieder an, die Versammlungen der Domowina zu besuchen; nicht nur zu besuchen, sondern dort auch in gewohnter Weise zu sprechen, kurz, aber kernig: Der Sorbe ist des Sorben Bruder, und wehe uns, wenn wir gestatten, daß unsere Jugend nach dem Fremden Ausschau hält.

Die Leute sagten: Alles, was recht ist, er ist ein Sorbe wie aus Eichenholz, und seine Kinder haben das von ihm.

Niemand, am wenigsten der Alte Krauz, hätte damit rechnen können, daß die Würmer auch schon in diesem Holze bohrten. Der Wurm in diesem Fall hieß Ernst Beimichl,

Friseur und Sohn eines Friseurgeschäftes in der Stadt, und das Stück Eiche, in das er sich einbohrte, hieß Ursel, die mitteljunge Gemeindesekretärin.

Sie tobte wie von Sinnen, als der Alte Krauz mit seinem „Wehe!" anhub, sie lasse ihren Beimichl nicht, nicht im Leben und nicht im Tode.

Der junge Beimichl war jünger als sie, und der alte Beimichl wollte zur Schwiegertochter entweder eine mit Geld oder eine mit Friseurdiplom. Der nach dem Mädchen wilde Junge, dessen starrköpfiger Vater, der sein „Wehe!" manchmal seufzende und manchmal rufende Patriarch Krauz, und schließlich die Ursel, die wie eine Strohscheune brannte: es war ein verrücktes Theater und kreuzteuflischer Krach, und eines Tages waren der junge Beimichl und die nicht ganz so junge Ursel aus der Welt, wenigstens aus unserer Welt.

Auf dem Hochzeitsfoto, das die Ursel heimschickte, war sie eine schöne Braut. Warum die beiden sich ein Jahr später scheiden ließen, weiß niemand, er frisiert irgendwo, sie ist Hausmädchen beim Grafen Lietinghoft, womit die alte Ordnung wiederhergestellt ist. Der Graf schreibt einen Roman, der in der Lausitz spielt, die Heldin des Romans ist Ursel, eine arme, durch die neue Zeit aus der Heimat vertriebene Sorbin. Als die Leute von dem Lietinghoft erfuhren – die Leute erfahren alles –, lachten sie zum zweiten Mal über die Krauze. Laut und nicht hinter der vorgehaltenen Hand.

Am meisten schmerzte das Lachen der Leute den Bäcker Theodor. Auf seinem Gesicht hat sich eine neue Falte gebildet. Manchmal könnte man glauben, er habe schon zum Frühstück Essig oder Rizinus trinken müssen.

Doch er bäckt weiterhin Brot, Semmeln, Kuchen und Torten, er hat dem Sohn seiner Schwester Hanka Pate gestanden, er wechselt eifrig Briefe mit seiner Schwester Ursel, vergißt niemals, einen Gruß an den Grafen hinzuzufügen, erfüllt gewissenhaft seine Kirchendienerpflichten, leitet umsichtig die Feuerwehr, arbeitet fleißig im NAW und hat sich von einem bekannten Bildschnitzer sorbisch in Eiche schnitzen lassen: „Mein Heim ist meine Festung.“ Dieses kunstvolle Täfelchen hängt über seinem Sofa, und dort schläft er am liebsten.

Der Lehrer Benno Krauz hat sich in die Niederlausitz versetzen lassen, dort wissen die gewöhnlichen Leute nichts von dem berühmten Alten Krauz, und die anderen sind an einer Hand abzuzählen.

Es bleibt der Konsum-Krauz, der fröhliche Musikant und Sänger. Sein verlorenes Bein gibt ihm keine Ruhe, bei jedem Wetterumschlag tut es ihm weh und zwingt ihn zum Denken. Gedanken stehen auf in Paul Krauz, vor denen er selbst erschrickt. Aber er schreckt nicht zurück vor ihnen, er schaut ihnen ins Gesicht und sieht ihnen hinter den Rücken, was dort dahinter vielleicht stecken möchte. Vieles steckt dahinter, ein verworrenes Knäuel von Ursachen, Beziehungen, Folgen; Paul Krauz zerrt an diesem Faden und an jenem und kauft sich Bücher, der Patriarch Krauz täte sich entsetzen, wüßte er, welcher Art Bücher sein Sohn kauft und liest. Das verworrene Knäuel entwirrt sich, nicht vollständig zwar, aber einen Faden hat der Konsum-Krauz fest in den Fingern, den Faden nämlich, der sein unweit von Paris zerschossenes Bein mit seinen drei Kindern verbindet.

Aber er sieht nicht nur seine Kinder, er schaut sich auch in der Schule um, und der Schulleiter, dick, aber durchaus nicht faul, hilft dem Musikanten Krauz, und bald haben sie eine Schulmusik auf die Beine gebracht, freilich macht sie zunächst nur einen Katzenlärm, aber wer gute Ohren hat, hört hinter dem Lärm schon die Musik.

Im fünften Herbst nach Kriegsende trat die Schulmusik zum ersten Mal öffentlich auf, der noch kleine neue Domowina-Chor sang dazu unter der Leitung eines jungen Lehrers unbekannte Worte und eine unbekannte Melodie, und man hörte den Sängern ein wenig die sorbische Zunge an, als sie sangen: „Auferstanden aus Ruinen . . .“

An diesem selben Tag kehrte der Alte Krauz zum zweiten Mal – und dieses Mal endgültig – der Domowina den Rükken. Am liebsten hätte er auch nicht einmal mehr das Brot seines Sohnes Theodor gegessen, weil auch des Bäckers Älteste kräftig die Harmonika gezogen hatte für dieses Lied, das – nicht an sich, sondern dadurch, daß auch Krauze es spielten und sangen – die Familienehre der Krauze vollständig zermalmte.

Vollständig zermalmte nach Meinung des Alten Krauz. Er zerfetzte sein Testament und verschrieb alles seiner Tochter Ursel, die ein Dienstmädchen war beim Grafen Lietinghoft und zugleich die Heldin des gräflichen Romans, und seinem Sohn Cyrill, der rheumatisch war und treu der alten Familienehre der Krauze.

Die Leute verloren diese Ehre aus dem Gedächtnis und lernten den Paul Krauz immer mehr schätzen. Er hätte ruhig auch anders heißen können, die Leute sahen nicht auf den Namen, sondern auf die Taten.

Was die Taten anbelangt: die frühere Hanka Krauz gebar im Laufe von einundvierzig Monaten drei Jungen und ein Mädchen. Das Mädchen und der dritte Junge waren Zwillinge.

Und die frühere Ursel Krauz hat durch Vermittlung des Grafen Lietinghoft kürzlich im Rundfunk über die Sorben gesprochen und hat auch ein Lied gesungen: „Hinter Kamenz auf den Höhen ..." Sie hat immer noch eine schöne Stimme. Ich kann mich noch gut erinnern, wie sehr schön sie sang: „... die Junker haben wir verjagt, und uns gehört die Zeit."

Mit uns sang. Damals.

MARGARETE NEUMANN

# Wälder

Seit er den Hund nicht mehr hatte, es war ein Deutscher Schäferhund gewesen, ein großes, kräftiges Tier, aber alt mittlerweile und fast blind, seither kam es häufiger vor, daß er die sieben Freischichttage in der Stadt bei einer seiner Töchter verbrachte. Seltener bei der jüngeren, die die ersten Ehejahre mit ihrem Mann lebte, einem Busfahrer, den er nicht sonderlich mochte. Eher schon quartierte er sich bei der älteren ein. Sie war mit drei Kindern allein, der Mann hatte sie verlassen.

Allerdings brauchte er einen Grund oder, wenn man so will, einen Vorwand.

Im Frühjahr hatte er an ihrer Statt zusammen mit den Mietern des Hauses den Spielplatz hergerichtet, ein anderes Mal ihr den Staubsauger repariert und die Wohnstubenlampe angebracht. Jetzt, im Winter, wollte er Kinderzimmer und Flur frisch anstreichen, hellgelb das Zimmer und mattgrau den Flur, mit Latex über die gepunktete bläuliche Tapete, die die Tochter nicht ausstehen konnte.

Er war froh über die Arbeiten, denn was sollte er in seinem kleinen Haus da draußen, in dem er allein lebte. Im Winter gibt es dort nichts zu tun, Holz lag im Schuppen, genug für ein paar Jahre, die Töchter brauchten keins mit der Fernheizung in ihren Wohnungen. Er mag diese Wohnungen nicht, obwohl er natürlich zugibt, daß sie bequem sind. Er weiß nichts drin anzufangen. Dreht sich herum zwischen blanken Möbeln, bis er schließlich den Fernseher einschaltet.

Er sagt sich, für das Leben in solchen Wänden müßte man ein anderer Mensch sein.

Während er bei der Tochter gelebt hatte, war es winterlich kalt geworden, ohne daß er es eigentlich recht bemerkt hatte. Als er am frühen Morgen des Tages, an dem die Arbeit für ihn wieder begann, aus dem Haus trat, stieß ihm ein kalter Wind ins Gesicht, und Schnee, der in der Nacht gefallen war, knirschte unter den Füßen. Er überquerte den freien Platz vor der dunklen Kaufhalle und bog ab zur Haltestelle. Ein hell erleuchteter Bus kam, fuhr aber vorbei. Ein Trupp junger Leute unterhielt sich fröhlich und laut, er verstand nichts. Dann bogen zwei Busse hintereinander in die Straße ein, blinkten rechts, hielten dicht an der Bordkante.

Er wunderte sich, wo indessen so viele Menschen hergekommen sein konnten, er war mittendrin, wurde beinahe ohne sein Zutun in den Einstieg geschoben, suchte nach dem kleinen Papierstreifen, steckte ihn in die Zahlbox, stand jetzt im Gang, zwischen den jungen Leuten, die noch immer laut sprachen. Einer mit braunem gewelltem Haar bot ihm den Platz an. Er setzte sich höflich, obwohl er lieber gestanden hätte. Er fühlte sich beengt und eingeklemmt.

Wenn er aus seinem Häuschen kam, ging er zu Fuß. Höchstens, daß er, wenn es eilte, sein Fahrrad aus dem Verschlag nahm.

Er wohnte nahe beim Werk, in dem Streifen Wald, der geblieben war. Zweihundert, höchstens dreihundert Meter sandiger Weg, dann war er an der Fahrstraße auf dem Radweg.

Sie durchfuhren die breite Hauptstraße, gesäumt von hohen, kühlen, am First verzierten Häusern, von den unzählbaren Fenstern waren viele erleuchtet. Hinter zarten Gardinen baumelten Rankentöpfe, manchmal glitt ein Schatten dahinter vorbei.

Schließlich waren die Häuser zu Ende, die Straße führte durch Baugelände, gestapelte Platten und Zementteile, Kiesberg, Mischtrommeln, eine Baugrube mit einem mächtigen

Kran, flüchtig aufleuchtend und wieder ins Dunkel zurückfallend. Eine Zeitlang sah er vorn ein rotes Flammenbündel, das im Himmel schwebte. Die Hakenkurve, dann standen sie vor dem Portal.

Er griff die Kontrollkarte aus der Manteltasche, schützte die Ohren vor dem scharfen Wind mit dem Kragen, ging, ein bißchen steif in den Knien, in dem Menschenschwarm, der dem Tor zustrebte, hielt die Karte in Augenhöhe des Aufsichthabenden, der klein, schmal und blaß war.

Die Menge verlor sich sogleich. Die einen bestiegen erneut einen Bus, der sie auf entferntere Arbeitsstellen bringen würde, andere liefen eilig rechts und links auf der Einfahrtstraße. Er ließ sich Zeit. Auf der Uhr über dem Eingang sah er, daß noch zwanzig Minuten waren bis Schichtbeginn, und seine Meßwarte lag nicht weit vom Hauptweg entfernt.

Er liebte es, allein zu gehen. Er konnte dann in seinen Gedanken zurückholen, was er zurückholen wollte. Er konnte dies alles verschwinden machen, die blinkenden Lichterfiguren zu beiden Seiten der Straße, die Dampfwolken, das Gezisch, die Fackeln über den Schornsteinen, die Betonstraße selbst und sogar die ätzenden Gerüche.

Er konnte den Wald wiedersehen. Gerade hier hatte die Tannenschonung gestanden, nicht viel mehr als mannshoch und sehr dicht. Manchmal, im Spätsommer, war er dort eingedrungen, es gab Pfifferlinge darin und eine kleine, fast runde Stelle, wo Erdbeeren wuchsen.

Linker Hand, auf einer Erhebung mit alten Laubbäumen, Buchen und ein wenig Ahorn, hatten im zeitigen Frühjahr Buschwindröschen gestanden, dicht an dicht über dem braunen Laub des Vorjahrs.

Wahrscheinlich im Mai, er wußte es nicht mehr genau, hatte er, ein paar Schritt vom Weg ab, zugesehn, wie ein Eichhörnchen von einem dünnen Lindenstämmchen den Bast abriß und ihn ins Schnäuzchen nahm – es sah damit aus wie ein Hamster –, und so war es an der benachbarten Buche hinauf. Als er sich bewegte, war es über einen Ast, der noch lange hinter ihm wippte, in die Kronen davongesprungen.

Er konnte sich auch noch an die Erle erinnern, in die der Specht ein langes, schmales Loch schlug, die rötlichen Späne lagen noch lange ringsum verstreut.

Obwohl er alles bedachte und sah, ging er rasch genug, um genau fünf Minuten vor sechs die Meßwarte zu betreten.

Das helle Licht blendete ihn. Es war freundlich und warm hier, an den Armaturenschränken, die als schräge Pulte im Bogen den Raum ausfüllten, die Mitte freilassend, in der der Tisch mit dem Schreibzeug und dem Sprechgerät stand, glommen Lämpchen, gelb, rot, grün. Es duftete nach Pfeifentabak und Kaffee. Am Tisch saß der Anlagenfahrer aus Schicht drei, dieser blasse Mensch, der ihm nackt vorkam, vielleicht wegen des rötlichen Haares, das er eng ankämmte, und den großen, breiten Händen, deren Nägel er pflegte und wahrscheinlich sogar lackierte.

Der Nackte schrieb noch in seinem Buch irgendwelche Zahlen.

„Schon soweit?" fragte er, ohne aufzusehen.

Obwohl es warm und hell war in der Meßwarte, war der Mann doch froh, als alle von seiner Schicht da waren; daß er losgehen konnte: der erste Anlagenfahrer, Franz, Reiner, der zweite, der kleine, strenge Pumpenwärter und Ferdi und Franz, die beiden anderen Kontrollgänger für den ersten und dritten Abschnitt. Er übernahm das Kontrollbuch, langte sich den Schlüssel hinter dem Schrank vor in dem kleinen Aufenthaltsraum, in dem sie ihr Frühstück aßen. Natürlich, Egon aus der dritten war wieder mit leeren Händen gegangen, obwohl es immer eine Kleinigkeit gab, eine Schraube nachziehen oder so etwas. Besonderes war, solange er hier arbeitete, nicht oft vorgekommen.

Er nahm den Schlüssel also und ging.

Besonders seit die Frau tot war, dachte er, wenn er im Dunkeln und allein war, oft, wie sein Leben angefangen hatte. Die Zeit vordem, ehe er sie traf, war nicht sein Leben, er hatte sich nichts nach seinen Vorstellungen oder Wünschen einrichten können oder auch nur aussuchen.

Er hatte es aushalten und hinter sich bringen müssen.

Bis er im Bahnhofsbunker in Magdeburg lag, ziemlich in der Mitte, am Pfeiler, und als er aufwachte, war es Sonntagmorgen und schon hell.

Als er die Augen aufschlug, hatte er seine Frau zum erstenmal gesehen. Sie mußte in der Nacht gekommen sein. Am Abend vorher war sie bestimmt noch nicht da, sie wäre ihm aufgefallen. Sie war siebzehn oder achtzehn. Älter bestimmt nicht. Zuerst bemerkte man ihr Haar. Das machte ihre Schönheit oder wie man dazu sagen will, denn das Gesicht war einfach kindlich mit rosiger Haut und blauen Augen, gar kein Kriegsgesicht. Als er die Augen aufmachte, lachte sie. Er wußte nicht, worüber, vielleicht über ihn. Aber sie lachte so, daß er mitlachen mußte und daß ihm das Ganze mit einemmal viel mehr lustig als traurig vorkam und ihm gleich einfiel, was für ein Glück er gehabt hatte.

Zwei Tage vorher war er aus Italien gekommen. Sie waren zu fünft, sie hatten keine Karte und eigentlich auch keine Ahnung, wo Deutschland lag. Sie wußten nur: Hinter den Bergen.

Sie kletterten da herum, immer nach Norden. Und als sie die Felsen hinter sich hatten am Abend, sahen sie unter sich in einem Waldstück ein Licht.

Darauf gingen sie zu.

Zuerst blickten sie heimlich durchs Fenster. Eine ältere Frau und eine junge saßen friedlich am Tisch. Der Raum dahinter lag dunkel.

Wenn ein Mann da wäre, sagten sie sich, würde der mit am Tisch sein. Vielleicht sind sie wirklich allein, oder es sind bloß noch Kinder. Sie klopften vorsichtig, und die Jüngere öffnete ihnen. Nebenan waren Munitionskisten, vollgestopft mit trockenem Gras, es schliefen je zwei Kinder darin, kleine Kinder. Die Frauen am Tisch strickten. Die eine von einem grauen Knäuel, die andere, eine Militärsocke im Schoß, räufelte davon ein Stück Faden, strickte es weg, räufelte wieder. Verwandelte so die Socke in einen Kinderpullover, das konnte man schon erkennen.

Die Jüngere führte sie noch in der Nacht durch die amerikanischen Posten, kannte die Wege und wußte, wo Wachen standen. Der Amerikaner, sagte sie, fürchtet sich vor der SS, die noch in den Bergen versteckt ist, und wenn man ihm nicht direkt in den Weg läuft, kommt man ganz gut vorbei.

Sie hatte ihn bis an die Bahn gebracht. Da war er einfach mitgefahren, niemand hatte ihn nach einer Fahrkarte gefragt.

In München war er auf einen Kohlenzug gesprungen. Unterwegs mußte er aber herunter, weil die Engländer kontrollierten. So war er das letzte Stück bis zur Grenze gelaufen und mit einem Trupp glücklich herübergekommen. Dann war er wieder an die Bahnstrecke gegangen, hatte an einer Steigung gewartet. Der erste Zug, der kam, war mit Holz vollgeladen, er klemmte sich zwischen dem letzten und vorletzten Wagen auf den Puffer. Das ging ganz gut, nur bei Kurven wurde es schwierig, und er riß sich die Hosen entzwei, die ihm freundliche Leute unterwegs geschenkt hatten. Immerhin kam er nach Magdeburg.

Zusammengenommen war alles ein fast unerlaubtes Glück, und das fiel ihm ein, als er das Mädchen neben sich ansah. Sie war auch allein, und sie blieben den Tag über zusammen und fingen schon an, gemeinsame Pläne zu machen.

„Zu zweit ist ohnehin alles leichter." Das sagte sie am anderen Tag, oder vielmehr noch in der folgenden Nacht, gegen Morgen. Sie lagen unter der einen Decke, die ihr gehörte, und sie wehrte sich nicht, als er sie an sich drückte, und er fühlte noch ihre starken, knochigen Knie und ihren Atem und ihre Wärme.

Er fragte sich oft, ob er an ihrem Tod schuld war.

Sie hatten glücklich gelebt. Das erste Kind kam sechsundvierzig, das zweite drei Jahre später. Die Vorgänge in ihrem Körper, das Wachstum des Kindes in ihrem Leib, die Geburt blieben ihm unvorstellbar, sein immer wieder neues und im Grunde unstillbares Verlangen, sie im Allerinnersten mit sich auszufüllen und zu eigen zu machen. Sie war kränklich geblieben nach dem zweiten Kind und drei Jahre später gestorben.

Sie hatten zu dieser Zeit schon in dem abgelegenen kleinen Haus gewohnt, hinter dem Dorf am Waldrand. Die früheren Besitzer, alte Leute, waren zu ihren Kindern gezogen. Das Strohdach war stark beschädigt gewesen und der Regen bis in die Stube gekommen. Aber er hatte es ausgebessert, sogar das Geld aufgebracht für ein Ziegeldach, alles geweißt und gestrichen. Sie hatten sparsam gelebt, meist aus dem Garten und von den Hühnern, die sie hielt. Von dem Geld, das er verdiente, wurden Möbel gekauft und alle nötigen Einrichtungsgegenstände, so daß sie von sich sagen konnten: Wir sind über den Berg.

Da war sie gestorben.

Er hatte zu dieser Zeit schon im Forst gearbeitet, Bäume gefällt, geschält, manchmal auch in der neuen Pflanzung. Die Kinder wurden in den ersten Jahren nach dem Tode der Frau von einer Tante versorgt. Er hatte sich nicht gut mit ihr verstanden, und als die zweite Tochter zur Schule ging, kam sie seltener und blieb schließlich ganz weg.

Es ging so. Er mochte sich nun einmal nicht nach einer neuen Frau umsehn. Obschon: er war ansehnlich. Es hätte ihn manch eine gewollt. Und Witwen gab es genug, die mit einer Stube voller Kinder allein standen.

Er konnte sich nicht entschließen.

Er hatte sich in den Wald eingelebt. Und je mehr die Töchter ihm aus der Hand wuchsen, um so mehr umschloß ihn der Wald. Er war ihm vertraut, wie das Gesicht des liebsten Menschen vertraut ist. Er empfand mit ihm die Wohltat des Frühjahrsregens, und er litt in der Dürre, er erlitt seine Wunden, die ihm der Sturm schlug. Er kannte die Vögel, den Dachs und die anderen Waldtiere, bis zu den wilden Bienen.

Er dachte immer, daß der Baum, den er fällte, gar nicht tot sei. Vielmehr beginnt für ihn ein anderes Leben. Er wird Tisch, Bank und Pult, Balken und Tür, Kisten, in denen man Äpfel fortschickt, und Bettpfosten. Er liebte den Geruch des frischen Holzes, wie er den Laubgeruch liebte und den Geruch der Erde nach dem Regen. Am Sonnabend früh scheuerte er sein Haus, und am Sonntag setzte er sich davor und sah hinauf in die Baumkronen, die nicht einen einzigen Tag wie am anderen sind.

Zuerst, als man mit dem Bau des Werkes begann, beunruhigte er sich nicht. Zwar tat es ihm leid, daß da ganze Parzellen kahl geschlagen wurden und sogar eine junge Anpflanzung, aber er dachte, daß der Wald noch groß sei. Doch der Wald wurde kleiner und kleiner. Und es kamen Planierraupen und Bagger, und das Bauen begann.

Seine Kinder fingen an, auf den Baustellen zu spielen, sie badeten in den Feuerlöschteichen, balancierten auf Bretterstapeln, kletterten auf Gerüste und kreischten, wenn sie verjagt wurden.

Der Wald schmolz. Der Mann arbeitete ingrimmig. Länger, als es für einen Menschen gut ist, war er ziellos umhergeirrt, endlich war er heimisch geworden. Zuerst mit der Frau, dann mit dem Wald. Und jetzt holzte er ihn ab.

Nicht er allein, gewiß nicht, und nicht aus freien Stücken. Er sagte sich oft, daß er vielleicht lieber fortgehen sollte. Er brachte es nicht übers Herz.

Als die Baustelle groß genug war, blieb nur ein schmaler Waldstreifen, fast durchsichtig. Der Mann sah jetzt von seinem Haus die Lichter und die Schlote, und er hörte, wenn der Wind ungünstig stand, Summen und Gezisch.

Weil nun für die Baustelle nichts mehr abzuholzen war, versetzte die Forstverwaltung die Brigade in einen anderen Abschnitt ihres Gebietes. Nicht allzu unbequem, er brauchte nur ein Stück mit dem Bus. Die älteste Tochter hatte geheiratet. Einen, der aus dem Norden gekommen war. Sie kamen jetzt von überall hierher.

Die jüngere Tochter fing auch im Werk an. Sie überredete ihn.

Er mußte in die Verladung. Die Arbeit war schmutzig und schwer, doch war es ihm recht. Aber dann rutschte er aus auf dem glitschigen Laufsteg und brach sich das Schlüsselbein, und obwohl es rasch heilte, konnte er die Schläuche und Pumpen nun nicht mehr wendig und rasch genug bedienen.

Seit dieser Zeit war er Kontrollgänger.

Niemand kann sagen, daß er seine Arbeit nicht gewissenhaft macht. Er geht die Strecke genau ab, er prüft, ob alle Schieber richtig stehen. Verbindungen, an denen Dampf entweicht, zieht er nach. Er achtet auf jede Verletzung der Isolierung.

Er kontrolliert den Zustand jedes Tanks. Schadhafte Stellen zeichnet er an und trägt sie in sein Buch ein.

Heute wundert er sich, wie rasch es schon hell wird. In dieser Jahreszeit nimmt die Länge der Tage schnell zu. Sieben Freischichten sind deutlich zu spüren.

Als er das leichte silbrige Übergangstreppchen erreicht vor dem Tor, das er aufschließen muß, um zu den Heizöltanks zu gelangen, ist es fast hell, aber die Lampen leuchten noch, grünlich auf der Parexanlage, gelb auf der Rohölraffinerie. Rötlicher Dunst liegt über der Gleisanlage. Er holt das Schlüsselbund aus der Wattejackentasche.

Aus den Kühltürmen drüben quillt bläulicher Dampf. Das Tor ist feucht von der Nacht und schrient in den Angeln.

Die Luft riecht nach Ammoniak und erinnert an Pferde. Er klinkt das Schloß hinter sich ein und geht auf den Tank zu. Als er den ersten überprüft hat, zwischen dem ersten und zweiten, hört er ein leichtes Geräusch, und er dreht sich um.

Da laufen drei braune Rebhühner über den Weg, besorgt und betulich, wie Hühner nun sind, und tauchen rasch unter auf der anderen Seite zwischen den grüngestrichenen Rohren, als wüßten sie, daß, was darin fließt, Wälder sind, uralte Wälder. Er sieht ihnen nach, bis das braune Gras stillsteht, in dem sie verschwinden.

JOHANNES BOBROWSKI

# Der Mahner

Es gibt Ortschaften, die schmücken sich, wie manche Leute auch, mit berühmten Verwandten. Sie legen sie sich zu auf Grund von Oberlehrerauskünften, nennen sich auch sogleich entsprechend und wünschen durchaus so angesehen und so angeredet zu werden: Elbflorenz, Spreeathen, Klein-Paris und Groß-Britannien. Letzteres ein Dorf zwischen Heinrichswalde und Linkuhnen.

Diese Stadt hier hätte es so nötig nicht, aber Rom ist auf sieben Hügeln erbaut, sie also auch, denn sie ist im Besitz einer Universität, einer Kunstakademie, mehrerer Gelehrter Gesellschaften, darunter einer Altertumsgesellschaft.

Von den hiesigen sieben Hügeln liegt nur einer im südlichen Stadtviertel, also südlich des Stromes, der die Stadt teilt: ein Sandberg, früher von Kiefern bestanden, später mit Hafer bebaut, jetzt von einer Kirche, einem längst geschlossenen, jedoch sehenswerten Friedhof und dicht aneinandergedrängten, regelmäßig aufgestellten Mietskasernen zugedeckt. Die übrigen sechs Hügel finden sich auf dem Nordufer. Und weil Erhebungen und Niederungen ziemlich gleichmäßig zugebaut sind, mit kleinen Häusern auf den Bergen und höheren in den Tälern oder Senken, gleichen sich die Unterschiede eigentlich aus, man denkt nicht, daß es wirklich so viele Hügel sein könnten, sieben, nur die Straßen dazwischen führen auf und ab und heißen Rollberg, Altstädtische Bergstraße, Krumme Grube und Schiefer Berg, sind aber eng und kaum erkennbar, selbst von einem der Kirchtürme aus, verborgen im Schatten der Giebel, die sich zueinanderneigen.

Das sind die Giebeldächer. Da unten, im Halbdunkel, gehen die Straßen. Wäre man gerecht, man erwähnte noch einige hübsche Plätze, der eine sogar auf einem schrägen Abhang angelegt.

Dennoch, die Hügel, diese vielbeschrienen sieben, zählt man leicht ab: von einem der Kirchtürme aus. Man sieht sie, aber nur sechs, denn auf einem befindet man sich dann selber, den vergißt man. Von da oben also erkennt man sie, weil sich auf jedem eine Kirche erhebt: die Löbenichtsche, die eigentlich St. Barbara auf dem Berge heißt, die Schloßkirche, die Neuroßgärtsche, die Altstädtische und so weiter. Nur zum Dom in der Unterstadt gehört kein Hügel, dafür nimmt er beinahe die Hälfte einer ganzen Insel ein.

Am höchsten allerdings ist der Oberteich, höher als alle diese sieben Hügel, ganz oben, und er fängt gleich an, wo die Bodenerhebung ihre volle Höhe erreicht hat und nun so weitergeht, nordwärts, als eine Art Hochebene, aber so hoch denn doch wieder nicht, so ganz wohl nicht.

Auf jeden Fall trifft die Bezeichnung Oberteich zu, er ist oben und ist ein richtiger Teich, nämlich rund und nicht zu klein. Zwei Badeanstalten – eine Zivil, die andere Militär –, am Ufer Parkanlagen mit Sträuchern und Baumgruppen und dann aber Bastionen, Wälle, sogenannte Kavaliere, detachierte Forts, trockene Gräben, Wallgänge, Glacis – so etwas, früher zur Stadtbefestigung gehörig und jetzt mehr zur Ausschmückung, wie eben Historie, und jedenfalls zum Vergnügen der Bürger, in Charakter und Verwendung von Zeit zu Zeit wechselnd, wie dieses.

Also der Oberteich macht sich oben breit und tiefer, nach Süden, der Schloßteich. Aber der macht sich eher schmal als breit und kriegt ja auch sein Wasser von oben, vom Oberteich, und es kommt gehüpft oder gestürzt, je nachdem, wie die Schleuse oben eingestellt worden ist, über eine vielstufige Kaskade hinab, erst aus einem Häuschen, dem runden Becken davor, und dann über immer breitere Stufen hinunter, zuletzt geht es durch ein Eisengitter und in einen kurzen Kanal, schließlich ist es, von Uferwegen begleitet, im Schloßteich angekommen, der stinkt etwas.

Trotzdem, man fährt mit Kähnen dort umher, in hellen Kleidern auf dem schwarzen, moorigen Wasser, denn am Ufer überall sind Gärten angelegt, Biergärten, Kaffeehausterrassen, da macht man abends einen Bootskorso. Am Südende des Schloßteichs erhebt sich das Schloß mit einem achteckigen Eckturm und einem komplizierten Torgebäude nebenan.

Es gibt da noch zwei Türme an diesem Schloß, auch nicht besonders hoch, aber rund, am höchsten ist der Schloßkirchenturm. Man kann, wie gesagt, hinaufsteigen, aber wir tun es nicht, wir stellen uns vor den Turm an der Südwestecke, mit Blick nach Süden, aber noch oben an den Abhang, lehnen uns meinetwegen an die Turmwand. Da stehen schon zwei.

Der eine sagt: Haltet Gottes Gebote. Er ist klein. Der andere ist groß, er sagt nichts. Dafür ist er auch Kaiser und aus Bronce und steht auf einem steinernen Sockel, wo er nicht herunterkann. Der andere kann fortgehn, dorthin, wo er benötigt wird, um seinen Spruch aufzusagen. Hier oben sagt er ihn vielleicht bloß in den Wind. Aber er sagt ihn doch hin über die Autos, Wagen, Motorräder, Fahrräder, Straßenbahnen, Gemüsekarren, da unten führt die Hauptstraße vorbei, und das hat alles seine Ermahnung nötig, da unten.

Jetzt geht der Mann weg, die Treppe hinunter, auf den Platz und fort. Und wir gehn ihm, denke ich, nicht nach, wir kennen ihn ja nun. Da unten trifft er den alten Generalsuperintendenten, sie begrüßen sich und sagen sich auf Wiedersehn. Der Mann geht weiter, ein einfacher Mensch, aus dem Litauischen gebürtig.

Da ist schon mal einer aus dem Litauischen gekommen und hat ganz ähnliches gesagt, vor dreihundert Jahren. Doch der hat große Worte gebraucht, sich Adelgreiff und Schmalkilimundis oder Schmalkallaldis genannt und schlankweg einen Sohn des Höchsten – obwohl er das nun wirklich gewesen ist, ein Kind Gottes wie jeder –, eine lateinische Bibel in der Hand. Dafür hat man ihn damals, nachdem ihn, wie es heißt, das kurfürstliche Frauenzimmer höchstselbst – und vergeblich – vermahnet, allerdings hingerichtet, hier in der Stadt, mit dem Spektakel seines Todes den Spektakel seines Auftritts auszulöschen.

Hier ist kein Spektakel, mit diesem litauischen Mann nicht. Nur Kindergeschrei tönt ihm nach, und einiges Kopfschütteln bleibt hinter ihm zurück, und eine kräftige Anekdote geht hinterdrein. Aber dieses letzte nur, weil der Mann mit einem anderen verwechselt wird, übrigens sehr gern und mit voller Absicht, denn sonst bliebe man mit dieser kräftigen Anekdote bei einem Säufer hängen, auf den sie sich tatsächlich bezieht, dann wäre sie schon nicht mehr so gut.

Zu dieser Anekdote muß man einiges wissen.

Daß Geheimrat Quint am Dom, unten auf der Insel, noch vor dem richtigen Gottesdienst, frühmorgens seinen Schiffergottesdienst hält, das alte Mannchen, für die Eigner der Zwiebel-, Kohl- und Fischkähne, die nach dem Sonnabendmarkt in der Stadt übernachtet haben und nach dem Gottesdienst früh zurückrudern, stromauf, dann durch den Flußarm zu den Haffdörfern, weil sie dort wohnen. Weiter: daß Motz, der Steindammer Pfarrer, eine Stunde früher als gewöhnlich seine Kirche hält; da kann er ausführlich reden, wie seine Pfarrkinder es mögen, die im Prostituiertenviertel um die nach einem Arzt benannte Wagnerstraße leben, da kommt man trotzdem immer noch gerade zur Zeit bei Pastor von Bahr im Tragheim. Dann geht es ganz schnell zur Altstadt. Herr von Bahr nämlich spricht seine abgemessenen zwölf Minuten, die Leute folgen ja doch nicht länger, Konsistorialrat Claudin aber absolviert elegante fünfundzwanzig Minuten. Pfarrer Schreitberger im Löbenicht kommt stets auf gute vierzig. Am längsten spricht Dompfarrer Käßlau, eine Stunde. Das also muß man wissen.

Der Mann nämlich, den wir jetzt meinen, geht Sonntag

für Sonntag von Kirche zu Kirche und kommt überall zum Abendmahl zupaß. Er hat sich das so zurechtgelegt, und er hat einen guten Zug. Und wenn der Dompfarrer, jetzt im großen Gottesdienst – denn so schließt sich der Kreis, diese genau berechnete Rundreise –, den Kelch vielleicht schon wegziehen will, besagt jedenfalls die Anekdote, greift unser Mann, der andere wohlgemerkt, zu, sagt laut: Meinen Jesum laß ich nicht, und nimmt noch einen schönen Schluck.

Aber wir wissen ja, es handelt sich nicht um unseren stillen Litauer. Wir reden ihm die Geschichte nicht hinterher. Wir treffen ihn vielleicht wieder, jetzt, wo wir ihn kennen.

Es hat so den Eindruck, als wollten wir unsere Stadt mit Skurrilitäten bevölkern, das macht sich so nett. Aber es ist eine große Stadt, von der hier erzählt wird, mit vielen ordentlichen Leuten, mit Industriewerken, Werft und Waggonbau, einem ausgedehnten Hafen und viel Handel, ein Umschlagplatz von Bedeutung. Was sind da schon ein paar Skurrilitäten, sie verschwinden einfach.

Wir wollten aber dann doch noch dem Mann nachgehn, viel zu spät leider, da hatten wir ihn schon aus den Augen verloren, gingen bloß so die Treppe hinunter und über den Platz, an einem Kaufhaus vorbei, über eine Brücke, sahen hinüber zu den Speichern, bei denen Schiffe vor Anker lagen, kamen noch über eine weitere Brücke, zur Vorstadt. Und da wurde im gleichmäßigen Straßenverkehr eine Unruhe bemerkbar, es teilte sich einem gleich mit, es kam da etwas durcheinander, einige Wagen bogen in Seitenstraßen ein, Motorfahrzeuge hielten, und da war eine schneidende Musik zu hören, dahinter Geschrei, Kommandos, da kamen berittene Polizisten und hinter ihnen auch gleich die Nazis, ein ganzer Zug, braun in braun, bis auf die Augen, die blau sein sollten, nach Möglichkeit. Aber wir kommen um die Skurrilitäten, oder wie man es nennen will, nicht herum.

An dem Zug der Braunen rennt Straßenflötist Preuß entlang, schreit ihnen seine Meinung: Tagediebe, Rumtreiber, Liederjane und anderes entgegen und droht mit der Flöte.

Und meint eigentlich die Kommunisten, denn er sagt: Mußt ja der Kaiser den Krieg verspielen, mit euch Ochsen. Er unterscheidet das nicht, Demonstration ist Demonstration, es ist das Jahr 32, keiner, der es ihm erklärt. Wer sollte es tun?

Unseren stillen Litauer würde der Preuß auslachen. Das wäre vielleicht nicht schlimm; schlimmer, daß er ihm gar nicht erst zuhören würde, einem solchen Dummkopf. Ach, Preuß.

Ja, aber wer sollte es dann tun? Der Saufkopp aus der Anekdote?

Der sagt bloß verächtlich, und meint die Braunen: Der ihr Führer trinkt nicht.

Oder der Dompfarrer? Aber der ist zu gelehrt, um mit dem Preuß reden zu können, oder doch vielleicht nicht gelehrt genug.

Womöglich geht er zum Pfarrer Motz am Steindamm, der sich ja alle seine Gemeindekinder aufpacken und geradewegs in den Himmel tragen möchte. Aber wo wird er denn, der Preuß. Obwohl er dahin gehört, jedenfalls in diese Steindammer Kirche, schon weil er dort wohnt.

Dabei ist es längst Zeit geworden, für alle. In einem halben Jahr sind die Hitlerleute dran. Da werden nicht nur die Kommunisten gejagt, derentwegen der Kaiser den Krieg verlor, nach Ansicht von Preuß, sie zuallererst, sondern sie fangen auch den Preuß ein, in seiner Behausung in dieser Wagnerstraße, die jetzt in Richard-Wagner-Straße umbenannt wird, aber sonst so bleibt, als einen Staatsfeind oder Volksfeind, wie sie sagen, aus dem gleichen Grund also wie die Kommunisten und wenig später den Dompfarrer. Da nehmen sie auch gleich den Sonntagssäufer mit, als asoziales Element, und bald danach unseren stillen Mann, als geistig minderwertig.

Haltet Gottes Gebote, ruft er ihnen entgegen, als sie kommen. Aber das tun die nicht.

PAUL WIENS

# Die Haut von Paris

1

Nicht nur Menschen und Elefanten, nicht nur Früchte und Blumen haben eine Haut. Auch gewisse Geschichten besitzen sie. Um so mehr die alten und großen Städte.

2

Josette Mermeix war neunzehn Jahre alt. Fünfzehn davon hatte sie den Geruch von Paris in der Nase, atmete sie seine Düfte und seine Gase ein, lebte sie unter der Haut von Paris oder – genauer – war sie selber ein winziges, wacker wachsendes, glattes, junges Stück davon.

Der Horizont des Mädchens war der Horizont von Paris. Ihre gewohnte Welt umfaßte den Gesichtskreis, den man von der dritten Plattform des Eiffelturms hat: das harmonisch unregelmäßige Steingewebe um die Seineschleife und die Vorstädte, im Dunst schon. Wenig mehr.

3

Das Kind unter dem hellblauen Deckchen schlief, die kleine runde Stirn wie von einem Sprühregen über und über mit Schweißtröpfchen beplustert. Josette schob den hochrädrigen schwarzen Wagen über den Pont Neuf. Sie summte vor sich hin. Rings summte träge das Zentrum der Hauptstadt, summten die Brücken und Plätze, summte die Seine, summten die schläfrigen Kais. Hinter der Place Dauphine zeigte der Palast der Gerechtigkeit seine träumerische Hinterseite.

Es war Juni, heiß und feucht, der Himmel von einem gleichmäßigen glänzenden Weiß. Die unsichtbare Sonne hatte ihr Licht so verteilt, daß die Brückenbegeher geblendet blinzelten, auch wenn sie geradeaus blickten. Silbergrau zitterte über dem ölig dahinziehenden Fluß die faule Staubluft. Nur die sich dehnenden Schatten ließen ablesen, daß bereits Nachmittag war; bald würden Ämter, Büros und die meisten Werkstätten schließen.

Josette summte ein Chanson, das sie in den letzten dreißig Nächten gewiß doppelt sooft gehört hatte. Das Lied hinderte sie nicht mehr daran, allerlei flüchtige Gedanken zu fassen und Gefühle zu hegen, wie sie aus dem gesunden Befinden des jungen Mädchens und aus den wechselnden, wenn auch vertrauten Sinneseindrücken erwuchsen, die Josette bei dieser täglichen „Ausfahrt" mit dem Kind ihrer Mutter empfing. Die Melodie, die in unbewußter Wiederholung aus ihr hervorquoll, paßte zu ihrer allgemeinen Stimmung und unterstrich sie: kräftige, naiv verschwommene Sehnsucht nach dem Leben – mit einem schönen Schuß Schwermut.

Adieu, Paris des Akkordeons! – so etwa klang der Kehrreim – Willkommen du, Paris im Neonlicht! Andre Zeiten, andre Leute sind gekommen . . .

## 4

Das Altenteil von Paris, sein Herz und Ursprung, ist die Notre-Dame tragende Île-de-France. Die Insel hat die Form eines Schiffes. Der Pont Neuf überbrückt sie und schneidet den spitzen, nach Nordwesten (auf den Louvre und die Tuilerien zu) gerichteten Bug. Alter Uferstein und alte Bäume halten hier einen schmalen Spielgarten gefangen: den Square du Vert Galant.

Galantes Grün oder Grüner Liebhaber – darüber mögen Historiker ihre royalistischen oder republikanischen Geschichten erzählen. Im beginnenden zweiten Jahr der Fünften Republik (... andre Zeiten, andre Leute sind gekommen ...) und für Josette, die weder Ursache noch Lust hatte, sich je darüber den Kopf zu zerbrechen, wurde keine der beiden Bedeutungen des Namens dem Ort gerecht. Die Liebhaber, die den Südkai belebten – mit ihren Mädchen, ihren Angelruten oder ihren Stadtplänen –, waren zwar oft jung, aber „grün" kaum einer. Und die Bänke und kurzen Kieswege des eigentlichen Gartens beherbergten in ihrem Grün nur die Galanterie, die schwerhörige Rentner zueinander haben, das Geschwätz strickender Mütter und Bonnen und die schrillen, ungalanten Stimmen der spielenden Kinder.

Über alldem flimmerte, stieg und sank erhitzter Staub, schwebte Junihauch. Alles hier nahm sich Zeit, saß, spann, döste, angelte, schwieg und schaute, liebte langsam und lebte. Alles hier war gelassen und gespannt zugleich, die Stadt hier schien den Atem anzuhalten, und sie atmete doch, atmete durch die Haut mit weit geöffneten Poren ...

## 5

Als Josette den holpernden Wagen die steilen Steintreppen von der Brücke zum Square hinabzog, erwachte Bébé und begann zu greinen. Josette lüftete das Deckchen, wischte dem Kind das nasse Gesicht ab und legte es neu zurecht. Sie hatte Bébé mit Reserve gern. Sie verspürte zu ihm keine schwesterliche Zuneigung wie zu Armand, der nur um ein Jahr jünger war als sie selbst.

Ihr Vater, Léon Mermeix, einst auf allen Wasserstraßen Frankreichs der renommierteste Schleppführer für die Kohlenkähne der „Société Charbons Nord-Est", war 1944 im Widerstandskampf gefallen. Wenige Wochen später, während General de Gaulle auf den Champs-Elysées triumphalen

Einzug hielt, zog auch die Witwe Mermeix mit wehenden Wäschewimpeln über der Steuerbude und zwei minderjährigen Kindern auf dem schwarzen Lastboot „Poupette“ in der Hauptstadt ein. Nach dem Krieg hatte sie sich mit Jerôme zusammengetan, der als Elektriker in einer soliden Eisschrank-Klitsche arbeitete. Daher Bébé. Die Mutter war ja erst sechsunddreißig.

Der schwarze Punkt in Bébés Dasein und Gegenwart bestand für Josette eigentlich nur in der störenden Pflicht dieser Ammenspazierfahrt vor Arbeitsbeginn. Sie, Josette, wurde allgemein als Erzeugerin dessen betrachtet, das sie da Nachmittag für Nachmittag vor sich herschob.

## 6

Weil es so schwül war, beschloß Josette, mit dem Kind, anstatt in den Garten zu gehen, eine kleine Runde am Wasser entlang zu machen.

Am Nordkai, den die Angler vorzogen, hatte sie die hundert Schritte bis zum künstlichen Kap gemacht, das auf die Brücke der Künste weist. Als sie dort den Kinderwagen auf den Hinterrädern wendete, um den Südkai hinaufzuwandern, wurde ihr auf einmal bewußt, daß sie das Lied summte. Ebenjenes Chanson, das von den Droschken, Gaslaternen und Harmonikas des alten Paris Abschied nahm (... sie werden schlafen gehen im großen Museum der Erinnerungen ...) und im Refrain beklagte, daß andre Zeiten und andre Leute gekommen seien. Nun ertappt man sich ohne äußere Ursache selten bei solch automatischen Hirn- oder Muskeltätigkeiten. Josettes Stimme, merkte Josette, schwieg bereits, aber die gesummte Melodie setzte sich fort, klang immer noch deutlich und hell im Ohr ...

Das Mädchen kniff die Augen zusammen, denn der Himmel blendete:

Im Schatten tief herabhängender Zweige, ungefähr zwanzig Meter von ihr, saßen zwei junge Männer auf den Steinen direkt am Wasserrand. Einer von ihnen spielte Flöte.

Josette schob den Wagen in ihre Richtung und blieb hinter ihnen stehen.

Der Flötenspieler war ein brünetter Mensch, dessen Alter – er konnte zwanzig, aber auch dreißig Jahre alt sein – aus dem mageren, kräftig geschnittenen Gesicht schwer zu bestimmen war. Er hatte dichte schwarze Brauen und um Mund und Augenwinkel einen Zug von Schläue und Gutmütigkeit. Der Flötenspieler ging von einem Chanson zum anderen über, er nahm es nicht sehr genau. Er improvisierte, und die Flöte machte unter seinem ausdauernden Atem und seiner schnellen Fingerführung seltsam klagende und jauchzende Klangspäße. Der andere, voller im Gesicht, hörte zu, mit gespitzten Lippen und leise den Kopf wiegend.

Wie albern! dachte Josette. Sie konnte es sich nicht verkneifen, sie fragte: „Was machen Sie da, Monsieur?"

Der Flötenspieler hielt inne, setzte das Instrument ab und drehte sich langsam zu ihr um. Er maß das Mädchen mit freundlich-spöttischem Blick.

„Ich beschwöre Schlangen, Mademoiselle ..."

Im ersten Augenblick stutzte Josette, dann mußte sie lachen. Sie warf den Kopf zurück und ging schnell davon, den Kinderwagen vor sich herschiebend, mit wippendem Rock.

## 7

Auf dem Heimweg dachte Josette:

... Wie komisch! Mit einer Flöte! Mit einer Hirtenflöte, wie in den Heiligenlegenden. Er paßte aber auch in einen Film! Er sieht klug aus, er hat sinnliche Lippen. Es wird bestimmt ein Musiker sein. Musiker müssen ganz groß herausgebracht werden, auf Platten oder im Fernsehen, sonst verdienen sie auch nicht mehr als unsereiner. Was für ein Zufall, man könnte abergläubisch werden, ich summe das

Lied, und er spielt es! Claudine soll mir heute nacht wieder die Karten legen, das ist ein Spaß, ich hab schon vergessen, was sie mir letztesmal prophezeit hat . . .

Sie wohnte im XI. Arrondissement hinter der Place de la Bastille. Auf dem Boulevard Henri IV. blieb sie mehrere Male vor Schaufenstern stehen, zu deren Dekoration Spiegel gehörten. Sie musterte sich und dachte:

. . . Er hat Mademoiselle zu mir gesagt, obwohl ich Bébé bei mir hatte! Er hat schöne Hände! Aufgepaßt, werde nicht albern . . .! Morgen geh ich ohne das Kind, Bébé kann auch einmal bei Mutter bleiben! Ob er gesehen hat, was für blondes Haar ich habe, rotschimmernd wie das von Brigitte Bardot, aber länger . . .? Daß ich keinen Büstenhalter brauche . . .? Wenn wir wie früher Tagschicht hätten, bei Michot, wär mir so etwas nicht begegnet! . . . Ja, was ist dir denn begegnet, Josette? Albern . . .! Er wird gewiß nicht wieder dort sitzen, morgen nachmittag . . . Oder er wird . . . Leb wohl, Paris-Akkordeon, Willkommen du, Paris-Neon! . . .

Summend stellte sie den Kinderwagen im Kellergeschoß der Concierge unter, summend trug sie das Kind die fünf Treppen hoch in die Wohnung.

## 8

Die Haut des Menschen hält alles zusammen: Herz, Hirn und Eingeweide, Erinnerungen und Träume, Siege und Niederlagen, die strahlenden Sonnensysteme seiner Kenntnisse, Fähigkeiten, Überzeugungen und – die unendliche, noch zu entdeckende Milchstraße seiner Möglichkeiten. Auch Paris hat eine Haut. Das ist das Klima der Stadt, ihr äußeres Bild, von Vergangenheit geformt, durchpulst vom Blut der Gegenwart.

Gesicht und Leib – du erblickst sie, du rührst sie an, und du weißt oder empfindest doch, woraus dies Millionenwesen gemacht, welchen Geistes und welcher Geschichte Kind es ist . . .

Paris der Revolution (der Ohnehosen und der radikalen Rechtsanwälte), imperiales Paris (der arrivierten Generäle und der treuen Grenadiere), Paris der Kommunarden, Paris der Bohème, Paris der Volksfront, Paris des Widerstandes – leb wohl, Paris des Akkordeons . . .!

Willkommen du, Paris im Neonlicht! Andre Zeiten, andre Leute sind gekommen . . . Was verschleiern Charme und Schimmer deiner Oberfläche, welche dunklen Räume, welch unsichtbarer Sterne Zukunft?

## 9

Josette Mermeix, der ein Lied (und nun auch ein Flötenspieler) nicht aus dem Kopf ging, war bei Michot als Packerin angestellt.

Das Versandhaus Michot hatte Kunden in allen Teilen Frankreichs und belieferte sogar größere Hotels in Belgien, Spanien und Portugal. *Toutpartout* – „alles überall" war die Devise. Werbegeschickt übertrieben. Man versandte Textilien, von parfümierten Flatterhemdchen bis zur imprägnierten Lastwagenplane, aber man hatte sich besonders auf die goldene Mitte gelegt: Bettwäsche und Tischdecken in Dutzendquantitäten. Nach mehrmaligem Wechsel der anonymen Besitzer, und nachdem man sich, den verteuernden Zwischenhandel ausschaltend, auf den Fernverkauf an den unmittelbaren Verbraucher spezialisierte, war die Firma nun aus dem Schlimmsten heraus. Sie warf was ab, sie begann „zu gackern und hie und da ein kleines Ei zu legen", wie sich Monsieur Leduc, der kaufmännische Direktor, ländlichpoetisch äußerte.

Josette sah Herrn Leduc seit einem halben Jahr überhaupt nicht mehr. Die Packer arbeiteten jetzt in der Nachtschicht.

Der Schichtbetrieb bei Michot, eine im Hinblick auf die Senkung der Selbstkosten geradezu geniale Neuerung, war dem einfallsreichen Leduc von der Not eingegeben. Paris litt unter Raummangel. Wohnungen, selbst die engsten und hintertreppigsten, mußten gekauft werden und kosteten Millionen; die Mieten, auch für Büroräume, wurden trotz amtlicher Aufrufe und Verordnungen immer happiger.

Die Firma besaß kein eigenes Haus. Vertrieb und Lager nahmen drei Etagen eines feudalen, ehrwürdig verrußten Geschäftsgebäudes in der Rue Sainte-Vérité ein: das Lager im Keller, der Vertrieb im zweiten Stock. Das Erdgeschoß, das bis dahin den eigentlichen Versand, also die Packerei, beherbergte, hatte Leduc zum 1. Januar 1959 nicht etwa verkauft, sondern an sieben verschiedene Parteien zu Bürozwekken abgegeben. Für die Untermieter – zwei Notare, zwei Börsenmakler, zwei Kleinexporteure und einen Kommissionär für Sévres-Porzellane – hatte man die beiden schmalfenstrigen Säle durch halbhohe Holzwände geschachtelt.

„Neue Brutkästen für mein kleines Huhn!“ sagte Monsieur Leduc. Er sprach in Gleichnissen, und er rechnete genau. Die sieben Untermieter nahmen der Firma Michot zwei gute Drittel der gesamten Mietlasten von den Schultern.

Die Nachtschicht brachte, meinte Josette, viele Vorteile.

„Kürzere Arbeitszeit, höherer Stundenlohn!“ hatte Leduc die Umstellung bekanntgegeben. „Und wir haben, liebe Freunde und Mitarbeiter, das Haus für uns allein . . .“

Sie begannen mit dem Packen um neunzehn Uhr und machten bereits zwischen Mitternacht und zwei Uhr morgens Schluß, je nach dem Umfang der tagsüber eingelaufenen Aufträge. Die geringe Einbuße an Lohn war zu verschmerzen. Selbst wenn man in den Vormittag hinein schlief, blieb einem doch der Tag frei. Und seit sie den Lautsprecher hatten bei Michot, der sie Stunde um Stunde mit musikalischem Dröhnen labte und so die Zeit scheinbar schneller wegschwemmte, schien ihr Arbeitsverhältnis dem Mädchen vollends beneidenswert . . .

10

Schon von der Brücke hielt sie nach ihm Ausschau, erspähte sie den Flötenspieler. Er saß fast an der gleichen Stelle.

Sie war ohne Bébé gekommen, dafür um eine Stunde später. Sie hatte wirklich nicht mehr viel Zeit, sie wollte nur sehen, ob er wieder da war. Er war da!

Eine ganze Weile schritt sie auf dem Pont Neuf auf und ab, die beiden jungen Männer aus sicherer Entfernung beobachtend, ungewiß, ob sie zum Kai hinabsteigen soll.

Schließlich, da es bereits auf sechs ging, beschloß Josette, daß es gut wäre, noch eine Runde zu machen, dort unten, nur einmal um den Garten herum und an ihm vorüber. Er sollte sie sehen. Albern! schalt sie sich der Form halber, als sie bereits auf dem letzten Absatz der steilen Treppe war. Dabei zweifelte sie keinen Augenblick daran, daß er auf sie wartete.

Sie drückte die kleine Handtasche fest an die Hüfte, sie hielt sich sehr gerade und ging gelassen, wie man eben spazierengeht, wenn man Schuhe mit hohen Absätzen trägt, darauf bedacht, recht unbedacht dahinzuschreiten und doch nicht umzuknicken auf den Kopfsteinen der Uferpromenade.

Das rotblonde offene Haar wippte in langen dichten Strähnen über den Schultern, bei jeder Bewegung fühlte sie seine leichte Last, auf die sie so stolz war, durch das enganliegende Pulligewebe auf der Haut des Rückens. Sie atmete langsam, sie bemühte sich, ein gleichgültiges Gesicht zu machen. Aber ihre Mundwinkel zuckten, um nicht zu lächeln, und ihre Augen waren leuchtend und unruhig vor Neugier.

So ging sie auf die beiden zu.

Der andere, der junge Mann mit dem runden Gesicht, sah sie zuerst. Er stieß den Flötenspieler an und erhob sich, die Schulter des Freundes als Stütze benutzend. Er faltete die Zeitung zusammen, die neben ihm lag, klopfte sich lächelnd den Staub vom Hosenboden, nickte Josette wie einer alten

Bekannten zu und schlenderte davon. Alles geschah mit großer Selbstverständlichkeit.

Der Flötenspieler verstaute das Instrument in die Innentasche seiner Jacke. Er sagte: „Guten Abend, Mademoiselle." Und er rückte ein Stück auf den Steinen, als wolle er Josette neben sich Platz machen. Er lachte. Er hatte gesunde, weiße Zähne. Sein Lachen war tief; guttural wie seine Aussprache.

Josette blieb stehen. Sie strich mit der Rechten das blonde, rotschimmernde Haar von den Schultern, die Linke drückte die Handtasche fest an die Hüfte. Sie sagte: „Es ist spät. Ich muß zur Arbeit ..."

Der Mann nickte. Er wandte sein Gesicht von ihr ab und blickte über den Fluß auf das andere Ufer. „Ich bin oft hier", erklärte er. Dann sprang er plötzlich leichtfüßig auf und stand vor ihr. „Wo arbeiten Sie?" Er steckte die Hände in die Taschen und meinte freundlich und schüchtern: „Ich könnte Sie begleiten ..."

„Nein, danke, Monsieur. Guten Abend, Monsieur", sagte Josette.

Nach einigen hastigen Schritten drehte sie sich noch einmal zurück und rief ihm zu:

„Bei Michot in der Rue Sainte-Vérité! Aber es ist viel zu weit für Sie, und ich komm auch erst raus lang nach Mitternacht ..."

11

Zu Hause fand Josette ihre Mutter vor dem Spiegel, dabei, sich die Lockenwickler aus dem Haar zu nehmen. Sie wollte ins Kino. Bébé schrie, weil er hungrig war, und Jerôme – in Pantoffeln und Unterhemd – versuchte, den Sohn zu trösten, indem er ihn auf seinen Armen schaukelte und mit großväterlichem Grinsen und vielem „Schischi" und „Sascha" an die eigene graubehaarte Brust legte.

„Beeil dich, du verpaßt deine Métro!" rief Jerôme dem Mädchen zu.

Während Josette aus Rock und Petticoat stieg und den weißen Pulli abstreifte, berichtete die Mutter durch die halboffene Tür: „Armand hat geschrieben. Er kommt für zwei Tage, morgen oder übermorgen, der arme Junge, wir werden ihn herausfüttern!"

Auf dem Tisch lag das Einkaufsnetz mit Gurken und Tomaten. Josette nahm sich eine der roten Früchte und biß hinein. Unten auf der Straße lärmten Kinder. Ein Auto hupte. Das Mädchen warf einen Blick auf die Kommodenuhr und bemerkte dabei, daß Corneille auf seinem Dachbalkon stand und durch die schmiedeeisernen Blumen herüber- und heraufschielte.

Josette drehte ihm ärgerlich die nackte Schulter zu und trat schnell zurück in die Tiefe des Zimmers. Corneille war alt und schaulustig. Böser Nachbar! dachte Josette.

## 12

Kurz nach eins schloß Gonzales, der Chefpacker, die Büroräume ab, vergewisserte sich, daß Émile die Eisentür zum Lager verriegelt hatte, und trat auf die Straße. Émile, Claudine und Josette warteten auf Gonzales. Die anderen waren schon fort.

Die Nacht war warm. Die Rue Sainte-Vérité glich um diese Stunde einem langen, ungemütlich phosphoreszierenden Krankenhauskorridor.

Das blaustichige Licht der hochhängenden Neonlampen lag ohne Kraft auf den dichten Laubvorhängen der Bäume, die den anderen Bürgersteig säumten. Dahinter zog sich, die ganze Länge des Straßenkarrees beanspruchend und einer Kaserne ähnlicher als einem Verwaltungsgebäude, die fensterarme, ausdruckslose Fassade hin, die Émile, den sie bei Michot den Nörgler nannten, bissig „Unseren Innenarsch" getauft hatte. Es war die Rückseite eines Häuserkomplexes, der zum Innenministerium gehörte. Vor einer engen Toreinfahrt – der einzig erleuchteten, nachdem sie bei Michot dunkel gemacht hatten – schritt, wie gewohnt, ein Polizist auf und ab. Das langsame, eintönige Geräusch, das seine Stiefel verursachten, schuf der nächtlichen Rue Sainte-Vérité die eigene, einschläfernde, geradezu friedliche Atmosphäre.

13

Gonzales ging mit Claudine, sie hatten den gleichen Weg. Émile hängte sich wie immer an Josette.

Émile war lang und hager. Er ging leicht vornübergebeugt. Er hatte einen unreinen Teint und oft entzündete Augen. Er war kerngesund, aber er schlief wenig und las viel. Bei Michot kassierte er für die Gewerkschaft.

Er hatte das Mädchen sehr gern, eine ernste Sache, zum Heiraten gern. Einmal – aber das war schon ein Jahr her – hatte sie sich mit ihm eingelassen, auf einem Vergnügen der Firma. Sie hatten viel Wein getrunken, dreimal miteinander getanzt (er tanzte schlecht, mochte nur die seriösen Tänze, Tango etwa oder langsamen Walzer). Damals hatte er sie geküßt und sogar etwas mehr. Sie waren auch zweimal ins Grüne gefahren sonntags . . .

14

Émile war es gewohnt, von Josette wie von den andern, daß man ihm zuhörte, ohne ihn recht ernst zu nehmen, wenn er „ins Nörgeln" kam. In dieser Nacht, bemerkte er, behandelte ihn das Mädchen besonders schlecht.

Schon am Tor, als sie auf Gonzales warteten, hatte sie an seinem Abschiedsschwatz mit Claudine nicht teilgenommen und die leere Straße hinauf- und hinabgespäht, als warte sie auf etwas oder auf jemanden. Jetzt, da er gerade seinen langen Schritt dem ihren anpaßte, schwenkte sie wortlos von ihm fort und überquerte den Damm.

Émil holte sie ein, als sie den Posten kreuzte. Josette und der Polizist lächelten sich zu.

„Warm heute, nicht wahr?“ sagte Josette im Vorübergehen.

Der Polizist nickte. „Gute Nacht, Kleine.“ Auch zu Émile sagte er: „Gute Nacht.“ Er hatte jede dritte Nacht Dienst. Er kannte die Michot-Leute. Émile grüßte nicht.

„Also was?!“ sagte der Packer halblaut, als sie den Uniformierten hinter sich gelassen hatten. „Jetzt bändelst du noch mit den Flics an?!“

„Laß mich in Ruh! Außerdem brauch ich deine Gesellschaft nicht!“ Aufgebracht warf Josette den Kopf zurück. Sie war enttäuscht. Sie hatte fest damit gerechnet: Wenn ich nach der Arbeit herauskomme, steht heute der Flötenspieler am Tor. In ihrem Hirn und in ihren Nerven war das alles schon ausgemacht, sicher wie der Sonnenaufgang. Und er war nicht gekommen ...! Mag sich Émile also zum Teufel scheren! Gleich darauf tat es ihr leid, der Junge konnte ja nichts dafür, und sie sagte freundlicher: „Nörgler! Es sind doch Nachbarn ...“

„Die Flics! Schöne Nachbarn!“ Émile holte tief Luft. „Diese Diener des Gesetzes, wem dienen sie denn?!“ Immer wenn er grundsätzlich wurde, sprach er geschwollen. „Und weißt du denn, was hinter diesen Bastillemauern ...“

„Komm, keine Volksreden ...“, unterbrach ihn das Mädchen. „Sei nicht albern! Schließlich ...“

Für Émile vollkommen unerwartet, verstummte Josette und blieb stehen.

Sie waren eben in die breitere und lichtreiche, auch nachts laut lebende Hauptstraße eingebogen. Am Gitter der bereits gesperrten Treppe zur Métrostation Miromesnil lehnte, die Hände in den Hosentaschen, die Jacke über eine Schulter geworfen, der Flötenspieler. Sein helles offenes Hemd, seine weißen Zähne schimmerten.

## 15

Willkommen du, Paris im Neonlicht! Es ist halb zwei Uhr nachts oder morgens, je nachdem, für wen und wozu. Immer schillert die Haut der Stadt wie die bunte Auslage eines Papierladens.

Der Packer Émile hat den langen, einsamen Heimweg hinter sich, er wäscht sich mit kaltem Wasser, er setzt sich an den Tisch, wirft sein Hemd über die kleine Lampe, um den Zimmergenossen nicht im Schlaf zu stören, spitzt einen Bleistift, reibt sich die brennenden Augen und entfaltet die Zeitung von gestern. Da ist der Bericht des Genossen Thorez auf dem Kongreß, den er noch durcharbeiten will.

Der Posten in der Rue Sainte-Vérité, der gute Nachbar, macht seine zehn Schritte her und hin.

Gonzales löscht das Licht über dem Bett und streckt sich aus neben seiner Freundin Claudine. Es ist warm, sie brauchen keine Decke. Er ist französischer Staatsbürger, er ist in Barcelona geboren, er schläft schwer ein, im Traum spricht er spanisch und wälzt sich stöhnend von einer Seite zur anderen. Claudine lächelt, wenn sie schläft, manchmal kichert sie.

Monsieur Leduc hat seine Ausgehnacht: Hahn in Riesling, ein leichtes Soufflé hinterher im „Royal Monceau", und zum Schluß, als Dessert sozusagen – aber das ergibt sich dann noch von selbst ... „Saure Gurken, süße Kirschen." Leduc lebt im allgemeinen solide, fast bescheiden. „Wenn das Hühnchen gackert, darf das Hähnchen auch mal krähn." Die Währung festigt sich, der Franc wird wieder schwerer, und die Tischdecken im „Royal Monceau" hat das Versandhaus Michot geliefert.

Der Rentner Corneille, der böse Nachbar, liegt auf dem Rücken und kann nicht einschlafen. Er liegt auf dem Fußboden, im Bett ist es zu heiß. Das kalte Linoleum lindert die Schmerzen. Er denkt: Der Doktor Jeannet ist ein Esel und der Abbé ein Ochse! Mal sehen, wer von uns dreien zuerst abkratzt, jedenfalls nicht der alte Corneille! Er hebt den Kopf und schielt zum offenen Fenster hinaus. Bei den Mermeix alles dunkel, meine Kleine bleibt lange aus. Schade . . .

Jerôme schnarcht, kräftig, mit Genuß, wie er alles tut, die breite, stopplige Wange auf der weichen, weißen Schulter der Madame Mermeix. Sie atmet tief und ruhig. Bébé öffnet und schließt im Schlaf seine kleinen Fäuste. Im anderen Zimmer sitzt Armand im Dunkeln auf dem Sofa und raucht. Die Manöverstrapazen ziehen noch in den Gliedern, doch er ist zufrieden und aufgekratzt hinter der Stirn – zwei ganze Tage Urlaub! Er hat sofort die Uniform in den Schrank gehängt, es ist verboten, aber er wird natürlich – gleich in der Früh – in Zivil zur Butte hinauffahren, mit dem Malzeug auf den Montmartre. Er hat schon den Geruch von Terpentin und Öl wieder in der Nase! Er wartet auf die Schwester. Wenn sie nicht bald kommt . . .

## 16

Willkommen du, Paris im Neonlicht! Andre Zeiten, andre Leute sind gekommen – summen Josette und der Flötenspieler. Sie haben kaum einige Worte miteinander gewechselt. Er hat gelacht und „Da bin ich!“ gesagt. Sie hat gefragt: „Warum hier?“ Er hat die Schultern gezuckt, den Kopf schief gelegt – in Richtung auf die Rue Sainte-Vérité – und vage geantwortet, als ob es ein Spaß wäre: „Ausgerechnet dort . . .“ Beide haben es vermieden, einander zu siezen. Sie haben die Champs-Elysées überquert, Hand in Hand. Jetzt schlendern sie den Kai des Tuileries entlang, am Flußufer, bleiben oft stehen, um sich zu küssen, und gehen dann weiter eng umschlungen, dem Herzen von Paris zu, auf die Insel und hinab zum Vert Galant, das ist gewiß wie der Sonnenaufgang.

## 17

Sie wußten eines vom andern nicht einmal den Namen. Und doch glaubten sie unter der Gewalt ihrer fünf Sinne – und für sie und für die eine unmeßbare Spanne Nachtzeit war es in Wirklichkeit so! –, eines kennte das andere länger schon, genauer, tiefer und umfassender als Geschwister und Eltern und naheste Taggefährten. Unter der Neuen Brücke, im bergenden Dunkel einer ihrer Arkaden, waren sie am Ziel. Ohne zu sprechen.

So blieben sie allein im Schatten, aber sie standen auch gleich Gefangenen unter einem spielenden Lichtnetz, dessen wechselnde Maschen das Zögern, Schwellen, Ziehen und Kräuseln der reflektierenden Seinewasser auf die innere Wölbung des Brückenbogens zauberte.

Der fremde Mann, der nun ihr Mann war, preßte Josette in der Umarmung gegen das kühle Mauerwerk. „Du bist eine Orange ...“, sagte er heiser. Die Stimme kam kehlig vor Zärtlichkeit. Er vergrub sein Gesicht in das offene rotschimmernde Haar des Mädchens. In ihrem Haar wohnte die Unruhe von Licht und Wasser.

Eine Orange! Wie albern! dachte Josette. Sie zitterte vor Glück.

Weil die Liebenden stumm sind, spricht die Seine zum Stein.

Sag es mir, raunt die Seine. Ich schmiege mich an dich, sanft und frisch. Schnell und frei werfen sich alle meine Wasser gegen dich. Jede junge Welle liebkost dich. Sage mir, daß wir glücklich sind! Und der Stein stemmt sich gegen sie und schweigt.

Sage mir, daß ich schön bin, schmeichelt die Seine und strömt sich hin. Auf meiner kühlen, lebendigen Haut tanzt der Himmel von Paris, sein Neonglanz, seine Sterne. Wir lieben uns, und die Nacht gehört uns, der Himmel, die Stadt und die Zeit in alle Ewigkeit – sag es mir!

Da antwortet der Stein:

Die Nacht gehört uns, Hinströmende, nicht die Stadt. Der Himmel, sagst du, ist voller Lichter? Ich sehe die Sterne nicht über Paris. Deine Haut ist über mir. Haut über Haut. Du bist schön und schnell. Schneller aber ist die Zeit, die Himmelzerreißende ...

19

Unter der Brücke, als sie sich satt geliebt hatten, sprachen Josette und der Flötenspieler.

„Frierst du? Sage mir deinen Namen, mein Herz."

„Josette. So. So ist's warm ...! Josette Mermeix."

„Du bist eine Dattel ..."

„Sei nicht dumm!"

„Süß wie eine Dattel! – Ich heiße Josef, eigentlich ..."

„Ah, schick! Ja, Jo und Josette, komisch nicht?!"

Eigentlich hieß er Yussuf. Er stammte aus Bones, sein Vater war Apotheker. Er sei Muselmane, erklärte er karg, genau, unblumig, Maghrebine, Algerier. Er studiere, wolle Arzt werden. Wo immer er herkam, o lala, das war Josette so gleichgültig, vielmehr: es war natürlich, und sie hatte es immer gewußt. Sie sagte: „Schick!", und sie küßte ihn. Er solle ihr noch einmal sagen, flüsterte sie, daß sie eine Orange sei. „Du riechst auch so!" gab er zu. Dann lachten sie beide.

20

Auch alltags unaufhörlich in stummer Unterhaltung mit dem eignen Ich, gehörte Josette zu jener Art junger Frauen, welche in der Zweisamkeit mit dem Geliebten vor Glück ganz redselig werden.

„Ich dachte, du bist Musiker, du siehst danach aus und wegen der Flöte. Ich finde, du spielst schrecklich gut!" gestand sie und kugelte wohlig ihre Schulterblätter in der Wärme seiner Jacke. Sie fragte: „Du liebst auch solche Chansons, nicht wahr?" Ließ ihm keine Zeit zur Antwort und rief aus:

„Komisch, nicht wahr, daß wir beide in der gleichen Minute damals – erst vorgestern, denk mal! – das Adieu-Paris-Akkordeon . . . ?!“ Seine Hände waren auf ihrer Haut. „Bei Michot haben wir jetzt nämlich die Nacht über Musik“, gab sie sich selbst des sonderbaren Zufalls Erklärung und berichtete fröhlich: „Seit Mai erst. Leduc ist ja ein Knauser, aber drüben ist doch die neue Verwaltung. Justiz oder so was, da ziehen die Abteilungen auch ewig um, also – was denkst du, mon chou! – kommt einer von denen, ein hoher Beamter, dunkler Anzug und tipptopp, zu unserem Leduc, sie spendieren unserer Nachtschicht zwei Lautsprecher, Stereoton – formidabel! –, und schließen uns an ihr Rundfunknetz an, zentral! Patent, nicht wahr?! . . .“ Sie seufzte zufrieden, rieb ihre Wange am festen Fleisch seines Halses und blinzelte durch halbgeschlossene Lider zur Brückenwölbung empor. Der Lichtzauber des Flusses auf dem Steinhimmel wurde blasser. Ein Lastwagen fuhr dumpf dröhnend über den Pont Neuf. Das Wasser gluckste leise.

„Keine gute Straße, die Sainte-Vérité“, sagte der Flötenspieler.

„Ich finde es irgendwie nett.“ Das Mädchen spann ihren Gedanken weiter. „Monsieur Leduc nennt es ‚Seelsorge à la Chachacha‘, albern, was? Der Nörgler, der . . . für den steckt immer was dahinter!“ Sie begann von Émile zu erzählen, daß er schlecht tanze und Pickel im Gesicht habe.

„Er langweilt mich. Er ist Kommunist.“

„Ich liebe die Kommunisten nicht“, sagte Yussuf dunkel.

„Er wollte mich zur Frau, und ich, ich kann ihn nicht ausstehen!“ rief Josette schnell. Jo war eifersüchtig, wie herrlich, doch sie wollte ihm nicht weh tun, nein, nie, sie preßte sich leidenschaftlich an ihn.

„Aber sie sind, die Marxisten, mein Herz, sind . . .“, der algerische Student suchte nach dem zutreffenden französischen Ausdruck, „sie sind *glaubwürdiger* als . . .“

Josette nahm seinen Kopf in ihre Hände und zog ihn zu sich herab. „Und ich?“

„Süß wie eine Dattel ...“
„Nein!“
„Eine Orange also ...“
Sie liebten sich. Und dann ruhten und flüsterten sie wieder, und dann liebten sie sich aufs neue ...

## 21

Als sie sich trennten, leuchtete und rumorte ringsum der Tag. In den Markthallen schrien sich die Verkäufer heiser, die Gemüsehändler umdrängten Stände und Kistenstapel, in den offenen Bistros klingelten die Registrierkassen, die Cafékellner stellten Tische und Strauchkisten auf die Straße.

Auf dem Boulevard gab ein Fensterputzer dem Portal der Nationalbank den letzten Glanz. Zwei optimistische Englein aus Stein umfingen sich ungeniert in seiner Gegenwart. Josette schritt unbekümmert unter seiner Leiter hindurch, ihr zerknitterter Glockenrock wippte, ihre rotgoldene Haarpracht schimmerte. Sie summte ...

## 22

Auf dem Teller in der Mitte häuften sich die abgenagten Artischockenblätter. Armand tunkte das weiche Mark in die Ölsauce und ließ es genießerisch zwischen Zunge und Gaumen schmelzen. Er nahm einen Schluck Wein, wischte sich mit der Serviette Mund und Finger ab. „Ah, das hat geschmeckt, Maman!“

Madame Mermeix räumte das Geschirr ab. Jerôme las die Zeitung. Armand zwinkerte der Schwester zu und rülpste laut. Josette begann zu lachen. Jerôme brummte etwas Unverständliches.

Armand sagte: „Morgen wieder in die Kaserne! Noch zweiunddreißig Monate, unvorstellbar die Viecherei! Die Offiziere haben uns schweinisch in der Mache, nur gut, daß die Kumpels zusammenhalten! Nach den Manövern hat da unser Colonel zwei Abschiedsbriefe von Maquis-Leuten verlesen, die von den Deutschen damals erschossen wurden, Briefe, die einem an die Nieren gehen, und er folgert so: Wir sollen uns an den Jungs ein Beispiel nehmen. Sie vergossen ihr Blut für Frankreich, in ihrem Geiste, wenn das Vaterland ruft, sollen wir unser Blut vergießen in Algerien! – Buh! haben da welche im Rang gerufen! Ich weiß, wer! Aber sie haben's nicht rausgekriegt! Wir lassen uns nichts bieten, wißt ihr!"

„Spiel dich nicht auf!" meinte die Mutter. „Gott sei Dank werden sie euch nicht mehr nach Afrika schicken. Der General . . ."

„Ich weiß, Maman!" unterbrach Armand sie ironisch. „Du liebst ihn! Er ist für dich . . ."

„Wer?" fragte Jerôme hinter seiner Zeitung. „Wer liebt wen?" wiederholte er.

„Frag doch Josette!" sagte Madame Mermeix ärgerlich, um abzulenken. „Frag sie doch, wo sie gewesen ist nach der Arbeit! Bei uns jedenfalls hat sie nicht geschlafen!"

Armand hatte Josette sehr gern. Er stand auf, legte ihr die Arme um den Hals und fragte neugierig: „Wirklich, du hast einen gefunden? Wer ist es?"

„Jo", sagte Josette.

„Ich dachte, er heißt Émile", frotzelte der Bruder.

Das Mädchen machte sich aus seiner Umarmung frei. Die Mutter, das Tablett in der Hand, blickte erwartungsvoll herüber.

„Richtig heißt er Yussuf", sagte Josette und hob kämpferisch das Kinn. „Aus Bones, aus Algerien."

„Das fehlte noch!" Madame Mermeix stellte klirrend das Tablett ab. „Die Nordafrikaner in Paris – alles Terroristen oder Zuhälter!"

Josette schoß das Blut in die Wangen. Böse und trotzig rief sie: „Er studiert! Arzt, wenn du es wissen mußt!"

„Beruhige dich, Kleine!“ sagte Jerôme. Er ließ die Zeitung sinken und warf Madame Mermeix einen tadelnden Blick zu. „Dummes Zeug! – Medizinstudent also?“ brummte er. „Na, dann kann ja nichts passieren . . .“

Der Soldat auf Urlaub lachte; er drückte seiner Schwester einen herzlich schmatzenden Kuß auf den Mund.

## 23

Verabredet war: in der nächsten Nacht am Métro Miromesnil. Allein, der Flötenspieler war nicht zur Stelle. Am Tag darauf ging sie bereits mittags mit Bébé zum Seineufer, in den Garten des Grünen Liebhabers, blieb bis halb sieben. Yussuf kam nicht. Nacht für Nacht wartete sie auf ihn in den Neonschluchten der Straßen, Tag für Tag suchte sie ihn am Fluß.

Andre Leute kamen, er nicht. Josette summte nicht mehr. So schnell zerreißen die Himmel.

## 24

Seltsam veränderte sich Paris, schien es Josette. Nächte und Tage schichteten sich zu Wochen und überfluteten sie. Die Zeit umfing sie gleich strömenden Wassern. Es war der Verlassenen: sie schreite dahin auf dem Grunde der Seine, mühsam kämpfte sie sich vorwärts gegen das Ziehen und Zerren des Stromes, der sie zurückwerfen und fortschwemmen wolle, zurück in ein schimmerndes, undurchsichtiges Meer, in dem sie bisher schläfrig gemacht, eingelullt und gewiegt worden war wie ohnmächtiger Tang. Sie war erwacht vom stechenden Schmerz der Liebe. Sie wollte an die Oberfläche, die zähe Hülle um und über sich zerreißen, tief Luft holen, sehen und begreifen.

Die Stadt verwandelte sich. Durch ihre Haut gewahrte das Mädchen – im harten Zauber der Entzauberung – das Pulsen der Venen und Adern, das Zucken der Nerven- und Muskelstränge, den qualvollen Stoffwechsel des Millionenwesens, dem sie zugehörte. Gewiß, in Wahrheit war sie es, die sich verwandelte: Geburt des Bewußtseins! Ihr Herz weinte, und ihr Schoß brannte, und ihr Hirn schrie.

Josette sah und begann zu begreifen.

25

Die Erinnerung arbeitete in ihr. Yussuf gebrauchte einfache, kräftige Bilder, die blieben lodernd hinter ihrer Stirn – wie seine Küsse noch glühten auf ihren Lippen – und gaben nun ihren Augen ein neues, scharfes Licht.

Sie mußte verstehen, woher er gekommen war und warum, denn nichts mehr war selbstverständlich!

Sie hatte gefragt: „Du bist gern hier, in Paris ist es am schönsten, nicht wahr?" Er hatte gelächelt, dann war sein Gesicht geworden wie Stein. Er hatte geantwortet: „Wem die Augen nicht verklebt sind durch Eiter und Fliegen wie unseren Kindern und Greisen, der kann die Risse sehen ..." Was hatte er gemeint, wen, welche Risse? „... der Eiter kommt von innen, und die Fliegen, mein Herz, die sind äußerlich ..." Eiter? Fliegen?

Eines Tages, sie war an den Hallen, stürzten Obstkisten von einem Handwagen, den ein Einarmiger zog. Die Orangen rollten auf den Asphalt. Der Einarmige, ein Mann um die Vierzig, packte in einem plötzlichen, Josette unverständlichen Wutanfall einen vorübergehenden Afrikaner (einen jungen Neger, der Student sein mochte oder Artist) am Jakkenärmel. „Siehst du nicht, daß ich Invalide bin?! Heb die Früchte auf, dreckiger Mischling!" Der Afrikaner machte sich los und sagte leise, mit bebenden Nasenflügeln: „Ich sehe, daß du Soldat warst. Du sieh, ich bin kein Hund." Passanten blieben stehen, das Mädchen ging langsam weiter. Orangen ...

## 26

Wohin war er verschwunden?! Sie fürchtete und sie hoffte zugleich: Vielleicht bin ich schwanger! Sie liebten sich; aus eigenem, freiem Willen konnte er nicht fortgeblieben sein! Dann wechselte der Mond, und sie wußte: Nein, sie trug kein Kind von ihm. Anstatt zu beruhigen, verstärkte dies ihre Unruhe. Sie war krank vor Sehnsucht. Wo sollte sie ihn suchen? Sie kannte seinen Familiennamen nicht. Das nie aussetzende, in den Ohren dröhnende Gedudel der Lautsprecher bei Michot, Nacht für Nacht, wurde unerträglich. Zentraler Netzanschluß – sie konnten nur zum Schweigen gebracht werden, wenn Gonzales nach der Arbeit alles Licht löschte.

Yussuf, Maghreb, Nordafrika, Algerische Nationale Befreiungsfront... Josette las jetzt, was die Zeitungen über Algerien schrieben. Ordnungstruppen, Brüderlichkeit, Integration, Befriedung. War ihr Flötenspieler heimgekehrt nach Bones? Terrorist? Zuhälter?

Eines Nachts, Anfang Juli, bat sie Claudine, ihr die Karten zu legen. Vielleicht war Yussufs Mutter gestorben, sie hatte ihn nicht nach den Seinen gefragt, er mußte eine Mutter haben, Geschwister... Josette und Claudine gingen dazu auf den Abtritt. Die Toiletten bei Michot befanden sich im Treppenhaus, jeweils zwischen den Etagen.

Sie öffneten die viereckige Luke des engen, schmutzigen, schlecht erhellten Raumes. Hier war es wenigstens still, die Radiomusik aus der Packerei drang nur gedämpft herüber. Claudine legte das Große Orakel, mit speckigen Tarockkarten, dreimal zum Herzen abheben, siebenmal ziehen, das Schicksalsbild zu Häupten, den Schwarzen Herrn zu Füßen, sie phantasierte und kicherte und beklagte sich zwischendurch über Gonzales.

Dann hörten sie, von der nächtlichen Rue Sainte-Vérité her – deutlich, obwohl es von fern kam – ein hohes, langgezogenes Kreischen, das in ein unnatürliches Wimmern überging, wie von einer betrunkenen Frau, die gekitzelt wird, dann Flüche, Gelächter, Rasseln von Fensterläden und – plötzlich wieder lauter – die Radiomusik aus den Arbeitersälen ... Die beiden Mädchen sahen sich an.

„Wer feiert hier Hochzeit?!" wunderte sich Claudine und kicherte.

Die ungewöhnliche Ruhestörung wiederholte sich nicht, aber Josette vergaß sie auch nicht. Das Große Orakel brachte nichts Neues, früher hatte es Josette amüsiert, jetzt war sie sich selbst böse, Hoffnung zu suchen bei solchem Unsinn.

## 27

Paris – Vierzehnter Juli! Feiertag des Volkes, unvergeßlich und unvergessen! Freiheit, Gleichheit, Brüderlichkeit ... Andre Zeiten, andre Leute sind gekommen ...

Armand nahm mit seiner Einheit an der Militärparade teil, hatte abends Ausgang, kam aber nicht nach Haus. Natürlich nicht! Wie im Vorjahr wurden Fallschirmjäger aus Algier herübergeflogen, mischten sich abends unter die Tanzenden an den Straßenecken. Harte Burschen. Sie sangen die Marseillaise nicht gern, jedenfalls klang es anders, meinte Corneille. Josette strich allein durch ihr Viertel, traf den Alten mit einer Riesenkokarde im Knopfloch und ließ sich von ihm mehrere Pernods spendieren. Eine Einladung von Émile hatte sie abgeschlagen. Corneille gestand schnaufend: „Und wenn meinen Doktor der Schlag trifft, einmal im Jahr, süße Kleine, zum Sturm der Bastille, schafft Corneille die vier Treppen noch und geht auf die Straße! Josette, du bist ein leckeres Kind! ..."

Jetzt verstand sie – und sie begriff nicht mehr, wie dumm sie noch vor vier Wochen gewesen war –, daß der böse Nachbar ein guter war: schaulustig aus Liebe zum Leben. Sie betrank sich und weinte lange. Corneille borgte ihr sein Taschentuch. „Schnaub dich!"

Sie verstand jetzt vieles.

28

Anderntags, auf dem Pont Neuf – wie aus dem Fluß emporgeschossen –, stand der junge Algerier mit dem runden Gesicht plötzlich vor ihr.

„Du sollst ihn treffen. Ich warte hier."

So schnell sie konnte, brachte sie Bébé nach Haus und eilte zu Yussufs Freund zurück an die Seine.

Er führte sie schweigend, sie hatten einen langen Weg. Endlich fragte sie: „Wo war er? Sagen Sie es mir bitte!" Er stieß höhnisch die Luft aus und gab keine Antwort.

29

Hinter dem Güterbahnhof, an der Stadtgrenze zu Ivry, vor dem Hospital, sagte er, ehe sie eintraten: „Er hat geschwiegen. Die Schweine haben ihn fertiggemacht, die Schweine ...!"

Der Flötenspieler lag flach auf dem Rücken, das graue Laken hochgezogen bis ans Kinn. Sein Gesicht war ein anderes Gesicht, seine Augen waren andere Augen.

Josette blieb an der Tür stehn. Sie erkannte ihn an der tiefen, kehligen Stimme. Er sprach schwer. Er hatte für sie nur zwei Worte, wie Steine fremd: „Heirate Émile ..." Er drehte den Kopf von ihr fort zur Wand und sprach zum Freund in der Sprache seines Volkes: „Sie soll gehen ..."

30

„Du wolltest ihn sehen, du hast ihn gesehen", sagte der andere Algerier zu Josette, als sie wieder auf der Straße standen. „Er war hier, in deiner Stadt, neben dir – in der Rue Sainte-Vérité!" Er gab ihr die Hand, ohne sie anzublicken. „Das ist die Wahrheit von Paris – sein blutiges Fleisch ..."

FRANZ FÜHMANN

# Mein letzter Flug

Als ich ein Kind war, konnte ich fliegen. Ich hatte es nie gelernt, ich konnte es, soweit mein Erinnern reicht, und davor, das weiß ich genau, war ich eine Schwalbe gewesen: Ich weiß es, weil ich, wiewohl mein Fliegenkönnen noch immer durch die sich stützend auf das Treppengeländer gepreßte und dessen Rundung umklammernde Rechte an die Regeln des niederziehenden Raumes gebunden schien, doch stets das vollkommen sichere Gefühl hatte, nur wollen zu müssen, um, wenn die Stunde es einst gebieten sollte, frei wie eben eine der Schwalben, die unter dem Torbug nisteten, in die golddurchwallte Violettluft des glastürbegrenzten Treppenhauses aufzuschnellen und durch die kleine Fensterluke oben rechts zu enteilen, wenn ich, aus der Schule heimgekehrt, mich mittags von der fünften Stufe von unten abstieß.

Fliegen war ebenso herrlich, wie es mühelos war, und es war lange Zeit nicht zu verstehen, daß die Erwachsenen es nicht aus eigener Kraft vermochten, sondern dazu tote Apparate mit metallenen Flügeln und Schrauben oder gar kilometerlange zigarrenhafte Gebilde brauchen mußten, sogar, wie man ungläubig hörte, auch die Erwachsenen aus dem Reich. Und dabei war es wirklich ganz einfach: Mit der rechten Hand das Geländer im Treppenhaus zwischen dem ersten und zweiten Stock (denn dort gelang, wegen der Schummrigkeit, das Fliegen am besten) umfaßt und von der fünften Stufe von unten, die, zum Unterschied von der vierten oder gar der lächerlichen dritten wie aber auch von der viel zu hoch gelegenen, lebensgefährdenden sechsten, allein ins Innere der Traumreiche trug, sich herzhaft abstoßend, kühn mit gestrecktem Rücken in die friedsam ruhende Luft aufgefahren und lange Stunden so auf ihrem Zenit verharrt, Stunden um Stunden, während drunten Farnsteppen sich zogen oder Indianerprärien mit Wigwams und Marterpfählen und rasend stampfenden Büffelherden, oder walnußgrüne, von kreischenden Affen und Papageien durchtanzte Wälder, oder das milchige Eis der schwimmenden Gletscher, darüber weiße Bären mit blutigem Maul trotteten, oder auch Ninive, das immer voll Rauch und gärenden Fleisches war und das ich, beim Klang seines Namens immer von einem heimlichen Grauen gepackt, über alles liebte. Wenn Ninive unter mir auftauchte, erschien auch sofort der schlangenhäutige Fluß Nil, den der schreckliche Vogel Rock überkreiste (wir sind ganz nah aneinander vorbeigeflogen, und er hat mich nie ergriffen und hat auch nicht einmal nach mir zu schnappen versucht), und hinter dem Nil habe ich auch manchmal Kanaan, das Gelobte Land Abrahams mit seinen höckerschlenkernden Kamelen und schwereutrigen Kühen, die seltsam übereinandergehäuft um die klaffenden Zisternen gelagert waren, erblickt, allein das REICH, das Reich gleich hinter den drei geschwungenen Bergen, das Reich, von dem, wie alle Einwohner unseres Grenzdorfes, mein Vater und manchmal sogar meine fromme Mutter mit Prophetenmiene sprachen, das geheimnisvolle, phantastische Reich, das ich begehrte wie ein neues, noch nie geschautes Spielzeug, das einmal kommen und mich überwältigen würde: das REICH habe ich nie zu schauen vermocht. Einmal zwar sah ich ein blaues, mit Skeletten übersätes Tal, in dem unter Glockengedröhn ein einäugiger, von Raben umflatterter, sich schwer auf seinen Speer stützender Hüne wandelte; einmal auch eine goldene Heide, durch die eine gepanzerte schwarze Rotte von Königen ritt, aber beides konnte ja wohl nicht das Reich gewesen sein, das in seiner Herrlichkeit einfach unvorstellbar sein mußte. Schließlich dachte ich, daß ich noch nicht würdig sei, das Reich zu schauen, und wartete, fieberhaft hoffend, von Flug zu Flug, daß ich es sähe, jedoch sooft ich auch flog, und ich flog jeden Tag, ich sah es nicht.

Das sollte nun geschehen, da mir, als ich eines Mittags aus der Schule kam, das Dienstmädchen unter der Haustür atemlos zurief, ich möge mich sofort im Herrenzimmer einfinden: Onkel Eduard und Tante Marlies aus dem Reich seien zu Besuch gekommen. Erst vernahm ich die Botschaft wie einen der Aprilscherze, auf die ich Argloser immer hereinzufallen pflegte, und lachte in blöder Abwehr; dann erinnerte ich mich, Vater manchmal von seinem Bruder Eduard aus dem Reich und – und da war seine Stimme recht abfällig geworden – von dessen Frau Marlies sprechen gehört zu haben; dann jubelten plötzlich, es war unbegreiflich, meine Nieren, und ich flog, ein Blitz, die Treppe hinauf.

Ich hatte beide noch nie gesehen, Tante Marlies nicht noch Onkel Eduard. Ich hatte, zehn Jahre alt, überhaupt noch keinen Menschen aus dem Reich gesehen, noch nicht einmal, ich sagte es wohl schon, in meinen Flugträumen. Den Führer des Reiches wagte ich mir nicht einmal vorzustellen: Er mußte nahe an Gott stehen oder Gott gleichkommen, und Gott war in seinem Glanz unerschaubarer denn die Sinne, und man sollte, so hatte es mich meine fromme Mutter stets gelehrt, sich von seinem Gott kein Bild zu machen versuchen, und so hatte ich es denn auch beim Führer nicht versucht. Von den Männern des Reiches dachte ich gern, daß sie Riesen seien oder doch wenigstens Recken, deren Gewaltigkeit sich nach innen gewendet und ihrer Seele einen dermaßen leuchtenden Panzer gegeben hatte, daß sich noch von außen ein unbegreifliches Glänzen zeige, ein überwältigend aufflammender Adel noch an den Kuppen der Finger oder zumindest ein Stahlschimmer im harten Blick – dies die Männer, aber wie die Frauen? Sie mir als Riesinnen vorzustellen wäre mir irgendwie widerwärtig erschienen; etwas Reckenhaftes vermochte ich mit ihrem wattig-albern-betulichen

Wesen, so wie ich Zehnjähriger es zu sehen glaubte, nicht in Übereinstimmung zu bringen, und sie mir als gewöhnliche Frauenspersonen wie unser Dienstmädchen oder die lispelnde Sprechstundenhilfe oder etwa auch meine fromme Mutter zu denken kam mir lästerhaft vor. Wie also waren sie? Am Garderobenhaken hing neben einem abzeichenübersäten Gamsbarthut ein dünner, blaßblauer Regenmantel, kein Stoff mehr, nur Hauch. Es roch nach Edelweiß und Rosen. Es roch nach allen Wundern der Erde. Ich rannte den Flur hinab und stieß die Tür zum Herrenzimmer auf.

Manchmal erfährt man in Augenblicken. Wenn man die Tür zu unserem Herrenzimmer aufstieß, fiel der Blick zuerst auf die Person, die ganz links unter dem breiten, nach Süden gewölbten und also fast vom Morgen bis zum Abend die Sonne ins Zimmer zerrenden Fenster am Klubtisch saß – und das war also Onkel Eduard. Er war ein rotgedunsenes, stramm überscheiteltes Gesicht auf einem großkarierten braungelben Anzug, an dessen linkem Revers eine rotweiße, von zwei geknickten Schlangen zerteilte runde Plakette prangte. Die kurze Stirn war zur Hälfte von einer schütteren, tief abwärts gekämmten Haartolle bedeckt; die Brauen waren dünn, die Augen glasig. Dazu wuchs aus den Nasenlöchern zur Oberlippe hinunter ein gefleckter, beinah würfelförmiger Bartstrang, den Onkel Eduard, als ich ihn erblickte, gerade mit den obersten Zeigefingergliedern der Rechten nachdenklich strich, und da er seinen Bart strich, hob er die Augen andachtsvoll nach oben. Seine Wangen waren kalkig, seine Lippen fast weiß, seine Ohren standen sehr schräg vom Kopf ab, sein Hals über den steil fallenden Schultern war unmäßig gedrungen. Ein Mann aus dem Reich! Ich weiß nicht, was mir geschehen wäre, hätte die vorwärtseilende Tür nicht einen Lidschlag später den Blick auf Tante Marlies freigegeben.

Tante Marlies trug, wiewohl es doch ein Allerwerkstag und kein Sonntag war, ein Kostüm, das schöner war als alle, die ich je hatte schauen dürfen. Es war zur Gänze aus einem tiefblauen Stoff geschnitten, der beinah so aussah wie das unberührbare heilige Uniformtuch der Kämpfer, die in der magischen Ferne meiner Flugträume, in Indiania oder Ninive oder Kanaan, fielen. Das Kostüm – ich beschreibe es, der Kürze halber, mit meinem heutigen Wortschatz –: das Kostüm saß straff; seine Linien waren kantig, seine Ärmel im Ansatz kräftig gepufft; der Kragen war schmal, seine Ausläufer waren dolchhaft spitz, und die Linie der gedellten Goldknöpfe lief über den Innenhang der linken Brust. Als ich Tante Marlies so erblickte, war ich dermaßen fest davon überzeugt, daß sie, was doch bei einer Frau, es sei denn einer Bäuerin, unvorstellbar war, Stiefel trage, so daß ich später, vom Krankenbett aus, ihre Halbschuhe und seidenen Strümpfe nicht wahrhaben wollte. Aber dies alles war unendlich viel später. Als ich sie sah, sah ich nur ihre Büste und ihr Gesicht.

Ihre Büste war blau und prall, und darüber wuchs strotzend, unter einem vollen und kurzsträhnigen Dunkelblond, ihr Gesicht. Die feste, wachsschimmernde Stirn drängte ungestüm unters Haar und war über dem linken Augenwinkel von einer kleinen Narbe verschönt; die beinahe aneinanderstoßenden bronzenen Brauen schienen sich anzuschicken, ein Flimmern zu zeigen; die Nase war fleischig; die gebräunten Wangen waren gespannt und ohne jenes apfelrote Höckerchen auf den Backen fast aller Frauen unseres Dorfes. Nein, Tante Marlies' Wangen waren nicht bäurisch. Nichts an ihr war bäurisch. Ihre Lippen waren hart und weich zugleich wie frühe Pfirsiche, ihr Rot schien zu beben, auf ihrem Fleisch lag ein Flaum. Die offen liegenden Zähne waren ohne alles Gold und von dünnem, regenbogenspiegelndem Speichel überzogen. Ihr Kinn war kräftig und ohne Kerben und Mulden; ihr Hals war lang und glatt und, da sie den Kopf nach mir drehte, von einem starken Muskelstrang überschrägt, der an Kinn und rechter Wange vorbei zu dem kleinen, ins Haarnest gebetteten Ohr lief. Sie lachte hell, und es klang wie Silber, als ich, von der schwingenden Tür fast vorwärtsgesogen, stürmisch eintrat und, von ihrem Lachen wie ein ertappter heimlicher Missetäter bestürzt, hinter Onkel Eduard plötzlich stehenblieb. Sie lachte; sie spaltete lachend den Mund und zeigte die oberen Zähne fast bis zur Wurzel, ja, ich konnte sogar ihre Zunge sehen. Ihre Zunge war rotes, ruhendes Fleisch, das träg in seinem Verlies lagerte. „Na“, sagte sie, und ihr Mund öffnete und schloß sich. „Na“, sagte sie, „da kommt ja unser junger Held!“ Da sie das gesagt hatte, lachte sie nicht mehr; sie lächelte, und ich sah es atemlos. In diesem Augenblick flog ich über alle Prärien meiner Träume, genauer: Ich flog nicht über sie hin, ich durchstreifte sie, die Stürme der Büffel und der Sioux mit Handkantenschlägen niederstreckend, so wie ich, den Nil oder das Eismeer überquerend, Krokodile wie Bären erdrosselte oder mich durch allen Rauch und alle Leopardenrudel und Mördergarden Ninives ins gelobte Land Kanaan schlug. Doch was war Kanaan? Mein Gott: DAS REICH!

In diesem Augenblick wußte ich so genau wie nie mehr später, was das Reich war: Es war von Wesen bewohnt, für die man in den Tod gehen und für die man fallen und die man mit letztem, brechendem Blick lächeln sehen würde, lächeln mit rotem und weißem Mund über der schwarzen Todeswunde, und das würde süß sein. In diesem Augenblick war ich bereit, für das Reich und seinen Führer zu sterben. Zwar war ich immer bereit gewesen, für das Reich und seinen Führer zu sterben, allein erst in diesem Augenblick war ich wahrhaft dazu bereit.

„Da, junger Held!“ sagte Tante Marlies und stellte mit einem Ruck, der ihre Büste erschütterte, ein holzgerahmtes Bildnis auf den Tisch. „Da schau einmal, was ich dir mitgebracht habe!“ Ich flog zu ihr. „Da, das gehört dir, junger Held“, sagte Tante Marlies. Ich schrak zurück. Auf dem Tisch stand ein Photo Onkel Eduards.

Ich war zu Tode getroffen. Es war das Photo Onkel Eduards, das auf dem Tisch stand, nur trug der Onkel auf dem Bild ein Hemd ohne Jackett und darüber einen seltsam diagonal verlaufenden einriemigen Hosenträger, daran ein breiter Bauchgürtel und daran wieder eine gestiefelte Reithose hing, in der er wie in einem Sack stak. Ich fühlte mich verhöhnt wie noch nie in meinem Zehnjahresleben. Eine Weile stand ich, ohne ein Wort zu sagen, dann stammelte ich und schrie wohl auch irgend etwas ganz Unerlaubtes, denn ich weiß genau, daß Onkel Eduard plötzlich aufsprang und gleich nach ihm auch mein Vater, und daß beide auf mich einbrüllten und daß ihr Brüllen kreischte, und daß einer mich dann auch schlug. Doch das weiß ich nicht mehr genau, ich weiß es eigentlich auch gar nicht mehr ungenau, ich reime es jetzt mir nur so zusammen. Von der Handlung meiner Mutter in diesem Moment weiß ich gar nichts. Was ich aber wieder ganz genau weiß, ist, daß der Mann auf dem Photo der widerlichste Mensch war, den ich je in meinem Leben gesehen hatte, widerlich, dumm, gemein, hohlwangig, triefäugig und tückisch, und ich begriff die Überreichung der Photographie als eine Probe, die mich vor eine Entscheidungswahl gestellt, welche ich, wie man damals so sagte, schlagartig und damit auch unwiderruflich zu vollziehen hatte. Ich sprang auf und schleuderte, abermals etwas Empörtes schreiend, das widerliche Photo vom Tisch und schnellte, von dieser Berührung aufs äußerste angeekelt, wieder zurück. Ich hörte Glas splittern und Holz krachen. In diesem Augenblick geschah vieles.

Mein Vater erstarrte mitten im Wüten zu keuchendem Stein. Meine Mutter begann hilflos zu schlucken. Onkel Eduard schnappte nach Luft, er stand, seinen Kopf erhoben und seinen lächerlichen Bartstrunk blähend, wie einer, der auffahren will und dem es doch nie gelingen wird, sich in die Lüfte zu schwingen, dann senkte er das Kinn und schnatterte, mit gestrecktem Finger wie mit einem Pistolenlauf auf mich zeigend, einen rasend anschwellenden Brei von weichen Konsonanten, der mich, ebenso wie das Truthahnkollern meines Vaters, sicherlich tödlich treffen sollte, allein die beiden Wütigen hackten ihre Reden dermaßen ineinander, daß die Worte zerspellt und lautlos zu Boden fielen. Die Unhörbarkeit ihres Gebrülls war alptraumhaft. Mutter schluchzte und schluckte. Und Tante Marlies? Sie lächelte fort. In diesem Augenblick wußte ich, daß ich ihr mein tiefstes Geheimnis anvertrauen mußte, das Geheimnis, von dem ich noch keinem Erwachsenen, selbst meinen Eltern, etwas verraten hatte. Du, ich kann fliegen, so wollte ich rufen. Doch da ich es rufen wollte, erstickte meine Stimme. Tante Marlies saß nicht mehr am Tisch, sie war fortgehext. Solches konnte nur einer getan haben: Onkel Eduard!

Manchmal erfährt man in Augenblicken, manchmal auch schneller. Es bedurfte keines Augenblicks, und Tante Marlies, die sich hinter den Tisch gebückt hatte, erschien und hielt mir das Photo, das ich aufs Parkett geschleudert hatte, vor die Augen. Ich begriff sofort: Das Photo, das sie mir, nun eine in Traumblau gekleidete Reckin, eine Walküre überirdischen Zornes, anklagend entgegenhielt, war ein Photo des Führers und nicht, welch ungeheuerliche Lästerung, ein Photo von Onkel Eduard! Kein Zweifel war möglich: Es war DER FÜHRER DES REICHES, ich hatte sein Bild ja schon einmal in der Wohnung des Herrn Apothekers und manchmal auch in der Zeitung gesehen! Es konnte keinen Zweifel geben: Es war der Führer des Reiches mit seinem wuchtigen Scheitel, diesem trotzigen, sich keinem Kamm je fügenden Haar, der Führer des Reiches mit dem herrischen Schnurrbart, dem heldischen Kinn, dem stählernen Blick, dem markigen Mund, dem noch die Uniform durchstrahlenden Leuchten seiner von der Vorsehung selbst geweihten und gefirmten Seele, der Führer mit dem schlichten Kampfhemd, dem wehrhaften Überschwung und der Reithose unter dem glänzenden schwarzen Koppel: Es war der Führer des Reiches, und sein Bildnis war das unerhörte, von allen Kindern unseres Dörfchens inbrünstig begehrte Geschenk, das Tante Marlies mir überreicht und das ich Verblendeter zurückgestoßen hatte – ich, dem eine Frau aus dem Reich, eine Frau wie Tante Marlies hold gewesen war; eine Frau aus dem

Reich, die mir nun, auf daß ich Frevler zu Stein erstarre, als Gorgo das Bildnis des Führers entgegenreckte. In diesem Augenblick wußte ich, daß ich ein ungeheuerliches Verbrechen begangen hatte und daß es nur eine einzige Rettung mehr für mich gab. In dem Augenblick, da ich dies begriff, konnte ich auch wieder sprechen. „Ich kann fliegen, hört ihr, ich kann fliegen!" schrie ich den Erwachsenen zu, die mir plötzlich allesamt verhaßt waren. „Ich kann fliegen, und nun flieg ich ins Reich!" schrie ich den Erwachsenen zu, doch unbegreiflicherweise rannte ich nicht, wie ich es eigentlich vorgehabt hatte, zum Fenster, ich rannte zur Flurtür und stürmte das Treppenhaus hinauf und schwang mich in die Luft.

Manchmal erfährt man in Augenblicken, doch das heißt nicht, daß man auch in Augenblicken lernt. Ich hatte kaum meine Botschaft zu Ende geschrien, da schlug die Stille, in die das Gebrüll der Erwachsenen jäh hinabgeglitten war, schon wieder in Gelächter um. Gelächter und tappende Schritte; ich hörte einen schallenden Verklang: einmal ein dumpfes, schepperndes Kollern, das mir furchtbar bekannt war, dann ein biederes röhrendes Dröhnen, in dem ich Onkel Eduard zu erkennen glaubte, und zugleich mit dem Kollern und Dröhnen und einem silberhellen, kräftigen Lachen ein tiefes, ganz leise seufzendes Schweigen und dann einen Aufschrei: Jesus Christus, und ich hörte es und fuhr so jählings auf wie noch nie zuvor. Ich war diesmal von der siebenten Stufe gestartet und hatte den Rücken strammer als ein Lineal gestreckt, und als dann die Goldluft zu rauschen begonnen und ich das Gelächter tief drunten im Flur plötzlich verstummen gehört, hatte ich die stützende Hand vom Geländer genommen, das heißt, sie war mir eigentlich von einer unbegreiflichen Macht fortgeschlagen worden, und ich hatte, endlich befreit von der Haft des Raumes, mit peitschenden Armstößen die Luft zu durchrudern begonnen, da war im oberen rechten Eck, genau dort, wo die Luke war, in die ich immer, und heute wie noch nie, in die Freiheit der sausenden

Winde hatte fliegen wollen, der Kopf des Manns, der der Führer war, aufgetaucht. Ich hatte ihn bisher nie richtig angesehen; ich hatte, getreu dem Gesetz, das meine fromme Mutter mich gelehrt, mich immer gefürchtet, mir ein Bild von meinem Gotte zu machen, ich hatte sein Bild wohl schon gesehen, aber niemals gewagt, ihm richtig ins Gesicht zu schauen; nun aber, da er mir den Weg versperrte, sah ich ihn für einen Augenblick an und erkannte, daß er furchtbar war. Seine Stirne war ganz niedrig, die Gedanken dahinter mußten sich aneinander blutig stoßen, und seine Augen waren auch blutgeädert; seine Wangen wackelten, sein Mund schmatzte kauend.

Ich flog auf ihn zu. Ich sah erst jetzt, daß er eigentlich uralt war, uralt, tränend, käuend und böse. Sein Rachen schnappte; es sog mich hinein. Ich wußte, daß ich jetzt seinen Namen sagen mußte, den Spuk zu bannen, allein, ich wußte seinen hunderttausendmillionenmal gehörten Namen nicht mehr; ich wußte nur plötzlich, daß ich den, der der Führer war, niemals aus der Nähe hätte anschauen dürfen und daß dieser Frevel den meines Handkantenschlags noch überwog. Der Rachen klaffte auf; spitze Zähne waren bereit, mich zu packen. „Nein“, schrie ich, und da wußte ich, daß ich einen dritten Frevel begangen hatte und damit endgültig schuldig geworden war. Da ich dies wußte, wußte ich auch, daß ich nun abstürzen mußte.

Ich stürzte ab; die Luft kreischte; sie wurde blau. Der Sturz währte länger als mein bisheriges Leben, und während dieses Sturzes sah ich noch einmal alle Reiche, die ich je in meinen Flügen geschaut, und ich sehnte mich zu ihnen hin: Holdes Indiania, stille Insel im Eismeer, rauchendes Ninive, gütiger Nil! Nach Kanaan, dachte ich noch und sah plötzlich das Angesicht meiner Mutter. Ich sah nichts als ihr Angesicht und hörte nichts als ihr Schweigen. Nach Kanaan! dachte ich noch, dann war nichts mehr als der dumpfe Schmerz eines schrecklichen Wissens.

In der Mitte meiner Nacht wachte ich auf. Meine Mutter

war an mein Bett getreten. Ich war wach und fühlte nur einen leichten Druck im Kopf. Für einen Augenblick wußte ich nicht mehr, was geschehen war.

Meine Mutter beugte sich über mich und küßte mich auf die Stirne, und in diesem Augenblick des Erwachens sah ich, daß meine Mutter schön war, viel schöner als Tante Marlies. Sie hatte ihre Hand auf meine Schulter gelegt, und ihr Arm war weich und weiß. Ihre Achselhöhle war voll blonder, blumiger Schwärze. Sie trug ein blaßblaues Hemd, das ihr wie einer Heiligen von den Schultern bis zu den Knöcheln fiel. Ihre Knöchel waren ganz klein. Ihre Wangen waren hochgewölbt und von einem wundersam samtroten Hügelchen noch überhöht; ihr dichtes kupfernes Haar war von einer Korallenspange gespalten. Ihre Zähne glänzten und spiegelten im verhangenen Zimmer Berge und Wolken.

„Ich danke dir", sagte meine Mutter. „Ich danke dir!" Ich verstand sie nicht, doch ich begann plötzlich etwas Ungeheures zu begreifen, etwas derart Ungeheures, daß mein Kopf entsetzlich zu schmerzen begann. „Ich danke dir", so hörte ich meine Mutter sagen, indes das Ungeheure mein Hirn zu erfüllen begann; „ich danke dir, mein Kind", so sprach sie schnell, schlackernd, ein wenig mit der Zunge anstoßend, unsagbar schön, duftend, großäugig, sich über mich wie eine Wolke beugend, „ich danke dir, du hast mich erlöst! Ich bin immer in meinem Herzen gegen diesen Irreführer gewesen, wiewohl mich mein Verstand manchmal in Versuchung gebracht hat, ihm recht zu geben! Jetzt aber weiß ich aus deinem unschuldigen Munde: Er ist ein Antichrist, er ist der Urböse! Ja, deine herrlichen Worte und deine herrliche Tat haben mir den rechten Weg gewiesen: Der Engel des Herrn selbst, der hochheilige Cherub, hat dir die Hand geführt, ich habe ihn ja neben dir stehen sehen, diamantenstrahlend wie vorm Thron des Herrn! Nun liegt mein Weg leuchtend vor meiner Seele wie der Weg Abrahams nach dem Gelobten Land! Gepriesen, gepriesen, gepriesen sei der Herr!" Und damit sank sie vor mir auf die Knie.

In diesem Augenblick erfaßte ich das Ungeheure, dessen Schwinge mich kurz vorher erst gestreift. So wie ich in meinem letzten Flug mein ganzes Leben durchflogen hatte, so durchflog ich nun, im Bett liegend und ins Angesicht meiner verzückten, hoffnungsseligen Mutter schauend, Augenblick um Augenblick die letzten Stunden, und ich begriff, daß mir eine magische Macht gegeben war: Ich konnte über die Erwachsenen siegen! Ja, mehr noch: Ich konnte sie verwandeln, verhexen: meinen gesetzten, würdevollen Vater in einen kollernden Truthahn; den trägen Onkel Eduard in einen zappelnden Clown und meine fromme, strenge Mutter, die mich ebensooft in der Kirchbank wie in der Zimmerecke hatte knien heißen, in ein demütiges Wesen, das vor mir auf den Knien lag – es war ungeheuerlich! Freilich begriff ich zugleich, und ich begriff es, wie man damals sagte, schlagartig, daß ich nun nie mehr würde fliegen können und daß mein erster Flug auch mein letzter Flug gewesen war. Ich wollte ob dieses Tausches der Mächtigkeiten schon trauern, da fühlte ich, daß ich noch lange nicht die Grenzen meiner magischen Macht erkannt haben konnte.

Ich fühlte es, als meine Mutter meine Hände umfaßte und ich zugleich das nunmehr glaslose Photo erblickte, das Tante Marlies mir geschenkt und das sie mir während meiner Ohnmacht – und da hatte ich ja auch in einem halbwachen Augenblick bemerkt, daß sie keine Stiefel, sondern Seidenstrümpfe trug – auf den Nachttisch gestellt haben mußte. Meine Mutter drückte meine Hände.

„Stoß es weg!" flüsterte sie.

Sie hatte recht: Das war der Urböse! Ich hob die Hand, das Photo dieses Menschen, der mir in diesem Augenblick noch widerwärtiger war als während meines letzten Fluges, vom Tisch zu schmettern, da erfaßte ich das Ungeheure ganz. Ich hob die Hand und ergriff erschauernd, als hielte ich eine Kröte oder einen Götzen, das Führerbild. Ich wußte nun ganz um meine magische Macht: Es lag in meiner, eines Kindes, Hand, Erwachsenen, die doch gottähnliche Wesen waren, Glück oder Leid widerfahren zu lassen, ihnen die Pforte des Himmels wie die der Hölle zu öffnen, sie auf die Eisinseln zu entführen oder ins Gelobte Land. In diesem Augenblick waren die immer unerträglicher gewordenen Kopfschmerzen verflogen, in diesem Augenblick spürte ich meinen Körper nicht mehr, in diesem Augenblick erfuhr ich mein frühes Pfingsten. Nichts Leibliches existierte; es war eine vollkommene Epiphanie des Geistes; ich hatte vom Baum der Erkenntnis gegessen und wußte nun plötzlich, schlagartig, um Böse und Gut. Vor mir lag meine Mutter, meine fromme, schöne, strenge, geliebte, duftende, großäugige Mutter, die sich an mich schmiegte und hoffnungsfroh zu mir aufsah und die ich nun, ich, Kind, ich Kind allein, in ihr Glück tragen konnte. „Ja, du hast recht", sagte ich und sagte es ganz langsam, während eine Glückseligkeit ohnegleichen ihr Gesicht erhellte und ihre Wangen glühen machte; „ja, du hast recht", sagte ich und strich mit der Linken über ihr kupferhelles Haar, das aus ihrem ganzen Körper aufzusteigen schien; „ja, du hast recht", sagte ich und spürte ihre Wangen an meinen Füßen, und ein noch nie gekanntes Gefühl der Erfüllung durchzitterte mich, da ich mich nun mit Tante Marlies, der gestiefelten Tante Marlies über die drei Bergkuppen hinweg ins Reich fliegen sah, wo der Führer regierte. „Ja, du hast recht", sagte ich und hob das Führerbild wie eine Monstranz und sah meiner Mutter, die mich plötzlich wie eine Wahnsinnige anstarrte, fest ins Auge. „Ja, du hast recht", sagte ich, „man muß alle vernichten, die unseren herrlichen Führer nicht lieben wollen!"

GÖTZ R. RICHTER

# Der alte Zanzibari

Ich traf ihn in einer kalten Julinacht, in einer Gasse Nairobis. Er hockte, wie die beiden jüngeren, bärtigen Afrikaner in einen alten Soldatenmantel gehüllt, um ein schwarz qualmendes Feuer. Was da brannte, war ein Autoreifen; er brennt stundenlang und wärmt, aber der Rauch stinkt, und er kriecht einem in die Haut. Von allein hätte ich mich nie an das Feuer gesetzt. Aber Mwangi, mein Freund, war wie immer bei mir. Er blieb stehen und gab mir ein Zeichen, still zu sein. Wir befanden uns in einer Geschäftsstraße. Sie war fast menschenleer um diese Nachtzeit. Auf den Stufen zum Eingang eines Kaufhauses saß ein Nachtwächter, den derben Knüttel, seine einzige Waffe gegen Einbrecher, quer über den angezogenen Knien bereithaltend. Auch er schien auf die Stimme aus der Gasse zu lauschen. Mwangi zog mich in die Gasse hinein, zum Feuer hin. Einer der Männer dort erzählte, die anderen hörten zu. Mwangi flüsterte: „Was für uns. Zanzibar. Revolution!“ Seine Augen leuchten auf, wenn er dieses Wort sagt. Er spricht es aus wie eine Zauberformel. Die Stimme des Alten brach ab, als wir plötzlich in den Lichtschein des Feuers traten. Drei dunkle Augenpaare starrten uns, besonders mich, mißtrauisch an. Ein Mzungu, ein Europäer! Was will der des Nachts an einem afrikanischen Wächterfeuer? mochten sie denken.

Ich stieß Mwangi an. „Sag doch endlich was!“ Mwangi redete stets für mich, weil ich das Swahili und auch das Kikuyu nicht beherrschte. Ohne Worte ist man hilflos wie ohne Hände. Mwangi grüßte die Männer. Dann verstand ich nicht mehr viel von seiner Rede.

Ich beobachtete die Gesichter. Sie wandten sich mir zu. Das Mißtrauen war noch nicht aus den Augen. Ein Germani, aah; kein West-Germani? Bücher schreibt er? Über die Afrikaner, aah. Für die Afrikaner? Wer soll das glauben?

Zwei rückten zur Seite und wiesen uns einen Platz am Feuer. Der Qualm biß sofort nach meinen Augen, kroch in die Nase. Ich hustete lange. Die Männer lachten über mich, und als ich mir die Tränen abgewischt hatte und ihre Gesichter wieder erkennen konnte, erschienen sie mir freundlicher.

Mir gegenüber saß der alte Mann. Sein Kraushaar war weiß, das Gesicht von den Jahren gefurcht. Seine Hände sah ich nicht in den zu langen Mantelärmeln. Er erschien mir sehr hager und wie ausgezehrt von einem unbarmherzigen Leben. Hinter ihm lagen zwei selbstgefertigte Krücken. Sefu heiße der Alte. Er sei wohl achtzig Jahre alt und zur Zeit auf einer großen Reise. Heute erst in Nairobi angekommen. Per Anhalter. Von Kampala in Uganda bis Nairobi in drei Tagen. Sechshundertsechzig Kilometer! Sein nächstes Ziel: Mombasa, mehr als fünfhundert Kilometer entfernt. Die beiden Männer neben ihm kannten ihn erst seit heute. Sie wollten ihm weiterhelfen. Der Bruder des einen war deshalb unterwegs. Jetzt, zu dieser Stunde. Sein Schwager fuhr Lumpen von Nairobi nach Mombasa.

„Aber sie fahren durch, Großvater."

Der Alte lächelte. „In einem Ritt bis Mombasa!"

„Es geht nicht anders. Oder du mußt warten, Großvater."

Der Alte hatte nichts gegen Lumpen. Die blinzelnden Augen leuchteten im rauchgeschwärzten Gesicht und das helle Fleisch der Lippen. „Da bin ich morgen abend schon . . ."

Wie will er das schaffen? dachte ich. In seinem Gesicht schien mir etwas Besessenes zu sein.

„Und von Mombasa aus . . . Da bin ich in zwei Tagen oder drei, wenn der Wind gar zu flau ist . . . bin ich zu Hause."

Auf einmal lachte der Alte los, mühte sich aber vergeblich; denn wir sahen, daß er in Wirklichkeit weinen mußte.

Wir tranken aus einer Blechbüchse Tee, der nach verbranntem Gummi schmeckte, aber sehr heiß war und wärmte. Ich saß still, und mein Freund Mwangi übersetzte mir die Geschichte des alten Sefu, der auf zwei selbstgefertigten Krücken in seine Heimat wollte – tausend Meilen weit.

„Mein Vater war Fischer. Unser Dorf hieß Kiungani. Das ist nur eine Wegstunde von Unguja – oder wie die Arabu sagen: Zanzibar. Wir waren sieben: Vater, Mutter, drei Schwestern, ein Bruder und ich. Ich war der jüngste. Mein Vater lahmte. Sein rechtes Bein war unter dem Knie gebrochen. Früher hatte er Kokosnüsse abschlagen und Nelken pflücken müssen. Alle Männer des Dorfes und auch schon die Kinder mußten das. Auf den Plantagen des Sultans, Allah verfluche ihn! Mein Vater war groß, deshalb schickten ihn die Aufseher auf die Kokospalmen. Die kleineren, die leicht waren, mußten auf die Nelkenbäume. Die Äste sind dünn, und die Nelkenblüten wachsen ganz am Ende. Von den Nelkenbäumen stürzen die meisten ab. Einer hat mir mal aus einer Zeitung vorgelesen, die Nelken seien der Segen Zanzibars. Die Leute in der ganzen Welt wollten Nelken haben, stand da geschrieben, und sie zahlten viele Schillingi dafür. Aber das war nur ein Segen für den Sultan und seine Leute. Wir nannten die Nelken die Knochenfresser.

Ich stieg lieber auf die Kokospalmen. Die sind viel höher, das stimmt, aber die Palme ist stark. Du hast ein festes Bastseil zwischen den Füßen, damit du dich hochstemmen kannst. Mit den Händen umklammerst du den Stamm. Da kann nichts passieren. Na ja, wenn du abrutschst. Das ist, wenn du oben bist und das große Haumesser in die Hand nehmen mußt. Beim Klettern hast du das Messer zwischen den Zähnen. Aber sie fragen dich nicht, ob du auf die Nelken oder auf die Palmen oder ob du überhaupt willst. Das bestimmen die Aufseher des Sultans. Allah verfluche sie alle! Sie hetzen dich, und du mußt laufen. Nur hoch auf der Kokospalme, wo du den Wind singen hörst, hast du ein bißchen Ruhe. Manchmal habe ich gedacht, wenn einer unten stand und zu mir heraufbrüllte – denn auf die Bäume folgen sie dir nicht –, manchmal habe ich gedacht, wenn ich die schweren Nüsse mit dem Messer abschlug: Einen kleinen Schwung mit der Hand dazu, hab ich gedacht, so, daß sie ihm auf den Schädel kracht... Aber was nützt so was? Hilft es einem Hund, wenn du *einen* Floh zerknackst? Der Sultan hat Aufseher so viel, wie ein Hund Flöhe hat.

Mein Bruder war zehn oder elf, als er zum ersten Mal mit in die Nelken mußte. Er konnte klettern wie ein Affe. Aber meine Mutter, die hat immer gezittert, wenn die Leute abends von den Feldern heimkehrten, ob er auch dabei ist. Er sprang meist voran, bis auf das eine Mal. Meine Mutter hatte schon oft gesagt: Einmal wird er vergessen, daß er keine Flügel hat. Als hätte sie's geahnt. Zwei Monde mußte er liegenbleiben, und als er endlich wieder auf den Beinen stand, war er krumm wie ein alter Mann und ist nie wieder gerade geworden. Die mit dabei waren, sagten, nur eine Kleinigkeit sei es gewesen. Eine Biene. Für einen winzigen Augenblick hat er nicht aufgepaßt. Es ist meistens so. Auch bei meinem Vater war es so. Dabei hat er noch Glück gehabt, wenn du bedenkst, wie hoch so eine Kokospalme ist.

Auch ich war fix. Natürlich wollte mich meine Mutter nicht gehn lassen. Aber was konnte sie tun? Und ich bin auch geflogen. Ein paarmal. Aber immer auf die Füße. Wie die Katze."

Ein Husten packte den Alten, wie eine starke Faust schüttelte er den mageren Mann. Als er wieder bei Atem war, häufelte er eine Prise Schnupftabak aus einer kleinen Kalebasse auf seinen Handrücken und sog ihn schnaufend ein. Wir warteten still. Ich sah wieder die Krücken, und mir kam eine Ahnung.

„Es ist alles lange her. Manchmal bringe ich die Jahre durcheinander. Manches vergißt man nie. Ich weiß noch, wie die vielen englischen Kriegsschiffe vor der Stadt lagen, lauernd wie ein Rudel wilder Hunde. Der Sultan war gestorben. Er war ein Knecht der Engländer, wie alle vor ihm und nach ihm. Allah verfluche sie! Doch damals wollte sich der neue zuerst keine Befehle von den Engländern geben lassen. Da schickten sie die Kriegsschiffe mit ihren langen Kanonen – und dem neuen Sultan schickten sie eine Botschaft. Sie drohten ihm, seinen Palast und die Stadt zu zerschießen. Sie nannten ihm sogar eine genaue Zeit. Wir aber wußten das alles nicht. Es wurde erst viel später erzählt. Ich war noch klein. Neun oder zehn Jahre; ich weiß nicht genau. Genau aber weiß ich noch, daß meine Mutter an diesem einen Tag im Sultanspalast war. Einmal in der Woche mußte sie Gemüse für die Küche abliefern.

Plötzlich kam vom Meer her, wo die Schiffe lagen, ein Donner. Und Heulen und Jaulen über unseren Köpfen und dann Krachen. Blitze! Aber die Blitze schossen aus der Erde. Qualm wuchs auf wie hohe schwarze Büsche. Flammen loderten darin. Wir starrten und staunten über die bunten Farben des Feuers. Wir hatten sogar unseren Spaß. Wir dachten nicht an Mutter. Abends war sie noch immer nicht gekommen. Keiner der Leute wollte etwas von ihr wissen. Wir warteten die ganze Nacht, und wir suchten am nächsten Tag. Wir suchten und suchten. Wir haben sie nie gefunden.

Wir zogen fort. Nun arbeiteten wir auf einer Zuckerrohrplantage. Die gehörte einem reichen Inder. Auch seine Aufseher schlugen, und wir hatten genausooft Hunger wie früher. Aber es war mehr Platz in der neuen Hütte. Die großen Schwestern waren nun verheiratet und hatten Kinder. In der ersten Zeit kamen sie auch manchmal zu Besuch. Dann war ich mit dem Vater allein. Er wurde krank. Ihm wurde es mitten im Tag Nacht vor den Augen, wie er es nannte. Ein paarmal war das so. Dann wollte ihn der Inder nicht mehr haben. Wir hatten kein Land, von dem wir hätten leben können.

So wurde mein Vater ein Fischer. Ich fuhr mit ihm hinaus. Ich war kräftig. Bestimmt. Aber das Netz war schlecht.

Einmal trieb uns der Wind ab und auf die Schiffe zu, die vor Anker lagen. Einem kamen wir ganz nahe. Ich hatte noch nie ein so großes Schiff gesehen. Unten schaukelten Boote. Händler schrien zu den Leuten auf dem Schiff hinauf. Sie hatten Bananen und Orangen und gackernde Hühner. Und Jungen in schmalen Einbäumen waren da. Auch die blickten hinauf zu den Leuten auf dem hohen Schiff. Die fremden Leute standen vor der Sonne. Ich vergesse das nicht. Sie warfen Geld ins Wasser. Die Jungen sprangen hinterher und brachten es im Mund herauf. Sie konnten es behalten.

Ich sprang auch, und ich holte mehr aus dem Wasser als sonst in vier Tagen mit dem Netz. Ich rannte noch spät in die Duka des Inders und holte Öl und Mehl. Wir buken Fladen.

Immer aber waren keine Schiffe da. Soviel wie am ersten Tag hatte ich selten. Manchmal waren zuviel Haie. Einen der Jungen haben sie geholt. Er hieß Saya. Einem anderen, und der war vorher der Anführer der ganzen Bande gewesen, dem fehlte der rechte Fuß. Mich aber hat keiner erwischt. Immer hatte ich meine heilen Knochen.“ Er blickte auf seine Krücken, und es schien, als wolle er endlich etwas darüber sagen; doch dann sprach er weiter: „Eigentlich aber war es immer schön auf dem Meer. Niemand schlug einen mit der Peitsche oder nannte einen Hund oder Schwein.

Manchmal war ich auch in der Stadt. Seit die Engländer da waren, hatte sich viel geändert. Es gab jetzt die kleinen Laufkarren. Die Rikschas. Ich beobachtete die Läufer, wie sie die Leute durch die Stadt fuhren. Immer schnell, schnell. Ein paarmal bin ich mitgerannt. Ich träumte sogar von solch einem Karren. Mein Vater sagte: ‚Willst du wieder unter die Peitsche?‘ Es waren Leute in der Stadt, die besaßen mehrere Rikschas. Ich dachte: Wie stellen sie es an, daß sie so viele Rupien oder Schillingi bekommen? Es waren meistens Inder. Bei einem lief ich. Das Fahrgeld, das mir die Leute gaben, mußte ich bei ihm abliefern. Da wußte ich mehr als vorher. Ich dachte: Mach es genau wie er! Aber ich merkte, erlaufen konnte ich mir eine eigene Rikscha nicht. Mein Lohn war zu klein zum Sparen.

Einmal kam ein neuer Kuli zu uns, der sagte: ‚Wir sind keine Esel, daß sie uns nur das Fressen geben. *Sie* rennen nicht im Geschirr. Sie leeren uns nur immer die Taschen. Sie müssen mehr Lohn zahlen.'

‚Wie willst du das anstellen?' fragten wir. ‚Der Sahib wird dich davonjagen.' Aber er hatte schon darüber nachgedacht. Oh, der hatte einen Kopf! Wir alle müßten wie ein Mann sein, mit einem Willen, mit einer Stimme, sagte er. Er hieß Gamal. Gamal sagte: ‚Der Schmarotzer braucht uns.' Damit meinte er den Sahib. Er hatte immer solche Ausdrücke für die Herren oder die Polizisten oder gar für den Sultan. ‚Wenn wir nicht laufen, kann er nichts verdienen.' Gamal war auf einem Schiff gefahren und in der Welt herumgekommen. Er konnte lesen und schreiben, und er zählte uns den Lohn nach. Ich und auch die anderen konnten das nicht. Und bevor Gamal kam, hatten wir zu glauben, was die Herren sagten oder vorlasen oder erzählten. Damit haben sie dich wie an einer Leine. Oft hast du gefühlt: Sie betrügen dich. Aber du hattest keinen Beweis. Ich sagte zu Gamal: ‚Auf mich kannst du rechnen.' Es dauerte ein Vierteljahr. Endlich hatten alle ihr Wort gegeben.

In der Zeit war ich nicht mehr so jung, wie ihr vielleicht denkt. Ich habe noch nicht erzählt, daß mein Vater gestorben war und daß ich geheiratet hatte. Unseren Jungen nannten wir Obeid. Meine Frau hatte Angst, weil ich so oft mit Gamal zusammen war. ‚Sie werden ihn und auch dich einsperren, wenn ihr immer die Faust macht.'

Das mit der Faust war so. Ihr wißt schon, Gamal konnte lesen. Und deshalb und weil er viele Männer in den Bootswerften kannte, wußte er, daß die Warusski eine Revolution gemacht hatten. Sie hätten den Sultan oder König und das ganze Geschmeiß darum, so nannte es Gamal, sie hätten die Herren aus den Palästen gejagt. Essen sollte nur, wer auch arbeitete. Zuerst haben wir gedacht, Gamal hätte die Würmer im Kopf. Da hatte er uns eine Zeitung gebracht. Darin war ein Bild von einem Mann mit einem Bart. Der reckte seinen Arm hoch und machte eine Faust. Das Bild hat Gamal ausgeschnitten und in die Brusttasche gesteckt. Dann hat auch er eine solche Faust gemacht. Das Zeichen gefiel uns.

Der Tag kam, der Tag, an dem wir die Arbeit verweigerten. Der Sahib, ein kleiner, schmaler Mann mit glänzigem Haar, das schwarz war und fettig wie ein Geierschwanz, der verdrehte die Augen. Er rannte von einem zum andern und schrie wie angestochen. Auf einmal kam ein anderer Rikschabesitzer hereingeschossen. Wir wußten natürlich gleich, was bei ihm los war. Wir waren mal richtig froh.

Doch schon am Nachmittag holten mich die Polizisten des Sultans. Allah verfluche sie! Gamal holten sie auch. Einer hatte unsere Namen genannt. Sie schleppten uns in den Sultanspalast. Nicht zu ihm! In sein Gefängnis. Sie spannten mich auf ihren Prügelstuhl und schlugen mir auf die Fußsohlen. Ich konnte nicht so weit zählen. Gamal sah ich nicht wieder. Die Polizisten hatten bei ihm das Bild des kleinen Mannes gefunden, der eine Faust macht. Mich schleiften sie vor das Tor und ließen mich liegen. Freunde holten mich. Sie verbanden meine Füße, damit meine Frau nicht so erschrecken sollte.

Mit dem Rikschalaufen war es vorbei. Ich war nicht mehr schnell. Die Polizisten hatten meinen Namen auf einer Liste. Sie brachten mich zu den Nelkenbäumen. Klettern konnte ich noch. Ich bekam weniger Lohn als die anderen.

Damals habe ich ein paarmal gedacht: Du kannst nicht mehr. Laß dich fallen. Einfach loslassen. Aber dann habe ich eine Faust gemacht.

Sie holten auch meine Frau und den Jungen. Sie war sehr schmal. Sie war immer noch wie ein Mädchen. Sie trieben sie und den Jungen mit Stöcken vor sich her, und ich konnte ihr nicht helfen. Ich dachte an den Mann auf dem Bild. Wir müßten auch Revolution machen, sagte ich zu mir. Den Sultan davonjagen oder in die Nelken, daß er sie mal kosten kann. Doch ich sagte das keinem sonst.

Einmal kam ich abends nach Hause. Ich wunderte mich: Vor meiner Hütte standen viele Leute. Sie machten eine Gasse. Niemand wollte mich ansehen. Mein Junge hatte große Augen, und sie waren rot. Die Tränen stürzten heraus, als er mich in die Hütte kommen sah.

Meine Frau lag auf der Schlafmatte und schlug die Augen nicht auf. Die Leute erzählten, was sie wußten. Es sei wohl die Hitze gewesen, meinten sie. Sie sei schon vorher einmal hingefallen, weil ihr plötzlich dunkel vor den Augen war. Zwei Frauen haben sie in den Schatten geführt. Die Sonne hat geglüht, als sie ins Rohr gefallen ist, sagten die Leute. Der Junge hat sie noch lange gerufen. Ich wollte den Namen des Aufsehers wissen. Ein Mann sagte: ‚Da mußt du sie alle erschlagen.‘

Ich habe meinen Jungen genommen. Wir haben zusammen das Boot ins Wasser geschoben. Es war ein leichter Wind. Das kleine Segel stand voll. Am nächsten Tag waren wir schon in Bagamoyo. Ich wollte nie mehr zurück auf die Insel.

Wir fanden Leute, die uns ein paar Tage aufnahmen. Sie waren sehr arm. Ich verkaufte das Boot und gab ihnen die Hälfte. Sie nahmen es nicht. Wir zogen weiter. Ich wünschte mir eine Hütte. Mein Junge war oft hungrig. Ich sah es an seinen Augen. Das Geld, das wir für das Boot bekommen hatten, reichte nicht lange. Manchmal mußte ich stehlen. Dabei habe ich immer Arbeit gesucht. Natürlich fand ich auch ab und zu welche. Aber immer waren Aufseher dabei oder ein Herr. Ich war der Boy. Ich wünschte mir mal eine Arbeit ohne Herrn. Ich glaube, ich habe davon geträumt. Aber das gibt es nicht, ich weiß. Manche Herren waren freundlich und auch nicht geizig. Immer aber redeten auch die mit mir wie mit einem Kind. Ich sagte ihnen nicht, was ich dachte. Sie gaben uns für die Arbeit das Essen. Und du weißt ja, wie es ist, wenn ein Kind Hunger hat. Du mußt für den arbeiten, der dir Reis gibt und Hirse, wenn du kein Land hast. Wir zogen mit den Herren und kamen tief ins Land.

Obeid, der Junge, wuchs schnell wie die Jahre. Bald reichte er mir bis an die Brust, bis ans Kinn, bis an die Nase. Dann mußte ich zu ihm aufblicken, und der Tag kam, an dem er fortging mit einer Frau. Ein paar Jahre besuchten sie mich ab und zu mit dem kleinen Sefu. Ich war Großvater geworden. Die weißen Herren riefen mich immer noch Boy. Ich fing an, ihre Art und ihre Ordnung zu hassen, wie ich die Ordnung des Sultans gehaßt hatte. Ich fand den ganzen Unterschied: Der Sultan war braun, die Europäer waren weiß.

Mit der Zeit kamen immer mehr von ihnen ins Land, und alle brauchten Boys. Viele Boys. Unter ihnen fand ich ein paar, die erinnerten mich an Gamal. Sie wollten wie ich die Faust nicht nur ballen und ballen.

Die Jahre liefen. Obeid und seine Frau und den Kleinen sah ich nicht mehr. Sie waren wohl zu weit fortgezogen. Ich wanderte Wochen und Monate und Jahre. Die Leute kannten mich und nannten mich Zanzibari. Aber ich wollte nicht zurück auf die Insel zu den Knochenfressern. Ich war froh, daß ich noch meine heilen Knochen hatte. Die Beine waren stark, wie bei einem Jungen.

Die Zeit des großen Krieges kam und verging. Meine Haare wurden weiß. Ich wurde Boy bei einem englischen Offizier. Seine Kinder hatten mich gern. Sie fuhren am liebsten in dem blinkenden Auto oder rannten kreischend nebenher. Und ich sollte alles mitmachen. Es waren wirklich gute Kinder. Ich konnte noch gut laufen, nur der Atem wurde dabei knapp. Sie lachten, wenn ich japste, und hakten sich bei mir ein. Das eine Mal dann ... Ich weiß nicht einmal richtig, wie es passiert ist. Mein Bein rutschte, und das Hinterrad rollte darüber. Der Knochen ging in tausend Splitter. Und das hab ich nun."

Der Alte lüftete den Mantel. Ich sah einen vertrockneten Stumpf, einen Knochenknüttel. Ich fühlte, wie mir Übelkeit bitter in die Kehle drang. Der Qualm! Schwarze Lappen flatterten über den leckenden, fressenden Flammen. Flüssiger Gummi bläserte und spritzte.

Der Alte zerrte den Mantel wieder über das knotige Knie. „Ein verdammtes Auto mußte mich erwischen. Zuletzt war ich bei Kampala in einer Wäscherei. Letzte Woche kam ein Mann und fragte: ‚Du bist von Zanzibar?‘ Mir wurde heiß und ganz flau. Ich mußte mich schnell setzen. So geht es mir immer, wenn mich einer so fragt wie ein Polizist. Dann aber sagte der Mann: ‚Bei euch haben sie es richtig gemacht. Sie haben Revolution gemacht.‘ Das Wort hatte ich lange nicht gehört. Zuletzt habe ich nur gewaschen und getrocknet und gebleicht und gebügelt. Seit einem halben Jahr ist der Sultan und das ganze Geschmeiß, wie Gamal immer sagte, davongejagt! Seit einem halben Jahr schon!

Ich habe mir meinen Lohn geben lassen. Was mir gehörte, konnte ich in ein großes Handtuch wickeln. Nun will ich heim zu unseren Leuten. Vielleicht ... Vielleicht ist Obeid da und auch der junge Sefu. Und Gamal? Ich will sehen."

Kurz vor Mitternacht kam ein breitschultriger Mann an das Feuer. Er war außer Atem. Wir erfuhren, daß er von Pumwani bis hierher gelaufen war. Sechs Kilometer. Er kauerte sich nieder, holte eine Pfeife aus der Hose und begann sie zu stopfen. Als sie dampfte, sagte er zu dem Alten: „Morgen früh um fünf kommt er vorbei und nimmt dich mit. Aber er kann nicht warten, hat er gesagt. Du mußt wach sein."

Da sah ich den alten Zanzibari lächeln. „Bin ich. Bin ich."

Mwangi und ich verabschiedeten uns. Ich hielt dem alten Mann meine Hand hin. Er betrachtete sie lange, nickte, murmelte etwas und nahm sie endlich.

Als wir auf der Straße waren, fragte ich: „Was hat er gesagt?"

„Du bist der erste Weiße, der ihm die Hand gegeben hat."

Ein zähes Schweigen schien mir mit einemmal zwischen

uns zu wachsen. Ich hatte den Gummiqualm noch in der Nase. Ich roch an meinem Pullover und sagte so leichthin wie möglich: „Den Geruch werde ich nie wieder los."

Mwangi nickte, und ich dachte zuerst, er habe gar nicht richtig zugehört, denn er drehte sich nach mir um, lächelte und sagte in diesem besonderen Ton, den er dafür immer wählt: „Revolution!"

HELMUT SAKOWSKI

# Die Entscheidung der Lene Mattke

Im Vorland der Berge lag Scholzenbrück, ein kleines Dorf mit kaum hundert Leuten, ein Häuflein rotdachiger Bauernhäuser, hingewürfelt zwischen wucherndes Buschwerk und Gehölz.

Eine Kirche hatten sie nicht im Dorf – die Frommen mußten das Gesangbuch über den Hügel tragen bis zum Nachbarflecken –, nicht einmal einen Konsumladen besaßen sie; doch einen Gottesacker, ein nacktes Feldstück, umfriedet mit einem vergrauten Staketenzaun. Hier bauten sie neben den wenigen schiefen Kreuzen Kartoffeln an, Hafer oder auch Klee. Da würde ein Bauer, wenn er gestorben war, sich wohl fühlen können, meinten sie, zudem sei das Fleckchen genutzt.

Das schäbige Spritzenhaus, ein bröckliger Lehmbau, war vor Zeiten schon mit einem Glockentürmchen aufgestockt worden, einem bescheidenen Türmchen nur, das indessen seinen Zweck erfüllte. Wenn sie es benötigten, hatten sie ein eigenes Geläut. Der blecherne Klang ihrer Glocke störte sie nicht. Mein Gott, wie oft schon wurde eins zu Grabe getragen!

So waren die Leute von Scholzenbrück, nüchterne Leute, klug und begabt mit dem Sinn fürs Praktische. So mag es denn kaum auch überschwengliche Begeisterung gewesen sein, die sie trieb, eine Genossenschaft zu gründen, sondern mehr ihre kühle Art. Der Acker war schwierig, der Sommer spät, Wochen später als unten im Land. Leute verliefen sich selten in den abgelegenen Winkel. Man mußte es zusammen versuchen. Da waren einige, die machten den Anfang, und heute also hatten sie eine Genossenschaft, genau wie die großen Dörfer im Land.

Seit ein paar Wochen war ein neuer Vorsitzender im Dorf, ein junger Mensch noch, gelernter Landwirt, hieß es. Sie waren zufrieden mit dem Mann.

Dann hatten sie einen Melker. Mit dem waren sie nicht zufrieden.

Nun war es nach nebelfeuchten Tagen noch einmal Sommer geworden über den Fluren von Scholzenbrück. Die Sonnenblumen in Marie Hasenpoots Garten steckten die dikken Köpfe zusammen wie Dorfweiber beim Klatsch, und buntgesterntes Dahliengestrüpp wucherte über die Staketen. Die Leute der Genossenschaft hatten alle Hände voll zu tun, die Ernte vom Acker zu holen. Noch standen die Stucken Reihe neben Reihe auf den Plänen. An solchen Tagen war kaum ein Scholzenbrücker im Dorf zu finden. Verlassen dösten die Höfe im Sonnenglast, belebt nur von scharrendem Hühnervolk. Sogar die Hunde waren draußen, um Mäuse zu jagen.

Die dicke Marie Hasenpoot reckte sich auf kurzen Beinen vor dem blindfleckigen Spiegel neben dem Küchenbord. Sie war heute früher nach Hause gekommen, denn sie wollte noch nach Brot laufen ins Nachbardorf. Marie warf den dicken Zopf zurecht, der wie eine Schlange durch ihre Finger tanzte. Schließlich kehrte sie sich vom Spiegel ab, während sie das mächtige Haarnest aufsteckte, und stieß mit dem Ellbogen das niedrige Küchenfenster auf. „Ich weiß man gar nicht“, sagte sie, sich halb hinauslehnend, „was heute im Stall los ist. Die Kühe kaaken wie nicht gescheit.“

Der alte Hasenpoot, Maries achtzigjähriger Schwiegervater, hockte auf der Holzkiste neben dem Herd. Er nahm den Knösel aus dem welken Mund. „Ganzen Tag schon“, brubbelte er. „Nischt zu fressen. Ganzen Tag schon. Ist ein Spiel mit eurer Genossenschaft, ich sag's ja. Nischt klappt. Nischt klappt. Ich höre Loni genau!“

Marie warf das Fenster zu. „Du wirst unsere Loni hören“, fuhr sie den Alten an, „jawohl doch, Vater! Laß dein Gemaule. Das klappt schon. Bloß mit dem Schweizer ..., eine Sünde und Schande ist es.“

Sie band eine frisch gestärkte Schürze vor den wölbigen Leib, langte den Rucksack vom Nagel und schob sich zur schmalen Tür hinaus, nachdem sie dem Alten noch hingeworfen hatte: Er möge den Schweinetopf besorgen und achten, daß sich die Hunde nicht in der Küche herumtrieben. Sie nahm sich vor, noch beim Stall vorbeizusehen, ehe sie hinüberging nach Altenrode.

Eine Welle warmen Dunstes schlug Marie entgegen, als sie den Stall betrat. Da standen die Tiere, zwei Reihen braunroter Rinder. Der Futtergang war leer – sie sah es sofort –, nicht ein Blättchen Klee in den Raufen, nicht eines. Die Tiere, unruhig die Köpfe werfend, glotzten wild. Die Halsketten klirrten. Wo war Mattke, der Melker? Längst war Fütterzeit.

Aus der Tür der Futterkammer schwankte, verdeckt fast von einer Gabel Grünzeug, Lotte, die Tochter des Melkers, schmächtig, sehr jung noch, fünfzehn höchstens. Die Bäuerin Marie stand wie ein hingestauchter voller Kornsack mitten im Stall, achtunggebietend. Ärger quoll in ihr hoch, als sie sah, wie das zarte Ding sich schinden mußte. Sie trat auf die Kleine zu. Ihre Hand spielte mit den Geldscheinen in der Schürzentasche.

„Wo ist euer Vater?“ fragte sie grob.

Lotte warf das Futter ab. „In der Schenke sicher“, sagte sie, dem Weinen nahe. „Er hat hingeschmissen heute. Mutter ist ihn suchen. Wir wollen nicht, daß er schmeißt. Schon wegen der Milch nicht, für die Kleinen.“

Mattke hatte, wie so oft in letzter Zeit, mit dem Vorsitzenden eine Auseinandersetzung gehabt. Die Kleine wußte nicht genau, weshalb. Vater hätte wohl einen getrunken, mit dem Aufkäufer zusammen, meinte sie, das habe Jagosch nicht gern gesehen, und dann hätte der wohl verlangt, Mattke sollte den Wagen mit dem Grünkram allein abladen, sie brauchten draußen jeden Mann. Abzuladen aber sei nicht Vaters Sache, das brauche der nicht. Beim zweiten Wagen dann, als Jagosch längst vom Hof war, habe Mattke die Forke hingeschmissen. Der wolle nun aufhören. Aber sie wollten das nicht, wegen der Kinder eben, und weil die Wohnung so sonnig sei. Lotte rieb aufgeregt die Nase am Jackenärmel.

Marie wiegte den Kopf. Eine Sünde und Schande, dachte sie, und es war eine gewisse Genugtuung für sie, zu bedenken, daß Mattke ein Fremder war, keiner aus dem Dorf, keiner von ihnen, und kein Scholzenbrücker hätte es so getrieben wie der. Bloß in 'n Kuhstall wollte man keiner.

Wenn sie es auch nicht zeigen mochte: Das junge Ding dauerte die Marie Hasenpoot. Sie riß dem Mädchen die Gabel aus der Hand. „Gib her", knurrte sie ärgerlich. „Melk du man schon. Ich schmeiß rasch 'n paar Gabeln. Ist viel zu schwer für so 'n Kind." Und etwas sanfter sagte sie: „Na, na! Nu quäk man nicht."

Kopfschüttelnd schlappte sie in die Futterkammer, und es fiel ihr ein, daß es wohl nichts werden würde mit dem Gang nach Altenrode. Sie würde sich von der Schulzen ein Brot pumpen müssen. Marie achtete nicht ihres Staates. Sie trat zwischen die Kühe. Die Loni war noch das gleiche Biest. Aber mager, mager. Die warf ihr die Schwanzquaste mit dicken Schmutzklumpen ins Gesicht. „Rum – du Stücke!" Marie ließ ihren Ärger knuffend an den Kühen aus, trat fluchend mit den Spangenschuhen in den Dreck – wie lange hatte der Lump nicht gemistet –, aber sie schleppte ächzend Gabel um Gabel, bis alles Viehzeug zufrieden käute.

Nun aber würde sie den Jagosch suchen, denn es mußte was geschehen. –

Die Gaststube der Dorfkneipe sah nicht anders aus, als die meisten Dorfkneipen aussehen; ein paar rohe Stühle und Tische, ein zersessenes Plüschsofa mit wurmstichigen Schnörkelbeinen, eine alte Pendüle an der Wand und Brauereireklame an der rauchgebeizten Tapete. Es roch, wie das Bier schmeckte, das sie schenkten: abgestanden, muffig und schal.

Mattke, die Ellenbogen aufgestützt, lag halb über dem Tisch. Er kaute an einem Zigarettenstummel.

Seit der Neue im Dorf war, fraß der Groll in Heinrich Mattke. Ein Klugscheißer war der Neue, einer, der alles besser machen wollte, anders, als sie gewohnt waren, besonders bei ihm, bei Heinrich Mattke im Stall. Wo sie froh sein sollten, daß sie ihn hatten. Schließlich verstand er was vom Fach, war Schweizer gewesen und Stallknecht, lange Jahre, damals beim Baron und bei den großen Bauern. Und da wurde was anderes verlangt. Ha! Sagt ihm was von Schlamperei, dieser Fatzke. Sie sollten froh sein, daß sie ihn hatten, wo ohnehin die Leute nicht reichten.

Er hatte hingeschmissen. Da würde der kommen müssen, klein, ganz klein würde der kommen müssen, der mußte bitten, wenn er den Melkeimer wieder in die Hand nehmen sollte.

„Noch 'n Bier, Anna, und mit Kompott", würgte Mattke hervor und spuckte den Stummel aus dem Mundwinkel. Er hob mühsam die schweren Lider und starrte die Wirtin aus glasigen Augen an. Heinrich Mattke war voll.

„Du wirst wohl nun genug haben", meinte die vollbusige Wirtin, die Hände auf den Tresen gestützt. „Du kannst wohl nun nach Hause gehen." Sie ärgerte sich über den Mann, der sie von der Arbeit abhielt. Sie hatte zu tun in Stall und Garten und mußte hier stehen um einen Gast.

„Noch 'n Bier, hab ich gesagt", knurrte der Mann.

„Komm, Vater", sagte Frau Mattke, die neben ihm hockte, schmal und klapprig, eine Frau, stumpf geworden an der Seite dieses Mannes, der sein Geld vertrank, der kaum etwas ließ für die Wirtschaft, für sie und die vielen Kinder.

„Komm", bat sie, und sie wußte, daß er um sich schmeißen würde mit dem Geld, wenn er länger bliebe, wenn die anderen kamen am Abend, die ihn ausnutzten und seine Prahlsucht reizten. Was denn? Wer verdient fünfhundert Mark wie Heinrich Mattke? Wer? Sie kannte das. Aber nichts blieb für Sachen, für die Gören und für einen Wohnzimmerschrank. Sogar die alte Semmlern hatte sich einen Schrank mit Glasaufsatz gekauft, sogar die Semmlern, die bloß Tagelöhnerin gewesen war.

„Komm, Vater“, sagte sie. „Komm! Was soll 'n Jagosch sagen?“

Mattke schüttelte ihre Hand von der Schulter. „Halt 's Maul“, sagte er grob, „und scher dich!“ Er versuchte, eine Zigarette anzubrennen. Die Flamme tanzte zwischen seinen Fingern.

Da riß die Frau die Augen auf und fuhr mit der Hand erschrocken gegen den Mund, denn Jagosch hatte die Tür aufgestoßen. Ihm folgte, kurzatmend, die Hand in der Schürzentasche, die dicke Hasenpoot.

Jagosch kam langsam näher. Da war es ganz still in der Stube. Nur die Diele knarrte bei jedem Tritt, und die Gläser im Schrank schepperten.

Er blieb stehen bei Mattke und dessen Frau, die unruhig an ihrem Schultertuch zerrte.

Wieder hat er gesoffen, dachte Jagosch, das ist wirklich kein Melker für die Genossenschaft, ein Lump ist das, unzuverlässig und schlampig, ein Säufer!

Dann sah er plötzlich der Frau in das früh verwelkte müde Gesicht, und er sah, als sähe er es heute zum erstenmal, ihre Augen. Die waren dunkel und stumpf, die waren groß, wie bei einem kranken Tier.

Keiner sprach. Die Uhr tickte. Die dicke Hasenpoot, an den Tresen gelehnt, wechselte mit der Wirtin einen bedeutungsvollen Blick. Mattke starrte ins Glas.

Der Melker haßte den Neuen, der an seiner Arbeit herumnörgelte, dauernd und immerzu, und wenn er klar denken konnte, dann legte er sich zurecht, was er sagen wollte, was er ihm an den Kopf werfen wollte, was er tun wollte: die Mistforke in den Wanst, jawohl!

Aber wenn er Jagosch gegenüberstand, so wie jetzt, wenn

der vor ihm stand, die Hände in den Taschen der verschossenen Windjacke vergraben, wenn der ihn anblickte aus kühlen Augen, dann sagte Mattke wenig, dann tat er nichts, dann duckte er sich unter die Überlegenheit dieses Mannes.

Auch jetzt duckte sich Mattke. Und als Jagosch endlich sagte: „Das beste – du gehst!", erhob er sich widerspruchslos, erhob sich schwankend, warf Geld auf den Tisch, riß die Mütze vom Haken und ging tatsächlich.

Er stützte sich am Türpfosten, stolperte die ausgetretenen Steinstufen hinab, trat plötzlich fehl, wälzte sich längelang fluchend im Staub der Straße, unfähig, sich zu erheben.

„Er hat bloß 'n halben Magen", sagte die Frau mit flatternden Lippen. „Er kann ja nichts vertragen."

Sie hoben ihn auf, die Marie und Jagosch. Der Vorsitzende wußte, sie konnten den Mann heute im Stall nicht mehr gebrauchen.

Als Schulz vorbeigeradelt kam, der Feldbaubrigadier, und verwundert den Aufzug betrachtete, winkte ihn Jagosch heran; denn er wollte erfahren, wie es draußen aussehe auf dem Feld.

Schulz begleitete den Zug zu Mattkes Wohnung. Sie würden erst später sprechen können, wenn der Melker von der Straße war. Schon liefen ein paar Dorfkinder zusammen, um neugierig dem Schauspiel zuzusehen.

Die Männer stützten den Schweizer, der nur widerwillig die Hilfe duldete, unflätige Worte ausspie.

Die Frau, krank vor Scham, verkroch sich fast in ihrem Schultertuch und schlich wie ein geprügelter Hund neben Marie einher. Ein Leben war das mit dem Mann. Das war kein Leben mehr. Nun würden sie rausgeworfen werden, auch hier. Und was dann? Was weiter? Sie wußte es nicht.

Die Bäuerin Marie aber kniff den Mund zu einem Strich. Sie hatte nur Verachtung für diese Leute und gönnte der Frau kein Wort.

Sie ließen den Mann auf einem Stuhl nieder. Ein paar Kinder wurden von der Frau mit einer müden Handbewegung vor die Tür gescheucht. Ein Fünfjähriger, dem die wirren schwarzen Haare wie Fransen über die schlauen Augen hingen, sagte grinsend: „Vater hat wieder 'n Zacken!" Er wußte, daß es besser war, sich zu verkriechen.

Betroffen sah sich Jagosch um. Er war das erstemal bei Mattke. Verwahrlosung umgab ihn: armselige Möbelstücke, zerschlissene Gardinen vor den Scheiben, Schmutz überall. Die Frau raffte ein paar Sachen von Tisch und Stühlen. Was half es? Das Elend blieb. Dann drehte sie ein Kissen auf die andere Seite und bot Jagosch Platz.

Jagosch blieb stehen. Sein Gesicht war starr und kalt. „Ich werde mit dir reden", sagte er, auf Mattke herabblickend, „morgen, wenn du nüchtern bist." Aber dann war es so, daß er nicht warten konnte bis morgen, daß er in Zorn kam und daß er etwas sagen mußte. In diesem Augenblick verachtete er den Melker. „Das paßt zu dir", fuhr er den Mann an, der ihn aus rotgeränderten Augen von unten herauf anstarrte, „da verdienst du eine Menge Geld, aber du mußt saufen, bei der Arbeit, nach der Arbeit. Und mit deinen Kindern haust du wie in einem Saustall!" Er schleuderte dem Mann das Wort ins Gesicht.

Den riß es vom Stuhl. Der Stuhl polterte auf die Diele. Da wurde ein verschütteter Begriff von Ehre wach. Was hatte der gesagt? Er hielt den Kopf schief wie ein Schwerhöriger. Was hatte der gesagt? Wen ging es an, wie er hauste, wen? Immer hatte er so gehaust. Immer schon. Und kein Mensch hatte ihm was dazugegeben.

Er stand, den Kopf schief geneigt, schäumend vor Wut. Er konnte nicht denken. Er wußte nur, vor ihm stand der Hund, der ihm das Leben zur Hölle machte, der ihm das bißchen Schnaps nicht gönnte, der ihn auf die Straße setzen würde, der ihn verhöhnte.

In seinem Hirn raste eine rote Scheibe, die nicht eher stillstehen würde, bis er den anderen mitten in die Visage geschlagen hätte, in diese Brille geschlagen hätte, hinter der die kalten Augen glänzten.

„Jawohl, Saustall!“ wiederholte Jagosch erbittert. Da fuhr Mattke, wie von einem Schlag getroffen, zusammen, riß den Schürhaken vom Holzkasten. Das Eisen fuhr durch die Luft.

Die Frau, schlotternd vor Angst, die Hände ins Kinn gekrallt, schrie wie ein Tier.

Da schlug Jagosch zu, dem Hieb des Melkers zuvorkommend, traf mit der Faust die Brust des Mannes so, daß Mattke unter der Gewalt des Schlages zusammenbrach und auf die Diele schlug. Der Schürhaken, aus der kraftlosen Hand geschleudert, rutschte über den Boden.

Die Frau hockte wimmernd bei dem Mann, der wie leblos auf der grauen Diele lag.

Jagosch strich sich die Haare aus der Stirn. Aber er war sich nicht bewußt, etwas zu tun. Es zuckte um seine Wangen. „Bring ihn zu Bett“, sagte er heiser. „Hilf ihr, Marie.“

Mit zerkrauster Stirn, seinen Gedanken nachhängend, hastete Jagosch die Dorfstraße hinab. Walter Schulz, der neben ihm tappte, ein Mann wie ein Bär, mühte sich, mit dem Dahinstürmenden Schritt zu halten.

Schulz brach das Schweigen. „Das genügt, jetzt schmeißen wir ihn raus“, sagte er und riß den Kopf zu Jagosch herum. Er spuckte jeden Satz wie einen Fluch aus. „Das haut dem Faß die Krone aus. Er ist mit dem Feuerhaken auf dich losgegangen. Ich kann's bezeugen. Wir müssen ihn rausschmeißen. Schon lange ist er ein Schandfleck für die Genossenschaft. Er säuft. Er versaut das Vieh. Wenn ich an meine Kuh denke. Er hätte dich totgeschlagen. Wir müssen die Polizei holen. Das vor allem.“

Jagosch konnte nicht antworten. Er dachte an das eben Erlebte.

Er hatte sich zur Wehr setzen müssen. Der andere hätte zugeschlagen. Dennoch litt er unter dem Gedanken, daß er diesen Menschen niedergeschlagen hatte, einen Mann von der Genossenschaft, einen kranken Mann vielleicht. Und wenn etwas zurückblieb? Er verabscheute Gewalt. Sie widersprach seinem Wesen. Aber dieser Mensch hatte ihm die Gewalt aufgezwungen.

Als er das Erlebte überdachte, kochte wieder die Wut in ihm.

Rausschmeißen, den Kerl, jawohl, fortjagen. Wer wollte es hindern?

Das Recht war bei ihm. Wohin sollte er geraten, wenn sie schon die Hand gegen ihn erhoben? Das war heute geschehen. So weit war es schon gekommen.

Abrechnen mit Mattke. Aber da war diese Frau.

Er blieb einen Augenblick stehen, um tief zu atmen. Es quälte ihn der Gedanke an seine Unzulänglichkeit. Wozu hatte er schließlich jahrelang auf den Schulbänken gesessen, wenn es ihm nun nicht gelänge, einen solchen Fall anders auszutragen als mit der Faust?

Dann aber sah er den Mann an seiner Seite, der ihn verwundert anstarrte, und da wußte er auch, daß er nicht allein war.

„Komm", sagte er und packte Schulz an der Schulter, „gehen wir!" Er konnte es sich nicht so leicht machen, den Melker fortzujagen, denn wenn er mit dem Mann abrechnete, würde es auch die Frau treffen und die Kinder. Und dann – wenn er auch versuchte, sich das Gefühl von Schuld auszureden, es war noch immer da. Er würde es anders versuchen.

„Einen Arzt müssen wir holen. Das ist das wichtigste", sagte er.

Am Abend kamen die anderen ins Büro. Auch ein paar Frauen hatte die Sorge getrieben und die Neugier. Sie hockten, wo Platz war, auf den Stühlen, ein paar auf der Kante des Tisches. Die nackte Birne glomm wie ein Mond im blauen Gewölk des Tabakrauches.

Die dicke Hasenpoot hatte sich breitbeinig in den einzigen Sessel gequetscht und verschränkte die Arme über der Brust. Ihre Äuglein funkelten böse. Sie hatte gesprochen, kurzpustig, daß ihr oft der Atem fehlte, den Satz mit voller Stimme zu beenden.

So weit seien sie nun gekommen. Nicht mal einen Laib Brot hätte sie auf dem Tisch gehabt, und überhaupt sei es eine Sünde und Schande, daß ein Konsum im Dorf fehle. Und das sei nun auch wieder so eine Marotte von dem Jagosch, daß sie die Barmherzige Schwester spielen müßte, und ausgerechnet bei denen, wo man nicht treten könnte vor Kram und Unordnung. Der Arzt sei dagewesen, berichtete sie schließlich ärgerlich, der habe dem Mattke eine Spritze besorgt, wegen der Nerven, wegen der Beruhigung. Der Mattke schliefe nun.

Die Lene aber hocke am Tisch und heule Rotz und Wasser, daß es einen jammern könne.

Und es müsse was passieren, hatte die Marie noch gefordert, sie müsse sich ja schämen vor ihrem Schwiegervater.

Jagosch, hinter dem Schreibtisch, auf einen Bleistift starrend, den er in den Fingern drehte, hörte aufmerksam zu.

Nun sei es Zeit, meinten die anderen, nun müsse man handeln. Lange genug, viel zu lange habe man zugesehen, gewartet, nicht gewagt, gegen Mattke vorzugehen. Nun aber sei es Zeit. Er sei eine Gefahr für die Genossenschaft. Man müsse ihn rausschmeißen, und das sofort, so sagten sie.

Jagosch dachte an die Frau. Die hatte Augen wie ein krankes Tier, und Kinder hatte sie auch, viele. Er wußte, es würde schwer sein, gegen die Bauern zu sprechen.

„So geht das nicht“, sagte er langsam und hob den Blick. „Wir haben zugesehen, die ganze Zeit, haben uns gefürchtet vor seinem wilden Wesen. Wer aber hat versucht, ihm zu helfen? Es muß anders werden, da habt ihr recht, aber fortjagen den Mann, rausschmeißen, wie man eine abgenutzte Forke fortwirft zum Schrott, so geht das nicht. Der ist auch ein Mensch.“

Sie schüttelten die Köpfe, lächelten. Schulz, mit überlegen gefältetem Gesicht, holte Luft, als müsse er sogleich etwas sagen, was er keinesfalls bei sich behalten könne. Aber Jagosch ließ ihn nicht sprechen, weil er selbst etwas sagen mußte. „Daß er wurde, wie er ist . . ., da hat er nicht allein schuld. Er war immer Knecht. Das ist es: Ich glaube, er ist immer noch ein Knecht."

„Da hast du recht", warf Schulz hin und runzelte die Stirne spöttisch-kummervoll. „Wie ein Knecht haust er, und so führt er sich auf – aber nicht wie ein Bauer!" Und die anderen pflichteten ihm lachend bei.

„Warum lacht ihr?" fragte Jagosch verstimmt, weil sie ihn nicht begreifen wollten. „Wer so lange Stallknecht war wie der, kann das Vergangene nicht abstreifen wie ein Hemd. Meint ihr denn, ihr seid schon die richtigen Genossenschaftsbauern?"

Oho, das paßte ihnen nicht.

Manchmal verstanden sie ihn nicht. Manchmal hatte er eigenartige Ansichten. Er ist doch kein richtiger Bauer, dachten sie, ein Studierter eben.

Jagosch kämpfte um den Melker Mattke, der ihn vor wenigen Stunden erst hatte niederschlagen wollen.

Zuerst müsse man wissen, ob der Mann gesund sei, was mit seinem Magen sei, was aus der Frau werden solle und den Kindern, sagte Jagosch, und schließlich ließen sie ihn gewähren.

Heinrich Mattke machte krank. Er lag im Bett, das rotgewürfelte Bettzeug bis zum Hals gezogen, die Hände unter dem Kopf verschränkt, und starrte zur Decke. Auf dem weißgekalkten Deckenbalken krochen ein paar Fliegen. Die Kinder spielten lautlos in der Küche nebenan. Selbst das Kleinste greinte nicht. Es durfte nicht greinen heute: Vater machte krank.

Die dicke Hasenpoot regierte den Stall. Lene Mattke hatte sich nicht hingewagt. Sie war zu Hause geblieben. Da stand sie mit krummem Rücken über die Zinkwanne am Herd gebeugt.

Jeden Tag Windeln, Kinderwäsche. Jeden Tag. Manchmal sickerte eine Träne die Wangenfurche hinab zum Mund. Dann schmeckte sie das Salz auf den Lippen.

Der Fünfjährige drängte sich an die Frau, blickte unter schwarzen Strähnen auf. „Vater ist böse“, sagte er, als könne er damit die Mutter trösten.

Sie strich dem Jungen übers Haar und schüttelte den Kopf. „Vater ist nicht böse“, sagte sie mit erstickender Stimme. „Vater ist krank. Nun geh mal, spiel mit dem Kleinen. Mal ihm ’ne Kuh.“

Als es klopfte, fuhr sie zusammen. Sie wischte hastig die Hände an der Schürze ab. Jedesmal hatte sie Angst, wenn es klopfte. Jedesmal glaubte sie, es müßte jemand sein von der Genossenschaft, der käme und sagte: So! Da sind die Papiere.

Diesmal war es aber der Arzt, der alte Doktor Wenzel aus Altenrode, der sich beugte, um in die Stube zu treten.

Sie lächelte matt, als sie ihn eintreten sah, einen Hünen, groß und breit, ein Bauer in seinem Wesen. Er setzte sich zuerst zu der Frau. Sie fuhr mit der Schürze über einen Stuhl. Wie die Kinder sich machten, wie die Hühner legten.

Lene hatte keine Scheu vor dem Mann. Der Kleine spreche noch immer nicht.

Sie solle sich keine Sorgen machen – der würde noch reden, daß es ihr zuviel werde. Er habe einen gehabt – er hätte auch fünfe –, der sei stumm gewesen wie ein Fisch im Wasser, und heute studiere er. Warum sollte es mit ihrem anders sein?

Auch die Kinder hatten keine Scheu. Der Krummbeinige schaukelte sich beim Doktor auf der Stiefelspitze, während der Fünfjährige die Aktentasche untersuchte. Dann ging der Arzt und sah sich den Mattke an. Der starrte zur Decke. Die Frau, das Kinn auf der Brust, lehnte an der Tür. Was sollte nun werden? Sie würden ihn rausschmeißen. Ganz sicher würden sie das tun.

Wenzel zog sich einen Stuhl ans Bett. „Ordentlich geschlafen, was?“ fragte er. Mattke starrte zur Decke. Da spielten die Fliegen.

Der Arzt eröffnete dem Melker, die Leute von der Genossenschaft seien der Meinung, er müsse ins Krankenhaus, um untersucht zu werden. Das sei auch seine Meinung. Man müsse wissen, ob er nur mit den Nerven runter sei – zuviel Schnaps, er verstehe – oder ob was mit dem Magen sei, was er hier nicht feststellen könne. So werde also morgen der Wagen kommen, ihn abzuholen. Sogar einen Wagen werde man schicken, weil es zu weit zur Bahn sei.

Mattke warf sich im Bett herum. Starrte den Doktor an. „Können mich wohl nicht schnell genug loswerden, wie? Paar Wochen wegschicken, und inzwischen setzen sie die Alte raus."

„Halt den Mund", sagte der Arzt, nicht eben beeindruckt von dem Ausbruch des Melkers. Und wenn sie reinen Tisch machten, sei es ihnen nicht mal zu verdenken. Mattke habe sich danach aufgeführt. Aber er wisse nichts davon, und das sei auch nicht seine Sache.

Was der Doktor sagte, war im stillen auch Mattkes Meinung. Wenn sie ihn wegjagten, war es ihnen nicht zu verdenken. Auch er hatte, wie die Frau, darauf gewartet, daß jemand käme und den Ausschluß brächte.

Als er nun vom Krankenhaus hörte, witterte er eine Falle. Irgend etwas mußten sie mit ihrer Absicht verfolgen, irgend etwas, das sich gegen ihn richtete.

Noch größer als sein Mißtrauen, noch größer als seine Angst war aber die Wut auf den Vorsitzenden, der ihn niedergeschlagen hatte. Er fühlte, daß er diesem Menschen nicht gewachsen war, und deshalb zwang er sich zur Vorsicht. Er würde morgen reisen. Zwei, drei Wochen Zeit gewinnen, zwei, drei Wochen, wo sie zahlen mußten. Wenn sie ihn los sein wollten, ins Krankenhaus schicken wollten, damit sie sich hinstellen konnten und sagen: Hier! Noch was getan für den Lumpen. Gut! Zwei, drei Wochen. Man würde sehen, wie es weiterginge, später.

Unzufrieden, zerfallen mit der Genossenschaft, kroch er am nächsten Morgen in das Auto, das von gaffenden Kindern umstanden war. Der Wagen ruckte an und fuhr über die Dorfstraße, hinaus in den Sommertag. Mattke warf nicht einen Blick zurück, sah nicht, daß Lene ihm nachwinkte, bis ihre Hand herabsank. Nun war sie allein. –

An diesem Abend kam Jagosch. Lene hatte gewußt, daß einmal jemand kommen würde, und nun hatte sie Angst. Sie wies Lotte, die große Tochter, mit einer Kopfbewegung hinaus zu den Kindern in die Stube. Die raffte ihre Handarbeit und warf beleidigt ihren Kopf in den Nacken. „Sie muß immer das Maul aufsperren, wenn eins da ist", sagte Lene, um irgend etwas zu sagen, um ihrer Befangenheit Herr zu werden. Dann bot sie Jagosch Platz.

Jagosch brannte eine Zigarette an. Er mußte rauchen, wenn er erregt war.

„Lene", begann er zögernd und blies den Rauch von sich, „daß ich ihn zusammengeschlagen hab – du weißt, ich konnte nicht anders."

Mußte das wirklich sein, dachte die Frau, was wird er wollen von mir?

„Ich will offen sein", sagte Jagosch, „die anderen wollen nicht, daß Heinrich bleibt. Du weißt, wie er ist."

Ich weiß, wie er ist, dachte die Frau, und keiner weiß, was ich durchmachen mußte, kein Mensch. Aber sie sollen nichts gegen ihn sagen; denn er ist mein Mann. Nun wollen sie nicht, daß er bleibt – ich habe es immer gewußt. Nun ist es soweit. Ihre Hand griff zum Hals.

„Ich will nicht, daß er geht. Jedenfalls nicht wegen des letzten Vorfalls. Aber allein kann ich sie nicht umstimmen. Du mußt mir dabei helfen, Lene."

Mein Gott, dachte die Frau. Die anderen wollen nicht, daß er bleibt, und die Kinder sind noch so klein. Dann erst begriff sie, er hatte gesagt, sie solle ihm helfen. Sie sah ihn ungläubig an. War noch ein bißchen Hoffnung?

„Es muß anders werden bei euch, Lene!" Er sah sich um. „Das hier muß anders werden. Solche Armut paßt nicht zu Genossenschaftsbauern. Hast du mal gesehn, wie die anderen wohnen? Und dann muß es im Stall anders werden. Deswegen komme ich heute. Die dicke Marie kann nicht im Stall bleiben, wir brauchen sie draußen, in der Feldbrigade. Und überhaupt, das ist nichts für sie. Du sollst den Stall übernehmen, Lene, das wollte ich dir sagen."

Das überraschte sie so, daß sie kein Wort über die Lippen brachte. Zuerst dachte sie, daß sie nur eine Frau sei, und allein, und dreiundzwanzig Kühe, dachte sie auch, dann aber wurde sie überwältigt vom Gefühl großer Dankbarkeit. Sie hatte kein Wort gesagt, aber als Jagosch ging, faßte sie mit beiden Händen nach seiner Hand.

Dann hatten die Bauern, noch mehr aber die Frauen des Dorfes Gelegenheit, sich das Maul zu zerfransen. Das war, als Jagosch durchgesetzt hatte, daß die Lene Mattke einen Wohnzimmerschrank bekam. Auf Kosten der LPG.

Da gab es manche, denen das nicht gefiel. Die standen an den Ecken, tuschelten, sahen sich vergewissernd um, daß keiner sie höre, und wiegten die Köpfe.

Da gab es manche, die sagten, wenn der Vorsitzende es nicht hören konnte: Entweder, der sei durchgedreht – einen Wohnzimmerschrank! –, oder aber, er wolle sein schlechtes Gewissen beschwichtigen, weil er den Mattke zusammengehauen hatte, was schließlich nicht hätte zu sein brauchen.

Da gab es manche, die sagten, auch wenn er dabei war, sie hätten sich nichts können schenken lassen, sie hätten arbeiten müssen, bis sie soweit gewesen seien. Und außerdem: Bei denen, bei den Mattkes, sei es doch umsonst, die verstünden nicht umzugehen mit so was.

Aber Jagosch setzte seinen Kopf durch. Für die Mattkes sei es schwerer, einen Anfang zu finden, viel schwerer als für die anderen. Und wenn sie meinten, es könne danebengehen mit den Mattkes, so möchten sie das Geld bei der Jahresabrechnung von seinem Anteil absetzen lassen. Das sagte er, und er schrieb sogar einen Zettel, damit sie es schriftlich hatten. Sie stimmten schließlich zu. Aber die wenigsten verstanden ihn, und sogar die dicke Hasenpoot hatte gemeint, sie sei ja sonst nicht so, aber das sei zuviel. Wenn er's denn selber bezahlen wolle, wenn Mattke nicht einschlage, na, ihretwegen, aber richtig sei das nicht, und vielleicht würde er dem Lumpen den Hintern noch in Saffianleder fassen lassen. Der kriegte das fertig. Einen Wohnzimmerschrank!

Schulz brachte den Schrank mit dem Milchwagen von Altenrode. Ein paar Männer halfen ihm beim Abladen.

Der Frau wurden die Augen naß, als sie begriff, der Schrank war für sie bestimmt.

Nun war die dicke Hasenpoot doch neugierig, wie die Melkerfrau es aufnehmen werde. Sie war zufällig dazugekommen und lehnte am Zaun, als eben der Wagen eintraf. Überm Arm trug sie ein paar ältere Stores. Die wollte sie der Mattke schenken. Die Marie war wie zufällig dazugekommen. Dabei hatte sie über die Küchengardine gespäht, bis der Wagen über den Hügel kam.

Die Männer trugen den Schrank ins Haus. Man mochte nicht glauben, daß sie vor ein paar Tagen noch die Schrankgeschichte bedenklich fanden, denn sie taten gerade so, als wären sie selber die Spender des kostbaren Möbels.

Lene Mattke, fassungslos und verlegen, wußte nicht, was zu tun war. Sie schickte schließlich die Tochter nach Schnaps und Zigaretten und stand unschlüssig herum. So dirigierte die dicke Hasenpoot die Aufstellung des „Biefees", wie sie es nannte. Es fand an der leeren Wand des Zimmers einen guten Platz und nahm sich seltsam fremd aus in der Wohnung des Melkers.

Da es sich so ergab, blieb die Marie, um der Frau ein wenig beim Saubermachen zu helfen. Nun ja, man müsse sehen, wie sich die Stube ausnähme im neuen Glanz. Der Lene war das nicht recht. Aber die Marie war nun einmal da, und die ging auch nicht wieder. Sie rutschte auf den Knien und hatte sich das gewiß nicht vorgenommen. Lotte Mattke, mit dem Häkelzeug in den Händen, stand auf der Schwelle, nur ab und an dem Kinderschwarm den Zutritt ins Zimmer wehrend.

Die Marie, resolut und geradezu, wie sie nun einmal war, sagte, den Lappen über dem Eimer wringend und zu der

Halbwüchsigen aufblickend, im Stall brauche sie ja nicht zu gabeln, aber im Haus könne sie man ruhig ein bißchen kräftiger zupacken, und daß die Kinder nicht gekämmt wären, brauche auch nicht zu sein. Das war der Lene wieder nicht recht. Sie hatte es schwer, da sollte das Mädchen die Tage ein bißchen genießen. Der Tochter stieg die Röte ins Gesicht. Sie holte einen Staublappen.

Als die Lene nun einen Wohnzimmerschrank hatte, bohnerte sie die Stube, und sie freute sich über die Gardinen. Nur wenn man genau hinguckte, sah man, daß sie gestopft waren. Manchmal stand sie, die Hände im Schoß, und guckte so weg über Schrank und Fenster – und konnte nicht fassen, daß alles ihres sei.

Seit sie eine gute Stube hatte, duldete sie die Kinder nicht mehr im Zimmer, und sie wurde wild, wenn ihr eins aufs Gebohnerte tappte.

Der Morgen hing grau und nebelnaß über dem Dorf, als Lene den Stall übernehmen sollte.

Sie hatte unruhig geschlafen diese Nacht, sich im Bett umhergeworfen, gequält von Träumen, in denen die Kühe umhertappten – und Mattke. Als es Morgen werden wollte, tastete sie immer wieder nach dem Wecker, in Sorge, sie könnte die Zeit verschlafen.

Nun hastete sie über die Dorfstraße, die sich aufgeweicht und zerfurcht wie ein Acker zwischen Bauerngärten und krüppligen Pflaumenbäumen ins Unterdorf hinabschwang. Es war kalt. Fröstelnd raffte die Frau das Tuch am Hals.

Sie hatte ein merkwürdiges Gefühl. Ihr war, als trüge sie ein nagelneues Kleid, das noch keiner im Dorf gesehen hatte. Sie war ein wenig stolz, aber auch verlegen, es möchte sie jemand sehen. Sie ging doch, den Stall zu übernehmen.

Die Frau traf keinen Menschen zu dieser Stunde. Hinter einigen Fenstern glomm müdes Licht, das mit dem blassen Morgen rang.

Im Stall war es warm. Sie fror nicht mehr. Sie roch den

vertrauten Dunst der Tiere, vernahm die gewohnten Geräusche des Stalles. Dennoch war ihr plötzlich angst. Dreiundzwanzig Kühe. Mein Gott, würde sie es schaffen? Die Verantwortung!

Der Gedanke drückte sie wie eine Last. Da fühlte sie sich so verlassen, als wäre sie allein auf der Welt. Sie mußte sich gegen die Wand lehnen in einer plötzlichen Schwäche. Der Mann war fort – dieser Mann, der in seiner groben Art bestimmt hatte, was zu tun war. Der Mann war fort. Die anderen aber? Wer hielt was auf sie im Dorf, wer denn? Kein Mensch – keiner. Und nun hatte sie die Verantwortung für den Stall.

Die Tiere ließen ihr keine Zeit, zerrten an den Ketten, brüllten dumpf. Lene Mattke knüpfte das Kopftuch fester und griff zur Forke, um Futter zu tragen.

Als die Tür in den Angeln kreischte und Jagosch mit der alten Semmlern eintrat, die ihr helfen sollte, da wurde der Lene leichter.

Sie besprachen, wie sie es machen wollten, diesen Tag und die anderen Tage.

Da gab es keinen im Dorf, der erwartete, daß die Frau von dem Mattke den Stall hochbringen würde. Aber sie mußten doch sehen, daß die Frau schuftete. Sie sahen, wenn sie es auch nicht zugeben mochten, daß es klappte im Stall.

Die Hasenpoot-Marie, die des öfteren vorbeikam, um nach ihrer Loni zu sehen, die dicke Hasenpoot meinte, Lene sei wohl nicht gescheit, die schweren Futterkörbe allein zu wuchten, spillrig und mager wie sie sei. Man nicht zu wilde. Sie brauche es nicht zu übertreiben. Und was sie nicht sagte, das dachte die dicke Marie: Die hätte man früher ein bißchen zugreifen sollen, daß es nicht so weit gekommen wäre mit denen.

Als sie am Abend die Bratkartoffeln in der Pfanne röstete, meinte sie zu ihrem Schwiegervater, der auf der Holzkiste neben dem Herd hockte, wie nebenbei: „Er taugt ja nischt, aber sie ist eigentlich ein ganz passables Frauenzimmer, wenn man's richtig nimmt." Der Alte aber, wunderlich mit dem Kopf wackelnd, höhnte, das sei ein Spiel mit ihrer Genossenschaft, nun solle die Frau wohl gänzlich versauen, was der Kerl übriggelassen hätte, das sei ein Spiel mit ihrer Genossenschaft. Da fuhr sie ihm fauchend übers Maul, er solle das Räsonieren lassen; denn wenn er so unrecht auch nicht hatte, so war sie schließlich auch bei der Genossenschaft, und es paßte ihr nicht, daß er maulte.

Vor Jagosch hatte Lene Mattke Scheu. Er war anders als die Bauern, die sie kannte. Als er ins Dorf kam vor ein paar Monaten und keine Wohnung frei fand, Lene entsann sich dessen genau, hatte die Köchin, die gern ein wenig schnüffelte und stichelte und gern überall dazwischen war, sich erboten, den neuen Vorsitzenden in ihrem Haus zu beherbergen und zu beköstigen. Er aber, freundlich lächelnd, hatte abgelehnt. Er sei ein eigenwilliger Kauz. Er hauste in der Kammer hinter dem Büro. Dort ließ er sich eine alte Drahtbettstelle aufschlagen.

Am Mittagstisch saß er gemeinsam mit den anderen, und am Abend aß er sein Brot allein und seine Wurst, die er im Konsum kaufte.

Manche sollten ihm Speck hingetragen haben oder ein Klümpchen Butter, man wisperte im Dorf davon. Aber der Jagosch war einer, der gab sich keinem in die Hand.

Immer hatte Lene Mattke eine Scheu vor Jagosch. Sie fürchtete ihn ein wenig und glaubte, er müsse alles sehen. Vielleicht wußte er auch, daß Mattke heimlich Milch nach Hause getragen hatte.

Nun aber, als Jagosch täglich zu ihr kam, spürte sie, da ist einer, der ist gut, gut zu den Tieren und gut zu den Menschen. Sie spürte, daß er helfen wollte. Oft dachte sie, wenn er den Mattke rausgeworfen hätte und sie dazu, wer hätte etwas sagen wollen. Sie erinnerte sich nicht gern. Dieser Tag, als Mattke das Eisen nahm.

Jagosch hatte sie nicht rausgeworfen.

Das hatte er nicht getan.

Die Frau konnte nicht Worte machen wie die zungenfertige Köchin. Sie war ihm dankbar wie ein Hund, der immer getreten wurde und nun einen Menschen findet, der gut ist. Da arbeitete sie so, daß er nichts auszusetzen hatte.

Morgen sollte Mattke nach Hause kommen. Was sind drei Wochen im Sommer, wenn die Tage voll Arbeit sind und die Nächte bleischwer und kurz. Die Frau wußte nicht, wo die Tage geblieben waren. An diesem Abend harkte sie besonders sorgfältig die Halme vom Hof, fegte den Mist von den Steinen, den die Hühner über Tag vom Haufen gescharrt hatten. Sie ging noch einmal durch den Stall und sah, ob jedes Tier was vor der Raufe hatte. Dann löschte sie das Licht und schloß die Tore. Ehe sie ging, lehnte sie ein Weilchen an der Stalltür. Lotte hatte die Kinder zu Bett gebracht. Sie kam der Mutter entgegen.

Morgen würde Mattke kommen. Morgen mußte sich entscheiden, was werden sollte mit ihnen. Sie hatte nie danach fragen mögen.

Jagosch ließ Mattke rufen, als er hörte, der Melker sei wieder im Dorf. Er empfing den Mann im Büro der Genossenschaft, das im Giebel über den Wirtschaftsräumen eingerichtet war – dürftig genug. Anderes war wichtiger. Einzig ein Sessel prahlte, mit großblumigem Stoff überzogen, neben den Regalen und schäbigen Möbeln. Das Fenster, noch ohne Vorhänge, gab den Blick frei auf die Flur und die fernen Berge, deren Konturen wie mit blasser Tusche an den Horizont gepinselt schienen.

Jagosch blickte hinaus. Bunt wie ein Garten war das Land. Erntewagen, hochaufgetürmte Fuder, schwankten dem Dorf zu, auf dem Hügel krochen Traktoren bergan, bergab und brachen die Stoppeln, Federvieh spektakelte auf den Höfen, und über allem lag das tiefe Summen des Dreschkastens. Ein Sommertag, wie er nur auf dem Lande ist.

Jagosch liebte das Land. Manchmal träumte er, wie er es verändern möchte, weite Felder, von Horizont zu Horizont, geschleifte Katen, neue Häuser, zufriedene Leute. Wie fern ist das. Ein Tag wie der andere, Ärger, zuwenig Erfolg, wenig Zufriedenheit. Manches geht ihm nicht rasch genug. Alles braucht Zeit, das Feld und die Frucht und die Menschen. Man kann sie nicht umpflügen wie einen Acker und neu bestellen. Manche Menschen sind wie die Bäume im Forst, denkt der Mann am Fenster. Da sind die Protzen, geil aufgeschossen auf Kosten der anderen Bäume, die sie unterdrücken, denen sie das Licht nehmen und die Nahrung im Boden. Ein Protz muß ausgehackt werden, er taugt zu nichts. Dann haben die Stämmchen Luft und Platz, dann recken sie sich, breiten die Zweige und wachsen zu schlanken Stämmen. Manche verkümmern. Für manche ist es zu spät. Die gehen zugrunde und könnten doch wachsen wie alle anderen in der Sonne.

Er wandte sich vom Fenster, als der Melker eintrat. Mattke tippte an die Mütze. Dann ließ er sich auf der Kante des Stuhles nieder, vorsichtig, als befürchte er, das Möbel zu beschädigen. Er war aufgeregt, lehnte sich umständlich zurück, um Zigaretten aus der Hosentasche zu kramen. Wenn er kurz den Blick hinüberstach zu dem Mann, der jetzt hinter dem Schreibtisch saß, wurde ihm heiß. Zusammengeschlagen, dachte er, zusammengehauen, wegen ein paar Schnäpsen – und nun? Was will er?

Er saugte mit hohlen Wangen die Flamme an die Zigarette. Seine Brauen waren emporgerissen, die Stirne gefaltet, wie immer, wenn er angestrengt denken mußte.

Wiele, der Bauer aus dem Nachbardorf, hatte gesagt, man könne sich Handgreiflichkeiten nicht leisten in leitender Stellung, das sei nicht tragbar, das sei ja wie im Mittelalter. Abwarten solle er, gut aufpassen, sehen, wie sich die Sache entwickelte, und dann . . ., zu gegebener Zeit vielleicht eine Beschwerde. Die Behörden müßten reagieren. Wenn es hapere mit dem Schreiben und so . . ., er könne da helfen. Wiele hatte auch von der Bäuerin Helene Witt erzählt, die einen Mann auf dem Hof brauche.

Nun hat er der Lene einen Schrank gegeben, dachte

Mattke, das ist ein gutes Zeichen, das ist so etwas wie eine kleine Bestechung, damit sie das Maul halten sollen über die Sache.

„Da bist du nun wieder, Mattke“, sagte Jagosch und riß den Mann aus seinen Gedanken. „Ich habe dich rufen lassen, damit wir besprechen können, wie es weitergehen soll.“

Jagosch machte eine Pause. Der andere starrte auf seine Stiefelspitze, die auf und nieder wippte.

Jagosch spürte Unbehagen vor der Aussprache. Nicht aus Feigheit, aber viel lieber würde er über andere Dinge sprechen, und manchmal mußte er sich zur Härte zwingen. Wie schwer ist es, einen Menschen voranzubringen. Er fühlte den Widerstand des Melkers.

Jagosch rückte seinen Stuhl zurück und deutete zum Fenster. „Sieh mal, wie die arbeiten“, sagte er, „auf dem Acker beim Einfahren vom Roggenplan, beim Dreschen. Alle ziehen an einem Strang in der Ernte. Der alte Gierke mit seinen fünfundsiebzig hat gestern drei Fuder geladen, das ist ein Kerl, wie die anderen auch – Genossenschaftsbauern.“

Mattke sah hinaus, dann starrte er wieder auf seinen wippenden Fuß.

„Komm zur Sache“, sagte er gelangweilt.

„Gut“, sagte Jagosch knapp, seine plötzlich aufkommende Wut verbeißend. „Ich habe mit dem Vorstand gesprochen, heute morgen. Hör zu, Mattke. Im Stall kannst du nicht bleiben.“

Mattke wirft den Kopf auf. Das trifft ihn.

„Stallarbeit ist Vertrauenssache. Im Kuhstall steckt das halbe Vermögen der Genossenschaft. Das Vertrauen hast du verscherzt.“ Jagosch sieht das bleiche Gesicht des Melkers rotfleckig werden, aber auch das andere kann er ihm nicht ersparen. „Da können wir keinen gebrauchen, der herumsäuft wie du.“

„Und die Frau?“ schreit Mattke starren Blickes. „Sie war die ganze Zeit im Stall!“

Jagosch weiß nicht, ob es richtig ist, was er sagt. Dennoch

spricht er aus, ein wenig zögernd: „Die Frau kann bleiben. Das heißt, wenn sie will. Das muß sie selber entscheiden. Sprich mit ihr. Für dich gibt es genug Arbeit. Wir brauchen jeden Mann. Wir werden dich also nicht fortschicken. Wir hätten auch anders handeln können. Das mußt du bedenken."

Mattke ringt nach Worten. Er möchte dem Vorsitzenden eine passende Antwort geben. Gedanken schlagen auf ihn ein wie Hagel gegen eine Scheibe, keinen Gedanken kann er festhalten. Schweiß perlt auf seiner Stirn. „So ist das also", sagt er schließlich verkrampft, und er fühlt, wie das Blut in den Ohren singt. Er möchte etwas zerschlagen.

Jagosch betrachtet ihn aufmerksam. „Tut mir leid, daß es so kommen mußte. Aber schuld hast du allein. Nimm dich zusammen, Mensch. Zeig, daß du auch anders kannst. Wenn du dich änderst, werde ich dir immer helfen."

Mattke ist aufgesprungen. Er tritt zum Schreibtisch, stippt die Zigarette in den Aschenbecher. „Du wirst den Hund schon so an der Leine halten, daß er nicht draufkackt", sagt er frech. „Woanders wird auch Brot gebacken. Ich gehe. Aber ich lasse mir das nicht gefallen. Zusammenhauen und dann noch in den Arsch treten. Wir werden uns woanders sprechen."

„Du selbst wolltest aufhören im Stall. Wie lange ist das her? Drei Wochen", erinnert ihn Jagosch.

Mattke weiß keine Antwort. Er geht grußlos. Poltert die Treppe hinunter. Die Wut brodelt in seinem Schädel. Jagosch hat ihn getroffen. Dumpf fühlt der Mann eine Schuld, wenn er auch nicht vermag, sich diese Schuld ganz einzugestehen. Er möchte etwas zerschlagen.

Als er zu Hause die Tür in den Flur stößt, laufen ihm zwei seiner Jungen, die sich um ein Spielzeug streiten, der Fünfjährige mit der Fransenmähne und der Krummbeinige, quarrend in den Weg. Mattke schlägt den Fünfjährigen mitten ins Gesicht. Er steht betroffen, als er sieht, daß ihn das Kind fassungslos anstarrt.

Die Frau in der Tür zuckte zusammen. Sie schob die schreienden Kinder hinaus auf den Hof.

Der Mann folgte ihr in das Zimmer.

Als er ging, hatte sie gesagt, er solle vernünftig sein, sie würden ihm den Kopf nicht abreißen. Er hatte gesagt, von Jagosch hinge ab, wie er sich entscheiden werde.

Das ist die Entscheidung, wußte die Frau. Jetzt kommt, wovor sie sich gefürchtet hatte die ganzen Tage. Sollte alles wieder werden, wie es immer war?

Sie kroch auf einen Stuhl, wie zerschlagen. Ihre Hände umkrallten haltsuchend die Tischkante.

Sie betrachtete ihre zerfurchten Hände. Dann warf sie den Kopf zurück. „Du sollst die Kinder nicht schlagen wegen nichts und wieder nichts. Ich will das nicht."

„Wird nichts geschadet haben", entgegnete Mattke abwesend. „Was sind wir geschlagen worden früher."

„Heute ist aber nicht mehr früher", sagte die Frau. „Blas dich nicht auf", warf Mattke hin. „Es gibt Wichtigeres!"

„Was ist wichtiger als die Kinder", sagte Lene hartnäckig.

„Wichtiger?" fragte Mattke, und dann, nach einer Pause, sagte er, als mache es ihm Freude, die Frau zu quälen: „Daß du die Plünnen packen kannst! Wir gehen weg." Er nagte an der Unterlippe. „Du mußt ja gut gekratzt haben. Du sollst bleiben im Stall, und ich, der Mann, soll gehen, woandershin, ihren Dreck klägen vielleicht. Nein!"

Er lief in der Stube auf und ab. Dann blieb er vor der Frau stehen, breitspreizig, die Fäuste in den Taschen vergraben. „Die Helene Witt braucht eine Familie auf dem Hof. Ich war schon da – gestern. Wollte nur sehen, wie sie sich anstellen in ihrer Scheiß-LPG. Hab ich das nötig, mich so behandeln zu lassen von dem Kerl?"

„Nein", sagte die Frau, und ihre Augen glitzerten ungläubig. Sie schüttelte ganz wenig den Kopf. „Nein", sagte sie hastig, „das geht nicht. Weggehen, das geht nicht."

Der Mann sah sie scharf an, verwundert – so aus den Augenwinkeln.

Was sträubte sich die Frau?

„Hast du was zu sagen?" fragte er kurz. Er schlenderte zum Herd, stieß mit dem Fuß ein Scheit Holz zur Seite. Dann drehte er sich herum. Ruckartig. „Mach kein Theater, was hast du hier, he? Arbeitstier, wie früher. Mußt dich schinden, noch mehr als früher. Aber die sollte mir kommen, die Alte, die Witt. Da kannst du wenigstens was sagen!"

„Nein", sagte die Lene hastig, „das geht nicht." Wieder ziehen, wieder anfangen, für ein Jahr oder ein halbes. Wieder ziehen – mit diesem Mann, der nirgends aushält –, von Stelle zu Stelle, wie ein Zigeuner im grünen Wagen.

Wieder ziehen, jetzt, wo sie anfängt ein Mensch zu werden, wieder ziehen, eine Magd werden, bei der Bäuerin Helene Witt, jetzt, wo sie eine Verantwortung hat.

Wieder ziehen – zurück in die Armut einer Melkerkate, jetzt, wo sie einen Wohnzimmerschrank hat.

„Nein, Mattke", sagte sie ganz ruhig. „Wir können das nicht. Schon wegen dem Schrank können wir das nicht."

Es war, als hätte der Mann ihr nicht zugehört.

„Und anscheißen werde ich ihn, daß er mich zusammengeschlagen hat", sagte er und nickte immerfort mit dem Kopf, als müßte er sich bestätigen, daß es richtig war, was er sagte. „Der wird von mir hören."

„Vater", sagte die Lene beschwörend. „Sie meinen es doch gut mit uns."

„Deshalb schmeißen sie mich raus aus dem Stall, wie?"

„Vater", sagte die Lene, und es stieg ihr was in der Kehle hoch, „du hast nicht gut gearbeitet im Stall. Und ich auch nicht. Ich weiß das jetzt. Du hast dich aufgeführt, daß ich mich zu Tode schämen mußte. Ich habe den Menschen nicht unter die Augen gekonnt."

Sie stand auf, und dann lehnte sie sich an den Schrank, weil sie sich irgendwo festhalten mußte.

„Und der Jagosch hat es gut gemeint, trotzdem, und nun willst du fort. Das kann man doch nicht. Sie nehmen dir doch nicht das Brot. Ich kann im Stall bleiben. Und dann kommst du auch wieder in den Stall – später.

Er hat es gut gemeint mit mir und den Kindern. Und nun willst du ihn anzeigen. Das kannst du nicht. Du kannst dich doch nicht vollends zum Lumpen machen."

Der Mann ist nah an sie herangetreten. „Jetzt hältst du das Maul!" sagt er drohend, und der Jähzorn flackert in seinen Augen. Er hat die Hand halb erhoben. „Hast du keinen Fetzen Ehre im Leib? Wo sie den Mann in den Hintern treten wollen."

Sie lehnt am Schrank, die Augen aufgerissen. Ihr Mund ist wie im Schmerz verzerrt.

„Mach, was du willst!" schreit sie wild. „Schlag zu – meinetwegen. Geh fort – meinetwegen. Sauf dich zugrunde – meinetwegen. Aber ohne mich und die Kinder! Ich bleibe. Sie brauchen mich. Ich bin mit dir gegangen, immer und all die Jahre, aber nun kann ich nicht mehr." Dann läuft sie in die Kammer, wirft sich über das Bett und schreit ihren Schmerz in die Kissen. Sie hört nicht, daß der Mann das Haus verläßt.

Der Mann hat die Mütze ins Gesicht gezogen. Er lief die Koppel hinunter bis zum Bach. Dann erklomm er den Hügel, den ein struppiges, verfilztes Laubwäldchen bedeckte. Über den Hügel ist es näher nach Altenrode.

Am Waldrand warf er sich nieder.

Er sah die Felder wie ein buntgeflicktes Tuch hingebreitet bis zu den Wäldern, über denen blaß die Berge stehen. Vom Roggenplan im Dorf wurde abgefahren. Das waren die von der Genossenschaft. Das waren auch welche, die sich freuten, daß er nicht mehr in den Stall konnte. Da war wohl keiner, der bedauerte, daß er gehen mußte.

Der grobe Mensch fühlte eine große Einsamkeit.

Da arbeiteten sie. Manchmal, wenn die Pferde anruckten, drang ein „Hü" an sein Ohr oder der hohe Schrei einer Frauenstimme. Sie waren lustig da unten.

Der Mann konnte nicht zusehen. Er brach tiefer ein in das Gebüsch und wühlte sich hinein in das scharf duftende Kraut wie ein Wild.

Was hatte es ihm ausgemacht, daß sie gegen ihn standen, die Bauern früher oder die Leute von der Genossenschaft. Nichts.

Aber die Frau! Diese Frau war neben ihm hergelaufen die ganzen Jahre, treu wie ein Hund. Diese Frau hatte zu ihm gestanden, im Recht und Unrecht. Diese Frau hatte gelitten unter seinem Wesen. Aber sie hatte ihm verzeihen müssen, immer wieder, wie eine Mutter dem Kind verzeihen muß. Daß diese Frau, die sein Wesen ertrug, die sein Bett teilte in der Nacht, an die er gewöhnt war wie an den Schnaps und den Stall und die Tiere, daß diese Frau nicht mehr mit ihm gehen wollte, das war es, was den stumpfen Menschen elend machte, denn keiner kann ganz allein sein und ohne einen anderen Menschen. Auch Mattke nicht. Der fühlte ganz deutlich durch das Gewirr seiner Gedanken: Er konnte nicht gehen ohne die Frau.

Er lag lange so – bis es im Wald dämmerte. Da klopfte er die Streu aus den Kleidern und ging über die Wiesen hinunter nach Altenrode.

Von Altenrode aus fuhr der Bus hinab in die Grunddörfer. Es waren nur ein paar Stationen bis zu dem Dorf, in dem die Bäuerin Helene Witt hauste, die einen Mann auf dem Hof brauchte.

Mattke ließ den Bus fahren.

Er hockte in der Kneipe mit so finsterem Gesicht hinter dem Bier, daß keiner Lust hatte, seine Gesellschaft zu suchen.

Mitten in der Nacht aber stieg er über die Wiesen, auf denen das Grummet duftete, und über den Hügel zurück nach Scholzenbrück.

Er ging um sein Haus wie ein Fremder und versuchte nicht, an der Tür zu klinken, weil er fürchtete, sie könnte verschlossen sein.

Er schlief im Stall in dieser Nacht.

Die Frau fand keine Ruhe. Sie starrte auf den verzerrten weichen Schatten des Fensterkreuzes, den der Mond an die Wand der Kammer malte. Es war so still, daß der Wecker tickte, als fiele ein rascher Tropfen, immer gleich – immer gleich ... Die Frau fand keine Ruhe.

Dann erhob sie sich von ihrem Lager.

Sie tastete sich in das Nebenzimmer. Dort schliefen die Kinder.

Sie hob das Jüngste auf – ganz vorsichtig, daß es nicht erwachte – und trug es in ihr Bett, damit sie nicht allein lag.

Der Wecker tickte, und die Frau lauschte, ob nicht doch die Tür ging.

Aber der Mann kam nicht.

Sie spürte die Wärme des Kindes, fühlte seine nackten Füße an ihrem Leib und konnte endlich schlafen.

Der nächste Morgen ließ sich an wie jeder Sommermorgen. Das Hühnervolk stürzte unter wüstem Spektakel aus der Luke und begann den Mist zu zerkratzen, der Hahn umtanzte aufgeregt schleifend sein Volk. Der Schäfer trieb aus, und die Katze saß wie immer vor der zerbrochenen Scheibe des Schweinestalls und blinzelte in die Sonne. Der taufrische Morgen versprach einen besonders schönen Tag. Erntewetter.

Jagosch stand im Kreis der anderen mitten auf dem Hof, als Mattke unter das Tor trat.

Jagosch sah ihn sofort. Er ging ihm entgegen, blieb dann stehen, um den anderen zu erwarten. Das Gesicht des Melkers war grau und verschattet, seine Wangen schienen noch tiefer gekerbt als sonst.

Er blickte finster auf die gebuckelten Steine.

„Ich wollte nur fragen“, sagte er heiser, und kein Mensch ahnte, was ihn diese Worte kosteten, „ich wollte fragen, wo ich hingehen soll.“

„Komm“, sagte Jagosch, „wir wollen zu den anderen gehen.“

BENNO PLUDRA

# Leinen los für Wunderfloh

Die Jacht trieb im Strom, sie mußten den zweiten Anker werfen, und Bootsmann Bloom fiel mit dem Anker außenbords. Als er hochtauchte aus der trüben Flut, schnell wie ein wütender Seehund, fragte ihn Wunderfloh: „Müssen Sie da immer mit runter?"

Es war Juli und böses Wetter. Wind aus Nordwest, stürmisch und kalt, und Regen seit gestern aus tiefen Wolken. Draußen stand eine steile See, man sah die Schaumkämme leuchten.

Der Bootsmann, wieder an Deck, ging zu auf den kleinen Wunderfloh. „Machst du das noch mal, daß du mich solche Sachen fragst, laß ich dich kielholen, savvy?"

„Was ist das?" fragte Wunderfloh.

„Verstehst du", sagte Bootsmann Bloom, „ich lasse dich kielholen, du, und nun bring mir heißes Wasser für Grog."

Die Jacht war aus Stahl, breit gebaut und dreizehn Meter lang, zwei hohe Masten zwischen Bug und Heck. Es fuhren neun Leute an Bord: drei Männer und sechs Jungen. Wunderfloh war der jüngste, er war erst zehn, und keiner hatte ihn haben wollen für die Reise.

Er sah jetzt den Bootsmann nach achtern gehen, die Tuchschuhe spuckten Wasser aus, und wer da an Deck war, lachte hinter dem Bootsmann her. Wunderfloh lachte mit, dann hörten sie alle den Bootsmann brüllen, von unten schon, aus der Kajüte: „Wo bleibt mein heißes Wasser für den Grog?"

Wunderfloh sprang den Niedergang abwärts. In der Pantry, gleich rechts, auf der Gaskocherflamme, begann der Kessel zu pfeifen, und Wunderfloh trug den pfeifenden Kessel, er trug ihn zu Bootsmann Bloom. Das Wasser lief brodelnd ins Glas, in den goldroten Rum, und der Bootsmann machte die Augen zu und schnupperte leise darüberhin.

Die Kajüte war groß, vier Kojen an jeder Seite, in der Mitte ein langer Tisch. Am oberen Ende saß der Bootsmann Bloom, die Arme gekreuzt, vor sich den duftenden Rum.

Wunderfloh blieb am Tisch. Er war blaß und dünn, er kam aus Ruppin. Sie hatten ihn eingeladen auf die Jacht, den besten Altstoffsammler des Bezirks. Nun war er den zweiten Tag hier, ungewohnt immer noch jeder Schritt, fremd das Schiff, und die Jungen an Bord, drei Jahre älter als Wunderfloh, lächelten, wenn sie ihn sahen.

„Du Spaßvogel“, sagte Bootsmann Bloom. „Du hast dir einen Spaß gemacht mit einem alten Mann. Los ab, wieder an Deck.“

„Ich bleib noch ein bißchen“, sagte Wunderfloh.

„Ich brauche dich aber nicht mehr.“

Wunderfloh hörte nicht hin, und der Bootsmann vergaß ihn, schlürfte den Grog, die Hände wie Schaufeln um das Glas gelegt. Seine Arme waren nackt, der linke Arm war tätowiert, und Wunderfloh zeigte auf diesen Arm, den blaugeritzten Anker in der Haut; rings um den Anker schlang sich ein Tau.

„Wo haben Sie das her, da auf dem Arm?“

„Von Yokohama“, sagte Bootsmann Bloom. „Und nun mal hopp, wieder an Deck.“

„Tut das weh, so was?“

„Ich hab's vergessen“, sagte Bootsmann Bloom.

„Bewegen Sie mal das Tau?“

„Du sollst verschwinden“, sagte Bootsmann Bloom. „Ich möchte Ruhe haben bei meinem Grog. Los, los, an Deck, da wirst du gebraucht.“

„Ich nicht“, sagte hierauf Wunderfloh, und der Bootsmann hob leicht den Kopf, und Wunderfloh, still am Tisch, kaute auf seinem Daumen.

„Das liegt bei dir“, sagte Bootsmann Bloom. „Mach dich nützlich, dann wirst du gebraucht.“

„Wie denn?“ fragte Wunderfloh.

„Wie denn, aha, das weiß er nicht. Aber Witze machen, das kann er, kann er. So klein, und faustdick hinter den Ohren.“

Wunderfloh blickte den Bootsmann an. „Das war nicht so gemeint, das vorhin, mit dem Anker.“ Er blickte auf den grünpolierten Tisch, genau bis dorthin, wo das Grogglas stand, und der Bootsmann trank den letzten Schluck. Das Glas fuhr beiseite, der Bootsmann erhob sich, und wortlos verschwand er durch die schmale Tür ins Vorderschiff.

Wunderfloh blieb allein. Die Jacht lag stampfend vor beiden Ankern, und Wunderfloh spürte sie gehen und hörte das Winseln des Windes in den Wanten. Eine Öljacke, schaukelnd vor einer Koje, schleifte über das Holz: nach vorn, nach achtern, schief immerzu, und Wunderfloh hob und senkte den Kopf: aufwärts und abwärts, steif. Langsam, wie es die Öljacke tat, und er fand sie lustig, so schief und so steif, und bewegte den Kopf, bis plötzlich die Übelkeit kam. Übelkeit, eng den Gaumen herauf, und Wunderfloh stürzte an Deck.

Er riß den Mund weit auf, und der Wind blies hinein und blies ihm die Seekrankheit fort, für diesmal, für jetzt – denn draußen sah man die steile See, und Wunderfloh sah die Schaumkämme leuchten. Ihm war elend rundum, er hatte auf einmal auch Angst, und er wünschte sich sehr, er wäre nie der beste Altstoffsammler gewesen.

Einer vom Vorschiff rief: „Wie sieht der denn aus, Wunderfloh?“

Sie machten die Segel fest: den Klüver, die Fock, das Großsegel dann, schwer wie ein Tuchberg über dem Kajütendach. Leinen lagen umher, die Decksplanken waren naß, und die Jungen stolperten viel und rutschten aus, denn sie hatten es eilig, nach unten zu kommen, in Wärme und Geborgenheit.

Der Schipper war zwischen den Jungen, ein Mann um die Dreißig, ruhig bei jedem Griff, und Kilian Kobbs war dort, der dritte der Männer, noch keine zwanzig Jahre alt und neu auf dem Schiff wie Wunderfloh. Er blickte nach hinten, wie alle jetzt flüchtig zu Wunderfloh blickten, die Jungen grienend, der Schipper prüfend, doch unbeteiligt, denn ein Junge und seekrank, das war nichts Besonderes, schließlich.

„Macht zu, macht zu", sagte der Schipper, „die Persenning über den Baum, und dann Klardeck."

Die Persenning flog über den Großsegelbaum, und die Jungen, wendig wie Katzen, zogen sie straff und zurrten sie fest. Der Schipper sah zu, niemand sah mehr nach Wunderfloh hin, aber nun kam Kilian Kobbs.

„Wunderfloh, na, was machst du?" sagte Kilian Kobbs. Er war nicht sehr groß, doch für Wunderfloh immerhin, und war blond und hatte kleine helle Augen wie ein Bär. Er lachte ein bißchen, beugte sich runter, und Wunderfloh guckte ihn unglücklich an.

„Das geht vorbei", sagte Kilian Kobbs. „An die Seekrankheit, heißt es, soll man nicht denken. Also denk nicht dran, dann brauchst du sie nicht zu fürchten."

„Fürchten, na was", sagte Wunderfloh. „Ich fühle mich gut, fühl mich ganz gut."

„Siehst du, ich sag's ja, dann geh man lieber nach unten. Was willst du hier stehn und frieren?"

„Ich frier aber nicht", sagte Wunderfloh. „Ich stehe hier gut. Laß mich mal ruhig hier stehn."

„Okay, wie du willst", sagte Kilian Kobbs, „ich meinte ja bloß. Wo ist der Bootsmann denn?"

„Der Bootsmann ist unten, er zieht sich um. Er ist böse, wie's aussieht, wegen dem Anker."

Wunderfloh atmete tief. Ihm war nicht mehr übel, aber längst noch war ihm nicht gut, und er hatte Sorge, daß Kilian

Kobbs es merken könnte. Kilian Kobbs merkte nichts – oder tat doch so, als merke er nichts –, dafür sprach Bootsmann Bloom sofort. Er stieg von unten herauf, das lange zerfurchte Gesicht wuchs aus der Tiefe, freundlicher nun, denn Socken und Hosen und Hemd waren gewechselt und trokken.

„Was hat er?“ fragte Bootsmann Bloom. „Hat er gespuckt?“

„Sieht er so aus?“ fragte Kilian Kobbs.

„Na sehr“, sagte Bootsmann Bloom. „Und so früh schon, wir sind noch nicht mal richtig draußen. Was soll das erst werden, draußen? Und so dünn, wie er ist. Da bleibt ja am Ende gar nichts von übrig.“

Wunderfloh spannte den Hals. Er reckte das Kinn, als wollte er krähen, und schrie dem Bootsmann ins Gesicht: „Da bleibt genug noch übrig!“

„Die Klappe, ja“, sagte Bootsmann Bloom, „die Klappe bleibt übrig. Da kann der ganze Kerl schon dreimal tot sein.“ Er war wütend jetzt und blickte so böse auf Kilian Kobbs wie auf den kleinen Wunderfloh. „Ihr haltet zusammen, wie? Euch darf man nichts sagen.“

„Nicht so“, erwiderte Kilian Kobbs. „Mir gefällt die Art nicht, wie Sie mit dem Jungen reden.“

„Gefällt dir nicht, aye“, sagte Bootsmann Bloom.

„Er ist kein Moses“, sagte Kilian Kobbs, „wie in den alten Zeiten. Nicht zuständig auch für gewisse Dienste, beispielsweise Grogwasser oder so.“

„Verstehe“, sagte Bootsmann Bloom. „Aber so verdirbst du ihn ganz.“

Er lächelte noch, dann lief er aufs Vorschiff zu den andern, die Füße eng, die Arme weit nach hinten weg.

„Da rennt er“, sagte Wunderfloh. „Jetzt hat er uns beide im Magen.“

„Macht's dir was?“ fragte Kilian Kobbs.

„Mir?“ sagte Wunderfloh und guckte nach unten über die Reling. Am Heck floß das Wasser vorbei, stieg und fiel, als sei die Jacht in Fahrt. „Mir macht es nichts“, sagte Wunderfloh. „Vielleicht aber dir?“

Kilian Kobbs blieb stumm, er dachte nach. Ein paar Tage zurück, eine Woche zurück – da war er noch auf der Schule gewesen, am Bogensee bei Berlin. Sie hatten ihn in die Leitung gerufen. „Kilian, du, wir haben eine schöne Sache für dich. Du beginnst dein Praktikum früher. Du wirst auf die Pionierjacht gehen.“

„Ich?“ hatte Kilian Kobbs gesagt.

„Freu dich. Die reine Erholung.“

„Soso“, hatte Kilian Kobbs gesagt. „Aber wißt ihr, ich habe bis jetzt bloß kleine offene Boote gesegelt, Piraten und so, kleine leichte Dinger.“

„Das reicht. Dann wirst du wissen, daß ein Boot kein Fahrrad ist. Also pack ein und fahr.“

Pack ein und fahr – und Kilian Kobbs war gefahren: zur Küste, zum Hafen, zum Bollwerk gefahren, dort hatte ihn Wunderfloh begrüßt: „Nun komm aber mal, wir warten schon ziemlich“, und Kilian Kobbs hatte still gedacht: Wenn die alle so sind, dann können das lustige Tage werden . . .

Lustige Tage, nun ja. Den ersten hatte er hinter sich, die Jacht lag am Anker, und draußen stand grau und weiß die See. Er wußte nicht, wie er sich halten würde, draußen und fern von Land, ihm fehlte jede Erfahrung. Er hatte nicht Angst wie Wunderfloh, doch niemand konnte im voraus sagen, wie einer die See überstehen würde. Und ob er sie überstehen würde.

„Wunderfloh“, sagte Kilian Kobbs, „im Grunde geht’s mir nicht besser als dir. Kann sein, ich muß spucken, sobald wir morgen draußen sind.“

„Mußt du, denkst du?“ sagte Wunderfloh.

„Aber wenn wir zurückkommen dann, wenn du zurück sein wirst in Ruppin, dann kannst du einen feinen Schlag erzählen.“

„Das kann ich, das glaub ich“, sagte Wunderfloh.

„Und sieh doch mal“, sagte Kilian Kobbs, „es gab sogar

berühmte Admirale, die haben die größten Schlachten geschlagen, aber seekrank waren sie ihr Leben lang."

„Waren sie das, ja?"

„Keiner ist sicher, und jeder muß durch."

„Oder?" fragte Wunderfloh.

„Gibt's nicht", sagte Kilian Kobbs. „Wer dran ist, muß durch, denn man kann nicht zurück, draußen auf See."

Wunderfloh schwieg, und vorn um den Mast war die Arbeit getan, das Deck war klar, die Jungen kamen nach achtern. Es kam auch der Schipper, es kam der Bootsmann Bloom. Sie blieben stehen, ein Halbkreis war da: lauter Gesichter, frisch und rot vom Wetter, naß, und fragend und neugierig, lächelnd.

„Was ist denn nun mit Wunderfloh?"

„Gar nichts", sagte Kilian Kobbs. „Was soll denn mit ihm sein?"

„Weil er so ruhig ist, das fällt einem auf."

„Und grün um die Nase, das auch."

Der Schipper sah Wunderfloh schweigend an, prüfend wie vorhin, doch nicht so unbeteiligt mehr. „Wie geht's dir nun wirklich?" fragte er.

„Danke schön, gut."

„Richtig gut?"

„Ziemlich gut."

„Ziemlich", sagte der Schipper. „Dann bleibt zu hoffen, daß es dir morgen besser geht, richtig gut. Jetzt habe ich Durst auf Kaffee."

„Aber ihm da", sagte Bootsmann Bloom, „wird's morgen bestimmt nicht besser gehn. Schlechter, nehme ich an. Wenn wir das Wetter behalten, stirbt er uns weg auf See. Ich kenne diese Spatzenhälse. Er kippt uns um, und dann?"

„Ich kippe nicht um", sagte Wunderfloh. Sein Mund war winzig und schmal, entschlossen zu allem, die Augen ruhten fest auf Bootsmann Bloom. Der Bootsmann aber blickte nicht her, er blickte stur auf den Schipper. „Ich wär dafür, wir ließen den Spatzenhals hier."

„Hier?“ Und der Schipper und alle guckten den Bootsmann sehr verwundert an. „Wir lassen ihn hier?“ fragte der Schipper. „Also an Land?“

„Natürlich an Land“, sagte Bootsmann Bloom.

„Das heißt, wir schicken ihn zurück?“

„Wohl oder übel“, sagte Bootsmann Bloom.

Der Schipper, die Jungen, jeder war still, auch Kilian Kobbs und Wunderfloh an der Reling.

„Ich meine das sehr im Ernst“, sagte Bootsmann Bloom. „Solche wie den da läßt man lieber an Land.“ Er sah sich um, er glaubte an keinen Widerspruch, aber nun sagte Kilian Kobbs: „Er ist ein bißchen dünn. Aber sonst ist er ganz normal. Immerhin erst zehn.“

„Dann liegt es daran“, sagte Bootsmann Bloom. „Erst zehn. Zu klein für diese Jacht.“ Er sah sich wieder um, lächelnd dabei, als rede er bloß zum Spaß: dem Jugendfreund Kilian Kobbs um drei Jahrzehnte voraus. „Ihr werdet an meine Worte denken. Nehmt ihr ihn mit, dann kehrt ihr bei Arkona wieder um. Spätestens, meine ich.“

Der Schipper, die Jungen, auch Kilian Kobbs – sie guckten jetzt alle auf Wunderfloh, still auf ihn runter, dort an der Reling: blaß und dünn, mit einem spitzen Kinn.

„Was sagst du denn selber?“ fragte Bootsmann Bloom.

„Ihnen gar nichts“, sagte Wunderfloh.

„Und mir?“ fragte der Schipper.

Wunderfloh hob den Kopf. Es machte ihm Mühe, konnte man sehen, und das Sprechen danach ging langsam. „Ich will nicht an Land und zurück.“

„Willst nicht“, sagte der Schipper, dann sagte er heiter zu Kilian Kobbs: „Er will nicht, ich hab's erwartet. Das letzte Wort hast nun du.“

Kilian Kobbs mußte lachen. „Was heißt hier letztes Wort?“

„Na dies“, sagte der Schipper. „Da du an Bord bist für die Jungen, hast du auch zu entscheiden, ob und mit wem wir morgen segeln.“

„Ich", sagte Kilian Kobbs, lachte auch jetzt, so ganz aber war ihm nicht mehr nach Lachen zumute. Er sah dort den kleinen Wunderfloh, tapfer um jeden Preis, doch es könnte der Augenblick kommen, da Tapferkeit und Mut ihm wenig helfen würde, ihm wie auch Kilian Kobbs. Was sollte dann werden? Bei Arkona zurück? Umkehren dann und zurück?

„Also ich soll entscheiden", sagte Kilian Kobbs. „Aber du, der Schipper, führst doch die Jacht."

„Ich führe sie fachlich", sagte der Schipper, „seemännisch also, ich bürge für die Sicherheit. Von mir aus könnten wir morgen segeln."

„Könnten wir", sagte Kilian Kobbs, und die Jungen, die großen, guckten ihn unablässig an. Sie wollten raus mit der Jacht, und sie würden ihn nicht mehr kennen, morgen, wenn er die Jacht noch länger hier drinnen halten sollte. An Wunderfloh dachten sie nicht. Es war ihnen gleich, was Wunderfloh tat, und ebenso gleich, was ihm vielleicht geschehen könnte; denn sie alle hatten sich irgendwann zum erstenmal auf See gequält. War Wunderfloh schwach, dann sollte er gehen. Am besten gleich, am besten jetzt. Und Kilian Kobbs, kein anderer sonst, mußte darüber entscheiden.

„Überleg es dir gut", sagte der Schipper. „Und jetzt mal Kaffee."

Die Jungen verschwanden im Nu, kräftige Burschen, alle fünf, und man hörte sie lärmen unten zwischen den Kojen.

„Um die hab ich keine Sorge", sagte Bootsmann Bloom, dann stieg er den Niedergang abwärts, langsam und steif, den Rücken voran, als stiege er tief in einen Schacht. Der Schipper folgte, glitt seitlich hinunter, sehr schnell, und das Luk war wieder leer, und die Jacht war bis zum Steven leer, naß und kahl; die Wolken zogen mit wehenden Fransen.

„Was machen wir?" fragte Kilian Kobbs.

„Wir?" sagte Wunderfloh.

„Na, du und ich."

„Das mußt du wissen", sagte Wunderfloh. „Ich würde gern bleiben und morgen mit euch segeln."

„Also segeln“, sagte Kilian Kobbs. „Also gut, also segeln. Komm runter jetzt, Kaffee.“

In der Nacht schlief Wunderfloh gut, und am Morgen war der Himmel klar. Es war immer noch kalt, doch der Himmel war klar, und halb im Himmel hing ein schmaler Mond.

Der Schipper kam an Deck. „Wir nehmen die Fock und den kleinen Besan und reffen das Großsegel etwas ein.“

Wunderfloh lief mit den Jungen nach vorn. Er fror, aber mehr vor Aufregung wohl, und Kilian Kobbs sah ihn laufen. Nun konnte er nicht mehr zurück.

Auf dem Vorschiff war Bootsmann Bloom. Er hievte den zweiten Anker, die Kette kam schwer, und der Bootsmann beugte sich über die Reling, um zu prüfen, wie weit die Kette auf und nieder stand. Er blickte nach hinten und über Deck, wo die Jungen die Segel klar zum Setzen machten. Ganz hinten, im Cockpit, sah er den Schipper. „Hau die Maschine an“, rief Bootsmann Bloom, „wir brauchen bißchen Fahrt voraus.“

Er beugte sich wieder über die Reling, und neben ihm war jetzt Wunderfloh, und der Bootsmann guckte zur Seite. „Na, wie geht's uns heute morgen?“

„Ganz gut“, sagte Wunderfloh. „Müssen Sie wieder mit runter?“

„Ich werd dir gleich was“, sagte Bootsmann Bloom.

Die Jacht nahm indessen Fahrt auf. Die Kette fuhr schräg nach achtern weg, und die Jacht drehte langsam um den Anker und drehte ihn aus dem Grund.

„Nun mal los“, rief hinten der Schipper. „Das Großsegel hoch, Fock und Besan!“

HERMANN KANT

# Gold

Als mein Vater das Gold gefunden hatte, freuten wir uns alle sehr. Er fand so selten Gold. Genauer gesagt, hatte er noch nie welches gefunden. Aber er war immer wieder hinausgefahren, denn er war von jener zähen Gläubigkeit, aus der man Kirchenheilige macht. Nur daß die seine auf Irdisches gerichtet war.

Immer wenn ich von einem großen Manne lese, er habe um seiner Sache willen nicht Ruhe gekannt bei Tag oder Nacht, muß ich denken: Na und? Falls es einen groß macht, daß er schon vom Schweiße dampft, wenn gerade die Sonne aufgeht, und daß er sich auch im Mondlicht immer noch einmal in die Hände spuckt, dann war mein Vater groß.

Je länger ich mich in der Heroengeschichte umtue, um so deutlicher wird mir, daß mein Vater da hineingehört. Stoße ich etwa auf die Wendung „Ihm ist es nicht an der Wiege gesungen worden . . .“ oder „Der Erfolg fiel ihm nicht in den Schoß“, so kann ich nur fragen: Wenn von da die Größe kommt, wie steht es dann um meinen Vater? Hat ihm einer etwas von dem Goldklumpen in die Wiege gesungen, ist ihm das Gold vielleicht in den Schoß gerollt?

Ich hoffe, der Ton, in dem ich die Frage stelle, hat sie erledigt.

Jenen aber, denen es an Feinhörigkeit mangelt, sage ich es ganz deutlich ins Ohr: Der goldene Batzen, den mein Vater schließlich fand, war puren Fleißes Preis.

Er war der Lohn für vielmal hundert Tage voll aufreibender Wachsamkeit, er war der sauer verdiente Fund nach zermürbend langem Wünschelrutengang, er war alles andere als ein Geschenk des Himmels, er war nicht Gabe, sondern Ergebnis.

Und darum freuten wir uns alle so, als mein Vater das Gold gefunden hatte.

Nichts ist niederdrückender als der Gedanke an Sisyphus; nichts ist erhebender als die Geschichte des Kolumbus, oder sagen wir vorsichtiger, als jener kleine Abschnitt der Geschichte des Kolumbus, da die vom Salzwind verklebten Augen des Seepfadsuchers Indien erschauten. Wen schert es heute noch – beinahe hätte ich gesagt: wer weiß heute noch –, daß des Kolumbus Indien gar nicht Indien war; wer, außer einigen Dramatikern, die es immer wieder nach Aufdeckung gelüstet, wollte darauf heute noch herumreiten?

Kolumbus hat Indien gefunden und mein Vater Gold.

Wie ich das bisher Geschriebene überprüfe, erblicke ich den möglichen Ansatzpunkt zu einer Legende: Die Meinung könnte sich bilden, mein Vater habe vom Antritt seiner Reise bis zu ihrem glücklichen Ende (glückhaft in dem Sinne: Jeder ist seines Glückes Schmied) von nichts anderem als von der Hoffnung gelebt.

Es gibt zu viele Mären dieser Art, als daß ich den faden Ehrgeiz haben könnte, ihnen eine weitere hinzuzufügen.

Hoffnung, sage ich daher, Hoffnung kann treiben, spornen, ja peitschen, aber satt macht sie nicht. Satt machten meinen Vater und uns seine gelegentlichen Funde an Blei, Zink, Kupfer und Messing und sein fester Wochenlohn...

Niemand, dem es über dem letzten Satz die Augenbrauen hochzieht, braucht sich dessen zu schämen, bestätigt diese Skepsis andeutende Muskelbewegung doch nur, daß er kein sklavisch dem Buchstaben ausgelieferter Worteschlucker, sondern ein idealer und das heißt ein hellwacher Leser von Urteil ist.

Er ist der Mann, mit dem man rechnen muß, wenn man eine Geschichte erzählt, ja, eigentlich ist er es allein, dem man sie erzählt. Und wenn man das Gefühl hat, ihm werde eine, die man vortragen wollte, nicht ein einziges Mal die Augenbraue hochtreiben, dann soll man es aufgeben und sich wenn nicht gleich nach einem anderen Beruf, so doch wenigstens nach einer anderen Geschichte umsehen. Hüten freilich muß sich der Schreiber davor, daß die von ihm so kunstvoll erzielte Skepsis seines Lesers in Unmut umschlage, eine Gefahr, die nicht zuletzt immer dann zwischen den Zeilen lauert, wenn einer vom Erzählen ins Meditieren und Reflektieren verfällt und etwa, um ein Beispiel zu nennen, anstatt unverzüglich zu berichten, wie sein Vater Gold gefunden hat und was dann geschehen ist, belehrend ins Stocken gerät.

Darum sei, was nun einmal gesagt werden muß, in aller Kürze gesagt: Ich neige zu der immer mehr um sich greifenden Auffassung, daß zur Unterhaltung Aufgeschriebenes oder auf Bühnen Vorgeführtes stutzen machen, glauben machen soll, man habe nicht recht gehört oder gesehen. Literatur – und ich bin mir der Unbescheidenheit meiner Wortwahl in diesem Zusammenhang durchaus bewußt –, Literatur muß sich auf den ersten Blick wie ein Druckfehler ausnehmen.

Und nahm sich nicht zumindest das Wort „Wochenlohn" in jenem in drei Pünktchen auslaufenden Satz, hinter dem sich der Zeigefinger der Theorie erhob, wie ein Druckfehler aus? Hatte man denn in der Geschichte eines Goldsuchers die Erwähnung so ordentlich-langweiliger Dinge wie Wochenlöhne erwarten können? Schickt sich das vielleicht?

Wenn von einem Goldsucher die Rede ist, so will man einen Prospektor in zitternder Ungewißheit, ob er jemals sein Dorado finden werde, aber will man auch einen, der mit beiden Beinen beruhigend fest auf einer Gehaltsliste steht? Will man einen Kolumbus mit Lohntüte? Ich zweifle sehr.

Schon nicht mehr zweifle ich, ob es ein Leser ohne den heftigsten Augenbrauenruck hinnimmt, wenn geschrieben steht, der Goldsucher habe sein durch festen Sold gesichertes

Auskommen zusätzlich durch den Erlös aus gelegentlichen Blei-, Zink-, Kupfer- und Messingfunden aufbessern können. Schließlich hat jeder von uns in der Schule schon gelernt, daß Messing ein Kunstprodukt, eine Legierung ist und nicht in der Natur vorkommt. Und wenn wir uns auch gefallen lassen, daß uns einer erzählt, ein Schürfer sei auf Thyminaplusquamphosphat gestoßen – wir lassen es uns gefallen, weil wir ja für künstlerische Freiheit sind –, bei Messing hört der Spaß und die Freiheit auf. Goldsucher können auf Blei und Kupfer und alles mögliche stoßen, nicht aber auf Messing. Ehe der aufgebrachte Leser ganz das Heft in die Hand nimmt, möchte ich es wieder an mich bringen. Schließlich habe ich ja die Geschichte angefangen und nicht er. In dieser Geschichte bestimme ich. Und ich sage: Er hatte recht, als er die Augenbrauen hochzog, aber nun fängt er an, nicht mehr recht zu haben. Woher weiß er denn, wo mein Vater neben Blei, Zink, Kupfer – und dem Gold natürlich – Messing gefunden hat? Habe ich etwa gesagt, mein Vater sei in mexikanischen Wüsten oder sibirischen Bergen herumgeirrt? Kein Wort davon. In diese Landstriche ist der Leser abgewandert, kaum daß von Goldsuchen die Rede gewesen ist. Die Phantasie ist mit ihm durchgegangen.

Es handelt sich aber in dieser Geschichte nicht um phantastische Dinge; es handelt sich nur darum, daß mein Vater Gold gefunden hat und daß wir uns alle sehr darüber gefreut haben, weil das doch etwas anderes war als immer nur Blei, Zink und Kupfer und Messing.

Ohne nach Vollständigkeit streben zu wollen, möchte ich doch wenigstens erwähnen, daß mein Vater bei seiner Suche auch nichtmetallische Werte zutage förderte, Holz der verschiedensten Arten zum Beispiel und auch leere Flaschen.

Ich hoffe, daß inzwischen jedermann gewarnt genug ist und nicht versucht, hinsichtlich der Flaschen Zweifel anzumelden. Sollte ein Unbelehrbarer es dennoch tun, so würde ich ihm die These entgegenschleudern: Wo Messing ist, da sind auch leere Flaschen. Ebensogut könnte ich sagen: Wo

Messing ist, da sind auch tote Kanarienvögel, verbrannte Krawatten, fabrikneue Stilleben, jahrgangweise gebündelte Kirchenanzeiger, gläserne Augen mit zerkratzten Pupillen, Emailschilder, auf denen „Vor dem Hunde wird gewarnt!!!“ steht oder „Hier werden Ohrlöcher gestochen!“, und knebellose Wasserhähne. Da diese aber meistens aus Messing sind und die These demnach lauten würde: Wo Messing ist, da ist auch Messing, wollen wir die Wasserhähne wieder streichen. Nur das Gold wollen wir noch hinzufügen, das Gold, das mein Vater dort, wo Messing und all das andere war, gefunden hat, worüber wir uns übrigens alle sehr gefreut haben.

Der Leser, mit dem ich rechnete, als ich diese Geschichte anfing, der intelligente Leser also, wird inzwischen längst wissen, wo mein Vater das Gold gefunden hat, und er wird beleidigt sein, wenn ich das Überflüssige ausspreche. Aber er möge bedenken, daß stets auch ein paar andere mitlesen, solche, denen man immer sagen muß, was man sagen will. Denen sage ich (die anderen können bis zum nächsten Absatz pausieren): Mein Vater . . . aber nein, es geht wirklich nicht; ich setze den Fuß wieder nieder, den Fuß, der schon angehoben war zum Schritt hinüber ins platte Land, ins Land der Plattheiten; ich habe mich entschieden, es mit den Kennern zu halten und den Zorn jener nicht zu fürchten, die fortan mit einem weiteren Rätsel werden leben müssen. Doch den letzteren zum Troste sei gesagt, daß der größte Spaß auf dieser Welt von ihren Rätseln herkommt. Wo und was wären wir denn, wenn wir nichts zu raten hätten? Und so will ich denn den längst überfälligen Sinnspruch formulieren: Leben heißt Nüsseknacken. Oder präziser noch: Der Mensch – ein Nußknacker!

Obzwar vertraut mit der meisten Leser Verlangen nach fortschreitender Handlung, nach erzählerischem Sauseschritt durch die Niederungen des Daseins und über seine Höhen hin und obwohl bekannt mit ihrer Abneigung gegenüber Autoren, die sie am Arm packen und mit ihnen gleichsam immer denselben öden Gedankengang auf und nieder rennen, gestatte ich mir doch noch einen wenige Zeilen währenden Aufenthalt: Es ist nicht nur die Rücksicht gegenüber den anderen, die uns schweigen heißt vom Unnötigen, es ist auch Rücksicht auf uns selbst. Wir langweilen uns nicht gerne.

Doch fort nun wieder in den trägen Zug der Erinnerungen.

Mein Vater hatte also zu unserer aller Freude Gold gefunden, und obwohl er und wir schließlich jeden Tag damit hatten rechnen müssen, traf es uns doch beinahe unvorbereitet.

Das Gold erwies sich als ein Fund von neuer Qualität. Mit allem anderen war mein Vater kurzhändig fertig geworden; aber diesmal gab es Schwierigkeiten. Dabei hatte er doch wahrhaftig schon Probleme gelöst, von denen ich nicht weiß, ob andere sie so ohne weiteres gemeistert hätten. Nehmen wir nur die Sache mit den beiden Schellenbäumen.

Mein Vater fand einen Schellenbaum. Einen, nicht zwei, obwohl die ankündigende Bemerkung das hatte vermuten lassen müssen. Wenn auch das Erfahrungsmaterial, mit dem ich hier operiere, vergleichsweise spärlich ist, würde ich überhaupt annehmen, daß man nur äußerst selten zwei Schellenbäume findet. Mein Vater fand einen.

Zum Problem reicht einer auch völlig: Was macht man mit einem Schellenbaum?

Mein Vater löste die Frage auf Anhieb. Er rammte das typisch militärische – weil ebenso prächtige wie einfältige – Instrument in ein Erbsenbeet und hatte eine gleich ungewöhnliche wie wirksame Vogelscheuche. Ihre Wirkung beruhte auf dem Ungewöhnlichen. Wenn nämlich die protzig kolorierten Roßschweife des martialischen Instrumentes im Winde wehten, versammelte sich alsbald eine erwartungsfrohe Vogelschar unter ihnen.

Vorwitzige könnten einwenden, dies sei ja nun nicht gerade die Bestimmung einer Scheuche, aber man wird ihnen entgegnen können, daß die Vögel vor lauter nach oben gerichteter Hoffnung gar nicht auf die Idee kamen, sich mit dem Erbsensamen unter ihren Füßen zu befassen, und außerdem ist die Geschichte ja noch nicht zu Ende.

Wenn nämlich so ziemlich alles, was in der näheren Nachbarschaft Flügel hatte, unter den Pferdesymbolen jiepernd beisammen war, griff mein Vater nach Schleuder und Kieselstein und schoß ... nein, natürlich nicht auf die hundert Spatzen, sondern gegen einen der Metallstreifen des in den Schellenbaum eingebauten Xylophons – mit Vorliebe schoß er auf einen, von dem er behauptete, er töne in cis-Moll.

Und ihr mögt mir glauben: die gleichen Vögel, die eben noch darauf gepfiffen hatten, daß den Schweifen zu vollständigen Pferden einiges fehlte – in der Art der auf moderne Bühnenbilder geeichten Theaterbesucher, die ja auch einen in Kreide gemalten Perpendikel für eine ganze Standuhr zu nehmen bereit sind –, die gleichen Vögel erstarrten, sobald der sogenannte cis-Moll-Ton erklang, überlegten offenbar und suchten Roßschwänze und sogenannten cis-Moll-Ton miteinander in Einklang zu bringen, erkannten, daß dies unmöglich sei, und schwirrten davon.

Damals wurde ein künstlerischer Leitsatz geboren, der mich durch mein ganzes Werk begleitet hat: Pferdeschwänze und sogenannte cis-Moll-Töne – bildhaft gesprochen – gehen nicht überein.

Ein anderes Mal fand mein Vater ein zerrissenes Fischernetz. Gewiß, er hätte es flicken und verkaufen können. Aber das hätte sehr viel Zeit gekostet, und die brauchte er ja, um das Gold zu suchen. Mein Vater legte das Fischernetz beiseite in eine der Kisten, in denen schon anderes nicht sogleich Verwendbares ruhte, und holte es erst wieder hervor, als sich der Satz Kirchenglocken angefunden hatte.

Auf den ersten Blick schienen die Kirchenglocken bei uns so deplaciert zu sein wie das Fischernetz, und für sich genommen, waren sie das auch. Es waren zwölf porzellanene Nachbildungen einer jüngst erst in Betrieb genommenen Großglocke; auf ihren Rändern stand in erhabenen Buchstaben „Höret meine Stimme und erwachet!", was meine Mutter ruhiger hingenommen hätte, wenn es nicht beim Abendbrot gewesen wäre. Mein Vater holte das Fischernetz aus der Kiste, knüpfte die zwölf tönenden Schellen darein, stellte zwei Leitern an unseren großen Apfelbaum, der, weil er unmittelbar an der Straße stand, als die Keimzelle des heute so beliebten Selbstbedienungsgedankens angesehen werden kann, und zurrte das Klingelnetz über die Boskopkrone. Als es Abend ward, stellte er einen Golfschläger, den er gelegentlich gefunden hatte, in die Veranda neben seinen Lehnstuhl, der eigentlich ein ausgedienter Friseursessel und meinem Vater irgendwo untergekommen war.

Zur Beschreibung der weiteren Vorkommnisse in dieser Nacht möchte ich mich des Zitats bedienen, eines literarischen Mittels also, das, wie ich kürzlich einem ausgewogenen Vortrag entnehmen konnte, an Legitimität um so mehr gewinnt, als sich diese Welt immer deutlicher als schon ausgesagt herausstellt.

(„Wie wahr!" habe ich an jener Stelle dem Redner zugerufen, und „wie wahr!" wiederhole ich hier, denn wenn etwas am Stande der Dinge auf dieser Erde ins Auge fällt, so ist es ihre Unverrückbarkeit. Das bißchen Mondfahrt und karibische Fidelitas oder ähnliche Bagatellfälle der Historie darf man getrost übersehen, wo es um ästhetische Prinzipien geht.)

In diesem besonderen Falle wurde das, was ich zu berichten habe, bereits von Ludwig van Beethoven und einem zeitgenössischen Musikkritiker anläßlich der Sinfonie Nr. 6 F-Dur, op. 68, der „Pastorale", ausgesagt.

Naturgemäß wird es ohne erläuternde Einschübe meinerseits nicht abgehen, da angenommen werden muß, daß sowohl Beethoven als auch der Kritiker bei Komposition beziehungsweise Interpretation der „Pastorale" Vorgänge im Auge gehabt haben können, die von denen unter unserem schellenbestückten Boskopbaum in Einzelheiten abgewichen sein mögen. Ich beginne:

Mein Vater hatte sich die Lehne seines Friseursessels in

den rechten Winkel und die Nackenstütze in die rechte Höhe gestellt und blickte in den nächtlichen Garten. Alles war ruhig. „Keinerlei Störungen und Konflikte trüben die Freude am Erleben der Natur" (Kritiker, im folgenden kurz Kr. genannt). Da aber mein Vater auf anderes aus war als auf Erleben der Natur, blieb er vorerst emotionell unbewegt. Doch als er vorsichtige Schritte auf der Straße hörte, konnte man vom „Erwachen heiterer Empfindungen bei der Ankunft auf dem Lande" (Beethoven, auch weiterhin aus Gründen der Pietät Beethoven genannt) sprechen. Mein Vater vernahm, mit den Worten Kr.s, eine „sanft in gebrochenen Akkorden niederfließende C-Dur-Melodie" und „im Baß eine markante Gegenstimme", woraus er schloß, daß es ein Pärchen sei, was sich da unserem Anwesen näherte – ein Pärchen, das ich, der praktischen Kürze und auch der dem Zitat verwandten Anspielung wegen, Adam und Eva nennen möchte.

Adam und Eva blieben in Höhe unseres Apfelbaumes stehen und kosten einander, freilich in allen Züchten – „in der Durchführung kommt es nicht zu dramatischen Zuspitzungen, sondern mehr zum schwärmerischen Ausbreiten freudiger Gemütsbewegungen", sagt Kr. Wer von den beiden dann auf die Idee gekommen ist, nach unseren Äpfeln zu greifen, läßt sich nicht mehr feststellen. Sicher ist aber, daß mein Vater den zwölfstimmigen Ruf „Höret meine Stimme und erwachet!" vernahm und in „drei, pausenlos miteinander verbundenen Sätzen" (Kr.) unter Mitnahme des Golfstocks an den Zaun eilte und sich des räuberischen Paares annahm. Beethoven hat den Vorgang etwas schönfärberisch als „lustiges Zusammensein der Landleute" beschrieben, während Kr., schon etwas deutlicher, von einem „leise huschenden Staccatothema mit kecken Vorschlägen", von einem „kraftvollen, männlichen Bauerntanz" spricht und davon, daß eine „Meisterhand mit den einfachsten Mitteln überaus anschaulich das Toben, Blitzen, Donnern eines heftigen, vorüberziehenden Sommergewitters" gestaltet habe.

Kenner natürlicher Verhältnisse werden bemerken, daß sich das Zitat hier gegenüber den tatsächlichen Vorgängen etwas spröde und sperrig verhält; die bisher beobachtete Stimmigkeit geht an dieser Stelle verloren, wenn man bedenkt, daß zur Reifezeit von Boskopäpfeln an Sommergewitter nicht mehr zu denken ist. Doch schon in der nächsten und letzten Phase kommt es erneut zu schöner Kongruenz zwischen Zitat und Geschehen: Während sich die gestraften Diebe davonmachten, setzte sich mein Vater wieder in seinen Friseurstuhl und hatte „frohe und dankbare Gefühle nach dem Sturm“ (Beethoven). Dann schlief er ein.

Soweit die Sache mit den beiden Schellenbäumen, über die nur berichtet wurde, um zu beweisen, daß mein Vater sich im allgemeinen zu helfen wußte, wenn er bei seiner Suche nach dem Eigentlichen, dem Gold natürlich, auf Dinge stieß, von denen andere gemeint hätten, sie würden sich nicht ohne weiteres in ein gewöhnliches Dasein fügen lassen.

Nun höre ich schon den Einwand, mein Vater hätte der Obstmauserei auch mit weniger bizarren Methoden, mit konventionellen Mitteln steuern können; ein Hund etwa hätte denselben Dienst getan. Wer so spricht, zeigt nur an, wie wenig er doch von meinem Vater weiß und daß er ihm auf sein Wesentliches noch nicht gekommen ist, darauf nämlich, daß er ein Künstler war, und zwar einer von jener absonderlichen Art, der es um das Wie mehr zu tun ist als um das Was.

Damit keine Mißverständnisse aufkommen: Er war natürlich nicht so albern, sich, bevor er eine Fahrt antrat, den Rucksack voll Steine zu packen, damit er auch ja etwas hätte, was er sich in den Weg legen könnte, ja, auch ich glaube, er hätte das Gold, das er nach so vielen Mühen schließlich gefunden hat, allenfalls auch genommen, wenn man es ihm ins Haus gebracht hätte, aber – und das ist es, worauf ich hinauswollte, als ich von seinem Künstlertum sprach – Spaß hätte es ihm nicht gemacht.

Nehmen Sie nur, wenn Ihnen die Schilderung der Mühsal, welche dem Goldfund vorausgesetzt war, oder wenn Ihnen die Geschichte der beiden Schellenbäume nicht genügt, die Sache mit der gestohlenen Ziege, die besser als alle anderen Geschehnisse die Frage beantworten hilft, warum meines Vaters Weg mit eiserner Logik an die Lagerstätte des kostbaren Metalles führen mußte.

Die Ziege genoß in unserem Haushalt insofern eine Sonderstellung, als mein Vater sie nicht gefunden, sondern Rechtens erworben hatte. Ohne einer gewissen, fast anrüchigen Theorie das Wort leihen zu wollen, muß ich doch bekunden, daß es mir heute, da die Zeit einen weiten Abstand zwischen mich und die Ziege gelegt hat, leichter fällt, ohne Zorn von dieser Kreatur zu sprechen. Damals haßte ich sie, denn ich mochte keine Ziegenbutter, war aber dessenungeachtet gehalten, sie nicht nur zu essen, sondern auch herzustellen.

Ich will niemand mit einer detaillierten Schilderung der Technologie des Herstellungsprozesses langweilen – obwohl ich nicht einzusehen vermag, warum der Ziegenbutter nicht recht sein sollte, was Edelstahl oder Eiergraupen billig zu sein scheint –, ich will nur die notwendigen Voraussetzungen zum Verständnis der Situation schaffen. Die Ziegenbutter kostete kaum mehr als meine Zeit und Kraft; sie stellte sich also, da ich noch ein unmündiger Knabe war, äußerst billig. Freilich setzte ihre Gewinnung Geduld und intime Kenntnis gewisser Naturgesetze voraus. Eines dieser Gesetze lautet: Fett schwimmt oben.

Einmal im Besitz des Geheimnisses, war es mir ein leichtes, den Rahm von der in irdenen, mit einem in Blau gehaltenen Zwiebelmuster bemalten Satten aufbewahrten Milch abzuschöpfen. Ich versammelte ihn in einem einer kleinen, schmalen, hölzernen Tonne ähnlichen Behältnis, dessen lichte Höhe ungefähr fünfundvierzig Zentimeter betrug und durch dessen dicht schließenden Deckel eine Art Besenstiel mit schöner Maserung geführt war, an dessen unterem Ende sich eine durchlöcherte Holzscheibe von der Größe eines handelsüblichen Frühstückstellers befand. Bewegte ich nun mit Hilfe des Stiels die Scheibe durch den Rahm und tat ich es lange genug und tat ich es in einem bestimmten Rhythmus, der sich herstellte, wenn ich ein Lied mit dem die Schönheit des Werkens sinnfällig machenden Text „Oh, was klötert das / in mein' Butterfaß!" absang, so bildete sich nach schrecklich langer Zeit und auf unerklärliche Weise, immer synchron mit schmerzenden Blasen an meinen Händen, im Fasse Ziegenbutter. Ein weiteres Mal war dann bestätigt worden, daß Materie nie verschwindet, sondern nur in gewandelten Formen wiederkehrt.

Hierzu noch eine Anmerkung für solche, die in die Gesetzmäßigkeiten der Natur weniger tief eingedrungen sind als ich und denen rasch aus dem Sumpf der Unwissenheit herausgeholfen werden muß: Auch Energie ist nichts weiter als eine der Spielformen der Materie. Über den bewegten Butterfaßschwengel führte ich meine Energie der Sahne zu, die daraufhin zu Butter ward, von der ich mich dann nährte, um zu neuen Kräften zu kommen, die ich wiederum benötigte, um weitere Butter herstellen zu können. Aber es dünkt mich fast, ich sei hier zu einem Abschweif im Begriffe und entferne mich allzuweit vom güldenen Kern meines Berichtes, also von der Tatsache, daß mein Vater zu unser aller Erleichterung und Freude eines sonnigen Tages Gold gefunden hat. Bevor aber dies geschah, ward uns die Ziege gestohlen.

Wir hätten es leichter zu tragen gewußt, wäre eine Ahnung in uns gewesen, wie nahe schon mein Vater seinem Ziele war. Wir hatten aber diese Ahnung nicht, und so waren wir bestürzt. Selbst ich, obwohl ich das Vieh haßte. So widersprüchlich kann das Leben sein.

Eine Woche vor dem Diebstahl hatte mein Vater sich die Hand verstaucht. Das war zwar weniger schlimm als ein Augenschaden, der die Goldsuche sehr erschwert hätte, aber immerhin setzte es meinen Vater außerstande, die Ziege zu melken. Da sich diese nun mit meiner Mutter überhaupt nicht vertrug, erklärte sich ein Arbeitskollege meines Vaters, ein gewisser Cornelius Bein, bereit, zweimal täglich der Ziege Zitzen zu ziehen.

Cornelius Bein handelte selbstlos. Außer einem kräftigen Frühstück vor dem Morgenmelken und einem herzhaften Imbiß nach dem abendlichen Euterzerren nahm er keinerlei Entlohnung an. Die Minuten auf dem Melkschemel, so sagte er, seien schmerzhaft rare Augenblicke der Zwiesprache mit dem großen Pan, brächten ihn in ein süß-quälendes Du-auf-du-Verhältnis mit dem Allwebenden, und wonach weiter solle ihn da noch verlangen?

Nun, eines Tages verlangte ihn nach unserer Ziege, und er klaute sie. Wäre ich auf eine Kriminalgeschichte aus, so hätte ich mit diesem Bescheid die Pointe verschossen; da ich aber vom Künstlertum meines Vaters sagen will, räumte ich mit meiner Enthüllung nur ein irritierendes Fragezeichen aus dem epischen Flusse, der uns weiter tragen soll als in das Röhricht eines stümperhaften Eigentumdeliktes.

Kurzum, die Ziege fand sich eines Abends nicht mehr an jener Stelle, an der sie am Morgen angepflockt worden war, und als ich statt mit der Ziege an der Kette mit einer Kette ohne Ziege nach Hause kam, verlangte meine Mutter sofort nach einem Kriminalkommissar, aber mein Vater wollte davon nichts hören. Sie würden höchstens einen Wachtmeister schicken, sagte er, und die fänden bei Leuten wie uns nur Sachen, nach denen zu suchen man sie gar nicht gebeten habe. Darauf komponierte meine Mutter eine Annonce: „Die Person, welche eine Ziege, weiß, auf rechter Seite braune Flekkenmusterung in Form des Malaiischen Archipels, entwendet hat, ist erkannt und wird gebeten ..." Mein Vater verwarf auch diesen Vorschlag, aber die Erwähnung der fernöstlichen Inselgruppe auf der rechten Flanke unserer Ziege erleuchtete ihn. Er sagte, wir alle hätten in der nächsten Stunde strengstes Stillschweigen über unseren Verlust zu wahren, er selbst müsse rasch noch einmal fort, werde aber bis zum Eintreffen von Cornelius, der heute nachmittag zum Zahnarzt gegangen sei und deshalb eine Stunde später als gewöhnlich komme, wieder dasein. Wir sollten uns verhalten, als sei rein gar nichts geschehen.

Mein Vater war nach kurzer Zeit zurück und hatte im Stall zu tun. Einmal war mir, als hörte ich schmerzlich protestierendes Aufmeckern einer Ziege, aber wie konnte denn das sein?

Wenn ich an Cornelius Bein dachte, wurde mir ganz wehe. Den würde der Raub viel stärker treffen als mich, denn schließlich war das Tier für ihn die Kontaktperson zu Pan, dem Allwebenden, gewesen, und wie herzlich doch hatte er sich immer freuen können, wenn er uns anhand der Flecken auf den Ziegenrippen die Lage der Molukken sowie Flora und Fauna der Großen und Kleinen Sundainseln erläutern konnte. Gerade gestern noch hatte er meinem Vater gesagt, die Ziege müsse sich gestoßen haben, denn als er mit der Hand in die Südwestecke von Sumatra geraten sei, habe sie schmerzlich aufgemeckert.

Cornelius Bein winkte verächtlich ab, als ich ihn fragte, ob ihm der Zahnarzt weh getan habe, und ging nach hinten zum Stall. Ich überlegte noch, ob ich ihn nicht doch schonend vorbereiten sollte, da trat er bereits in die Tür. Und dort blieb er stehen, bewegungslos zunächst und dann ein wenig zitternd.

Jetzt sieht er es, dachte ich, und wie ich so seine im Erschrecken hochgezogenen Schultern sah, reute mich meine Folgsamkeit gegenüber meines Vaters Gebot.

Ich hörte meinen Vater sagen: „Wieviel Zähne haben sie dir denn gezogen? Hast ja eine Farbe wie Ziegenmilch!" Und Cornelius hörte ich irgend etwas murmeln.

Dann ging er mit hölzernen Schritten in den Stall.

Ich sah, was auch er gesehen hatte: unsere Ziege. Sie fraß gelassen Rübenschnitzel und kehrte uns die rechte Seite zu, die mit dem Malaiischen Archipel.

Just als ich meinen Vater um eine Erklärung dieses frappierenden Sachverhaltes angehen wollte, bremste er mich mit einem seiner berühmten Blicke, die mehr als alles andere an ihm Hinweis auf Größe waren.

Cornelius Bein brauchte sehr lange, bis er auf seinem Schemel richtig saß, und er griff ein paarmal an dem Melkeimer, den mein Vater ihm hinhielt, vorbei. Er stöhnte tief, ehe er den ersten Euterzug tat, und der Milchstrahl fuhr ins Stroh.

„Ist was?“ fragte mein Vater, aber Cornelius knirschte nur mit den Zähnen und molk. Dann hielt er jäh inne, beugte sich zum Euter der Ziege hinunter, richtete sich wieder auf und betrachtete das Tier mit den Blicken eines, der sieht, was er bis dahin zu sehen für unmöglich gehalten hat.

Mein Vater sagte: „Sieh doch mal nach, was die Prellung macht.“

Cornelius Bein nickte eifrig, als habe man ihm geraten, sich rasch in den Arm zu zwicken. Er zielte mit ausgestrecktem Zeigefinger genau auf die Südwestecke von Sumatra und stieß vorsichtig zu. Die Ziege schrie ach und weh. Und Cornelius Bein war geständig. Detailliert schilderte er Planung und Ausführung der Tat, Motiv und Fluchtweg und vor allem den Verbringungsort der Beute. „Alles war so schön ausbaldowert“, sagte er, „aber gegen Wunder kann ich auch nicht an!“

Mein Vater streckte die Arme aus – und ich muß heute sagen, hier übertrieb er etwas – und befahl Cornelius Bein: „Nun wandle hin, wo du das unrecht Gut angekettet hast, und treibe es wieder hieher in seinen heimischen Pferch!“

Cornelius Bein setzte angesichts der Ziege vor ihm zu einer fragenden Geste an, erinnerte sich aber rechtzeitig, daß man nicht frage, wo Wunder geschehen, und wankte, halb gebrochen und halb erhöht, davon.

Bevor er mit unserer richtigen Ziege wiederkehrte, hatte mein Vater die falsche, die geliehene, mit Hilfe warmen Wassers vom Malaiischen Archipel befreit und sie zu unseren hilfsbereiten, wenn auch verständnislosen Nachbarn zurückgeschafft. Und ich kann bezeugen: Er hat sich alle Mühe gegeben, dem Tier zu erklären, warum er ihm im Interesse der Aufrechterhaltung von Sitte und Tugend einen talergroßen Flecken auf der rechten Flanke wundzuscheuern nicht umhingekonnt hatte.

Obzwar ich annehmen darf, daß niemand den aufklärerischen Zug, der dieser Episode innewohnt, übersehen haben wird – findige Kritiker werden ihn mit der Überschrift „So werden Wunder gemacht!“ gebührend herausheben –, will ich allem Obskurantismus einen weiteren Schlag versetzen, indem ich noch mitteile, daß die Geschehnisse in unserem Ziegenstall der Heilsarmee den Stoff für ihre heute noch werbewirksame „Ballade vom Mirakel des Cornelius oder Wie ein Dieb bekehret ward“ geliefert haben – einen listigverdunkelnden Singsang, in dem der führenden Rolle meines Vaters und seines Künstlertums nicht einmal Erwähnung getan ist.

Beglückt erkenne ich, daß mir mit dieser Randbemerkung der Faden wieder in die Hand geriet, der mir wohl doch um ein weniges zu entgleiten drohte, und zwar von jenem Augenblicke an, da das Stichwort Kunst gefallen war. Und das ist kein Zufall. Denn wie Kunst nichts anderes ist als disziplinierte Ausschweifung, so verführt auch das Nachdenken über sie, ja ihre bloße Erwähnung, zu gedanklichen Ausritten weitab von den Bahnen des Her- und auch des Zukömmlichen, und Zügel und Trense sind hier nötiger als Peitsche und Sporn.

Ausübende der Kunst wie ihre kritischen Begleiter sind daher immer dann am besten dran, wenn sie, schlicht gesagt, bei der Sache bleiben. Die Sache meines Vaters war es, Gold zu suchen, und die meine ist es, davon zu berichten. Ziegen- und Apfeldiebe, Apfel- und Schellenbäume können erwähnt werden, aber sie dürfen uns nicht den Blick verstellen. Sie müssen bleiben, was sie sind, Nebendinge.

So will ich denn nunmehr ohne nochmaliges Zögern mit raschen, aber zutreffenden Worten schildern, was sich an jenem Tag begab, an dem mein Vater das Gold gefunden hatte.

Mich deucht, ich hätte bereits erwähnt, daß wir uns damals alle sehr gefreut haben, aber mir ist, als hätte ich noch nicht gesagt, wer denn das war: wir alle. Zuöberst handelte es sich um meine Mutter, meine Geschwister und mich. Aber auch unter den Nachbarn waren viele, die von Herzen Anteil nahmen an unserem Glück. So vor allem Frau Mylamm, in deren eigenem Leben nie etwas von Erhöhung gewesen war, so daß ihr keiner hätte verargen dürfen, wäre sie ob meines Vaters Fund fortan neidgrünen Gesichtes herumgelaufen. Oh, war die vom Schicksal gebeutelt worden!

Niemand, dem es Beruf ist, sich und andere zu unterhalten, indem er der Menschen Lebensläufte aufspürt, die Ergebnisse seiner Explorationen in Worte faßt und zu Papier bringt, niemand dieser Art kann sich der Versuchung entziehen, welche ausgeht von einem Satze wie: „Oh, war die vom Schicksal gebeutelt worden!"

Das steht da wie eine dunkelhaarige Schöne mit verschränkten Armen; es ist gleichsam ein Satz auf hohen schlanken Beinen, mit kunstvoll verdrehten Hüften und mit einer Brust, die alles von einem Magneten hat, außer daß sie aus Eisen ist. Daran kommt man nicht vorbei.

Die Entschuldigung ist da, und wenn nicht das, so doch wenigstens die Begründung, und die wird meinem Gewissen ein Maulkorb sein, wenn ich nun wider alle Vorsätze rasch noch von Frau Mylamm erzähle, bevor ich den Fundbericht voran- und ins Ziel treibe. Aber vielleicht ist es ökonomischer, wenn ich Frau Mylamm selbst das Wort lasse. Sie hat die tragischen Begebnisse ihres Lebens so oft vorgetragen, daß ihr die Beschreibungen der einzelnen Vorfälle wie rundgeschliffene Kieselsteine vom Munde gehen; sie weiß am besten, worauf es ankommt und worauf nicht, und wer auf anekdotische Verknappung aus ist, könnte bei ihr in die Schule gehen.

Frau Mylamm war – soviel muß ich doch noch vorausschicken – zu jener Zeit, da ich sie das Folgende sagen hörte – es wird wenige Tage vor dem Goldfund meines Vaters gewesen sein, präziser kann ich es nicht angeben, denn naturgemäß hat der kolumbinische Triumph meines Vaters alles Vorangegangene ein wenig verdunkelt und der Relevanz entfernt –, Frau Mylamm war damals ein verhärmtes Wesen um die Fünfzig herum. Im allgemeinen war sie wortkarg, aber zwei Wörter konnten sie geradezu hektisch beredt machen. Es waren dies die Wörter Entschlossenheit und Unentschlossenheit. Welches von beiden auch fallen mochte und in welchem Zusammenhange immer, Frau Mylamm griff es auf und schnipste es verächtlich fort, indem sie sagte:

„Davon halte ich nichts gar nichts. Entschlossenheit ist quatsch und unentschlossenheit ist quatsch und ich weiß was ich sag. Unentschlossenheit kann einen um was bringen was man gerne haben möchte und entschlossenheit kann einem was einbringen was man gar nicht haben möchte. Unentschlossenheit kann einen umbringen und entschlossenheit kann einen auch umbringen. Nehmen Sie mich ich hatte es immer mit der entschlossenheit und dann kam einer der hatte es mit der unentschlossenheit und darum konnte nichts werden mit uns beiden. Denn eines tages kam diese lokomotive. Dadurch ist dann alles kaputtgegangen weil wir in dem bus gesessen haben und er so unentschlossen war. Als nämlich die lokomotive ankam war alles vorbei und was dabei durch die entschlossenheit herauskam taugte erst recht nichts. Und dabei habe ich den menschen so geliebt und wenn er nicht so unentschlossen gewesen wäre könnten wir noch heute glücklich sein womit ich aber nicht sagen will daß man durch entschlossenheit glücklich werden muß. Ich werd mich hüten so was zu behaupten das wäre wohl das letzte. Denn der mensch den ich meine war das entschlossenste an unentschlossenheit was mir über den Weg gekommen ist und wenn uns nicht damals als wir in dem omnibus saßen die lokomotive über den Weg gekommen wäre dann hätte ich mir vielleicht nie die gedanken über entschlossenheit und unentschlossenheit gemacht die ich mir heute mach und die mich dazu geführt haben zu sagen daß entschlossenheit ebensowenig taugt wie unentschlossenheit. Der mensch den ich so geliebt habe und der mich auch geliebt hat dafür habe ich beweise war so unentschlossen daß er sich nicht entschließen konnte mir zu sagen daß er mich liebt was er mir nicht erst hätte sagen müssen damit ich bescheid wüßte was er mir aber doch hätte sagen müssen damit ich ihm hätte sagen können daß ich ihn auch liebe. Die lokomotive hat ihm dann heimgezahlt für seine unentschlossenheit und mir hat sie heimgezahlt indem sie mich an die entschlossenheit ausgeliefert hat. Er der mensch den ich so geliebt habe hatte mir ja auch schon andere beispiele für seine unentschlossenheit vorgeführt wodurch es unter anderem nie dazu gekommen ist daß wir miteinander getanzt haben denn ehe er sich entschließen konnte hatten sich immer schon andere entschlossen aber durch die lokomotive die ankam während wir in dem bus saßen ist dann mit allem schluß gewesen. Denn der bus stand auf den schienen und rührte sich nicht aber die lokomotive rührte sich mächtig und zwar gerade auf uns zu. Die andern in dem omnibus waren nicht so unentschlossen wie der mensch den ich so geliebt habe und sie sprangen alle entschlossen aus dem bus ehe die lokomotive zu dicht ran war aber dieser mensch mit seiner unentschlossenheit stand an der tür während die lokomotive heranraste und konnte sich nicht entschließen rauszuspringen weil ich noch hinter ihm war aber er konnte sich auch nicht entschließen mir den vortritt zu lassen. Natürlich war es längst zu spät als er sich entschlossen hatte mit seiner unentschlossenheit schluß zu machen und mir den vortritt zu lassen denn ich hatte ihn mir einfach und sehr kurz entschlossen das kann ich ihnen sagen genommen als die lokomotive schon so nahe an den omnibus ran war wie sie jetzt an mich. Und der mensch den ich so geliebt habe ist in dem omnibus geblieben wodurch denn die geschichte zwischen uns die wegen seiner blöden unentschlossenheit nie richtig angefangen hatte ein für allemal zu ende war was mich zu meinem urteil über die unentschlossenheit gebracht hat. Wenn sie aber denken dieser mensch den ich so geliebt habe hätte sich entschließen können aus seiner unentschlossenheit einen schluß zu ziehen dann haben sie immer noch nicht begriffen wie unentschlossen dieser mensch war. Auch als wir alle wieder zu ihm in den omnibus gestiegen sind hat er sich nicht entschließen können ein wort über seine liebe zu sagen obwohl doch ein wort schon genügt hätte entschlossen wie ich in meinen gefühlen war. Der bus ist dann weitergefahren was er konnte weil die lokomotive ganz kurz vor ihm angehalten hatte und ich hab mich vierzehn tage später nach raschem entschluß verheiratet und zwar wie sie sich denken können mit dem lokomotivführer weil der so entschlossen gewesen war und nun brauche ich ihnen sicher nicht mehr zu sagen warum ich auch von der entschlossenheit nichts halte. Sie kennen ja wohl meinen mann."

Ich habe das von Frau Mylamm Gehörte so rasch und fließend aufzuschreiben vermocht, und es ist mir so glatt von der Hand gegangen, daß nunmehr der Zweifel in mir rast, ob es denn heutzutage noch angängig sei, anders zu schreiben, als Frau Mylamm zu sprechen pflegt. Der Hauch der Moderne hat mich angerührt, und die Unschuld, in der ich meine Sätze zu prägen, meine Worte zu wählen und meine Zeichen zu setzen pflegte, ist verletzt, wenn nicht dahin. Kann denn ein Schreiber noch als ein heutiger zu gelten Anspruch erheben, wenn er nicht schreibt, wie man gestern, ganz weit gestern, schrieb? Ist man von dieser Welt, wenn man sich ihrer Regeln bedient? Muß man nicht für hoffnungslos zurückgeblieben gelten, wenn man nicht im engen Vokabelzirkel der Urväter im linnenen Kittel bleibt und in ihrer Wortarmut die wahre Tugend erblickt? Und begräbt sich nicht, bevor er geboren ward, wer auf eine Sache schwört und sie lobpreiset, anstatt zu sagen: Dies ist nichts und das auch nichts, Entschlossenheit wie Unentschlossenheit etwa, oder was weiter da an altväterischen Begriffen sein mag? Ich, der ich mich hinsetzte und voller Naivität niederschrieb: „Als mein Vater das Gold gefunden hatte, freuten wir uns alle sehr", ich, der ich eben noch Schellenbäume dieser oder jener

Art für erwähnenswert gehalten habe, ich, der ich auf Aufklärung zielte, als ich von einem Ziegendiebstahle und seinem Drumherum erzählte, ich, der ich rühren wollte, indem ich von meines Vaters Mühen sprach, ich, der ich drauf und dran gewesen bin, etwas so Archaisches wie einen Roman zu schreiben, ich bin verstört. Und ich will mich niedersetzen und versuchen, das Gold zu vergessen und auch unser aller Freude, und ich will mich mühen, eine andere, eine höchst neuartige Geschichte zu ersinnen, eine ohne allzu viele Wörter, ohne Moral, ohne Kommata und klein geschrieben. Und nur zum Abschied will ich, wie einen silbrig-blauen Fetzen der Erinnerung, den einen Satz noch einmal schwingen lassen: „Als mein Vater das Gold gefunden hatte, freuten wir uns alle sehr."

GÜNTER DE BRUYN

# Eines Tages ist er wirklich da

Und eines Tages dann ist Karlheinz, mein großer Bruder, wirklich wieder da. Er ist am Kino vorbeigegangen bis zur Litfaßsäule, und genau an der Stelle, die wir alle benutzten und die ich noch heute benutze, kommt er über die Straße, im weißen Nylonhemd, das Jackett im Arm, eine Hand in der Tasche, ohne jedes Gepäck – das werden zwei Lastträger bringen oder das Expreßgutauto. Er geht genau auf die Stelle zu, an der das Eckhaus gestanden hat, durch das wir immer hindurch mußten, sieht die Rasenfläche und hebt dann den Blick zu unserem vierten Stock hinauf. Irgendwann einmal wird er beim Anblick des jetzt im Licht stehenden Hinterhauses „Die Sonne bringt es an den Tag, ausgleichende Gerechtigkeit" oder ähnliches sagen, aber jetzt ist er noch zu erstaunt, kennt sich nicht gleich aus; zweiundzwanzig Jahre sind eine lange Zeit. Er ist nicht verwirrt, nur erstaunt und dabei ruhig und souverän wie immer.

Sein Blick sagt: So ist das also jetzt mit dem Haus, in dem ich geboren bin, das hatte ich anders in Erinnerung, fertig, abgemacht, und er geht über die Straße, die leer und still ist, denn es ist wohl ein Sonntagmorgen im Sommer, und ich gehe Milch holen, den Kleinen an der Hand, dem es ein Erlebnis ist, mit seinem Vater auf die Straße zu gehen, und der hoffentlich niemals vergessen wird, wie das war, als sein Onkel heimkam, morgens, unerwartet.

Und wir gehen aufeinander zu, langsam, zögernd, gar nicht so, wie man sich das als kinoerfahrener Mensch vorstellt.

Zwar habe ich ihn sofort erkannt, wäre aber doch vorbeigegangen an ihm, wenn er nicht reagiert hätte; denn schließlich ist er ja vorbereitet, er weiß, daß er nach Hause kommt, muß damit rechnen, seinen jüngsten Bruder zu treffen; ich aber gehe aus dem Haus, um für meine Kinder Milch zu holen, und kann nicht ahnen, daß der große Bruder plötzlich nach zweiundzwanzig Jahren ohne Nachricht über die Straße kommt, da muß man zögern, auch wenn er sich kaum verändert hat oder gerade deshalb, denn das ist doch gegen jede Erfahrung, aber wahrscheinlich sieht man die Falten und Schärfen des Gesichts, den verbrauchten Glanz der Augen, den Fettansatz erst später, jetzt nur die noch immer vertrauten Züge, den spöttisch-wohlwollenden Blick, die schmale Hand, gegen die die eigene stets plump und bäurisch schien und einem klarmachte, daß dem Großen nachzueifern ziemlich sinnlos war. Natürlich ist dieser fatale Eindruck der Unterlegenheit auch gleich wieder da, als ich ihm die Hand schüttle und ihm dann etwas spät und nicht ohne das Gefühl unzulässigen Theaterspielens um den Hals falle und er wie immer lacht über meinen Hang zur Rührseligkeit. Und auch als ich ihm seinen Neffen vorstelle, lacht er ein bißchen, weil es ihm komisch vorkommt, daß sein kleiner Bruder eine Familie hat, und bei mir kommt sofort was von dem alten Trotz wieder: Ja, grinse nur, aber ich will eben nichts anderes als immer zu Hause bleiben und mittelmäßig und normal sein. Natürlich will ich das nur, weil ich weiß, daß ich nichts anderes kann, schlimm ist nur, daß auch meine Frau das plötzlich weiß, als sie Karlheinz gegenübersteht. Ich bin ein bißchen beschämt, ein bißchen eifersüchtig, ein bißchen bockig, sehr, sehr stolz auf meinen großen Bruder und von einer Riesenfreude erfüllt über diese Heimkehr, an der ich ja nie gezweifelt habe, die nun aber durch die unvermutete Unterbrechung der angenehmen Monotonie meines Lebens etwas Unwirkliches zu haben scheint.

Am schnellsten überwindet meine Tochter diesen Eindruck. Ungeduldig hört sie sich noch mit an, wie ich von unserer letzten Begegnung erzähle, vierundvierzig, der zerstörte Bahnhof, Aussteigeverbot, zehn Minuten Aufenthalt, er mit vielen anderen in der Tür des Viehwaggons, gedrängt die Mütter davor, ein Pfiff, Winken, Weinen, dann fragt sie ungeduldig ihren Onkel, wie er es fertiggebracht hat, zweiundzwanzig Jahre Mutter und Bruder ohne Nachricht zu lassen, und ich habe Angst, daß er jetzt die Wirklichkeit seiner Heimkehr durch Unsicherheit und ungenaue Erinnerung selbst in Frage stellen, daß er vielleicht sogar zugeben wird, Karlheinz nicht zu sein. Aber er beginnt sofort sicher und genau zu erzählen, und alles stimmt mit dem überein, was wir schon wissen: Saint-Nazaire, im Rücken schon der Motorenlärm der amerikanischen Panzer, er sagt zu seinem Fahrer, wir machen Privatfrieden, sie steigen aus, laufen den Allied Forces entgegen, eine Hecke trennt sie plötzlich, für immer. Ja, das stimmt, das wußten wir schon; siebenundvierzig kam der Fahrer zurück und besuchte uns. Aber dann? Was geschah dann?

Wir sitzen alle um den Küchentisch, er mir gegenüber und stopft sich die Pfeife mit märchenhaft duftendem Tabak, eine Spezial-Blend, er raucht keine fabrikmäßig gemischten Sorten. Zwei Minuten nach der Trennung vom Fahrer hatten sie ihn schon geschnappt, Verhöre, Gegenüberstellungen, kurze Ausbildung und dann ein feines Leben in Luxemburg am Sender für die deutsche Armee, aber nur bis Mai fünfundvierzig, dann PW, Lager, Hunger, Läuse, er war reif für ein Angebot vom Geheimdienst, zwanzig Jahre Verpflichtung, Schweiz, Österreich, Tanger, Griechenland, Südafrika. Er schüttelt sich. Aus, vorbei! Angst, hierherzukommen? Da lacht er wieder den kleinen Bruder aus, den Weltfremden, den Hausvater. Keine Bange, der Wechsel war lange geplant, er hat es sich verdient, hier auszuruhen. Es fällt mir schwer, verstehend zu lächeln, weil ich an Mutter denke.

In unserem Trabant fahren wir hinaus zu ihr ins Altersheim. Noch ist Sonntag. Er fährt. Ich habe Angst vor jedem Polizisten, weil ich nicht wage, ihn nach seiner Fahrerlaubnis zu fragen. Aber er fährt gut, das hat er im Kloster gelernt bei den französischen Trappisten, den Schweigemönchen, die nicht sprechen und nicht schreiben dürfen, aber Auto fahren. Zwanzig Jahre hat er für eine Irrenanstalt Kranke gefahren. Gleich nach der Trennung vom Fahrer war er hinter der Hecke auf Leute vom Maquis gestoßen, war geflohen, hatte plötzlich vor einer endlosen Mauer gestanden, einer weißen, hohen, unüberwindlichen, er hatte sie überwunden, die stummen Brüder hatten ihn verborgen, in den Tagen der Ardennenschlacht schon hat er die Gelübde abgelegt, ehrlichen Glaubens, aber es gibt Heimweh von solcher Stärke, daß alle Schwüre der Welt dagegen unwirksam werden.

Dann gehen wir den Parkweg zum Heim hinauf, er voran, den Kleinen an der Hand, meine Tochter am Arm wie seine Braut. Als wir ihm Mutters weißes Haar hinter dem Fenster zeigen, winkt er ausgelassen, er weiß ja nicht, daß sie so weit nicht mehr sieht. Natürlich spricht er auch viel zu leise mit ihr, aber sie fährt ihn nicht an wie uns immer: Habt ihr denn nicht schon in der Schule deutlich und laut sprechen gelernt? Ihn umarmt sie nur immerfort und redet mit ihm wie mit Vater, an den ich mich kaum noch erinnere, denn er fiel schon in Polen, für mich war Karlheinz immer so was wie Vater, und jetzt ist er wieder da, beruhigend vertraut in seiner Selbstsicherheit, verwirrend fremd in seiner Jugendlichkeit, endlich wieder da, im weißen Hemd, nach zweiundzwanzig Jahren. Er hat doch nicht schreiben können bei Gefahr seines Lebens. Kaum war sein Fahrer hinter der Hecke verschwunden gewesen, hatte er sich ans Steuer gesetzt und war losgebraust, Richtung Heimat, zwei Monate hatte er sich am Rhein verstecken müssen, ehe er unbemerkt hinüberkam, Winterschlaf bei einer Bäuerin im Harz, an einem Aprilabend endlich hatte er die Stadtgrenze erreicht, in einer Feldscheune bei Schönefeld – in vier Stunden hätte er zu Hause sein können – hatte ihn der Russe erwischt oder eine Russin vielmehr, eine Majorin, die ihn bei sich behielt, vier

Monate in Uniform, ohne ein Wort Russisch zu können, Naschas Entlassung, Heimkehr nach Sibirien, dort lebt er als Pelztierjäger, drei Kinder, in vier Wochen muß er zurück, der Flug dauert nur Stunden, Tage dann aber die Fahrt mit dem Hundeschlitten.

Irrsinniger Schmerz überfällt mich bei dem Gedanken an die Entfernung, die uns bald wieder trennen wird, aber er sieht mich von seinem Platz neben der Mutter her spöttisch an, und ich lasse meinen Kopf nicht an seine Schulter fallen, weil meine Frau dabei ist und die Kinder, die Große schon dreizehn, und ich weiß, daß ich Fieber habe, nicht schlafen kann und ruhig liegen muß, um die Frau nicht zu stören, die neben mir atmet, aber ich kann nicht mehr ruhig liegen, mein Kopf schmerzt, mich dürstet, doch das alles ist nicht so schlimm, da ja endlich mein großer Bruder wieder da ist, im weißen Nylonhemd, nach zweiundzwanzig Jahren.

BERNHARD SEEGER

# Die Tauriegels

Wenn der Pferdeknecht Wilm Tauriegel seine Anna nicht so gern gehabt hätte, wäre er damals sicherlich nicht mit ihr zur kirchlichen Trauung gegangen. Jedenfalls war es das einzige Mal, daß man die beiden, die, darüber stritt sich keiner im Dorf, der Herrgott füreinander geschaffen zu haben schien, gemeinsam in die Kirche gehen sah.

Wilm Tauriegel war einer von jenen Menschen, die einem störrischen Luftschnapper nur die Hand auf die Kruppe zu legen brauchen, um ihn zu beruhigen.

(Ich muß hier einfügen, daß Luftschnapper solche Gäule sind, die der Roßhändler auf dem Pferdemarkt am lautesten anpreist, weil er sie loswerden will, bevor die Kolik diese Gäule und mit ihnen seine drei-, vierhundert Taler ins Jenseits befördert.)

Solche Luftschnapper also – und wenn sie auch noch so laut bölksten – konnte Wilm Tauriegel beruhigen. Und das will etwas heißen!

Auch mit dem Herrentöchterchen, dessen Zeitvertreib es war, das Gesinde zu traktieren, kam er schnell ins reine.

Bei einem ihrer Morgenritte half er ihr in den Sattel und griff dem Schimmelhengst unversehens in die Seite. Der wurde so lustig, daß er seine Herrin in hohem Schwung auf den Misthaufen schickte, den der Wilm wiederum so gepackt hatte, daß die trockene Streu nicht gleich zuoberst lag.

Das Herrensöhnchen, ein fuchsroter Siebzehnjähriger, der von seiner Mutter sichtlich zuviel rohe Eier bekam und den

Mägden, den prallwadigen, bis auf die Futterböden nachstieg, schaffte sich der Wilm schon vom Halse, als er mit der Anna noch gar nicht verheiratet war.

Anna nämlich, die zu ihrem Wilm gehörte wie der Fisch zum Wasser, konnte sich des fuchsroten Rüden kaum noch erwehren.

Da schlug Wilm seiner Anna vor, das Herrensöhnchen in ihre Kammer zu holen.

An Stelle der Anna legte Wilm eine Strohpuppe ins Bett, deren Lippen aus Schusterpinnen und deren Brüste zwei Stecknadelkissen waren; und falls – denn Wilm wußte nicht genau, wie solche Böckchen sich benehmen – die Hände des Herrensöhnchens gleich tiefer greifen sollten, wartete da ein Strauß der bissigsten Brennesseln und stachligsten Disteln auf ihn.

Daß der scharfe Strauß vonnöten war, stellte Wilm fest, als er schon den Siebensträhnigen schwang.

„Ich hätt' ihn auch mit den Händen massieren können", erzählte Wilm später. „Aber unsereins macht sich die Finger an so was nicht gern schmutzig!"

Bleibt noch zu berichten, daß dem Wilm, wenn er abends heimkam, sein Junge um den Hals fiel und mit den Beinen in der Luft zappelte, daß die dreifarbene Katze an seinem Hosenbund hing und zwei weiße Hennen mit schiefen Köpfen geduldig warteten, bis der Junge wieder auf die Erde sprang, dann aber auf Wilms Schulter flatterten und sich von ihm durch die verräucherte Katenküche in die Schlafkammer und wieder den gleichen Weg, denn einen andern gab's nicht in der engen Hütte, zurück auf den Hof tragen ließen.

Und bleibt zuletzt zu sagen, daß Wilm Tauriegel groß genug war, um mit den Händen das Moos vom Dach seiner Kate zupfen zu können, daß er strohgelbes Haar hatte, auf der Nase einen dichten Sommersprossenrasen und blankgeputzte Augen, die dem Maienhimmel glichen.

Das war Wilm Tauriegel, und mit allem wurde er fertig, was einem Knecht zu jener Zeit über den Weg laufen konnte. Aber nicht fertig wurde er mit seiner Frau.

„Ich kann deinem lieben Gott nichts abgewinnen, Annchen", sagte er zu ihr. „Was soll ich ihn anbeten, wenn er doch ein hartes Herz für arme Leute hat? Wenn er den Armen rät, arm zu bleiben – und den Reichen, noch reicher zu werden . . . Was hab ich davon, Annchen?"

„Versündige dich nicht vor deinem Kind, Mann . . . Gott wird's uns im zweiten Gliede heimzahlen!"

„Nu, nu . . . Laß das Kind aus dem Spiel, Annchen . . . Und versündigen tun sich Reichere als wir. Sündigen ist nicht Sache der Armen!"

„Der Herrgott hat mir mit dir ein Kreuz aufgetragen", jammerte sie.

„Bete, Annchen, vielleicht nimmt er's dir wieder ab. Man kann's nie wissen!"

Und Wilm schloß sie in seine Arme, die er zweimal um ihre Schultern hätte legen können. Sie kuschelte sich an ihn. Sie reichte ihm bis zur Brust. Sie war schwarzhaarig, hatte Augen, dunkel und glänzend wie platzreife Schattenmorellen. Der Wilm war ein verläßlicher Schutz für sie; aber den Herrgott konnte er doch nicht ersetzen.

So lief sie jeden Sonntag in die Kirche. Sie mußte dort auf einer der letzten Bänke Platz nehmen und war dem Herrgott bei weitem nicht so dicht am Herzen wie der Gutsherr und seine Familie, die auf der ersten Bank dem Allmächtigen nahezu Auge in Auge gegenübersaßen.

„Du siehst, selbst der Platz vor dem Herrgott kostet Geld", sagte Wilm Tauriegel. „Das ist wie im Zirkus. Wer viel hat, kann dem Löwen in den Hintern gucken, so nah sitzt er dran."

„In der Kirche ist jedermann gleich. Gott macht keine Unterschiede", entgegnete Anna.

„Aber den Platz, Annchen, den Platz bestimmt das Geld, das du im Säckel hast . . . Der Herrgott weiß sehr wohl zu unterscheiden. Das ist wie mit dem Viehhändler. Mit wem setzt er sich an einen Tisch? Mit mir nicht. Von mir kann er den Schnupfen kriegen, weiter nichts; aber ..."

„Sei still, du lästerst!" schimpfte sie, und ihre Schwarzaugen funkelten böse.

So stritten sie miteinander. Und an ihrem Jungen merkten sie, daß die Jahre Eile hatten.

Eines Tages verkaufte der Gutsherr einen riesigen Waldschlag an die Heeresleitung der Braunen.

Da wurde gebuddelt, umzäunt, gebaut. Manchmal zischte und knallte es vom Walde her. Wer dort, wie früher, nach Pilzen suchen wollte, wurde zurückgetrieben. Später hielten Schilder mit Totenköpfen die Pilzsucher in angemessener Entfernung.

An den Bürgermeistereien der umliegenden Dörfer hingen Zettel aus. Darauf war zu lesen: Wir suchen vaterlandsergebene Männer und Frauen zum Dienst für Führer – Volk – und Vaterland.

Wilm Tauriegel kündigte beim Gutsherrn. Er ging nun an den Schildern mit den Totenköpfen vorbei zur Arbeit, die eine Ehrenpflicht war, wie man's beim Kaufmann, in der Gaststube und anderwärts zu hören bekam.

Viele wunderten sich über Wilm Tauriegels Entschluß. Zwar wußte keiner etwas Bestimmtes über Wilm; denn wer kann in die Brust und hinter die Stirn eines anderen schauen? Aber daß Wilm Tauriegel nicht der rechte Mann für solch einen Ehrendienst war, daß er sich dazu so wenig eignen würde wie der Esel zum Rechnen, hatten alle, die ihn ein wenig genauer kannten, bis zu diesem Tage fest geglaubt.

Wahrscheinlich auch der Pfarrer, der so überrascht war, daß er, was einem Wunder gleichkam, eines Abends den Weg quer durchs Dorf in die Armenhütte der Tauriegels ging.

Anna war noch allein, und ihr Junge saß unterm winzigen Katenfenster und las. Anna war so verdattert, daß sie anlief, wie Krebse im kochenden Wasser anlaufen. Sie schämte sich ihrer Armut, in der sie lebte, und schluckte an der Ehre, die ihr so plötzlich und so reichlich zuteil wurde.

„Bitte", stammelte sie, „bitte, Herr Pfarrer." Sie schob ihm einen der vier rotlackierten, wurmstichigen Stühle hin und putzte mit ihrem Schürzenzipfel und noch einmal mit den nackten Fingern über das Holz.

Der Pfarrer setzte sich sehr zögernd, weil er schwer und der Stuhl für leichtere Personen gebaut war. Er prüfte mit den Händen seinen Sitz und faltete dann erst die Finger ineinander und legte sie auf sein Bäuchlein, das wie geschaffen war, die zum Gebet verschlungenen Hände zu stützen.

„Gott geh ein und aus in eurer Kammer, bewache euer Dach und das Feuer im Herd und sei dem Jungen ein treuer Begleiter und dem tüchtigen Manne Stütze und Halt und sei euch allen wohlgesinnt beim Reichen des Brotes und fülle euer Glas mit klarstem Wasser bis zum Rand und würze eure Suppe, damit die Zunge Wohlbehagen empfinde und eure Därme Ruhe haben in der Nacht, Amen", näselte er, die Augen fest geschlossen, die kurzen, farblosen, wie abgeknabberten Wimpern ohne jede Bewegung.

„Amen und Dank", hauchte Anna Tauriegel, und ihr Inneres lauschte immer noch den Worten nach, die er in ihrer Hütte gefunden hatte. Ach, war das ein Mensch, der Pfarrer! Die Worte flogen ihm zu wie dem Gesträuch der Wind. Er ließ seine Worte nie alt werden. Er gebar immer wieder junge, die daunig waren, vom Speichel ein wenig feucht wie frischgeschlüpfte Kücken.

Wilm sah, als er kam, die Katze vor der Tür sitzen. Er schloß daraus, daß Besuch in seiner Hütte war. Er ging um die Katze herum und schielte durchs Fenster. Er sah den Pfarrer, hörte ihn auch und hatte große Eile, wieder im Wald zu verschwinden. Dann kam er mit dem späten Abend zurück. Der Pfarrer war außer Hause. Anna hatte am Hals rote Flecke. „Er hat uns besucht“, erzählte sie aufgeregt. „Er war eine Stunde hier und wollte dich sprechen. Er hat gesagt, daß deine Arbeit im Wald einem Gottesdienst gleicht. Er hat ...“

„Soso“, brummte Wilm Tauriegel und hatte einen bitteren Zug um den Mund und furchte mit der Hand in seinem Haar, das von Tag zu Tag rötlicher wurde, und strich mit der Hand über sein Gesicht, das in der „Munibude“ – wie man die Fabrik im Walde nannte – zitronengelb geworden war.

„Die Munibude“, sagte Wilm Tauriegel, „hat zwei Freßmäuler. Die drinnen schuften, gehn kaputt... Und die in die Hände kriegen, was da an Teufelszeug entsteht, gehn auch kaputt. Das ist gewiß wie der Lauf der Sonne!“

Und oft in diesen Monaten und Jahren saß Wilm Tauriegel mit seinem Jungen in einer Ecke des engen Gartens, der hinter der Kate lag. Doch wenn die Mutter kam, schwiegen beide.

Im dritten Kriegsjahr mußte der Junge ins Feld. Sie erhielten nie Nachricht von ihm.

Wilm Tauriegel sagte: „Wein nicht, Annchen, der Junge kommt wieder!“ Anna Tauriegel betete und versäumte keinen Gottesdienst. Der Pfarrer bedachte sie mit tröstenden Worten, nannte sie eine wahre deutsche Mutter, die ihr Leid zu tragen wisse, sagte ihr, was Gott tut, das ist wohlgetan, und pries den Krieg, der Beine und Arme abbiß, Köpfe vom Rumpfe trennte, Löcher in Bäuche bohrte, daß die Gedärme herausquollen, Männer mit gesunden Lenden zu Eunuchen machte, Frauen das Kind im Leibe tötete, Städte und Dörfer ausbrannte und nicht satt wurde an Blut und Rauch und Trümmern, pries diesen Krieg, weil er endlich die Völker einige, weil er all die Minderwertigen, die sich auf Gottes Erde breitmachten, unter die Erde bringen würde. Dort war genügend Platz für sie. Dort konnte das liebe Würmer- und Madenzeug ihre Teufelsaugen ausfressen.

Und Anna Tauriegel empfand Tröstung, weil der Pfarrer sie ehrte, von der Kanzel herab, vor aller Welt.

Aber eines Abends kehrte ihr Wilm nicht mehr von der Arbeit heim. Am nächsten Morgen erschienen zwei Männer in Regenmänteln, schoben Anna zur Seite, durchkramten die Wohnung und rissen auch das Jesusbild vom Nagel.

Sie fanden nichts.

„Wo ist dein Junge, du Hexe?“ knurrte einer der Männer. Und als er keine Antwort erhielt, weil Anna keine Antwort wußte, brüllte er: „Auch so ein roter Hund, was?“

Anna wurde mit dem Kopf gegen den Türpfosten geschleudert und glitt, die Beine gespreizt und mit dem Rücken an die Tür gelehnt, langsam dem Fußboden zu.

Nachbarn brachten sie später ins Bett.

„Dein Wilm hat an die Wände geschrieben: Arbeiter, ihr schuftet für den Krieg. Der Krieg bringt uns alle ins Grab! ...“, erzählten ihr die Nachbarn. „Und dann sind die Granaten, die dein Wilm gemacht hat, nie krepiert“, flüsterten sie und lauschten nach draußen.

Anna betete Tage und Nächte für ihren Wilm. Und doch traf die Nachricht ein, daß der Wilm sich in seiner Zelle erhängt habe. Und Anna weinte ohne Tränen.

„Das hat er nicht getan“, flüsterten die Nachbarn. „Niemals hat der Wilm das getan ... Sie haben ihn totgeschlagen, weil er ein Roter war!“

Die Nachbarn sorgten, daß Anna zu essen und zu heizen hatte. Sie sehnte manchen Tag den Pfarrer herbei. Aber er ließ sich nicht sehen. Und die Nachbarn verschwiegen der Anna, was der Pfarrer, herab von der Kanzel, vor aller Welt über sie und ihren Wilm und ihren Jungen gesagt hatte an verächtlichen Worten, giftig wie Wespenstacheln.

Aber Anna Tauriegel bezwang den Schmerz um ihren Wilm. Sie dachte nur noch an ihren Jungen und fühlte, daß er heimkommen würde.

Als Anna Tauriegel aus dem Krankenbett gekrochen war, ging sie eines Tages zum Pfarrer. Sie traf ihn im Garten. Er aß Süßkirschen und schwitzte, als spränge ihm ein Regen aus der Stirn. Sein Bäuchlein war runder und voller geworden. Er konnte die Süßkirschen aufs Bäuchlein legen, ohne daß sie herunterrollten. Er spuckte die letzten Kerne aus und wischte sich mit dem Schnupftuch das Kirschblut von den laschen Lippen.

„Ich seh durch die Wolken das Schwert des großen Meisters über Eurem Kopfe hängen", näselte er und schaute nachdenklich in sein gerötetes Schnupftuch. „Ich will beten, daß er das Scharfgeschliffene von Eurem Scheitel nehme, daß er Euch leuchte auf Eurem schiefen Weg mit dem Licht seiner Gnade wie ehedem, daß er Euch verzeihe die Teufelstat Eures Gatten und die Eures Sohnes und daß er Euch zurückbringe auf den rechten Weg der Gott- und Vaterlandsgetreuen, Amen."

„Dank und Amen", murmelte Anna Tauriegel. Ihre Kiefer waren zahnlos geworden, ihre Haare schlehenweiß, ihre Ohren verstanden weniger als früher, und ihre Augen, einst schwarz wie platzreife Schattenmorellen, hatten an Glanz verloren und waren verblaßt in den Jahren. „Dank und Amen", murmelte sie noch einmal und bat mit zitternder Stimme: „Zürnt meinem Wilm nicht. Er war ein guter Mensch. Er hat nie wider Gott gehandelt."

Der Pfarrer übergoß sie mit einem Schwall feuchter Worte, gebrauchte seinen fülligen Bauch, um die Worte dunkeltönender zu machen, und seine beiden patschigen Hände gebrauchte er zum Drohen.

Anna Tauriegel verließ den Pfarrer. Sie begriff nicht, warum er sie allein ließ in ihren schwersten Stunden. Doch als sie tiefer darüber nachdenken wollte, traten neue Ereignisse in ihr Leben.

An einem zeitigen Frühlingstag standen fremde Soldaten in ihrer Küche. Sie brachten den Frieden ins Dorf.

Die Wände und Zäune, Schilder und Bunker der Munibude wurden eingerissen. Noch immer war zu sehen, wo Wilm Tauriegel einst die Wahrheit niedergeschrieben hatte.

Der Gutsherr war hingegangen, wo die Sonne vom Himmel sinkt. Auf seinen Feldern, die Anna und Wilm ein halbes Leben lang und die Eltern und Großeltern der beiden noch länger mit ihrem Schweiß benäßt hatten, wurden Schilder eingerammt. Auf jedem Schild stand ein Name, und der Name sagte jedem, der lesen konnte, wer der neue Besitzer war.

Auch Anna Tauriegel ließ ihr Namensschild in eine Feldbreite stecken. „Für meinen Jungen", murmelte Anna, wenn sie davorstand. „Er kommt zurück, hat der Wilm gesagt . . ."

Der Pfarrer, eine schwarze Zornflamme, rief von der Kanzel: „Unrecht Gut gedeihet nicht. Gott wird euch mit Dürre strafen, wird den Brand des Blitzes in eure Hütten werfen und euch versengen an Haut und Haaren! Euren Kühen wird die Milch im Euter sauern, den Hühnern wird das Legloch zuwachsen, und das Sau- und Eberviech wird abmagern unter Gottes zornigem Auge!"

Wenige hörten die Drohungen; denn neue Angst und neue Not hetzten die Menschen durchs Dorf . . .

Unter den Kindern war Typhus ausgebrochen. Das Krankenhaus in der Kreisstadt hatte kein Bett frei.

Seit Annas Mann von den Braunen erschlagen worden war, geschah es immer häufiger, daß sie sich fragte: Was würde mein Wilm jetzt tun? . . . Und sie gab sich die Antwort, die er ihr gegeben hätte. Sie richtete im Gemeindehaus, das abseits des Dorfes lag, eine Krankenstube ein und sagte zu den Eltern: „Mit Gottes Hilfe werd ich die Kinder durchbringen, Amen."

Mit ihrem Opfermut bannte sie die Krankheit. Unter ihren Händen starb kein Kind.

Aber Anna Tauriegel holte sich den Stickhusten auf dem

Zementfußboden des Gemeindehauses, wo sie sich hinstreckte, wenn der Schlaf sie nicht losließ.

Die Kinder, die sie gepflegt hatte, sprangen längst wieder aus der Schultür und jagten um den Dorfteich, als Anna Tauriegel den ersten Brief ihres Jungen erhielt. Aus Sibirien schrieb er. Anna Tauriegel lief eine Schauerratte über den Rücken. Aber der Junge lebte ja, und so sagte sie zu den Kindern: „Sammelt Knackholz! ... Der kleine Wilm hat geschrieben. Er wird im Frühling kommen. Ich fühle es genau. Sammelt, Kinderchen, sammelt. Über Winter soll's warm sein bei mir. Dann wird der Husten leichter!"

Die Kinder schleppten Berge Knackholz heran, heizten und brachten der alten Tauriegeln Essen. Sie brauchte nur immer am warmen Ofen zu sitzen.

Der Winter wurde ihr lang. Nachbarsleute lasen ihr aus der Bibel vor. Der Pfarrer kam nie in die Kate der Anna Tauriegel. Er tat, als gäbe es in seinem Dorf die Alte nicht, die manchen Tag auf ihn wartete wie der knistertrockene Wald auf den Regen.

Doch so sicher, wie der Frühling jedes Jahr wiederkehrt, nahte auch der Tag, an dem der Junge der Anna Tauriegel in die Kate trat. Er war ihr Wilm. Das gleiche strohgelbe Haar hatte er, auf der Nase den Sommersprossenrasen und Augen, die dem klarsten Maienhimmel glichen. Er war so groß, daß er das Moos vom Dach der Kate zupfen konnte.

Alle Kraft, die noch in Anna Tauriegel war, strahlte aus ihrem Blick. Sie ruhte an Wilms Brust. Dann zeigte sie ihm die früheren Herrenfelder, in die auch ein Pfahl gerammt war, auf dem ihr Name stand.

„Und nun geh ich Gott danken", flüsterte sie.

Anna Tauriegel kleidete sich sorgsam an. Es war ihr, als hätte der Stickhusten ihren Körper verlassen. Ihre Augen glänzten. In der Kirche roch es nach Blumen und flüssigem

Wachs, und die Lichtzungen der Kerzen zitterten bei jedem Lufthauch, der durch die offene Kirchpforte schlüpfte.

Anna Tauriegel stand lange im Gang des Kirchenschiffes.

Als sie sich hinsetzen wollte, legte der Pfarrer die Hand auf ihre Schulter.

Anna blickte ihn mit glänzenden Augen an. Sie dachte nicht mehr daran, wie er sie behandelt hatte in den langen Jahren. Ihr Herz war voll Dankbarkeit. Sie konnte keinem Lebewesen auf Gottes Erde zürnen.

„Ich hab dringend mit Ihnen zu reden", hauchte der Pfarrer im Gehen.

Anna Tauriegel lächelte verklärt vor sich hin und trippelte neben dem Pfarrer her.

Vor der Tür faltete er die Hände über dem Bauch, legte den Kopf zur Seite, klappte die Augenlider nieder und näselte, sanfter als früher: „Zum Herrgott kann man nicht gehen, wenn man in seiner Schuld steht ... Der Herrgott gibt mit vollen Händen wieder, was er empfängt; aber er will erst empfangen!"

„Ich war ihm immer treu", flüsterte Anna Tauriegel und sah den Pfarrer mit ihren großen schwarzen Augen an, die blaß geworden waren in den Jahren.

„So mein ich das nicht ... Ihr habt versäumt zu tun, was der Herrgott von jedem fordert!"

„Ich hab um meinen Jungen gebetet ... Und nun hat er ihn heimgeschickt."

„Das mein ich nicht, Sünderin ... Hast du deine Pfennige entrichtet, die jeder Christ dem Vater schuldet?"

Anna Tauriegel würgte der Stickhusten. „Mein Junge wird's tun", stammelte sie. „Ich will dem Herrgott kein Gebet und keinen Pfennig schulden."

Die Glocken läuteten den Gottesdienst ein. Der Pfarrer klappte die Augen auf.

„Seht zu, daß Ihr mit dem Allmächtigen und Gnadenvollen ins reine kommt ... Der Herrgott behüte Euch, lasse sein Angesicht leuchten über Euch und sei Euch gnädig,

Amen", sagte er, schob sich durch die Tür und schloß sie hinter sich.

Wie damals, als die zwei Männer in den Regenmänteln Anna Tauriegel gegen den Türpfosten geschleudert hatten, so glitt sie auch heute, die Beine gespreizt und den Rücken an die Tür gelehnt, den Kirchenstufen zu.

Der junge Wilm trug seine Mutter heim. Sie beugte sich allmählich dem Grabe entgegen. Wenn der Stickhusten sie manchmal aufatmen ließ, flüsterte sie. „Der Platz vor dem Herrgott kostet Geld, hat er gesagt, der gute Wilm."

Und wenn dann der Junge sich zu ihr hinsetzte, murmelte sie: „Bezahl ihn nicht, mein Wilm ... Bezahl ihn nicht."

Schwarz standen die Astern, vom Frost gewürgt, als Anna Tauriegels letzte Stunde kam.

Sie ließ sich ans Fenster tragen.

Im Gras glitzerte Reif. Sonnenstrahlen leckten ihn auf. Kinder sprangen vorüber. Pferde schnaubten und knabberten ihren Hafer, warmer Mist rauchte. Spatzen schilpten schrill. Tauben schwebten herab, nickten ernst und würdevoll mit ihren Köpfen. Und das Stück Himmel, das Anna Tauriegel sah, war leicht dunstig.

„Hol ihn", flüsterte sie zu ihrem Jungen. „Er soll mich zum Herrgott führen."

Ihre gelben mageren Hände stützten sich auf den Lehnstuhl. Anna sah hinaus und wartete. Sie wollte nicht sterben, ohne das Vaterunser zu beten.

Wilm durchmaß mit langen Schritten das Dorf. An der verschnörkelten Eichentür des Pfarrhauses zog er die Klingel. Die plärrte blechern durch den Flur. Der Kopf des Pfarrers erschien. Kalt und muffig wehte es aus dem Türspalt.

„Meine Mutter verlangt nach Ihnen ... Sie wird sterben", sagte Wilm.

Der Pfarrer nickte und nuschelte eine Zusage. Sein Kopf zog sich langsam zurück. Der Schlüssel drehte sich knarrend im Schloß. Mit weit geöffneten Augen erwartete Anna Tauriegel ihren Jungen. Er setzte sich zu ihr, blaß die Unterlippe vom Biß der Zähne. Sie klammerte sich an Wilms Hand und lauschte nach draußen ... Schritte eilten vorüber.

„Er wird kommen", sagte Wilm. „Warte nur, er kommt."

Sie wandte ihr Gesicht wieder dem Fenster zu. Ihre Blicke konnten nichts mehr unterscheiden. Aber wie Lichter auf einem dunklen Weg lebten vor ihren Augen Bilder aus besonderen Stunden ihres Lebens auf. Was wichtig in ihrem Leben war, hatte sie ohne den Pfarrer durchstehen müssen. Er war nie zu ihr gekommen, wenn sie ihn nötig gehabt hatte. Er hatte ihr gezürnt, wenn sich ihr Herz im Leid verkrampfte. Er hatte verhöhnt, was ihr das Liebste war. Und auch jetzt, da die Bilder vor ihren Augen immer mehr verblaßten, erschien er nicht zur Zeit.

Der junge Wilm beugte sich zu ihr hin. Sie erkannte in ihm ihren Wilm und hörte durch seine Worte ihn sprechen ...

Sie richtete sich im Lehnstuhl auf. Sie saß, als lausche sie angestrengt. Ihr eingefallener, mit Runzeln umkränzter Greisenmund verkrampfte sich, und kalter Schweiß lief durch die Falten ihres Gesichts.

„Geh, mein Wilm", flüsterte sie. „Geh schnell ... Sag ihm: ich brauch ihn nicht."

So aufgerichtet saß sie, bis die Schritte ihres Jungen auf der Dorfstraße verhallten.

Als Wilm eintrat – er hatte den Pfarrer auf halbem Wege heimgeschickt –, hielten die Hände der Mutter den Lehnstuhl umklammert. Sie hatte das Vaterunser nicht mehr gebetet ...

Als die Nachbarin zum letzten Mal mit einem Tuch über das wächserne Gesicht der Anna Tauriegel wischte und ihre Hände faltete, läuteten die Glocken nicht. Erst wartete die Nachbarin bang auf ihren Klang; dann aber sagte sie: „Das Leben der Anna Tauriegel war selbst wie ein Glockenton, so klar und rein ..."

Der Pfarrer wollte, daß die Tote in der Armensünderecke

des Kirchhofs verscharrt werde. Aber er konnte das nicht erreichen. Dann verbot er den Gläubigen im Namen Gottes, hinter dem Sarg der alten Tauriegel herzugehen. Aber er konnte auch den Trauerzug nicht aufhalten. Er reichte vom Pfarrhaus bis zum Dorfteich – und das waren fast einhundert Meter ...

Nun bleibt nur noch zu sagen, daß da, wo einst die Munibude gestanden hat, sich heute ein mächtiger Felsstein erhebt. Jeder Fremde, der daran vorbeigeht und einen Dörfler nach der Herkunft des Steines fragt, erhält die Antwort: „Das ist die Wilm-Höhe!" Und wenn dem Dörfler nicht grad der Weizen auszufallen droht, erzählt er dem Fremden die Geschichte der Tauriegels ...

GÜNTER KUNERT

# Ich und ich

Verblüffung als erstes. Welche erstaunliche Ähnlichkeit und in einiger Entfernung auffallend. Aus der Nähe wirkte sie unglaublich. Ich verlangsamte den Schritt, der andere auch, der eine Kopie meines Gesichtes trug, wie von einem genialen Maskenbildner angefertigt: so täuschend. Wir lächelten einander zu, recht betroffen, und grüßten uns mit leichtem Neigen des Kopfes. Er, freundlicher, sprach mich an, obschon ich weitergehen wollte: Ich bin wohl Ihr Doppelgänger? in entschuldigendem Ton, zog den Hut, und ich tat das gleiche. Seine Höflichkeit zwang mich zur Abwehr: Nein, nein, ich bin gewiß *Ihr* Doppelgänger, beteuerte ich, und wir tauschten, jeder seinen Hut mit aufwärts gewinkeltem Arm in der Nähe der Schläfe, einige Floskeln aus, über Naturspielereien et cetera, ehe wir uns wieder trennten. Nachdem er um die Ecke gebogen, wie ich rasch rückschauend konstatierte, kam mir zu Bewußtsein, wie wir beide da gestanden, zwillingshaft und – was mich jetzt erst stutzig machte – fast synchron in symmetrischen Gesten: die Art, den Hut zu lüften, ihn in der Schwebe zu halten, eine Verbeugung nur anzudeuten, gemahnte mich an eine Probe vorm Spiegel. Als sei die Doppelgängerschaft nicht bloß eine physiognomische, sondern auch eine der Psyche, welche letztlich alles körperliche Verhalten bestimmt.

Dann vergaß ich einfach die Begegnung.

Eine Woche später, pünktlich um sieben Uhr dreißig, wurde ich wieder daran erinnert: als der Postbote klingelte und ich die Wohnungstür öffnete. Zwei Finger an die Mütze legend, beugte er sich vornüber ins Licht meines Korridors und wies ungeniert unter der blauen Uniformmütze meine eigenen Züge vor. Bis auf eine Warze am Kinn, die mir fehlt, glich er mir aufs Haar oder ich ihm, entsprechend dem jeweiligen Standpunkt. Verwirrt nahm ich den Brief in Empfang, Einschreiben, quittierte, folgte aufmerksam den beiden Fingern, erneut lässig an den schwarzen Lackschirm gelegt, so täte ich's auch, und schloß die Tür. Wenn Zufälle sich häufen, verlieren sie ihr luftiges, unverbindliches Wesen und werden zum Gesetz. Wo der frühere Postbote abgeblieben, ich hatte vergessen, mich danach zu erkundigen: ob er in ein anderes Revier versetzt, ob er pensioniert worden war, was ich bezweifelte, da er höchstens fünfzig Jahre zählte. Der neue jedenfalls hatte kein Zeichen gegeben, daß ihm unsere überaus große Ähnlichkeit aufgefallen wäre, und gerade dieses gleichgültige Verhalten beunruhigte mich mehr als die Ähnlichkeit selber. Er konnte sie bestimmt nicht übersehen haben!

Eine innere Spannung, eine nervöse Erwartung entstand, in der ich auf das nächste derartige Zusammentreffen mit einem Double lauerte. In der Straßenbahn drängelte ich mich während der Fahrt durch den ganzen Wagen von der vorderen bis zur hinteren Plattform, nur um nach meinem Spiegelbild zu suchen. Ohne Ergebnis.

Doch kurz darauf, als ich in der Frühe die Wohnung hinter mir abschloß, trat aus der gegenüberliegenden eine Kopie meiner selbst, wünschte guten Morgen und wollte die Stufen hinab. Ich packte den Mann am Ärmel und fragte nach meinem Nachbarn.

Ihr Nachbar bin jetzt ich, hieß es, und als er mein zweifelndes Kopfschütteln bemerkte, bestätigte er es noch einmal ausdrücklich. Wo sein Vorgänger denn hingezogen sei, forderte ich zu wissen, und wann eigentlich, da ich keinen Möbelwagen gesehen noch – nach immerhin zehnjähriger guter Nachbarschaft – annehmen könne, daß man so gänzlich ohne Abschied das Haus verlassen haben würde! Mein neuer Nachbar, von meiner Besorgnis beeindruckt, gab zurück, er wisse auch nichts, habe die Wohnung samt Mobiliar gemietet, und jetzt bitte er um Entschuldigung, da er zur Arbeit müsse. Er löste sich geschickt aus meinem Griff und trapste die Treppen hinab, eilig und unsicher polternd, wie ich wahrscheinlich selber in solcher Situation entliefe.

Nun besaß ich bereits drei Doppelgänger und hoffte inständig, damit werde es sein Bewenden haben, aber kaum war ich meinem Nachbarn auf die Straße gefolgt, ebenfalls mein Tagwerk anzufangen, begegnete mir etwas, was mich dazu brachte, umzukehren, noch einmal die drei Treppen hinaufzusteigen und in der Küche einen Schnaps zu trinken: ich war auf eine Doppelgängerin gestoßen. Erschüttert starrte ich sie an, und sie, offensichtlich einem Irrtum erliegend, erwiderte meine scheinbare Bewunderung mit meinem eigenen Lächeln, verlockend und einladend, daß ich mir wie mein eigener Verführer vorkam; Verlegenheit zog mir die Mundwinkel auseinander, so daß ich ungewollt meinem Ebenbild dieses Lächeln replizierte: Traum des Narziß, an mir wahr und zum Alptraum geworden!

Unpünktlich gelangte ich ins Büro. Um mich beim Chef zu entschuldigen, betrat ich sofort sein Vorzimmer, seine Sekretärin jedoch saß nicht an der Maschine, Sprechen war zu hören und die gepolsterte Tür zum Chefzimmer nur angelehnt; neugierig, wer wäre es nicht, leise über den Teppich, das Ohr lauschend gerichtet, dann: ein Blick durch den Spalt; da thronte ich im Sessel und diktierte mit meiner Stimme. Ich lehnte mich zurück, unterbrach das Diktat, nickte mir zu und winkte mich mit einem „Später, später" ab.

Nachdem ich mich mürbknieig zurückgezogen, überlegte ich, eingeriegelt auf der Herrentoilette, was da geschehen sein mochte und was die erstaunliche Vervielfältigung ausgerechnet meiner Person zu bedeuten habe. Und: sollte ich stolz sein, weil gerade ich dazu auserwählt worden war (mit welchem Endzweck wohl), oder müßte ich verzweifeln wie von einer unheilbaren Krankheit befallen, mit der ich andere infizierte, daß sie mir gleichen mußten, ohne sich wehren zu können? Verbreitete ich die Keime einer Metamorphosis, für die ich vielleicht selber verantwortlich war? Oder handelte es sich gar nicht um eine Umtypisierung, und zogen meine Duplikate von irgendwoher zu, um den oder jenen aus dem Sozialleben Ausgeschiedenen zu ersetzen? Und warum ignorierten sie mich? Natürlich: sie konnten ja nicht wissen, daß ich ihr Archetyp war, die Urform, nach der sie sich gebildet; außerdem hatte sich ihre Anzahl derart vermehrt, daß jenes anfängliche Verwundern über so viele gleiche Mienen längst vergangen und sie sich an meinen, an ihren Anblick gewöhnt hatten.

Aber meine Beobachtungen über zwei Monate hin registrierten keinen Bevölkerungszuwachs: die Verkehrsmittel wurden nicht voller, als sie es ohnehin gewesen, auch die Lokale nicht und nicht die Läden, nicht Theater noch Kinos.

Trotz negativer Erfahrung entschloß ich mich, doch noch einmal meinen Nachbarn zu stellen und ihn über dieses Phänomen zu befragen: ob er eine Erklärung dafür habe, aber als ich ihn nach Dienstschluß vor seiner Wohnung erwartete, wich er der klaren Antwort aus, zuckte die Achseln, umgab sich mit Handbewegungen, die Ungewißheit andeuten sollten: flatternder Vogel, den ich hielt, erschrocken, erschrekkend, bis ich ihn freiließ und er davonhuschte. Er wußte nichts, ich wußte nichts; vermutlich wußte er nichts, da ich nichts wußte: auch unser Unwissen war identisch.

Ein einziges Mal noch wagte ich, meine Frage nach dem Verbleib individualphysiognomischer Personen zu stellen: in einem Lokal, wo ich alle Tische besetzt fand, und zwar alle mit mir, und ich nach einem Platz spähte und feststellte: dahinten in der Ecke war nur noch ein einziger Nicht-Ich, allein vor einem leeren Tischtuch. Ich hätte warten und mich zu mir setzen können, doch hatte ich ja längst entdeckt, daß die Gleichartigkeit sich nicht auf das Äußere beschränkte; meine Gedanken und Vorstellungen kamen mir aus jedem

Ich entgegen. Gespräche entwickelten sich daher nicht mehr. Da man mit allen in allem übereinstimmte, ahnte man im voraus, was der andere, der kein andrer war, dachte, und kannte alle Antworten auf alle Fragen vorher, bis auf eine geringfügige Ausnahme: die Uhrzeit, das Datum und – falls man das Fenster im Rücken hatte – das Wetter.

Schon im Hinsetzen merkte ich, daß etwas Ungewöhnliches vorging. Die Atmosphäre änderte sich spürbar, und mich umblickend, erkannte ich, daß ich selber die Aufregung verursachte: alle Augen wandten sich mir zu, wandten sich ab, wurden niedergeschlagen, hinter Brillen versteckt, indigniert zur Decke aufgeschlagen, empört verdreht oder beleidigt geschlossen. Mein Gegenüber spielte nervös mit dem Besteck. Um den Dialog zu beginnen, fragte ich ihn nach Uhrzeit, Datum, Wetter, erhielt jedoch nur höchst einsilbige Antworten. Dann konnte ich nicht mehr an mich halten und bat, mir zu erklären, wo die Leute geblieben wären, die mir nicht glichen.

Er sah mich für einen Moment fassungslos an, irisierendes Dunkel zwischen den Wimpern, die Pupillen wie zerlaufen, indem er Gabel und Messer ganz sacht übereinanderlegte. Bevor er irgend etwas erwidern konnte, stand ich als Kellnerin neben ihm und legte ihm die Rechnung vor: Sie wollten doch zahlen, nicht wahr?! Er gab ihr ein paar Münzen, stand schweigend auf, um an abweisenden Rücken vorbei den Ausgang zu erreichen. Während er durch die Schwingtür verschwand, kam ein Trupp junge Selbste herein, die, da mein Tisch jetzt bis auf mich leer war, neben mir und mir gegenüber die Stühle hervorzogen und sich grußlos setzten. Sie ließen die Speisekarte herumwandern, redeten über Uhrzeit, Datum und Wetter, wobei sie so taten, als wüßten sie nicht ganz genau, daß es Mittwoch, der 19. November, zwölf Uhr fünfundvierzig sei und draußen gnadenloser Sonnenschein.

CHRISTA WOLF

# Juninachmittag

Eine Geschichte? Etwas Festes, Greifbares, wie ein Topf mit zwei Henkeln, zum Anfassen und zum Daraus-Trinken?

Eine Vision vielleicht, falls Sie verstehen, was ich meine. Obwohl der Garten nie wirklicher war als dieses Jahr. Seit wir ihn kennen, das sind allerdings erst drei Jahre, hat er nie zeigen dürfen, was in ihm steckt. Nun stellt sich heraus, daß es nicht mehr und nicht weniger war als der Traum, ein grüner, wuchernder, wilder, üppiger Garten zu sein. Das Urbild eines Gartens. Der Garten überhaupt. Ich muß sagen, das rührt uns. Wir tauschen beifällige Bemerkungen über sein Wachstum und verstehen im stillen, daß er seine Üppigkeit übertreibt; daß er jetzt nicht anders kann, als zu übertreiben, denn wie sollte er die seltene Gelegenheit nicht gierig ausnützen, aus den Abfällen, aus den immer noch reichlichen Regenabfällen der fern und nah niedergehenden Unwetter Gewinn zu ziehen?

Dem eenen sin Ul is den annern sin Nachtigall.

Was ein Ul ist? Das Kind saß zu meinen Füßen und schnitzte verbissen an einem Stückchen Borke, das zuerst ein Schiff werden wollte, später ein Dolch, dann etwas aus der Umgebung eines Regenschirms. Nun aber, wenn nicht alles trog, ein Ul. Dabei würde sich herausstellen, was dieses verflixte Ding von einem Ul eigentlich war. Obwohl man, das mußt du zugeben, mit so einem stumpfen Messer nicht schnitzen kann. Als ob nicht erwiesen wäre, daß man sich mit einem stumpfen Messer viel öfter schneidet als mit einem schönen scharfen! – Ich aber, geübt im Überhören versteckter Vorwürfe, legte mich in den Liegestuhl zurück und las weiter, was immer man gegen ein stumpfes Schnitzmesser vorbringen mochte.

Du, sagte ich etwas später zu meinem Mann, den ich nicht sehen konnte; aber seine Gartenschere war zu hören: beim Wein sicherlich; denn den mußte man dieses Jahr immerzu lichten, weil er sich gebärdete, als stünde er an einem Moselhang und nicht an einem dürftigen Staketengitter unter einer märkischen Kiefer. Du, sagte ich: Du hattest doch recht.

Eben, sagte er. Warum du das nie lesen wolltest!

Sie kann schreiben, sagte ich.

Obwohl nicht alles gut ist, sagte er, damit ich nicht wieder Gefahr lief, über das Ziel hinauszuschießen.

Kunststück! Aber wie sie mit diesem Land fertig wird ...

Ja! sagte er überlegen. Italien!

Und das Meer? fragte ich herausfordernd.

Ja! rief er, als sei das erst der unwiderlegliche Beweis. Das Mittelmeer!

Aber das ist es ja nicht. Ein ganz genaues Wort neben dem anderen. Das ist es.

Obwohl das Mittelmeer vielleicht auch nicht vollständig zu verachten wäre, sagte er.

Ihr immer mit euern Fremdwörtern! sagte das Kind vorwurfsvoll.

Die Sonne, so selten sie war, hatte schon angefangen, sein Haar zu bleichen. Im Laufe des Sommers und besonders in den Ferien an der Ostsee würde wieder jener Goldhelm zustande kommen, den das Kind mit Würde trug, als etwas, was ihm zukam, und den wir von Jahr zu Jahr vergessen.

Ich blätterte eine Seite um, und der süßliche Duft von fast verblühten Akazien mischte sich mit dem fremden Geruch von Macchiastauden und Pinien, aber ich hütete mich, noch mehr Fremdwörter aufzubringen, und steckte meine Nase widerspruchslos in die Handvoll stachliger Blätter, die das Kind mir hinhielt, voller Schadenfreude über den unscheinbaren Ursprung des Pfefferminztees. Es stand wie ein Storch mitten in einer Insel wilden Schnittlauchs und rieb sich eins seiner hageren Beine am anderen. Mir fiel ein, daß es sommers wie winters nach Schnittlauch und Minze und Heu und nach allen möglichen Kräutern roch, die wir nicht kannten, die es aber geben mußte, denn das Kind roch nach ihnen.

Schnecken gehen übertrieben langsam, findest du nicht? sagte es, und es war nicht zu leugnen, daß die Schnecke in einer geschlagenen Stunde nicht fertiggebracht hatte, vom linken Holzbein meines Liegestuhls bis zur Regentonne zu kriechen. Obwohl man nicht völlig sicher sein konnte, wieweit sie unsere Wette vorhin verstanden und akzeptiert hatte und ob sich eine Schnecke so etwas vornehmen kann: in einer Stunde, die Regentonne, und überhaupt.

Wußtest du übrigens, daß sie wild nach Pflaumenblättern sind? Das hab ich ausprobiert.

Ich wußte es nicht. Ich habe in meinem Leben noch keine Schnecke essen sehen, am wenigsten Pflaumenblätter, aber ich behielt meine Unwissenheit und meine Zweifel für mich und ließ das Kind losgehen, um etwas zu suchen, was weniger enttäuschend wäre als diese Schnecke.

Als es nicht mehr zu hören war, war plötzlich sekundenlang überhaupt nichts mehr zu hören. Weder ein Vogel noch der Wind noch sonst irgendein Laut, und Sie können mir glauben, daß es beunruhigend ist, wenn unsere stille Gegend wirklich still wird. Man weiß ja nie, wozu alles den Atem anhält. Aber diesmal war es nur eines von diesen guten, alten Verkehrsflugzeugen; ich sage ja nicht, daß es nicht enorm schnell und komfortabel sein kann, denn die Fluggesellschaften, die uns überfliegen, stehen in hartem Konkurrenzkampf. Ich meine nur: Es flog für jedermann sichtbar von Osten nach Westen, wenn man mit diesen Bezeichnungen ausnahmsweise nichts als die Himmelsrichtungen meint; für das Gefühl der meisten Fluggäste flog die Maschine wohl von Westen nach Westen; das kommt daher, daß sie in Westberlin aufgestiegen war, denn der Luftkorridor – ein Wort, über das man lange nachdenken könnte – führt just über unseren Garten und die Regentonne und meinen Liegestuhl, von dem aus ich mit Genugtuung beobachtete, wie dieses Flugzeug ohne die geringste Mühe nicht nur sein eigenes Brummen, sondern überhaupt alle Geräusche hinter sich herzog, die in unseren Garten gehörten.

Ich weiß nicht, ob anderswo der Himmel auch so dicht besetzt ist wie bei uns. Indem man sich platt auf die Erde legt und in den Himmel starrt, könnte man in einer Stunde die Flugzeugtypen vieler Herren Länder kennenlernen. Aber das nützt mir nichts, denn mir hat nicht einmal der Krieg beigebracht, Flugzeuge verschiedener Fabrikate und Bestimmungen voneinander zu unterscheiden. Ich weiß nicht mal: Blinzeln sie rechts rot und links grün, wenn sie nachts über unser Haus fliegen und hinter den Bäumen in der Dunkelheit verschwinden, oder umgekehrt?

Und: Kümmern sie sich eigentlich im geringsten um uns? Nun ja: Ich bin oft genug geflogen, um zu wissen, daß die Maschine keine Augen zum Sehen und keine Seele zum Kümmern hat. Aber ich gehe jede Wette ein, daß mehr als ein Staatssekretär und Bankier und Wirtschaftskapitän heute nachmittag über uns dahinzieht. Sogar für diese oder jene der neuerdings so betriebsamen Prinzessinnen möchte ich mich fast verbürgen. Man hat die Woche über das Seine getan und in sich und anderen das Gefühl gestärkt, auf Vorposten zu stehen, und am Sonnabend fliegt man guten Gewissens nach Hause. Man interessiert sich beim Aufsteigen flüchtig für dieses Land da, Landstraßen, Ortschaften, Gewässer, Häuser und Gärten. Irgendwo drei Punkte in einer grünen Fläche (die Schnecke lasse ich natürlich aus dem Spiel). Sieh mal an: Leute. Na ja. Wie die hier wohl leben. Übrigens: Ungünstiges Gelände. Von der Luft aus allein ist da nicht viel zu machen.

Denk bloß nicht, daß ich dich jetzt schlafen lasse, sagte das Kind. Es hatte sich auf Indianerart angeschlichen und war befriedigt, daß ich erschrak. Es hockte sich neben mich, um auch in den Himmel zu gucken und ihn nach Schiffen und Burgen abzusuchen, nach wilden Gebirgsketten und goldüberzogenen Meeren der Seligkeit. Keine Schlachtschiffe heute. Keine Unwetterdrohung weit und breit. Nur das ferne Motorenbrummen und die atemberaubende Entwicklung einer Wüstenoase, auf deren Palmengipfeln die Sonne lag und deren Tierwelt sich in wunderbarer Schnelligkeit verwandelte, denn dort oben hatten sie den Trick heraus, eins aus dem anderen hervorgehen, eins ins andere übergehen zu lassen: das Kamel in den Löwen, das Nashorn in den Tiger und, was allerdings etwas befremdend war, die Giraffe in den Pinguin. Uns kam ein Anflug von Unsicherheit über die Zuverlässigkeit von Himmelslandschaften, aber wir verbargen ihn voreinander.

Weißt du eigentlich, daß du früher immer Ingupin gesagt hast, fragte ich.

Statt Pinguin? So dumm war ich nie!

Wie lange ist für ein achtjähriges Kind nie? Und wie lange ewig? Vier Jahre? Oder zehn? Oder die unvorstellbare Spanne zwischen ihrem Alter und dem meinen?

Ingupin! beharrte ich. Frag Vater.

Aber wir konnten ihn nicht fragen. Ich konnte nicht hören, wie er auflachte und Ingupin sagte, in demselben Tonfall, den er vor vier Jahren hatte. Ich konnte den Blick nicht erwidern, den er mir zuwerfen würde. Denn Vater sprach am Zaun mit dem Gartennachbar. Was man so sagt: Wie? Sie wollen die wilden Reizker an Ihren Tomaten noch mehr kappen? Das kann doch nicht Ihr Ernst sein! Wir hörten dem Streit mit überheblichem Vergnügen zu, wie man auf etwas hört, was einen nicht wirklich angeht. Übrigens gaben wir dem Vater recht. Aus Prinzip und weil der Nachbar im Frühjahr unseren letzten Respekt verloren hat, als er in vollem Ernst verlangte, das Kind solle all die mindestens sechshundert gelben Butterblumen in unserem Garten abpflücken, damit sie nicht zu Pusteblumen werden und als Samen sein akkurat gepflegtes Grundstück bedrohen konnten. Wir hatten viel Spaß an dem Gedanken: Armeen von Pusteblumenfallschirmchen – sechshundert mal dreißig, grob gerechnet – treiben eines Tages in einem freundlichen Südwestwind auf des Nachbars Garten los, und er steht da, ächzend, weil er zu dick wird, bis an die Zähne mit Hacke und Spaten und Gartenschlauch bewaffnet, seinen Strohhut auf dem Kopf und seinen wütenden kleinen schwarzen Köter zu seinen Füßen; aber sie alle zusammen richten nichts aus gegen die Pusteblumensamen, die gemächlich herbeisegeln und sich niederlassen, wo sie eben abgesetzt werden, ohne Hast und ohne Widerstreben, denn das bißchen Erde und Feuchtigkeit, um erst mal Fuß zu fassen und einen winzigen Keim zu treiben, findet sich allemal.

Wir waren ganz und gar auf seiten der Pusteblumen.

Immerhin beklagte sich der Nachbar zu Recht, daß die Erdbeeren dieses Jahr am Stiel faulen und daß kein Mensch weiß, wohin das führen soll, wenn ein heiterer Nachmittag wie dieser zu den großen Ausnahmen gehört.

Mitten in dieses müde Gerede, in das gedämpfte Gelächter aus einem anderen Garten, in den ein wenig traurigen Dialog meines Buches brach der trockene, scharfe, wahrhaft markerschütternde Knall eines Düsenfliegers. Immer genau über uns, sagte das Kind beleidigt, aber nicht erschrocken, und ich ließ mir nicht anmerken, wie leicht mir immer noch durch einen Schreck der Boden unter den Füßen wegsackt. – Er schafft es ja nicht anders, sagte ich. – Was denn? – Die Schallmauer. Er muß ja durch. – Warum? – Er ist extra dafür gemacht, und nun muß er durch. Auch wenn es noch mal so laut krachen würde. – Das muß ihm doch selber peinlich sein. Vielleicht steckt sich der Flieger Watte in die Ohren? – Aber er hört ja nichts. Das ist es doch: Der Schall bleibt hinter ihm. – Praktisch, findest du nicht? sagte das Kind und setzte im selben Ton hinzu: Mir ist langweilig.

Ich weiß wohl, daß man die Langeweile von Kindern zu fürchten hat und daß sie nicht zu vergleichen ist mit der

Langeweile von Erwachsenen; sei es denn, ihre Langeweile wäre tödlich geworden: Was sollten wir mehr fürchten müssen als die tödliche Langeweile ganzer Völker? Aber davon kann hier nicht die Rede sein. Ich mußte mit der Langeweile des Kindes fertig werden und sagte vage und unwirksam: Mach doch was.

In der Zeitung steht, sagte das Kind, man soll Kindern Aufgaben geben. Davon werden sie gebildet.

Du liest Zeitung?

Natürlich. Aber die besten Sachen nimmt Vater mir weg. Zum Beispiel: „Leiche des Ehemanns in der Bettlade."

Das wolltest du unbedingt lesen?

Das wäre spannend gewesen. Hatte die Ehefrau den Ehemann ermordet?

Keine Ahnung.

Oder wer hatte ihn im Bettkasten versteckt?

Aber ich hab doch diesen Artikel nicht gelesen!

Wenn ich groß bin, lese ich alle diese Artikel. Mir ist langweilig.

Ich wies das Kind an, Wasser und Lappen zu holen und Tisch und Stühle abzuwischen, und ich sah die Leiche des Ehemanns in der Bettlade durch seine Träume schwimmen, sah Ehefrauen herumgeistern, die darauf aus sind, ihre Männer umzubringen – womit denn bloß? Mit einem Beil? Mit dem Küchenmesser? Mit der Wäscheleine?, sah mich an seinem Bett stehen: Was ist denn? Hast du schlecht geträumt? und sah seine erschrockenen Augen: Nichts. Mir ist nichts. Seid ihr alle da? Irgendwann einmal wird das Kind seinen Kindern von einem frühen Alptraum erzählen. Der Garten wird längst versunken sein, über ein altes Foto von mir wird es verlegen den Kopf schütteln, und von sich selbst wird es fast nichts mehr wissen. Die Leiche des Ehemanns in der Bettlade aber wird sich erhalten haben, bleich und unverfroren, so wie mich noch immer jener Mann peinigt, von dem mein Großvater mir einst erzählt hat: Für eine grausige Bluttat zum Wahnsinn durch einen Wassertropfen verurteilt, der in regelmäßigen Abständen tagein, tagaus auf seinen geschorenen Kopf fiel.

He, sagte mein Mann, hörst du heute nicht?

Ich dachte an meinen Großvater.

An welchen – an den, der mit achtzig noch Kopfstand machte?

An den, der fünfundvierzig an Typhus starb.

Der mit dem Seehundsbart?

Ja. Der.

Daß ich mich unter deinen Großvätern nie zurechtfinden kann!

Es muß an dir liegen. Sie sind nicht zu verwechseln.

Er fuhr fort, sich über meine Großväter zu entrüsten, und ich fuhr fort, sie in Schutz zu nehmen, als müßten wir einen unsichtbaren Zuschauer über unsere wahren Gedanken und Absichten täuschen. Er stand neben dem kleinen Aprikosenbaum, der dieses Jahr überraschend aus seiner Kümmerlichkeit herausgeschossen ist, wenn er es auch nicht fertiggebracht hat, mehr als eine einzige Frucht zu bilden, und diese winzige grüne Aprikose gaben wir vor anzusehen; so weit trieben wir die Täuschung. Was er in Wirklichkeit ansah, weiß ich nicht. Ich jedenfalls wunderte mich über die Beleuchtung, die jetzt den Aprikosenbaum umgab und alles, was in seiner Nähe herumstand, so daß man ohne den geringsten Überdruß eine Weile hinsehen konnte. Auch wenn man inzwischen von den Großvätern zu etwas anderem überging, zum Beispiel zu dem Buch, das ich immer noch in der Hand hielt und dessen Vorzug gerade darin lag, nicht zu stören beim Betrachten von Aprikosenbäumen. Sondern das Seine dazuzugeben, in aller Bescheidenheit, wie der Dritte es soll.

Aber ein paar zu viele Einsiedler und Propheten und Verhexte kamen doch in ihm vor, darüber wurden wir uns einig, und ich holte mir die Erlaubnis, eine Geschichte zu überspringen, in der eine gräßliche Volksrache an einem Verräter mit allen Einzelheiten beschrieben sein soll; ich gab zu, all diesen Verstümmelungen und Ermordungen von Männern vor den Augen ihrer gefesselten Frauen nicht mehr gewachsen zu sein; ich gab zu, daß ich neuerdings Angst habe vor dem nächsten Tropfen, der auf unsere bloßen Köpfe fällt.

Genau in diesem Augenblick trat unsere Tochter auf, und drüben schob der Ingenieur sein neues froschgrünes Auto zur Sonnabendwäsche aus der Garage. Was das Auto betrifft: Niemand von uns hätte den traurigen Mut gehabt, dem Ingenieur zu sagen, daß sein Auto froschgrün ist, denn in den Wagenpapieren steht „lindgrün", und daran hält er sich. Er hält sich überhaupt an Vorgedrucktes. Sie brauchen nur seinen Haarschnitt anzusehen, um die neuesten Empfehlungen der Zeitschrift „Ihre Frisur" zu kennen, und seine Wohnung, um zu wissen, was vor zwei Jahren in der „Innenarchitektur" für unerläßlich gehalten wurde. Er ist ein freundlicher, semmelblonder Mann, unser Ingenieur, er interessiert sich nicht für Politik, aber er sieht hilflos aus, wenn wir den letzten Leitartikel fade nennen. Er läßt sich nie etwas anmerken, und wir lassen uns auch nie etwas anmerken, denn wir sind fest überzeugt, daß der semmelblonde Ingenieur mit seinem froschgrünen Auto dasselbe Recht hat, auf dieser Erde zu sein, wie wir mit unseren Pusteblumen und Himmelslandschaften und diesem und jenem etwas traurigen Buch. Wenn nur unsere dreizehnjährige Tochter, eben die, die gerade durch die Gartentür kommt, sich nicht in den Kopf gesetzt hätte, alles, was mit dem Ingenieur zusammenhängt, modern zu finden. Und wenn wir nicht wüßten, welch katastrophale Sprengkraft für sie in diesem Wort steckt.

Habt ihr gesehen, was für eine schicke Sonnenbrille er heute wieder aufhat, fragte sie im Näherkommen. Ich konnte durch einen Blick verhindern, daß der Vater die Sonnenbrille, die wir gar nicht beachtet hatten, unmöglich nannte, und wir sahen schweigend zu, wie sie über das Stückchen Wiese stakste und einen sehr langen Schatten warf, wie sie sich auf komplizierte Weise neben dem Aprikosenbäumchen niederließ und ihre Bluse glattzog, um uns klarzumachen, daß es kein Kind mehr war, was da vor uns saß.

Sagte ich schon, daß sie von der Probe zum Schulfest kam?

Es klappt nicht, sagte sie. Rein gar nichts klappt. Wie findet ihr das?

Normal, sagte der Vater, und ich glaube bis heute, das war nichts anderes als die Rache für die schicke Sonnenbrille des Ingenieurs.

Ja, du! sagte die Tochter aufgebracht. Du findest es womöglich normal, wenn die Rezitatoren ihre Gedichte nicht können und wenn der Chor ewig den Ton nicht trifft und wenn die Solotänzerin andauernd auf den Hintern fällt?

Von dir lerne ich alle diese Ausdrücke, stellte das Kind fest, das auf dem Rand der Regentonne saß und sich kein Wort aus dem nervenaufreibenden Leben der großen Schwester entgehen ließ. Das brachte den Vater zu der Erklärung, daß, wenn eine Solotänzerin auf den Hintern falle, dies eine bedauerliche Tatsache sei, aber kein Ausdruck. Die wirkliche Frage allerdings besteht darin, ob man beim Schulfest überhaupt eine Solotänzerin brauche.

Wie soll ich Ihnen in dürren Worten begreiflich machen, daß der Streit, der nun losging, tiefe Wurzeln hatte, die weniger aus dem zufälligen Auftritt einer Solotänzerin ihre Nahrung zogen als aus der grundsätzlichen Meinungsverschiedenheit über den Geschmack der Lehrerin, die alle Schulfeste ausrichtet, seit unsere Kinder an dieser Schule sind. Immer noch hat sie in der neunten oder zehnten Klasse ein gutgebautes Mädchen gefunden, das bereit war, in einem roten Schleiergewand über die Bühne zu schweben und zu einer Klaviermusik anzudeuten, daß es sich nach irgend etwas sehnt. Wenn Sie mich fragen: Diese Mädchen haben weder erbitterte Ablehnung noch unkritische Verzückung verdient, aber, wie ich schon sagte, um sie geht es ja nicht. Es geht ja nicht mal um die Neigung der Lehrerin zu bengalischer Beleuchtung, denn mit allen möglichen Arten von Beleuchtung fertig zu werden, sollten wir wohl gelernt haben. Nein: In

Wirklichkeit erträgt er nicht seiner Tochter schmerzhafte Hingabe an alles, was sie für vollkommen hält; erträgt nicht den Anblick ihrer Verletzbarkeit; stellt sich, töricht genug, immer wieder bei Gewitter ins freie Feld, um die Blitze, die ihr zugedacht sind, auf sich abzulenken. Wofür er im Wechsel stürmische Zärtlichkeit erntet und wütenden Undank, so daß er tausendmal sagt: Von dieser Sekunde an werde ich mich nie wieder in diese Weibersachen einmischen, das schwöre ich. – Aber wir hörten nicht auf seine Schwüre, denn er ist eingemischt, mit und ohne Schwur. Da beißt die Maus kein'n Faden ab.

Mause-Loch, sagte das Kind versuchsweise fragend: Werden sie mich weiter links liegenlassen? Die Antworten, die es in schneller Folge von uns bekam und die ich hier getreulich verzeichne, werden Sie merkwürdig finden: Regen-Wurm, sagte ich. Glücks-Pilz, sagte der Vater. Nacht-Gespenst, sagte die Tochter. Bei einer so guten Sammlung von Wörtern konnte unser Spiel unverzüglich losgehen, und die erste Runde lautete: Regenloch, Mausepilz, Glücksgespenst und Nachtwurm, dann kamen wir schon in Fahrt und ließen uns hinreißen zu Lochwurm und Mausegespenst und Regenglück und Pilznacht, und danach war kein Halten mehr, die Dämme brachen und überschwemmten alles Land mit den hervorragendsten Mißbildungen, Wurmgespenst und Mauseregen und Nachtloch und Pilzwurm und Lochglück und Nachtregen und Pilzmaus quollen hervor.

Verzeihen Sie. Aber es ist schwer, sich nicht hinreißen zu lassen. Möglicherweise gibt es bessere Wörter. Und natürlich sind fünf oder sechs Spieler besser als vier. Wir haben es mal mit dem Ingenieur versucht. Wissen Sie, was er sagte? Sie erraten es nicht. Natürlich betrog er uns. Zu den Spielregeln gehört ja, daß jeder, ohne nachzudenken, das Wort nennt, das obenauf in seinem Kopf liegt. Der Ingenieur aber grub vor unseren Augen sein Gehirn sekundenlang um und um, er strengte sich mächtig an, bis er, sehr erleichtert, Aufbau-Stunde zutage förderte. Wir ließen uns natürlich nicht lumpen und gruben auch und bedienten ihn mit Arbeits-Brigade und Sonder-Schicht und Gewerkschafts-Zeitung, und das Kind brachte ganz verwirrt Pionier-Leiter heraus. Aber ein richtiges Spiel wurde nicht aus Gewerkschaftsaufbau und Brigadestunde und Sonderarbeit und Schichtleiter und Zeitungspionier, wir trieben es lustlos ein Weilchen, lachten pflichtgemäß kurz auf bei Leitergewerkschaft und brachen dann ab.

Niemand von uns verlor ein Wort über diesen mißglückten Versuch, um die Gefühle der Tochter nicht zu verletzen, aber es arbeitete sichtbar in ihr, bis sie abends trotzig hervorbrachte: Er hat eben Bewußtsein!

Schneegans, sagte damals der Vater, dasselbe, was er auch heute sagt, weil die Tochter die erledigte Solotänzerin noch einmal hervorzieht und zu ihrer Rechtfertigung anführt, sie werde diesmal wunderbarerweise in einem meergrünen Kleid auftreten. Meergrüne Schneegans! Er nahm das Kind an die Hand, und sie gingen los mit Gesichtern, als verließen sie uns für immer und nicht nur für einen kurzen Gang zu ihrer geheimen Kleestelle, denn von Glückspilz waren sie zwanglos auf Glücksklee gekommen. Die Tochter aber sah ihnen triumphierend nach. Schneegans sagt er immer, wenn er kein Argument mehr hat, nicht? Hast du zufällig einen Kamm?

Ich gab ihr den Kamm, und sie holte einen Spiegel aus ihrem Körbchen hervor und befestigte ihn umständlich in den Zweigen des kleinen Aprikosenbaums. Dann nahm sie das Band aus ihrem Haar und begann sich zu kämmen. Ich wartete, weil es nicht lohnte, eine neue Seite anzufangen. Ich sah, wie sie sich zu beherrschen suchte, aber es mußte gesagt sein: Sie sitzen überhaupt nicht, siehst du das? – Wer, bitte? – Meine Haare. Kommt nichts dabei heraus, wenn man sie kurz vor dem Schlafengehen wäscht. Nun war es gesagt. Diese Frisur brachte ihre zu große Nase stark zur Geltung – aber erbarm dich, fügte ich hastig ein, du hast doch gar keine zu große Nase! –, wenn sie auch den Vorteil hatte, ihre Trägerin etwas älter zu machen. Der Busschaffner eben hatte sie jedenfalls mit „Sie“ angeredet: Sie, Frollein, ziehn Sie mal ein bißchen Ihre Beine ein! Das war ihr peinlich gewesen, aber nicht nur peinlich, verstehst du? – Hättest du nicht, sagte ich, absichtlich die Akzente verschiebend, ihm einen kleinen Dämpfer geben können? Vielleicht so: Reden Sie etwa mit mir so höflich? – Ach nein. So etwas fällt ihr leider nie ein, wenn sie es brauchte, und außerdem ging es ja nicht um die Unhöflichkeit des Busschaffners, sondern um das „Sie“. Jedoch, um auf die Haare zurückzukommen: Du, sagte meine Tochter. Was möchtest du lieber sein, schön oder klug?

Kennen Sie das Gefühl, wenn eine Frage in Ihnen einschlägt? Ich wußte sofort, daß dies die Frage aller Fragen war und daß sie mich in ein unlösbares Dilemma brachte. Ich redete ein langes und breites, und am Gesicht meiner Tochter sah ich, wie sie mich aller Vergehen, die in meiner Antwort denkbar waren, nacheinander für schuldig hielt, und ich bat im stillen eine unvorhandene Instanz um eine glückliche Eingebung und dachte: Wie sie mir ähnlich wird; wenn sie es bloß noch nicht merkt!, und laut sagte ich plötzlich: Also hör mal zu. Wenn du mich so anguckst und mir sowieso kein Wort glaubst – warum fragst du mich dann erst?

Da hatte ich sie am Hals, und darauf war die Frage ja auch angelegt. Der Kamm lag wie für immer im Gras, und ich hatte ihre weichen Lippen überall auf meinem Gesicht und an meinem Ohr sehr willkommene Beteuerungen von Ich-hab-nur-dich-wirklich-lieb und von ewigem Bei-mir-Bleiben und Immer-auf-mich-hören-Wollen, jene heftigen Eide eben, die man zum eigenen Schutz überstürzt leistet, kurz ehe man sie endgültig brechen muß. Und ich glaubte jedes Wort und spottete meiner Schwäche und meinem Hang zum billigen Selbstbetrug.

Jetzt lecken sie sich wieder ab, sagte das Kind verächtlich und warf mir lässig ein Sträußchen Klee in den Schoß, sieben Kleestengelchen, und jedes von ihnen hatte vier wohlausgebildete Blätter, wovon man sich gefälligst überzeugen wolle. Keine optische Täuschung, kein doppelter Boden, keine Klebespucke im Spiel. Solides vierblättriges Glück.

Sieben! rief die Tochter elektrisiert. Sieben ist meine Glückszahl. Kurz und gut: sie wollte die Blätter haben. Alle sieben für sich allein. Wir fanden nicht gleich Worte für diesen unmäßigen Anspruch, und wir kamen gar nicht darauf, sie zu erinnern, daß sie sich noch nie für Glücksklee interessiert hatte und auch selber nie ein einziges vierblättriges Kleeblatt fand. Wir sahen sie nur groß an und schwiegen. Aber sie war so auf das Glück versessen, daß sie kein bißchen verlegen wurde.

Ja, sagte das Kind schließlich. Sieben ist ihre Glückszahl, das stimmt. Wenn wir zur Schule gehen, macht sie immer sieben Schritte von einem Baum bis zum nächsten. Zum Verrücktwerden. Sie nahm, als sei das ein Akt unvermeidlicher Gerechtigkeit, die Blätter aus meinem Schoß und gab sie der Schwester. Übrigens bekam ich sie sofort zurück, nachdem die Tochter sie heftig gegen ihre angeblich zu große Nase gepreßt hatte; ich sollte sie vorläufig in meinem Buch aufbewahren. Es wurde sorgfältig überwacht, wie ich sie zwischen Pinien und Macchiastauden legte, an den Rand des fremden Mittelmeeres, auf die Stufen jener Treppe zu dem Wahrsager, der aus Barmherzigkeit log, auf den Holztisch, an dem der junge Gastwirt seine Gäste bewirtet hatte, solange er noch glücklich und nicht als Opfer eines düsteren Unheils gezeichnet war. Die Seiten, auf denen jene gräßliche Rachetat begangen wird, ließ ich aus, denn was weiß ich von vierblättrigem Klee und von der Glückszahl Sieben, und was gibt mir das Recht, gewisse Kräfte herauszufordern?

Sicher ist sicher.

Wer von euch hat nun wieder meinen Bindfaden weggenommen? Mit einem Schlag rutschte die fremde Flora und Fauna den Horizont herunter, wohin sie ja auch gehört, und was uns anging, war des Vaters düsteres Gesicht.

Bindfaden? Niemand, sagten wir tapfer. Was für Bindfaden?

Ob wir keine Augen im Kopf hätten, zu sehen, daß die Rosen angebunden werden müßten?

Das Kind zog eine der Schnüre aus seiner Hosentasche, die es immer bei sich trug, und bot sie an. Das machte uns anderen bewußt, daß es Ernst war. Die Tochter schlug vor, neuen Bindfaden zu holen. Aber der Vater wollte keinen neuen Bindfaden, sondern die sechs Enden, die er gerade zurechtgeschnitten und hier irgendwo hingelegt hatte und die wir ihm natürlich wegnehmen mußten. Siehst du, sagten wir uns mit Blicken, man hätte ihn nicht so lange sich selbst überlassen dürfen, man hätte ihm wenigstens ein Kleeblatt in die Tasche stecken sollen, denn jedermann braucht Schutz vor bösen Geistern, wenn er allein ist. Wir sahen uns für den Rest des Nachmittags Bindfaden suchen und hörten obendrein den Vater sein Geschick beklagen, das ihn unter drei Frauen geworfen hat. Wir seufzten also und wußten uns nicht zu helfen. Da kam Frau B.

Frau B. schaukelte über die Wiese heran, weil sie bei jedem Schritt ihr ganzes Gewicht von einem Bein auf das andere verlagern muß, und in ihrer linken Hand trug sie ihre Einkaufstasche, ohne die sie nicht auf die Straße geht, aber in ihrer Rechten hielt sie sechs Enden Bindfaden. Na, sagte sie, die hat doch einer wieder am Zaun hängenlassen. Nachher werden sie gesucht, und dann ist der Teufel los.

Ach ja, sagte der Vater, die kommen mir eigentlich gerade zupaß. Er nahm den Bindfaden und ging zu den Rosen.

Vielen Dank, Frau B., sagten wir. Aber setzen Sie sich doch.

Die Tochter holte einen von den frisch abgewaschenen Gartenstühlen, und wir sahen etwas besorgt zu, wie er vollständig unter dem mächtigen Körper der Frau B. verschwand. Frau B. pustete ein bißchen, denn für sie, wie sie nun mal ist, wird jeder Weg eine Arbeit, sie schöpfte neuen Atem und teilte uns dann mit, daß der geschossene Zustand unserer Erdbeeren von übermäßiger künstlicher Düngung herrühre. Frau B. ist nämlich kein noch so merkwürdiges Verhalten irgendeiner lebenden Kreatur fremd, sie sieht mit einem Blick die Krankheit und ihre Wurzel, wo andere Leute lange herumsuchen müssen. Unsere Wiese hätte längst gemäht und das Unkraut auf dem Möhrenbeet verzogen werden müssen, sagte sie uns, und wir bestritten nichts. Aber dann gab uns Frau B. Grund zum Staunen mit der Frage, ob wir eigentlich schon in das Innere der gelben Rose geblickt hätten, die als erste links auf dem Beet steht. Nein, in die Rose hineingesehen hatten wir noch nicht, und wir fühlten, daß wir ihr damit etwas schuldig geblieben waren. Das Kind lief gleich, es nachzuholen, und kam atemlos mit der Meldung zurück: Es lohne sich. Nach innen zu werde die Rose dunkelgelber, zum Schluß sogar beinahe rosa. Wenn auch ein Rosa, was es sonst nicht gibt. Das Tollste aber sei, wie tief diese Rose war. Wirklich, man hätte es nicht gedacht.

Wie ich Ihnen gesagt habe, sagte Frau B. Es ist eine edle Sorte. Die Haselnüsse haben aber auch gut angesetzt dieses Jahr.

Ja, Frau B., sagten wir. Und jetzt erst, nachdem Frau B. es bemerkt, hatten die Haselnüsse wirklich gut angesetzt, und uns schien, alles, worauf ihr Blick mit Zustimmung oder Mißbilligung gelegen, sogar die geschossenen Erdbeeren, hatte nun erst den rechten Segen.

Da tat Frau B. ihren Mund auf und sagte: Dieses Jahr verfault die Ernte auf dem Halm.

Aber Frau B.! riefen wir.

Ja, sagte sie ungerührt. Das ist, wie es ist. Wie der Hundertjährige Kalender sagt: Unwetter und Regen und Gewitter und Überschwemmungen. Die Ernte bleibt draußen und verfault auf dem Halm.

Da schwiegen wir. Wir sahen die Ernte nach dem Hundertjährigen Kalender zugrunde gehen unter den gelassenen Blicken der Frau B., und eine Sekunde lang kam es uns vielleicht vor, daß sie selber es war, die über die Ernte und die Haselnüsse und die Erdbeeren und Rosen zu befinden hatte. Es ist ja nicht ganz ausgeschlossen, daß man durch lebenslängliche Arbeit an den Produkten der Natur ein gewisses Mitspracherecht über sie erwerben kann. Vergebens versuchte ich, mir die Fluten von Fruchtsäften, die Berge von Marmeladen und Gelees vorzustellen, die im Laufe von vierzig Jahren über Frau B.s Küchentisch gegangen waren, ich sah die Waggons voller Möhren und grüner Bohnen, die aus ihren Händen gewachsen und von ihren Fingern geputzt worden waren, die Tausende von Hühnern, die sie gefüttert, die Schweine und Kaninchen, die sie gemästet, die Ziegen, die sie gemolken hatte, und ich mußte zugeben, daß es gerecht wäre, wenn MAN ihr nun vor anderen mitteilen würde: Also hören Sie mal zu, meine liebe Frau B., was dieses Jahr die Ernte betrifft, dachten WIR . . .

Denn den Hundertjährigen Kalender hat ja auch noch kein Mensch mit Augen gesehen.

Da sind sie ja wieder, sagte Frau B. befriedigt. Ich muß mich bloß wundern, daß es ihnen nicht über wird.

Wem denn, Frau B.? Was denn?

Doch da sahen wir sie auch: die Hubschrauber. Muß ich mich entschuldigen für den regen Flugverkehr über unserem Gebiet? Tatsache ist: um diese Nachmittagsstunde fliegen zwei Hubschrauber die Grenze ab, was immer sie über dem Drahtzaun zu erblicken hoffen oder fürchten mögen. Wir aber, wenn wir gerade Zeit haben, können einmal am Tage sehen, wie nahe die Grenze ist, wir können die langen Propellerarme kreisen sehen und uns gegenseitig die hellen Flecke in der Kanzel, die Gesichter der Piloten, zeigen, wir können uns fragen, ob es immer die gleichen sind, die man für diesen Flug abkommandiert hat, oder ob sie sich abwechseln. Vielleicht schicken sie sie bloß, um uns an sie zu gewöhnen. Man hat ja keine Angst vor Sachen, die man jeden Tag sieht. Aber nicht einmal die nächtlichen Scheinwerfer und die roten und gelben Leuchtkugeln, die vor der Lichtkuppel der Großstadt aufzischen, rücken uns die Grenze so nahe wie die harmlos-neugierigen Hubschrauber, die das Tageslicht nicht scheun.

Zu denken, daß er aus Texas sein könnte, sagte Frau B. Wo gerade mein Junge ist.

Wer denn, Frau B.?

Der Flieger da. Er kann doch ebensogut aus Texas sein, oder nicht?

Das kann er. Aber was in aller Welt macht Ihr Sohn in Texas?

Fußball spielen, sagte Frau B.

Da fiel uns wieder alles über ihren taubstummen Sohn ein, der mit seiner ebenfalls taubstummen Frau im Westen lebte und der nun mit der Fußballmannschaft der Gehörlosen in Texas war, ohne zu ahnen, was seine Mutter gerade angesichts eines fremden Hubschrauberpiloten sagt. Auch Anita fiel uns ein, Frau B.s Tochter, die ebenfalls taub war und allein in einer fremden, aber erreichbaren Stadt einen Beruf lernte und jede Woche ihre Wäsche nach Hause schickte. Wir sahen Frau B. noch einmal an und suchten Spuren von Schicksal in ihrem Gesicht. Aber wir sahen nichts Besonderes

Seht mal alle geradeaus, sagte das Kind und zog eine Grimasse. Am Zaun stand unsere Nachbarin, die Witwe Horn.

Prost die Mahlzeit, sagte Frau B. Dann werd ich man gehen.

Aber sie blieb und drehte ihren ganzen mächtigen Körper dem Zaun zu und sah der Witwe Horn entgegen: der Frau, die keine Zwiebel an Kartoffelpuffer macht und die ihren verstopften Ausguß nicht reparieren läßt und die sich kein Kopftuch zum Wechseln leistet, aus nacktem, blankem Geiz. Sie war gekommen, mit ihrer durchdringenden, teilnahmslosen Stimme zu uns über das Eisenbahnunglück zu reden.

Jetzt sind es zwölf, sagte sie statt einer Begrüßung.

Guten Tag, erwiderten wir beklommen. Was denn: zwölf?

Zwölf Tote, sagte die Witwe Horn. Nicht neun, wie sie gestern noch in der Zeitung schrieben.

Allmächtiger Himmel, sagte Frau B. und sah unsere Nachbarin an, als habe *sie* die drei Toten umgebracht, die gestern noch nicht in der Zeitung standen. Wir wußten, daß Frau B. ihr alles zutraute, denn wer am Gelde hängt, stiehlt auch und bringt Leute um, aber das ging zu weit. Auch wenn uns selbst das Glitzern in den Augen der Witwe Horn nicht recht gefallen wollte.

Woher wissen Sie denn das, fragten wir, und ist es wirklich sicher, daß drei aus unserem Ort dabei sind?

Vier, sagte unsere Nachbarin beiläufig. Aber die Frau von diesem Schauspieler war ja hoch versichert.

Nein, sagten wir und wurden blaß. Ist sie auch tot?

Natürlich, sagte die Witwe Horn streng.

Da schwiegen wir ein paar Sekunden lang für die Frau vom Schauspieler. Ein letztes Mal kam sie mit ihren beiden Dackeln die Straße herauf bis zu unserer Gartentür, ein letztes Mal beschwerte sie sich zwischen Ernst und Spaß über die Unarten der Hunde, ließ sie sich widerstrebend von Baum zu Baum ziehen und strich ihr langes blondes Haar zurück. Ja: Jetzt sahen wir es alle, daß sie schönes Haar hatte, kaum gefärbt, und daß sie schlank war und gut aussah für ihr Alter. Aber wir konnten es ihr nicht sagen, sie war schon vorbei, sie wendete uns auf eine unwiderrufliche Art den Rücken zu, die wir nicht an ihr kannten, wir durften nicht hoffen, daß sie sich umdrehen oder gar zu uns zurückkommen werde, nur damit wir unaufmerksamen Lebenden noch einmal in ihr Gesicht sehen und es uns einprägen könnten – für immer.

Was für ein unpassendes Wort für die lebendige, von wechselnden Alltagssorgen geplagte Frau des Schauspielers.

Er ist ja noch nicht zurück, sagte unsere Nachbarin, die nicht gemerkt hatte, daß jemand vorbeiging.

Wer denn?

Na, der Schauspieler doch. Sie haben ja nichts mehr von

ihr gefunden, bloß die Handtasche mit dem Personalausweis. Das muß den Mann ganz durcheinandergebracht haben. Er ist noch nicht zurück.

Es kam, was kommen mußte. Das Kind tat den Mund auf und fragte: Aber warum denn? Warum haben sie denn nichts mehr von ihr gefunden?

Wir starrten alle die Witwe Horn an, ob sie nun beschreiben würde, wie es nach so einem Eisenbahnunglück auf den Schienen aussehen kann, aber sie sagte, ohne unsere beschwörenden Blicke zu beachten, in ihrem gleichen ungerührten Ton: Das geht alles nicht so schnell. Sie suchen noch.

Kommen Sie doch näher, sagte ich. Setzen Sie sich doch.

Aber dazu konnte unsere Nachbarin nur lächeln. Man sieht sie nie lächeln, außer wenn ihr etwas Unnatürliches zugemutet wird: daß sie etwas verschenken soll, zum Beispiel. Oder daß sie sich mitten am Tag hinsetzen soll. Wer sitzt, der denkt. Wer Mist auf sein Maisfeld karrt oder ein Stück Land umgräbt oder Hühner schlachtet, muß weit weniger denken als ein Mensch, der in seiner Stube sitzt und auf das Büfett mit den Sammeltassen stiert. Wer möchte sich dafür verbürgen, daß nicht auf einmal ein Mann vor dem Büfett steht, da, wo er immer gestanden hat, um seine Zeitung herunterzulangen; ein hassenswürdiger Mann, der, wie man hört, die Strafe für das Verlassen seiner Frau vor kurzem durch den Tod gefunden hat. Oder Enkelkinder, die man nicht kennt, denn man hat ja die Schwiegertochter, dieses liederliche Frauenzimmer, mitsamt dem Sohn hinausgeworfen. Da springt man dann auf und holt die Drahtkiste mit den Küken in die gute Stube, mögen sie doch die leere Wohnung mit ihrem Gepiepe füllen, mögen doch die Federn umherfliegen, daß man kaum atmen kann, mag doch alles zum Teufel gehen. Oder man rennt in die Küche und färbt Eier und verschenkt sie zu Ostern an die Nachbarkinder, diese Nichtsnutze, die abends an der Türklingel zerren und dann auseinanderstieben, so daß niemand da ist, wenn man hinausstürzt, immer wieder hinausstürzt, aber nichts ist da. Nichts und niemand, wie man sich auch den Hals verrenkt.

Wiedersehen, sagte die Witwe Horn. Weiter wollt ich dann ja nichts. Mit ihr ging Frau B. Jeder ihrer gewichtigen Schritte gab zu verstehen, daß sie sich nicht gemein machte mit der hageren Frau, die neben ihr trippelte. Die Grenze galt es zu hüten, die unverschuldetes Schicksal und selbstverschuldetes Unglück auf immer voneinander trennt.

Ein Streit brach zwischen den Kindern aus, auf den ich nicht achtete. Er wurde heftiger, zuletzt jagten sie sich zwischen den Bäumen, das Kind hielt einen abgerissenen Papierfetzen hoch und schrie: Sie liebt schon einen, sie liebt schon einen!, und die Tochter, außer sich, forderte ihren Zettel, forderte ihr Geheimnis zurück, das genauso schwer zu verbergen wie zu offenbaren war. Ich lehnte den Kopf an das Kissen in meinem Liegestuhl. Ich schloß die Augen. Ich wollte nichts sehen und nichts hören. Jene Frau, von der man nur noch die Handtasche gefunden hatte, sah und hörte auch nichts mehr. In welchem Spiel sie ihre Hände auch gehabt haben mochte, man hatte sie ihr weggeschlagen, und das Spiel ging ohne sie weiter.

Der ganze federleichte Nachmittag hing an dem Gewicht dieser Minute. Hundert Jahre sind wie ein Tag. Ein Tag ist wie hundert Jahre. Der sinkende Tag, sagt man ja. Warum soll man nicht spüren können, wie er sinkt: vorbei an der Sonne, die schon in die Fliederbüsche eingetaucht, vorbei an dem kleinen Aprikosenbaum, an den heftigen Schreien der Kinder, auch an der Rose vorbei, die nur heute und morgen noch außen gelb und innen rosa ist. Aber man kriegt Angst, wenn immer noch kein Boden kommt, man wirft Ballast ab, dieses und jenes, um nur wieder aufzusteigen. Wer sagt denn, daß der Arm schon unaufhaltsam ausgeholt hat zu dem Schlag, der einem die Hände aus allem herausreißt? Wer sagt denn, daß diesmal wir gemeint sind? Daß das Spiel ohne uns weiterginge?

Die Kinder hatten aufgehört, sich zu streiten. Sie finden Heuhüpfer. Die Sonne war kaum noch sichtbar. Es begann kühl zu werden. Wir sollten zusammenräumen, rief der Vater uns zu, es sei Zeit. Wir kippten die Stühle an den Tisch und brachten die Harken in den kleinen dumpfen Schuppen.

Als wir gingen, war die Luft voller Junikäfer. An der Gartentür drehten wir uns um und sahen zurück.

Wann war das eigentlich mit diesem Mittelmeer, fragte das Kind. Heute?

KARL-HEINZ JAKOBS

# Ein Schnellzug fährt vorbei

> Wir waren allzu genügsam, da unserm Verlangen nichts als Natur nur die zärtliche Stimme verlieh. Und erst viel später nahm uns das andre gefangen, zögernd, doch unwiderstehlich: die Industrie.
>
> *Deicke*

## 1

Als Wilsenack aus dem Speisewagen zurückkam, saß der Fremde weiterhin beharrlich und unbewegt in der Fensterecke. Es sah aus, als hätte er seine Haltung während der letzten halben Stunde nicht verändert. Das blaue Licht der Nachtlampe stand nebelhaft auf seinem Gesicht. Von den Augen sah Wilsenack, daß sie dunkel und starr waren, daß ihr Blick in kleinem Winkel die vertikale Ebene der Fensterscheibe schnitt, und zwar so unglaublich tot, als seien sie nicht imstande, einen festen Punkt draußen in der vorüberfliegenden Landschaft wahrzunehmen. Wie klingt wohl so eine Stimme? dachte Wilsenack, wenn einer ein derart verschlossenes Wesen besitzt. Er erinnerte sich an ein paar zusammenhanglose Laute des Fremden, die als eine Erwiderung seines Grußes zu entschlüsseln waren. Er erinnerte sich der Laute, nicht der Stimme. Er ist einer dieser seltsamen Charaktere, die uns bestürzen, dachte Wilsenack, die uns so tief erscheinen, daß wir sie meiden. Wir meiden sie nicht aus

Abscheu, wenn wir ein Restaurant betreten und uns einen Platz suchen. Er sitzt allein an seinem Tisch, still und von starrer Aufmerksamkeit. Er blickt uns entgegen, die sich ihm nähern. Uns. Wir gehen vorüber, setzen uns an einen andern Tisch, an einen, der ungünstiger steht, wo das leer gegessene Geschirr eines nicht mehr anwesenden Gastes noch drauf ist, wo eine aufgetakelte und mit Fett und Puder beschmierte Dame dran sitzt oder einer dieser glatzköpfigen Kerle mit den Allüren von Päderasten. Diese Leute sind uns wirklich zuwider, und wir wissen, daß sie uns in eins ihrer nichtigen und widerlichen Gespräche ziehn werden. Aber wir setzen uns lieber an so einen Tisch, dachte Wilsenack, weiß der Teufel, warum.

Während Wilsenack vorgebeugt hinaussah, die Arme auf das hochgeklappte Tischchen gestützt, entzifferte er im Fensterglas das Gesicht des Fremden, über das von Zeit zu Zeit ein vereinsamtes Licht draußen in der Landschaft wanderte. Der Fremde war ein junger Mann. Er saß unbequem im Polster. Sein Körper lag steif angelehnt, war nicht krumm geschlossen von der Weichheit des Samtes.

Die Räder rollten jetzt über ein Weichensystem, und Wilsenack sah rätselhafte Signale vorbeifliegen. Ihn kümmerten nicht die Signale. Auch die Bahnstation, der sie sich näherten, kümmerte ihn wenig. Aber er liebte es, nachts an fremden Stationen vorüberzuziehn, seltsame Dinge, vielleicht Häuser mit unbestimmbarem Sinn, vorbeifliegen zu sehn. Er liebte die kurzen Wirbel der Räder beim Überfahren der Weichen, Wirbel, die bis in die Zehenspitzen zu spüren waren. Das liebte er, wenn es plötzlich heller wurde in der vorüberziehenden Landschaft beim Durchfahren einer Station. Hinterher versank die Landschaft wieder in Schwarz. Doch auf dem Bahnsteig, das wußte er, stand immer jemand in Uniform mit erhobenem grünem Handsignal. Oft war es kein Mann, sondern eine Frau in Uniform. Die Frauen hielten das Signal anders als die Männer. Die Männer blickten dem Zug gesammelt entgegen, und wenn der halbe Zug vorbei war, senkten sie das Signal und kehrten gewichtig in ihr Dienstzimmer zurück. Die Frauen dagegen schienen immer auf noch etwas zu warten. Wilsenack hatte einmal im letzten Wagen gestanden und das aufregende Bild der nach hinten eilenden Schienen auf einer geraden Strecke beobachtet. Das war jener Tag gewesen, da er das Wort parallel begriffen hatte. Die Frau in Uniform aber hielt das Signal immer noch hoch, und sie blickte dem Zug hinterdrein, als könne sie es nicht fassen, daß dieser Zug nun zu Ende sei. Das war damals Tag gewesen. Jetzt war es Nacht, und Wilsenack legte die Stirn an die Fensterscheibe, schirmte mit beiden Händen die Augen ab gegen das von den Seiten hereinfallende Licht im Abteil, vielleicht würde es ihm gelingen, die Bahnstation zu entziffern, die sie nun passierten. Und da hörte er zum erstenmal die Stimme des Fremden.

„Sehn Sie nicht hinaus“, sagte der Fremde, „denn das ist Lübbenau.“

Es war eine leise, ein wenig heisere Stimme. Sie hatte etwas im Ton, was an eins dieser grausamen und einfach moralischen Volksmärchen erinnerte. Geh nicht vom Weg ab, Rotkäppchen, denn dann kommt der Wolf; und Wilsenack mußte lächeln über diese verblüffende Warnung in so trockenem Humor. Er lächelte und blickte den Fremden an. Aber dessen Gesicht war weiterhin unbewegt auf die Fensterscheibe gerichtet, ohne daß jemand an seinen Augen erkennen konnte, daß er einen Gegenstand wahrnahm. Irritiert von so viel Fremdartigkeit, legte Wilsenack wieder die Stirn an die Scheibe.

Die Bahnstation war vorbei. Vorn war die Landschaft schwarz. Aber da hinten, was war das da hinten? Wilsenack krauste die Stirn und blickte aus engen Pupillen weit über die Landschaft, dorthin, wo sich mitten in der Dunkelheit eine breite Lichtoase auftat. Vor lauter Licht war Wilsenack nicht imstande, die Einzelheiten dort zu gliedern. Er starrte auf den Horizont wie auf eine Erscheinung. Da waren Gebäude, ungeheuer, die so aussahen, als umschlössen sie Maschinen, Maschinen, die lautlos liefen und in millionenstarker Energie. Ja, und aus den Gebäuden, dahinter, darüber, davor und dazwischen, ragte eine exakte Reihe weißer Schornsteine. Weiße Schornsteine, dachte Wilsenack, na, hat denn schon jemand weiße Schornsteine gesehn?

„Lehnen Sie sich ins Polster, schließen Sie die Augen, und zählen Sie leise bis hundert“, sagte der Fremde, „dann ist das da draußen vorbei, und Sie werden in Ruhe weiterleben können.“

Wilsenack blickte seinen Reisegefährten überrascht an. „Lübbenau?“ fragte er. „Tatsächlich Lübbenau?“

„Ja“, sagte der Fremde.

Und die Schornsteine dort sind weiß, dachte Wilsenack, und es sind eins, zwei, drei, vier, fünf, sechs, ja, sieben sind es, und aus den Kühltürmen davor steigt Dampf.

„Diese drei Massen von Gebäuden“, sagte Wilsenack.

„Das sind die drei Kraftwerke“, sagte der Fremde, „jedes wiederum dreigeteilt, vorn sind die Maschinenhäuser, in der Mitte sind die Kesselhäuser, und hinten sind die Bunkerschwerbauten.“

„Und das da, wo die Lichterreihe entlanggeht?“ sagte Wilsenack.

„Wo die Lichterreihe ist“, sagte der Fremde, „da kommt die Kohle an. Das sind die Gütergleise, und die flachen, langgestreckten Gebäude da hinten, das sind die Kohlehochbahnbunker.“

Wilsenack schüttelte den Kopf, so wenig glaubhaft war ihm diese Erscheinung.

„Da, das Wasserwerk“, sagte der Fremde.

„Wo?“

„Ganz links.“

Wilsenack blickte ihn überrascht von der Seite an.

„Ganz links. Das niedrige Gebäude in dem dunkelgrünen Licht“, sagte der Fremde.

Und dann sagte er:

„Wasser. Verstehn Sie das? Nur Wasser."

Ja, träum ich denn? dachte Wilsenack. So plötzlich wie diese mächtige Lichtoase in der nächtlichen Landschaft aufgetaucht war, ebenso war sie verschwunden. Er drückte die Stirn an die Fensterscheibe und blickte zurück. Aber es ging nun nur eine weite nächtliche Ackerebene schwarz in einen schwarzen Himmel ein.

„Und jetzt glauben Sie, daß Sie geträumt hätten", sagte der Fremde.

Wilsenack schirmte dichter mit den Händen die Augen vor dem blauen Nachtlicht im Abteil ab. Aber es nützte nichts. Die Erscheinung war vorbei. Wilsenack spürte die Feuchtigkeit des Fensters an der Stirn und an der Handschneide. Er spürte die Feuchtigkeit, und es überlief ihn ein Frösteln.

„Beruhigen Sie sich", sagte der Fremde, „Sie haben nicht geträumt. Doch was Sie eben sahen, werden Sie nie vergessen."

Wilsenack öffnete den Mund, weil er glaubte zu ersticken. Es schlug dröhnend in seiner Brust. Die Stimme des Fremden war leis.

„Ich bestätige es Ihnen: Vor fünf Minuten fuhren wir durch plattestes finsteres Ackerland. Dann sahen wir eine Minute die Lichter des Kraftwerkes Lübbenau. Ein Lichtfleck, riesenhaft, aber wir fuhren schnell vorbei. Jetzt sind Sie erschüttert. Sie wissen nicht, wieso, Sie werden es nie wagen, diese Winzigkeit an Erlebnis jemand mitzuteilen. Denn Sie würden dies nicht in Worte zu fassen wissen. Aber ich schwöre es Ihnen: Sie vergessen es nie."

„Ich weiß nicht, ob ich es vergessen werde", sagte Wilsenack ungehalten.

Der Zug schoß durch müde Nacht. Irgendwo im Dunkeln, das ahnte Wilsenack, wuchsen Roggen und Rüben. Kühe ahnte er, die mit eingeknickten Knien bäuchlings im abgefressenen Gras kauerten und stöhnten im Schlaf. Er hätte sich nicht gewundert, wenn Fledermäuse durch das Abteil gezogen wären, so überwältigend war der Eindruck dieser ländlichen Nacht. Sie schien noch nicht weit von Postkutschen entfernt, nicht weit entfernt von inbrünstigen Gebeten, wenn wildernde Hunde zerfallene Gehöfte umkreisen. In solchen Nächten und in solchen Landschaften wuchsen Wolf und Bär. Und nun dieses Werk!

„Sie werden's nicht vergessen", sagte der Fremde.

Wilsenack wischte mit dem Handrücken die Scheibe ab. Es liefen drei schwache Rinnsale Fensterschweiß in unregelmäßigen Spuren hinunter.

„Wasser", sagte der Fremde, „sehn Sie mal an."

Wilsenack trocknete sich die Hand umständlich am Taschentuch.

„Aber ich weiß nicht, ob Sie wenigstens ahnen, was Wasser ist."

## 2

„Das Einfachste und das Komplizierteste", sagte der Fremde, „das Nichtswürdigste und das Wertvollste. Jedermann sprengt es sinnlos aus. Aber wissen Sie auch, daß jeder Tropfen des Rheins sieben- bis achtmal ausgenützt worden ist, ehe er in die Nordsee mündet? Sie gießen Wasser aus. Was kann passieren, denken Sie, der Boden ist aus Fliesen, die Fugen zwischen den Fliesen sind aus wasserdichtem Beton hergestellt. Sie kommen nach zwei Tagen hin und sehn, daß die Fugen zwischen den Fliesen nur noch Sand sind. Was Sie ausgossen, war vollentsalztes Wasser. Es war feinstes $H_2O$. Und dieses Wasser entriß den Kieselsäure- und Tonerdeteilen im Zement den Sauerstoff. Nein, Sie wissen nicht, was Wasser ist, Herr. Alle Welt trampelt im Wasser umher, plempert es aus. Und jetzt passen Sie auf: Tun Sie, was Sie wollen, plempern Sie weiter, vergraben Sie es, verbrennen Sie es, tun Sie es im größtmöglichen Umfang, und Sie werden feststellen: Es ist nicht zu beseitigen. Es wird beseitigt, wenn sie es atomar umwandeln oder wenn Sie es in den Kosmos schießen. Aber ich warne Sie davor. Bei Strafe des Todes."

Die Stimme war leis und heiser.

„Sie wohnen im Land zwischen Elbe und Oder", sagte der Fremde.

Wilsenack lauschte mißtrauisch.

„Sehn Sie sich mal die Karte an", sagte der Fremde.

Es war keine eifernde Stimme, und Wilsenacks Mißtrauen verschwand. Es lag etwas in dieser Stimme, was dumpf war, ungefüge, untrainiert. Es war aber Kraft in ihr. Und bittere Komik. Und Wilsenack hörte die Stimme weitersprechen.

„Was finden Sie hier?" sagte der Fremde. „Ein paar Spuren Eisenerz, etwas Kupfer, etwas Zinn, miese Steinkohle. Und was geschieht? Die dreckigste Erde, Braunkohle, wird da, wo Sie leben, durch eine geniale Erfindung geballteste Energie, Hochtemperaturkoks, dem der besten Steinkohle gleichzusetzen. Woanders wächst Wein; wo Sie wohnen, wachsen Rüben; woanders gibt es Erz; wo Sie wohnen, gibt es Kali. Das sind Unterschiede, mein Herr. Aber fahren Sie dann durch dieses Land, dann sehn Sie plötzlich hier und dort und da: ein Kraftwerk, mitten in den Rüben, mitten im Roggen; hier ein Chemiewerk, dort eine blitzende neue Stadt; eine ungeheure Hochseewerft, wo früher nur Jachten gebaut wurden; Kombinate für Plaste, für Textilien, für Edelstahl, Papier; Sie sehn zehn Staudämme in Landschaften, die früher von Cholera verwüstet wurden. Und eigentlich lieben Sie gar nicht so sehr dieses Land, in dem Sie wohnen. Sie meinen, es gäbe bestimmt für Sie irgendwo ein noch besseres Land; Kanada, die Schweiz, Australien, so irgend etwas, was Sie zwar nicht kennen, wovon Sie aber glauben, daß es dort besser zu leben sei, einfacher zu leben sei, wo nicht jeden Tag jemand zu Ihnen kommt und Sie auffordert, in der Nationalen Front mitzuarbeiten, sich zu qualifizieren oder das neueste Kommuniqué der Partei zu studieren; und Sie räsonieren, Sie begehren auf, Sie wollen wenigstens ein Kommuniqué mal auslassen dürfen, und Sie fahren dann in einer Nacht wie dieser durch das schwarze Land, sehn das, was Sie eben sahen. Sie beben vor Aufregung. Vor einem Jahr war das noch nicht da. Vielleicht raucht dann vor Ihrem innern Aug die Karte des Landes zwischen Elbe und Oder auf, und all die Stellen, wo heute eine Industrie wächst, sind mit glimmenden Lämpchen gezeichnet, und es wirbelt Ihnen im Kopf vor so viel Licht auf diesem Land, wo es früher nur hier und da ein bißchen schwächlich flimmerte, mein Herr. Nein", sagte er, „es gibt nichts, was erregender ist als die Industrie, die wir Ackerbauern aus unserem Boden heben."

3

„Sie gehn einen Weg, den Sie hundertmal gegangen sind", sagte der Fremde, „Sie kennen jede Einzelheit. Nicht im Traum kommen Sie auf den Gedanken, daß Ihnen hier etwas passieren könnte. Sehn Sie sich dieses Land an. Es ist glatt wie ein Teller. Der Winter kommt hier spät und bleibt lange, aber es kommt selten richtiger Frost. Der Sommer nieselt. Die Menschen, die hier wohnen, gestikulieren nicht, sie setzen ruhig Wort für Wort, nie eins zuviel, und wenn sie das Notwendigste ausgesprochen haben, wenden sie sich um und gehn davon. Früher, als sie noch Pferd und Pflug hatten, gingen sie langsam in der Furche, schnalzten von Zeit zu Zeit, und oft war dieses Schnalzen ihre einzige lautliche Äußerung den ganzen Tag hindurch. Verstehn Sie vielleicht, was für einen Schreck so ein Mensch eines Morgens bekommt, als er zum Fenster hinausblickt und nicht weit hinter seinem Garten ein Industriewerk stehn sieht? Ich kenne so einen. Dieser Bauernlümmel hatte auf seinem Hof sich selbst schlecht und recht einen Brunnen gebaut, und von Haus aus schlau und verschlagen, blinzelte er zu den Spitzen der Schornsteine da draußen hinauf, und er sagte sich: Was auch komme, dort hinauf, nie. Den Hof hier schluckt das Werk. Aber ich halte mich heraus. Ich werde das wählen, was am einfachsten ist, etwas, von dem ich nicht hinabfallen kann, noch daß es auf mich fällt. Es muß zu ebener Erde sein. Es darf weder Rad noch Schraube haben, die mich pakken und zermalmen können. Wenn ich Brunnen teufe, steigt in ihnen das Wasser von selbst. Das ist die Versöhnung des Unversöhnlichen. Ich arbeite in der Industrie und bleibe Bauer, der ich war und sein will. Außerdem, sagte er sich noch, wird es nun eine Menge Leute geben, die mich umherkommandieren und mich dorthin schicken möchten, wo ich nicht hin will. Da muß ich mich rechtzeitig um eine gehobene Position bemühen. So wurde er Ingenieur im Wasserwerksfach, die Konsequenz seiner simplen, wenn auch verblüffenden Logik. Jetzt hat er das Profil einer Fugendichtung aus PVC für Rückhaltebecken konstruiert. Ich will Ihnen das nicht technisch erklären, sondern Ihnen bloß sagen, daß diese Erfindung kaum dreitausend Mark Nutzen im Jahr bringt. Sieben Monate hat er Tag für Tag nach Feierabend darüber gebrütet für lumpige dreitausend Mark Nutzen im Jahr; stellen Sie sich das vor, und er glaubt heute noch, daß er der Bauer geblieben sei, der er war. Nein“, sagte der Fremde, „es gibt wirklich nichts, was aufregender für einen Ackerbauern ist als die Industrie.

Ich kenne einen“, sagte er, „auf dessen Acker auch ein Industriewerk gebaut wurde. Er bekam eine ungeheure Summe für sein Land. Außerdem durfte er auf seinem Hof wohnen bleiben, bis das Werk in die zweite Aufbaustufe kam. Sein Vieh verkaufte er an die LPG. Er hätte auch selbst in die LPG gehn können. Aber glauben Sie mir, daß er nicht im Traum daran dachte? Das Werk wurde von Jugendlichen begonnen. Ich weiß nicht, ob Sie ahnen, wie so was beginnt. Da im ganzen Land Mangel an Werkzeugen und Geräten besteht, werden die entsprechenden Baubetriebe beauflagt, Werkzeuge und Geräte aus ihren Magazinen zu stiften. Natürlich gibt kein Betrieb gern seine besten Sachen her. So kam es, daß die jungen Arbeiter dort mit dem schäbigsten Werkzeug anrückten. Unser Bauer aber, auf dessen Acker das Werk gebaut wurde und der nicht im Traum daran dachte, in die LPG zu gehn, stand Tag für Tag mit finsterem Gesicht auf seinem Feld und sah zu, wie Fundamentgräben geschachtet wurden, wie dort planiert, gerodet, gegraben und zugeschaufelt wurde, und zwar mit gebrechlichen Spaten. Die Schaufelblätter waren an der Schneide abgefressen, die Eisenenden der Kreuzhacken waren bis auf unansehnliche Stummel abgenutzt. Und jeden Tag stand also dieser Bauernlümmel von morgens bis abends auf seinem Feld, glotzte und brabbelte und fluchte auf Gott und die Industrie, auf die SED und den Sozialismus. Er gehörte schon richtig zum Bild der Baustelle wie jeder Arbeiter. Nur daß er nicht arbeitete, sondern überall umherschlich, seine Nase in alles steckte und staatsgefährdend wetterte, und dies von Arbeitsbeginn bis Feierabend, indes mit primitivstem Gerät das Werk begonnen wurde. Als er daher eines Vormittags wutschnaubend die Baustelle verließ, dachten alle, er habe jetzt genug und käme nie wieder. Er kam aber wieder. Nach drei Stunden etwa kam er. Er zog einen Handwagen hinter sich her, der voller Geräte war. Sein gesamtes Werkzeug hatte er aufgeladen, Schaufeln, Äxte, Sägen, Hakken, Forken, Mistgabeln. Es war altes verrostetes Zeug, aber jedes Stück wurde dringend gebraucht. Sogar die Forken. Sie glauben gar nicht, mein Herr, wie gut man mit Forken losen lehmigen Sand umsetzen kann. Die Jungs auf der Baustelle balgten sich um das selbstexpropriierte Werkzeug. Sie wollten ihn hochleben lassen. Aber er verschwand wieder und schaffte Schubkarren, Eimer, einen alten transportablen Herd, Kisten, Tonnen, Bretter, Schüsseln heran, jedenfalls: Alles, was auf seinem Hof nicht niet- und nagelfest war, schleppte er auf die Baustelle. Am nächsten Tag nahm er eine Brigade mit, und sie begannen nach seinen Kommandos den Hof abzureißen, zuerst die Ställe. Vielleicht wissen Sie nicht, daß in den ersten vier, fünf, sechs Wochen auf so einer neuen Baustelle alles gebraucht wird: Ziegelsteine und Bretter, Kacheln, Balken und Nägel, alles. Einfach unersättlich ist so ein Industriewerk, wenn es sich im allerersten Stadium befindet, unersättlich und unwählerisch. Aber als die Brigade unter seiner Anleitung den Hof abzureißen begann, kam der Aufbauleiter dazwischen. Was das für ein Unsinn sei, brüllte der. Er könne mit seinem Eigentum machen, was er wolle, brüllte der andere. Es sei doch das Blödeste, was er je gesehn hätte, brüllte der erste wieder, einen so schönen Hof sinnlos zu zertrümmern. Mindestens zwei Jahre könnten die Gebäude noch stehn, und in der Zeit könnten aus den Ställen Lagerräume gemacht werden, und das Wohnhaus könnte der kulturelle und der politische und was weiß ich noch für ein Mittelpunkt der ganzen Baustelle werden. Und die Jungs aus der Brigade standen da und wußten nicht, was sie tun sollten, während die beiden sich anbrüllten und zwischendurch Befehle gaben, der eine, daß sofort alles abzureißen sei, der andere, daß er jedem eigenhändig auf die Finger klopfen würde, der auch nur noch ein Brett anrühre. Natürlich hatte der Aufbauleiter den längeren Atem. Heute, nach fünf Jahren, da das Werk bald beginnen wird zu produzieren, sind die Ställe abgerissen. Aber das Wohnhaus steht noch, und es ist immer noch der Mittelpunkt der Baustelle. Es steht mitten im Werksgelände. Es ist kaum zu fassen. Zwischen Schornsteinen, Bunkern, Gleisen, Türmen steht es, und es wird erst abgerissen, wenn das Kulturhaus fertig ist. Der Bauer aber, auf dessen Acker das alles steht, baut Aufbereitungswerke für Kesselspeisewasser. Aber Sie, mein Herr, haben ja nicht die geringste Ahnung von Kesselspeisewasser. Sie wissen, wie alle, von Wasser nur, daß man damit umherplempern kann. Vielleicht haben Sie als Kind eine Dampfmaschine besessen. Da haben Sie den Kessel mit Leitungswasser vollgemacht, dann Spiritus entzündet, und – na, sehn Sie mal an – das Ding drehte sich. Und nun denken Sie, man könnte auch Dampfturbinen mit irgendeinem Wasser speisen. Nein, mein Herr, dazu braucht man voll-ent-salz-tes Wasser. Und der Bauer, von dem ich Ihnen erzählte, baut eben solche Entsalzungsanlagen, Entkarbonisierungsanlagen, Entölungs- und Entgasungsanlagen."

Wilsenack, der wie betäubt in der anderen Fensterecke saß, rührte sich.

„Na?" fragte der Fremde.

„Ich sehe, es hat Sie gepackt", sagte Wilsenack erschöpft.

Der Fremde lächelte.

4

„Ein Land wie ein Teller", sagte der Fremde, „und in wenigen Jahren ist hier eine weitverzweigte Industrie entstanden. Jawohl. Und zwar haben wir Ackerbauern auf unseren Äckern diese Industrie aufgebaut. Aber wußten Sie auch, daß Lübbenau nicht nur von Natur umgeben, sondern von Natur durchdrungen sein wird? Aus den sieben Schornsteinen dort wird nicht ein Krümelchen Staub in die Luft gepustet. Und wenn dort sämtliche Bauarbeiten beendet sind, so werden wir zwischen den Kühltürmen, den Kesselhäusern und Rohrleitungssystemen Blumenbeete, Parks mit Büschen und Bäumen anlegen. Das Werksgelände wird ein Meer von Blumen sein. Die Wege dort werden von Büschen eingefaßt sein. Es wird gut sein, im Sommer nicht auf dem Werkshof, sondern im Werkspark zu spazieren. Jede Maschine aber, die wir auf unseren Feldern aufstellen, macht uns klüger. Ich kenne eine Frau, die aus dem finstersten Schlesien stammt, Tagelöhner sie und ihr Mann. Mit acht Jahren stand sie auf dem Feld und im Stall. Im Krieg fiel ihr Mann, und sie wurde mit ihrer Tochter irgendwo nach Thüringen verschlagen. Sie konnte weder lesen noch schreiben, gläubte inbrünstig an den Erlöser und an Hexen. Wo sie hinkam, wurde sie verstoßen. Niemand nahm sie ernst. Sie bemalte zuerst Kinderspielzeug, dann klebte sie Papier zu Kuverts zusammen, später sortierte sie Eier, kam darauf in eine Weberei, wo sie ohne richtigen Arbeitsbereich die allerletzte von allen war. Mal durfte sie das Gras zwischen den Steinen der Straße vor der Fabrik ausreißen, mal Kartoffeln schälen in der Küche, mal Briketts stapeln. Es war ein volkseigener Betrieb, und die erste Prämie, die sie bekam, 1946, war eine Bibel. Sie hat sie heute noch, wenn auch die Widmung des damaligen BGL-Vorsitzenden etwas verblichen ist. Niemand hätte je gedacht, daß in ihr etwas anderes sei als Dummheit. Man bemitleidete sie, lachte sie aus, wenn sie um andere Arbeit bat. Mit den Lesebüchern ihrer Tochter lernte sie dann zu Hause Lesen und Schreiben. Mit Hilfe eines alten Meisters lernte sie nachts die Webstühle kennen. Sie lernte Rechnen und Physik, und als eine Weberin krank war, stellte sie sich zum Entsetzen aller an deren Maschine, und sie mußte mit Gewalt vertrieben werden. Die zwanzig Sekunden aber, die sie die Maschine bedient hatte, machten einige nachdenklich, und von da an begann sich im Betrieb eine vernünftigere Einstellung zu verbreiten. Ich glaub, es gibt nur zwei oder drei Webmeisterinnen in der Republik. Sie aber ist heute Obermeister, leitet eine unserer größten Webereien."

Er machte eine kleine Pause, und in veränderter Stimme fuhr er fort.

„Aber ich kenne noch eine andere Frau", sagte der Fremde, „sie ist viel jünger als die, von der ich Ihnen eben erzählte. Sie ist dreiundzwanzig Jahre alt und Elektroingenieur. Sie haben wohl eben, mein Herr, bemerkt, daß ich die Mutter dieses Mädchens achte, jawohl, jene Analphabetin, die heute Obermeister ist. Das ist eine Frau, die gekämpft hat im Leben, eine Frau mit Charakter. Aber kann man von einer Dreiundzwanzigjährigen Charakter erwarten? Nein. Nie. Das putzt sich und tut sich heraus, bloß, um allen den Kopf zu verdrehn. Wehe dem aber, der sich etwa in sie verliebte. Ich kenne einen. Leider. Hals über Kopf hat er sich in sie vergafft, obwohl er zehn Jahre älter ist und man von ihm mehr Reife erwarten könnte, als sich ausgerechnet in so ein grünes Ding zu vergucken. Er ist kein Elektroingenieur wie sie, sondern er baut ganz schlicht Aufbereitungswerke für Kesselspeisewasser. Und sie verhöhnt ihn. ‚Herr Gregor', brüllt sie schon von weitem, ‚wie ich hörte, beschäftigt sich der Volkswirtschaftsrat mit Ihrer Fugendichtung aus PVC für Rückhaltebecken.' Oder sie kommt mit einer scheinheiligen Bitte: ‚Ach, Herr Gregor, Sie sind doch Wasserfachmann. Die Maßliebchen in unserm Garten vertragen kein Leitungswasser. Könnten Sie nicht auch unsern Maßliebchen ein Wasserwerk bauen? Bitte, bitte, Herr Gregor, ein klitzekleines nur.' So verhöhnt sie ihn. Aus Dummheit natürlich. Wenn sie wenigstens recht hätte. Aber sie hat nicht recht. Sie weiß nur nicht, was Wasser in Wirklichkeit ist. Sie ist stolz, Elektroingenieur zu sein. Aber muß sie deshalb ein anderes Fach verachten? Nein, sie hat keine Ahnung von Wasser. Niemand hat eine Ahnung. Alle trampeln sie ahnungslos im Wasser umher, verplempern es. Macht es denn keinen Eindruck, wenn überall im Land Werke gebaut werden, in denen Wasser gewonnen oder Wasser verbraucht wird? Soll ich Werke aufzählen? Gut, ich werde Ihnen Namen nennen: erstens Trattendorf, zweitens Sosa, drittens Rappbode, viertens Lübbenau, fünftens Hohenwarte . . ."

Da wurde die Abteiltür von außen aufgerissen, und der Fremde verstummte. Der Schaffner trat ein. Er schaltete die Deckenbeleuchtung an und sagte: „Guten Abend, darf ich Ihre Fahrkarten sehn?"

Jetzt sah Wilsenack zum erstenmal seinen Reisegefährten deutlich. Er hatte blondes Haar und hellgraue traurige Augen. Er vermied, Wilsenack anzusehn, reichte dem Schaffner aufmerksam seine Karte.

„Sie haben bis Lübbenau gelöst", sagte der Schaffner.

„Ja", sagte der Fremde, „ich muß nachzahlen."

Der Schaffner schlug ein dickes Buch auf und begann, die Nachlösekarte auszuschreiben.

„Dieser Zug hat noch nie in Lübbenau gehalten", sagte der Schaffner.

„Ich weiß", sagte der Fremde.

„Wenn Sie von Berlin nach Lübbenau wollen, dann müssen Sie einen Zug früher nehmen. Der hält in Lübbenau."

„Ich weiß."

„Leider muß ich Ihnen eine Mark Aufschlag berechnen."

„Ja, natürlich", sagte der Fremde.

„Das ist noch billig", sagte der Schaffner.

„Ja, das stimmt."

„Machen Sie bloß keine Reklame damit, daß Sie so billig davongekommen sind."

„Natürlich nicht."

„Übrigens", sagte der Schaffner, „wie wollen Sie nun nach Lübbenau kommen? Der nächste Zug von Cottbus fährt erst morgen früh."

„Früher nicht?"

„Nein, erst um sechs Uhr zweiunddreißig."

„Na, macht nichts, ich habe Bekannte in Cottbus."

Der Schaffner zwinkerte.

„Das Fräulein Braut?"

„Nein, nein", sagte der Fremde, „das nicht."

„Na, geht mich ja nichts an", sagte der Schaffner. Er war ein schmächtiger und mobiler älterer Herr. Er reichte dem Fremden das Wechselgeld zurück, legte zwei Finger an die Mütze.

„Gute Weiterreise", sagte er.

Er knipste das Licht aus und verließ das Abteil.

## 5

Sie saßen nun wieder schweigend einander gegenüber, Wilsenack und der Fremde, blickten lange schweigend ins Land hinaus. Wilsenack bemerkte, daß die Scheiben ihre Gesichter schwach abspiegelten. Das Gesicht des Fremden hatte jede Spur von Leben verloren. Unnahbar und reglos stand es hinausgewandt im Fensterglas. Wilsenack dachte an sieben weiße Schornsteine. Wo waren sie? Und wie lange war es her?

„Ich glaube, Ihr Wasserfachmann und diese Ingenieurin kriegen sich“, sagte Wilsenack optimistisch.

Der Fremde antwortete nicht.

Da entdeckte Wilsenack, daß der Zug jetzt langsamer fuhr. Er sauste nicht mehr durch die Nacht, scheinbar losgelöst vom Bahnkörper und beziehungslos zur Landschaft. Er hatte wieder Räder, die surrten. Verschiedene Lichter wandelten vorüber. Es gab wieder oben und unten, links und rechts. Die Erde hat uns wieder, dachte Wilsenack, und er sagte:

„Es kommt sicher alles ins Lot.“

„Nein“, sagte der Fremde, „nie.“

Er streckte seine Hand aus, und der Zeigefinger wies auf eine Stelle an der Abteilwand dicht neben Wilsenack, der unwillkürlich hinblickte, suggeriert von der Vorstellungskraft des Fremden.

„Sollte sie da stehn“, rief der, „so ginge ich hier vorbei und sähe sie nicht.“

Die Hand blieb ausgestreckt. Sie sahn sich an. Plötzlich sprang der Fremde auf. Er riß die Reisetasche aus dem Gepäcknetz, hob den Mantel vom Haken, sagte, ohne sich umzuwenden: „Gute Nacht.“

Und er knallte die Abteiltür von draußen zu.

Die Räder des Zuges wirbelten über die kurzen Gleisstöße der Weichenanlagen kurz vor dem Bahnhof. Sanft war die Geschwindigkeit langsamer geworden. Jetzt rollte das Abteil, in dem Wilsenack saß, lautlos vor den Bahnsteig.

Als Wilsenack durch die Halle ging, sah er seinen Reisegefährten wieder. Der ging etwa fünf Schritt vor ihm im spärlichen Wimmeln der Menschen dort zu dieser Stunde. Er ging langsam, den Blick zu Boden gerichtet. Wilsenack überholte ihn in großem Bogen, stellte sich dann an einen Zeitungsstand. Er tippte auf eine der Zeitschriften in der Auslage, und der Verkäufer reichte sie ihm heraus.

Wilsenack fing an, drin zu blättern, wobei er über den

Rand zu dem Fremden hinschielte, der zickzack zum Ausgang strebte.

„Was kriegen Sie?“ fragte Wilsenack.

„Eine Mark achtzig“, sagte der Zeitungsverkäufer.

Wilsenack klemmte sich das Heft unter den Arm und holte umständlich das Portemonnaie hervor.

„Aber Sie sollten sie lieber nicht kniffen“, sagte der Zeitungsverkäufer. „Die ist aus Kunstdruckpapier gemacht, und manchmal sind solche bunten Bilder drin.“

„Na, nun ist's schon geschehn“, sagte Wilsenack.

Er kramte im Portemonnaie und beobachtete seinen Reisegefährten. Der hatte den Ausgang erreicht. Aber bevor er hinausging, wandte er sich um und stellte sich in den Schatten eines Pfeilers, von wo aus er die Menschen musterte, die gekommen waren, Freunde, Verwandte zu empfangen. Er reckte den Hals, um besser sehn zu können. Sein Blick glitt langsam durch die Halle, lange, glitt hin und zurück und wieder hin. Aber es fand sich niemand. Da senkte er den Kopf, und der Menschenstrom des eben eingelaufenen Zugs spülte ihn hinaus.

„Schade um die schönen Bilder“, sagte der Zeitungsverkäufer.

„Ja, wirklich schade“, sagte Wilsenack.

Er lächelte den Mann an.

„Ich war so in Gedanken.“

„Manchmal sind sehr schöne drin“, sagte der Zeitungsverkäufer. „Wenn mal eine Zeitung, die bestellt war, nicht abgeholt wird, schneide ich mir das schönste aus und hänge es zu Hause an die Wand. Aber mit geknickten Blättern kann man nichts mehr anfangen.“

Wilsenack bezahlte und sagte: „Machen Sie heute nicht bald Feierabend?“

„Ja, wenn der Zug nach Dresden weg ist.“

„Mit dem fahre ich weiter.“

„Kennen Sie Dresden?“

„Ja, ziemlich. Aber 1956 sah's in Dresden noch böse aus.“

„Na, das ist jetzt überstanden", sagte der Zeitungsverkäufer.

„Es wird überhaupt viel gebaut", sagte Wilsenack, „ich bin da eben an Lübbenau vorbeigefahren. Das ist ein kolossales Werk."

„Dann haben Sie sicher auch Vetschau gesehn."

„Nein, Vetschau nicht", sagte Wilsenack, „wo ist das?"

„Ein paar Kilometer weiter", sagte der Zeitungsverkäufer, „mein Schwiegersohn arbeitet dort."

„Ist das auch so groß wie Lübbenau?"

„Größer. Vetschau wächst nach Norden, und Lübbenau wächst nach Süden. Ich glaub, das wird später mal in eins zusammenwachsen."

„Unwahrscheinlich, was?" sagte Wilsenack. „Aber nun muß ich wieder."

„Gute Weiterreise", sagte der Zeitungsverkäufer, „und was macht Berlin?"

„Durch Berlin fließt immer noch die Spree", sagte Wilsenack.

Sie lachten beide. Und der Zeitungsverkäufer sagte: „Es wird sich alles wieder einrenken."

„Natürlich", sagte Wilsenack, „das renkt sich alles wieder ein."

HERBERT NACHBAR

# Zwei Jungen

Sobald Eugen Stresow den Kopf wendet, kann er der Familie Hirschfeld beim Essen zusehen. Er wendet den Kopf nur manchmal und dann verstohlen. Wie immer ist Beklemmung in ihm, hier in diesem Zimmer. Das Schreibpult des Freundes Bobbie, der eigentlich Siegfried heißt, ist allein bald Grund genug, sich noch kleiner und erbärmlicher zu fühlen als sonst schon. Siegfried Hirschfeld hat ein Schreibpult für die Schularbeiten. Eugen Stresow macht seine Schularbeiten auf dem Küchentisch. Siegfried Hirschfeld wohnt in einem Haus mit bestimmt sechs Zimmern oder mehr. Und eines davon gehört nur ihm allein. Und an der Wand hängt ein Bild in breitem Goldrahmen. Darauf geht Herr Jesus mit einigen Jüngern durch ein Kornfeld, wie noch niemand ein Kornfeld sah, bald so aus Gold wie der Rahmen. Und zwischen den Fenstern hängt über einem gekreuzigten Herrn Jesus aus schwarzem Holz das Gesicht eines alten Mannes mit gelblichweißem Bart.

„Das ist mein Großvater", hat Bobbie gesagt. Damals war Eugen zum erstenmal in diesem Zimmer.

„Du kannst hingehen, wo du willst, mein Großvater geht mit. Er guckt überallhin, in die Ecke und in die Ecke, und wenn du dich auf'n Ofen setzt – überall gehen seine Augen mit . . . Das hat ein Kunstmaler gemacht."

Eugen bewunderte das Bild, machte die Probe, trat ein paar Schritte zur Seite: die Augen gingen mit.

„Guckt er durch den Tisch?" fragte er dann sachlich.

Bobbie war einen Augenblick verlegen. „Kannst du durch den Tisch gucken?“

„Nein, ich nicht ...“, sagte Eugen. „Aber ich dachte, vielleicht kann er durch den Tisch gucken ..., wenn er überall hinglupscht.“

„Der glupscht überhaupt nicht, der konnte jedem ins Herz gucken, sagt mein Vater.“

„Aber durch ’n Tisch nicht, das ist mal sicher ...“

„Auch durch den Tisch ... versuch’s doch, versuch’s!“ sagte Bobbie schnell.

Eugen sah sich den alten Mann an, und dessen Augen sahen in seine Augen und waren wie lebendig. Der Junge kroch unter den Tisch, schaute in das wurmstichige Holz, bemerkte ein kleines Spinnennetz vor sich, und die Schublade über ihm war von Leisten gehalten, und in den Leisten staken dicke Schraubenköpfe.

„Na, siehst ihn?“ fragte Bobbie.

Eugen sah noch einmal dorthin, wo die Augen des alten Hirschfeld sein sollten, sah mit Anstrengung in das Holz über sich, sagte gelassen: „Wie sollte der auch durch den Tisch gucken können. Durch den Tisch kann ...“, und da war das Gesicht im Holz, wuchs langsam aus der Platte heraus: erst die Nase, dann der Mund, dann die Stirn und dann die Wangen und der Bart und ganz deutlich die Augen, nicht einmal böse, wie es schien, eher gutmütig und ein wenig spöttisch. Eugen Stresow sah den alten Mann an mit wohligem Gruseln, das den Rücken herunterrieselte.

„Na, siehst ihn?“ fragte Bobbie.

Das Gesicht verschwand – und in Eugen war heimliches Bedauern.

„Jetzt nicht mehr“, sagte Eugen.

„Hast ihn gesehen?“ fragte Bobbie.

„Ja ... der guckt durch den Tisch.“

„Wolltest ja nicht glauben – kannst auf den Ofen krabbeln, ganz egal, wohin ...“

Eugen sah den altertümlichen Ofen, der bis an die Zimmerdecke ragt, und sagte: „Wenn er durch den Tisch gucken kann, wird er da ja wohl auch ...“

„Bis ins Herz“, sagte Bobbie mit Überzeugung.

Und das Erlebnis ist in Eugen wie alle andern Erlebnisse mit Bobbie Hirschfeld, der eigentlich Siegfried heißt.

Einmal fragte Eugen – es war vor zwei Jahren im Winter, als sie Schneehöhlen bauten im Garten und Bobbies Vater am Fenster erschien, den beiden zunickte und die Gardine wieder vorzog –: „Ist dein Vater wirklich ein Jude?“

Bobbie hatte aufgehört zu schaufeln und heftig geantwortet: „Und deine Mutter ist ein Fischweib – und dein Vater hat ein uneheliches Kind!“

„Was hat er?“

„Ein uneheliches Kind.“

„Was ist denn das für ’n Kind? – Wo hat er das denn?“

„Ich darf eigentlich gar nicht mit dir spielen. Meine Mutter ...“

„Ja, die stammt vom Paster ab“, hatte Eugen geringschätzig abgewinkt. Und dann war er davongegangen. Uneheliches Kind? Papa ein uneheliches Kind? Das sagt der einem einfach so ins Gesicht! Eugen hatte damals nicht einmal einen Schneeball auf Bobbie geworfen. Mit finsterem Gesicht und im Innern traurig war er nach Hause gegangen. Mutter ein Fischweib? Ja doch, ein Fischweib – aber das ist sie doch nicht gerne. Soll doch Bobbie Hirschfelds Mutter mal im Winter Fische verkaufen und sich die Finger frieren lassen, daß manchmal die Fingerkuppen aufplatzen. Wenn Bobbie Hirschfelds Mutter vom Paster abstammt, denn soll sie sich doch freuen. Mit mir spielen braucht er ja auch gar nicht! Wenn er nicht will, soll er doch mit Heini Beeskow oder Jürgen Hullatz spielen. Das darf er bestimmt – aber die dürfen ja nicht mit ihm spielen, weil sein Vater ein Jude ist.

Zu Hause stellte Eugen manche Frage an jenem Tag. Doch am Tag darauf war alles wieder gut. Bobbie wartete vor Eugens Tür, erzählte, als wäre nichts gewesen, von einem

Paddelboot, das sein Bruder Erich sich bauen wolle für den nächsten Sommer.

„Gesellen braucht er", erklärte Bobbie abschließend. „Uns beide will er einstellen. Und bezahlen will er auch. Einen Groschen die Stunde."

„Gleich Geselle?" fragte Eugen.

Bobbie beteuerte das fest.

„Einen Groschen die Stunde?"

„Na ja, Mensch – Lehrlinge einen Sechser."

Eugen war kühl und abweisend geblieben, hatte sich noch eingehend erkundigt, ob Paddelboot oder Faltboot, hatte eine Weile geschwiegen und schließlich gefragt: „Und deine Mutter, was sagt die? Ich denk, du darfst gar nicht mit mir spielen?"

„Das merkt die gar nicht – die Werkstatt will Erich ja hinter unserm Eisenlager im großen Schuppen einrichten."

Aus dem Bootsbau wurde niemals etwas. Bobbie und Eugen sollten die Leisten nämlich abends „organisieren", sollten bei Tischler Ewert durch den Zaun kriechen und Leisten aus dem Lager stehlen. Das wollten die beiden nicht. Erich hatte gesagt, sie seien schließlich Gesellen, und er würde sein Geld nicht zum Fenster hinauswerfen. Damit waren sie entlassen. „Fristlos abserviert", hatte er gesagt, und er hatte nicht einmal die beiden Stunden bezahlt, die sie sich mit ihm aufgehalten hatten.

Es ist Eugen niemals gelungen, sich ganz wohl zu fühlen in diesem Zimmer, obwohl die Freundschaft mit Bobbie von Jahr zu Jahr unzertrennlicher wurde. Nichts behagt ihm ganz: weder das Schreibpult noch der Schrank mit den Spielsachen, noch der hohe Ofen, stuckgirlandenverziert, noch der große Tisch, noch die lederbezogenen Stuhlpolster und die hohen Lehnen der Stühle. Vielleicht liegt es daran, daß Siegfried Hirschfelds Mutter dauernd durch das Zimmer geht, wenn sie hier spielen. Sie beobachtet mit kühlen, sachlichen Augen das Treiben eine Weile, geht wieder, ist bald wieder da, sagt plötzlich: „Ihr habt jetzt genug gespielt, geht auf die

Straße.“ Eugen glaubt jedesmal, sie sage das seinetwegen, er sei ihr unbequem. Als er heute kam, hat Bobbie ihn ins Zimmer gezerrt und ziemlich laut gesagt: „Nu wart doch hier! Sie hat wieder das Essen nicht fertig.“

„Fahren wir, oder fahren wir nicht?“ konnte Eugen gerade noch fragen. Da rief Frau Hirschfeld aus dem Nebenzimmer hell und schrill: „Siiiegfried – das letztemal!“ Bobbie hat schnell genickt und ist ins andere Zimmer gegangen. In der Eile blieb die Tür offen. Drüben klappern Messer und Gabeln, scheppern Teller. Eugen sitzt am Schreibpult, weiß rechter Hand über sich das Bildnis von Bobbies Großvater, das er gerne ansieht bei anderer Gelegenheit, schaut auf die tintenfleckige Pultplatte, blättert unaufmerksam in „Tausendundeine Nacht“, schaut manchmal auf den Hof, wo ein paar Hühner hinter einem großen Drahtgitter in der Sonne dösen – und manchmal blickt der Junge verstohlen hinüber ins Nebenzimmer. Dort wird kein Wort gesprochen. Bobbie ißt hastig und sitzt dabei nicht ganz gerade. In den Jackenausschnitt hat er sich eine Serviette getan. Das alles nimmt Eugen unklar wahr. Sobald er hinübersieht, schaut Frau Hirschfeld ihn an. Verlegen blättert er im Buch. „. . . Der Sultan ließ sich von den Beteiligten die ganze Geschichte ausführlich erzählen und fand sie so merkwürdig, daß er seinem Geheimschreiber befahl, sie zu Nutz und Frommen der Nachwelt aufzuzeichnen . . .“

Da sagte Bobbie: „Pudding will ich nicht – kann ich schon gehen?“ Seine Mutter antwortet ganz ruhig: „Nein, Siegfried, du weißt, daß es das nicht gibt. Das Gebet wird mir nicht versäumt. Gewiß nicht.“

„Das ist doch gut, wenn er keinen Pudding will. Ich eß den gerne mit“, hört Eugen Erich sagen. Eine Weile ist Schweigen.

„Abtreten“, sagt Erich und meint offenbar Bobbie, „Uniform anziehen!“ Er macht eine Pause, sagt: „Wenn du wieder schwänzt, werde ich das deinem Jungzugführer mal erklären, wie das mit den Entschuldigungszetteln immer ist.“

Ein Löffel klirrt laut gegen das Glas.

„Du schweigst, du Bengel ... Siegfried geht nach dem Gebet. Dein Maß ist voll, übervoll ... Siegfried, schließ die Tür."

Eugen muß sich Mühe geben, keine Scham aufkommen zu lassen. Hinter der Tür wird gesprochen. Eugen unterscheidet wohl die Stimmen, die helle von Frau Hirschfeld, die brüchige von Erich, und manchmal hört er den Baß von Bobbies Vater – aber er versteht nicht, um was es geht. Er möchte verstehen, was gesagt wird, denn es muß etwas ganz Besonderes sein, etwas, von dem niemand wissen soll, und er möchte doch nichts verstehen, gerade weil die Tür geschlossen wurde. Er blättert im Buch, sieht auf den Hof, liest wieder ein paar Zeilen, ohne zu lesen: „... Nun hatten sie zwei Oheime, deren einer Abdal Kuddus, der andere Abdal Süllib hieß. Beide wohnten etwa drei Monatsreisen von ihnen entfernt, waren mächtige Geister, und an sie sollte sich Asem um Beistand wenden. Sie gaben ihm für jeden von beiden ein gleichlautendes Empfehlungsschreiben mit und ..."

Hinter der Tür sagt Bobbies Vater: „Jawohl, beten, nichts sonst!" Erich antwortet, aber Eugen versteht nichts.

„Du sollst nicht immer das letzte Wort haben!" sagt Bobbies Vater. Und Eugen hört, wie er hart mit der Hand auf den Tisch schlägt.

Drüben ist es still.

Eugen wendet den Kopf zum Fenster, legt behutsam das Buch auf Bobbies Pult, steht leise auf und schleicht, während er nach drüben horcht, an die Tür zum Flur. Dort wendet er den Kopf noch einmal, sieht auf das Bild, das über dem gekreuzigten Jesus hängt, gerade in die Augen des Großvaters. Es ist ein Gefühl in ihm, als horche man drüben jetzt auf jedes kleine Geräusch, das er macht. Die Augen des Großvaters sehen ihn an, gutmütig und spöttisch und ohne Bitternis. Bis ins Herz, denkt Eugen, macht die Tür zum Flur auf, schlüpft hinaus, schließt sie mit leisem Geräusch.

Auf dem Hof in der Sonne, nahe den Hühnern, liegt eine

leere Persilkiste. Der Junge setzt sich darauf, beobachtet träge die Tiere hinter dem Zaun, kneift die Augen zu, blinzelt so in die Sonne, steht wieder auf, geht an das alte Damenfahrrad, das Bobbie gehört. Dort prüft er fachmännisch die Bereifung, macht sich einen Augenblick lang Gedanken, ob der große Flicken über dem Mantel des Vorderrads die Strapazen wohl aushalten wird. Von der Turmuhr schlägt es laut und dröhnend zwei Uhr. Hat bald keinen Zweck mehr, denkt Eugen.

Gelangweilt und müde hockt er noch eine gute Weile auf der Kiste. Endlich kommt Bobbie mit schnellen Schritten aus dem Flur, rennt gleich zum Fahrrad, ruft halblaut und erregt: „Hast du den Sticken? Los, schnell, sonst wird's nichts. Ganz und gar verrückt." Sie laufen durch den Garten, reißen die Pforte auf, schieben hastig das Fahrrad hindurch.

So machen sie sich auf den Weg. In ihren Taschen haben sie abgezähltes Brückengeld, keinen Pfennig darüber. Eugen Stresow besitzt außerdem ein „Klappbotting", eine Margarinestulle, Siegfried Hirschfeld eine Handvoll Eukalyptusbonbons. Sie wollen in das Landhaus der Hirschfelds fahren, an die Ostsee, wollen den Nachmittag dort verbringen und die Nacht und den Sonntag, weil sie das Exerzieren des Nachmittags und das Sonntag-Geländespiel, den ganzen „Dienst" unter „der schwarzen Fahne mit dem heiligen Zeichen darin" nicht mögen.

Frau Stresow und Frau Hirschfeld gehen grußlos aneinander vorbei, wenn sie sich in den Straßen begegnen. Jede hat in ihrem Kopf eine eigene Welt, nur eines machen beide fast jeden Sonnabend: Sie schreiben ihren Jungen Entschuldigungszettel für die Hitlerjugend-Führer im Städtchen. Frau Stresow nimmt dazu oft genug nur den Fetzen einer Tüte, Frau Hirschfeld benutzt stets weißes Büropapier; aber die Zettel haben den gleichen Inhalt.

Bobbie fährt nun langsam, ganz langsam die Auffahrt zur Brücke hinauf. Eugen geht nebenher. Den Weg bis hier haben sie getrennt zurückgelegt, und jeder hat nur zwei Jungen getroffen, die, mit braunen Hemden und dunklen Kniehosen bekleidet, zum Sammelpunkt gingen. Das ist mehr Glück, als sie für möglich gehalten hätten.

Der Fluß unter ihnen liegt graugrün nahe der Brücke, und wo ein Ruderboot fährt, springen silberne Sonnenfunken auf. Die beiden Jungen sehen nichts von alledem. Sie schweigen, sind in Gedanken bei der Reise und bei dem, was geschehen ist. Bobbie muß einen Augenblick warten, bis der Wächter ihm das Brückengeld abnimmt. Eugen geht derweile bis dicht an das Geländer und sieht auf den Fluß hinunter. Die Brücke schwimmt sofort mit ihm davon. Die gewaltige Brücke mit Betonpfeilern und Eisenträgern und Fahrstraße und Brückenhaus, mit Fuhrwerken und Lastwagen und mit Bobbie und Bobbies Fahrrad – alles schwimmt davon, den Strom aufwärts. Ein Gefühl ist das, wie eine Möwe es wohl haben muß, ein sanftes, sicheres und unaufhörliches Gleiten, Schweben. Und es ist wie Musik, wie Singen. Nicht der Fluß, die Brücke schwimmt und in den Augenwinkeln die Stadt, der Kirchturm, alle Häuser und Straßen und das Grünufer der anderen Seite, alle Felder und Bäume und Wiesen – alles schwimmt davon. Wohin? Wer will sagen, wohin? Eugen lächelt nicht. In seinem Gesicht ist Anspannung und Warten. Er wartet auf irgend etwas, vielleicht auf ein Ende des Flugs. Es muß doch ein Ende geben! Stadt und Turm und Brücke können doch nicht in alle Ewigkeit davonschwimmen, davonfliegen. Er faßt mit seinen Händen die Gitterstäbe, und je länger der Flug dauert, desto fester hält er sich.

Die Musik wird lauter. Fanfarenzug. Und mit einemmal zuckt Angst in Eugen heftig auf, er spürt sie wie einen schmerzhaften Stich im Nacken. Da wartet er nicht länger, er wendet den Kopf, sieht einen Atemzug lang mit taumeligem Gefühl auf das Wärterhaus und auf Bobbie, der das Brückengeld abgibt und sich einen roten und einen gelben Schein dafür geben lassen muß. Es ist lange, sehr lange her, als Eugen nicht wußte, daß er sich nur umzudrehen braucht, um diese Angst loszuwerden. Damals hing er weinend am Gitter, bis Vater wiederkam und ihn wegdrehte vom Fluß.

Jetzt ist Vater schon so lange Soldat.

Bobbie gibt ihm den gelben Schein. Eugen steckt ihn in die Tasche. „Verlier das Geld nicht“, sagt Bobbie, „rückzu mußt du bezahlen, ich hab nichts mehr.“ Eugen nickt. Sie gehen noch ein Stück Wegs nebeneinanderher. Bobbie schiebt das Rad. An der ersten Biegung der Chaussee sehen sich beide vorsichtig um. Nein, es sind keine Verkehrspolizisten da, weit und breit nicht. Automobile, Lastwagen der Wehrmacht und Personenwagen fahren an ihnen vorbei. Die grünen Wagen der Polizei fehlen zum Glück. Da nimmt Eugen den „Sticken“, den kräftigen Holzscheit, steckt ihn geschickt zwischen den Doppelrahmen des Damenrads, klettert nach oben, steht dort, wackelig genug, hält sich am Lenker fest. Bobbie tritt die Pedale. Chausseebaum auf Chausseebaum gleitet träge vorbei. Über dem Asphalt flimmert Hitze.

„Erich hat Stubenarrest“, sagt Bobbie und unterdrückt das erste Keuchen. Eugen sieht sich sofort wieder am Schreibpult in Bobbies Zimmer sitzen und halb ungewollt auf das Geräusch nebenan lauschen.

„Hat er geklaut?“

„Mensch, er hat die Katze totgeschlagen. Weißt du, die Speicherkatze, die gerade Junge hat . . . erst die Jungen ersäuft . . . und denn die Katze totgeschlagen . . .“

Eugen sieht weit vorn einen niedrigen Wagen näher kommen. „Halt an, Bobbie“, sagt er, flüstert er beinahe, als ob die Polizisten vorn ihn hören könnten. Bobbie atmet erleichtert auf. Eugen springt vom „Sticken“, geht neben dem Rad her, bis der Wagen heran und vorbei ist. Bobbie wischt sich den Schweiß von der Stirn.

„Geh du auf den Sticken“, sagt Eugen.

Sie fahren drei, vier Bäume lang, da fragt er: „Und deswegen Stubenarrest – wie lange denn?“

„Das schadet dem gar nichts. Vier Wochen. Nicht mal mittags darf er raus."

„Wegen der Katze?" sagt Eugen. Er atmet schwer.

„Deswegen allein nicht ... aber wie der das gemacht hat, Menschenskinning, das glaubt ja keiner!"

„Ersäuft?"

„Quatsch. Die Jungen ja, aber das sollte er, hat meine Mutter ihm ja gesagt. Das ist klar. Wir haben nun langsam ein ganzes Dutzend, wer soll die alle füttern – nee, Mensch ... er hat sie in einen Sack gesteckt und im Eisenlager auf den Amboß gelegt und denn ..."

„Gepiesackt?" unterbricht Eugen.

„Das nicht", sagt Bobbie, „aber mit dem Vorschlaghammer ..."

„Ach so ...", sagt Eugen. Und dann schweigen die beiden. Bobbie hört mit einemmal, wie Eugen keucht, er zählt in Gedanken vier Bäume weiter, wartet, bis sie vorbeigekommen sind, läßt ihn absteigen und tritt wieder selbst die Pedale.

Es sind zehn Kilometer bis zum Landhäuschen der Hirschfelds an der Ostsee. Mit zwei Fahrrädern ist die Strecke in einer knappen Stunde zu bewältigen, aber die beiden haben nur ein altes, zusammengestückeltes Damenfahrrad, und einer muß immer den andern mitschleppen für zwanzig oder fünfundzwanzig Chausseebäume. Einmal rasten sie längere Zeit im Graben, essen Eugens Margarinestulle und werden nicht satt und nicht froh davon. Bobbie vertröstet auf die Vorräte, die in der Speisekammer des Landhauses liegen. Sie essen die Eukalyptusbonbons. Von Erich und der Katze sprechen sie nicht mehr.

Es wird schon kühl, als sie in das Nest einbiegen, in dem das Landhäuschen liegt. Angemüdet gehen sie durch die Straßen, überqueren einen Bahndamm. Die Gleise strahlen silbrig irgendwo in der Ferne zusammen. Auf dem Bahnhof linker Hand warten viele Menschen auf einen Zug, der sie heimtragen soll. Schranken ragen rot-weiß in den Himmel.

„Mensch, hab ich Hunger!“ sagt Bobbie. „Wir kochen uns Gulaschsuppe – davon sind bestimmt ein paar Gläser da.“

„Und Kartoffeln?“ fragt Eugen.

„Kartoffeln? Klar, Kartoffeln auch. Sonst nehmen wir einfach Zwieback. Gulaschsuppe und Zwieback schmeckt bestimmt auch, was?“

Eugen nickt. Den Hügel herunter, den die beiden mit dem Fahrrad hinauf müssen, marschiert ihnen eine Kolonne Pimpfe entgegen. An einem schwarzen Fahnenstock hängt verstaubt und in vielen Falten ein schwarzes Tuch. Von dem weißen Haken nur ein Blitzen. Ein kleiner schwarzer Bengel geht an der rechten Seite. „Inks, o, ei, ier – inks, o, ei, ier“, schreit er unaufhörlich mit klarer Stimme.

„Mensch, wenn das unsere wärn!“ sagt Bobbie. Beide stellen sich an die Seite, lassen die Kolonne näher kommen. „Inks, o, ei, ier – inks, o, ei, ier.“ Die beiden warten. Dem kleinen Schwarzen baumelt von der Schulter zur braunen Hemdtasche eine grüne Kordel. Er äugt auf die beiden, läßt den Fahnenträger und das erste Glied vorbei, springt plötzlich auf Eugen und Bobbie los, steht kerzengerade vor ihnen, einen halben Kopf kleiner, schreit: „Ihr habt die Fahne nicht gegrüßt!“ Der Überfall kommt unerwartet. Sie sehen sich erschrocken an. Bobbie will etwas zur Entschuldigung vorbringen. Der Kleine winkt ab. „Maul halten!“ schreit er.

Und weil die Kolonne inzwischen vorbeimarschiert ist und ein Führer seine Horde schließlich nicht allein laufen läßt, springt er ein paar Schritte hinterher, knallt die Hacken zusammen, legt die Hände an die Hosennähte und schreit: „Abteilung – halt!“ Wie ein Block steht die Kolonne.

„Komm, Bobbie, los doch“, sagt Eugen. Und ehe der Kleine merken kann, was sich hinter seinem Rücken abspielt, sind die beiden ein kleines Stück den Hügel hinauf. „Links um! Rührt euch!“ platzen hinter ihnen die Kommandos. Die beiden laufen den Hügel hinauf. Die Kette am Rad klappert gegen das Gestänge.

„Stehenbleiben! Sofort stehenbleiben!“ schreit der Kleine.

Und da sagt Bobbie im Laufen: „Bleib stehen, Eugen, laß doch den Quatschkopp – der kann uns gar nichts."

„Nein, nein, der kann . . . der kann alles . . ."

„Stehenbleiben!" die Stimme hinter ihnen.

„Ich bleib stehen", sagt Bobbie, verlangsamt den Schritt. Eugen läuft noch ein paar Schritte, zögert, bleibt stehen, läuft wieder.

Hinter ihnen, den Hügel hinauf, stürmt die Kolonne, schnell sind sie beide umringt. Der kleine Schwarze drängt sich durch die andern Jungen.

„Befehlsverweigerung", sagt er atemlos. „Mißachtung der Fahne!" schreit er. Bobbie stützt sich auf den Lenker seines Rads, sagt mit kleiner Stimme: „Du hast uns gar nichts zu sagen." Die Horde grölt. Laut und in hohen und tiefen Tönen grölt die Horde.

Wir sind bloß zwei, denkt Eugen, wenn die uns verhauen, geht's uns schlecht.

Der kleine Schwarze winkt mit der Hand. Es ist still.

„Nehmt gefälligst Haltung an!" schreit der Kleine.

Jeder eine Hand am Lenker, die andere an der Hosennaht, stehen die beiden vor dem Kleinen, umringt von den andern, eingeschlossen von den andern, und sehen auf den Kleinen hinunter.

„Was bin ich?" fragt der Kleine.

Bobbie und Eugen sehen sofort auf die grüne Kordel. Bobbie überlegt nicht lange, knallt mit den Absätzen, sagt laut: „Hauptjungzugführer!" Sofort grölt die Horde. Der Kleine winkt ab. Eugen hat leise „Jungzugführer" gesagt, aber das hat niemand gehört. Die Horde grölte, der Kleine winkte gleich mit der Hand. Er scheint jetzt ruhiger.

„Welche Nummer hat euer Fähnlein?" fragt er Eugen

„Fähnlein neun", sagt Eugen.

„Wie heißt euer Fähnleinführer?"

„Fritz Beeskow", sagt Bobbie.

Einen Augenblick überlegt der Kleine.

„Warum habt ihr die Fahne nicht gegrüßt?"

„Wir haben sie nicht gesehen."

„Sag die Pimpfenparole", fordert der Kleine.

Bobbie schiebt die Unterlippe vor. Da kennt er sich nicht aus. Die Jungen rundum warten gespannt. In fünfzig Köpfen geistern jetzt die gleichen Worte.

„Zäh wie Leder . . .", sagt Eugen, schweigt.

„Weiter", sagt der Kleine. Und weil nichts kommt, ruft er einen Namen.

Aus dem Ring spricht einer: „Zäh wie Leder, hart wie Kruppstahl und flink wie ein Windhund muß die deutsche Jugend sein."

„Verstanden", schreit der Kleine.

„Jawohl", sagen Eugen und Bobbie und legen die Hände wieder an die Hosennaht.

„Wie heißt die Pimpfenparole?"

„Zäh wie Leder . . . hart wie Kruppstahl . . . und flink wie ein Windhund muß die deutsche Jugend sein", sagen die beiden, und die Stimme im Ring sagt es noch einmal mit. Der Kleine überlegt einen Augenblick, hat die Hände im Kreuz, wippt auf den Schuhspitzen, hebt den Kopf. „Ich werde eurem Fähnleinführer eine Meldung machen, daß ihr die Fahne nicht gegrüßt habt und daß ihr flüchten wolltet." Er holt tief Atem und sagt leise: „Während unsere Väter als Garanten des Siegs ihr Blut für das Vaterland vergießen, habt ihr die Fahne mißachtet und seid fahnenflüchtig geworden." Und lauter schreit er noch einmal: „Wie heißt die Pimpfenparole?" Und noch einmal müssen sie diese Parole aufsagen, ehe der Kleine schließt: „Ich werde eurem Fähnleinführer melden, daß ihr die Pimpfenparole nicht gekannt habt. Heil Hitler!"

Bobbie und Eugen stehen immer noch in der gleichen Haltung, jeder eine Hand an dem Lenker des Rads und die andere an der Hosennaht. Sie heben nicht einmal den Arm, sie sagen kein Wort. Und der Kleine ist sogar damit zufrieden. Er formiert seine Kolonne neu. Erst als der Befehl zum Abmarsch kommt, erst als die Kolonne davonmarschiert und der

Kleine wieder sein „inks, o, ei, ier“ in den Abend schreit, erst da sagt Bobbie: „Der mit seiner Scheißhausparole!“

Die beiden haben Angst. Sie gehen schweigend nebeneinander bis zum Landhaus.

Die Betten im Landhaus sind nicht überzogen, liegen prall und rot auf den kahlen Matratzen. Überall liegt Staub in dikker Schicht: auf dem Tisch in der Stube und auf dem Schrank in der Küche, auf den Fensterbrettern. Die Luft ist warm und abgestanden und hat einen Geruch wie brackiges Wasser. Der Staub und die unbezogenen Betten stören nicht weiter, ja, die beiden nehmen diese Dinge kaum wahr. Auch die verbrauchte Luft ist kein Grund, mutlos zu werden.

Bobbie reißt gleich die Fenster auf und damit gut. Eugen ist in die Küche gegangen. „Der Speiseschrank ist abgeschlossen“, sagt Eugen, als Bobbie nachkommt. Das kahle Licht der elektrischen Birne macht sein Gesicht kalkig weiß. „Denn“, sagt Bobbie sofort, „denn brechen wir den auf. Ich hab Hunger, und Erich hat erst vorige Woche einen ganzen Koffer voll hergeschleppt. Eiserne Reserve!“

Das Schloß kann man sicher mit einem krummen Nagel öffnen. Eugen hat geschickte Hände und Sinn für so was. Bobbie steht daneben, gibt Ratschläge. Sie biegen den Nagel in einer Herdritze, fingern am Schloß herum, stehen gebeugt, die Köpfe dicht zusammen, und die Zeit vergeht. Sie atmen schwer.

„Ich mach schon Feuer“, sagt Bobbie endlich. Nach einer Weile meint Eugen: „Ich krieg den nicht auf, Bobbie.“

„Mach man los, den kriegst du schon auf“, sagt Bobbie schnell. Und es ist Entrüstung in seiner Stimme. Im Herd flackert ein Feuer, mit dem man einen Ochsen braten könnte. Wasser siedet in einem großen eisernen Topf. Und dann schnappt das Schloß, der Schrank öffnet sich einen Spalt breit, über Bobbies Gesicht geht ein Leuchten. Sie stehen sekundenlang vor dem Schrank, die Lampe zeichnet ihre Schatten auf die Schranktür. Breit und groß der Schatten von Bobbie, groß und schmal der Schatten von Eugen. Als sie die

Tür öffnen, scheinen die Schatten im Schrank zu verschwinden. Platz ist genug – der Schrank ist leer. Nur auf dem mittleren Brett steht eine blaue Packung. Ein Mädchenkopf mit blauen Haaren ist daraufgedruckt. Das Mädchen lächelt freundlich. Und wo das Gesicht aufhört, steht in großen mageren Buchstaben KAKAO.

„Mensch", sagt Bobbie, „der hat alles verschoben. Nicht vier Wochen, viel mehr ... viel mehr ... vier Monate muß der Stubenarrest kriegen. Mein Vater schlägt ihn tot ..."

Gegen neun Uhr sind endlich die Kartoffeln gar. Frau Mergenthin vom Grundstück nebenan hat den beiden eine Tasche Kartoffeln geschenkt. In guten Tagen mag Bobbie die Frau nicht besonders leiden. Sie läuft, solange er sie kennt, in einer fettfleckigen lila Kittelschürze herum, und er behauptet, in ihrer Küche rieche es wie zu Hause im Karnickelstall. Die Kartoffeln sind mehlig und gut. Manche sind aufgeplatzt. Eugen Stresow und Bobbie Hirschfeld haben sich Teller und Messer und Tassen aus der Küche geholt, aber die Teller benutzen beide nicht. Sie pellen die Kartoffeln und essen sie gleich aus der Hand.

„Ein büschen Salz ...", sagt Eugen mit schiefem Gesicht. Bobbie schüttelt den Kopf, ißt stumm weiter, würgt Kartoffeln hinunter und trinkt lauwarmes Wasser nach.

„Das Salz kann ja gar nicht dreckig sein – wie soll sie Salz dreckig machen, sag mir mal", beginnt Eugen wieder.

Bobbie steht auf, geht in die Küche. Er knallt die Kakaopackung auf den Tisch, daß eine braune Wolke auffliegt.

„Das ist was ganz Besondres!" sagt er.

„Ja, mit Zucker ...", sagt Eugen.

„Quatsch, Pellkartoffeln und Kakao hat bestimmt noch keiner gegessen."

Als er eine Kartoffel in den Puder stößt, lachen seine Augen, und als er gegessen hat, von Eugen mit Spannung beobachtet, lachen sie beide lauthals in die kahle Stube. Nachher fühlen sie sich sehr satt.

„Reichen die Kartoffeln für morgen?" fragt Eugen.

Bobbie überlegt, kratzt sich sorgenvoll den Schädel. „Sie muß uns noch eine Tasche voll geben“, sagt er grüblerisch.

Bevor sie schlafen gehen, liegen sie noch eine Weile auf den Betten, dösen einen Augenblick. Eugen denkt an allerlei. Die Angst, die ihm der Kleine eingejagt hat, ist wieder verschwunden.

„Ich werd meiner Mutter sagen, sie soll auf den Zettel schreiben, daß ich nicht kommen konnte wegen Besorgungen für Frau Hirschfeld – denn kann der uns gar nichts“, sagt Eugen.

„Klar, Mensch, und meine Mutter muß deinen Namen mit auf meinen Zettel schreiben . . . der kann uns mal an'n Tüffel tuten.“

„Macht sie das?“ fragt Eugen.

Bobbie zögert. „Wird sie schon machen“, sagt er dann. Einen Augenblick kommt etwas Fremdes, Unfreundliches zwischen ihnen auf wie immer, wenn sie daran denken, daß Frau Hirschfeld Eugen nicht gerne sieht. Sie schweigen eine lange Zeit.

Plötzlich sagt Eugen: „Du hast heute abend gegessen und nicht gebetet . . . betet ihr immer zu Hause?“

Bobbie läßt seine Verlegenheit nicht merken. „Immer, morgens und mittags und zum Kaffee und abends.“

„Was betet ihr denn? Immer das Vaterunser?“

Bobbie schweigt. Eugen wartet einen Augenblick, fragt: „Betet dein Vater auch?“

„Ja“, sagt Bobbie.

„Auch das Vaterunser – oder was?“

„Hör auf“, sagt Bobbie. „Das Vaterunser nicht, das Vaterunser bloß abends, und auch nicht immer.“

„Was denn? – Mach mich fromm, daß ich in den Himmel komm?“

Bobbie schweigt.

„Und Erich, betet der auch? Der auch irgendwas?“

Bobbie richtet sich auf, sitzt auf seinem Bett, stützt den Kopf in beide Hände, sieht prüfend zu Eugen hinüber, zögert, sagt leise: „Wir beten, daß wir den Krieg verlieren – jetzt weißt es.“

Dann steht er auf, geht an den Lichtschalter, dreht das Licht ab. Die Jungen ziehen sich aus, decken die unbezogenen Federbetten über sich. Draußen ist eine helle Nacht.

„Und Erich?“ fragt Eugen.

„Der muß – mein Vater schlägt ihn sonst tot, hat er gesagt.“

Eugen spürt, wie die Müdigkeit aus den Beinen langsam den Körper hinaufkriecht, im Kopf einen Augenblick bohrt, die Lider schwer macht.

Da sagt Bobbie: „Ich durfte dir das eigentlich nicht erzählen ... weißt du, du darfst das keinem sagen. Keinem einzigen, hörst du!“

„Keinem einzigen ... nicht mal meiner Mutter“, sagt Eugen – und es ist nicht die Spur einer Frage in seiner Antwort.

„Keinem“, sagt er noch einmal.

SIEGFRIED PITSCHMANN

# Im Wartesaal

Er saß mit dem Rücken zum Fenster. Manchmal drehte er sich herum, und seine mattgrauen Augen, halb nach oben gekehrt, so daß das Weiße sichtbar wurde, irrten suchend über die riesige Fläche der Scheibe und hinaus, wo die Sonne war und ein klarer Himmel über den Dächern und Antennengestrüpp und den grausig heiteren Silhouetten zerbrochener Türme. Der Himmel hatte die verschwimmende Bläue, wie sie sich über Städten findet, die an großen Flüssen liegen und weit ins Land wollen.

Aber dies alles war jetzt nicht in den Augen des Mannes; dort war Dunkelheit, vom Blitz des Phosphors zerrissen, und schließlich rollten sie mit vergehenden Zeichen von Furcht zurück, beruhigt unterm langsamen Schlag der Lider, die wimpernlos und wie das ganze Gesicht vom bräunlich glänzenden Rosa mühsam verheilter Brandwunden waren.

Er beugte sich über den Tisch, streckte zärtlich die Hand aus und sagte: „Sei mir nicht gram, Henriette, ich komme spät ..." Dann winkte er einem Kellner und rief: „Bringen Sie einen Kaffee für meine Frau."

Der Kellner sah starr auf den Mann und auf das bauchige, graugrüne Segeltuchfutteral, das fleckig und zerschlissen neben dem Tisch am Garderobenständer lehnte. „Jawohl, mein Herr", sagte er.

Die Tische waren vom Stimmengesumm der Gäste überweht; Koffer und Taschen türmten sich in den Winkeln, und vom Bahnsteig her hörte man den Schrei einer Lokomotive.

Der Mann, die Arme aufgestützt, dachte: Wo gingen doch alle die Gleise hin? Er hörte erschreckt das metallische Klikken des Uhrzeigers an der Wand; es kam jede Minute zu ihm, metallisch oder gläsern zwischen Stille und Stille, unheilvoll, Klicken im Drahtfunksender, der die Luftwarnung bringt – er zog die Schultern ein, er dachte: Aber der Löwenzahn blüht, gelb von allem Gelb: du liebtest Löwenzahn am Bahndamm, Henriette.

Er blickte angestrengt über den Tisch, da war das Gesicht, nahe und vertraut auf ihn zufließend, und wieder streckte er die Hand aus, und sein Finger malte vorsichtig die Konturen nach, er sagte: „Du mußt mir nun nicht mehr gram sein, Henriette. Ich war lange unterwegs."

Seine Lider flatterten ein wenig, er wagte einen raschen Blick zum Futteral neben sich, er murmelte: „Wenn du willst, spiele ich. Es gelingt mir heute, ich versichere dich ... Ich spiel dir das Lied des Löwenzahns, zweigestrichenes Gelb im schwarzen Garten deines Haars, Henriette."

Er unterbrach sich verstört, neigte das Gesicht zum Handkuß und flüsterte: „Verzeih, Liebste, ich vergaß ..." Der schmallippige, bläulich vernarbte Mund versuchte zu lächeln, während seine Augen, nach einem flüchtigen, aber sofort ertappten und gleichsam zurückgerufenen Aufwärtsirren, das Gesicht vor ihm liebkosten.

„Wie grau du geworden bist, meine Henriette", sagte er voll Zärtlichkeit, und zum Kellner, der den Kaffee brachte, mit einem verzückten Ausholen der Hand: „Ist sie nicht schön?"

„Ja, mein Herr", sagte der Kellner feierlich.

„Du bist grau und bist schön wie am ersten Tag", sagte der Mann. „Ich liebe dich." Er rückte sorgsam die Tasse zurecht, er fragte: „Wünschst du Zucker?" Und sogleich, sich mild tadelnd, antwortete er selbst: „Aber ja. Sehr süß, und sehr heiß. Erinnerst du dich?

Du hast immer schon am Bühneneingang gestanden, wenn ich herauskam, und ich sagte: ‚Guten Abend, schöne Henriette' und küßte dich, und ich fragte: ,War es gut heute? Nun – sei ehrlich: wie waren die Bässe?'

Du lachtest und sagtest: ,Bis auf den zweiten Akt, mein lieber eitler Mann; es gab da eine gewisse Unstimmigkeit, ein kleines Ausgleiten um das Viertel eines Vierteltons, und ich fürchte ...'

Da wurde ich betrübt, denn ich war ehrgeizig und achtete dein Ohr und Urteil gleich hoch wie jenes unseres strengen und berühmten Maestros, und ich sagte: ,Mein Gott, aus mir wird nie ein rechter Kontrabassist, so wahr ich Lukas Silbermann heiße.'

Aber du hast mich getröstet, und wir gingen nach Hause, und du machtest uns Kaffee, wie du ihn gern hattest. Erinnerst du dich?"

Er rückte noch einmal an der Tasse, er dachte: Du mußt dich doch erinnern, Henriette. Hinter unserem Haus war ein Bahndamm, und nachts hörten wir die Züge fahren und träumten Reisen und Ferne. Im April aber, im April rief gelb der Löwenzahn. Er stand in dicken Büscheln am grünen Bahndamm, und du liebtest ihn. Ist niemals wieder April?

Es traten nun zwei junge Leute an den Tisch, um Platz bittend, und der Mann, der Lukas Silbermann hieß und ein verbranntes Gesicht hatte und mit Eifer in einer anderen Zeit redete als in der, welche draußen vor dem Fenster des Wartesaals stand, nickte zerfahren, und nach einer Weile sagte er: „Nicht wahr, Liebste, es ist dir nicht unangenehm? Ein wenig Gesellschaft ..."

Der junge Mann und das Mädchen setzten sich, und es war ein Geruch von Reiselust und abenteuerlicher Erwartung an ihnen. Der Junge sah sich im Raum um mit der Unbekümmertheit eines Menschen, der es gewohnt ist, alsbald seine Umwelt in Besitz zu nehmen, friedfertig und ohne Anmaßung, und sein wacher Blick schloß auch die Szene ihm gegenüber ein, von der er nur durch das lange, weiße Rechteck des Tischtuchs getrennt war.

Das Mädchen strichelte mit einem Stift flüchtig den Umriß ihrer Lippe nach, und sie beobachtete über den Spiegel hinweg das Gesicht des Jungen, indem sie vorsichtig, mit beiläufiger Schläue sagte: „Wir könnten einen Zug überspringen."

„Warum denn?" fragte er. „Die Leute dort werden auf uns warten. Und die Bummelei mit der Kleinbahn ist allemal kein Vergnügen."

„Ich dachte, es macht dir Spaß, mit mir durch die Weltgeschichte zu stromern."

„Macht mir ja Spaß, Sommersprosse."

„Du sollst nicht Sommersprosse sagen."

„Ich will's mir merken. Und wann geht der nächste Zug?"

„Wir hätten drei Stunden Zeit, reichlich", sagte das Mädchen und steckte den Spiegel weg, sie sagte erregt: „Ich möcht so gern in die Galerie, ich möchte die Bilder sehen; es wär eine Schande, hier zu sitzen und nicht zu den Bildern zu gehen, ich stell's mir herrlich vor – sag schnell ja."

„Du mit deiner Galerie", sagte der Junge, „du mit deinen Bildern. Und wenn nun geschlossen ist?"

„Da ist immer auf. Ich bin schrecklich neugierig. Denk dir, die sind alle echt – die Farben so, wie sie die Maler draufgemalt haben vor vielen hundert Jahren."

„Riecht bloß nach Staub."

„Ach, du Plattfisch", sagte das Mädchen freundlich, „kannst ruhig was tun für deinen Horizont."

„Ich tu's ja schon. Jeden Monat zwei Bücher."

„Ich will die Bilder sehen", sagte das Mädchen. „Neulich im Vortrag war eins mit einem Schwan, und das Mädchen ... ich hab den Namen vergessen, ich hab's dir erzählt – ein aufregendes Bild."

„Wird schon was sein, so nackt und unanständig."

„Plattfisch!"

„Sommersprosse", sagte der Junge, und er lächelte dem Mädchen zu, schon halb überredet. Dann sagte er: „Hier gibt's ein technisches Museum. Adler-Lokomotiven, Baujahr achtzehnhundertnochwas, und 'n Benzwagen, Anno nullsieben."

Das Mädchen streichelte den Arm des Jungen, sie sagte: „Sollst du alles sehen, auf der Rückfahrt. Ich versprech's dir."

Der Junge seufzte noch ein bißchen, Selbstüberwindung andeutend, wie er es für angemessen hielt, aber sie waren schon übereingekommen; sie waren jung, einander zugetan, sie hatten vierzehn lange Tage voll unerprobter Freiheit vor sich, und all die Zeit sollte die Sonne ihres Urlaubs ihnen günstig sein; also auch am ersten Tag.

Lukas Silbermann sah und hörte dies alles, und sah und hörte es nicht. Sein Ohr, ängstlich geneigt, horchte wiederum auf das Klicken von Uhrzeiger oder Drahtfunksender, wehrte sich, versuchte Umdeutungen ins Arglose, und schließlich fand er einen Ausweg: er mußte seinem Gehör befehlen, die Tonhöhe jenes Geräuschs zu bestimmen; solche Übungen gelangen ihm mühelos seit seiner Kindheit, da man sein treffliches Gedächtnis im Bereich alles Hörbaren entdeckt hatte.

Jedoch gab es jetzt Schwierigkeiten, wie er schon wußte, und so ließ er die Schultern fallen und murmelte: „Merkwürdige Dinge gehen vor, Henriette." Er beugte sich vor, flüsternd: „Ich werde dir ein Geheimnis sagen, und du wirst es bewahren – ein Geheimnis, so fürchterlich wie die Tiefe, aus der ich schrie." Er blickte scheu umher, dann sagte er hastig: „Ich war im Bauch des Walfischs . . ."

Er legte die Hand über die Lider, dunkel, dunkel, so war es gut, wenn nur der Blitz nicht kam, und plötzlich richtete er sich auf, er sagte mit seiner geborstenen, dennoch klaren Stimme: „Merkwürdige Dinge gehen vor, Liebste . . . Mein Gehör stimmt nicht mehr. Der Kammerton, huldreiches A . . . verdorben, verschoben. Wo ist noch Verlaß?"

Und er begann, hitzig und beredt, Henriette zu erklären, wie er das Übel endlich gestellt und seither zu überlisten getrachtet hatte. Dabei wies er auf das bauchige Instrument im Segeltuchfutteral, klopfte auch mit dem Fingerknöchel dagegen, wieder einmal seine Augen zwingend, daß sie sich nicht nach oben kehrten, und für eine Weile lauschte er dem gedämpften, hölzern hohlen Widerklang.

„Nichts Einmaliges“, sagte er, „aber recht brauchbar zum Üben, recht brave Arbeit – ein Geschenk des Doktors. Der Doktor ist mein Freund, wie du wissen mußt. Oh – ich habe viele Freunde ...“ Dies mit Triumph. „Viele Menschen wohnen in dem Haus, in dem ich wohne, und alle sind freundlich und gut. Das Haus ist still und sehr weiß, und manchmal, nachts, wenn ich ruhig liege, höre ich das Flüstern der Steine ...“

Er klopfte noch einmal gegen das Instrument. „Hörst du?“ sagte er. „Ich habe es auf den neuen Kammerton gebracht, der sich in meinem Kopf eingenistet hat – quartenrein! Erinnerst du dich? Othello – die Stelle im vierten Akt? Jene Alleinbewegung der Kontrabässe, und alle sieben müssen sie klingen wie eine Stimme? Das ist die Klippe – das fragt nach Meisterschaft!“ Seine Hände glitten fahrig über das Tischtuch, er rief: „Ich habe Jahre gebraucht, bis ich von neuem dazu imstande war – ich, Lukas Silbermann, erster Kontrabassist an der Staatskapelle.“

Aber wann war das? dachte er benommen. Wann war ich dort? Seine Augen, stumpfes Mattgrau unter geschändeten Lidern, flossen plötzlich über, er sagte tonlos: „Wie ist die Finsternis so arg über mich gekommen, und Schrecken hat sich gegen mich gekehrt; mich hat überfallen die elende Zeit. Meine Harfe ist eine Klage geworden, und meine Flöte ein Weinen ...“

Er achtete nicht auf die jungen Leute am Tisch, nicht auf den Lokomotivenschrei vom Bahnsteig her, und selbst das Klicken des Uhrzeigers schien ausgelöscht vor seinem Ohr. Er war allein mit Henriette, und nur diese begriff das Dunkel, das um ihn war; auch sie war ja im Dunkeln, und dennoch übersternt von den Flammenzeichen des Löwenzahns.

Draußen, gerahmt vom hohen Fensterviereck, fand sich das Bild der Stadt unter der aprilenen Sonne, sandsteingrau und kupfergrün, die Trauer und die Anmut von Zerstörung und

Neubeginn, Ruine und Baugerüst, und hinter mühevoll hergerichteten Barockgemäuern ahnte man den Fluß, lieblich mit Brückenbogen, Dampfer und Uferterrasse.

Das Mädchen sah hinaus; im Vordergrund, auf einem weiten Platz, querten Autos und Trambahnwagen das Bild, lautlos, und die Wagen zeigten das freundliche Blau des Himmels. Nach einer Weile sagte sie: „Ein Zimmer für uns beide wär herrlich. Vielleicht drücken sie ein Auge zu."

„Ja, vielleicht", sagte der Junge unaufmerksam; er träumte von den Lokomotiven. Und als er das Mädchen ansah: „Du bist ja rot geworden."

„Gar nicht wahr."

„Doch", sagte der Junge, er faßte nach ihrer Hand und streichelte sie.

„Was für eine Stadt", sagte sie schnell, und sie blickte wieder hinaus, vorbei an Lukas Silbermann und dem Futteral neben dem Tisch, und sie folgte der eiligen Fahrt der blauen Trambahn. „Als wär ich schon mal hier gewesen", sagte sie.

„Aber du warst nicht."

„Jetzt lachst du mich aus. Ich kann's nicht erklären. Wir wollen gehen." Sie beobachtete, wie die Trambahn in einer Kurve zwischen gläsernen Ladenkolonnen verschwand. Auf einmal fragte sie: „Hast du den Namen gehört?"

„Ich weiß nicht, von wem du redest", sagte er.

„Du weißt es sehr gut", flüsterte sie. „An was erinnert er mich bloß?"

„Denk nicht drüber nach, es ist unwichtig. Hör nicht hin."

„Vielleicht hätten wir einen anderen Tisch nehmen sollen."

„Unsinn", sagte der Junge. „Irgend so 'n alter Schlagbassist. Siehst du das Ding am Garderobenständer? Nimm an, er hat die Nacht durch in der Bar gearbeitet. Vielleicht hat er 'ne Menge schlucken müssen, und nun ist er müde und 'n bißchen betrunken."

„Ja", sagte sie, „wir wollen es annehmen. Wir wollen nicht hinhören. Du liebst mich doch, nicht wahr?"

„Natürlich", sagte er verwirrt.

„Dann wollen wir nicht mehr hinhören." Sie blickte noch immer an Lukas Silbermann vorbei, sie sagte leise: „Hast du seine Hände gesehen?"

Jener aber, langsam aus dem Dunkel tauchend, das den anderen verborgen war, hob sein Gesicht auf zu Henriette und murmelte: „Es ist nicht recht . . ." Er rückte ein wenig an der Kaffeetasse, er sagte mit lindem Vorwurf: „Du trinkst nicht, und dein Mund ist stumm. Ich habe soviel Tadel nicht verdient. Nimm deinen Gram von mir, Henriette. Freilich – ich komme spät. Ich hätte dich niemals allein lassen sollen."

Abermals neigte er sich zum Handkuß. „Immer rede ich von mir, Liebste; sieh es mir nach." Und darauf geheimnisvoll, den mageren, narbigen Finger erhoben: „Es war Makadam . . ." Er wiederholte das Wort, dringlicher jetzt, mit einem traurigen Wiegen der Schultern, und sein Finger, beschwörend, schrieb weite Kreise in das Tafeltuch. „Warum bist du nicht unten geblieben?" sagte er. „Warum bist du hinausgelaufen? Ach, Henriette, die Furcht trieb dich – und ich war schon auf dem Wege zu dir."

Er hielt an, und der blinde Schrecken, der soeben sein Gesicht heimgesucht hatte, wandelte sich in staunendes Entzükken, schattenlos und ohne Übergang.

„Wie schön dein Auge blickt", rief er. „Seine Farbe ist die des Honigs aus Akazienblüten, der im Mond reift. Ich liebe deine Augen, Henriette. Die Luft über deiner Haut ist voll von Gewürzen und dem Wohlgeruch der Minze, und es ist kein Fehler an dir."

Er wandte sich an den Kellner, der in der Nähe war, und drängte ihn, seine Rede zu bezeugen.

Der Kellner blieb stehen, etwas krumm, unsicher auf geplagten Füßen, er drehte den Kopf zur Seite und schwieg.

„Wenn ich dran denke . . .", sagte der Junge, „in vier Wochen sollte ich eigentlich auf dem Ferienschiff sitzen."

Das Mädchen antwortete nicht; sie sah angespannt, fast

flehentlich auf den Kellner. „Was ist Makadam?“ flüsterte sie.

„Weiß nicht“, flüsterte der Junge zurück.

Lukas Silbermann, schon zornige Ungeduld in der Stimme, rief: „Rede ich nicht wahr? Ist sie nicht einem Wunder gleich?“

„Ja – gewiß, mein Herr“, sagte der Kellner stockend, mit weggewendetem Gesicht, „ein Wunder.“ Er verbeugte sich hilflos und ging davon.

„Verzeih meinen Eifer, Liebste“, sagte Lukas Silbermann, indem er die Hände hob, „alle sollen sehen, wie schön du bist.“ Und dann inständig: „Wenn du nur bleiben wolltest ... Der Löwenzahn verdorrt im Makadam; sein Lied ist ein Märlein geworden und sollte sein eine Freude vor dir.“

Das Mädchen fragte hastig: „Was war mit dem Schiff? Du hast mir nichts erzählt.“

„Unnützer Ärger“, sagte der Junge. Er zwang sich, nicht dem Mann zuzuhören, der da beunruhigend nahe und doch unbegreiflich entfernt ihm gegenübersaß und wirr auf jene Henriette einredete. Er sah auch, wie das Mädchen befangen den Blick von Lukas Silbermann abkehrte, und er spürte ihren Griff am Handgelenk, er sagte: „Mach dir keine Gedanken, Sommersprosse – es geht vorbei.“

„Die Zeichen mehren sich“, raunte Lukas Silbermann, „und die Schrift erscheint allenthalben. Man sollte sie warnen ...“

„Neulich haben wir eine Prämie eingehandelt“, sagte der Junge, und er mühte sich, sorglos auszusehen, „große Ostseereise. Sie wollten, daß ich fahre, aber ich habe verzichtet und Hühnchen vorgeschlagen – der sitzt jetzt auf meinem Baumeister. Wer weiß, ob er noch mal so weit rauskommt, hab ich mir gedacht; Hühnchen ist alt, hat Familie, Hühnchen hat ’n Leben lang geschuftet, und nun soll er endlich was genießen.“

„Ja“, sagte das Mädchen teilnahmslos; vom anderen Tischende tönte leises Gelächter, ein klägliches, ungeratenes Hüpfen im Kehlkopf, das sich nicht zur Ordnung rufen ließ, und auf einmal dachte sie an die Bilder wie an eine Zuflucht, die schon aufgegeben war.

Der Junge sagte: „Ich hab's ihnen erklärt, ich hab alles versucht, aber diese Grünschnäbel hören nicht, verschleudern die Fahrt ausgerechnet an den Jüngsten in der ganzen Brigade. Ich war nicht schlau genug – hätte sie einfach nehmen sollen und dann Hühnchen schenken."

„Ich habe Angst", flüsterte das Mädchen.

„Hoffentlich baut er keine Havarie", sagte der Junge angestrengt. „Hühnchen ist manchmal 'n bißchen zerstreut. Hoffentlich vergißt er nicht, abends die Schienenzange anzuziehen; ich hab mal 'n Sechstonnenkran bei Sturm loswandern sehen."

Lukas Silbermann lehnte sich plötzlich nach vorn, er sagte frohlockend: „Sie verachten die Wege des Makadam, denn dort lauert Gefahr." Wieder kam jenes hüpfende Gelächter, er rief: „Wahrlich, sie sind klug und listig, und ihr Geist ruht nicht. Sie haben eine neue Straße gemacht mitten in der Stadt, ein zementenes Band, weiß und kühl und eine fröhliche Sicherheit meinen Füßen."

„Was heißt Makadam?" fragte das Mädchen. „Was ist dieses fürchterliche Makadam?"

Der Junge saß steif neben ihr, er bewegte nur ein wenig den Arm, auf dem er klein und hilfesuchend ihre Hand fühlte, er betrachtete ohne Ausdruck das Fenster und sagte: „Mein Gott, Sommersprosse, du warst gerade zwei Jahre alt, als das hier passiert ist."

Er hätte jetzt den Arm um ihre Schulter legen müssen oder ihr Gesicht streicheln, aber er regte sich nicht und schien nichts zu sehen, weder Turm noch Stadt hinter dem Fenster, noch die Sonne, die schräg über den Dächern im Antennenwald stand und mit ungerührter Milde auf dies alles herabstrahlte.

„Makadam", sagte er schleppend, und dabei verfluchte er schon seine gewaltsam in Gang gesetzte Fachbucherinnerung, „das ist ein Unterbau für Straßen, grober Schotter. Aber manche nennen alle Teerstraßen Makadam, ein altmodischer Name ... er meint Asphalt. Asphalt schmilzt erst bei größerer Hitze, der Flammpunkt ..."

Er sprach nicht weiter; das Mädchen starrte voll Entsetzen auf das Gesicht von Lukas Silbermann. Er legte nun doch den Arm um ihre Schulter, und nach einer Weile sagte er bekümmert: „Du wolltest zu den Bildern ..."

„Es ist vorbei, nicht wahr?" flüsterte sie. „Es hat nichts mit ihm zu tun, er ist betrunken, du hast es selbst gesagt."

Sie hörten aber beide die Stimme, die dumpf und erregt zu ihnen über den Tisch drang.

„Es ist nahe an der Zeit", rief Lukas Silbermann, „ich muß sie warnen, Henriette." Er drehte sich herum, fröstelnd, die Augen wehrlos nach oben gerichtet, und er preßte die Handfläche ans Ohr.

Da war es also wieder, und es war stärker als er, kam gläsern metallisch, Klicken im Drahtfunksender, und niemand sollte sich rechtfertigen, er hätte es nicht gehört.

„Du darfst dich nicht fürchten, Liebste", sagte er, „ich lasse dich nicht allein." Sein Blick irrte zurück und über sie hin, besorgt, voll Zärtlichkeit, er dachte: Aber habe ich dich nicht allein gelassen? Habe ich dich nicht dem Elend überantwortet, als du mich brauchtest? Er sagte beklommen: „Wir sind schon im Dschungel, Henriette, und es wird uns nicht treffen. Aber diese dort ...", und er reckte den Finger, „sie sollten die Zeichen bedenken und sollten Obdach suchen unter der Erde. Sie sollten in den Keller fliehen – das Gewölbe sei ihnen gnädig ..."

„Was denn für 'n Gewölbe?" sagte der Junge. „Was denn für 'n Keller?" Er rückte polternd seinen Stuhl ab und schrie: „Was sollen wir unter der Erde? Warum sollen wir in den Keller steigen? Hier ist kein Keller, verdammt noch mal, hier gibt's kein Gewölbe, das uns gnädig sein muß!"

„Bitte", sagte das Mädchen mühsam, „bitte, hör auf."

Lukas Silbermann sah sie an, traurig, graue Schatten im Gesicht, seine Lippen bewegten sich lautlos.

Der Junge hätte jetzt gern seine Rede widerrufen, und zugleich glaubte er, da er beschämt vor sich hin starrte, jene Augen würden ihn nicht mehr freigeben, bei allem, was er unternahm, und er wandte sich ab, er sagte verwundert, mit einer Spur von Eigensinn: „Wir haben doch Ferien – es ist unsere erste Reise."

Aber das Mädchen begriff nicht. Sie blickte auf die Kaffeetasse, die unberührt neben Lukas Silbermann stand, auf den schwachen Kräusel, der von ihr aufstieg, ein schwindender Rauch, und auf einmal meinte sie zu spüren, wie der ganze Umkreis ins Schwanken geriet; Tisch und Stuhl und der Saal mit allem, was sich darin fand, schienen von fragwürdiger Sicherheit.

Und plötzlich schlug sie die Hände vor das Gesicht, sie sagte: „Ich kann es nicht länger sehen, ich kann's nicht mehr hören, und wenn er uns anspricht . . . diese Henriette, mit der er immerzu redet . . ."

„Ich weiß", sagte der Junge, „wein doch nicht, Sommersprosse, sei still." Er versuchte mit einer ungeschickten Bewegung ihre Hände zu lösen, er sagte rauh: „Es hilft ihm nicht, es hilft keinem Menschen."

„Ich will ja nicht weinen", sagte sie, „gib mir dein Taschentuch", und sie spähte nach dem leeren Platz neben Lukas Silbermann.

Er hielt ihr das Tuch hin, er sagte: „Sei ruhig, Sommersprosse. Wir gehen zu den Bildern, wir gehen, wohin du willst."

„Ja", sagte sie, „und zu deinen Lokomotiven."

„Wir wollen gleich gehen", sagte er. Er legte zwei Finger an ihre Schläfe und drehte ihr Gesicht zu sich herum, und dann sagte er: „Bloß weinen hilft nicht – bloß Mitleid ändert nichts in der Welt."

Sie gingen hinaus, und da war die Stadt und grüßte sie mit all ihrer Trauer und mit all ihrer Heiterkeit, auferstanden unter dem freundlichen Himmel, und sie würden sie sich zu eigen machen.

RICHARD CHRIST

# Überlegungen beim Begrabenwerden

Nichts ist bemerkenswert oder bedeutend an dem Zustand, den die Lebenden *das Ende*, *Ableben*, auch *Hinscheiden* und ähnlich nennen, eine mittlere Nierenkolik wirkt unangenehmer. Mag allerdings sein (das muß ich einräumen), daß die Geschmeidigkeit, die einer nach dem vierzigjährigen Bühnenjubiläum auch im Hinstürzen und zeitweiligen Totsein gewonnen hat, dazu beitragen kann, den Ernstfall geübter zu bestehen als der Anfänger.

Auch danach ist alles ohne Überraschung, wie es die Medizin längst beschrieben hat. Atem verebbt, Herz steht still, Bewegung friert ein, Stoffwechsel erliegt, dem klinischen Tod folgt der biologische. Über die Zeitspanne, die beide voneinander trennt, sollten sich die Wissenschaftler jedoch besser neue Theorien machen. Auch der laienhaft Gestorbene ist belustigt über die Angaben. Der Doktor klappt das Lehrbuch auf: In einer bestimmten Entwicklungsetappe des Prozesses des Sterbens (liest er vor) erfolgt ein Sprung ... Welch kühnes Bild, doch lassen wir's dabei und streiten nicht, als der Klügere nachgeben ist ohnehin nicht mehr möglich in dieser Lage. Aber man weiß ja, was man weiß. So schnell geht's jedenfalls nicht mit dem Sprung, daß keine Zeit bliebe für gewisse Beobachtungen.

Zunächst einmal: man liegt aufs feinste ausstaffiert in seiner Lade, mit Bühnensmoking und Lackschuhen. Keinerlei Schmerz ist spürbar, man ruht ohne das entfernteste Gefühl der Körperlichkeit. Im Gebäude, das für diese Zwecke am

Rand der Stadt in monumental-düsterem Stil erbaut ist, sind rechts und links vom Feiersaal Kammern, wo man im Halbdämmer warten kann, daß beginnt, was *der Trauerakt* heißt. Draußen auf dem Gang laufen Angestellte des Hauses, sie sind dunkel und einheitlich gekleidet, ihre Aufgabe ließe sich nur erkennen, wenn man den Oberkörper aufrichten könnte.

Der Deckel zu meinem Schragen lehnt gegenüber dem Eingang zur Kammer an der Wand, ich sehe das obere Drittel, die polierte Seite ist nach außen gekehrt, ein Braun von mittlerer Farbe mit nicht zu aufdringlicher Maserung, Beschläge aus oxydationsbeständigem Metall, durchaus mit Geschmack gewählt, man braucht sich nicht zu schämen vor den Leuten, die gleich kommen werden. Gut erinnere ich mich noch an die Pappelholzkiste, die Kokowski zugemutet worden ist, vor einem dreiviertel Jahr, auch hier draußen, zwei Kammern links von mir. Auf dem Deckel war mit Messingschrauben ein Kruzifix befestigt. Wir alle wußten, daß Papa Krok, unser Heldenvater, bereits vor einem Menschenleben aus der Kirche ausgetreten war. Da hätte die BGL getrost darauf achten dürfen, oder der Verwaltungsdirektor, wenn sich schon die Angehörigen nicht darum sorgen.

Im Vorübergehen taucht jetzt in der Türöffnung einer der draußen Hantierenden auf. Wieviel hast 'n heute noch, Reinhold? ruft er dem schwarzumhüllten Kollegen zu.

Es raschelt, wie von trockenen Blättern, im Rascheln steckt Reinholds verdrossene Antwort: Stücker viere, mir langt's für 'n Montag!

Der erste wieder klopft draußen an meinen Deckel, was ein dumpf-volles Geräusch erzeugt. Beste Ware, sagt er fachmännisch, wohl 'n Prominenter?

Weiß nicht genau, ruft Reinhold den Gang herunter und macht dazu mit einem Gegenstand quietschende Geräusche, vermutlich zieht er einen flachen, auf Rollen laufenden Wagen mit schlechtgeschmierten Achsen – soll 'n Sänger sint oder was mit Theater, 'ne Menge Orden hat er jedenfalls gesammelt.

Nun, empfindlich darf man hier natürlich nicht mehr sein, was das Persönliche angeht, und nicht jedes Gewerbe muß ja auch mit dem Bühnenwesen auf du und du stehen. Wenn die Bestattungsbrigade erst einmal ein Wunschanrecht erworben hat, wird ihr die Unterscheidung von Sprechtheater und Musikbühne bald keine Schwierigkeiten mehr machen.

Was nun mich selbst angeht oder anging, ich habe nie Stimme gehabt und trat ausschließlich in Sprechrollen auf. Oper konnte mich nicht reizen, die Melodie scheint mir kein Ersatz für die Nachgestaltung des dichterischen Wortes, und wie sich das Libretto zum Schauspiel verhält, darüber ist besser zu schweigen.

Die vom montagsmüden Reinhold erwähnten Auszeichnungen rechts neben mir auf dem tiefblauen Samttäfelchen sind angeordnet zu einem gezackten Farbmuster, wie es im Kaleidoskop fällt und für den Augenblick erstarrt, bis es zum nächsten Phantasiebild auseinanderstürzt. Vierecke und Scheiben, mit Ösen an mehrfarbigen Bändchen befestigt, ins Metall geprägt Schriften, bildhafte Darstellungen, Jahreszahlen.

Wofür erhält einer Orden? Für die hervorragende Gestaltung der Rolle des Soundso in einer Inszenierung sowjetischer Gegenwartsdramatik. Für jahrelanges Bemühen um den Bühnennachwuchs. Ja, und noch? Mal nachdenken. Zwei Jahrzehnte Mitgliedschaft in der Gewerkschaftsleitung. Dann bleiben immer noch ein oder zwei der glitzernden Metallplättchen auf dem Samt. Sie sind nicht zu erkennen, weil das Tageslicht vom Farbglas der hoch oben angebrachten schartenähnlichen Fenster stark gedämpft wird. Habe ich irgendwann irgendwem die Meinung gesagt und dafür eine Tapferkeitsmedaille erhalten, hat man mir das Kreuz der eisernen Disziplin angeheftet, als ich das Rauchen ließ – ich weiß es nicht mehr, möglich schon.

Eigentümlich ist, daß man seine Orden, solange man noch

auf zwei Füßen steht, in ihrer großen Pracht nie beieinandersieht, selbst bei feierlichem Anlaß genügt gewöhnlich die Interimsspange. Erst nach dem Abgang wird von den Gebliebenen Bilanz gemacht: Seht her, das war er, wußtet ihr nicht, welche Verdienste er hatte?

Ich liege in Dämmer und konservierender Kühle und kann nachdenken in Ruhe. Zu meiner Linken, male ich mir aus, steht ein zweites Samttäfelchen, ungefähr dort, wo auf dem gußeisernen Kranzhalter ein wagenradgroßer Lorbeerreif hängt. Auf den Samt, er sollte zur besseren Unterscheidung vielleicht gelb sein, hefte ich Ehrenspangen, die ich mir selbst verleihe. Eine obenan für den Knirps, den ich im dritten Kriegssommer aus einem Löschwasserbassin zog. Eine weitere Chance für gelb: als ich in der Umgebung von Kursk nicht auf mein klopfendes Herz hörte und lief und lief, bis das kehlige Ruki werch! über den Acker hallte. Und noch einmal gelb: für einen froststarren Dezembermorgen, als es an meiner Wohnungstür klingelte und draußen etwas in Pelz Vermummtes stand und weich an mir vorbeischlüpfte und in einen Sessel sank, daß der Pelz bald über die Lehne rutschte und verführerisch Schlankes dasaß, Frau meines Freundes Baumann, hübsch und unerbittlich. Aber was für einen Orden gibt das, für Freundestreue, für Beschränktheit, werden andere sagen, oder für gute moralische Tagesform?

Nebenan ist Gemurmel, Angehörige umstehen jetzt, ich entnehme es den gedämpften Stimmen, meinen Nachbarn, auch leises Weinen dringt durch die Zwischenwand der Kammer. Reinhold (gleich sind es für ihn nur noch Stücker dreie) erscheint drüben in der Tür: Zur Trauerfeier Quarschke bitte die Herrschaften im Mittelraum Platz zu nehmen! sagt er in pietätvoll-leisem Hochdeutsch mit umgangssprachlichem Infinitiv, sein Ton verrät geschulten Respekt vor dem Leid der Hinterbliebenen. Wer genau hinhört, vernimmt auch eine Spur Selbsterhebung. Charon fordert auf, den Nachen zu besteigen, kein Einspruch ist zugelassen, die Leidtragenden nehmen Abschied in der Kammer, dann wird der Deckel aufgesetzt und verschraubt, so leb denn wohl, du schöne Welt, Reinhold der Fährmann steuert das quietschende Wägelchen durch die Wasser des Vergessens, sein schwarzes Gewand verhängt alle Hoffnung, am Kokytos und am Styx wachsen keine Reben, und wozu auch.

Aus dem Portal wehen Harmoniumakkorde herüber, nun zieht die Trauergemeinde in den Saal, die Türflügel werden sanft zugedrückt und ersticken die Musik. Für eine Stunde steht der gewesene Quarschke, möglichenfalls die Quarschke, noch einmal im Mittelpunkt, so beherrschend, daß über ihn/sie nachgedacht, geseufzt, geschluchzt wird. Die Kerzen flackern, süßlich und verbraucht hängt die Luft in Schwaden unter der Kuppel des Raums. Der Nachrufer drückt, ehe er den letzten Absatz beginnt, auf einen Knopf unter dem Pult, damit der Harmoniumspieler auf der Empore rechtzeitig den Blasebalg einschalten kann. Und dann: Letztes Boot, darin ich fahr, keinen Hut mehr auf dem Haar ... In längstens sechzig Minuten ist der Fall Quarschke erledigt, dann bin ich dran.

Hier bitte, die Herrschaften! sagt auf dem Gang Reinholds Kollege, seine Hand weist Ankommende, die ich nicht erblikken kann, in die Kammern. Gehorchten mir noch Nerven und Muskeln, so würde ich mich jetzt zum letzten Auftritt zurechtrücken, zumal draußen, wie ich mir einbilde, zwischen dem schweren Auftreten von Leder- und Kreppsohlen ein Tacken auf den Fliesen herauszuhören ist, das könnte ein Damenpumps Größe siebenunddreißig sein. Jemand räuspert sich und tritt ein. Außergewöhnliche Situation: der Kritiker X. R. steht zu meinen Füßen.

Kaum ein Mensch nennt ihn bei seinem standesamtlich gesicherten Namen Xaver Raunzer, da er seit vielen Jahren seine Besprechungen nur mit den Initialen zeichnet. Die Schauspieler sagen Verehrter Kollege Xer zu ihm, die ihn duzen, sagen Xer, du verdammter Zeilenschinder. Die meisten fürchten ihn, ohne es zuzugeben. Über mich hat er auch mehrmals Unvorteilhaftes drucken lassen, er versteht wenig

Spaß. Vor Jahren, als wir eine englische Kriminalkomödie spielten, hatte ich den Satz zu sprechen: Verlassen Sie sich drauf, auch mit diesem Mister X., Herr Kommissar, rechnen wir noch ab! Da ich den Kritiker in der Loge sitzen sah, machte ich eine hinweisende Geste und extemporierte: Auch mit diesem Mister Xer, Kommissar, rechnen wir noch ab! Das Publikum verstand und gab Beifall, seither war er mir nicht grün – und heute ist er wohl nur gekommen, weil er meine letzte Rolle nicht unerwähnt lassen darf.

Er schaut rasch über die Schulter, ob er noch allein ist, dann tritt er an das Samttäfelchen, bückt sich, um besser erkennen zu können, holt ein Notizheft aus der Sakkotasche und kritzelt hinein. Leider ist mir nun nicht mehr vergönnt, zu lesen, was die Zeitung morgen bringen wird, aber es kann nicht viel anderes sein als dies: Der hochverdiente N. N., steht da ungefähr, hat sein ganzes Leben in den Dienst und so weiter, schon seit frühester Jugend spielte er und so fort, besonders beim Neuaufbau unseres volksverbundenen realistischen Theaters konnte er Punkt-Punkt-Punkt, auf der Bühne dieser Stadt gelangen ihm nicht nur sondern, er brillierte fünfundneunzigmal als, wurde gefeiert wegen, überzeugte mehrfach trotz, erntete Beifallsstürme mit, wurde einer der erfolgreichsten durch, verhalf dem dichterischen Wort zum, gefiel noch zuletzt in, bereitete sich gerade vor auf, wird uns nun sehr fehlen weil, bleibt für immer unvergessen denn, wurde ausgezeichnet mit – dann folgt die Wiedergabe des Kaleidoskopbildes auf dem blauen Samt mit den offiziellen Benennungen. Von der gelben Tafel weiß Xer ja nichts, für ihn hört der Schauspieler wohl in der Garderobe auf, wenn beim Abschminken wieder das Gesicht erkennbar wird.

Nun steckt er das Notizbuch ein, der Herr Raunzer, und zieht sich eilig zurück, dabei macht er in der Tür eine Art Verbeugung, ehe er hinaustritt, ohne mir den Rücken zuzuwenden.

Neugierig bin ich nun, wer der nächste sein wird. Wer überhaupt vom Ensemble erscheint. Der Intendant auf jeden

Fall und die Älteren, mit denen zusammen man angefangen hat. Vielleicht einige von den Jüngeren, denen man etwas beibringen konnte. Lorenz wird nicht dabeisein, ihn habe ich zu oft kritisieren müssen.

Aber wer ist eigentlich zu erwarten, wenn man hier draußen liegt – besucht denn jemand freiwillig Reinholds Brigade? Oft genug habe ich mich selbst davor gedrückt: Bin erkältet, muß meine neue Rolle noch vornehmen, hab ausgerechnet diesen Nachmittag eine ganz, ganz wichtige Verabredung, die ich einfach nicht versäumen *darf*, seid mir nicht böse. Was man eben so erfindet. Und war ich tatsächlich mal mit dabei, ging's nie ohne Erkältung ab, weil nach unerforschtem Gesetz der Regen stets dann einsetzt, sobald an der Gruft die Hüte gelüftet werden. Danach so rasch wie möglich ins Lokal und was zum Aufwärmen bestellt. Die Gespräche bei Wodka und Grog bewiesen dann: nicht das Wetter macht frösteln, es ist der Blick ins Erdreich, Staub wirst du wieder werden, vita brevis, ars longa, zum Wohl, liebe Freunde, wir sind noch einmal davongekommen, Herr Ober, noch mal das gleiche! Einmal, als wir Papa Krok begleitet hatten, saßen wir länger und tranken mehr als sonst, die Dumpfheit des Anlasses fiel von uns ab, Fachsimpelei und Klatsch durchbrachen den Trübsinn, Gelächter stieg zur Decke, und beinahe hätte einer den guten Krok hoch*leben* lassen, weil er für einen so feinen Spaß gesorgt hatte. Ich meine, er hätte das nicht mal übelgenommen.

Die Türöffnung wird verdunkelt, ein Gesicht läßt sich noch nicht ausmachen, der Figur nach muß es der Intendant sein, ein Hüne. Hinter ihm zwei Mädchen, unser Nachwuchs, dann der Bühnenmeister, einer von den Beleuchtern. Für die habe ich manchmal Ferienplätze herausgeboxt oder eine Sonderprämie für Überstunden bei Gastspielen.

Der Intendant betritt die Kammer nicht wie irgendeiner, er hat seinen Auftritt auch hier. Zwei Schritte durch die Tür, stampfend, Stehen mit einem Ruck und die Augenbrauen hochgezogen, dann langsames Senken des Kopfes, als seien jetzt erst die Sachverhalte in ihrer zureichenden Tragik erkennbar. Zögerndes Gehen bis zum Fußende, mit der Rechten das Getrappel der Nachfolgenden unmutig dämpfend.

Kannst es nicht lassen, denke ich, sind halt Zuschauer dabei, so was kriegt man aus unsereinem nicht raus.

Der Bühnenmeister legt mir ein Sträußchen auf die Hände und geht schnell hinaus. Die Mädchen blicken auf mein Gesicht. Eine preßt ihr Taschentuch in der Hand, die zweite (ich hab sie mal vor dem Rausschmiß bewahrt, als sie was mit einem verheirateten Dramaturgen angefangen hatte) deutet scheu das Kreuz an. Dann ist der Hüne allein.

Er blickt um sich, als suche er nach einer Gelegenheit zum Niedersitzen. Er scheint müde zu sein. Mit beiden Händen stützt er sich leicht auf die Schmalseite meines Behältnisses. Eine Weile sieht er von seiner Höhe herab auf das weiße Tuch, wie versunken in die Betrachtung einer schneebedeckten Landschaft, und das Bahrtuch, das alles Leben weiß überdeckt, funkelt mit Millionen Reflexen, die brennen dem Hünen in den Augen, daß sich das Wasser darin sammelt. Er zieht das Tüchlein aus der Brusttasche und betupft sich die Lider. Er schüttelt mehrfach den Kopf und geht hinaus, mit leisen, unauffälligen Schritten.

Das Portal zum Hauptraum wird wieder geöffnet, über Quarschkes Verwandtschaft zieht Tschaikowski opus elf, der Rest vom Andante cantabile, für Harmonium gesetzt, wie gräßlich das klingt. Das Pianissimo erstirbt im Füßescharren, am Hintereingang des Saales poltert es, jetzt werden die Kandelaber neu bestückt, die Zahl der Kerzen richtet sich nach den Wünschen des Auftraggebers, Quarschke-Kränze werden hinausgetragen, Schleifen ab, im steten Gedenken die Hausgemeinschaft, Ruhe in Frieden. Die Kränze selbst zwischen die Messer einer hastig zuhackenden Maschinerie, aus deren trichterförmigem Auslauf Häcksel in daruntergeschobene Behälter fliegt. Das ist alles zweckmäßig eingerichtet, und wo sollte auch eine große Stadt wie die unsere mit ihren

Menschen hin – Wohnungen sind knapp über und unter der Erde. Mit dem Bauen für die Lebenden ist nachzukommen, ihre Zahl wächst nicht so ungeheuerlich wie die der Abtretenden. Die Lebenden werden immer weniger und die Toten immer mehr: das hab ich von einem grüblerischen Franzosen, den wir einmal inszenieren wollten.

Ich könnte noch lange nachdenken über dies alles, was einem geschieht, wenn man nur noch Zuschauer ist. Seit je hat mich das beschäftigt und fesselt mich auch jetzt noch so, daß einige Besucher inzwischen hereingekommen und wieder gegangen sind, ohne daß ich sie genau wahrgenommen hätte; vielleicht ist auch die Schärfe des Aufnehmens nur noch zeitweilig gegeben. Es wird die übliche Laufkundschaft aus dem Kollegenkreis sein, treue Seelen, die jedes Jahr mit einem Blumenstrauß erscheinen, wenn man wieder älter geworden ist, Bühnenvölkchen, zu dem man gehört hat, das einem die Angehörigen ersetzte, in der Kantine traf man regelmäßig aufeinander: Hallo, was macht die Galle, dürfen wir einen trinken zusammen?

Alle Schritte draußen haben sich verlaufen, kein Stöckeln ist auf den Fliesen zu hören. Vera hat sich verspätet, wie immer in ihrem Leben. Zu den Proben ist sie noch jedesmal zu spät gekommen. Als ich sie das erstemal zu mir einlud, kriegte ich Bedenken, sie könnte mich versetzt haben. Mehrmals habe ich sie später gefragt, ob wir nicht heiraten sollten. Du bist noch zu jung dazu und ich schon zu alt, sagte sie (da war ich fast fünfzig) und setzte mit Ernst dazu: So lange kann kein Standesbeamter warten, bis ich endlich da bin.

Eigentlich wäre ich enttäuscht gewesen, wenn sie es diesmal geschafft hätte. Nachher, wenn für meine Gäste schon Tschaikowski oder Eisler gespielt wird, klappt dann die Tür noch einmal, und Vera wird sich hereindrücken, abwinkend mit der gewohnten Gebärde ihrer kräftigen zärtlichen Hand: Macht kein Aufsehen, wir kriegen das schon noch. Sie setzt sich still in die letzte Reihe und kann ungestört zuhören und nachdenken und ein bißchen weinen, ohne daß ihr von hinten Blicke das schwarze Kostüm ansengen: Mit ihr hat er zusammengelebt, sie läßt sich wenig anmerken, aber wir kennen sie ja, die schluckt alles runter, kümmert euch um sie, daß sie nicht durchdreht.

Glocken beginnen zu läuten, aus leisem klöppelndem Anschlag an das träge schaukelnde Metall wächst ein Dröhnen, der Schall läßt Luft und Erde erzittern. Man kann das Geläut bestellen wie die Kerzen und die immergrüne Dekoration. Ich weiß nicht, wie bei mir die Anordnung sein soll, alles verlief ja überstürzt, keine Gelegenheit für eine Vorbereitung oder letztwillige Verfügung.

Denn in der Garderobe saß ich nach der Vorstellung noch vor dem gesprungenen Spiegel, den der Verwaltungsdirektor seit zwei Jahren zu ersetzen verspricht, wir gaben ein Gegenwartsstück, ich spielte mit Premierenaufregung den Großvater, der häufig auf den Tisch zu hauen und viel zu erklären hat, danach fehlt ein Stück Erinnerung, dann war da der Sprung im Spiegel, der Sprung wurde plötzlich größer und zertrennte mein geschminktes Gesicht, Schweiß lief unter der Perücke hervor, jemand rief: Doktor Baumann, schnell doch, es sieht bedrohlich aus! Der Ruf war plötzlich, als sei er sichtbar geworden, die Worte drehten sich hallend um mich wie ein schwarzes Rad, schnell und schneller, bis die Speichen kein Licht mehr durchließen. Es blieb nicht einmal Zeit, in die Schwärze hinein etwas zu denken von der Art wie: So geht das also vor sich! oder: Wie schnell das geht ...

Und jetzt ist mein alter Freund Baumann gekommen. Für ihn ist das hier nicht besonders aufregend, als Arzt hat er gelegentlich mit Zuständen wie diesem dienstlich zu tun. Aber er ist mein Freund, das ändert einiges. Er kommt ohne weißen Kittel und trägt nicht die ausgebeulte Ledertasche. Baumann ist so alt wie ich, wir wurden in derselben Stadt ausgebildet und trafen uns später wieder, als er Theaterarzt wurde. Er hat jetzt die zweite Frau, bei seiner Hochzeit war ich Trauzeuge. Mach du das nur, hatte er gesagt, auf dich ist wenigstens Verlaß, wenn wieder was schiefgeht. Diesmal hat er richtig gewählt.

Mein Freund, der Doktor, tritt heran. Sein Gesicht ist feierlich. Er legt mir die Hand auf die Stirn. Einem anderen würden jetzt die Finger zucken, weil die Kälte, in die unsereins eingeht, sich anders anfühlt als Eis oder frostiges Metall.

Der Doktor nimmt meine Hand. Nicht zum Abschiednehmen streicht er darüber, er drückt den Daumen prüfend auf die Ader am Handgelenk. Ist er abergläubig? Mißtraut seinen Kollegen? Warum die zufriedenen Züge im Arztgesicht, Freundesgesicht, wie er mir jetzt noch die Hand auf die Brust legt, so zwingend, daß ich meine, die Nerven seien wieder imstande, Signale zu leiten und den Muskeln Anspannung zu befehlen? Wenn ich jetzt wollte, wäre meine Hand zu bewegen, der Strauß ist ihr wohl unbemerkt entfallen, millimeterweise könnte ich die Finger spreizen, noch nicht ausreichend für eine deutbare Geste. Wenn ich jetzt will, sind die Lider zu heben, spaltbreit, daß das Auge erkennen kann, wie die Räume einander in nie gesehener Fahrt durchdringen. Die Kammer weitet sich, quer zu meiner Lage, mit diesem Vorgang zerdehnt sich auch das schwärzliche Licht, wird durchlässig für hellere Farben. Violett umgibt das Fenster, dessen Schartenenge sich verbreitert zu mehreren Flügeln, rötliches Licht dringt ein und spült den dunklen Überzug von den umstehenden Gerätschaften. Der Kranzhalter wird zum weißen klinischen Gerüst mit metallischem Zubehör, kreisförmig angehängten Schläuchen, gelbes Licht wird grell und blendet, daß die Lider vorsichtig wieder herunterklappen.

Na also, sagt Baumann, sind doch tüchtige Kollegen hier, die stellen einen wie dich schon wieder auf die Füße, wenn er mal schlappmacht.

Ich probiere jetzt ein Lächeln und öffne ein zweites Mal die Augen. Wo ist mein blaues Täfelchen? frage ich, mit langen Pausen nach jedem Wort.

Baumann streicht das weiße Laken glatt, das mir bis zur Brust reicht. Er zeigt auf die Wand rechts neben mir. Mit Anstrengung erkenne ich mein Lieblingsbild *L'heure bleu*. Vera hat es gebracht, sagt der Doktor, damit du beim Aufwachen etwas Vertrautes siehst. Ich soll dich auch grüßen von allen. In ein paar Tagen kannst du Besuch empfangen. Wie fühlst du dich jetzt?

Ich nicke, das Sprechen strengt sehr an. An der Tür wird ein Kopf mit weißem Häubchen sichtbar. Sie können die Blumen reinbringen, sagt der Doktor.

Die Schwester schiebt einen weißen Servierwagen neben das Bett, er quietscht beim Fahren. In zwei Etagen stehen Blumen. Der Korb hier ist für die Premiere, sagt der Doktor, weil du erst nach dem letzten Akt umgekippt bist! Er nimmt verschiedene Kärtchen aus den Kuverts und liest vor, die Nelken sind vom Bühnenpersonal, und hier: Mit aufrichtigen Wünschen zur baldigen Genesung Ihr Lorenz – kennst du ihn?

Nicht genau, denke ich. Der Doktor zeigt mir auch einen Kaktus, auf die Stacheln ist ein Stück Zeitung gespießt. Von Xer, sagt der Doktor, er hat dich aber gelobt.

Ich liege erschöpft in meinem weißen Bett, Einzelzimmer für akute Fälle, aber der Schwäche, die mich ausfüllt, ist ein angenehmes Gefühl beigemischt. Ich betrachte die Blumen an meiner Seite. Löwenzahn ist dabei, leuchtend in samtenem Gelb. Wo ist mein Täfelchen geblieben, Kaleidoskop auf gelbem Samt ...

Gibt es hier nur Schwestern? frage ich leise.

Mein Freund zieht die Augenbrauen hoch. Natürlich haben wir auch Pfleger, aber bei einem Schauspieler reißen sich die Schwestern um den Dienst, schon wegen der Autogramme. Es ist dir doch recht so, oder?

Wenn nur keine Reinhold heißt, denke ich und nicke ihm zu; ich schließe die Augen, das Bild des Doktors verschwindet samt dem Raum, aber es wird nicht dunkel wie vordem.

ERIK NEUTSCH

# Akte Nora S.

Nora S. hat Einspruch erhoben. Sie fordert ihr Recht, und nun geht das Bündel Papier, Kaderakte genannt, in den Monaten Januar bis April auf das Doppelte oder gar Dreifache ihres bisherigen Umfanges angewachsen, von Hand zu Hand. Die Mitglieder der Konfliktkommission werden ihre Mühe damit haben. Irgendwo in dem Wust aus Fragen und Antworten zur Person, den Protokollen, Berichten, Notizen erhoffen sie sich einen Hinweis, der ihnen bei der Beurteilung des Falles auf die Sprünge helfen kann. Denn noch vor der Verhandlung müssen sie sich ein Bild machen, vor allem von der Frau, um die es hier geht, der Frau oder dem Fräulein, Nora S. jedenfalls.

Arbeitsverweigerung ist ein harter Vorwurf. Nora S. weist ihn zurück. Sie dreht den Spieß sogar um. Im Gegenteil, sagt sie, die Betriebsleitung habe sie daran gehindert, ihre Arbeit zu Ende zu führen. Und diese, in Entgegnung wiederum darauf, hält ihren Vorwurf aufrecht, verschärft ihn gewissermaßen, indem sie hinzufügt, Nora S. sei schon immer eine Querulantin gewesen, es mangele ihr an Reife, und sie habe sich daher nur schwer in die Gemeinschaft einordnen können. Es folgt eine Reihe Unterschriften. Darunter auch, schnörkellos, steil und allzu deutlich, beinahe wie eine Kampfansage, der Namenszug des Diplomingenieurs Färber, Abteilungsleiter im Konstruktionsbüro der Pumpenwerke und Noras unmittelbarer Vorgesetzter.

Auch Färber wurde geladen. Er und Likendeel. Dieser

jedoch erklärte, über sein Feldtelefon und ziemlich grob, wie aus einer Notiz ersichtlich ist, er habe die Nase von alledem voll, er werde nicht zur Verhandlung erscheinen, es sei denn, man lege ihn in Ketten und führe ihn mit Polizei vor. Seine Adresse: Harz, immer die Steinerne Renne hinauf, bis ins Quellgebiet der Holtemme, dort, wo jetzt der Siebenstern blüht, dritten Felsen von links, achthundertvierundvierzigste Fichte, mit sozialistischen Grüßen. Likendeel, Geologe, bohrt in der Erde, Plutonfeld des Brockens. Seine Steine, ließ er bestellen, seien zarter besaitet als die verdammten Weiber, Nora S. zum Beispiel, was ihn allerdings noch im März nicht davon abhielt, sie seinem Institut, dem Geologischen Dienst, wärmstens zu empfehlen. „Ich bürge für sie, was ihr auch immer zur Last gelegt werden mag.“ So heißt es wörtlich in seinem Brief.

Es besteht kein Zweifel. Als Nora S. zwei Monate in der Wildnis lebte, muß sie mit Likendeel etwas gehabt haben. Mit Färber hingegen war sie so gut wie verlobt. Das kompliziert natürlich die Sache. Und der Sachverhalt ist zunächst der, daß sie von den Pumpenwerken fristlos entlassen wurde, während der Geologische Dienst sie sofort einstellen will. Grund der einen: Arbeitsverweigerung im Wiederholungsfall, siehe oben, Grund der anderen: eine überdurchschnittlich gute Arbeiterin, die Verläßlichkeit in Person. Außerdem suchen die Geologen schon seit langem eine Fachkraft für die Spülpumpen ihrer Bohrtürme. Nora S. aber hat ihren Kopf für sich. Sie will unbedingt in die Konstruktion zurück.

Ein solcher Fall strapaziert sogar die Findigkeit einer Konfliktkommission, die, wie man weiß, nur noch mit dem Koloß von Rhodos vergleichbar ist, wenn es gilt, die Kluft zwischen den Ufern zu überbrücken.

Nora ist nicht außergewöhnlich hübsch. Das soll sie auch gar nicht sein. Sie hat eine etwas zu große Nase, was bei Frauen immer auffällt, eine hohe, auf dem Paßbild des Fragebogens sehr weiß wirkende Stirn und ein Paar ernster, nahezu kühl und abweisend blickender Augen, die von dunklen Brauen überwölbt sind. Wenn man auch sonst der Fotografie glauben will, so könnte man sogar annehmen, ihre Haarfarbe sei grün. Das ist natürlich unmöglich. Aber zu diesem Gesicht würden auch grüne Haare passen. Dicht und glatt, erinnern sie an das Laichkraut in unseren Bächen.

Sie ist sechsundzwanzig, geboren in Iserlohn, und schon Anfang der fünfziger Jahre, wobei die Gründe hierfür aus den Akten nicht klar hervorgehen, siedelten ihre Eltern nach Leipzig über. Dort besuchte sie die Hochschule für Grafik, wechselte aber nach dem zweiten Semester die Lehranstalt und nahm ein Studium als Ingenieur für Kraft- und Arbeitsmaschinen auf. In ihrem Lebenslauf schreibt sie dazu: „Ich fühlte mich bald von den Dingen verraten. Die Striche, die ich zog, die Zeichen, die ich malte, hatten für mich keinen Wert, solange sie nur dem Zweck dienten, schön sein zu sollen. Ich sah ihren Nutzen nicht ein, wußte nicht, warum etwas schön sein soll, was keinen Nutzen bringt. Ich wollte, daß meine Zeichnungen später einmal aktiv werden, sozusagen eine Tätigkeit aufnehmen wie Maschinen. Die Erde bewegen oder auch nur ein paar Tropfen Wasser, den Menschen helfen, zu den Sternen zu fliegen oder auch nur ihren Durst zu stillen, das schien mir sinnvoll, wenngleich ich auch bald begriff, daß jede Maschine in ihr Gegenteil verkehrt werden kann . . ."

Nachträglich waren die Zeilen, was allerdings einer ordnungsgemäß geführten Kaderakte niemals zugestanden werden sollte, am Rande mit einem roten Strich und einem dicken Fragezeichen versehen worden. Das mußte in den Pumpenwerken geschehen sein. Doch vielleicht meinte diese anonyme Anmerkung nur, daß Nora S. auch späterhin oft ihren Überschuß an Phantasie von der Wirklichkeit gemaßregelt fand und sich korrigieren mußte. Ihre Entschlüsse trugen nicht selten Züge des Irrealen. Und so war sie wohl auch Ingenieur geworden, weil sie diesen Beruf für den eines Künstlers gehalten hatte.

Auf Grund ihres unermüdlichen Drängens war ihr Antrag

genehmigt worden, und so fuhr sie im Januar mit der Bahn nach Wernigerode. Eine Woche gab man ihr Zeit, die Spülpumpe des Bohrgestells zu beobachten. „Das ist das höchste“, hatte Färber beim Abschied gesagt, „doch sieh zu, daß du früher zurückkommst. Ich brauche dich.“ Sie stieg aus dem Zug, trat vor den Bahnhof, und da saß, auf einem Motorrad mit Beiwagen, ein Mann, der einen dicken Fellanzug trug, statt des Sturzhelms eine Pelzmütze, und dessen gebräuntes Gesicht von einem blonden, kurzgeschnittenen Bart bedeckt war. Er ließ seine Blicke umherschweifen, nahm aber von ihr nicht mehr Notiz, als ein Mann angesichts eines Stromes von Urlaubern von den Frauen darin Notiz nimmt. Man begutachtet sie mal recht flüchtig.

Sie setzte ihr Gepäck ab und wartete, bis sich die Menge verloren hatte. Sie wußte, daß sie mit einem Motorrad abgeholt werden sollte, hatte sich auch das Kennzeichen gemerkt. Dann ging sie darauf zu. „Sind Sie Dr. Likendeel?“

„In der Tat.“ Zu mehr reichte es nicht. Es verschlug ihm die Sprache.

„Ich bin einer der Konstrukteure, die Sie in Ihrer Beschwerde so unflätig beschimpft haben.“

„Um Gottes willen“, sagte er da. „Wer hat sich das wieder ausgedacht? Ihr Betrieb scheint nur noch aus Konstruktionsfehlern zu bestehen. Eine Frau . . . Die schickt man doch nicht in den Urwald.“

„Das lassen Sie meine Sorge sein“, entgegnete sie. „Der Harz ist nicht die Taiga. Andere reisen hierher in den Urlaub. Und merken Sie sich eins: Ich möchte von Ihnen behandelt werden wie ein Mann.“

Er schwieg, schaute sie an. Dann gab er ihr seine Pelzmütze und sagte: „Da, setzen Sie wenigstens die auf. Sie ist zwar nicht nach der neuesten Mode, aber Sie sollen mir unterwegs nicht erfrieren.“

Nora nahm die Mütze, wickelte sich in Decken, die er ebenfalls mitgebracht hatte, und stieg in den Beiwagen. Doch schon hinter der Stadt, als die letzten Häuser im Tal versanken und die Fahrt bergauf ging, traf sie ein eisiger Wind. Feinkörniger Schnee stiebte von den aufgeschütteten Haufen am Straßenrand und prasselte in ihr Gesicht. Stellenweise war das Pflaster vereist, die Maschine begann zu rutschen, und Likendeel hatte Mühe, sie in der Gewalt zu halten. Er hatte einen Schal um seinen Kopf geschlungen und Mund und Nase damit geschützt. Die Wollhärchen waren längst zu kleinen Eisnadeln erstarrt. Sie sah es und hüllte sich noch tiefer in die Decken. Einmal sprang er aus dem Sattel und schob das Motorrad. Sie half ihm dabei, obwohl er es nicht gestatten wollte. Immer unwegsamer wurde die Landschaft. Kahle Felswände tauchten auf, Schluchten und schwarze Moore. Über die Flächen mannshoher Gesteinsblöcke, von der Witterung seit Jahrtausenden rund und glatt geschliffen, zu Hunderten den Weg säumend, tanzte der Schnee. Sie sagte kein Wort. Sie spürte, wie er sie manchmal von der Seite betrachtete. Ihre Glieder waren von der Kälte schon taub. Aber sie wagte nicht, ihre Schwäche einzugestehen, schüttelte nur den Kopf, als er sie danach fragte, biß die Zähne zusammen und fürchtete hier wohl zum ersten Mal, daß sie sich zuviel zugemutet hatte. Endlich erreichten sie eine Lichtung zwischen schwankenden, vom Winde gerüttelten Fichten. Dort stand ein Wohnwagen, über dessen Dach eine Rauchfahne wehte. Ein Auto mit Kabeltrommeln, ein Schlepper, eine Hütte. Daneben ragte der Bohrturm auf.

Mit steifen, blutleeren Gliedern betrat sie den Wagen. Um einen Holztisch saßen drei Männer mit Bärten. Sie spielten Karten. Eine Lampe warf grelles Licht in den Raum. Einer der Männer sagte: „Die Pumpe ist schon wieder ausgefallen. Immer dieselbe Scheiße." Er verschluckte sich, hustete, als er die Frau bemerkte. Er nagte an seinen Lippen und starrte sie an, als sei sie das Brockengespenst. Ein anderer begann zu lachen. „Soll das ein Witz sein?" Likendeel aber verschloß ihm sofort den Mund. „Das Mittagessen wird noch immer reihum gekocht, verstanden? Und sie ist auch nicht hier, um unsere Bude zu scheuern, sondern um die Pumpe zu reparieren.“ Nachdem er sie vorgestellt hatte, räumte er zur Hälfte einen Spind aus und wies ihr die frei gewordenen Fächer zu. Dann überlegte er, durchmaß den Raum mit den Augen und sagte: „Hier wird ein Vorhang gespannt. Ich seh keine andere Möglichkeit, als daß sie nachts auf den Bänken schläft. Für die eine Woche muß es genügen ...“ Er wandte sich an Nora, sprach aber so laut, daß die drei Männer ihn hören mußten: „Sie werden hier wie ein Mann behandelt, das verspreche ich Ihnen. Wir müssen zu fünft unter einem Dach hausen.“

Likendeel ließ sich den Bohrkern geben, der in seiner Abwesenheit an den Tag gebracht worden war. „Mehr nicht?“ fragte er. „Nein, wir stecken noch immer im Quarz.“ Er betrachtete das Gestein durch eine Lupe. Die Männer widmeten sich ihrem Spiel. Und Nora ging an das Telefon, drehte die Kurbel, bekam das Fernamt und ließ sich mit Färber verbinden, der auf ihren Anruf gewartet hatte. Seine Stimme klang zerquetscht, aus weiter Ferne, als er sich voller Sorge nach ihr erkundigte. Sie aber dachte bei seinen Worten auch an die durchwachte Nacht vor ihrer Abreise, an den letzten Kuß, der schal gewesen war, gab ihm nur lustlose Antworten, und einmal sogar, da schwieg sie.

„Nora, was ist? Warum schweigst du?“

„Ich bin nur ein wenig müde.“

Sie wußte nicht, wie sie ihre Lage erklären sollte. Färber hätte sie wohl noch weniger verstanden als in den Tagen zuvor, als sie darauf gedrängt hatte, endlich einmal selber zu sehen, wie sich die Pumpen, die sie konstruierten, in der Praxis bewährten. Doch jetzt zweifelte sie an der Richtigkeit ihres Entschlusses. Gottverlassen die Gegend, eine Kälte, die die Glieder lähmte, das Zusammenleben mit den fremden Männern. Sie wäre umgekehrt, wenn sie sich nicht vor dem Spott, dem Triumphieren manch eines Kollegen, der sie gewarnt hatte, gefürchtet hätte. Jeden Abend war sie nahe daran, sich geschlagen zu geben. Aber jedesmal fehlte ihr der Mut zu einem entscheidenden Wort, einem Eingeständnis.

Während der nächsten zwei Wochen blieb das Feldtelefon ihre einzige Verbindung mit den Pumpenwerken, mit Färber. Die Akten berichten davon. Am fünften Tage hatte Färber sie gefragt, mit welchem Zuge sie eintreffen werde, wann er sie vom Bahnhof abholen solle. Sie erwiderte: „Lieber Jürgen, ich glaube, ich muß dich erneut enttäuschen. Ich bleibe noch eine Woche länger. Die Kolben arbeiten nicht. Die Abdichtungen sind schon wieder zerfressen. Ich muß die Ursachen finden. Versteh doch, ich muß." Färber druckste. Einen Tag später erst kam die Antwort. Keine Woche. Drei Tage sind noch einmal genehmigt, nicht eine Minute länger. Allerletzte Entscheidung.

Auch diese Zeit verging. „Ich habe euch von vornherein mitgeteilt, daß die drei Tage nicht reichen. Ich bin nicht hierhergefahren, um auf halbem Wege umzukehren. Unsere Pumpe funktioniert nicht. Wir sind daran schuld, wenn die Bohrungen hier ins Stocken geraten. Ich möchte dem Labor das Wasser schicken. Ich habe einen Verdacht. Likendeel fand bei der Teufe von vierzig Metern Spuren von Schwefel. Vielleicht liegt es am Wasser. Wie denkt ihr darüber?"

„Nora. Es geht schon längst nicht mehr um die Pumpe. Es geht um dich. Es geht um uns beide."

„Ich erinnere dich an die Nacht vor meiner Abreise."

Sie fuhr nicht. Der Forschungsdirektor sprach mit ihr. „Sie kennen die Situation in der Entwicklungsabteilung. So leid es mir tut, verehrte Kollegin, und sosehr ich auch Ihren Tatendrang schätze, aber in der Konstruktion mangelt es an Kräften. Die Aufträge stapeln sich, und wir werden ihrer schon nicht mehr Herr. Die Haut ist uns näher als das Hemd. Und die Geologen sind nicht unsere einzigen Kunden."

„Die Geologen untersuchen die Erde nicht zu ihrem Vergnügen. Die Volkswirtschaft wartet auf ihre Ergebnisse."

„Streiten wir uns nicht. Sie sind, wie man beim Militär zu sagen pflegt, seit drei Tagen überfällig. Nehmen Sie Vernunft an, und wir drücken ein Auge zu."

„Ich bleibe."

Die Gewerkschaft rief an. „Nora, dich reitet der Teufel. Die Direktion droht schon mit einem Disziplinarverfahren. Wir sind machtlos."

Noras Entgegnung wurde jäh unterbrochen. In der Leitung ein Rauschen. Erbärmliche Leere. Das Fernamt versuchte vergeblich die Verbindung wiederherzustellen. Sie gab ein Telegramm auf: „Kommen unmöglich. Geht um Ehre der Pumpenwerke."

Antwort: „Keine großen Worte. Geht um Plan der Pumpenwerke."

„Selbst wenn ich kommen wollte. Kann nicht mehr. Sind eingeschneit. Haha."

„Faule Ausrede. Harz ist nicht Nordpol."

„Überzeugt euch doch selbst, ihr Affen."

„Nora. Ich bitte dich, komm sofort."

Sie antwortete nicht.

„Nora. Ich beschwöre dich. Dir wird gekündigt."

Zum ersten Mal schaltete sich hier Likendeel ein. „Sie haben kein Recht, ihr zu kündigen. Likendeel."

„Unsere Sache. Färber."

„Begreifen Sie doch. N. steht vor einer Entdeckung. Likendeel."

„Wir auch. Färber."

Danach wurde nicht mehr telegrafiert. Die Wochen vergingen. Der Schnee fiel zusammen, taute und floß in die Täler. Die Wege wurden wieder befahrbar. Mitte März. Nora meldete sich, um ihre Rückkehr anzukündigen. Doch Färber blieb reserviert. Er empfahl ihr die Gewerkschaft. Die verwies sie an die Betriebsleitung. Und von dort erhielt sie die Nachricht: „Fristlos entlassen."

„Aber . . . Ohne mit mir zu sprechen?"

„Beruhigen Sie sich. Das Staatssekretariat für Geologie hat inzwischen an Ihnen Gefallen gefunden."

„Was heißt das?"

„Arbeitslos wird niemand. Alles andere schriftlich."

Da stand sie nun, den Hörer noch in der Hand, kreideweiß im Gesicht, enttäuscht und erschrocken, ein hilfloses Mädchen. Likendeel legte den Arm um sie. „Mach dir nichts draus. Du bleibst jetzt bei mir. Ich verlasse dich nicht."

Doch es gibt einen Widerspruch im Verhalten der Pumpenwerke. Ein halbes Jahr vor der Reise Noras zum Brocken war, wenn auch nur routinemäßig, ein Kadergespräch mit ihr geführt worden. In dem Protokoll darüber heißt es: „Nach nunmehr dreijähriger Tätigkeit der Kollegin S. in unserem Konstruktionsbüro können wir bestätigen, daß sie sich durch gewissenhafte und fleißige Arbeit auszeichnet. Nach anfänglicher Zurückhaltung, die wohl daher rührte, daß sie nach dem Besuch der Hochschule ein ihr ungewohntes Milieu vorfand, verstand sie es immer besser, sich zu einer wertvollen Kraft zu entwickeln. Ihr frisches Wesen ist beliebt, ihr Eifer vorbildlich, und es soll hier nicht unerwähnt bleiben, daß sie zu Ende des Planjahres unter Aufopferung ihrer Freizeit entscheidend dazu beitrug, die Konstruktion neuartiger Bewässerungsanlagen termingerecht abzuschließen. Im Kollektiv spielt sie eine positive Rolle, ist sie ein vorwärts drängendes Element, weshalb sie auch in die FDJ-Leitung gewählt wurde. Allerdings schießt sie manchmal über das Ziel hinaus, so erst letztens, als sie dem Genossen Produktionsdirektor vorwarf, er leite noch mit Methoden der Manufakturperiode und habe nicht nur die technische, sondern bereits die industrielle Revolution verschlafen. Die Kollegin S. zeigte sich jedoch einsichtig und versprach, sich für ihre unsachgemäße Kritik zu entschuldigen . . ."

Wir wollen uns nicht an ein paar Formulierungen stoßen. Was gemeint ist, ist klar. Nora S. unterzeichnete das Protokoll und stimmte ihm demzufolge auch zu. Doch zwischen diesem Protokoll, das ihren Arbeitseifer lobt, und der Begründung für ihre Entlassung, die Arbeit verweigert zu haben, besteht ein Widerspruch. Man fragt sich natürlich, worauf er zurückzuführen ist. Man sichtet noch einmal die Telegramme. Aber weder sie noch die Telefongespräche geben darüber eine zufriedenstellende Auskunft.

Nach den Flüchen, mit denen der Bohrmeister Werner Koch die Pumpe bedacht hatte, erklärte sie sich sofort bereit, nach dem Schaden zu sehen. Likendeel riet ihr ab. „Heute bohren wir sowieso nicht mehr. Und haben wir hundert Stunden und mehr verquast, helfen uns die paar Minuten, die Sie herausschinden würden, auch nicht. Morgen ist auch noch ein Tag. Schlafen Sie und ruhen Sie sich erst mal richtig aus."

Doch sie hätte nicht schlafen können. Sie schämte sich, hinter den Vorhang zu kriechen und sich dort zu entkleiden. Auf jedes Geräusch würden die Männer achten. Und so ließ sie sich nicht von ihrem Vorhaben abbringen und ging unter den Verschlag aus Brettern und Zeltbahnen, der um den Vierbock des Turmes errichtet war. Dort herrschte ein scharfes Licht, der Elektromotor surrte. Wind stieß durch die Ritzen und warf ihr manchmal Schnee ins Gesicht. Likendeel und der Bohrmeister schauten auf ihre Hände, prüften wohl jeden Handgriff, den sie nun tat, um das Gehäuse zu öffnen, reichten ihr aber stumm und beflissen die Werkzeuge, die sie verlangte. „Den Franzosen bitte. Heben Sie mal die Kolbenstange mit an. Jetzt die Zange. Nein. Die andere. Die für die Wasserpumpe."

Schon mit dem ersten Blick in die Zylinder sah sie, daß die Manschetten sich nicht mehr fest an die Wandungen preßten. Das Material war porös. Den Boden bedeckten kleine Gewebefasern und abgeschmirgelter Gummi. Das Wasser fand an den Kolben durchlässige Stellen, die Fördermenge wurde dadurch gemindert, und ein störfreies, regelmäßiges Pumpen war nicht mehr möglich. Sie nahm das feuchte Gemüll, hielt es unter eine Lampe und zerrieb es zwischen Daumen und Zeigefinger. Die Männer erwarteten ihre Antwort.

„Wir müssen die Manschetten erneuern", sagte sie.

Der Bohrmeister stöhnte. „So klug waren wir schon vor der letzten Eiszeit, Fräulein. Woran es liegt, möchten wir wissen. Immer dasselbe. Die Kolben ... Es ist, als wenn Sie bei einem Auto Gas geben wollen. Aber es kommt kein Sprit.

Damit wagen Sie sich mal auf die Straßen. Es läuft alles leer. Was dann? Zählen bis drei und beten."

Sie hob und senkte die Schultern. „Vielleicht liegt es an der Kälte."

„Unsinn. Wir heizen das Wasser an."

„Mischen Sie Soda hinzu?"

„Mehr als genug."

Sie wußten sich keinen Rat. Sie hätte lügen müssen, wenn sie die Männer mit irgendeiner Erklärung hätte beruhigen wollen. „Ich weiß es nicht. Aber ich verspreche Ihnen zu bleiben, bis ich die Gründe für den Verschleiß gefunden habe."

„Glück auf. Dann wünsche ich jetzt schon eine fröhliche Weihnacht."

Der Meister ging knurrend davon. Likendeel blieb. In seinen Augen glaubte sie Zeichen von Mitgefühl zu erkennen, und sie hätte am liebsten auch ihn fortgeschickt. Doch sie schwieg. Sie wechselte die Kolben aus und wickelte die mürben, zerfetzten Manschettenteile in ihr Taschentuch. Sie wollte sie an das Labor der Pumpenwerke senden.

Danach fand sie erst recht keinen Schlaf. Sie lag auf zwei zusammengerückten Bänken, eingeklemmt zwischen Tisch und Wagenwand, spürte das Holz unter den Decken, wagte sich nicht zu rühren und sann und sann. Likendeel hatte im Freien gewartet, bis sie das Licht gelöscht hatte. Sie vernahm seine Schritte. Die anderen Männer schliefen schon fest. Sie hörte ihre Atemzüge. Die Skepsis des Meisters, sein bissiger Ton, jedes Wort, das er an sie gerichtet hatte, bedrückten sie schwer. Likendeels Anteilnahme steigerte nur noch die Verzweiflung. Sie war nicht gekommen, um Mitleid zu erwecken. Sie hatte die Pumpe reparieren und sich vor allem von der Nützlichkeit ihrer Arbeit im Konstruktionsbüro überzeugen wollen. Sie nahm sich vor, die Maschine in den nächsten Tagen genau zu beobachten. Auch das Wasser, dachte sie, ich muß auf das Wasser achten, auf seine Betriebstemperatur, auf den Sodazusatz.

Doch von Abend zu Abend kam sie sich weniger wichtig vor. Sie fühlte sich fehl am Platze, unnütz, unproduktiv angesichts der schweren Arbeit, die die Männer verrichteten. Zwar saugte und drückte die Pumpe wieder, das Wasser spülte den Bohrschmant aus der Tiefe, sie aber stand untätig herum, fror, entdeckte nichts, was ihr nicht schon bekannt gewesen wäre. Am fünften Tage dann liefen die Kolben wiederum leer. Die Männer fluchten. Sie öffneten das Gehäuse. Die Manschetten waren zerfressen.

Später sagte der Meister: „Wozu haben diese Bastler eigentlich auf unsere Kosten studiert?"

Sie stand im Schutze des Tannendickichts und hörte die Stimme aus dem Verschlag. Sie hörte auch Likendeels Antwort: „Wenn ich dich bitten darf, Werner, nimm Rücksicht auf sie. Sie zerbricht sich den Kopf, glaub mir, sie tut ihr Möglichstes."

Tränen traten ihr in die Augen. Vor Enttäuschung, vor Zorn. Sie ging an den Turm und riß die Zeltbahn hoch. „Ihre Rechnung. Los. Sofort. Ihre Rechnung auf Heller und Pfennig. Ich zahle Ihnen zurück, was meine Ausbildung Sie gekostet hat." Der Meister blinzelte durch die Augenlider.

Und an Likendeel gewandt, bat sie: „Überlassen Sie mir Ihr Mikroskop. Vielleicht erkenne ich darin mehr."

Sie legte das Gemüll, das sie den Zylindern entnommen hatte, unter das Okular. Doch sie fand nichts. Die Risse und Löcher erschienen nur größer, machten den Schaden deutlicher, wirkten wie ein Zerrbild, wie eine Verhöhnung der menschlichen Arbeit. Sie lehnte sich entmutigt zurück und stützte den Kopf auf beide Hände. Likendeel sah ihr über die Schulter. Auch er warf einen Blick auf die Trümmer. Das Telefon klingelte. Sie sprach mit Färber. Und als sie zurückkam, sagte sie tonlos, ohne selbst ihren Worten zu glauben: „Es gibt nur eine Erklärung. Nicht die Pumpe, sondern das Wasser... Vielleicht führt es irgendwelche Chemikalien mit, die das Material zersetzen..."

Er entgegnete: „Möglich. Das könnte sein. Bei der Teufe

von vierzig Metern stießen wir im Gestein auf Spuren von Schwefel. Wer weiß, woher die Quelle gespeist wird."

Sie sah ihn an, schlug sich gegen die Stirn. „Wäre das nicht die Lösung?"

„Nein", sagte er. „Jedenfalls nicht für uns. Wir sind auf das Wasser hier in den Quellen und Bächen angewiesen. Und wenn es verseucht wäre, müßten wir uns damit abfinden, wöchentlich die Kolben zu wechseln. Ein kostspieliger Aufwand."

Nach diesem Gespräch jedoch, oder besser: zu der Zeit, da sie solche Gespräche zu führen begannen, schrieb Likendeel seinen ersten Brief an den Geologischen Dienst. In Wernigerode schickte er ihn mit derselben Post ab, die auch die Proben des Manschettengemülls in das Labor der Pumpenwerke brachte. Aber er erhielt keine Antwort. Denn nachdem die Station eingeschneit war, konnten sie auch keine Post mehr empfangen. Sein Brief jedoch liegt den Akten abschriftlich bei. Er bat darin die Kaderabteilung seines Betriebes um Vollmachten. „Nora S. strotzt vor Unternehmungsgeist", schrieb er. „Ich bin überzeugt, daß sie bald hinter die Ursachen der Defekte kommt. Sie hat auch schon eine andere, glänzende Idee. Mich jedenfalls, obwohl ich, was den Pumpenbau betrifft, ein blutiger Laie bin, besticht sie durch ihre logische Konsequenz. Statt des Wassers, sagte sie, müßte man Luft nehmen, Druckluft, um den Schmant nach oben zu drücken. Wenn das möglich wäre, Freunde, würden wir nahezu unabhängig von der leidigen Wasserversorgung. Das wäre das Ei des Kolumbus. Also, was ist? Wir suchen ohnehin seit langem einen Ingenieur für unsere Pumpen. Gebt mir die Vollmacht. Und ich werde diese grünhaarige Hexe in unsere Netze wickeln."

Dieser Brief, wie gesagt, blieb zunächst ohne Antwort. Likendeel warb auf eigene Faust, und was noch wichtiger ist, auch der Geologische Dienst begann um Nora S. einen Papierkrieg. Er fragte bei den Pumpenwerken an, ob sie ihre Konstrukteurin entbehren könnten. Diese jedoch schickten damals noch ihre Telegramme und waren nicht gewillt, sich von ihr zu trennen. Der Geologische Dienst unternahm einen erneuten, weniger zaghaften Vorstoß, als er von Likendeel einen zweiten Brief erhielt. Das war schon im März, der Schnee war getaut und in die Täler geflossen. Und diesmal klang die Empfehlung noch freundlicher. „Sie ist ein Genie. Vor einer Woche wechselten wir das Wasser. Es war tatsächlich chemisch aktiv. Darunter litten die Manschetten. Ich hab sie fast schon auf meiner Seite. Also: Ich bitte Euch nochmals. Einen solchen Fang machen wir nicht noch einmal ..."

Daraufhin schaltete sich das Staatssekretariat für Geologie ein. Doch offenbar falsch informiert, setzte es Noras Zustimmung bereits voraus und trug den Streit auf die Ebene der Ministerien. „Es ist nicht einzusehen", schrieb der Minister, „daß ein junger, entwicklungsfähiger und arbeitsfreudiger Mensch an der Erfüllung seines Berufswunsches gehindert werden soll. Nora S. möchte in den Geologischen Dienst eintreten, und es braucht wohl hier nicht erläutert zu werden, welche Bedeutung gerade dieser Zweig für die Volkswirtschaft hat. Die Weigerung der Pumpenwerke erscheint daher in einem sehr betriebsegoistischen Licht. Wir bitten um schnelle Klärung des Falles." Die Pumpenwerke stimmten endlich zu. In Gottes Namen, befreit uns von dieser Querulantin. So stand es zwischen den Zeilen. Zwei Tage vorher, wie aus dem Datum ersichtlich, hatten sie sie fristlos entlassen.

Nora S. jedoch hatte von alledem nicht die geringste Ahnung. Die Staatssekretariate hatten bereits über sie entschieden, als sie noch immer nur den einen Wunsch hegte, in die Konstruktion zurückzukehren und ihre Erkenntnisse auf den Bau künftiger Bohrspülpumpen anzuwenden. Erst jetzt fühlte sie sich in ihrem Entschluß bestätigt. Ihr Weg, ihre Arbeit waren nicht umsonst gewesen. Sie hatte die Zeit im Schnee genützt und ihre Kladde mit Skizzen gefüllt. Druckluft statt Wasser. Auf diesen Gedanken wäre sie nie gekommen, wenn sie die Pumpe nicht in der Praxis beobachtet hätte.

Doch was, fragt man sich beim Lesen der Akten, war dem Streit an Irrtümern noch vorausgegangen?

Ein paar Tage in einem verschneiten Wald natürlich.

Der Schnee hüllte die Station am Brocken ein, und es war sogar gefährlich, wollte man sich einen Weg durch die Felsen und Schluchten suchen. Die Männer griffen zu Schaufeln und Spaten und gruben einen schmalen Pfad vom Wohnwagen zum Bohrturm. Täglich mußten sie neu damit beginnen. Einmal kreiste über ihren Köpfen ein Hubschrauber und warf Ersatzteile für die Maschinen und Proviant ab. Und eines Tages sagte Likendeel: „Nora. Ich habe Ihre Gespräche mit angehört. Ich habe Sie während der Arbeit beobachtet. Ich liebe Sie . . ."

Sie hatten getollt wie die Kinder. Sie hatte ihn plötzlich mit Schneebällen beworfen, und er sprang ihr nach, packte sie und rieb ihr Gesicht mit Schnee ein. Nun stand sie unter einer Lärche, riß an den Zweigen, so daß sich prasselnd der Schnee über sie entlud, und lachte. „Was seid ihr Männer doch für ein unvernünftiges Volk. Kaum habt ihr für ein paar Wochen keine Frau mehr gehabt, und schon seid ihr bereit, euch in die erste beste, die euch über den Weg läuft, zu vergaffen. Robinson, glaube ich, hätte auf seiner Insel sogar die Megäre für Aphrodite gehalten."

Weiße Flocken bedeckten ihr Haar, und die Sonne glitzerte darin.

„So leicht kommen Sie nicht davon", sagte Likendeel. „Ich warte auf eine Antwort."

Sie schaute ihn an, rieb sich den schmelzenden Schnee aus den Augen. „Ich bin verlobt. Das wissen Sie doch."

„Mich stört es nicht. Und den Kerl, diesen Färber, bringe ich um."

Da ließ sie ihn stehen, wollte an ihm vorbei. Aber der Weg war zu schmal. Er hätte ihr Platz machen müssen, doch statt dessen griff er nach ihrem Arm, hielt sie fest. „Sie kommen nur frei, wenn Sie ein Lösegeld zahlen." Ihr Blick wurde größer und abweisend. Er mochte fühlen, daß sein Antrag mißglückt war, auch sein Scherz. Und er wurde wiederum ernst. „Verzeih. Doch du kannst mich nicht einfach fortschicken. Nicht so. Ohne Antwort. Nach einem solchen Geständnis."

„Doch, Likendeel, doch, ich kann", sagte sie daraufhin. „Ich habe dich nicht gefragt. Ich höre zehnmal am Tag einen ähnlichen Unsinn und schweige. In der Straßenbahn, im Betrieb. Was bildet ihr euch denn ein? Was und worauf ich antworte, das überlaß bitte mir. Wenn du mich liebst... Was kann ich dafür? Das ist ausschließlich deine Sache. Also: Nimm künftig den Mund nicht so voll, und du ersparst dir Enttäuschungen."

Fortan wich sie ihm aus, ging ihm, soweit es in dieser Einöde, dieser Enge zwischen Wohnwagen und Bohrturm möglich war, aus dem Wege, mied zumindest, mit ihm allein zu sein. Likendeel lud sie manchmal zu einem Spaziergang ein. Sie ahnte, daß er noch immer auf ihre Antwort hoffte, und sagte dann: „Wohin? Hundert Schritte bis an die Felsen und hundert Schritte zurück? Danke, nein." Sie entschuldigte sich mit ihren Entwürfen. Sie lernte sogar das Kartenspiel, um sich vor ihm ausreden zu können. Meister Koch war ein geduldiger Lehrer. Die beiden Arbeiter schimpften, sobald sie gegen die Regeln verstieß. „Dem Freunde kurz, dem Feinde lang." Der Meister aber faßte sich an den Kopf und stand ihr bei. „Das ist doch Dilettantismus, ihr Anfänger. Im Gefühl muß man es haben. Sie hat's. Das ist genau wie beim Autofahren. Wie wenn ihr auf einer Kreuzung steht und erst überlegen wollt, was euch über die Vorfahrt eingebleut wurde. Damit wagt euch mal auf die Straßen. Ich sage nur: Zählen bis drei und beten..."

Womit Nora jedoch nicht gerechnet hatte, war, daß die Telegramme kamen. Likendeel als Leiter der Station empfing sie. Er gab ihr jedesmal den Text, der ihm vom Fernamt übermittelt wurde. Dann stand er neben ihr und beobachtete sie. „Du reibst dich auf hier. Und die in deinem Betrieb, dein Verlobter ... Schweigen wir lieber."

Sie las. Schon war von ihrer Kündigung die Rede. „Komm", sagte sie. „Ich brauche jetzt jemanden, der mir hilft. Gehst du mit mir spazieren?"

Hundert Meter hin bis an die Felsen, hundert Meter zurück. Sie versanken bis über die Hüften im Schnee. „Sie begreifen nichts. Begreifst du mich?"

„Ich hoffe."

„Könntest du leben, Hans, ohne die Forschung? Ich meine ... Du bohrst im Gestein. Keine Tiefe ist dir zu tief. Im Gegenteil. Bis an den Mittelpunkt der Erde möchtest du vordringen. Zu erkunden, was ist. Ob dort wirklich die Hölle brodelt und kocht, wie Dante beschreibt, oder nur ein ganz natürliches glühendes Magma. Habe ich recht?"

„Ja."

„Und ich? Was möchte ich? Der Mensch als Beherrscher aller Gewalten. Mit den Maschinen, die ich konstruiere. Wasser schöpfen, wo unsere Hände nicht ausreichen. Bewegung schaffen, um die Schwerkraft der Erde zu überwinden. Schneller, höher und tiefer. Und immer besser."

Sie zog ihn in das rote, vom Schnee noch unberührt gebliebene Dickicht der Fichten. Und obwohl die Sonne schien, war es hier dunkel wie in Märchenwäldern. Sie sah ihm in die Augen. Sie suchte darin ein Licht, Abglanz ihrer Hoffnungen, ihrer Gedanken, und bemerkte den Funken, der übersprang. „Likendeel, Goldsucher, Abenteurer. Ich gehöre jetzt dir ..."

Danach mußte sie oft an Färber denken, den Mann, mit dem sie so gut wie verlobt gewesen war. Zwischen ihnen hatte es einen solchen Märchenwald niemals gegeben. Zweimal waren sie gemeinsam in den Urlaub gefahren, an die See, sie hatten in den vornehmsten Hotels gewohnt, und fast hatte sie schon geglaubt, daß sie bis an ihr Lebensende auf Ferien am Meer und Betten der Sonderpreisstufe angewiesen sein würde. Färber verwöhnte sie. Er scheute kein Geld, keine Ausgaben. Sie hatte darauf bestanden, ihren Urlaubsplatz selbst zu bezahlen. „So lange, bis wir verheiratet sind, mein Lieber." Er hatte es zwar geduldet, ihr dafür jedoch, wie zum Ausgleich, teure Geschenke gemacht. Einmal lag eine goldene Uhr auf dem Nachtschrank, ein andermal ein goldener Ring mit Steinen. „Du willst mich kaufen", sagte sie, „doch ich laß mich nicht kaufen."

Wenige Monate nach ihrer Anstellung im Konstruktionsbüro war er ihr Vorgesetzter geworden. Die Frauen schwärmten für ihn, und sie schwärmte mit ihnen. Er hatte den konzentriertesten Strich aller Zeiten. Er stellte sich vor ein Reißbrett und zog mit ausgestrecktem Arm einen Kreis, so kreisrund, daß er sich, wurde er nachgemessen, millimetergenau mit der Beschreibung des Zirkels deckte. Mit diesem Kunststück gewann er Wetten. Und eines Abends, beim Tanze während irgendeiner Festlichkeit, flüsterte er ihr ins Ohr: „Wenn du küssen willst, Nora, stört dich dabei deine Nase nicht?" Sie lief über und über puterrot an, ließ ihn stehen, floh und ärgerte sich noch lange, daß sie sich gegen diese Unverschämtheit nicht besser gewehrt hatte. Aber auch in den Tagen danach, auf dem Prüffeld und vor den Zeichnungen, sobald er in ihre Nähe kam, war sie verwirrt, schoß ihr Blut ins Gesicht. Bis sie plötzlich bemerkte, daß seine Blicke nicht nur ihrer Arbeit, sondern auch ihr galten. Und da nahm sie sich vor, Rache zu üben. Ihre Genugtuung sollte gründlich sein. Er sollte nach einem Kuß von ihr schmachten, ohne dabei an die Nase zu denken.

Später bat er sie um Verzeihung. „Ich könnte mich ohrfeigen", sagte er, „weil ich dich damals, nach unserem ersten Du, so schoflig behandelt habe." Das war in einem Hotelzimmer in Binz. „Tu's", entgegnete sie. „Ohrfeige dich." Er sah sie an und schlug sich tatsächlich mit der Hand ins Gesicht. Nun war sie befriedigt, und sie wußte, daß sie ihm nie unterlegen sein würde. Im Betrieb sprach sich ihr Verhältnis bald herum. Manche fragten erstaunt, warum Färber ausgerechnet auf Nora verfallen sei. Andere aber wünschten ihr Glück und erklärten: „Eine wie dich, Nora, braucht er. Seine Härte, seine Trockenheit werden sich an deiner Phantasie die Hörner abstoßen."

So geschah es denn auch. Als die Beschwerde vom Geologischen Dienst eintraf, bat sie ihn nicht zum ersten Mal, die Konstrukteure zu Studien dorthin zu schicken, wo ihre Maschinen eingesetzt wurden. Sie hatte deswegen auch schon die Betriebsleitung kritisiert. „Es ist kein Zustand", sagte sie, „daß ich nun über drei Jahre schon hinterm Schreibtisch hocke, ohne ein einziges Mal selber gesehen zu haben, wie sich die Pumpen in der Praxis bewähren. Ich weiß nicht einmal, ob meine Arbeit was taugt oder nicht. Das ist nichts anderes, als was ich von den Ingenieuren im Kapitalismus gelernt habe. Denn sie wissen nicht, was sie tun. Und ihre Erfindungen werden mißbraucht."

„FDJ-Flausen", wurde ihr geantwortet, „Hochschulidealismus. Die Praxis ist die, daß wir hier in der Konstruktion bis zum Halse in Aufträgen stecken. Mangel an Arbeitskräften. Unsere Exportverpflichtungen sind gefährdet. Und so können wir uns den Luxus, den Konstruktionen mal nachzugehen, was natürlich eine gerechte Forderung ist, oder besser: wäre, wenn, wie gesagt, wenn . . ., fürs erste nicht leisten. Außerdem: die paar Beschwerden. Die Regel ist doch wohl, daß nicht reklamiert wird. Also sind unsere Pumpen in Ordnung. Und wer nicht mit ihnen zurechtkommt, der soll sich gefälligst besser an die Bedienungsvorschriften halten."

So sprach auch Färber. Ihr Streit wurde nach der Arbeitszeit fortgesetzt. „Mathematik", sagte er, „die Berechnung ist von vornherein etwas Abstraktes. Das ist ja gerade das Wunderbare daran. Unter der kleinen Gehirnschale, nicht größer als zwei Handflächen, kann ich die ganze Welt in Form von Zahlen speichern. Wenn mir eine nicht mehr gefällt, tausch ich sie einfach aus. Mit der Mathematik bin ich in wenigen

Sekunden an jedem Punkt der Erde. Das mach dir zunutze, Nora. Warum also willst du reisen?"

„Na dann", sagte sie, „wirst du dich künftig nicht mehr mit mir ins Bett legen, sondern mit einer Zahl. Ich jedenfalls verzichte nicht auf den Spaß."

Das war wieder eine ihrer Antworten, die ihn wütend machte. Er wurde Hals über Kopf konkret. „Höre. Ich habe Angst um dich. Mitten im Winter. Zum Brocken. Weshalb denn gerade dorthin?"

„Weil mich die Reklamationen dieses Likendeel aufregen. Die Kolben. Immer wieder die Kolben. Ich hätte mir auch lieber etwas anderes ausgesucht. Aber ohne die Havarie am Brocken säß ich noch jetzt hinterm Schreibtisch."

„Du gehst über mich hinweg. Ich hätte deinem Antrag niemals zustimmen sollen."

„Hast du das wirklich? Ich war nicht dabei."

„Du fühlst dich nur wohl in deiner Emanzipiertenrolle, und das ist alles. Ich aber, ich liebe die Blaustrümpfe nicht."

„Weißt du, was du da eben gesagt hast?"

Er sah sie betroffen an, schwieg.

„Stört dich dabei deine Nase nicht ... Mit anderen Worten zwar. Aber es ist dasselbe."

Der Abend und die Nacht vor ihrer Abreise waren schal. Sie hatte ihn nicht besiegt. Und auch er besiegte sie nicht. Er strich mit seinen Händen über sie hin, aber sie sträubte sich. Ihr war, als müsse sie unterliegen, wenn sie ihm jetzt zu Willen war. Nichts regte sich in ihr, nichts. Und sie wies ihn von sich und sagte: „Ich möchte schlafen. Morgen ist für mich ein anstrengender Tag." Doch sie fand keine Ruhe. Sie merkte, daß auch er noch wach lag. Was dachte er? Dachte er, daß er sie endlich gewähren lassen müsse? Nur das Anhängsel eines Mannes zu sein, auch wenn er so klug war wie Färber, das widerstrebte ihr. Er würde ihr helfen, wenn er sie liebte, ihr entgegenkommen, wenn er sie achtete. Morgen, beim Abschied, brauchte er nur zu sagen: Ich begreife dich, Nora. Mach deine Sache gut.

Doch keins dieser Worte fiel. „Sieh zu, daß du früher zurückkommst. Ich brauche dich." Mehr sagte er nicht.

Jedenfalls läßt das Verhalten von Nora S. darauf schließen, daß er mehr nicht sagte, sie nicht einmal fragte, ob auch sie ihn brauchte. Genaueres erfährt man darüber ohnehin nicht. Keine Kaderakte der Welt kann über die Dinge, die nun einmal hinter solchen Begriffen des Fragebogens wie verlobt, verheiratet oder geschieden stehen, Buch führen. Wir würden es uns verbitten. Und so ist auch das mit der Nase eigentlich nur auf dem Paßbild von Nora S. protokolliert, dort allerdings in übertriebenem Maße, wie sich bald zeigen wird, denn Likendeel, ob nun aus Liebe oder aus Takt, bemerkte sie gar nicht. Hinfort wollen auch wir es dabei bewenden lassen. Wir schreiben den kleinen Schönheitsfehler der Eile zu, mit der bekanntlich die Paßbilder von den Fotografenmeistern hergestellt werden, und streiten nicht über Geschmack. Uns interessiert vor allem, was der Betrieb zu Noras Reise in die Wälder zu sagen hatte. Und darüber gibt es wenngleich eine kurze, so doch aufschlußreiche Notiz. Es heißt:

„Entgegen den Bedenken von Dipl.-Ing. Färber, Leiter der Konstruktionsabteilung Kolbenpumpen, wird hiermit beschlossen, Dipl.-Ing. Nora S., Konstrukteurin ebenda, in sozialistischer Hilfe für den Geologischen Dienst ab 21. Januar d. J. auf Dauer von fünf Tagen (eine Arbeitswoche) zur Behebung der Havarie an der Bohrspülpumpe des Turmes G 8, Plutonfeld des Brockens, zu delegieren. Die Kollegin Nora S. wurde in ihre Aufgabe ordnungsgemäß eingewiesen." Unterschrift, Stempel, Datum.

Der Ton macht die Musik. Sozialistische Hilfe und Delegierung. Wer solche Worte gebraucht, muß sich im klaren sein, daß damit zugleich eine ganze Menge Anerkennung und guter Wille verbunden ist, und kann später nicht so tun, als sei Noras Reise ein Privatvergnügen gewesen. Vielleicht nahm sie ihren Auftrag zu wichtig. Das könnte sein. Likendeel weiß davon ein Lied zu singen.

Die Schneemassen tauten, das Wasser stürzte zu Tal. Nora war inzwischen in einen anderen Mann verliebt.

Sie durchstreiften die Wälder, und Nora vor allem war unersättlich darin. Sie ging den dichtesten und dunkelsten Tannen nach, lehnte sich an sie, spähte ängstlich in die schwarzen, schwankenden Wipfel und legte es unbedingt darauf an, sich zu verirren. Doch wohin sie ihn auch führte, immer wieder wußte er den Weg zurück. Sie schalt ihn wegen seiner Nüchternheit. Nicht einmal ihr zuliebe könne er Furcht haben, wenigstens so tun, als ob, und um Hilfe rufen. Er lachte, nahm sie und trug sie ins Moos. Doch plötzlich schrie sie auf, entwand sich seinen Armen und lief an eine Quelle, die klar und kräftig aus dem Boden sprudelte. Die grünen Blätter des Siebensterns krochen schon aus der Erde. Tief hingen die Zweige der Fichten und Lärchen. Likendeel aber begriff nicht, was das wieder zu bedeuten hatte, ihr Aufschrei und ihre plötzliche Freude.

„Ich hab's", sagte sie, und ihre Wangen hatten sich hektisch gerötet. „Es wird zwar mühevoll sein, aber wir sollten es wagen. Wer weiß, wann die Proben aus dem Labor zurückgeschickt werden."

Er verstand sie noch immer nicht.

„Wir wechseln das Wasser aus. Nicht mehr die Kolben, die Manschetten. Sondern das Wasser. Vielleicht führt dieses hier keine ätzenden Stoffe mit sich. Du kennst dich aus in der Erde, Hans. Jeden Meter hast du durchforscht, jedes Zeitalter. Wäre es möglich?"

Er zuckte die Achseln. „Möglich ist alles. Die Jahrmillionen des Gesteins sind an Funden unerschöpflich. Einmal grub ich im Keuper den Plateosaurier aus . . ."

Werner Koch hatte sich abgewöhnt, über die Ideen der Ingenieurin zu staunen. Diesmal jedoch, als Nora ihren Vorschlag der Brigade unterbreitete, ergriff ihn der Eifer. „Alle Achtung", und damit war sein Urteil gefällt. Sie erklommen mit dem Schlepper die Hänge und rückten so nahe wie möglich an die Quelle heran. Likendeel ging voraus, er kannte den Weg und prüfte mit einer Spitzhacke den steinigen Untergrund. Dann füllten sie das Wasser in Schläuche, fuhren zurück an den Bohrturm und gossen es in das Spülbecken. Zwei Tage brauchten sie, bis sie die Flüssigkeit erneuert hatten. Nach einer Woche aber hielten zum ersten Mal die Manschetten. Als Nora das Gehäuse öffnete, zitternd vor Aufregung, entdeckte sie in den Zylindern nicht die geringste Gemüllspur. Sie atmete auf. Ihr kamen vor Freude die Tränen. Und auch der Meister jubelte, riß sie an sich und stampfte mit ihr in wilden Sprüngen über das Geröll des Bohrfeldes.

Und dennoch: Der Gedanke, das Übel bei der Wurzel zu packen und statt mit Wasser mit Druckluft zu pumpen, war damit nicht ausgelöscht. Nora vertiefte sich immer mehr in ihre Überlegungen. Sie saß an Likendeels Arbeitstisch, bediente sich seiner Geräte, rechnete, maß und zeichnete provisorische Skizzen auf das Papier. Doch ehe sie ihrem Betrieb davon Mitteilung machen konnte, wurde sie fristlos entlassen. Enttäuscht und hilflos stand sie nach der Nachricht mit dem Telefonhörer in der Hand und ließ sich von Likendeel trösten. Und auch ehe sie ihm antworten konnte, daß sie nun abreisen müsse, um die Pumpenwerke von ihrer Entdeckung zu informieren, sagte er: „Du bleibst jetzt bei mir. Ich verlasse dich nicht."

„Nein, Hans. Das Ganze beruht auf einem Irrtum."

„Du ahnungsloser Engel. Du weißt ja nicht, was inzwischen geschehen ist."

„Was ist denn geschehen?"

„Ich habe für dich gearbeitet. Hier der Brief vom Geologischen Dienst. Die Genossen wissen deine Leistung zu schätzen. Wir übernehmen dich sofort."

Erst jetzt erfuhr sie von dem Streit, der hinter ihrem Rücken um sie geführt worden war. Und diese Nachricht entmutigte sie fast noch mehr als die Auskunft, die sie soeben von ihrem Betrieb erhalten hatte. Niemand hatte sie nach ihren Wünschen und Plänen gefragt. Die einen so wenig wie die anderen. Sie fühlte sich verkauft.

„Ihr habt mich wie einen Gegenstand, wie ein lebloses Ding verschachert", sagte sie bitter.

„Ich liebe dich. Und ich brauche dich. Und ich hätte immerzu Angst, daß du mir wieder fremd werden könntest, wenn du so weit von mir fortgehst."

Sie sah ihn an und erschrak. Hatte sie das nicht schon einmal, Wort für Wort, von Färber gehört? War es nicht alles dasselbe? Sie standen allein in dem engen Raum des Wagens. Er beugte sich über sie und wollte sie küssen. Aber sie tat seinen Arm von ihrer Schulter und wehrte sich. Sie wußte, wie schal die Küsse sein würden. Nur nicht schwach werden, dachte sie, nur nicht die eigene Schwäche verraten. Er redete auf sie ein. Als er sie aber nur darum bat, mit ihm spazierenzugehen, bis an die Quelle, unter das rote Dickicht der Tannen, schwieg sie. Sie wartete auf ein einziges Wort. Ich begreife dich, Nora. Fahr zurück. Bring denen dort bei, was deine Erfindung wert ist . . . So oder ähnlich müßte er sprechen. Likendeel, Goldsucher, Abenteurer. Sie war nahe daran, ihm den einen erlösenden Satz in den Mund zu legen. Wenn du auch lügen mußt, Hans, bitte, mir zuliebe lüge . . . Doch sie schwieg.

Er sagte: „Ich verstehe dich nicht. Wir beide könnten so glücklich sein, wenn du ein Einsehen hättest."

„Ich reise noch heute", erwiderte sie.

Dann saß sie wieder im Zug. Wir kennen bereits die Antwort Likendeels, die er durchs Feldtelefon der Konfliktkommission gab. Er habe die Nase von alledem voll, ließe er bestellen, und seine Steine seien zarter besaitet als die verdammten Weiber. Nora S. zum Beispiel. Wir kennen auch aus den Akten die Abfuhr, die ihr Färber erteilte, als sie einen Tag später, Mitte März, in den Pumpenwerken erschien.

Die hatten mit ihrer Rückkehr schon nicht mehr gerechnet. Für sie war der Fall erledigt, Nora S. entlassen. Gewiß, eine Konstrukteurin, noch dazu eine mit Ideen. Aber konnte sich ein Betrieb Leute mit solch einer Haltung leisten? Nora jedoch nahm am Morgen pünktlich ihren Arbeitsplatz ein, holte die Skizzen, die sie am Brocken entworfen hatte, aus ihrer Tasche und ging damit in Färbers Büro. Der war verwirrt, stotterte eine Begrüßung, gewann aber bald, nachdem sie ihn für sein Benehmen ausgelacht hatte, seine überlegene Art zurück. „Nora“, sagte er kurz und tadelnd, „deine Extravaganzen gefallen mir nicht. Ordnung muß sein. Du aber hast uns behandelt, als seien wir deine Laufburschen. Die Entscheidung der Direktion ist unwiderruflich.“

„Irrtum“, entgegnete sie, und ihre Naivität hätte ihn fast entwaffnet. „Ihr werdet mir noch die Schuhe putzen für das, was ich euch mitgebracht habe. Hör mich doch wenigstens an.“

Druckluft statt Wasser. Doch sie fand niemanden, der ihr in Ruhe zuhörte. Färber mochte an etwas ganz anderes denken, vielleicht an den Mann namens Likendeel, vielleicht auch nur daran, daß er dieser Frau einmal goldene Sachen geschenkt hatte. „Eine deiner üblichen Flausen“, sagte er. „Bis jetzt jedenfalls haben wir nicht die geringste Sorge, unsere Pumpen herkömmlicher Bauart, wie du sie zu nennen pflegst, auf dem Markt zu versilbern.“ Die Gewerkschaft empfing sie zwar freundlich, aber was ihre Pläne anging, mit nicht weniger Gleichgültigkeit. „Eine gute Idee, Nora, alles, was recht ist, das mit dem Austausch des Wassers. Nur ein bißchen zu hoch, der Aufwand, für einen Ausnahmefall. Du hättest dich lieber an die Vereinbarung halten sollen, und uns wäre viel Kummer erspart geblieben. Wir haben gegen Windmühlenflügel gekämpft.“ Die Direktion, mitten in einer Sitzung, wollte erst gar nicht gestört sein. Sie ließ ihr durch die Sekretärin die Durchschrift des Briefes aushändigen, der sie von ihrer Entlassung in Kenntnis setzte und den sie schon kannte.

Noch am selben Tage erhob sie dagegen Einspruch. Ihr wütender Brief liegt den Akten ebenfalls bei, er bildet sozusagen den vorläufigen Schluß der Geschichte. „Nicht ich habe mich der Arbeitsverweigerung schuldig gemacht“, heißt es darin, „sondern das Werk hindert mich jetzt daran, meine Arbeit zu Ende zu führen. Ich fordere nur mein Recht, das Recht auf Arbeit.“ Was mag im Kopfe von Nora S. vor sich gegangen sein, ehe sie diese Zeilen schrieb? Was hat sie falsch gemacht und was richtig?

Die Gerechtigkeit steht nun wie der Koloß von Rhodos über der Meerenge. Mit dem einen Bein hier, mit dem anderen dort. Doch es muß eine Antwort gefunden werden.

MARTIN STADE

# Der Windsucher

Seit dem letzten Jahr war manches anders geworden. Der Alte stand oft sinnend auf dem Hof, und es war, als horche er auf etwas, wovon er dachte, es müsse sich nun endlich bemerkbar machen.

Dann wieder lief er umher, sah in den Schuppen, warf einen Blick in die leeren Ställe und in die lehmgemauerte, nutzlose Scheune. Man konnte denken, er suche etwas und wisse selbst nicht genau, was es sein könnte. Hin und wieder starrte er mit scheelem Blick auf den verrosteten Pflug, der im Garten von Brennesseln überwuchert wurde, und auf die Geschirre, die am Stall hingen. Auch blickte er aus dem Geviert des Hofes hoch zum Himmel, verfolgte, wie er sich weitete in den Morgenstunden und blauer und heller wurde gegen Mittag, wie kleine weiße Wolken ihn durchsegelten und ihm nichts anhaben konnten, dachte wohl auch daran, in die Flur zu gehen, am Stock gestützt zu gehen, damit alle sehen, daß sein Zuhausebleiben berechtigt war, und um so selbst zu erleben, wie die Halme weniger und die gelben Äcker wieder schwarz wurden in diesen späten Sommertagen. Aber nein, er ging nicht hinaus, er dachte wohl daran, ging aber nicht, wenn er den Stock auch schon wie so oft in der Hand hielt und sich durch den Garten auf den Weg machen wollte; er stellte ihn wieder neben die Haustür und schob die Erinnerungen an die Jahre vorher beiseite, in denen er noch auf den Hängern gestanden und Strohfuhren geladen hatte.

Vor zwei Jahren noch baute er einen Schober, akkurat, wie

er's gewohnt war von früher her, ein riesiges Viereck, größer als sein Hof wurde es, in die Mitte bliesen sie das Gehäckselte, ein wahrer Berg stand schließlich nahe dem Dorf, von überallher sah man ihn, ein Wahrzeichen fast, das durch die Sachkenntnis des Alten zusammengehalten wurde.

Am Ende des vorigen Jahres dann kamen die gehässigen Stimmen auf, er solle sich hinsetzen mit seinen fünfundsiebzig Jahren. Da waren andere, die schon mit fünfundsechzig und siebzig die Gabel aus der Hand legen wollten und mit Grimm davon sprachen, daß er ihnen in den Rücken fiel und daß er sie immer wieder zwang, die Schritte des Brigadiers am frühen Morgen nicht zu überhören.

Schließlich, zu der Zeit, da Ruhe einzog nach der Ernte, an einem dieser Tage kam der Brigadier zu ihm, sie saßen in der guten Stube mit dem Steinhäger vor sich, er nahm die tönerne Flasche, schenkte ihm und sich ein, und so tranken sie eine Weile miteinander, ohne aufs Thema zu kommen. Aber dann, da man nicht immer nur vom Wetter und von der Winterfurche sprechen kann, kam der Brigadier doch auf den Kern der Sache und bat ihn unter Stottern und mit vorsichtigem Geschwätz, doch nun in Ruhe die kommenden Jahre hinter sich zu bringen. Ums Dorf könne er gehen, auf den Stock gestützt könne er gehen, einen Schwatz mit den Leuten machen könne er, und hin und wieder gäbe es schon was für ihn, da müßten Listen die Runde machen bei den Mitgliedern, und eilige Sitzungen waren vonnöten, zu denen Leute einzuladen waren.

Das also war es, was sich der Brigadier, immer des Alten altbekannten Jähzorns gegenwärtig, mit Mühe abrang. Aber der schwieg, saß im Korbsessel und schwieg wie versteinert, griff nur zur Flasche und goß ein, das Gluckern floß mit dem Knarren des Sessels zusammen, und dies waren die einzigen Geräusche, die die Stube erfüllten. Noch immer schwieg der Alte, hob nur das wunderliche alte Schnapsglas, um anzustoßen, setzte an, hielt dann plötzlich inne, dachte: Das is nu mal so, muß ja mal Schluß sein, prost denn auf die ruhigen Jahre, sagte es auch, warf den grauen Kopf zurück, der Adamsapfel hüpfte auf und nieder, und es sah aus, als kaue er das Gesöff. Dann strich er über den Schnurrbart, schnaufte, goß wieder ein, lehnte sich ergeben zurück, dachte: Gegen die Asthmabrüder ist nischt zu machen, da muß man sich dreinschicken.

Und so schickte er sich drein, warf alles hin und geriet ganz aus dem Gesichtskreis der Leute, stiefelte im Hof umher und sah grimmigen Blicks auf die überflüssigen Werkzeuge, die an den Wänden und im Schuppen hingen, starrte hoch in das blaue Licht und auf die eilenden Wolken, dachte an das, was geschanzt wurde draußen, trug keine Listen durch das Dorf, da ihm dies zu niedrig erschien, und sagte sich immer wieder, daß er noch gesund sei wie ein Fisch im Wasser.

An diesen Tagen nun stand er wieder auf dem Hof, und ein Kribbeln war in ihm, als wären tausend Ameisen am Werk. Er wußte genau, was sie draußen machten. Die Mähdrescher fraßen die letzten Roggenhalme, er wußte es genau und konnte sich vorstellen, wie sie den großen Schlag im Trog angingen, wie die Körner aus den Bunkern auf die Hänger rauschten, er wußte alles ganz genau und stand im Hof, wie mit der Axt vor die Platte gepocht, horchte nur und glotzte nur, und ihm schien, als drehe er sich um die eigene Achse, als sei er gefesselt an den Hof, der ihn einen Herbst und einen Winter und dieses halbe Jahr über fast verschlungen hatte, nichts von ihm verlangte und nur so lag unterm Schnee, in der Sonne, mit dem Hühnergegacker, das man kaum hörte, gefesselt an ihn war er, und doch ohne jede Forderung lag das Viereck vor ihm und starrte ihn täglich an mit allem Krimskrams und wertlosen Gerätschaften, die man nicht wegwerfen mochte, an denen man hing trotzdem noch, und die dort verfaulen und verfallen mochten, wie man selbst verfiel und verfaulte mit der Zeit.

Zum Trog gehen mochte er nicht, was sollte er sich dort hinstellen und Maulaffen feilhalten und leeres Stroh dreschen auf die Dauer und kundigen Blickes auf die Körner starren und sie durch die Hand rieseln lassen. Unsinn das. Es mußte was anderes sein, was man machen konnte an diesem Tag, der im Zenit stand und dessen Stunden abnahmen mit der dahinfließenden Zeit, mit den Minuten, die nie innehielten, die flossen wie das Wasser im Bach und fort waren, ohne daß man sie richtig erkannt und gepackt hatte.

Nun also, er wird den Stock nehmen endlich und erst mal vors Haus gehen, und irgendwohin würden ihn seine Beine schon tragen dann. Wenn sie erst mal in Gang waren, würde alles von allein gehen. Es war ganz einfach. Man schloß die Haustür ab, steckte den Schlüssel in die Tasche, nahm den Stock und ging quer durch das Licht, das auf dem Hof lag, man stand in der Torfahrt, zögerte ein wenig, riß dann entschlossen die Tür auf, wobei das klapprige Tor schwankte, trat hinaus auf die stille, spätsommerliche Straße, die müde und verstaubt zwischen Fachwerkhäusern in der prallen Sonne lag, schlug die ächzende Tür ins Schloß und wandte sich zum Gehen. Niemand sah aus dem Fenster, alle waren sie draußen, die Tage verlangten viel Schweiß von ihnen, nur Gänse standen stelzenhaft und dösten vor sich hin, ein Ganter fuhr hoch, zischte ihn böse an und schlug mit den Flügeln, sonst aber war nichts weiter als Hundegebell hin und wieder und Hühnergegacker zuweilen und rechter Hand der Bach, ein schmaler Streif schmutzigen Wassers, der floß und floß und mit den Steinen schwatzte, die ihm in die Quere kamen. Da ging der Alte hin und stieß den Stock in den Staub, hinterließ Spuren von Stock und Sohlen, verließ das Dorf und sah blinzelnd in den alten, nutzlosen Steinbruch, der neben der Straße weißgrau und träge die herabfallende Hitze speicherte.

Der Alte kam auf die Hauptstraße, die zur Stadt führte, stieß Löcher in den Asphalt, es war ihm, als schwömme er unter ihm weg, der zähe Brei, auf dem die Hitze waberte, rundum waren die leeren gelben Felder mit dem Rechstroh, das in Streifen auf den Stoppeln lag, dunkler war als diese

Stoppeln, schon verkam vielleicht, bevölkert von Mäusen sicher, er hörte ihr Rascheln, stellte sich's vor und hörte es, ohne daß er's wirklich hörte, bog ab und ging in den Stangenweg hinein, lief auf ihm, der sanft zuerst anstieg, steiler wurde dann, die Telegrafenstangen immer höher hob und den Alten mit, bis er oben stand an der Linde, außer Atem stand er unter Ästen und Blättern, sah hinab ins Land und hinüber zum Steinbruch, der noch immer weißgrau und nutzlos lag und leuchtete vor seinem Dorf mit den Scheunen und Häusern, die er kannte innen und außen, ein dreiviertel Jahrhundert hatte er hinter sich gebracht im Verein mit ihnen, war groß geworden dort und sah nun das Dorf in dunstiger Ferne, sah die Maschinen auf den Feldern und die Menschen, die dem Wetter ein Schnippchen schlugen zum Ausgang dieses Sommers, die das Letztmögliche von den Feldern holten ohne den Alten oben auf dem Berg.

Er wandte sich um und lief weiter, lief auf der weichen Grasnarbe, auf Wegerich und zwischen Schafgarbe lief er und sah das Nachbardorf vor sich, hinterm Gehölz tauchte es auf, ein Glied nur in der viergliedrigen Kooperation, nicht wie früher war's, man wußte damals nicht viel von den andern, nur in der Stadt traf man sich hin und wieder. Tag, Vetter, Leben noch frisch, Vetter, was macht die Sau, Vetter, guten Wurf gehabt heuer? Aber welcher Bauer läuft schon auf die Straße in der Frühe und gibt Neuigkeiten preis und wirft sich in die Brust und sagt, daß es fünfzehn oder sechzehn waren?

Nein, sagt er, schlechter Wurf, sagt er, vier Verrecker nur und zum Teufel mit der Sau, frißt mir die Schrotkammer leer und ferkelt vier Verrecker, das Aas. Man müßte ja das Ortscheit vor den Schädel kriegen, wenn man alles preisgibt. Anders heute, zusammen alles und jeder weiß von anderen die Doppelzentner vom Hektar, und fehlen Futterkartoffeln hier, so holt man sie von dort, und bricht eine Vorderachse vom Iwan, holt man sie vom Nachbardorf, da liegt noch eine, und sie geben gutwillig seltsamerweise.

In dieses Dorf geht er also, wischt sich den Schweiß von der Stirn und geht in die stillen Gassen, kommt an der neuen Schule vorbei, die weiß in der Sonne steht, in die auch die anderen Kinder aus den anderen Dörfern gehen oder fahren, jeden Morgen fahren sie lärmende Kinderscharen zu dieser Schule mit den großen Fenstern, hier geht er vorbei und denkt mit Grimm an seine Schulzeit und an die zwei Dutzend Verse, die er noch auf Anhieb aufsagen kann, an den Sedantag denkt er und an Kaisers Geburtstag mit der salbungsvollen Ansprache. Dann die Kneipe fünfzig Meter weiter und Stimmengewirr aus geöffneten Fenstern, das auf die Straße purzelt und sich überschlägt und laut und leise wird und wieder laut. Er geht hinein in den kühlen Flur, läuft auf roten Steinplatten zur Tür, und die Stimmen kommen ihm entgegen, und er kommt den Stimmen entgegen. Steht mit einemmal in Dunst und Biergeruch, steht mitten in der Gesellschaft von Traktoristen und Mähdrescherkapitänen, wirft den Rentestrohhut von sich und mit treffsicherem segelndem Wurf auf den Haken, stellt den Stock in die Ecke, und noch sitzt er nicht, so rufen sie schon nach dem Glas für ihn. „Vetter", sagen sie, „setz dich, Vetter, Schweiß auf der Stirn, Vetter, langen Weg gehabt." – „Ach was", sagt er, „meine Knochen gehn von allein, aber ihr faulen Matzen kneipt am hellerlichten Tag, und draußen dreht sich kein Rad." Aber sie lachen nur und sind sich ihrer Sache sicher. „Wir sind fertig, Vetter, seit 'ner Stunde schon ist alles ab, und das muß begossen wer'n, Vetter!" Und sie heben die Gläser, prosten ihm zu und setzen an, und man kann gut sehen, wie heiß es war draußen. Da trinkt er auch und denkt, daß er nur im Hof gestanden hat, während sie allein fertig wurden und ihn nicht brauchten. „He, Vetter, haste was zu tun hier, was kommste hier noch, was haste geschanzt heute?" Da erschrickt der Alte. Was sie für Fragen stellen, Fragen wie Hornissen, daß man sich wehren muß auf irgendeine Art, ihnen entgegenstellen muß man sich, diesen Fragen aus den staubgrauen, müdfröhlichen Gesichtern, da muß man sich hinwenden mit gezwirbeltem Schnurrbart und ohne Staub im Gesicht, in die Brust werfen und irgendeine Verantwortung sich aufhocken, die es nicht gibt. „Ja", sagt er stolz, „ich hab Auftrag vom Vorstand, man hat ja dauernd zu tun jetzt. Die wollen wissen, ob Wind is hier oben, und auf 'm Berg hab ich 's Zeichen gegeben mit 'm Schnupftuch, daß kein Wind is hier, und mein Mann auf der anderen Seite hat hoffentlich verstanden und is gleich ins Büro gelaufen, wie ich's ihm vorher gesagt hab."

Da wird es still an den Tischen, und verdutzt sehen sie auf den Alten, bevor sie brüllend loslachen und auf die Schenkel sich schlagen und einen Schluck nehmen und wieder lachen und: „Vetter, mach keine Witze!" schreien. Aber er trinkt nur in Ruhe sein Bier und bekommt ein neues hingestellt und denkt in das Lachen hinein, daß sie schwer gearbeitet haben wochenlang und ein Recht besitzen auf das Lachen, denkt aber auch, daß sie nun aufhören könnten damit und daß sie so laut sich nicht zu gebärden brauchten, denn auf der einen Seite war wohl das Lachen, das gibt er zu, auf der anderen aber war etwas, wovon er gern erfahren hätte, ob dieser oder jener es begreift, jäh das Lachen unterbricht vielleicht oder hinter den Witz kommt, von dem sie meinten, er hätte ihn gemacht. Denn dies war nicht möglich, daß niemand lachte, daß alle schwiegen und nur darüber nachsannen in Ruhe und so vielleicht dahinterkamen, das gab es nicht, daß niemand lachte, und er erwartete es auch nicht, aber dieser und jener hätte schweigen können mit ihm zusammen.

Da saß er nun zwischen den Männern, trank mit ihnen und war eins mit ihnen, und wenn sie auch lange und laut gelacht hatten, so schien es ihm doch, als seien sie ganz auf seiner Seite, als sei er gleichberechtigt und hätte ebenso wie sie auf allen Maschinen gestanden, hätte Spreusäcke zugebunden und den Bunker geöffnet und zugesehen, wie die Körner auf die Hänger rauschten. Ihm schien sogar, als hätte er selbst die gefräßigen Maschinen gesteuert und hätte geflucht wie die Mähdrescherfahrer, als die Zähne eines Rades wegbrachen, ihm schien, als hätte er auf den Hängern gestanden und Stroh geladen und als hätte er mit den Männern auf der Grasnarbe am Rande der Straße gesessen beim Frühstück, bei diesem kurzen Aufenthalt, da einen die Müdigkeit überfällt und doch nicht geduldet werden darf. Er saß und trank mit ihnen jetzt sein Bier, das sie ohne ein Wort vor ihn hinstellten, da die mühevollen Tage und Wochen hinter ihnen lagen. Im eigenen Dorf wurden sie gerade fertig mit dem Schlag im Trog, und sie ließen die Motore auslaufen und tranken vielleicht einen guten Schluck, hielten die Gläser in den staubigen Händen und führten sie an die schwarzstreifigen Lippen und tranken auf diese langen Tage, die ohne Wind und Regen waren. Er wird jetzt losgehen, wird seinen Strohhut vom Haken und den Stock in die Hand nehmen und wird in seinem Dorf Bescheid sagen, daß sie auch hier soweit waren, der erste wird er sein, der die Neuigkeit bringt.

Auf also und losgegangen wieder, wenn sie auch „Vetter, bleib noch!" riefen, den letzten Schluck genommen und den Schnurrbart gezwirbelt und her mit dem Hut und den Stock in die Armbeuge. Einer rief noch: „Vetter hat zu tun, muß achtgeben auf Wind und Wetter, laßt ihn nur." Da hat er recht, denkt der Alte im kühlen Flur mit den roten Platten, und er dachte es immer noch auf der Straße und im Vorbeigehen an der neuen Schule mit den großen Fenstern, dachte es auf der Grasnarbe zwischen Knöterich und Schafgarbe und Ottermännchen und fühlte oben auf dem Berg hinter dem Gehölz und schon außer Sicht des Dorfes, daß Wind kam vom Süden her. Ein leichtes Wehen setzte ein und stand unter der Krempe des Strohhutes, und er selbst stand unter der Linde, hatte über sich Äste und Blätter, die der Wind nun schaukelte, sah aufkommende Wolken am Horizont, sah sein Dorf, zu dem er jetzt ging, sah die anderen Dörfer, die dazugehörten, zu denen wird er nächste Woche gehen, wird sehen, wie es dort ist, wird etwas suchen in dieser seltsamen Zeit, von der er schon dachte, sie fessele ihn an seine Zimmer und an den Hof.

WOLFGANG KOHLHAASE

# Inge, April und Mai

Am dreißigsten März habe ich Inge Kaliska geküßt, ihre Lippen schmeckten nach einem fremden Salz. Ich hatte sie am Ende eines Ringkampfes auf den Parkweg gelegt, hockte über ihr, beugte mich nach vorn und dachte, ich müßte sie festhalten, aber sie wehrte sich nicht. Dann standen wir auf, sie klopfte den Sand von ihrem laubfroschgrünen Mantel und kicherte und streifte Gerdchen Pachähl mit einem Blick, meinen Freund Gerdchen, der sie vor mir hatte küssen wollen. Ich legte den Arm um sie und führte sie weg, und daß sie sich ein bißchen ziehen ließ und über die Schulter zurücksah und noch immer kicherte, hatte nichts zu bedeuten. Hinter uns kreischte Uschi Nitzelbach, weil sie wieder mit dem Kopf auf die Bank gestellt wurde, die Beine hoch, die Beine fest geschlossen. Mit glucksender Stimme teilte sie mit, daß sie unter dem Rock, der ihr über die Augen fiel, nichts sehen könne. Wir aber gingen davon, aneinandergedrückt in ungleichem Schritt, mein rechter Schenkel an Inge Kaliskas linkem. Schließlich blieben wir stehen, und ich drehte sie an der Schulter zu mir herum. Sie wandte die Augen nicht ab, aus denen ein Lächeln langsam verschwand; wir waren uns fremd und vertraut. Unser zweiter Kuß war zart, und unsere Nasen störten sich nicht, wie ich befürchtet hatte. Unser zweiter Kuß dauerte unglaublich lange, und in seinem Verlauf öffnete Inge Kaliska die Lippen, erst wenig und dann immer weiter, unsere Zungen berührten sich, unsere Zähne stießen aneinander, und ich dachte überwältigt: so also wird es gemacht. Das war anders, als die Kinoküsse aussahen, und eine meiner Ahnungen war schlagend bestätigt: im Film ist das wahre Leben nicht zu sehen, jedenfalls nicht in Filmen unter achtzehn.

Aber noch erstaunlicher war vielleicht, daß sie, als wir über die leere, verdunkelte Bismarckstraße gingen, nach meiner Hand griff, nicht ich nach ihrer, nein. So gingen wir den ganzen Weg bis in die Laubenkolonie „Süßer Grund 1“, wir schwiegen, weil unsere Finger miteinander redeten. Nur einmal, als wir am Markt um die Litfaßsäule herum wollten – ich zog nach links und sie nach rechts –, ließen wir uns los.

Am Bretterzaun des Fußballplatzes blieben wir stehen; denn bis vor ihre Tür wollte sie mich nicht mitnehmen. An ihrem Mantel steckte ein schwalbenförmiges Leuchtabzeichen, ihr Kleid hatte einen geschlossenen weißen Kragen, sie trug eine Haarklemme über der Stirn. Das alles erschien mir sehr schön. Ich fragte: „Wollen wir zusammen gehen?“ Sie schwieg, und ich spürte verwundert, daß ich ein Herz hatte, als ich weiterfragte: „Oder willst du lieber mit Gerdchen gehen? Oder mit Äffchen Lehmann?“

„Hör mal, der ...“, sagte sie. Ich wollte sie wieder küssen, aber sie drehte das Gesicht weg. Dann sagte sie: „Das Entscheidende ist, glaube ich, daß man sich treu ist.“

„Klar“, sagte ich ergriffen, ohne zu zögern, „das ist natürlich das Entscheidende.“

Auf der anderen Seite der ungepflasterten Straße rief eine Männerstimme suchend den Namen Inge. Der Mond schien, doch der Bretterzaun warf einen Schatten. Wir waren still, bis die Stimme noch einmal gerufen hatte und ein eigentümlich tappender Schritt sich entfernte. „Er hat ein Bein verloren“, sagte Inge Kaliska. „In Jugoslawien.“

„Ach so“, sagte ich.

Weiter war nichts. Wir gaben uns förmlich die Hand. Sie ging und sah sich nicht um. Ich stand noch eine Weile da und stellte mir vor, wie sie in die Stube treten würde. Die Stube, nahm ich an, war klein, eine trauliche Lampe hing über dem

Tisch, die Mutter und der einbeinige Vater saßen beim Abendbrot, und ich konnte nicht anders, ich hielt sie für freundliche Leute.

Endlich trabte ich los, quer durch die Lauben, in einer von ihnen, Karsteiner Weg 4, hatte mein Mitschüler Buzahn gewohnt. Wie ich so lief, linker Fuß, rechter Fuß, tanzte sein Gesicht vor mir, sommersprossig, mit einem grünen und einem braunen Auge. Wirklich, er hatte verschiedenfarbige Augen und war der einzige Mensch in der Art, den ich je gesehen habe. Er hatte auch ein Buch über Jiu-Jitsu, und wenn er einem den Arm auf den Rücken drehen wollte, konnte man wenig dagegen machen. In einer Augustnacht mitten im Krieg fielen vier Bomben in unsere Gegend, in ziemlich gerader Reihe, und die letzte fiel genau in den Splittergraben der Kolonie „Süßer Grund 1", um den ich Buzahn immer beneidet hatte, weil er militärischer aussah als unser langweiliger Luftschutzkeller. Ich war gerade zu Besuch bei meiner Tante Johanna in Pommern, und als ich wiederkam, war Buzahn nicht mehr da, sondern lag mit neun anderen Leuten auf dem Friedhof unter einer Holztafel, auf der auch die Namen seiner Mutter und seiner Schwester standen. Da lag er, und da vergaßen wir ihn. Jetzt schien es mir unendlich lange her zu sein, daß es ihn und seine merkwürdigen Augen gegeben hatte.

Jetzt sammelten selbst Sechsjährige keine Bombensplitter mehr. Wir spielten nicht mehr Soldat, sondern Grammophon. Daß die Welt kopfstand, war eine alte Sache. Aber daß wir Uschi Nitzelbach auf den Kopf stellten, war ein Ereignis von neuer, einschneidender Bedeutung. Das heißt, ich selbst hatte auch das schon hinter mir. Ich wußte jetzt, daß ich auf eine tiefere Art und vermutlich für immer Inge Kaliska liebte, deren Lippen fremd und salzig schmeckten. Während ich nach Hause rannte, durch die hohen Tonbogen des Voralarms, selbst noch, als ich durch die kürzeren Wellen des Vollalarms hinab in unseren Keller tauchte, vor die vorwurfsvollen Augen meiner Mutter, schmeckte ich es nach.

Früher mußte ich rein, wenn die Laternen angingen. Jetzt erst, wenn die Leuchtbomben fielen, strahlend, langsam und lautlos, an einer zerfransenden Schnur aus hellem Rauch. Ich kam aus dem Park, der schmal zwischen Hinterhäusern lag, ein Buddelplatz, ein Rechteck Rasen, ein paar Pappeln und Gesträuch. Oder ich kam aus dem Kino „Central", das nach Bohnerwachs roch. Sechsmal sah ich, wie ein preußischer Major, der die Gnade seines Königs verloren hatte, den Tod nicht achtend, einen Stollen unter die Österreicher trieb, doch immer, wenn die schwarzbärtigen Kroaten und Panduren hochgeblasen werden sollten, wodurch der König erkannt hätte, was er in dem Major für einen Mann hatte, immer, wenn es gerade soweit war, fiel in der Vorführkabine vernehmlich eine eiserne Klappe, die Leinwand verdunkelte sich, der Ton verendete jaulend, ein Seufzen der Enttäuschung ging durch das halbleere Kino, die Holzsitze klappten einer nach dem anderen hoch, und von draußen hörte man den auf- und abschwellenden Chor der Sirenen.

Später, nachdem sie ein langes, gleichmäßiges Geheul ausgestoßen hatten, und irgendwo sah man den Widerschein von Bränden, fanden sich die Leute, die was auf sich hielten, wieder im Park ein. Wenn seine Mutter in der Teerfabrik Spätschicht hatte, auch mein Freund Gerdchen. Auch Uschi Nitzelbach, wenn die Berichte stimmten. Was dann geschah, während alle Zigaretten rauchten, und Äffchen Lehmann sogar Zigarren, und während Äffchen Lehmanns Grammophon „Hallo, McBrown, was macht Ihr Harem?" spielte, was dann zwischen Büschen und Bänken geschah, stellte, wenn die Berichte wiederum stimmten, die Veranstaltungen des frühen Abends, die sich vor allem auf Uschi Nitzelbachs Kopfstand stützten, bei weitem in den Schatten.

Leider fehlte ich dabei. Meine sanfte, stille Mutter war in diesem Punkt von eiserner Härte. Sie brachte eine Menge Dinge vor, die von ihrem Unverständnis zeugten, und regte mich zusätzlich an, mir vorzustellen, was mein ferner Vater zu mir sagen würde.

Ich kroch gekränkt ins Bett und stellte mir lieber etwas anderes vor. Manchmal dachte ich an meine schöne Tante Johanna, die ich nackt gesehen hatte, in den Ferien bei ihr, Sonntag früh in der Küche. Da stand sie und trank Wasser aus der Schöpfkelle. Sie behielt die Ruhe, sah mich seltsam an und sagte: „Dummer Bengel, was machst du hier?" Und ich kehrte verstört um und verschwand wieder in meiner Kammer. Meine Tante war Verkäuferin und mit einem berittenen Artilleristen verheiratet, der auf dem Hochzeitsbild einen langen Säbel trug. Jetzt hatten wir lange nichts mehr von ihr gehört, und meine Mutter hatte Tränen in den Augen, wenn sie von ihr sprach, denn in Pommern waren schon die Russen.

Manchmal dachte ich auch an Heini Panzlaus Schwester, die eine Zeitlang mein Einschlafen in die Länge zog, und ich glaube, nicht nur meins. Denn Heine hatte uns versprochen, daß sie uns etwas zeigen würde, das die meisten von uns, obgleich wir das nicht so ausdrückten, in dem Frühling damals dringlicher sehen wollten als beispielsweise den Führer. Natürlich wollten wir erst nicht glauben, daß sie es wirklich tun würde, weil sie schon sechzehn war und sich mit uns nicht abgab. Aber Heine erklärte großzügig: „Sie macht es. Wenn ich es ihr sage, macht sie es."

Eine Woche oder länger versammelten wir uns, wenn es dunkel wurde, auf Heinis Hof und warteten.

„Macht sie es heute?" fragten wir.

„Bestimmt, heute macht sie es."

„Geh rein und hol sie."

„Sie kommt auch so."

„Geh lieber rein."

Er kam wieder und sagte: „Sie ißt noch."

Wir warteten weiter.

„Wo bleibt sie denn?"

„Sie wird schon kommen."

„Geh noch mal rein."

Er kam abermals wieder. „Jetzt badet sie."

„Und dann kommt sie raus?"

„Möglich", sagte Heini unbestimmt.

„Was heißt denn möglich? Hast du ihr überhaupt gesagt, worum es sich handelt?"

„Na klar habe ich das", schrie Heini beleidigt, aber er wurde von Tag zu Tag kleinlauter, und am Ende erwies er sich als völliger Versager. Doch zum Glück wurde ich mächtig abgelenkt von dem Problem mit Panzlaus Schwester. Ich hatte Inge Kaliska geküßt, und alles war anders.

Ich machte im Bett die Augen zu und sah mich an ihrer Seite die Bismarckstraße entlangschlendern; wer mich traf, hatte Staunen und Neid im Blick. Ich malte mir aus, wie wir im Kino Platz nahmen, letzte Reihe, wenn das Licht ausging, legte ich den Arm um Inge Kaliskas Schulter. Im Freibad „Neptun" lagen wir auf dem Bild, das ich von uns entwarf, auf einer Decke und spielten nicht Einkriegezeck, sondern sonnten uns träge wie die Großen. Selbst der hausgemachte Kartoffelsalat im Marmeladenglas, den meine sorgende Mutter unter dem Motto „Kartoffelsalat bleibt kühl" meinem bisherigen Badeleben unerbittlich beigeordnet hatte, erschien mir, künftig mit Inge Kaliska genossen, durchaus bekömmlich. So plante ich unser Zusammenleben bis Juni oder Juli voraus und kam fast davon ab, an Großdeutschland zu denken, um das es in diesem April schlecht stand, schlechter als je. Aber indem ich wuchs, im Ganzen und in Teilen, und überall erstaunlich in die Länge, entwuchs ich unmerklich der Schicksalsgemeinschaft der Germanen, der ich mich kindlich hingegeben hatte, ausgerüstet mit einem Schuhkarton Elastolin-Soldaten, umsponnen von der Nibelungen Not und dem Geruch von Uhu-Alleskleber, mit dessen Hilfe ich Papierflugzeuge baute.

Unmerklich, sage ich, weil ich nicht weiß, ob mein Abschied den Frühling lang dauerte oder nur den feuchten, schummrigen Abend lang, an dem ich Inge Kaliska küßte.

Ich weiß nicht einmal, ob es ein Abschied war oder nur eine ziemliche Ratlosigkeit, in die der Studienrat Sehl vergebens hineinsprach, als er uns seine Eindrücke vom ersten Krieg vermittelte, in dem er in Flandern gefochten hatte. Zweimal die Woche saßen wir zu fünft in der Klasse, kümmerlicher Rest der nach Böhmen verlagerten Schule, und holten uns Hausaufgaben ab. Gegen die fünffache Übermacht unserer Unlust eroberte Sehl an Cäsars Seite Gallien, das in seiner Gesamtheit in drei Teile zerfiel, und hielt auch den Londoner Victoria-Bahnhof besetzt, auf dem wir, mit dem Zug von Dover kommend, eintrafen, um uns in der Landessprache nach verschiedenen Sachen zu erkundigen.

Doch dringlicherer Lehrstoff stand im Lokalanzeiger. Blinder Mut schade nur, sagte uns Sehl dazu einleitend, aber eine gesunde Tapferkeit sei gerade jetzt vonnöten. Er war ein früher rundlicher, jetzt magerer Mann, in zu weit gewordenen Hosen sprach er über unseren eng gewordenen Verteidigungsraum. Er hielt die Zeitung ausgestreckt vor sich und las die Gebrauchsanweisung für die Panzerfaust vor. Aus eigenem taktischem Verständnis setzte er einen Kernsatz hinzu:

„Aufgemerkt! Immer hinter die Barrikade stellen! Niemals vor die Barrikade! Und den Blick immer zum Feind!“

Und während er uns belehrte, roch sein übersäuerter Magen enorm und nicht nur feindwärts vor ihm her.

Die Befestigung, die er in unserem Fall meinte, aus zersägten Eisenbahnschienen, Brettern und Schutt, sperrte die Straße vor unserem Vorortbahnhof, nur in der Mitte war noch eine schmale Durchfahrt. Ich stand künftig häufig dort, aber weder davor noch dahinter und nicht, um Dr. Sehls Grundregel des Barrikadenkampfes zu üben, sondern um auf Inge Kaliska zu warten, die in Neukölln bei einem Optiker lernte.

Der Studienrat Sehl, der im Nahkampf kraft seines Atems kaum überwindbar gewesen wäre, ließ uns in dem April, in dem wir fünf in seine Klasse versprengt waren, korrekt nach Lehrplan einen Aufsatz schreiben, der hieß: „Welche Waffengattung ist mir die liebste?“ Wir hatten uns diesem

Thema in jedem Kriegsjahr gewidmet. Anfangs nannte ich die Reiter wegen des Mannes meiner Tante Johanna, dann war ich für lange Zeit zu den Fliegern gewechselt, bis sie allmählich vom Himmel verschwanden, jedenfalls die deutschen. Aber jetzt weigerte ich mich, meine inzwischen auf die Seefahrt gerichteten Sympathien in Sehls Rundfrage zu offenbaren, die mir anrüchig erschien, weil man in klaren Nächten von der Oder her schon die Kanonen hörte. Statt dessen nannte ich infolge meiner Liebe zu Mauleseln und Edelweiß heuchlerisch die Gebirgsjäger, und Dr. Sehl erläuterte mir ergänzend, daß Gebirgsjäger vorwiegend im Gebirge eingesetzt würden, wenn auch nicht immer. Und daß er nicht dahinterkam, wie wenig mich die Gebirgsjäger kümmerten, verwunderte mich nicht so wie die Entdeckung, daß man sich mit den bewährten Redewendungen, die in meinem Aufsatz vorkamen, einen Spaß machen konnte. Vielleicht wäre ich darüber nicht so glatt hinweggekommen, wenn ich nicht Inge Kaliska geküßt hätte, am dreißigsten März, und ihre Lippen schmeckten fremd und salzig.

Den Tag danach schwänzte Gerdchen Pachähl die Berufsschule. Mit langen Beinen lagen wir in seinen elterlichen Sesseln. Seine Mutter arbeitete in der Teerfabrik im Büro. Wir löffelten aus Tassen eine Soße aus Mehl, Wasser und Zucker, den wir aus einer Tüte nahmen, die im Kleiderschrank versteckt war.

„Hast du sie angefaßt?“ fragte er.

„Na ja.“

„Und wie?“

„Na wie schon“, sagte ich unsicher.

„Ich meine richtig.“

„Natürlich richtig.“

Er nickte unbefriedigt, und wir gaben uns wie Männer, die Bescheid wissen, und redeten über Einmanntorpedos, bis Äffchen Lehmann kam, der einen Siegelring hatte und einen mit Wasser gekämmten Mittelscheitel und der überhaupt ein Frauentyp war, nur seine Ohren standen mörderisch ab.

„Erzähl mal", sagte er mit seiner heiseren Stimmbruchstimme.

„Was soll ich denn erzählen?"

„Das ist ein dummer Hund", sagte Äffchen Lehmann entrüstet.

„Ich werde es schon noch erzählen."

„Und wann?"

„Irgendwann."

„Weil du keine Ahnung hast."

„Vielleicht hast du keine Ahnung."

Äffchen Lehmann lachte eitel und holte eine blanke kleine Blechschachtel aus der Tasche, die leicht wog, ich wußte es, und wiederum schwer. Der Ort nämlich, an dem man sie erwerben konnte, innerhalb des Bahnhofs, roch nach salziger Männlichkeit. An gekachelter Wand hing ein Automat und eine Aufschrift, deren Sinn mir nicht völlig aufging. Ein Halbbogen über Geldschlitz, Zugknopf und Schachtelausstoßloch ermahnte jeglichen Mann, seine Gesundheit zu schützen. Äffchen Lehmann warf mir die Schachtel über den Tisch hinweg zu, und ich fing sie auf. Er sagte: „Ich habe noch zwei." Ich ärgerte mich, daß er so angab.

„Wetten, er braucht so was nicht", sagte er zu Gerdchen Pachähl. Und ich sagte: „Das werdet ihr schon sehen."

Am dreißigsten März hatte ich Inge Kaliska geküßt, erstmals, nun küßte ich sie öfter. Wenn ich sie von der Bahn abholte, wenn es nicht regnete, gingen wir zur Kanalböschung, wo wir ungesehen im Gras sitzen konnten, das feucht war und nach Frühling roch. Neunmal waren wir da, ich weiß es genau. Wir hatten ein Zeremoniell. Sie setzte sich und schlang die Arme um die angezogenen Knie, dabei hielt sie ihre Tasche in den Händen, eine Schultasche mit abgeschnittenen Riemen und einem neuen Griff. Ihre Haltung war reserviert und wirkte auf mich entmutigend. Ich setzte mich zu ihr und verschränkte die Arme auf ähnliche Weise. Wir blickten über den Kanal auf das Gelände der Eternitfabrik. Ich sagte etwas Belangloses, worauf sie eine belanglose Antwort gab, und diese Art von Sprechen ohne Sinn kam mir unglaublich erwachsen vor. Dann lehnte ich mich zurück und stützte mich auf die Ellenbogen und deutete so an, daß man sich auch hinlegen könne, Platz genug wäre da. Inge Kaliska blieb sitzen. Ich bewegte unruhig die Beine. Sie sah mich nicht an. Ich richtete mich auf und nahm ihr sanft die Tasche weg, die sie mir leicht, wenn auch jedesmal neu erstaunt, überließ. Jetzt kehrte sie mir auch das Gesicht zu. Ihre Augen waren immer prüfend. Weil ich ihrem Blick nicht standhielt, rieb ich mein Gesicht an ihrer Schulter. Ich traute mich nicht, sie gleich auf den Mund zu küssen, und begann ziemlich vorsichtig am Hals. Nach einer Weile drehte sie sich heftig zu mir, schlang die Arme um mich, jetzt fielen wir doch nach hinten, hielten uns fest, ließen unsere Münder lange nicht voneinander, kamen gemeinsam außer Atem, und in der Hosentasche drückte mich Äffchen Lehmanns Schachtel. Über Rücken und Hüfte abwärts schummelte ich meine Hand zu Inge Kaliskas Rocksaum und tastete mich an der Naht ihrer hautwarmen Seidenstrümpfe aufwärts, bis sie mich erschrocken festhielt. „Ich liebe dich", sagte ich zitternd. Der ungewohnte Satz ging leicht heraus, Inge Kaliska lächelte mit geschlossenen Augen, ich strich ihr über das Haar mit der Klemme, sie richtete sich auf und sagte: „Los, ich muß gehen." Wir standen auf, sie sagte: „Mann, bin ich dreckig", ich klopfte ihr den Mantel ab und hob ihre Tasche auf, der Nebel stieg aus dem Kanal, der Aprilhimmel wurde im Osten matt und im Westen rosa, und wir gingen, langsam, langsam auf der Böschung entlang, über die Wiese, über die Straßenbahnschienen, bis zu den Lauben.

Beim neunten Mal, als wir in der Nähe von Inge Kaliskas Zaun noch ein bißchen herumstanden, kam uns, tapp tapp, die Straße entlang, ihr Vater in den Rücken. Er bemerkte mich. Mein Blick mag verlegen gewesen sein, aber er war freundlich. Sein Auge dagegen ging gleichgültig über mich hinweg. Er humpelte, ledern knarrend, vorbei und forderte seine Tochter auf, von der Straße zu kommen, dem Wort

Straße gab er einen abfälligen Klang. Inge Kaliska folgte ihm rasch. Wegen meiner Liebe zu ihr fragte ich mich betroffen, ob an mir irgendwas nachteilig wirken konnte. Mir fiel nichts ein, weil ich haargenau so aussah wie andere auch, haargenau ist das richtige Wort, denn lang, von Gerdchen Pachähl zurückhaltend gestutzt, fiel mein Haar auf meinen Zellstoffkragen, den ich hochgeschlagen trug, wie auch das Wetter war. Kein Mensch traute mehr den Friseuren, sie schnitten einem die Haare, als ob der Krieg noch an der Wolga stattfand. Man bestellte Fasson, und wenn man wieder an die Sonne trat, leuchtete die Kopfhaut soldatisch weiß über den schamroten Ohren. Mein Haar also fiel lang nach hinten, und mein Gesicht drückte nichts Besonderes aus, wenn ich auch manchmal vor dem Spiegel eine mokante Stirnfalte übte.

Doch Inge Kaliska mußte jetzt vom Bahnhof immer gleich nach Hause. Das Abendrot hinter der Eternitfabrik leuchtete uns nicht länger in der Mulde, die wir schon in das Gras gelegen hatten. Nur einmal noch, an einem Sonntagnachmittag, gingen wir da vorbei, Inge Kaliska aber hatte einen besonderen Rock an, aus vier Sorten Wolle, und wollte sich nicht hinsetzen.

Möglich, dachte ich damals, daß ich einfach nicht der Typ dieses einbeinigen Vaters war, nicht der, den er sich als Umgang für seine Tochter wünschte. Andererseits fand ich es ziemlich kleinlich, daß er in so unsicheren Zeiten auf eine ganz bestimmte Sorte Umgang für seine Tochter aus war.

Ich entzog ihm allmählich meine Sympathie. Dennoch hätte ich gern von ihm erfahren, warum wir den Krieg im letzten Moment noch gewinnen würden. Inge Kaliska sagte, daß er es genau wüßte. Aber Einzelheiten teilte er, weil es geheim war, nicht mit. Ich zweifelte, und Inge Kaliska war böse: ihr Vater war Oberfeldwebel gewesen. „Na und", sagte ich höhnisch und fühlte mich nicht gut, weil ich damit den Mann meiner Tante Johanna verriet, den Mann mit dem Säbel auf dem Hochzeitsbild, der nur Feldwebel war.

Eigentlich wollte ich nur irgendwie überlegen tun, weil ich fürchtete, ich könnte Inge Kaliska langweilen. Wir standen an ihrer Gartentür, die abgeriegelt war, sie drinnen, ich draußen. Wir schoben den Riegel hin und her, ich machte ihn auf, sie machte ihn zu. Manchmal sprachen wir zehn Minuten lang kein Wort. Ich grübelte krampfhaft, damit mir ein bedeutender Gedanke käme. Es lag, glaube ich, daran, daß ich nicht wußte, was Mädchen überhaupt interessierte. Und nur, weil mir nichts anderes einfiel, zweifelte ich laut an der Geheimwaffe oder ärgerte Inge Kaliska damit, daß sie nicht raus durfte.

„Was soll ich denn draußen?" sagte sie und zog die Mundwinkel nach unten. „Mit dir rumstehen? Oder mit Äffchen Lehmann?"

„Wieso denn mit dem?" fragte ich argwöhnisch.

Im Hintergrund huschte die Mutter um das Haus, und ich sah zwei alte Leute, die Großeltern. Den Vater nicht, was mir recht war. Um diese Stunde hörte er Radio und trug die Frontlinien auf einer Karte ein. Ich aber preßte meine Lippen auf Inge Kaliskas Mund und paßte auf, wer von uns zuerst die Augen zumachte: ehrlich, das war sie. Den Kopf mußte sie gerade halten, damit man vom Haus her nichts sah. Bis zur Brust trennten uns grüne Staketen, die wir mit den Händen umgriffen. Auf dem Rückweg übte ich Dauerlauf. Manchmal heulten die Sirenen. Ich stellte mir vor, daß Inge Kaliskas Haus getroffen würde und brannte, und sah mich mit Umsicht beim Löschen, und die Familie dankte mir, auch dieser einbeinige Vater. Aber das Haus fing nicht annähernd so Feuer wie ich, und so mußte ich mich darauf beschränken, Inge Kaliska einen Weißkohlkopf zu schenken, den ich mit Bubi Trebes vom Markt gestohlen hatte, als Mutprobe. Ich wartete am Bahnhof damit, sie nahm ihn verwundert. Ich glaube aber, daß ihre Leute ihn gefressen haben, ohne daß von mir geredet wurde.

Etwas Komisches geschah, seltsam und unglaubhaft, wenn ich bedenke, wie sehr ich Inge Kaliska liebte. Vor dem Einschlafen, wenn ich an ihr Gesicht dachte oder wie sie über die Straße kam, mit ziemlich langen Schritten, die Füße etwas nach außen, fühlte ich ein Prickeln am Körper, es half nur, wenn ich mit den Beinen strampelte. Ich konnte nicht verstehen, daß andere mit anderen Mädchen herumliefen, die völlig anders aussahen. Und doch geschah etwas Seltsames: an manchen Tagen vergaß ich Inge Kaliska. Ich meine nicht, daß ich gerade mal nicht an sie dachte. Ich vergaß sie. Sie verschwand aus meinen Sinnen, und mit ihr schwand jedes Interesse an der Sorte Mensch, die auf die andere Toilette ging. Eine helle Kindersonne schien. Ich spielte mit Bubi Trebes Fußball. In den Zickzackgräben auf der anderen Seite des Kanals bewarfen wir uns mit Grasplatten. Wir ließen zwei nichtgezündete Brandbomben von der Brücke auf die Kanalufersteine fallen, und als sie mit grünlicher Glut zu zischen begannen, rannten wir weg. Ich nehme an, daß ich damals, mittags im April, wenn ich an Inge Kaliska nicht dachte, einfach ein Jahr zurückgerutscht bin, so auf zwölfeinhalb oder noch weiter. Bubi Trebes war mein Tagesfreund, und Gerdchen Pachähl war mein Abendfreund.

Die Grenze zwischen Tag und Abend zog sich durch Prochnows mit Pappfenstern vernagelte Kneipe. Da gab es einen belgischen Kellner mit Koteletten. Wir sagten du zu ihm, und hauptsächlich seinetwegen hockten wir da an vielen Nachmittagen und aßen Wassersuppe, den Teller für eine Mark. Gerdchen Pachähl kam aus Schöneweide von der Arbeit, mit Aktentasche und Stullenbüchse seines Vaters, und hatte gehört, daß es am Moritzplatz die Clique Edelweiß gäbe. In diesem Umstand, über den wir Näheres nicht erfuhren, steckte ein gewaltiger Zauber, ebenso wie in McBrowns Harem, der auf Äffchen Lehmanns Schallplatte vorkam, vielleicht, weil es Nachrichten waren aus einer nichtkriegerischen Welt. Was den Krieg betraf, so konnten wir uns nie endgültig einigen, ob die Wunderwaffe noch kommen würde oder nicht. Aber unseren Gesprächen darüber fehlte die Leidenschaft, die den Fähnleinführer Kruse noch erfüllte, der mit wichtiger Miene eine umgeschnallte Pistole spazierentrug. Doch möglicherweise mangelte es auch ihm an Zuversicht, denn als Gerdchen Pachähl „Pflaumenkruse" hinter ihm herrief, weil sein Vater auf dem Markt einen Obststand hatte, sah er sich trotz seiner Handfeuerwaffe nicht um. Ein ärmlicher Volkssturm marschierte zum Sportplatz, Zivilhosen, Militärkoppel, drei Panzerfäuste zum Üben. Bubi Trebes, den Fußball unter dem Arm, zog ab nach Hause. Gerdchen Pachähl ging in den Park zu Grammophonmusik und der gemeinsamen Uschi Nitzelbach. Ich ertrug seinen neidischen Spott darüber, daß ich mich wegen eines Mädchens, das hinter dem Zaun stand, von ihm trennte. Um diese Stunde stiegen in England die Flugzeuge vom Typ Mosquito auf, aber ich schickte ihnen keinen Gedanken entgegen. An den Mauern klebten bedrohliche Plakate, schlitzäugige Gesichter mit fremdartigen Kappen, hinter ihnen flammte der Horizont. Es roch nach feuchter Erde, nach Rauch von weit her, nach frühen Blüten. Niemals, solange ich atmete, hatte es so gerochen. So roch es jeden Abend, den halben April.

Mittags flogen manchmal mattsilberne Bomber über uns weg. Wir verkrochen uns, spürten von der Stadt her das Beben des Bodens und kamen wieder heraus. Mit sachlicher Neugier, mit dem Auge des Sportzuschauers sah ich den Jäger wie ein schnelleres Insekt. Sehr nah pochten Maschinenwaffen, ein Flügel taumelte erdwärts, vier Fallschirme trieben. Später liefen wir hin. Bubi Trebes und ich, um den toten Flieger zu sehen, den sie auf einer Schubkarre brachten. Ein Polizist zog die Decke von ihm, durchsuchte die Brusttaschen und sagte, es sei ein Kanadier. Leute standen herum. Ich starrte lange in das fremde, friedliche Gesicht, als könnte dort eine Antwort sein auf die Frage, die ich nicht genau wußte.

Das war erst der zweite Tote, vor dem ich so dicht stand, daß ich ihn hätte anfassen können. Der erste war Dieter Schünemanns kleiner Bruder. Das hatte nichts mit dem Krieg zu tun oder nur insofern, als es an dem Tag, an dem er ertrank, ukrainische Wassermelonen auf dem Markt gab, süße

Früchte des Vormarsches, mit hellrotem Fleisch und klebrigem Saft. Und als er gefunden worden war, im flachen Wasser, wo man zuletzt suchte, und man ihn auf den Kopf stellte, da kam dieser Melonenbrei aus ihm heraus, und jemand sagte: „Vielleicht hat er zuviel davon gefressen." Und ich weinte mit, als ich sah, wie Dieter Schünemann weinte, das Gesicht im Sand versteckt, bis ihn der Bademeister nach Hause brachte.

Mein dritter Toter lag neben den Straßenbahnschienen. Ich ging auf Zehenspitzen um ihn herum. Er lag auf dem Bauch, um die Schulter den Riemen einer Tasche, die nicht mehr da war, sein Gesicht war heil und schlecht rasiert, und seine offenen Augen blickten nachdenklich in den nahen Sand.

Aber da hatte ich schon das letzte Wort mit Gerdchen Pachähl gesprochen, ich wußte es nur noch nicht. Unter den Kastanien in unserer Straße hielt eine SS-Kolonne, Letten mit bayrischen Offizieren. Sie tauschten Nudeln gegen Brennholz, bedrückt aussehende Männer, ehe sie ihre Suppe warm hatten, fuhren sie weiter. Am Markt vorbei stadteinwärts tobten Autos, Pferdewagen, Leute zu Fuß, die Uniformen, die Haut, die Blicke, alles grau in grau. Über den Lärm von Rädern, Hufen, Motoren und Stimmen spannte sich unablässig ein schweres, nicht mehr fernes Dröhnen.

Japsend rannte ich in die Lauben und tat, was ich nie gewagt hatte: ich klingelte. Niemand zeigte sich. Ich klingelte wieder, und Inge Kaliska kam heraus, Trainingshosen unter dem Mantel, einen Schal um den Hals, angezogen wie für eine Winterreise, kam den akkuraten Plattenweg entlang bis in den Duft des blühenden Forsythienstraußes am Zaun.

„Was willst du denn?" fragte sie verstört.

„Ich wollte nur noch mal vorbeikommen."

„Mußt du denn nicht zu Hause sein?"

„Doch."

Ich streichelte ihre Hand, die auf dem Zaun lag, streichelte sie am hellen Tag, kein Vater ließ sich sehen, und ich empfand eine unbestimmte Genugtuung: für seine Frontlinien brauchte er nur noch den Stadtplan.

„Wenn was passiert, kannst du zu uns kommen", sagte ich.

„Ja."

„Du weißt, wo?"

„Ja."

„Hast du Angst?"

„Ich weiß nicht."

„Ich weiß auch nicht", sagte ich.

Wir stupsten unsere Gesichter aneinander, und ich lief wieder los, ein schärferes und näheres Schießen sprang gegen den Himmel, ich sah den Mann neben den Schienen liegen und nur noch wenige Leute, die sich in den plötzlich öden Straßen an die Wände drückten. Zu Hause war schon alles in den Keller gezogen. Mein Platz war auf einer Matratze, zwischen meiner Mutter und meiner Tante Liesbeth, einer von ihren sechs Schwestern, die mit zwei Koffern und einem Deckbett aus Pommern zu uns gekommen war. Betten und Wäsche waren schon unten. Ich holte noch meine Fußballschuhe, und in den einen steckte ich Äffchen Lehmanns kleine Schachtel.

Um die Zeit ungefähr ist Gerdchen Pachähl mit einem langen Beutegewehr losmarschiert. Der Milchhändler Beyerling hat ihn gesehen und das Gewehr auch und hat einen Koffer in Empfang genommen und einen Gruß, den er später ausgerichtet hat. Den Koffer wollte Gerdchen in den Luftschutzbunker an der Teerfabrik bringen, wo seine Mutter schon auf zwei anderen Koffern saß. Auf dem Weg traf er einen Trupp Soldaten, die ihn anhielten. Der Milchhändler Beyerling sagte danach, er habe nicht wie ein Gezwungener mit ihnen gestanden. Er hätte auch unbemerkt für seine Mutter, die Frau Pachähl, etwas anderes ausrichten können als nur, sie solle nicht warten, er ginge mit.

Was war mit ihm los? Ich weiß nicht. Ich weiß nur, daß ich ihn in diesem halben Frühling gekannt habe wie mich selbst, obwohl er ein Jahr älter war und in der Fabrik bei

Osram lernte. Im Park schnupperten wir die gleiche Abendluft, die nach Zigaretten und Mädchen schmeckte, nach Abenteuern, die den Krieg übertrafen. Er schnitt mir die Haare, und ich schnitt sie ihm. Wir aßen seiner Mutter den Zucker aus dem Kleiderschrank und wollten zusammen zur Marine. Als wir den Fähnleinführer Kruse mit seiner Pistole sahen, rief Gerdchen „Pflaumenkruse" hinter ihm her, weil wir nicht mehr vernarrt waren in die Idee mit dem Endsieg. Und an jenem dreißigsten März wollte er Inge Kaliska küssen, genau wie ich. Ich weiß nicht, was mit ihm los war, und deshalb weiß ich nicht, was mit mir gewesen wäre, wenn ich die Männer getroffen hätte, die noch ein langes Gewehr frei hatten.

Ich saß zwei Tage lang auf meiner Matratze. Oben fielen die Fenster nach innen, und es stank bis in den Keller herab nach verbranntem Gummi. Ich rannte die Treppen rauf und roch in die Wohnungen rein, ob es irgendwo schmorte. Nah und fern wurde geschossen. Plötzlich trat eine Ruhe ein, erst da wurde mir richtig bange. Aus dem Flurfenster sah ich ein Flugzeug dicht über den Dächern, grünlicher als die deutschen.

Aus unserem Haus waren zwei Volkssturmmänner in die Schlacht gezogen. Zuerst, an einem Vormittag, kam Klefalt zurück, aus dem zweiten Stock, der sollte nach Süden in die Rieselfelder geworfen werden, zerriß sich einen Hosenträger, bat um zehn Minuten Urlaub, um sich einen neuen zu holen, mußte Sicherheit bieten, ließ als Pfand sein Gewehr da und versteckte sich auf unserem Hof in einem leeren Taubenstall.

Anders Bohle, erster Stock, der in einem Sonderzug der Feuerwehr diente. Er kam nachts, nicht um die Fahne zu fliehen, sondern nur, um von ihr auszuruhen. Darum kroch er mit seiner Frau in einen Nebenkeller. Klefalts Beispiel verschmähte er starrsinnig. Zwei Handgranaten im Gürtel, hinten einen Spaten, an der Seite ein Kochgeschirr und vorn, quer über der Brust, den Karabiner, nahm er im Morgengrauen, als es draußen komisch still war, Abschied, vielleicht für immer. Doch nach zehn Minuten kehrte er ohne Atem und ohne Waffen frühzeitig heim: ins Mark erschrocken war er am Marktplatz zwei fremduniformierten Männern begegnet, die wohl auch verblüfft waren, denn ihre Schüsse trafen ihn nicht. Jetzt kroch Bohle zitternd, ein Bündel Zivil mit sich, in den Taubenstall rauf zu Klefalt, der sich nun nicht mehr vor den Eigenen fürchtete, sondern vor den anderen. Sie waren also da.

Eine Stunde oder mehr verging, dann steckten wir, voran Frau Klefalt, dahinter ich, dann meine Mutter und meine Tante Liesbeth, den Kopf aus unserer Haustür. „Halt bloß das Kind zurück“, rief Tante Liesbeth meiner Mutter zu. Aus der Vorgartentür blickten wir im Frühlicht unsere leere Straße entlang und sahen am Markt in einer unablässigen Bewegung von links nach rechts etwas fahren und hörten Kettengeklirr und das Brummen schwerer Motoren. Auch schienen hin und wieder, wie in Wellen, Leute vorüberzulaufen, aber Genaues war nicht zu erkennen. Die Erde zitterte. Von der Stadt her wummerten die Kanonen. Und zugleich zwitscherten in dieser Pause zwischen zwei Zeiten vernehmlich die Vögel. Schließlich kam jemand vom Markt her auf uns zu, erwies sich als alter Mann mit einem Karton auf der Schulter und schrie keuchend: „Es gibt alles ...“

So begann der Tag des Puddingpulvers, oder was weiß ich: des Milchpulvers und Eipulvers, der Schokoladenrohmasse ohne Zucker, des Butterschmalzes ohne Brot, der grüngestreiften Fallschirmseide, aber von dieser Seide erfuhr ich nichts. Die Bismarckstraße war mit Gesichtern verstopft, denn der Feind hatte, außer Panzern, Kanonen, Lastautos, Pferdewagen, eine erstaunliche Menge Gesichter, die fuhren vorüber und zogen vorbei; Marschkolonnen, Vorsänger und Chöre, fremdartige Stimmen, Geschrei, seltsame, bunte Orden, Flaschen, die von Mund zu Mund gingen. Und die Ladentüren waren schon aufgebrochen unter einem Anprall von Gier und Erlösung, und wo sie noch hielten, kletterte man, den Kopf voran, mit strampelnden Beinen durch die Lichtluken der mit Brettern vernagelten Schaufenster, warf Regale um, trat in scharfriechende Essiglachen, kämpfte um Fleischermesser, um die Beute zu zerlegen, und preßte Speckseiten an sich, an denen andere sich festkrallten. Ich blieb erfolglos inmitten der einträglichen Verwüstung, die Quellen versiegten vor meinen Augen, es war halb zehn, das war zu spät. Ich traf Bubi Trebes, uns war schlecht bei dem Gedanken, daß wir nichts abkriegen sollten. Ihm fiel ein abgelegenes Geschäft ein, als wir da ankamen, trugen zwei ältere Männer die Ladenkasse weg. Unter einem Haufen leerer Kartons fanden wir einen vollen mit hundert Tüten Puddingpulver. Und mit der Hälfte davon hetzte ich glücklich nach Hause und dachte erst danach daran, daß ich doch zu Inge Kaliska mußte.

Meine Mutter rang die Hände, als ich wieder loslief, ich sprach von noch mehr Puddingpulver. Die Nebenstraßen lagen voller Papier, aus manchen Fenstern hingen weiße Fahnen. Der Bretterzaun am Fußballplatz war umgefallen. Die Tür zu Inge Kaliskas Garten stand offen. Die Forsythien blühten wie vor zwei Tagen. Niemand war zu sehen.

Ich ging den Steinplattenweg zwischen den Rosenstöcken auf das Haus zu. Ein Fensterladen war geschlossen, hinter dem anderen Fenster war die Gardine vorgezogen. Vor den Fenstern war eine Bank, darauf standen zwei Blumentöpfe voll Erde und ein leeres Bierglas mit Henkel.

Ich fühlte mich wie vor einer Festung, aus der trotz der grundsätzlich veränderten Lage der immer noch mächtige einbeinige Vater jederzeit einen Ausfall machen konnte. Dennoch drang ich um den Giebel herum zur Rückseite vor, spähte durch ein anderes Fenster in eine aufgeräumte Küche und stand unentschlossen vor der Haustür. Ich hörte Schritte, der Schlüssel wurde gedreht, im Türspalt erschien der Kopf einer Frau, die wohl die Großmutter war. Sie sah mich verständnislos an, dann schien sie zu sich zu kommen, sie sagte: „Inge kommt nicht raus."

„Ja", sagte ich enttäuscht und fügte noch hinzu: „Vielleicht können Sie ihr sagen, daß ich da war ...", da wurde die Oma zur Seite gedrängt, und Inge Kaliska kam auf mich zu und sagte nur: „Komm." Ich hörte die Stimme einer anderen Frau, der Mutter: „Inge, ich verbiete dir ...", aber der Satz blieb unbeendet, wir waren auch schon um die Hausecke. Ich war ein bißchen verlegen, aber vor allem war ich stolz, als ich hinter Inge Kaliska herstolperte, daß ich der Mann war, der sie so auf Anhieb aus dem Haus holte. Sie hatte von ihrem Kellerkostüm noch die Trainingshosen an und trug einen groben grauen Pullover und sah fast wie ein Junge aus, bis auf das Haar mit der Klemme über der Stirn. Ich redete, sie schwieg. Ich rühmte mich des Puddingpulvers. Ich erwähnte den toten Mann neben den Schienen. Aber als wir da vorbeikamen, lag er nicht mehr da, es gab nur noch eine dunklere Stelle im Sand. Ohrenbetäubende langsame Flugzeuge flogen niedrig stadteinwärts. Der Himmel darüber war hellblau.

Eine Weile drängelten wir uns in der Bismarckstraße. Ich quetschte mich noch mal in einen Fleischerladen und sprang nach einer Wurst, die ein Soldat mir entgegenhielt; es war eine Schaufensterwurst aus Gips. Schließlich gingen wir über die Wiese, um uns die gesprengte Kanalbrücke anzusehen. Wir trafen keine Soldaten, und am Kanal war kein Mensch. Die Brücke, an einer Seite abgebrochen, lag schräg im Wasser, aber wir gingen nicht so weit. Als wir stehenblieben, standen wir gerade vor unserer Kuhle und sanken hinein, ich griff nach ihr, und sie griff nach mir, mit geschlossenen Augen, wortlos. Dann sahen wir uns an, und ich mußte nicht lachen wie vorher manchmal und mußte auch nicht wegsehen, nein, ich versteckte mich nicht, und ihr Gesicht ging in mich ein. Ich sah ihre Mundwinkel zucken und dachte, daß ich diesen Moment bestimmt nie vergessen würde, aber als sie damit nicht aufhörte, fragte ich: „Was ist denn?"

Sie sagte: „Du darfst es niemand erzählen, keinem einzigen Menschen, hörst du?" – „Ja, was denn?" fragte ich.

Ich weiß nicht, ob es so war, aber wenn es so war, dann gab es in Inge Kaliskas Haus eine Tür zwischen Küche und Waschküche und über der Tür einen Balken und in dem Balken zwei gedrehte Haken für eine Kinderschaukel. Doch an diesem Morgen hatte an dem einen Haken ein Strick gebaumelt, und an dem Strick hing Inge Kaliska. In ihren Ohren summte es, hinter den Augen tat es ihr weh, sie sank in ein immer tiefer gefärbtes Rot. Sie hörte einen Schuß, der sie nichts mehr anging, obwohl sie gerade noch gedacht hatte, er würde etwas in ihr zerreißen.

Eine Viertelstunde vorher hatte sie noch geschlafen. Ihr Vater weckte sie. Mit knarrendem Holzbein stemmte er sich vor ihr die Kellertreppe hoch, sie folgte ihm und wußte nicht, zu welchem Zweck. Auf dem Flur trat die weinende Großmutter auf sie zu und küßte sie scheu, der Großvater stand dabei. Die Mutter saß im Zimmer in der Sofaecke, den Hinterkopf an der Tapete. Auf dem Tisch, neben der geöffneten Ledertasche, lag eine Pistole. „Du bist doch unsere große Tochter, nicht wahr?“ sagte der Vater ungewöhnlich weich. Die Mutter schluchzte und sagte, sie könne es nicht. Der Vater brüllte plötzlich. „Mit dir ist überhaupt nichts anzufangen“, schrie er. Aufgeregt, mit bebenden Händen, schob er Inge Kaliska in die Küche und schloß die Tür hinter ihr. Sie sah in der anderen Tür eine Fußbank stehen und darüber den mit einer Schlinge versehenen Strick, der so dünn aussah, daß sie dachte, damit ginge es nie. Und wie um das zu beweisen, stieg sie auf die Rutsche und zog sich die Schnur über den Kopf. Einen Moment stand sie still und sah schräg durch das Fenster die Regenrinne auf dem Hof und das Moos zwischen den Steinplatten. Dann hörte sie ein Geräusch aus dem Zimmer, als wenn jemand den Tisch verschob, jetzt schießt es, dachte sie entsetzt, und dann stieß sie die Fußbank weg.

Der Schuß fiel nicht, obgleich ihr nachher so war, als hätte sie ihn noch gehört. Sie kam zu sich und lag in der Waschküche auf dem Boden. Die Großmutter zog sie an den Armen hoch und half ihr auf die Füße. Der Strick war weg. Im Haus waren zwei Russen. Das verstand sie erst nicht: wieso denn Russen?

Der Großvater hatte sie vom Dachfenster aus kommen sehen, als sie gerade über die Gartentür nach dem Riegel griffen. Er riß die zwei Schlingen vom Balken, die für sich und die Großmutter gedacht, warf sie in die hinterste Ecke und hastete mit einem Alarmruf die Bodentreppe hinab. Sein Schwiegersohn nahm die Pistole vom Tisch und schmiß sie in das kalte Ofenloch, als wäre sie glühend heiß. Die Mutter lief zur Waschküche, aber der Großvater war vorher da und schnitt den Strick ab, an dem Inge Kaliska, die sich so kindlich entschlossen auf den schwarzen Weg gemacht hatte, schon hing, als wäre sie tot.

Die Russen standen mitten im Zimmer. Sie fragten: „Soldatt?" Alle verneinten, der Vater entschloß sich, sein Holzbein vorzuweisen, sie nickten dazu. Sie öffneten ein paar Schranktüren. Der eine nahm auf einem Stuhl Platz und machte dem anderen ein Zeichen, der ging mit der Mutter ins Schlafzimmer. Sie mußte sich auf das Bett setzen, er setzte sich mit einem Abstand daneben. Eine Weile blickte er sie von der Seite an, dann stützte er den Kopf in die Hände. Schließlich ging er schweigend aus dem Zimmer, die beiden Soldaten verließen das Haus, zurück blieb ein fremder Geruch.

Die Familie setzte sich um den leeren Tisch. Die Mutter holte Brot aus der Küche. Inge Kaliska mußte versichern, daß ihr nichts weh tue. Der Vater sagte, daß man es immer noch tun könne, aber niemand antwortete ihm. Daß ich auftauchte, war keinem recht, keinem außer Inge Kaliska.

Sie hatte einen Strich am Hals, eine rote Spur, wie eine sehr schmale Narbe, über die ich mit den Fingerkuppen strich. Ich wußte nichts zu sagen, außer daß ich das Quatsch von ihrem Vater fände, und sie sagte plötzlich: „Hör doch auf, das kitzelt."

Die Sonne wärmte uns. Ich hob den Kopf, wir waren noch immer allein. Wir lagen beieinander, und meine Hand wanderte den verbotenen, vertrauten Weg, der infolge der Trainingshose anders verlief, und war bereit, sich fangen und zurückrufen zu lassen. Niemand fing sie, nichts hielt sie auf. Ein Schreck fuhr mir von den Fingerspitzen her ins Herz. Ich öffnete die Augen, Inge Kaliska sah mich reglos an. Es war der vierundzwanzigste April, gegen Mittag, am Morgen waren die Russen gekommen.

Ich drückte meinen Mund heftig auf Inge Kaliskas nachgiebige Lippen, aber was ich weiter tun sollte, wußte ich nicht. Äffchen Lehmanns Blechschachtel fiel mir ein, aber das machte mich stumm, und der stumme Schreck hielt an, bis ihm sekundenschnell ein größerer Schreck zu Hilfe kam. Was, wenn uns jetzt jemand sähe, mit strengen mißbilligenden Augen? Und wessen Augen wären das?

Bestürzt über die greifbare, leibliche Nähe unbestimmter früherer Visionen, hatte ich schlagartig die neuartige Vision eines Spähtrupps, der zielstrebig auf uns zukam. Nichts erschien mir mit einem Mal so logisch wie die militärische Erkundung des Kanalufers. Ich glaube, ich sah es deutlich vor mir: zwei Blonde und ein Mongole, die mißtrauisch durch das Gelände streifen, bis sie Inge Kaliska und mich in unserer dummen Lage aufstöbern; kein Mensch weiß, was sie von solchen Dingen denken. Zwar trug ich auf Weisung meiner Mutter eine kurze Hose, um kindlich und unwehrhaft zu erscheinen, aber waren diese Eigenschaften vom Standpunkt des fremden Militärs aus einleuchtend, wenn ich, den Rükken himmelwärts, so dicht bei Inge Kaliska lag?

Den Finger an den Lippen, rutschte ich fort von ihr und richtete mich auf. Die Wiese lag noch immer still und seitlich vom Krieg in der Sonne. Doch mein Blick fing einen Schwarm Flugzeuge ein, ich spürte, wie die Erde bebte, kam das entfernte Schießen nicht näher? „Laß uns lieber hier weggehen“, sagte ich. Ich klopfte Inge Kaliska den Rücken ab, diesmal sprach sie nicht ihren üblichen Satz „Mann, bin ich dreckig“. Wir gingen über die Wiese und sahen den himmelhohen Rauch über der Stadt und stellten uns wieder an die Straße und staunten, wie viele Autos sie hatten und wie viele Soldaten. Dann fiel der Satz, der vieles zwischen uns kaputt gemacht hat, genaugenommen alles. Ich sagte beiläufig: „Heut nachmittag habe ich keine Zeit." Das war einfach eine Mitteilung, und sie stimmte, denn ich wollte mit Bubi Trebes zum Güterbahnhof, wo ein Zug mit Getreide stehen sollte. Ich weiß nicht, warum ich das nicht gleich mit hinzusagte. Sie hätte mich ja auch danach fragen können. Aber sie fragte nichts und machte auch kein besonderes Gesicht, doch nach einer Weile sagte sie plötzlich: „Wiedersehen" und ging los. Ich wunderte mich und lief neben ihr her und fragte: „Was ist denn? Ist irgendwas?"

„Nichts", sagte sie.

„Mußt du nach Hause?"

„Ich muß überhaupt nichts", sagte sie. Ehrlich, ich verstand nicht, was sie hatte. Später habe ich mir überlegt, daß ich wahrscheinlich schon die ganze Zeit keinen besonderen Eindruck auf sie gemacht habe mit meinem Gequatsche über Puddingpulver und meiner doppelten Angst am Kanalufer und meiner Unfähigkeit, irgendwas Vernünftiges dazu zu sagen, daß sie sich beinahe aufgehängt hatte. Der Satz, den Nachmittag betreffend, kam nur noch dazu, und ihr war klar, daß sie in mir nicht den Mann hatte, den sie brauchte. So kann es gewesen sein, und so viel habe ich dem entnommen: ein falscher Satz kann viel Schaden anrichten und ein richtiger Satz im falschen Moment auch. Doch damals, an diesem vierundzwanzigsten April, fand ich es albern von ihr, daß sie sich so benahm, ausgerechnet an dem Tag, an dem die Russen einmarschierten. Ich lief neben ihr her und versuchte, das Gespräch wieder in Gang zu bringen, und erklärte zehnmal, daß es sich um Bubi Trebes und um einen Weizenzug handele, und erinnerte sie auch noch daran, daß man die Pistole ihres Vaters vergraben müsse. Dann blieb ich verärgert zurück und war, als ich sie gehen ließ, ohne ihr nachzublicken, zurückgeblieben auch in einer anderen, schon erwähnten Bedeutung: ich nahm wieder mal an, daß Inge Kaliska mir ziemlich egal sei. Aber daß ich länger als jemals bei dieser Ansicht blieb, lag daran, daß das sich rasend ändernde Leben gewaltig auf mich einschlug, mit allen möglichen Eindrücken, meine ich, aber auch anders.

Das Leben bediente sich dazu unter anderem zweier Hände, auf denen rötliche Haare wuchsen. Die Hände legten sich auf den oberen Rand der Stirnwand einer Eisenbahnlore, spreizten sich sehnig und zogen den Mann, an den sie angewachsen waren, auf die Höhe der Situation. Die Erinnerung an sein Gesicht ist undeutlich. Es war aber, unter einem Käppi, ein helles Gesicht mit praktisch blickenden Augen, die uns nur streiften und sich sogleich auf eine Latte hefteten, an die, ein Rest abgerissener Bedachung, noch ein Stück Pappe genagelt war. Das Wort „Kamerad“, das ich hervorstieß wie eine Losung, erwies sich als untauglicher Vorschlag zu einem Gespräch. Ich verlor einen Streifen Haut auf der Schulter, meinen Hemdkragen und einen steifen, norwegischen Seesack, in den die Weizenkörner hineingeperlt waren wie Erbsen in eine Schüssel. Bubi Trebes büßte einen Schuh und einen Rucksack ein. Wir landeten mit knirschenden Gelenken auf dem Schotter neben dem Gleis. Wir rannten und dachten, jetzt werden sie schießen. Doch alles blieb still, und wir verschnauften am Fuß des Bahndammes, dem Heulen nahe, ohne Vorwurf an den schmerzhaft vermenschlichten Feind.

In unserer Straße, unter den Kastanien, die hellgrüne Blattspitzen trieben, standen Panzer. Auf unserem Hof wurde gekocht, die Kartoffeln schwammen in blankem Öl. Der Koch benutzte als Vorratskiste einen Besenschrank, nachts schlief er darauf. Ein Sergeant, der Nikolai hieß, fuhr auf einem Motorrad im Kreis herum, weil er nicht wußte, wie man anhält. Das Motorrad fiel um, er rutschte mit der Stirn über das Pflaster und trug künftig einen Verband über seinem jungen, aber streng gefalteten Gesicht. Nachts hätte sie eine Frau schreien gehört, sagte Tante Liesbeth zu meiner Mutter und setzte beruhigend hinzu: „Aber es war wohl in der anderen Straße ...“ In unserer Straße, schräg gegenüber, zog die Kommandantur ein. Soldaten mit roten Armbinden gehörten dazu, die zu dritt durch die Straßen zogen. Mit erhobenen Stimmen, die Hand an der Maschinenpistole, stritten sie mit anderen Soldaten. In unserem Park wurden Kühe geschlachtet. Schüsse knallten, dampfendes, hellrotes Blut floß über den abgetretenen Rasen, auf dem wir, der Polizei ein Ärgernis, Fußball gespielt hatten. Feuer brannten unter großen Kesseln. Soldaten in Turnhosen hantierten mit langen Messern und warfen die Kaldaunen zu den jämmerlich leeren Häuten. Auf dem Weg lagen die Rindsköpfe mit erstaunten, weißlich verschleierten Augen. Sie lagen ungefähr an der Stelle, an der ich Inge Kaliska zum ersten Mal geküßt hatte, am dreißigsten März, aber jetzt, vier Wochen später, hatte ich es vergessen.

Ich ging durch alle Tore und stieg über alle Zäune. Bubi Trebes war dabei, Heini Ganschow oder andere, die ich nicht kannte. Die Fabrikhallen sahen aus, als wären die Arbeiter gerade weggegangen. Wir drückten auf ein paar Knöpfe, und eine große Drehscheibe fuhr kreischend los. Am Flugplatz krochen wir in abgewrackte amerikanische Bomber. Die Benzintanks waren mit Gummi beplankt, daraus schnitten wir Schuhsohlen. Ich brachte sechs Kopfkissenbezüge aus Papiergewebe nach Hause, drei Zangen, eine Feile und einen Hammer, einen Sack Kartoffeln, mit Bettfedern vermischt, einen Karton mit Rauchpatronen, die man mit Hilfe einer Zündschnur abschießen konnte, und eine Luftwaffenuniform, die wir versteckten, um sie später blau zu färben. Nur an die grün-weiß gestreifte Fallschirmseide kam ich nicht heran. Die entdeckte ich erst an einem lauen Abend, und da war es in einem anderen Zusammenhang zu spät.

Der Feuerwehr- und Volkssturmmann Bohle nahm zum zweiten Mal Abschied. In zerschlissenem Zivil, mit Sack und Stock wie ein Pilger, brach er auf zu entfernten Verwandten. Klefalt, sein kurzzeitiger Partner im Endkampf und im Taubenstall, nahm eine Schippe und meldete sich am Bahnhof zur Arbeit. Auf dem Markt fand eine Versammlung statt, und wer älter als vierzehn war, dessen Erscheinen war Pflicht.

Die Plakate, die dazu aufriefen, begannen mit dem ungewohnten Wort „Bürger". Der Platz war voll, ein bedrücktes Gemurmel ging um, kam jetzt das böse Ende nach? Dann wurde es still, weil von der Ecke des Platzes her, wo Schrades Chemische Reinigung ist, ein Offizier quer durch die Leute kam. Er trug einen Stuhl auf der Schulter, bahnte sich mit kleinen Bewegungen der Hand eine Gasse, und hinter ihm ging ein Mann in Zivil, den ich schon gesehen hatte. Man raunte sich zu, daß der Offizier der Kommandant wäre. In der Mitte des Platzes stellte er seinen Stuhl ab und stieg hinauf. Er hatte einen dunklen Bart, der Oberlippe und Kinn bedeckte. Er begann zu reden; er redete eine Viertelstunde lang; er redete russisch, kein Mensch verstand ihn. Aber seine Stimme schwang sich über den Platz und über die Köpfe, machtvoll wie das Wort des Propheten, eine furchtsame, aber auch andachtsvolle Ruhe herrschte, und wer aufsah, der nahm wahr, daß der Kommandant die Faust erhoben hatte und daß er mit der Faust, wie einen Pflock in den Boden, die Rede in unsere Köpfe hieb, Satz für Satz und ein für allemal. Dann stieg er herab. Von der Mitte her lief ein schüchterner, schnell verebbender Beifall zu den Rändern des Platzes, niemand wollte sich ausschließen. „Schade, man versteht nichts", flüsterte meine Mutter. „Aber er scheint sympathisch zu sein", sagte meine Tante Liesbeth etwas lauter. Der andere Mann tauchte nun über der Menge auf, und jetzt wußte ich, woher ich ihn kannte. Es war der Totengräber Siwanowitsch, der auf unserem Friedhof die Gruben aushob. Und ich kannte ihn, weil zu Anfang des Krieges in unserem Haus der Ingenieur Hoffmann gewohnt hatte. Der stammte aus Riga, hatte einen Asbest-Fußboden erfunden, den niemand haben wollte, schlug cholerisch seine blutarme, baltische Frau, aber an friedvolleren Abenden holte ich für ihn Bier. Er saß dann auf der Bank auf unserem Hof, und bei ihm saß mit blassem, fleischigem Gesicht Siwanowitsch, schwieg und roch säuerlich nach Alkohol. Doch außerdem umgab ihn ein Geruch von Abenteuer und Unglück: im alten Rußland, hieß es, sei er ein hoher Offizier gewesen. Er ging stets langsam, mit würdevollem Schritt, sein Bauch schwang weich in seinem schäbigen Anzug, und über dem zerdrückten, offenen Hemdkragen trug er den Kopf sehr gerade.

Siwanowitsch also war, wie man jetzt erkannte, nicht untergegangen im schäumenden Meer der Geschichte, im Gegenteil, eine Welle hob ihn empor, vielleicht auch nur ein Spritzer, und stellte ihn auf einen Stuhl inmitten des Volks, und er rief mit heiserer Stimme aus, daß er der neue Bürgermeister sei. Das war sein erster Satz. Dann nahm er seinen speckigen Hut ab, schwenkte ihn mit weiter Bewegung und schloß seine Ansprache mit einem zweiten Satz, der hieß: „Alles Gutte, liebe Leute, alles Gutte ..."

An diesem Nachmittag plötzlich dachte ich daran, daß ich gern Inge Kaliska treffen würde und daß es bedeutsam wäre, wenn uns die geschichtlichen Ereignisse so zusammenführen würden. Aber ich spähte, während sich die Menge verteilte, vergebens nach ihr oder jemand von ihrer Familie. „Wie ein Russe sieht er nicht aus", sagte, als wir nach Hause gingen, meine Tante Liesbeth und meinte den Kommandanten.

„Wie ein Deutscher aber auch nicht", antwortete meine Mutter.

„Aber auch nicht wie ein Russe", sagte meine Tante.

Wir behielten ihn nicht lange, den schwarzbärtigen Mann, dem Tante Liesbeth so spontan vertraute. Die Soldaten mit den roten Armbinden führten einen wilden Burschen zur Kommandantur, in Matrosenkluft, mit gestreiftem Hemd, der hatte eine Menge Wut im Bauch und anscheinend auch eine Menge Schnaps. Denn als der Kommandant ein klärendes Gespräch mit ihm eröffnen wollte, holte er eine Eierhandgranate aus der Hosentasche, zog sie ab, stellte sie auf den Schreibtisch und ging aus dem Zimmer. Des Kommandanten Stellvertreter, der hinter dem Tisch saß, kroch unter die Tischplatte, aber der Kommandant, der daneben stand, konnte nur noch versuchen, aus dem Fenster zu springen, zu seinem Glück hob er den Arm vor das Gesicht. Wir sahen ihn, notdürftig verbunden, in einem Jeep wegfahren und sahen auch den gefesselten Matrosen auf einen Lastwagen klettern, und meine Mutter folgte mit Eimer und Schrubber einem Soldaten über die Straße und wischte Blut und Tinte auf. An dem Tag danach, glaube ich, war der Krieg zu Ende.

Die grün-weiß gestreifte Fallschirmseide sah ich erst, als Habedanks Tanzsaal eröffnet wurde. Es dämmerte, das Licht fiel matt aus dem offenen Fenster, vor dem sich staunende Kinder drängten, der Saal war voller Frauen, und jede dritte, glaube ich, trug eine Bluse aus dieser Seide. Auf der Bühne saß ein dünner alter Mann an einem Klavier, ein anderer Alter neben ihm geigte. Über ihnen hingen bunte Glühbirnen. Es war warm, aber aus den Fenstern drang noch eine andere Wärme, die unbestimmt nach Staub, Schweiß und Parfüm roch.

Ich sah zum ersten Mal, wie öffentlich getanzt wurde. Die Frauen wiegten sich weich miteinander, einige lächelten, als wenn sie sich an etwas erinnerten. Dann bemerkte ich unter den Tanzenden auch einige Männer, einen langen Bebrillten dabei, und erstaunlicherweise auch ein paar Jungen, kaum älter als ich, die mit ernsten, konzentrierten Gesichtern richtig erwachsene Mädchen vor sich herschoben; ich konnte mir nur denken, daß sie mit ihnen verwandt waren. Die Musik schwebte dünn über dem gleichförmigen Schleifen der Füße.

Ein sanfter Sog ging von den Fenstern aus, und verwundert und wunschlos hätte ich da sicher noch lange gestanden. Doch dann, eine Sekunde lang, gleich wieder verdeckt in einer langsamen Drehung, während der ich es schon wußte und doch nicht glauben wollte, sah ich Inge Kaliska. Sie sagte gerade was. Sie lachte. Sie blickte stolz in die Gegend. Und sie tanzte mit keinem Mädchen. Der sie drückte und zog und drehte, und sie machte genau, was er wollte; der sie dabei dauernd festhielt, und sie ließ es sich gefallen; dieser hinterhältigste und gefährlichste Feind meines Lebens war einer, den ich kannte: er hieß Äffchen Lehmann.

Später habe ich gedacht, wenn sie in diesem Moment mein Gesicht gesehen hätte, vielleicht hätte sie sich alles noch überlegt. Aber es hätte wahrscheinlich wirklich dieser eine Augenblick sein müssen, ehe ich in den Schatten zurücktrat, als müßte ich mich schämen, bemerkt zu werden. Einen klaren Gedanken hatte ich nicht. Ich wußte nur, daß ich in Habedanks Tanzsaal reinmußte, auf der Stelle. Aber vorher mußte ich nach Hause, um mir lange Hosen anzuziehen. Ich rannte so, daß ich Stiche kriegte.

Es handelte sich um den guten Anzug, in dem ich im November vierundvierzig fotografiert worden bin, damit wir meinem Vater zu Weihnachten das Bild schicken konnten. Ich trug ihn sonst kaum. Jetzt mußte ich, während Inge Kaliska in den Händen dieses affenohrigen Hundes Lehmann war, abgehetzt darum bitten, daß ich ihn anziehen durfte, um zuzusehen, wie bei Habedank getanzt wurde.

„Zum Zusehen brauchst du doch keinen Anzug", wandte meine Mutter ein.

„Doch", sagte ich verzweifelt.

Und Tante Liesbeth sagte prompt: „Er ist doch noch ein Kind, findest du nicht?"

Mit fliegenden Händen stellte ich die alte Bonbonschachtel auf den Kopf, in der ich mein Geld aufbewahrte. Ich bückte mich nach den Fußballschuhen unter dem Sofa, in deren rechtem ein anderer Reichtum verborgen war, und bekam heiße Ohren dabei, weil ich das Gefühl hatte, sie starrten mir auf den Rücken. Meine Mutter ermahnte mich, nicht später zu Hause zu sein als um neun. Nach Entrichtung einer Mark, nach Erhalt einer mit Bleistift numerierten Eintrittskarte, nach endloser Zeit, wie mir schien, betrat ich Habedanks Tanzsaal, der, wie ich jetzt wußte, mitten in der Bahn meines Schicksals lag. Es wurde gerade nicht getanzt, in meinem ungewohnten Anzug marschierte ich durch ein Spalier von Blicken. Der Tisch, an dem Inge Kaliska saß, stand links hinten neben einem Pfeiler. Ich bemerkte es gleich: sie trug nicht mehr die Klemme im Haar, ihr Mund war dunkelrot bemalt, und ich fühlte, daß ich sie von jetzt an bis in die Ewigkeit lieben würde. Es war ein würgendes Gefühl, denn im selben Moment sah sie mich und nickte mir zu wie einem guten, aber entfernten Bekannten. Ich trat an den Tisch, außer Äffchen Lehmann waren noch Heine Ganschows große Schwester und zwei Burschen da, die ich nicht kannte.

„Hol dir einen Stuhl ran", sagte Äffchen Lehmann harmlos. Ich lief in die Saalecke, wütend darüber, daß ich genau das machte, was er sagte. Als ich zurückkam, ging die Musik wieder los, Inge Kaliska tauschte einen Blick des Einverständnisses mit Äffchen Lehmann, der stand auf und machte eine alberne Verbeugung, auch sie erhob sich, ließ sich seinen steifgewinkelten Arm um den Rücken legen, und ich sah verblüfft und bekümmert, daß sie beide genau die gleichen Schritte machten. Ich saß eine Weile dumm am Tisch, dann hielt ich es nicht aus und ging zur Theke, wo lauter Frauen anstanden, und kaufte mir für vierzig Pfennig mein erstes Bier, es schmeckte zum Kotzen. Die Tanzerei dauerte endlos. Ich bemühte mich, nicht hinzusehen, und lenkte mich ab, indem ich ganz kleine Schlucke trank und auf die Texte hörte, die die Frauen mitsangen. Erst spielten sie „Unter der roten Laterne von Sankt Pauli", und dann spielten sie „Roter Mohn, warum blühst du denn schon?", und ich gebe zu, daß diese Musik mir mächtig durchging. Schließlich setzten sich alle wieder hin. Äffchen Lehmann verschwand zur Theke, jetzt konnte ich wenigstens mit Inge Kaliska reden. Aber meine Kehle war völlig verstopft, ich quetschte nur eine blöde Frage heraus: „Darfst du jetzt abends wieder raus?" Sie sah mich hochmütig an. „Denkst du, da frage ich erst?"

Ich sah Äffchen Lehmann zurückkommen, ich fragte hastig: „Wollen wir woanders hingehen?" – „Warum?" fragte sie verwundert. Äffchen Lehmann stellte zwei Bier auf den Tisch, eins für Inge Kaliska, ach, auch daran hatte ich nicht gedacht. Die Musik fing wieder an, Inge Kaliska, schon im Aufstehen, trank einen großen gierigen Schluck, am Glas blieb ein halbrunder Abdruck ihrer Lippen. Heine Ganschows Schwester verbreitete sich darüber, daß Äffchen Lehmann wirklich prima tanzen könne, er habe es von seiner Schwester gelernt, und sie wolle es ihrem Bruder Heini auch beibringen. Verflucht, ich hatte keine Schwester und hatte bisher nicht einmal geahnt, daß man dazu eine brauchen würde.

So ging der Abend dahin. Ich geriet auf meinem Stuhl in ein bitteres Schweigen, während Inge Kaliska tanzte und kicherte, egal, was er sagte, dieser Hund. Gott sei Dank kamen irgendwann zwei Russen rein. Sie verhandelten mit der Kapelle, dann gingen sie in die Hocke und tanzten mit nach vorn geworfenen Beinen. Mir gefielen sie schon deshalb, weil in der Zeit Inge Kaliska nicht tanzen konnte. Der Saal klatschte, der Geiger verneigte sich geehrt. Um zehn war Schluß.

Die Bismarckstraße runter lief ich einfach neben Inge Kaliska und Äffchen Lehmann her. Sie griff nach seiner Hand, ich versuchte mir einzureden, das bedeute nicht viel, obgleich es alles bewies. „Mußt du nicht da lang?" fragte sie mich am Markt.

„Ich komme noch ein Stück mit."

„Warum kommst du denn immer mit uns mit?"

„Das ist doch eine öffentliche Straße", sagte ich standhaft, obgleich ich verloren war. Ich schätzte ab, wieviel stärker dieser Hund sein könne, weil er zwei Jahre älter war. Ich erwog, mich bis zwölf, bis zur Sperrstunde, an sie ranzuhängen, doch zugleich fiel mir mit Beklemmung meine Mutter ein.

Wo die Straßenbahn in die Lauben abbiegt, wo die Kolonie „Süßer Grund 1" anfängt, da etwa, wo der Tote neben den Schienen gelegen hatte, blieb Inge Kaliska stehen. Sie sagte: „Ich will nicht, daß du weiter mitkommst." Ich antwortete haßerfüllt: „Was du willst, ist mir doch egal."

„Junge, mach doch keinen Quatsch“, sagte Äffchen Lehmann mit einer sanften Drohung.

Vielleicht wäre es richtig gewesen, ihm genau in dem Moment an den Hals zu springen. Aber mir fiel nur etwas anderes ein: Ich wollte Inge Kaliska kränken, und zugleich hatte ich eine letzte, irre Hoffnung. Ich griff in die Tasche nach der kleinen, silbernen Blechschachtel.

„Wenn du das meinst, das habe ich auch.“

„Du bist ein Schwein“, sagte sie.

„Was denn“, sagte ich elend, „warum denn?“

Sie verschwanden im Dunkel, Richtung Fußballplatz, und das sah ich noch: Äffchen Lehmann legte den Arm um Inge Kaliska, und sie drückte sich an ihn, weil sie darauf gewartet hatte. Ich dachte, daß ich lieber um sie getrauert hätte, wenn es ihr gelungen wäre, sich aufzuhängen.

Am nächsten Tag wurden zum ersten Mal wieder Kuchen gebacken, aus Roggenschrot. Meine Tante hatte ihre Uhr vor den Russen im Backofen versteckt, es fiel ihr erst ein, als wir den Kuchen rausnahmen. Es war Sonntag, schon Juni.

JOACHIM NOWOTNY

# Der glückselige Stragula

So von ungefähr: Mit einer Stiege Äpfeln über Land fahren, links ein Tritt, rechts ein Tritt, die eine Hand nach hinten zum Gepäckträger gedreht, die andere am Lenker, den Blick halb der Fahrspur im Sand, halb dem Ganzen gewidmet, den Sinn offen für diesen Tag, das ist Stragula, da fährt er hin im Oktober, bei strammem Wind von Osten, also treibend, bei Nachmittagssonne nebst Wolken, im Geräusch der welken Blätter. Und er biegt jetzt ab, der Stragula, bekommt den Wind von der Seite, liegt ein wenig schief in der Gegend, fährt bis zum Wald, richtet sich in dessen Schutze auf, tritt wieder links, tritt rechts, die eine Hand hinten auf dem Stiegenrand, die andere am Lenker. Spremberger Weg, denkt er, na also, Spremberger Weg.

Das ist nun schon alles. Oder wenigstens der Anfang. Denn Stragula gerät ins Wanken, er nimmt den linken Fuß von dem Pedal, stoppelt drei Schmälgraswülste ab, steht, hebt das rechte Bein vorsichtig über die Querstange, stellt das Rad an den Baum, setzt sich auf den Stamm. Und wundert sich gewaltig, daß er plötzlich so glücklich ist.

Mißtrauen stößt auf die Galle: Das kann doch nicht sein, Stragula, einfach so glücklich, ohne alles, mitten aus dem Tag heraus, während einer Apfelfuhre, da stimmt doch etwas nicht. Stragula horcht in den Wind, er blinzelt in die Sonne, schnüffelt den Pilzdunst, fühlt das Holz unter sich – er kann es nicht bestreiten, er ist glücklich. Wenigstens für den Moment.

Aber den kann man vielleicht festhalten.

Stragula steigt auf, fährt weiter, immer den Spremberger Weg entlang, ein bißchen eilig jetzt und auch froh, daß er weiß, wie dieser Weg heißt. Denn das wissen nur noch wenige hier, die Alten, deren Väter einst Gespanne und Vieh zum Markt getrieben haben, die vielleicht gerade noch.

Es muß damals hier laut zugegangen sein, Peitschenknall und Achsknarren, hü und hott, der derbe Zuruf von Kutschbock zu Kutschbock, nach dem Schluck aus der Tonschnapsflasche, das Gezeter der Zigeunerweiber hinten im Planwagen und die laute Ungeduld der Burschen, wenn sie sich mit einem Mädchen in die Büsche schlugen.

Heute gibt es keinen Markt mehr, dieses Spremberg ist eine Stadt unter vielen, kein Zentrum, zu dem man strebt; wenn einer was will, dann benutzt er die Bahn oder die Asphaltstraße drüben hinterm Wald. Der alte Weg existiert noch, zugewachsen, kaum erkennbar, bedrängt von Pflugscharen, die Raum brauchen, soll ihre Spur rentabel sein. Vielleicht fährt Stragula das letzte Mal hier zwischen Feld und Wald, vielleicht verschwindet das, was sich Spremberger Weg nennt, bald ganz unter den Ackerschollen. Für Stragula wird noch der sandhelle Streifen hinter dem Pflug bleiben, was er war: der Spremberger Weg.

Stragula braucht diesen vertrauten Umgang mit der Gegend. Nicht, daß er altmodisch wäre, nein, aber er muß die Dinge benennen können, möglichst mit einem Namen, der was hergibt, dem sich was abhorchen läßt, der Stilles laut macht und Totes lebendig . . .

Stragula lebt hier und ist hier zu Hause, da gibt es keinen Zweifel. Auch wenn er nun auf einmal abbiegt, einem unbekannten Pfad durch indifferente Kiefernschonungen folgt, auch wenn er die Richtung nur ahnt, weiß er jeder Wurzel auszuweichen, jede Biegung zwischen Bäumen ordentlich anzusteuern, er fährt und fährt, er könnte die Augen schließen, aber er läßt sie offen. Er freut sich, der Stragula, auf das Geraschel der harten Eichenschößlinge, die nun seine Knie berühren, er freut sich auf den Blick die Schneise hinab ins Dorf, er atmet den beizenden Geruch von Grasfeuern im Oktoberwind tief in sich hinein, läßt das Rad rollen, sieht, daß er erwartet wird.

Natürlich wird er erwartet. Waleska, rund, füllig, umgänglich, lacht ihm entgegen. Sie steht im Hof, gelassen und selbstverständlich, nimmt die Apfelstiege vom Gepäckträger, damit Stragula das Bein ordentlich und männlich über den Sattel heben kann. Zwei, drei Worte werden gewechselt, nichts Bedeutendes, mehr ein Ritus, der die Begrüßung ersetzt, wenn man sich jeden Tag sieht.

Die Äpfel also gleich hoch in die Giebelkammer. Waleska geht auf der Holzstiege voran, Stragula, der Glückliche, folgt ihr, die Früchte vor der Brust. Sein Blick gleitet über die Goldparmänen zu Waleskas sanft bewegten Hüften. Oben, noch schwer an Dachbodendunst und Apfelsüße atmend, empfängt er seinen Lohn, einen ziemlich langen, ziemlich heißen Kuß. Er will etwas erklären, will eigentlich sagen, daß das Apfelgeschenk gewissermaßen Sühne für den Abend sei, an dem er nicht bei ihr sein wird, aber Waleska weiß das längst, sie weiß immer alles längst, sie schiebt ihre Schulter aus dem Schürzenausschnitt, weiß, daß Stragulas Lippen nach eben jener Stelle ihres Körpers verlangen. Sie wird genau im rechten Moment taumelig in den Beinen, nicht ohne Geschick freilich, das geht alles ineinander über, die kleinen Schritte zurück, das aufregende Hinübergleiten, die Hingabe auf vorbereitetem Lager.

Später – Stragula ist allein unten in der Wohnküche, er hat eine Flasche Bier beim Wickel –, später schüttelt Stragula lächelnd den Kopf: So eine Frau, mein lieber Mann!

Einfach am hellichten Nachmittag, die Tür stand offen, die Hühner werden ihre Hälse in den Flur gereckt, die Katze wird auf der Ofenbank geschnurrt haben, die Leute werden vorbeigegangen sein, er aber, Stragula, hat bei dieser Frau gelegen, verführt oder seinem Drange folgend, er weiß es nicht. Er weiß nur, daß es so in Ordnung ist in dieser Unordnung. Er hat seine Vorlieben bei der Sache, und Waleska errät sie spielend. Sie läßt ihn gewähren und versteht es sogar, Befriedigung daraus zu ziehen, Befriedigung, die ihn erregt und entspannt, mehr kann man nicht verlangen.

Stragula ist ganz ruhig jetzt, er atmet leicht, brennt sich eine Zigarette an, streicht der Katze versunken übers Fell. Irgendwann wird man heiraten, er, Stragula, der jugendliche Hagestolz, und sie, Waleska, die mittelfrühe Witwe. Und auch das Irgendwann macht Stragula froh, es ist so unverbindlich, es verlangt keine sofortige Entscheidung, keine Vorsorge, keine Pläne, es läßt alles bei diesem langen glücklichen Moment.

Stragula wartet nicht, bis Waleska herunterkommt. Er geht leise ums Haus, denkt für Sekunden ganz hinten im Kopf daran, daß er später allerhand zu richten habe, das Fachwerk weißen, die Balken schwärzen, das Dach ausflikken, vielleicht ein neuer Zaun – aber das ist alles so weit und ungenau, es kann Stragulas Freude nicht verwässern. Er besteigt das Rad, fährt aus dem Dorf, die Straße entlang hinüber in dieses Heidenest, von dem die Leute sagen: Drei Häuser, fünf Spitzbuben, eine Kneipe und Kegelbahn. Landläufige uralte Witze, sie stimmen nicht mehr, man lacht aber trotzdem, auch Stragula lacht, und er ist froh, daß er es kann.

In der Kegelstube ist schon Betrieb. Stragula kommt eine Viertelstunde zu spät. Das Hallo, die unter diesen Umständen fälligen Strafrunden und die spöttischen Erkundigungen nach dem Grund der Verspätung nimmt Stragula gelassen auf. Ja, er betrachtet sie wie wohlverdiente Ovationen, er geht auf den Ton ein, er ist unter seinen Leuten.

Nach Bier und launigem Gespräch schiebt er seine hundert Kugeln, er bleibt mit 13 unter dem Durchschnitt und damit im Rahmen seiner Möglichkeiten. Besonders sportlichen Ehrgeiz hat er nicht, der Stragula, ihn lockt die Männergesellschaft am Freitagabend, das sich langsam entfernende Summen der Kugeln, das Geprassel der Kegel, wenn die Kugel sie erreicht, und der kurze Polterschlag, mit dem sie am Wandschutz ihren Lauf beendet. Er liebt den erregenden Augenblick, wenn sich der letzte Kegel wie nachdenklich in seiner Standmulde dreht, langsam, sehr langsam schwankt und sich zum Kippen oder Stehenbleiben entschließt, alle neune oder nicht. Den Triumphschrei seiner Freunde liebt er, wenn einer drei neunen hintereinander schiebt, und selbst den Kummer, daß er es noch nie dazu gebracht hat, den liebt Stragula auch.

Nach zwei weiteren Bieren muß Stragula mal raus. Die Dunkelheit überrascht ihn, der Wind ist kälter geworden, auch zugiger, wie's Stragula scheint, dennoch sammelt sich in der Wiesenmulde hinterm Dorf der erste Nebel. Stragula ist froh, daß er dort nicht hin muß. Er flüchtet zurück in Licht und Wärme, reibt sich die Hände, hat Appetit auf einen Grog, setzt also bei der nächsten Bierrunde aus und trinkt auf eigene Kosten.

Das ist eigentlich ein Verstoß gegen herrschende Sitten, aber Stragula kann sich das erlauben, er zählt hier etwas, und gewisse Eigenheiten werden respektiert. Schlimmer steht es um einen gewissen Robel, der ist schon das dritte Mal überhaupt nicht zum Kegeln erschienen, man wird mit ihm reden müssen, sonst gerät die Strafe für unentschuldigtes Fernbleiben zu hoch. Aber, sagt einer in den Rauchnebel über den Köpfen, der kommt überhaupt nicht mehr, der Robel, der macht weg hier, den können wir abschreiben. Der lernt jetzt Französisch, sagt ein anderer, Intensivstudium, ein Jahr lang täglich zehn Stunden, und dann geht er nach Afrika, so Guinea oder Algerien, als Deutschlehrer. Seine Frau übrigens auch.

Stragula nippt an seinem Grog, sagt: Quatsch, sagt er, Blödsinn so was, würd ich nie machen, ich könnt hier nie weg, kein Stück, ich tu meine Arbeit, und wenn's sein muß, auch etwas mehr, aber hier weg, nee, Herrschaften, keine zehn Pferde.

Dann ist es still in der Runde, die Biergläser schlagen ihre

Schatten aufs Tischtuch, aus den Aschenbechern steigt Rauch, als hätte er es eilig, zu der Wolke über dem Lampenschirm zu kommen. Einer sagt: Afrika, mein lieber Mann! Aber auch das stört die Stille nicht beträchtlich. Doch das ist so eine komische Ruhe, es sind halbgedachte Gedanken in ihr, auch Möglichkeiten, Traumfetzen, Spannungen, allein Stragula in all seinem Glück hat den Schneid, auf den Tisch zu hauen, Schluß zu sagen, diesen Robel hier abzumelden, den aufreizenden Geschmack der Ferne mit einem Bier von der Zunge zu schwemmen.

Es wird ein merkwürdig strammes Zechgelage diesmal. Besonders Stragula kann nicht genug bekommen. Er trinkt wieder und wieder außer der Reihe, weil ihm die Runden zu langsam anrollen, er spielt den obligatorischen Doppelkopf wie ein Besessener, will auch um Mitternacht nicht aufhören, streitet sich mit dem Wirt noch lange um Wert oder Unwert der Polizeistunde, taumelt schließlich doch am Lenker seines Rades durch die Nacht, verfährt sich, verirrt sich, gerät in Nebel, findet sich irgendwann in der reifigen Frühe vor Robels erleuchtetem Fenster, ist ziemlich nüchtern jetzt und hat den glückseligen Moment verloren.

Von nun an wird wieder anders gezählt.

IRMTRAUD MORGNER

# Weißes Ostern

Als ich den Umsteigebahnhof erreichte, hatte sich der Abstand zwischen den Wehen auf zwanzig Minuten verringert. Die Menschenmenge drängte aus den Zugtüren zu den Abgängen. Ich stellte meinen Koffer an die rechte Wade und wartete am Ende des Bahnsteigs, der auf eine Brücke gebaut war. Bei Ausfahrt des Zuges erzitterte die Brücke. Er gab die Aussicht frei auf die beiden Dächer der Bahnsteige, die die Brücke rechtwinklig kreuzten. Die Dächer waren umgeben von einem Lichthof, der hob sie aus der Dunkelheit. Zwischen den Bahnsteigen waren zwei, rechts und links von ihm mehrere Gleispaare verlegt. Der Wind fegte Schnee von den blühenden Forsythiensträuchern, die den Bahndamm bewuchsen. Als die Menge in den Abgangsschächten versackt war, nahm ich den Koffer wieder vorsichtig auf und stieg langsam die Stufen zum rechten Inselbahnsteig hinab. Eine Wehe überraschte mich, ich steuerte die nächste Bank an, konnte sie jedoch nicht mehr erreichen und ließ mich auf meinen Koffer nieder. Die Bank war besetzt von einem Mann und drei Frauen. Da ich mich der im Kursus erhaltenen Ratschläge erinnerte, blieb ich auf meinem Koffer sitzen und memorierte psychoprophylaktische Verhaltensweisen. Obgleich laut Anweisung bei vorzeitigem Blasensprung unverzüglich die Klinik aufzusuchen ist, hatte der Zug Verspätung. Dann bummelte er, der Taxichauffeur fuhr höchstens dreißig, und vor der Tür der Entbindungsstation mußte ich auch warten, ehe nach mehrmaligem Klingeln eine Schwester öffnete.

Ich überreichte eine Karte, die bescheinigte, daß ich den psychoprophylaktischen Kursus absolviert hatte, und brachte mein Anliegen vor. Die Schwester steckte die Karte in ihre Schürzentasche, nahm mir den Koffer ab und trug ihn durch einen warmen, auffällig gebohnerten Korridor, der nach Wofasept roch, echofähig war und überbelichtet. Die weißen Wände blendeten. Die steifgestärkte Schürze und die Faltenhaube auch, die Schwester sah neuwaschen, gestärkt und antiseptisch aus. Im Aufnahmezimmer brühte sie sich einen Kaffee, derweil ich mich auszog. Ich schloß meine Kleider in ein Spind und hoffte, sie würden mir bald nicht mehr passen. Da ich geschult und belesen war, wunderte ich mich nicht, daß mir ungebadet ein Nachthemd zuerkannt wurde, es bedeckte vermutlich die Oberschenkel. Dann watschelte ich zu einer Pritsche, alle hochschwangeren Frauen watscheln breitbeinig mit vorgestrecktem Bauch, der hatte bereits abgenommen, mit Hilfe einer Fußbank erstieg ich die Pritsche. Die Schwester räumte das Kaffeegeschirr beiseite, reichte mir ein Thermometer, zählte die Pulsschläge, drückte ein kaltes Metallhörrohr gegen meinen heißen Bauch und setzte sich zufrieden hinter den Schreibtisch. Dort notierte sie meine Personalien und befragte mich nach Kinder- und anderen Krankheiten, Operationen, Geburten, Fehlgeburten, Schwangerschaftsunterbrechungen, Schwangerschaftsverlauf, Geburtstermin, Wehenbeginn, Wehendauer, Wehenabstand, ich vermutete Markstückgröße. Die Schwester streifte einen Gummihandschuh über die rechte Hand und sagte bald: Haselnußgröße. Sie lachte mit beiden Mundwinkeln, aber ich ließ mir keine Enttäuschung anmerken, die Literatur behauptet, Enttäuschung senkt die Schmerzschwelle. Die Schwester kreidete meinen Namen auf eine blaue Tafel. Die war so breit wie die Wand und etwa zwei Meter hoch, Angaben über alle Eingänge des Tages waren auf sie gekreidet, vor meinem Namen stand die Nummer 21, die Schwester wünschte mir Glück für das bevorstehende einzigartige Ereignis und geleitete mich in den Kreißsaal. Auf dem Weg dorthin über den auffällig gebohnerten, echofähigen Korridor fragte ich mich, woher ich die Leute kannte. Der Mann hatte vornübergeneigt in der Bankecke gelehnt, die drei Frauen sprachen miteinander, ihre Münder dampften. Als der S-Bahn-Zug nach Mahlsdorf einfuhr, standen die Frauen auf und bedeuteten dem Mann, er sollte aufwachen, wenn er mitreisen wollte. Dann klopfte ihm die älteste der Frauen Bauch, Arm und Rücken, schließlich ergriff sie seine Schulter und rüttelte ihn derart, daß sein Kopf gegen das über der Lehne der Doppelbank angebrachte weißemaillierte Schild schlug, auf dem mit großen schwarzen Lettern der Name „Ostkreuz“ geschrieben stand. Die Tür mit der Aufschrift „Kreißsaal“ war offen, ein Pfleger schob eine Räderbahre in den Korridor, auf der Bahre lag eine Frau mit verklebtem Haar, der Pfleger sagte zur Schwester, der Oberarzt wäre mit seinem Mercedes im Schnee steckengeblieben, die Schwester sagte „Patientin vom Chef“, ich wurde in den kleinen Kreißsaal geführt. Ein Raum mit hellblau gekachelten Wänden, zwei leere Betten mit Nachttischen am Kopfende und kleinen Tischen hinter den Fußbrettern, auf den kleinen Tischen verchromte Instrumentenkästen, daneben in Gestellen hängende Deckelschüsseln, zwischen den Betten ein Paravent, den Milchglasfenstern gegenüber Wasserboiler, Spülbecken, an der Stirnwand die Uhr. Die Uhr zeigte sieben Minuten nach Mitternacht, als ich das Kreißbett bestieg. Keine Minute später trat eine Frau mit Halsbrosche auf und an mein Bett und begrüßte mich mit Handschlag, ich hielt sie für eine Hebamme, sie war jedoch die Oberhebamme. Sie rasierte mich unverzüglich, verabreichte einen Einlauf und schimpfte über das unzeitgemäße Wetter. Dann gab sie mir ein Thermometer, zählte die Pulsschläge, stellte ein kaltes Hörrohr auf meinen heißen Bauch und setzte sich zufrieden hinter den Schreibtisch. Im kleinen Kreißsaal stand nämlich auch ein Schreibtisch. Nunmehr notierte sie meine Personalien und befragte mich nach Kinder- und anderen Krankheiten, Operationen, Geburten, Fehlgeburten, Schwangerschaftsunterbrechungen, Schwangerschaftsverlauf, Geburtstermin, Wehenbeginn, Wehenabstand, Wehenstärke, ich sagte: erträglich, Haselnußgröße, manche Männer mögen bescheidene Frauen. Die Oberhebamme streifte einen Gummihandschuh über die rechte Hand und sagte bald: „Blumendraht." Meine Wehen bezeichnete sie als unernst. Sie riet mir zu schlafen, um Kraft zu sparen, und wünschte eine gute Nacht. Dann löschte sie das Licht, ging und ließ die Tür offen. Die Tür führte zum großen Kreißsaal nebst Babyraum. Ich wälzte mich auf die Seite, auf der ich keine Bewegung spürte, Entspannungslage, gelernt ist gelernt, ein Kreißbett ist hart, ich kniff die Augen zu, um Kraft zu sparen. Der Oberarzt schien eingetroffen zu sein, ich hörte seinen Amtstitel wiederholt von weiblichen Stimmen gerufen und eine männliche Stimme, die sagte: „Schöner Sonntag." Stöhnen, Schreie, Befehle, Babygebrüll, ich ärgerte mich, daß ich noch immer in meinem Gedächtnis nach dem Speicherplatz suchte, den der Mann und die drei Frauen besetzt hielten. Der Mann hatte einen rundschädligen Kopf, der mit schütterem blassem Haar und einer Fräse bewachsen war. Augen, Brille, Haut und Anzug schienen von gleicher Blässe und Dürftigkeit wie das Kopfhaar, jedenfalls fiel bei Licht nur der rote, üppig wachsende Bart ins Auge. Die messingfarbene Sichel teilte die Gestalt des Mannes, jemand behauptete, er hätte einen Hammer, die Frauen riefen nach einem Arzt. Alle Stunden etwa kam ein Arzt mit einem Gummihandschuh an mein Bett, aller halben Stunden eine Schwester mit Metallhörrohr und Minutenglas, wenigstens aller Viertelstunden hörte ich den ersten Schrei eines Babys. Von meinem wurde mir nur berichtet, daß es ihm gut ginge. Kopflage. Es trat mein Zwerchfell. Alle Ärzte, die in dieser Nacht meine Bettdecke lüfteten, sagten, daß sie ein Wehenschema ansetzen und Penicillin spritzen würden. Die Chefvisite wurde für acht Uhr erwartet. Um fünf kam die Reinigungsfrau und bezeichnete Äußerungen, die behaupteten, alles wäre vergessen, sobald das Kind da wäre, als Mumpitz. Solche Schindereien vergäße man nicht, sie hätte die Strapaze sechsmal durchgemacht, ihr könnte man nichts erzählen. „Hatten Sie den Kursus für schmerzarme Entbindung absolviert?“ fragte ich. „Gottbewahre“, sagte sie. „Elf Jungs in dieser Nacht, heute ist die Jungskiste offen, wenn Sie sich beeilen, kriegen Sie vielleicht noch einen ab, mein Mann war wütend, als das erste ein Mädchen war, es ist doch Ihr erstes?“ – „Ja“, sagte ich. „Aha“, sagte sie, „manche Männer haben ihre Frauen nicht besucht, wenn Mädchen angekommen waren, deshalb dürfen die Schwestern den Vätern am Telefon nicht verraten, ob Männlein oder Weiblein, Anweisung vom Chef, ich hab vier Söhne und zwei Töchter, und was wünschen Sie sich?“ – „Einen Menschen“, sagte ich. – „Und Ihr Mann?“ – „Ich wünsche mir einen gesunden Menschen von mäßiger Intelligenz“, sagte ich. „Manche Tage entbinden mehr ledige Frauen als verheiratete“, sagte sie, „ich hab mit achtzehn geheiratet und die Kinder hintereinander weg, meine Mutter hatte acht, als die Kinder groß waren und mein Vater tot, hat sie sich ein schönes Leben gemacht.“ Wir wünschten einander Glück und begaben uns an die Arbeit: sie wischte und bohnerte, ich atmete anweisungsgemäß. Um sieben wurde meine Bettdecke faltenfrei gestrichen. Dreiviertel neun erschien der Chef mit dem Oberarzt, einer Oberärztin, zwei Ärzten und der Oberhebamme, die Assistenzärzte mußten draußen bleiben, der Chef sagte „Wehenschema, Penicillin“ und fragte mich, ob ich mir die Gemäldeausstellung angesehen hätte, wir tauschten unsere Ansichten über Paula Modersohn-Becker aus. Nach der Visite brachte mir die Oberhebamme drei Pillen, ein Glas Wasser, eine Penicillinspritze, eine zweite Tischglocke und sagte: „Sachen gibt’s, neulich kam abends ein Mädchen, da war schon der Kopf zu sehen, sie kam mit Mutter und Schwiegermutter und Mann, ein verheiratetes Mädchen von siebzehn vielleicht, der Mann war auch nicht viel älter und konnte vor Aufregung nicht sprechen, ich sage zu ihm, hat denn Ihre Frau nicht über Schmerzen geklagt, Eröffnungswehen sind doch schmerzhaft, die meisten Frauen empfinden Eröffnungswehen schmerzhafter als Preßwehen, Ihre Schwiegermutter muß doch gemerkt haben, daß es soweit ist, warum kommen Sie denn so spät, aber er konnte nichts sagen, kaum hatten wir ihr die Kleider runtergerissen, war das Kind auch schon da, Sachen gibt's." In einem von den Büchern, die ich gelesen hatte, stand, daß eine Generation erzogen werden müßte, der der Begriff „Geburtsschmerz" überhaupt nicht in den Sinn käme, weshalb das Wort weder gesprochen noch geschrieben werden, sondern durch das Wort „Geburtszusammenziehung" ersetzt werden müßte. Es wäre zwar natürlich, daß eine schmerzarme oder kurze Entbindung nicht das Interesse von klatschsüchtigen Frauen weckte, die sich lieber eine unregelmäßige und komplizierte Geburt dramatisch schilderten. Wer jedoch ein Kind erwarte, der solle derartigen Schilderungen erst gar nicht zuhören, da sie den bedingten Reflex auf Schmerzen verstärkten, die Zugaufsicht hatte geschrien, der Bahnhofssanitäter wäre verständigt. Alle, die auf der Rückseite der Doppelbank gesessen hatten, erhoben sich jäh und rafften ihr Gepäck an sich. Im Menschenstrom, der sich von dem ein Stockwerk höher gelegenen Bahnsteig herabwälzte, entstand ein Wirbel. Wer in seinen Sog geriet, wurde einer kreisförmigen Menschensammlung einverleibt, deren Mittelpunkt der Mann war, den ich kannte, aber woher? Sein Kopf hatte sich so weit vornübergeneigt, daß der messingrote Bart auf seiner Hemdbrust lag wie ein Eßlatz. Einmal stündlich drei Pillen, langsam begannen sie zu wirken, die Oberärztin sagte: „Mal sehen, ob Sie es allein schaffen." – „Und wenn ich es nicht allein schaffe?" fragte ich. „Müssen wir es holen", antwortete sie. Im Gemüsekonsum half ein Schwachsinniger, Zangengeburt, früher sollen die Lebensaussichten bei vorzeitigem Blasensprung gering gewesen sein, behauptet Anne, meist hätte man das Kind zerstükkelt, um die Mutter zu retten, ich fror, ich erinnerte mich, daß meine Freundin Anne für den Kreißsaal wollene Strümpfe empfohlen hatte, meine Freundin Anne ist Krankenschwester, wer schreit, arbeitet nicht, sagt sie, ich beschloß zu arbeiten. Das war in der Periode der Arbeitslosigkeit, die medizinisch als Eröffnungsperiode bezeichnet wird. Der Mechanismus arbeitete, angetrieben durch Pillen und Spritzen, er arbeitet hart. Fünf Wochen zu früh. Der Begriff „Geburtsschmerz“ kam mir nicht in den Sinn, ich dachte: raus, Sonntag, erster Sonntag nach dem ersten Frühlingsvollmond, ich dachte: Nie wieder. Die Oberhebamme sagte, in zwei Stunden hätten wir es geschafft. Noch zwei Stunden schaffe ich nicht, dachte ich, raus, lebendig oder tot, die drei Frauen hatten den Mann auf die Bank gelegt, unter Aufbietung zu großer Kräfte wahrscheinlich, seine Gliedmaßen schlenkerten, als die Preßwehen begannen, erschien der Professor mit der Oberärztin, dem Narkosearzt und der Oberhebamme. Die Oberhebamme kommandierte, wenn die Wehe kam, hob sie meinen Kopf, bis das Kinn gegen das Brustbein stieß, und kommandierte Luft holen, pressen, jeweils dreimal, beim Pressen atmen rügte sie, ich vernahm nur Befehle und Rügen und umklammerte meine Knie, so fest ich konnte, manchmal rutschten die schweißigen Hände ab, das wurde auch gerügt, die Wehen folgten jetzt dicht aufeinander, der Krampf löste sich nur noch wenig, in den kurzen Pausen zitterte ich schüttelfrostartig, die Hebamme sagte vorwärts, Gott wäre ein Mann, eine Frau hätte sich für das Geschäft was Besseres einfallen lassen, vorwärts, vorwärts, Ungerechtigkeiten müßte man mit Wut begegnen, vorwärts, vorwärts, der Kopf wäre schon etwas zu sehen, schon gut zu sehen, schon ganz deutlich zu sehen, ein schwarzbehaarter Kopf, ich sollte die Zähne zusammenbeißen und auf die Schöpfung scheißen: gut. Bevor die Äthermaske den Schmerzriesen niederschlug, zählte ich ihn aus, eins, zwei, drei, vier, fünf, sechs, sieben, acht, neun. Als ich erwachte, lag ich ausgestreckt im Bett, die Füße übereinandergelegt, mich drückte eine warme, faltenlose Decke, der Professor sagte: „Fertig.“ – „Und die Nachgeburt“, sagte ich. „Alles fertig, gratuliere zum Sohn, he, zeigt ihr mal das Kerlchen.“ Der Narkosearzt und die Oberärztin gratulierten. Die Oberhebamme sagte: „Ich hab Hunger.“ Als der Sohn gebracht wurde, erschrak ich, äußerte jedoch lediglich Verwunderung darüber, daß in so großen Bäuchen so kleine Menschen hergestellt würden, der Professor sagte: „Sechs Pfund und dreihundertfünfundsiebzig Gramm ist nicht klein.“ Ich sah Kopf und Gemächt, beides unverhältnismäßig groß: das Wichtigste; dann ziemlich rote, gepuderte Haut, ein angedrücktes Ohr, Augenbrauen, große, zugekniffene Lider, Wimpern, eine Blechmarke mit der eingeprägten Zahl 21, teelöffelgroße Hände, Fingernägel, Nagelmonde, ich fragte: „Ist alles dran?“ Da mich Fachleute beobachteten, entschloß ich mich, mit der rechten Zeigefingerkuppe ein Bein anzutasten. Das war faltig an den Oberschenkeln. An den Oberarmen warf die Haut ebenfalls Falten und fiel auch sonst überwiegend leger wie bei Welpen. Ich blieb noch zwei Stunden im Kreißsaal und lauschte dem Gebrüll der Babys, der Sohn keckerte. Er lag in einem Wärmebett im Babyraum. Ich lag allein im kleinen Kreißsaal und wartete auf Essen. Ich hatte einundzwanzig Stunden nicht gegessen. Da die Hebammen beschäftigt waren, mußte ich lange warten. Ich hörte ihre Befehle, Stöhnen, Schreie, Gebrüll, Gekecker, zwei, drei Stunden des Tages vergingen, an dem ich nicht bedauerte, eine Frau zu sein. Mir fiel ein, daß der Mann der Gartennachbar meiner Tante war. Im Sommer pflegte er mit seiner Mutter, der Schwester seiner Mutter und einer Frau namens Maria eine Gartenlaube zu bewohnen. Maria hatte seine Beine, die in schwarzen Manchester gehüllt waren, so auf die Bank geordnet, daß Knie und Fußknöchel sich berührten. Die Hände verschränkte die Schwester der Mutter in der Mulde unterhalb des Brustkorbs. Die Mutter redete auf den gelblich glänzenden Kopf ein. Die Augen des Zimmermanns starrten gegen die Planken des Kreuzes, das den Umsteigebahnhof überdachte. Ich mühte mich zu begreifen, daß ich einen Sohn hatte.

WERNER BRÄUNIG

# Unterwegs

Jedenfalls: Wir fahren. Da sind die Transportpapierchen, da ist die Thermosflasche, dies ist die Autobahn. Es ist zehn Uhr, Sie hören den Wetterbericht. Dichtung und Wahrheit und so weiter.

Nämlich: es regnet. Es regnet seit Zwickau, hat etwas nachgelassen vor Leipzig, hat zugenommen am Schkeuditzer Kreuz und prasselt nun über die Elbe hin. Das einschläfernde Geräusch des Scheibenwischers. Die Monotonie der Straße. Eben noch hatte Karl gedacht: Einen Beifahrer, wenn man hätte. Teure, allzu teure Kollegen. Und nun – stand etwas an der Autobahn, ein Köfferchen neben sich, stand da und hatte ein Kopftuch um und ein Mäntelchen gegen den Regen, der über die Kiefern pfiff, und das war mitten im Fläming. Ringsum nichts als Wind und Heide. Nichts als Kiefern und Regen und Sand und Wind. Karl hatte schon den Fuß auf der Kupplung. Nie im Leben hatte er in dieser Gegend einen Anhalter gesehen.

Sie schob das Köfferchen herauf und kletterte herein. Karl sagte: „Na, da wringen Sie sich erst mal aus." Er ließ den Wagen anrollen. Der Anhänger schob, die Strecke war leicht abschüssig.

Saß nun da in einem von diesen Pullis, kämmte sich das Haar, nun ja. Wie kommt ein Mensch in diese Gegend? Man steigt aus, oder man wird ausgestiegen. Man wird seine Gründe haben, gewiß. Der Fläming ist ein flach gewölbter, eiszeitlich geformter Teil des südlichen Landrückens, relativ dünn besiedelt, Kiefernwaldgebiet. Das hat man noch im Gedächtnis. Man hat allerhand so Sachen im Gedächtnis. Und sie wird schon noch den Mund aufmachen. Wie wäre es angesichts der Wetterlage beispielsweise mit einem Kaffee?

Sie schraubte den Becher von der Flasche, trank in kleinen Schlucken und sagte: „Nicht übel.“ Weiter sagte sie vorläufig nichts. Sie sah ihn nur manchmal von der Seite an. Das ging so bis in die Gegend von Niemegk. Da fragte Karl: „Und wo wollen Sie nun eigentlich hin?“

„Immer nach Norden“, das war natürlich auch eine Antwort. Rostock oder Helsinki, wer weiß. Außerdem schien sie irgendeinen Kummer zu haben. Vielleicht auch Ärger, wer kennt sich da aus? Eine kleine Aufmunterung, wenn man wüßte, wie. Zum Beispiel singen, wenn man könnte. Die brachte einen aber auch auf Ideen.

Oder so: Es war mal einer, den schickten seine Leute zum Studium, und er seinerseits kam in den Sommerferien für drei Wochen in den Betrieb, damit seine Leute auch mal Sommerurlaub hätten. Nun war dieser Betrieb aber eine Spedition, und es begab sich, daß unser Mann auf seiner ersten Fahrt zwei Transformatoren von Zwickau nach Magdeburg zu bringen hatte, und zwar ohne Rückfracht, aber dafür brandeilig. Fährt also los, und in Magdeburg erfährt er zu seiner großen Freude, daß die Leute da nur einen von seinen Transformatoren brauchen. Anruf in Zwickau: Ein kleines Mißverständnis. Der zweite Trafo muß nach Rostock. Unser Mann also ab an die Waterkant. Als er da ankommt, ist es fast Nacht, und in jener Firma weiß kein Mensch Bescheid, aber nach drei Stunden findet sich immerhin ein freies Bett. Anderntags ist es dann so, daß sie tatsächlich händeringend auf einen Trafo warten, aber auf einen anderen Typ. Nun tritt also wieder die Erfindung des Herrn Philipp Reis in Aktion. Lange weiß sich keiner einen Rat, von Rückfahrt ist die Rede und auch wieder nicht, weil nämlich beispielsweise Eisenhüttenstadt auf einen Trafo wartet, und das wäre ja nun auch kein so großer Umweg mehr. Der

Rest ist unglaubwürdig, aber solide überliefert. In Eisenhüttenstadt brauchen sie diesen Trafo in der Tat, nur, daß sie ihn schon seit drei Wochen haben. Sparen wir die Szene, die unser Mann tags darauf in seinem Betrieb aufführte. Sagen wir nur: Von da an hatte er natürlich seinen Spitznamen weg. Odysseus. Odysseus Meyer. Obschon er eigentlich Karl hieß. Und ist das nun etwa nicht hübsch?

Immerhin: Sie lächelte. Und sagte, falls die Geschichte nicht wahr sei, sei sie zumindest gut erfunden. Und wollte wissen, welche Fakultät der Kollege Odysseus belegt habe. Und sie ihrerseits studiere also Architektur.

Regen, Schwefelregen, verschmierte Fahrbahn. Nein: Nach Penelope hat sie nicht gefragt. Der Anhänger hängt ziemlich seltsam im Rückspiegel. Es zieht ein Wartburg vorbei, und irgendein Hutmann gibt irgendwelche sicher sehr einleuchtend gemeinte Winksignale. Fahrt aufmerksam und rücksichtsvoll – ich bin dabei: ran an den Waldrand, raus in den Regen. Da haben wir die Bescherung.

Sie sah aus der Kabine und fragte, ob sie helfen könne.

„Nicht, daß ich wüßte", sagte Karl. Stellte das Warnschild auf, holte das Werkzeug. Sie kam aber doch herausgeklettert. Hatte das Kopftuch wieder umgetan, hatte sich Karls alte Drillichjacke angezogen und die Ärmel aufgerollt: ein erstaunlicher Anblick. Und während Karl das Reserverad vom Wagen holte, setzte sie schon den Wagenheber an. An der richtigen Stelle. Karl lockerte die Muttern, sie schraubte sie herunter. Nebenbei sagte sie, sie hieße Sabine. Arbeit, heißt es, bringt die Menschen einander näher: Das ist wahr. Und sie hatte nun den obligaten Ölfleck im Gesicht und half das alte Rad herunterheben und das neue hinauf. Das ging ihr alles von der Hand. Natürlich fragte Karl, ob sie dergleichen schon einmal gemacht habe, an einem PKW vielleicht. Sie lächelte und sagte: „Nicht, daß ich wüßte."

Das war in der Nähe von Beelitz, und naß waren sie beide bis auf die Haut. Irgendwo brachten sie sich ein bißchen in Ordnung und wärmten sich ein bißchen auf. Dann ließen sie Potsdam rechts liegen, passierten Nauen, in Oranienburg aßen sie zu Mittag. Obschon Sabine sagte, die Gegend sei ihr nicht geheuer. „Ich weiß, es ist Unsinn. Aber immer wenn ich beispielsweise in Weimar Leute über Vierzig sehe, frage ich mich: Sie hatten das KZ vor der Nase und können nicht sagen, sie hätten nichts gewußt. Aber was mag damals in ihnen vorgegangen sein, und was geht überhaupt in ihnen vor?"

Doch: Es gibt Dinge, die man weiß und dennoch nicht begreift – vielleicht auch nicht begreifen will. Es gibt Dinge, die man sehen und prüfen und dennoch nicht einsehen kann. Es gibt dieses Mädchen Sabine, und es hat folgende Bewandtnis mit ihr: Ich war klein und spielte am Wasser. Es gehörte mir und hieß Rhein ...

Das war die Kindheit. Dann kam der Umzug in eine andere Stadt, in der alles fremd war, in ein anderes Land, wie sich später zeigte, eine andere Welt. Als sie zehn Jahre alt war, erfuhr Sabine, was es auf sich hat mit diesem Wort „Lager". Als sie dreizehn war, besichtigte sie mit ihrer Schulklasse Buchenwald. Und wußte nun, was ihrem Vater widerfahren war drei Monate vor ihrer Geburt in jenem März des Jahres fünfundvierzig. Später gab es eine Zeit, in der sie als beschämend empfand, daß sie, die nichts getan und nichts verhindert hatte – sie war ja noch nicht auf der Welt –, daß sie seinem Tod jene Vergünstigungen verdankte, die ihr zukamen in diesem Land. Von da an wahrscheinlich verlief ihr Leben anders. Sie wurde ernster, strenger, manchmal auch, das weiß sie heute, ungerecht. Ihren Staatsbürgerkundelehrer, als er über das „neue, friedliche Deutschland" sprach, brachte sie in Verlegenheit mit der Bemerkung: Es ist noch nicht Frieden, wenn nicht mehr geschossen wird. Sie verehrte Fidel Castro und Ernesto Che Guevara. Sie attackierte die Lauen, das brachte ihr Freunde; aber sie griff noch schärfer die Umsichtigen an, das isolierte sie von den meisten. Wenige Wochen vor dem Abitur verbreitete sie an ihrer Schule selbstgefertigte Flugblätter mit, wie es später hieß, „sektiererischen und revisionistischen Forderungen". In der Untersuchung, die daraufhin stattfand, beschuldigte sie mehrere Lehrer: „Sie reden andauernd vom Kampf, um besser verbergen zu können, daß sie nichts tun." Sie hatte sich um ein Studium der Architektur beworben, weil ihr Vater Architekt gewesen war – sie bestand das Abitur mit „sehr gut", erhielt aber den Bescheid, ihr Antrag habe „aus Kapazitätsgründen zurückgestellt" werden müssen. Sie wurde mißtrauisch und verbittert.

Damals tauchte ein Mann auf, der ihren Vater aus dem Lager kannte. Sie hatte schon lange versucht, Leute zu finden, die Auskunft geben konnten und das Bild vervollkommnen, denn sie wollte werden wie er: „Einer, der sich nicht duckt; einer, mit dem man in den Schützengraben ziehen kann, ohne befürchten zu müssen, daß er davonläuft oder einem ins Genick schießt." Genau dieses Bild zeichnete auch Ernst Runge von ihrem Vater – und es war doch anders als das, das sie bisher gehabt hatte: weniger draufgängerisch, weniger heroisch, größer. „Er war ein hilfsbereiter und zutiefst fröhlicher Mensch bis zuletzt", sagte Runge – das war eine Tönung, die ihr nicht ins Bild des antifaschistischen Kampfes zu passen schien. Zu ihrer, wie er es nannte, Partisanenaktion an der Schule sagte Runge: „Nur, Mädchen, wir sind hier nicht im Wilden Westen." Da erwachte ihr Mißtrauen erneut.

Dennoch ging sie auf seinen Rat für ein Jahr ins Chemiekombinat; Runge war dort Meister in der Elektrolyse. Anfangs war sie verschlossen und abweisend. Aber nach einigen Monaten begann sie zu begreifen, daß es hier eine Welt gab, zu der sie bisher keinerlei wirklichen Zugang gehabt hatte. Sie begriff plötzlich, was es bedeutet, wenn einer ein Leben lang seine Arbeit tut, oft sogar in einem Beruf, der ihn nicht ausfüllt. Sie fand Einlaß in eine Welt, in der tagtäglich, in oft harter Anstrengung, Chlor, Karbid oder irgendein Aluminium produziert wird und manch einer mehr tut als das Nötigste, sich um Produktionsziffern kümmert, um politische

Arbeit, Gewerkschaftsfragen, Qualifikation, Kultur sogar – fünfzig Jahre lang und mehr, frühmorgens steht er auf, abends kommt er heim, Familie, Kinder, Verpflichtungen, drei Wochen Urlaub im Jahr und die Wochenenden: Das ist das Salz der Erde, davon leben wir. Sie sprach darüber mit Runge. Zum erstenmal hatte sie das Gefühl, irgendwo wirklich dazuzugehören und nützlich zu sein. Aber sie fand bald auch hier Widersprüche: Ihr Anlagenfahrer, ein Mann, der hart arbeiten konnte und mit seiner Truppe im Wettbewerb immer ganz vorn lag, sagte ihr unverhohlen, sie hätten hier schon „manchen wildgewordenen Revoluzzer zur Räson" gebracht: „Bei mir zählt Arbeit, sonst nichts, alles andere ist Kokolores." Sie gerieten oft aneinander. Als er ihre Entwicklung in der Brigade einschätzen sollte, schilderte er sie als unverträglich und überheblich. Sabine hatte das fast erwartet – aber sie verstand nicht, wieso niemand aus der Brigade gegen die Beurteilung sprach. Sie verfiel in eine lähmende Gleichgültigkeit. Sie erneuerte nicht einmal ihre Studienbewerbung. Als er es erfuhr, wurde der immer besonnene Ernst Runge zornig: „Wer hat euch beigebracht, die Flinte ins Korn zu werfen? Außerdem: Der Mann hat fünf Kinder und eine kranke Frau, du beurteilst ihn genauso oberflächlich, wie er dich beurteilt hat. Und daß die Brigade nicht für dich gesprochen hat, liegt daran, daß sie wissen, wie schwer er es hat und wie leichtfertig du darüber hinweggegangen bist." Sabine konnte nur sagen: Das hab ich nicht gewußt. Eben, sagte Runge. Und er zeigte ihr die schriftliche Beurteilung, in der von jenem „unverträglich und überheblich" lediglich ein „sie urteilt manchmal vorschnell" übriggeblieben war. Runge fuhr auch mit ihr zur Aufnahmeprüfung. So kam sie zum Studium.

„Ja", sagte Karl, „ich verstehe schon."

„Odysseus", sagte sie, „ich weiß nicht, ich verstehe es selbst nicht mehr ganz."

Und wieder die Straße, Transitstraße zwischen Nord und Süd, wieder der Regen. Wer hat euch Bescheidenheit gelehrt?

Doch, Karl verstand vieles. Als er nach dem ersten Studienjahr in den Betrieb gekommen war, hatten seine Kumpel wissen wollen, wie er abgeschnitten habe. Dreimal Eins, fünfmal Zwei, eine Drei, für mich reicht's. „So", hatte Merten gesagt, der ihn weiland in die Geheimnisse des Kfz.-Schlosserhandwerks eingeweiht hatte, „so, eine Drei reicht dir. Wer, zum Teufel, hat euch Bescheidenheit gelehrt?" Doch, es gab allerhand Parallelen. Auch wenn einer einen ganz anderen Weg gegangen war. Die Verhältnisse sind so.

Jedenfalls: Architektur. Und beinahe folgerichtig hatte sie an dieser Hochschule einen kennengelernt, der endlich aus einem Guß zu sein schien. Der nahm nichts zurück. Der hielt, was er versprach. Der gab zu, was er nicht wußte, und das als Oberassistent. Der fing nicht zu stottern an angesichts heikler Fragen. Der setzte durch, was als durchsetzenswert erkannt war. Der hatte die richtigen Leute hinter sich, und das waren viele, und die richtigen gegen sich, das waren wenige.

So einer namens David Kroll, und er erreichte, was er wollte. Und die Liebe höret nicht mehr auf. David Kroll und Sabine Bach geben nicht etwa ihre Verlobung bekannt, Verlobung ist kleinbürgerlich, sie sagen nur: Sehet, Freunde, so und so steht es mit uns. Es war ein unerhörter Herbst, ein toller Winter, und nur das Frühjahr war schon nicht mehr ganz so. Denn er hüllte sie in Samt und Seide – dagegen wäre nichts zu sagen. Ich liebe dich. Ich brauche dich. Und nur eins hat er leider nie gefragt, nämlich was sie denn braucht, was sie denn erwartet von diesem Leben, wohin sie denn will mit sich in unserer Welt. Unmerklich, aber unaufhaltsam sah sie dies: Er forderte sie nicht, er nahm sie. Er richtete ihr Leben ein, er behütete sie, sie stand daneben mit hängenden Armen. Nichts war ihm gut genug für sie, und sie sah manches an seinem steilen, geraden Weg anders, als sie bemerkte, über welche schier unerschöpflichen Quellen sein Vater, der Nationalpreisträger und Städtebauer, verfügte. Ein kühler Sommer. Er überhäufte sie mit Aufmerksamkeiten, Zärtlichkeiten. Er wollte sie ganz für sich und verlor sie.

Seit Monaten war geplant, die Sommerferien zu nutzen, um die Küste abzutingeln, eigenhändig zu untersuchen und zu erkunden, was einem in den Büchern des vergangenen Winters als unbedingt sehenswert auferstanden war: die norddeutsche Architektur, die Backsteingotik. Sie saßen schon in seinem Wartburg. Sie waren schon auf der Autobahn. Mädchen, es wird womöglich ein schlimmes Ende nehmen. Es ist einfach nicht das richtige Wetter. Wahrscheinlich wird es sehr schwer sein, irgendwo Zimmer zu bekommen. (Hatten sie nicht ein Zelt im Kofferraum?) Und siehe, er hatte den Schlüssel zu seines Vaters, des Nationalpreisträgers, erstaunlichem Sommerhaus in der Tasche – wir hätten endlich mal richtig Zeit für uns, wir wären endlich allein, wir hätten Ruhe und überhaupt alles, was wir brauchen. Da bat sie ihn anzuhalten. Da stieg sie aus. Er stand lange im Regen, redete auf sie ein, begriff nichts, wurde auch nicht wütend, nicht einmal das, und fuhr schließlich weiter. Was hätte er auch sonst tun können? Was sonst könnte einer da tun?

Und dies ist nun Neubrandenburg, die Wege trennen sich. Das Stargarder Tor und weitere Tore. Die alte Stadtmauer. Allerhand Neues auch, allerhand Sehenswertes für eine, die auszog, just diese Gegend kennenzulernen und ihre Baulichkeiten und wer weiß was noch.

„Tja“, sagte sie. „Da sind wir nun.“

„Ja“, sagte er.

„Dann mach's mal gut.“ Sie zögerte noch. „Und schönen Dank fürs Mitnehmen.“

„Nee“, sagte er. „Umgekehrt wird ein Schuh draus.“

Sah sie noch stehen in ihrem Mäntelchen, so ein Mädchen auf der Landstraße, winkte noch einmal, gab Gas. Dies ist die F 96, es ist fünfzehn Uhr, wir fahren. Ein Punkt am Straßenrand, der sich jetzt entfernt im Rückspiegel. Sabine Bach, Weimar, Hochschule, dachte er. Ob das ankommt?

SARAH KIRSCH

# Der Schmied von Kosewalk

*Ein Märchen*

In Kosewalk, einem abgelegenen Ort an der Küste, hatte sich eine Schmiede erhalten. Von außen erweckte sie den Anschein, sie habe mit dem Tempo der Entwicklung dieses Dorfes nicht Schritt gehalten: ein offenes Schmiedefeuer leuchtete durch die enggefaßten rußigen Scheiben. Setzte man jedoch den Fuß über die Schwelle, so fielen moderne Maschinen ins Auge, deren eine sogar von solcher Höhe war, daß die Decke des Raumes durchstoßen und ihr Oberteil im Obergeschoß des nahezu dreihundertjährigen Hauses untergebracht worden war. Denn der Schmied war nicht nur ein kräftiger, sondern auch ein kluger Mann. Er hatte sich der Genossenschaft des Dorfes angeschlossen. Unter seinen geschickten Händen entstanden die gefragtesten Ersatzteile für die Erntemaschinen, er verstand es, unverwüstliche Achsen zu schmieden, hin und wieder beschlug er ein Pferd. Seine Größe war durchschnittlich, im Sitzen war er ein Riese, und wie man es sich bei einem Schmied wünscht, bog er manchmal an Festtagen zur Freude der Einwohner ein Hufeisen zu einem Stab. Noch lieber aber sahen es die Leute, wenn er im guten Anzug sich zu ihnen gesellte und sich bereit fand, ihre Tänze oder Gesänge auf dem Akkordeon zu begleiten. Er hatte einen sanften Bariton und sang nach einigen Klaren seltsame Lieder. Sie behandelten das Partisanenleben, den Mut eines fremdländischen Mädchens sowie ihre Schönheit, und Texte und Melodien waren von einer für diesen Landstrich auffallenden Fremdheit, daß jedermann annahm, der Schmied habe die Lieder selber verfaßt.

Dieser Schmied nun hatte eine Tochter, ein braunhaariges Mädchen mit großen Augen, das ihrem Vater die Akten führte und wegen ihrer Kenntnisse in der Stenographie mitunter vom Vorsitzenden der Genossenschaft gebeten wurde, ein Protokoll aufzunehmen. Vornehmlich im Frühjahr, am Tag der Bereitschaft, geschah dies, und auch im letzten Jahr hatte er ihr den Bericht für die Kreisstadt diktiert: alle Maschinen seien repariert und einsatzfähig, und den Satz zugefügt, er wolle sie heiraten. Hanna (so hieß sie) hätte das beinahe mit aufgeschrieben, so wenig achtete sie auf den Sprecher. Das kann doch dein Ernst nicht sein, sagte sie, sie sei zwar über fünfundzwanzig, doch eile es sie nicht. Der Schmied schüttelte nicht einmal den Kopf, als er davon hörte, geschweige denn hätte er ihr Vorhaltungen gemacht. Er sang eines seiner Lieder und sagte, das verstehst du nicht, da war die Tochter aber schon durch die Tür, und die Worte waren wohl auch nicht an sie gerichtet gewesen.

Im Sommer fiel ihm auf, daß Hanna seine Lieder niederschrieb. Wozu, fragte er und erfuhr, sie habe im Magazin eine Adresse gefunden von einem Freiwilligen auf Zeit bei der Armee, der eine Briefpartnerin suchte, und diesem mehr aus Langeweile denn aus Neugier geschrieben. Mehrere Briefe seien gewechselt worden, nun hielte sie die Lieder fest, weil er im Ensemble singe und schrieb, es gäbe nicht genügend Lieder. Er könne sogar Noten lesen, versicherte sie und fügte hinzu: im nächsten Jahr, wenn der Dienst vorüber sei, wolle er sie hier besuchen. Noten sind etwas Gutes, sagte der Schmied, sonst nichts weiter.

Der Sommer ging hin, und der Herbst war da, da stand der Schmied auch am Sonntag früh auf, um allen Anforderungen in der Genossenschaft gerecht zu werden. Er fälschte alle Ersatzteile und baute einen alten Bulldozer um, damit die Melkanlage, wenn der Strom ausfiel, zu betreiben sei. Die Leute im Dorf wunderten sich längst nicht mehr über seine Geschicklichkeit, sie hatten sich daran gewöhnt, daß ihm alles, was er anfaßte, gelang. Hanna führte die Bücher, forderte Material an und half weiter beim Vorsitzenden aus. Einmal, als der Buchhalter nach einem Jagdausflug gefährlich erkrankte, übernahm sie die Lohnabrechnung und verrichtete die Arbeit zu aller Zufriedenheit. Der Vorsitzende hatte nie wieder einen Versuch unternommen, um Hanna zu werben. Weil der Briefträger die Post für das ganze Dorf in der Genossenschaft abzugeben pflegte, konnte ihm nicht verborgen bleiben, daß Hanna wöchentlich einen Brief von einem Angehörigen der Volksarmee erhielt, und er sagte sich, daß sie ihm vermutlich genausooft schriebe. So verhielt es sich auch, nur fuhr das Mädchen vier Kilometer mit dem Fahrrade, um ihre Briefe der Post anzuvertrauen. Sie einfach ins Genossenschaftsbüro zu bringen widersprach ihrer Natur, zumal die Post dort nicht regelmäßig abgegeben wurde, sondern jeweils, wenn der Briefträger mit einem neuen Schreiben kam. Sie hätte ihren Brief dann, wenn sie ein Protokoll aufnahm, liegen sehen können, und wahrscheinlich hätte sie seine Absendung verzögert, wenn nicht gar verhindert. Denn sie hatte zwiespältige Gefühle bei ihren Briefen und denen, die sie erhielt. Obwohl sie ein aufgeschlossener Mensch war, fast vertrauensselig, kamen ihr oftmals Zweifel an der Richtigkeit ihres Handelns. Wie denn, wenn das Bild, das sie aus den Briefen des jungen Soldaten gewann, das sie sich selbst aufbaute, gar nicht der Wirklichkeit entsprach? Sie hatte bemerkt, daß Briefe eigentümliche, selbständige Wesen sein können. Sie schrieb Dinge, die sie mündlich wahrscheinlich niemals geäußert hätte. Und wenn sie nur heiter von ihrer Arbeit, dem Stand der Ernte und ihren Mädchenspaziergängen berichtete, so war sie sich im klaren darüber, daß sie mit den Briefen sich preisgab. Aber wie hätte sie nun, ohne zu schreiben, leben sollen? Der Sommer schien schöner gewesen zu sein als die vergangenen. Indem sie von Bäumen schrieb oder einem schweren Gewitter, dem eine Scheune zum Opfer fiel, wenn sie das Erntefest wiedergab und die

Gespräche der Bauern, hatte sie den Eindruck, dies vorher nie so genau gesehen und intensiv erlebt zu haben.

Während das Jahr abnahm, gewannen die Briefe des Soldaten an Freundlichkeit und zerstreuten ihre Bedenken. Neben Berichten von der Ausbildung und Auftritten mit dem Kulturensemble fanden Sätze Platz, die von ihm selbst sprachen. Er schilderte ihr sein Zuhause, erklärte seinen zivilen Beruf und fragte nach ihrer Meinung, wie er seine Umstände einrichten solle, wenn er nach seiner Entlassung ein technisches Studium aufnähme. Mitunter verlor er sich in Kindheitserinnerungen und versah seine Briefe mit Zeichnungen. Da war das Mädchen zu sehen, wie es auf dem Fahrrade durch den Regen fuhr, die Sachen klebten an ihr. Danach fand Hanna es an der Zeit, ihm eine photographische Aufnahme zu senden. Es war ein Porträt, wie es der Photograph in der Kreisstadt herstellte. Die Augen gingen ein wenig ins Leere, der Mund hatte lächeln sollen, zeigte nun einen trotzigen Ausdruck. Die Haare lagen wie eh nach Jungenart dem Kopf an, waren dick und sträubten sich an den Schläfen. Das Bild gefiel dem Soldaten sehr, er setzte sie in Gedanken auf sein Motorrad, zog seine Jeans an, und los ging es über den Kammweg des Thüringer Gebirges. Oder eine Straße an der Küste entlang. Das Bild fand die Anerkennung seiner Kameraden, woran ihm nichts lag. Er betrachtete es oft, verlor es einmal und fand es wieder, bot im nächsten Brief das Du an, dachte sich zärtliche Anreden für den übernächsten aus, und Hanna stieg ein. Immer war sie jetzt fröhlich, sie lief, als die Regenzeit einsetzte und an ein Vorwärtskommen mit dem Rade nicht mehr zu denken war, zu Fuß durch den Schlamm, um ihren Brief abzusenden. Die Rückfahrt auf einem Lastwagen, der Zuckerrüben in die Fabrik gebracht hatte, schlug sie aus. Sie sah den Schlamm frieren, war unterwegs, als es schneite, und einmal schrieb sie die Anfangsbuchstaben seines Namens in den Schnee. Sie zögerte, ob sie die ihren dazusetzen und das Ganze mit einem Herzen umrahmen sollte. Sie tat es nicht, wollte wohl nichts berufen, wußte nun aber, daß sie verliebt war. Sie dachte sich Weihnachtsüberraschungen für ihn aus, sein Geschenk zu diesem Fest übertraf noch das ihre: er schickte eingeschrieben einen Verlobungsring.

Der Schmied sagte, als er den an ihrem Finger sah, das sei ja ein Ding!, und warf Kohlen ins Feuer. Er hieß Hannas Tun weder gut noch schlecht, er sang bei der Arbeit, wenn sie am lautesten war, und das hatte er seit je getan. Beim Genossenschaftsfest war er in einer seltsamen Lage. Als die Bauern ihn fragten, was der Schwiegersohn für ein Mensch sei, sagte der Schmied: Ein schöner Mensch, obwohl er nicht einmal ein Bild gesehen hatte; denn der junge Soldat hatte Hanna nicht mit gleicher Münze gezahlt. Der Vorsitzende trank zwei Wodka mit ihm auf den Schwiegersohn, der Briefträger ebenfalls, er behauptete, Hanna hätte einen Intellektuellen, da trank der Schmied schon mit dem halben Dorf. Seine besten Kunden, die Traktoristen, tanzten mit Hanna zum Akkordeon, dem sich noch eine Baßgeige zugesellt hatte. Sie wollten von ihr die Farbe seiner Augen erfahren, und ob er ein feuriger Liebhaber sei, aber das hätte sie gern selbst gewußt, sie gab keine Auskunft.

Das Jahr war gut. Silvester blickte Hanna auf einen Stapel von zweiundvierzig Briefen zurück. Bald transportierte sie ihren letzten Brief, da trugen die Bäume an der Chaussee frisches Laub, da hatte der Schmied die Schmiede geweißt, da war der Termin für die Hochzeit perfekt. Ihr Soldat stand schon mit einem Bein im zivilen Sektor, würde aber noch uniformiert eintreffen, vierzehn Tage bleiben, am zehnten Tag in die Kreisstadt zum Standesamt. Wo konnten sie wohnen? Später in der Stadt des Mannes, jetzt über der Schmiede, wo der Kopf der Maschine ihnen in die Möbel ragte, wo man ohne intime Beleuchtung auskam, das offene Feuer aus dem Erdgeschoß sollte beleuchten, was sehenswert war.

Nun war es soweit, und der Schmied atmete auf. Er hatte schon Befürchtungen gehegt, die beiden bekämen ein Kind und hätten sich nicht gesehen. Er bestieg ein Fahrzeug, um den Soldaten vom Bahnhof abzuholen. Hanna hatte im letzten Augenblick ein Protokoll vorgeschützt und war in die Genossenschaft gegangen. In der Tat, der Soldat war ein schöner Mensch, der Schmied hatte nicht geprahlt, und ein großer Soldat außerdem, wenigstens einmeterfünfundneunzig. Sie fuhren dem Dorf zu und unterhielten sich über die Lieder des Schmiedes. Einem von ihnen hatte der Soldat zur Verbreitung durch das Kulturensemble verholfen, aber die Soldaten sangen es in Dur, während Hanna die Moll-Tonart notiert und geschickt hatte. Der Schmied erhob keinen Einspruch. Er meinte vielmehr, fast jedes Lied hätte beide Tonarten in sich, die Menschen müßten die ihnen gemäße jeweils auswählen; was sich heute als Moll anböte, könne morgen schon Dur sein und umgekehrt. So redend und sich Beispiele vorsingend, erreichten sie Kosewalk und die Schmiede, wo Hanna ihnen entgegentrat. Die erste Begegnung hatte nichts Peinliches und Aufregendes an sich. Sie nannten sich beim Vornamen, und Hanna wies ihn auf allerlei Gegenstände hin, die er aus ihren Briefen kannte. Er gefiel ihr. Die Uniform unterstrich seinen kräftigen, geraden Wuchs, er hatte ein offenes Gesicht, schöne lange Wimpern, die sich nicht aufwärts bogen, so daß er durch frisch vorgeschossenes Gras zu blicken schien. Hanna glaubte den Geruch von Regen zu spüren, und ihr war, als ob das Herz sich von der linken Seite auf die rechte begäbe. Er ist es, sagte sie sich und fühlte das Bedürfnis, einen Brief zu schreiben.

Der Soldat bezog den Raum über der Schmiede. Von Anfang an fühlte er sich wohl in Kosewalk in der Schmiede, in Hannas Nähe. Morgens stieg er die Treppe hinab. Der Lärm nahm zu, er unterschied die Maschinen, die Stimmen des Schmiedes und seiner Kunden. Er half, wenn es galt, erhitzte Metallteile im Wasserbad zu härten, und stand in einer Wolke, daß Hanna ihn nicht fand. Sie gingen spazieren oder fuhren mit Fahrrädern an den Strand. Dort lagen sie in einer Mulde und sahen in den Himmel, wenn sie nicht schwammen oder bei Seewind sich von der Brandung aufheben ließen. Zu großen Zärtlichkeiten kam es vorerst nicht zwischen ihnen. Wir haben Zeit, dachte Hanna, und ihm schien sie anders zu sein als die Mädchen, die er vor ihr kannte. Er glaubte, ihr stehe eine besondere Behandlung zu, und war es zufrieden, wenn er mit ihr durch die Dünen ging und seinen rechten Arm um sie legte.

So verstrichen die ersten fünf Tage, und die restlichen bis zum Tage der Hochzeit wären ebenso heiter gefolgt, wenn nicht eine völlig neue Person zur Unzeit, nach der Hälfte des Stückes, aufgetreten wäre. Sie hieß Christine und wollte sehen, wie eine Heirat zustande käme. Das sagte sie, als sie das Paar am Strand traf, als Hanna sich freute, daß sie ihrer Einladung gefolgt war, als der Soldat lieber mit seiner Verlobten allein geblieben wäre. Sie gingen versteinerte Seeigel suchen. Christine fand sofort einen, der gut erhalten war. Achtlos gab sie ihn dem Soldaten und erklärte, sie habe eine ganze Sammlung zu Hause. Er steckte ihn in seine Brusttasche und hätte ihn vergessen, wenn das Fossil sich bei ihm nicht schmerzhaft bemerkbar gemacht hätte, als er am Abend auf der Treppe zum Obergeschoß Hanna an sich zog. Er spürte den Druck, er fühlte sich müde und sagte das, er schlief dennoch nicht ein. Der Schein des Feuers lief die Decke entlang, war wie ein roter Wald. Zwischen den Flammenbäumen sah er Christines rotes Kleid flattern, das war doch das Mädchen aus den Liedern des Schmieds. Er schalt sich wankelmütig und zwang sich, an Hanna zu denken. Am anderen Tag verweilte er lange in der Schmiede, begleitete den Schmied zur Genossenschaft und ging zärtlicher als zuvor mit Hanna um. Bei allem litt er unter merkwürdigen Gedanken.

Bei seiner Ankunft im Dorf hatte er kaum wahrgenommen, daß Hannas Körper unterhalb der Schultern, die ihm von der Porträtaufnahme bekannt waren, sich etwas derb fortsetzte. Nun wollte er Gewißheit haben, ob er sie liebte und lange würde lieben können; Hanna verbrachte die Nacht mit ihm über der Schmiede. Der Widerschein des Feuers ging sanft mit ihr um. Er zauberte eine freundliche Landschaft ohne Schroffheiten, dahinein ragte das Oberteil der Maschine, die ein schwaches Vibrieren des Fußbodens auslöste. Die Schwingungen übertrugen sich bis auf ihre Fußsohlen und trieben sie zu immer größerer Eile. Hanna wußte nicht, ob sie lachte oder weinte, und auch dem Soldaten war wohl zumute. Doch als das Feuer unter ihnen in der Schmiede erlosch, sah er keinen Grund, es neu zu entfachen. Er war ratlos wie zuvor.

Am anderen Tag konnte man ihn erst allein an der Küste auf einem großen Stein sitzen sehen, dann erschien Christine. Sie war in melancholischer Stimmung und sprach von Abreisen. Sie drehte sich um, zu gehen, trat hinter ihn und legte die Arme um seinen Hals, ihre Knie schürften sich Haut an dem Steine ab. Der Soldat schrie und sah, daß es an der Zeit war, sich dem Schmied zu entdecken. Der Schmied sang seine Lieder in Moll, die Arbeit wuchs ihm über den Kopf, die Futterernte hatte begonnen. Er schliff die Messer einer Schneidemaschine und fuchtelte dem Soldaten damit vor den Augen herum. Zum Teufel, sagte der Schmied, eine Hochzeit ist eine Hochzeit. Er werde sie nun für ihn und Hannas Freundin Christine ausrichten; es läge an ihnen, sich die notwendigen Papiere in der Kreisstadt zu besorgen.

Der Soldat war überrascht und handelte nach den Worten des Schmiedes. Es fand eine sehr schöne Hochzeit statt. Fast schien es, als wundre sich niemand in Kosewalk darüber, daß der Soldat sich mit Hanna verlobte und Christine heiratete. Die Leute ließen sich aus Respekt vor dem Schmied dergleichen nicht anmerken. Im Fischerkrug wurde eine große Tafel gedeckt, die durch die geöffneten Türen ins Freie reichte. Die Zweige der Linden berührten das Tischtuch und schlugen an die Schüsseln, die Köstliches enthielten und einen Wildschweinbraten, vom Buchhalter beigesteuert. Man brachte den besten Appetit dazu mit, und eine Weile hörte man nichts als das Klappern der Messer und Gabeln. Aber bald begannen die Gäste, angeregt von den Getränken, zu reden, zu lachen und sogar zu johlen. Die Gesundheit der Braut wurde ausgebracht, der Vorsitzende der Genossenschaft trank Hanna und ihrem Vater zu, der Schmied sang mit dem Soldaten ein zweistimmiges Lied, und der Tanz begann. Hanna war eine gefragte Tänzerin. War ihrer Gestalt auch die Ähnlichkeit mit der des Schmiedes nicht abzusprechen, so verfügte sie doch über geschmeidige Bewegungen und leichte Füße. Als der Schmied einmal das Akkordeon absetzte, verließ sie die Gesellschaft und ging geradenwegs über das Kopfsteinpflaster durch den Schulhof an der Kirche vorbei in die Schmiede. Sie schaltete das elektrische Licht ein und sah in den wasserfleckigen Spiegel, der über einem so kleinen Waschbecken hing, daß der Schmied die Gewohnheit angenommen hatte, sich die Hände einzeln zu waschen. Sie setzte die Maschine, einen Fallbären, in Betrieb und legte ihre linke Hand auf die Arbeitsbühne. Die Ventile ächzten, das Gewicht stieg bis in das Obergeschoß auf, verhielt dort einen Augenblick, um pfeifend herabzusausen. Der Schmied, der Hanna gefolgt war, rührte sich nicht. Mit Genugtuung sah er, daß sie mit der Rechten die Maschine blockierte, als das Gewicht um Haaresbreite über ihrer linken Hand lag, ein Kunststück, das er früher oft zur Belustigung seiner Frau mit seiner goldenen Taschenuhr ausgeführt hatte. Er trat zu seiner Tochter, lobte sie und betrachtete ihre Hand, sie trug den Verlobungsring, der jetzt eine winzige Abplattung aufwies. Niemand anderes als der Schmied hätte es bemerkt. Sie kehrten zu ihren Gästen zurück. Unterwegs ging der Mond auf. Der Himmel war klar. Vom Boden aber stieg weißer Dampf auf, der an der Erde hinkroch und sie wie mit weißen Tüchern bedeckte.

FRITZ RUDOLF FRIES

# Beschreibung meiner Freunde

Meine Freunde wohnen in der Stadt. Es sind ihrer drei. Richard ist der älteste, so um die Dreißig, Regine ist fünf Jahre jünger, am jüngsten ist Sabine, ihre Tochter. Die ist noch so klein, daß alle in die Knie gehen, wenn sie mit ihr sprechen wollen. Nur Richard bückt sich steifbeinig zu ihr hinunter. Sein linkes Bein steckt in einer Gelenkstütze, die ein Mechanismus immerhin so beweglich macht, daß er sich hinsetzen kann, mit klickendem Geräusch schaltet sich das Bein, sitzt er, in eine rechtwinklige Lage. Richard lehnt es ab, in der Wohnung einen Stock zu benutzen, aber er braucht fest ruhende Gegenstände in seiner Nähe, Stühle, Tische, das Bord einer Kommode, um sich fortzubewegen. Seine Hände sind stark, groß. Sein Oberkörper ruht als zu breiter, zu schwerer Torso auf den überlasteten Beinen. Die Augen sind ganz klar und ganz hell wie bei Sabine. Vater und Tochter verständigen sich durch Blicke. Regines Augen dagegen sind ganz dunkel, beinah schwarz. Waren Richards Blicke für Sabine allzu streng, genügt es, Regine anzusehen, um getröstet zu werden. Seitdem Sabine viele andere Kinder kennengelernt hat, braucht sie weniger Trost. Auch kann sie jetzt viel mehr Lieder als früher. Früher, das war, als sie ganz klein war und man noch unwahre Geschichten über sie erzählen konnte. Früher, als Richard und Regine noch studierten. Sie haben Medizin studiert an der Karl-Marx-Universität und einander durchs Examen geholfen. Regine, heißt es, hatte es dabei oft leichter. Ihrer Augen wegen.

Es kommt vor, daß ich mich auf ein paar Tage bei ihnen einquartiere. Seit einem Jahr haben sie eine Wohnung in einem Vorort, der um 1911 von einigen wenigen Spekulanten mit Häuserzügen vollgestellt wurde für eine Vielzahl Menschen, die wenig Geld aufbringen konnten. So sind die Wohnungen klein ausgefallen, dunkel nach vorn wegen der überall versperrten Sicht, dunkel nach hinten wegen der Innenhöfe, die schachtartig sich hochziehen, sieht man von der Küche im vierten Stock auf Teppichstangen und Mülltonnen. Die Höfe sind mit bräunlichem Ziegelstein ausgelegt, auf dem die Schmutzspuren von Mopeds und Motorrädern lange Schleifen gezogen haben.

Ich habe eine Postkarte geschickt, zur Anmeldung, klingle und lese mechanisch Richards Doktortitel und Nachnamen vom Messingschild. Dunkler Bohnerglanz, hier oben blanker als im ersten Stock, schimmert vom Grunde auf. Es ist niemand zu Hause. Für solche Fälle haben wir vereinbart, daß der Wohnungsschlüssel unter der Fußmatte liegt. Ich bücke mich und taste nach dem Schlüssel. Schließlich bin ich ein alter Freund des Hauses, ich genieße das Vertrauen seiner drei Bewohner. So öffne ich selbst die Tür, hänge meinen Mantel an den Garderobenhaken. Im Flur riecht es wie in den Wohnungen unserer Kindheit, nach Bohnerwachs und Kunsthonig. Ich gehe in die Küche, wo die Möbel stehen, die Regine von ihren Eltern geerbt hat. Gerade hier ist der Kunsthoniggeruch besonders stark, aber das ist ein spukhafter Geruch der Erinnerung an die vierziger Jahre, als wir, Regine und ich, so alt wie jetzt Sabine, ein wenig älter vielleicht, auf diesen Küchenstühlen saßen und zwischen zwei Luftlagemeldungen die Welt auf ihre Süße erprobten. Kunsthonig. Es steht aber ein Glas Bienenhonig auf dem Küchentisch. Dazu ein paar unausgewaschene Teetassen. Ich schaue in den Kühlschrank, um die Kindheit zu vergessen, und ziehe mir eine Flasche Adlershofer Wodka aus dem Fach. Gläser gibt es in der Stube. Hier kenne ich mich aus. Auf dem Flur bleibe ich wie immer vor einem van Gogh des VEB Seemann-Verlag stehen. Um endlich in die Stube zu kommen, räume ich einen Teddybär zur Seite, der den Eingang versperrt. Dann besinne ich mich, hebe ihn auf und setze ihn aufs Sofa, einen Riegel Schokolade im Arm, den ich aus der Jackentasche hole. Der Adlershofer ist kalt genug und schmeckt deshalb wie der sowjetische oder fast so gut wie dieser, den ich als Geschenk in der Tasche habe. Jetzt bin ich zu Hause, rauche, drücke auf die Radiotaste, suche nach einer Platte im Schrank. Sie haben alles durcheinander eingekauft, Bartók und Ray Charles und den Fliegenden Holländer. Mediziner sind ein bildungsbeflissenes Volk, denke ich und entscheide mich für Ray Charles. Die Wohnung ist so, daß ihre Mieter den besten Gebrauch von ihr machen können. Nur ein Bad fehlt, und die Toilette ist auf halber Treppe. 1911, eine verklemmte Zeit.

Ich sehe aus dem Fenster. Es regnet, Novemberwetter, die Häuserfront gegenüber täuscht die Symmetrie des Goldnen Schnitts vor mit ihren Fensterfassaden, die Stuckornamente einrahmen. An der Ecke ein Sarggeschäft. Das hatte ich nicht erwartet, aber das letzte Mal, als ich hier war, stand ein grüner Baum davor. Richards Schreibtisch ist so wie der Arbeitstisch eines Mannes, der hier nur Rechnungen zwecks neuer Anschaffungen anstellt, mal einen Brief schreibt (nicht an mich, übrigens), Unterschriften unter Zeugnisse setzen wird, die ihm seine Tochter in ein paar Jahren nach Hause bringt, mit dem Blick die Augen Regines suchend, je nachdem. Ich vergesse die Rezepte, die er hier seinen Freunden ausstellt, Vitaminpräparate, Kopfschmerztabletten.

Über das Ölgemälde an der Wand muß ich in mich hineinlachen, das zweite Glas Adlershofer in der Hand. Ich lache, weil das Bild von mir ist, und ich weiß eigentlich gar nicht, was es da zu lachen gibt. So trinke ich ein drittes Glas und überhöre das Schlüsselgeräusch an der Tür. Richard ist gekommen, ich höre, wie er den Stock an die Spiegelwand der Garderobe lehnt. Er kommt herein, sein blauer Mantel glänzt vom Regen, er gibt mir eine regennasse Hand, und seine Augen sind auch in dem halbdunklen Zimmer erkennbar. Er macht Licht und sieht auf die Flasche. Ich biete ihm einen Schluck an, und das Eis ist gebrochen. Denn beinah kam ich mir unter seinem Blick wie ein Eindringling vor. Aber dieser Blick gehört zu Richards beruflicher Tätigkeit und ist mir gerade deshalb unangenehm. Ich bin schließlich gesund, sage ich mir, rauche noch eine Zigarette und sehe mein Ölbild jetzt hell angestrahlt. So gut ist es gar nicht mehr.

Richard bleibt lange in der Küche oder im Schlafzimmer, um die Krawatte abzulegen, eine Strickjacke überzuziehen. Oder auch nur deshalb, um mir Zeit zu lassen, mich an seine Anwesenheit zu gewöhnen. Er ist ein ungeheurer Psychologe. Daß er sich mehr mit Herz und Nieren seiner Kranken abgeben will, hat mich immer erstaunt.

Er ist noch nicht zurück, als eine Kinderstimme plötzlich alle Gegenstände im Zimmer ganz gegenwärtig macht (oder ist es nur, daß ich aus meinen Adlershofer Abschweifungen in die Wirklichkeit zurückgerufen werde?). Sabine jedenfalls kommt durch die Stubentür, da sie meinen Mantel erkannt hat. Zaghaft erst, wir haben uns lange nicht gesehen, vielleicht bin ich inzwischen nicht mehr der, den sie meint: Man muß nachsehen, was der für ein Gesicht heute hat. Schokolade hält der Bär im Arm, das sieht sie mit einem Seitenblick. Ich mache ein ganz freundliches Gesicht, und sie zieht sich beruhigt in den Korridor zurück, wo Regine wartet, um ihr aus Schuhen und Mantel zu helfen. Regines Stimme ist so dunkel und sanft wie ihre Augen; nur daß Sabine da ist und laut etwas sagt, läßt auf ihre Anwesenheit schließen. Ich lasse ihnen Zeit, ich habe mich hier hineingedrängt, mit Anmeldung zwar, aber gerade diese abendliche Zeremonie des Wiedersehens, Wiederfindens, nachdem jeder von ihnen seinen Tag woanders und mit verschiedenen Beschäftigungen verbracht hat, darf nicht gestört werden.

Aha, sagt Regine, als wir uns durch die Tür die Hand reichen. Aha: das heißt: Schon da, gut daß du da bist, du bist ja schon da, du hast schon getrunken, gefällt es dir bei uns, warte, bis du dran bist, du siehst ja, wir sind eine Familie. Aha: Die Sorgen hast du nicht, oder welche hast du etwa?

Wir verstehen uns ganz gut auch ohne Worte, seitdem wir Kunsthonig aßen in der Küche ihrer Mutter, vor oder nach einer Luftlagemeldung.

Sabine schaut noch einmal durch die Tür nach mir und geht dann, um Richard meine Anwesenheit mitzuteilen.

Regine kommt ins Zimmer, sieht die Plattenhülle an wie zum ersten Mal und ist müde. Richard kommt und setzt sich an den Tisch, und wir warten alle auf das Klicken seiner orthopädischen Stütze, aber es bleibt aus, er legt sein kraftloses Bein mit den Händen auf einen Stuhl. Wir sitzen zu dritt unter der viel zu hellen Lampe, während Sabine ihre Schokolade auspackt. Ich nippe an meinem Adlershofer, Richard gießt sich ein Glas voll, Regine lehnt ab. Langsam nimmt das Zimmer sie auf als etwas Dazugehöriges. Sie sitzen wie an vielen Abenden zuvor in ihren Sesseln, erkennen mich wieder als ihren Besuch, auf meine Gesundheit braucht es ihnen wenigstens für heute abend nicht anzukommen. Und für heute haben sie, jeder auf seiner Station in verschiedenen Krankenhäusern der Stadt, getan, was sie zu tun hatten, und ein wenig mehr dazu. Es wird sich morgen herausstellen, ob die angewiesenen Medikamente ihre Diagnose bestätigen oder nicht. Über Nacht, während sie in ihren Ehebetten schlafen, Sabine in ihrem Gitterbett unter den zehn kleinen Negerlein, ich auf der Couch, auf der ich jetzt neben Sabine sitze und rauche, arbeiten die Mittel in den Blutbahnen ihrer Patienten, versagen oder setzen sich durch, finden unsichtbare Kämpfe statt, die sie am Tag neu zu bestimmen haben, neue Schlachtordnungen aufstellend. Ich sehe sie an, ihre aufmerksame Müdigkeit. Regine ist Assistenzärztin in einer Lungenheilanstalt am anderen Ende der Stadt. Sie kennt dort die Verhältnisse, sie selbst hat ein Jahr in einem Bett der Anstalt gelegen. Jeder Arzt sollte die

Krankheit seines Patienten gehabt haben. Richard hatte Kinderlähmung als Zwölfjähriger.

Ich bin ausgeruhter als sie, also erzähle ich, was es so zu erzählen gibt. Jeder hat schließlich seine kleinen Schwierigkeiten mit der Wirklichkeit, auch ich. Aus dem Gedächtnis habe ich ein Porträt Sabines angefertigt, das mehr werden wollte als nur eine Kopie dieses Gesichts mit der kaum merklichen Nase, den hellen Augen und Haaren, mehr: ein Kind, das gehalten wird von der allgemeinen Fürsorge, der seiner Eltern, seiner Kindergärtnerin, künftiger Lehrer und derer, die Häuser projektieren nach anderen Gesichtspunkten als 1911. Das Bild ist angenommen worden. Es wird zusammen mit anderen Bildern in einem großen Saal ausgehängt.

Wir ziehen schon noch mal um, sagte Regine, aber schließlich: uns gefällt es auch hier, und die Leute im Haus wissen, wo sie nachts klingeln können, wenn sie Bauchschmerzen haben.

Richard geht an den Schrank, die Hand auf der Stuhllehne, und zeigt mir die neuen Plattenerwerbungen: Bartók, den Fliegenden Holländer; Ray Charles liegt auf dem Plattenteller.

Alles für Gäste, sagt Regine und macht sich auf in die Küche. Richard läßt den Ray Charles laufen, Sabine geht hinter Regine her, Händewaschen. Sie muß als erste ins Bett und bekommt ihr Essen in der Küche. Im Bett singt sie ihr neues Lied, laut, daß wir es auch in der Stube hören können. Richard sieht auf die Uhr und geht zu ihr, um sie nach der letzten Strophe mit einem Blick zum Schlafen zu ermahnen. Ich gehe mit und bekomme einen Gutenachtkuß. Im Flur bleiben wir vor dem van Gogh stehen, und ich erzähle von einem Kollegen, der das Original im Museum zu Amsterdam gesehen hat. Aus der Küche sagt Regine ihr Aha dazu, während sie das Omelett in der Pfanne auf den Rücken dreht. Wir bekommen Teller und Besteck in die Hand und tragen es hinüber auf den Eßtisch. Das Geschirr ist ganz neu erworben, ich muß es auf Farbmuster und Stilart begutachten.

Wir sitzen und essen. Hinter den Fensterscheiben fällt unsichtbar Novemberregen. Wir trinken Tee, und ich lobe den kinderleicht zu öffnenden Verschluß des sowjetischen Wodkas. Regine muß jetzt unbedingt den Bartók hören, und ich frage mich, wann und ob und wie sie eine glückliche Frau ist. Ich glaube, sie ist es zu dieser Abendstunde, wenn der Tag überschaubar wird (während Richard noch immer über ein Krankheitsbild nachzudenken scheint, das auf Grund neuer Symptome unklar geworden ist). Wäre ich krank, was ich ja beileibe nicht bin, ließe ich mich lieber von Richard behandeln als von Regine, die ich doch soviel länger kenne. Richard ist Arzt aus Passion, heißt es überall, man kann ihm eine große Laufbahn prophezeien. Regine dagegen, in ihrem Park sitzend, in ihrer Lungenanstalt, hat zuviel Zeit, meine ich. Die Geschichten ihrer Patienten beschäftigen sie ebenso und mehr als deren Krankheitsbild. Gerade die Moribunden, erzählt sie, haben einen Lebensoptimismus, der alle Hausordnungen über den Haufen wirft. Wenn sie Nachtdienst hat, versammelt sie die Schlaflosen um sich, trinkt Tee mit ihnen und läßt sich die mannigfachen Verwicklungen ihres Lebens vortragen, ab und zu mit kleinen, leise gesprochenen Fragen unterbrechend. Es ist freilich ein Irrtum, zu meinen, nur Lungenkranke hätten merkwürdige Schicksale. Nur eben, daß sie so lange horizontal liegen müssen, läßt sie glauben, ihr vertikal geführtes Leben sei sonderbarer als das der andern gewesen. Wunderbar für Regine ist es, auf zwei Beinen zu gehen und zu leben, zu arbeiten und in Straßenbahnen durch eine sich wandelnde Stadt zu fahren, in den Läden zu stehen und auszuwählen, Kinder zu haben und einen Hausstand und einen Plattenschrank und Wodka im Kühlschrank für einen Besuch am Abend. Hier unter der Lampe, am Abend, glaubt sie, ein einmaliges schönes, glückliches Leben zu haben. Nur: am anderen Morgen sieht man, was alles nötig ist, dieses Leben zu erhalten, und auch für dieses abendliche Gefühl, für ihr eigenes Glücklichsein, glaube ich, verteilt sie am Tage die Medikamente, gibt

Injektionen, tut ihr Äußerstes, telefoniert in den Pausen mit Richard, um seine Stimme aus dem anderen Ende der Stadt zu hören und ihn zu bitten, Sabine vom Kindergarten abzuholen, die Milch im Konsum nicht zu vergessen und das Weißbrot: Sie kommt doch später als angenommen.

Um zehn gehen wir schlafen. Das Sofa wird blank überzogen. Richard löscht das große Licht und öffnet das Fenster. Unten schwimmt trüb eine Laterne. Regine trägt den überhäuften Aschenbecher in die Küche.

Wir wünschen uns eine gute Nacht.

Der Wecker klingelt um sechs. Ich höre es durch die Tür. Auf der Straße fahren Motorräder. Bald darauf brummt Richards Rasierapparat aus der Küche. Sabine weint, weil sie aufstehen muß. Regine schaltet den Gaskocher an. Sie sammelt, was zum Frühstück nötig ist, auf ein Tablett und bringt es ins Zimmer. Ich kann liegenbleiben, die Couch steht so, daß ich mich, halb aufgerichtet, vom Tisch bedienen kann. Ohnehin stehe ich nicht gern um sechs auf. Regine schaltet das große Licht ein, und ich sehe sie aus zusammengekniffenen Augen an. Die ihren sind groß, dunkel, unverändert. Sie ist fertig angezogen, ein Geruch nach Seife und kaltem Wasser geht von ihren Händen aus, die Tassen und Teller verteilen.

Bittschön, der Herr: sagt sie und stellt mir den Tee hin.

Wir vereinbaren, was ich einkaufen werde und wo ich den Laden dazu finde. In meinem Kopf streiten noch der Adlershofer mit dem sowjetischen. Auch Richard kommt fertig angezogen, weißes Hemd, Krawatte, ins Zimmer, eine Hand an den Manschettenknöpfen, und mir ist, als sollte ein Fest begangen werden, zu dem ich unverständlicherweise unrasiert und im Schlafanzug erscheine. Sabine ist belustigt, mich im Bett zu finden. Sie gibt mir ihren Bären, weil der noch müde ist. Ich lege ihn aufs Kopfkissen und erzähle, was ich ihm zum Mittagessen geben werde. Milch, bestimmt Sabine.

Richard streicht für Sabine und Regine Butterbrote. Sabine trinkt Milch mit Honig, gegen den Schnupfen.

Na, wie hast du geschlafen? erkundigt sich Richard.

Ich weiß es nicht genau.

Du solltest heiraten, sagt Regine, dann wüßtest du es besser. Ich nicke und sehe sie an. Der Tee scheidet die in meinem Kopf streitenden Geister.

Um sieben gehen sie aus dem Haus, Sabine in Stiefelchen und Kapuzenmantel, Regine in hellem Trenchcoat, Richard in seinem blauen Mantel. Ich gebe ihnen, aufgestützt, die Hand. Die Wohnungstür fällt ins Schloß.

Richard bringt Sabine in den Kindergarten. Sein Weg zur Klinik ist kürzer als der Regines, die mit Straßenbahnen verschiedner Linien fahren muß, eine Stunde durch die Stadt, in ihre Station unter den kahlen Parkbäumen. Die Straßenbahnen dieser Stunde sind voller regennasser Menschen, die, ihrer Vorstellung vom Leben gerecht werdend, das Ihre tun an diesem Tag und ein wenig dazu. Nicht mehr sehe ich Sabines Gesicht, neben anderen Kindergesichtern, die sich aus Kapuzenmänteln schälen. Nicht mehr Regines Gesicht, verstellt von Röntgenbildern, nicht mehr das Richards, doch seine Augen, die den ersten Patienten der Sprechstunde empfangen. Gegen zehn rufe ich Regine an. Sie läßt gerade die Entlassungspapiere für einen Patienten schreiben. Die Tuberkulose ist eine Krankheit, sagt sie, die sich besiegen läßt.

KARL MICKEL

# Der Sohn der Scheuerfrau

Die folgende Geschichte, die in mehreren Staaten spielt, ist mir vor einigen Jahren auf der Baustelle H . . . erzählt worden, und zwar von einem der beiden Betroffenen. Ich saß in der Kneipe und trank mein Bier; draußen wütete der Schneesturm (35 m/s); ein Mann trat rücklings herein, indem er seinen Mantel, außerhalb der Tür, schüttelte; er stellte die Stiefel vor den Ofen, hängte den Mantel auf, grüßte freundlich in den Raum, ließ sich neben mich auf die Holzbank fallen und lobte die Wärme. Sodann bestellte er einen Strammen Max und einen Grog; er drückte seine Freude über die gute Qualität und den billigen Preis der Speisen aus: alles in bedeutendem sächsischem Tonfall. Seine Geselligkeit hätte mich gewundert, wenn nicht seine dunkle Hautfarbe gewesen wäre; die meisten Tische waren frei. Wo er die deutsche Sprache gelernt habe? fragte ich; „das mußch immer gleich erglärn“, sagte er, „von gleen uff in Leibzsch, zähn Jahre habch da gäwohnd“. Dies löste das Rätsel keinesfalls; gut, ein Besatzungskind, das Alter könnte stimmen, die Amerikaner waren gewesen, wo geboren zu sein er vorgab: woher aber die merkwürdige Begeisterungsfähigkeit? Und wo hatte der Mann sich in den zehn Jahren zwischen dem Ende der Leipziger Periode und der Jetztzeit aufgehalten? Ich fragte und erhielt die Antwort, welche ich hier wiedergebe. Der Bericht ist unwahrscheinlich: aber er ist wahr; ich lernte meinen Gewährsmann als vertrauenswürdigen Arbeiter kennen, und der Parteisekretär bestätigte alle Einzelheiten seiner Biografie.

Mein Freund heißt Raoul Tierlich, seine Mutter hatte ihn in den Frühjahrstagen des Jahres 1945 von einem Sergeanten aus Minnesota, der, als das Kind das Licht der neuen Welt erblickte, bereits lange über die Demarkationslinie, jetzt Staatsgrenze, zurückgezogen worden war, zugleich mit zwei Büchsen Corned beef empfangen. Elfriede Tierlich, die Mutter, brachte das Kind gut über die ersten Nachkriegsjahre; sie war, infolge der Geburt, trotz anfänglich schlechter Ernährung, zu einer schönen drallen Person geworden, die einen gutgewaschenen adretten Eindruck machte. Trotzdem wollten die Männer wenig, nämlich nichts als flüchtige sinnliche Befriedigung, von ihr; die Tochter des Bankbeamten blieb vorerst in kleinbürgerliche Kreise gebannt. Hingegen nahmen gesellschaftliche Organisationen an ihrem Schicksal Anteil; die Zurücksetzung, die ihr, rassistischer Bewußtseinsreste halber, im Familien- und Bekanntenkreis widerfuhr, erzeugte förderndes Wohlwollen von seiten der fortschrittlichen Kräfte. Der Demokratische Frauenbund gewann sie für ein Studium der Volks- und Betriebswirtschaftslehre: nun stellten sich, an der Universität, ernsthafte Bewerber um eheliche Bindung, drei Studenten und ein Oberassistent, ein: jedoch Elfriede Tierlich, ihrer bösen Erfahrungen wegen, vermochte den Glaubwürdigen nicht zu glauben. Endlich, in ihrem 28. Lebensjahr, trat ein Bewerber auf, der dem, nun gezehnjährigen, Raoul so zusagte, wie die Mutter es immer gewünscht hatte; sein Verhalten ihr gegenüber war eher schüchtern, so daß sie in die Heirat willigte. Der Termin war anberaumt, das Brautkleid genäht: da schrieb der Mann, ein Kellner, der hin und wieder mit Vertretungen sein Geld verdiente, sein Wohnsitz sei jetzt Ludwigshafen/Rh., und sie werde erwartet. Frau Tierlich schwankte lange, ob sie ihren Beruf dem Familienglück opfern solle, die Überlegungen zehrten ihre Nerven auf; sie fiel durch zwei Prüfungen und reiste westwärts ab. Der Mann empfing sie verlegen, von Heirat war nicht die Rede, obwohl sie sogleich, am Bahnhof, ihr Hauptanliegen zur Sprache zu bringen suchte. Der Junge machte ein trauriges Gesicht, als der Mann Frau und Kind in ein mittelmäßig möbliertes Zimmer begleitet hatte und, ohne Angaben der eigenen Adresse, verschwunden war. Frau Tierlich fand schnell aus, daß er in der Gaststätte Schiffers Ruh kellnerte und die verwitwete fünfundvierzigjährige Inhaberin zu heiraten hoffte. Elfriede wagte die Rückkehr nicht; sie fürchtete, diejenigen, die sie gefördert und auf dem rechten Weg gehalten hatten, würden ihr die Enttäuschung über den Verrat nicht verhehlen; sie schämte sich.

Nachdem sie sich mehrere Monate mit Aushilfsarbeiten beholfen hatte, entdeckte sie, zu ihrem Glück, wie sie vermeinte, in einer der großen Zeitungen, die sie, der Wirtschaftsteile wegen, regelmäßig las, eine Annonce und bewarb sich. „Eine Raumpflegerin mit volkswirtschaftlicher Bildung für Vertrauensstellung. Gehalt nach Vereinbarung." Mit der Stelle hatte es folgende Bewandtnis:

Der Geschäftsinhaber eines bedeutenden Bankhauses, der alte Herr Schneeweiß, wünschte, daß der Schreibtisch in seinem offiziellen Arbeitszimmer regelmäßig, jeden Morgen, gereinigt würde; auf dem Tisch lägen, sagte er, Geschäftsvorgänge in bestimmter geistiger Ordnung; die Hauptaufgabe der Raumpflegerin sei es, den Tisch zu reinigen und die geistige Ordnung nicht nur mechanisch nicht, sondern aus Einsicht in ihr geistiges Wesen nicht zu zerstören. Sie werde natürlich das Gehalt einer Wissenschaftlerin, „sagen wir für den Anfang 1200,–", erhalten. – Hier müssen wir einiges über die Marotten von Monopolisten einschalten. Marotten sind in diesen Kreisen üblich; ich weiß aus sicherer Quelle, daß die Abteilung NW 7 der I. G. Farben, die selbst von hohen Direktoren geleitet wurde, in der Zentrale anfragte, ob ein japanischer Prinz, Gast der I. G., Wein zu 7,– RM oder zu 5,– RM trinken solle, die Zentrale entschied: den zu 5,– RM; der Telegrammwechsel kostete mehr als die Preisdifferenz der Weine. Dies zum Kapitel Profitoptimierung. Nicht anders in der persönlichen Sphäre: ein rheinischer Großindustrieller fliegt regelmäßig Sonnabend früh mit seinem Privathubschrauber zum nahe gelegenen öffentlichen Bade, weil er einen eigenen Swimmingpool für neureich hält. – Elfriede Tierlich ging fortan jeden Morgen 5.30 in die Bank; sie wirtschaftete mit Staubsauger und Bohnermaschine, dann wischte sie den Schreibtisch und stellte die alte Ordnung wieder her. Flüchtige Blicke belehrten sie hinreichend über das Prinzip der Aktenverteilung; rechts lagen Vorgänge, Firmen betreffend, zu denen Herr Schneeweiß die Beziehungen abzubrechen wünschte, weil die Aussichten der Zusammenarbeit mäßig oder gar verderblich waren, links Vorgänge, Firmen betreffend, die optimalen Profit verhießen, so daß die Aufnahme oder Verstärkung von Geschäftsbeziehungen angestrebt werden sollte; noch zu entscheidende Fälle in der Mitte. – Wenn der alte Dr. Schneeweiß, 7.00, kam, verließ die Raumpflegerin das Zimmer; beide nickten einander an und sprachen über das Wetter.

Mutter und Sohn bewohnten ein hübsches Zweiraum-Appartement; Elfriede kümmerte sich sehr um ihren Jungen und sorgte, daß seine schulischen Leistungen auf der Höhe blieben: Lehrer und Schüler kränkten den Dunkelhäutigen fast täglich. Die Mutter, nur zweieinhalb Stunden außer Haus, machte es ihm schön, und an Festtagen oder wenn sonst ein Anlaß sich ergab, saßen die beiden bei Kerzenlicht; die ohnehin von Krimskrams überschwemmte Wohnung hatte dann keinen Fleck, welchen nicht irgendein Aufstellsel eingenommen hätte. Sonst besaß Elfriede Großzügigkeit; ein kleiner Wagen war bald angeschafft und Ausflüge in die nähere und fernere Umgebung weiteten den Blick; auch lagen in dem Zimmer, zwischen Plüschtieren, leeren Parfümflaschen und aus der Mode gekommenen Schuhen, die Elfriede, wohl wegen der Erinnerung an die schlechteren Zeiten, nicht wegwarf, Bücher und Fachzeitschriften, welche mehr Zahlen als Worte enthielten.

Eines Morgens nun, es war im Mai, nahm Frau Tierlichs Leben die zweite entscheidende Wende. Die Raumpflegerin entdeckte nämlich sämtliche Unterlagen der Fa. Zerimpex

Ltd. auf der rechten Seite des Schneeweißischen Schreibtischs. Der Bruch mit Zerimpex wäre hirnrissig gewesen; Zerimpex stand im Begriffe, mehreren südamerikanischen Staaten Flußschiffe zu liefern; die Flußschiffe, 300 tdw, waren als Raketenträger ausgelegt, die Raketen lieferte eine Tochtergesellschaft der Zerimpex, und die Diktatoren zweier an dem Fluß liegenden Staaten hatten sich Summen zustecken lassen. Frau Tierlich, die den Sachverhalt, während sie Staub wischte, eher beiläufig ins Gedächtnis gerufen hatte, überlegte: daß Herr Schneeweiß, sicher sachverständiger noch als sie, den Vorgang, vermutlich einer augenblicklichen Zerstreutheit folgend, falsch abgelegt haben müsse, daß er, sobald er käme, den Irrtum durchschauen werde, daß er nicht würde denken können, er sei der Schuldige, daß er sie für schuldig halten, ihren Beteuerungen keinen Glauben schenken und sie hinauswerfen werde. Sie dachte an ihren Sohn, dessen Zukunft in ihren Händen lag, und legte den Vorgang auf die linke, zukunftträchtige, Seite. Ihre Handbewegung war eher locker, dennoch vermeinte sie, als sie das Faszikel anhob, sie trüge ihren, nunmehr bereits zwölfjährigen, Sohn, wie ehedem das Baby, in der Armbeuge über die Tischplatte. – Sie wünschte an diesem Tage ihrem Chef nicht zu begegnen; leider hatte die Transaktion den Zeitablauf verzögert, oder Schneeweiß kam früher; sie trafen einander zwischen Tür und Angel. „Man lebt richtig auf", sagte er, „die schöne Sonne"; „man sieht den Staub besser", sagte sie. – Schneeweiß merkte die Umgruppierung nicht, er nahm die dislocierten Akten an sich, und am übernächsten Morgen sah die helläugig gewordene Elfriede Tierlich diverse Unterlagen über Tochtergesellschaften der Zerimpex auf der linken Seite. Sie atmete auf, beschloß aber, künftig wachsam zu bleiben. Bisher war sie über das Verderben hingeritten wie der Reiter über den Bodensee; das mußte ein Ende haben. Sie sah nun die Akten sorgfältig durch; bald gruppierte sie ein Drittel der Vorgänge um. Ein Jahr, nachdem ihre Tätigkeit dergestalt ernsthaft geworden war, war der Reingewinn des Bankhauses um zwei Drittel gestiegen. Dankbar erinnerte sie sich an Prof. Dr. Armenthal, der in Leipzig ihr Lehrer gewesen war und dessen Unterricht sie ihre Erfolge, Rechtens, zuschrieb. – Was sie tat, war nicht unbemerkt geblieben. Dr. Schneeweiß hatte beobachtet, daß sie länger und länger putzte, und er war ihr, durch den Türspalt spähend, auf die Sprünge gekommen. Sicherheitshalber hatte er dann absichtlich unsinnig geordnet; die Überprüfung besänftigte seinen anfänglichen, jedoch nicht unbeherrschten, Zorn derart, daß er ihr seine Entscheidungen schließlich ganz überließ, also: nur noch die Mitte des Tischs war, bevor die Scheuerfrau ihre Arbeit begann, mit Zweifelhaftem, bedeckt; sie gruppierte. Dies erhöhte das Reineinkommen um weitere zwei Fünftel, Schneeweiß verschleierte drei Viertel davon und zahlte Gratifikationen an die Gesellschafter; er erhöhte auch Frau Tierlichs Gehalt, zunächst auf 80 000,–, dann auf 150 000,– jährlich. So erfuhr sie, daß er wußte; beide sprachen kein Wort, weder zueinander noch zu Dritten, über das neue Verhältnis. Jedoch es kam ans Sterben. Vierzehn Tage nach des Chefs Begängnis – sie hatte, zwischen anderen niederen Angestellten, am Ende des Trauerzugs, kein gehöhltes Grab für ihre drei Hände Erde mehr vorgefunden – wurde Elfriede zum Nachfolger bestellt: einem Enddreißiger, der allzu lange auf die Spitzenposition gewartet und darum ein unwirsches kleinliches Wesen angenommen hatte. Der sagte ihr: „Wir können uns keine Scheuerfrau für 150 000,– leisten, wollen Sie für 6,– die Stunde arbeiten, oder wollen Sie gehen?" – Elfriede erklärte, was sie gemacht hatte; das verschlimmerte alles. Der Neue war nicht nur entscheidungsfreudig, sondern entscheidungsgierig; sollte er seine Geschäfte von der Scheuerfrau besorgen lassen? Er lief rot, dann violett an, erbleichte und öffnete kollernd die Lippen. Sie drehte sich auf dem Absatz um, ein Loch im Teppich: das blieb.

Sie veräußerte alle Aktien der, vormals Schneeweißischen, Bank, die sie von ihrem Gehalt gekauft hatte; rasch zeigte sich, das war klug gehandelt. Die Geschäfte der Firma wurden rückläufig; niemand außer Elfriede wußte, warum. Sie zog sich nach Oberitalien zurück, sie entdeckte, ihr Leben sei entbehrungsreich, und dachte an sich selber. Die Männer wechselten; der Junge, nun 19 Jahre alt, schwamm in Geld: nur die Dämmerstunden bei Kerzenlicht fehlten. Playboy, das lag ihm nicht; weil die Häuslichkeit weg war, schaffte Raoul das Haus ab; als Gammler bereiste er Westeuropa und erregte überall Aufsehen und Zuspruch; er lernte die Gesellschaft von unten kennen. Die Mutter hatte, wenn sie früh verkatert aufstand, gelegentlich, heulend und zähneklappernd, ihrer Leipziger Zeit sich erinnert; einmal war der Sohn Zeuge gewesen, wie sie, im Marihuanarausch, die Frauen zu sehen glaubte, die ihr nach 1945 geholfen hatten, sie wollte ihnen folgen, aber die Frauen entflohen. – Daran dachte Raoul, als er, völlig entkräftet, in ein holländisches katholisches Krankenhaus eingeliefert wurde; sein Entschluß stand fest. Mit den Worten: „Ich habs nie bereud, gannsde mer gloom", schloß er seinen Bericht. Dann kam das Essen.

„Ja", sagte der Parteisekretär am anderen Vormittag, „er hat wirklich Fuß gefaßt. Er besucht die Abendoberschule, und wir werden ihn zum Studium delegieren. Einmal konnten wir ihn bereits mit dem Titel Aktivist ehren, auch sonst ist er in ordentlichen Verhältnissen. In W . . . wartet ein ruhiges, sauberes Erzgebirgsmädel auf ihn, und wenn er übers Wochenende hinkommt, zünden sie die Lichter an. Und außerdem hat er für die Rentnerweihnachtsfeier, die der Frauenbund durchführt, eine neue Pyramide geschnitzt, Jungejunge, eine Wucht ist die, die mußt du dir ansehn."

HELGA SCHÜTZ

# Polenreise

Erster Satz, ich liebe dich, zweiter Satz, im Juli wollen wir reisen, das ist eine heiße und schöne Zeit, vorausgesetzt, daß es nicht wieder im Juli septembert. Ins Gebirge, dorthin, wo ich geboren bin, Bober-Katzbach-Gebirge, also jenseits der Flüsse Oder und Neiße, von mir aus, von uns aus, von Dresden aus gesehen. Dorthin wollen wir reisen. Die Zeit vom Wunsch zum Plan bis zum Tag ist lang. Vielmal wird das Vorhaben in Frage gestellt. Aber der Entschluß ist gefaßt und laut gemacht, und jetzt arbeitet das Reisebüro. Sorgt vor, bestellt und stempelt, telefoniert, holt Genehmigungen ein und schließt Verträge. Die Phantasie eilt voraus wie eine Taube, doch die Ämter bewegen sich wie Fußgänger.

Frist für Onkel Heinrichs Mahn-, Droh- und Liebesbriefe aus Rangsdorf bei Berlin. Er schreibt Vorkriegslatein, junge Schrift, also gut lesbar. Bevorzugtes Schreibgerät: Kopierstift. Erste Eilpostkarte: Liebe Christa! Mir geht es gut, hoffe dasselbe von Dir. Ich bin erstaunt, daß Ihr nun doch hin wollt. Ich sehe schwarz. Dein Dich liebender Onkel Heinrich.

Zweite Eilpostkarte: Liebe Christa! Ich weiß verbindlich von den Nixdorfern, von denen wohnt eine Verwandte in Jawor (Jauer), Nixdorfer, Herta, das Haus steht nicht mehr. Also: ich sehe schwarz. Dein Dich liebender Onkel Heinrich.

Als dritte Botschaft erreichte mich kurz vor der Reise ein Brief, zugeklebt, zusätzlich mit Klebstreifen gesichert und außerdem eingeschrieben, will sagen, sehr allerhöchstpersönlich an mich. Liebe Christa! Was willst Du denn dort. Willst Du Deinem Freund die Mäuerle zeigen?! Kannst keinen Eindruck schinden. Glaube mir, Deinem alten Onkel und einzigen Ratgeber, diesbezüglich. Ist sowieso alles vergangen und zerfallen, wie ich Dir schon schrieb. Kann keiner mehr sehen, woher Du kamst und woher Du bist. Würden vielleicht sagen: Lumpenpack. Das Haus war mit Stroh bedeckt. Stall mit der einen Kuh gleich neben der Stube. Einzige Stube. Die Kammer gleich unter dem Dach, ohne Oberboden. Die Sperlinge haben auf Deine Zudecke geschissen, wörtlich. Die Betten alle selber gezimmert. Überall Strohsäcke drin. Auch in Deiner Wiege. Ist alles zerfallen. Sei doch bloß froh. Wer weiß, ob Du überhaupt hinfindest. Du warst doch allerhöchstens zwei Jahre oder drei, wie wir fort sind. Ich sehe schwarz. Dein Dich liebender Onkel Heinrich.

Onkel Heinrich hat seine halben Weisheiten geschickt und mit schweren Schlußpunkten versehen. Die andere Hälfte behält er für sich. Auch die Fragezeichen spart er sich noch. Bis später. Bis wir wieder zu Haus sind.

Vogellaut in der geräuscharmen Vorstadtnacht, Blick aus meinem Fenster, Dresden N 23, Platanenstraße acht. Gegenüber die Häuser sieben und neun. Dunkel und verschlossen, und finster die kleinen, sehr kargen Vorgärtchen mit den niedrigen Sträuchern und den nassen, tags grünen Steinbänkchen. Und unter dem Mond und unter den hellfleckigen Platanen das Auto und daneben du. Dem Pfeifen nach: großer schwarzer Pirol. Seltener Vogel. Naturwunder in den Vorstädten.

Das kleine Gepäck ist untergebracht. Die Küsse gegeben. Die Freude ist groß. In den finsteren Tag wächst ein weißer Schönwetterbaum. Siehst du, der weiße verzweigte Streifen über dem Mond, der verspricht schönes Wetter. Küsse. Wir reisen. Sind unterwegs. Der Himmel ist blau inzwischen. Von einem besonderen Blau, von dem Blau, das jetzt und künftig immer häufiger als Himmelsfarbe angegeben und angetroffen wird, so ein Blau, das nächstens gewöhnlich geheißen, während das früher gewöhnliche Blau umbenannt werden muß, wenn immer etwas gesagt werden soll mit Farben, dann muß dieser Austausch bald stattfinden. Vorläufig aber: der Himmel ist von einem besonderen Blau und für unsere Zwecke gemacht und geschaffen. Wichtig zu sagen, denn der Himmel hat in vielen Lebenslagen ziemliche Bedeutung, oft eine ausschlaggebende.

Und wenn einer uns fragen sollte, wer wir sind? Wer sind wir? Uns fragt keiner! Und wenn? Wir sind die berüchtigten Kurzreisenden von Dresden. Mann und Frau. Der erste Titel ist unter einer Nummer im Reisebüro Trachenberger Platz eingeschrieben. Der zweite nicht. Also werden wir der Ordnung halber sagen: Liebhaberin und Geliebter oder umgekehrt. Wie auch immer. Früher, gestern zum Beispiel, waren wir noch Spezialisten für Hochzuchtgetreide, Primelschlosser, draußen in Pillnitz, hinter dem Schloßpark. Wir vergessen es vorsätzlich.

Ich wünsche mir sehr, dir die Wiesen und Wälder meiner Kindheit zu zeigen. Wir werden hinkommen. Irgendwie. Jetzt loben wir unseren guten Entschluß, so beizeiten aufgebrochen zu sein, auf die Weise sind wir, da der Tag für gewöhnlich erst beginnt, schon ein gutes Stück vorwärts gekommen.

Schon bei Görlitz.

Schon über die Grenze.

Schon im Nachbarland.

Wegweiser: Zielona Góra nach links. Jelenia Góra nach rechts. Jeleń ist gleich Hirsch, Góra ist gleich Berg. Also: rechts. Fahren wir rechts, das bringt uns näher. In Hirschberg, ich erinnere mich, hat vor Jahrzehnten eine Großtante aus Großenhain einen grünen Wellensittich gekauft. In Hirschberg muß eine berühmte Zoohandlung gewesen sein, denn die Großtante ist nur wegen des Wellensittichs von Großenhain zu uns gereist, hat bei uns Station gemacht und ist am nächsten Tag nach Hirschberg gefahren. Ich durfte mit. Ich erinnere mich der hohen feinmaschigen Volieren, die grünen, weißen und blauen Sittiche auf dem Gestänge, ein künstlicher Baum, die Tiere darauf, fremd und reglos, wie sonst niemals ein Vogel in freier Natur. Ich blieb, ich wartete auf einen Flug, aber keiner ließ sich herbei. Die Großtante hat inzwischen im Gebäude ihre Geschäfte abgewickelt. Da ging ich, machte mich auf, lief durch die Straßen, alle frisch gefegt, kein Strohhälmchen lag mir im Wege. Als ich an der Hand eines Fremden in Probstein in unser Haus und in die Stube gebracht wurde, stand ein kleiner Reisekäfig mit einem grünen, sehr schweigsamen Sittich auf dem Tisch. Die Tante saß hinter dem Tisch auf dem Kanapee und hielt sich gerade und sah mir entgegen. Auch alle anderen sahen schweigend zu uns, bis wir mitten in der Stube standen. Dann sprachen sie mit dem Fremden. Du siehst, Jelenia Góra, das liegt am Wege oder zumindest nicht weit davon.

Wir fahren. Wir haben einen langen Blick zum Horizont.

Sagtest du nicht, das Dorf sei im Tal?

Fahr zu, laut Atlas sind wir noch in grüner Umgebung, erst bei Lubań zeigt die Karte hellere und bräunliche Flecke.

Wir sind allein auf weiter Flur, die Straße führt durch stille Gebiete. Felder. Und die Sonne scheint uns genau entgegen, denn es ist noch früh, und wir reisen nach Osten, und wir haben geographisch das Gebirge noch nicht erreicht und kosmisch Zenit und Solstitium noch nicht überschritten. Da muß sich die Erde noch ein paar Stündchen drehn, und wir müssen fahren.

Lwówek, eine Kleinstadt, ähnlich unserem Pirna. Wir werden an einer Bahnschranke aufgehalten. Schaun neugierig auf die Leute draußen, versuchen Fremdes zu finden und Neuigkeiten zu haschen, damit sich die Reise beizeiten bezahlt macht. Wir lauschen der slawischen Sprache. Du versuchst zu verstehen. Du entzifferst die Anschriften der Stadt. Diese: zabawka, pływalnia, orbis, radio, szkoła średnia, porcelana, urząd, pocztowy artykuły spożywcze.[1] Was ist das? Sportartikel, denke ich, aber du sagst, es heiße Lebensmittel und sei eine Konstruktion mit dem Genitiv. Plural selbstverständlich und wahrscheinlich adjektivisches Attribut. Hinter der Sprache ist alles bekannt: Leute, die unter allen Umständen ihren Zug noch erreichen müssen. Und einer ist immer unter den Eiligen, auch hier in Lwówek, der hat schon am Morgen viel Zeit und Muße, sich jeder Unregelmäßigkeit zuzuwenden. Sind wir ein mittelalterliches Schiff mit roten Prachtsegeln? Er geht um uns herum. Er studiert die auswärtige Autonummer. Er beobachtet das Paar. Er findet es neugierig und meint, wie kann nur ein Mensch so neugierig sein. Auge in Auge in Auge.

Die Bahnschranke ist aufgefahren worden. Hinter uns der graublaue Pobeda startet, hupt und schlägt schimpfend um uns einen Bogen. Baran[2]! sagt er aus dem schnell niedergekurbelten Fenster. Baran? Ich grüße freundlich zurück. Du sagst, das heißt Kamel oder Hammel, genau weißt du das nicht mehr. Wir werden nachschlagen, sobald wir die *Sprache für jedermann* handbereit haben.

Wir folgen dem Spötter. Der Zufall leitet uns zusammen in eine Richtung. Richtung Złotoryja jetzt, denn der Weg hat sich wieder gegabelt. Du sagst: Złotoryja, das heißt Gold oder Geld, im Stamm jedenfalls, hinten, die Endung, vergleichbar mit unserem witz oder nitz oder hausen, jedenfalls nicht übersetzbar. Ich weiß: In einem Goldberg lebte früher unser reicher Verwandter, ein großer Mann mit Vermögen. Ein Geldbürger durch eine Geldheirat. Ein Glückspilz, wurde bei uns zu Hause gesagt. Besitzer eines Apothekenlädchens. Onkel Heinrich ist einmal zu ihm hin fechten gefahren, zurückgekehrt, hat er zu Tante Selma gesagt: Das ist ein krummer Hund, unser Bertholt. – Das Dach wurde nach Onkel Heinrichs Goldberg-Ausflug nicht neu gedeckt. Bertholt hatte

1 Spielzeug, Schwimmanstalt, Reisebüro, Rundfunk, Mittelschule, Porzellan, Postamt, Lebensmittel.
2 Hammel.

nichts gegeben. Der elende Geizkragen von einem Verwandten. Ich meine nur, Złotoryja, das liegt am Wege.

Der Pobeda, der große Überholer, quält sich in nämlicher Richtung. Leicht bergan jetzt. Hellbraun auf dem Atlas. Wir haben uns so lange hinter ihm gehalten, wenn es auch schwer war. Aus Anstand, aus Respekt vor der polnischen Nation, wegen der Väter Erbe und wegen des Erbteils, das wir wiederum von den Vätern übernommen haben und mit uns herumtragen und -fahren. Aber jetzt, er versucht eben mit röchelndem Motor den höheren Gang anzugehn, jetzt müssen wir vor. Wir tun's mit Anstand. Achselzuckend, demütigen Blicks. Zugegeben, unsere Haltung ist deutig. Dreideutig, würde ich sagen. Er hält uns für plumpe Überholer. Seine Faust zeigt drohend aus dem Fenster. Auch sein Kopf folgt, beult rot und redend, wahrscheinlich schreiend heraus. Der Fahrwind macht eine Mauer. Zerrt und reißt ab und behält den Redefluß in der Ebene, läßt ihn zerfließen. Wir fahren weiter und lachen. Und freuen uns über die schönen verdrehten Kleinigkeiten und finden lange nicht genug Unlust für ein Lustspiel. Wir küssen uns während der Fahrt. Warum fürchtest du dich, warum sagst du, die Reise sei gewünscht und gefürchtet von dir? Ich? Ich fürchte vielleicht, daß die Maße nicht stimmen.

Das verstehe ich, sagst du.

Aber ich glaube jetzt, es sind nicht die verlorenen Maße, die ließen sich ja schnell wieder finden, diese Verlustmeldungen wären einiger leichter Worte wert, eines Lächelns, eines Lachens, eines Vergleichs mit den Fundsachen, eines fröhlichen Philosophierens, eines ernsteren auch. Großer Augenblick für schwergewichtige Worte über Menschen und Zeiten. Worte, denen wir nachgrinsen, die zum Vergessen gesagt sind. Vielleicht sind wir nicht Manns genug, in der mikrochronischen Zeit von zwei ausgesucht kleinen Stunden aus alten Erinnerungen und gegenwärtigen Ereignissen ein neues Wahrbild zu malen. Verlorene Zeit also. Das wäre schade. Und Onkel Heinrich hätte wieder einmal recht.

Lachst du?
Ein bißchen.
Du kennst mich und meine Ferne aus meinen Reden. Ich habe sie dir bereits bekannt gemacht. Du weißt vom riesenhaften Kastanienbaum neben der Schmiede, wo ich im Oktober außerordentlich brauchbare Kastanienpferde fand. Der Baum war bis heute größer als das wahrhaft schon große Schmiedehaus, der Baum war größer als das Dorf und größer als die übrige Welt außer dem Baum, mein Lieber, ich glaube, er war nicht so sehr groß, aber das macht nichts, jetzt will ich mit dir neu sehen und messen. Über die genauen Maße, denke ich, werden wir uns schon einigen.
Alles wird kleiner sein, als du geglaubt hast. Die Leute werden ungezogen und freundlich sein. Je nachdem und je nach uns und je nach den verrückten oder weniger verrückten Umständen, die sie durchlebt haben. Die Felder werden bestellt sein. Die Fabriken arbeiten. Die Häuser bewohnt. Und die Menschen werden sich Frieden wünschen. Neugieriger als auf das Gebirge bin ich auf dich und auf mich. Wie begegnet man dem Land seiner Kindheit. Wie begegnet es uns.
Ich fürchte, unser gemeinsamer Blick, unser Austausch, die Paarung zu Worte wird meine Antike zerstören, wie Wind und Wasser die alten Städte genommen haben. Aber oft sind neue Gebäude darüber gebaut. Du baust auf meiner Antike. Du befestigst mein neues Gebäude. Ich führe dich dort hin. Die Gegend kommt mir bekannt vor, sage ich. Vielleicht hat sich hier deine Oma die Dauerwellen legen lassen?
Das war woanders. Das war in einer kleinen Stadt mit Marktplatz, weißt du. Mir ist, als war's eine graue Stadt im Vergleich zu unserem Tal. Zwei, drei Häuserstraßen. Schöne Fassaden, Symmetrie und vorgespiegelter Überfluß, Rocailles und Ranken aus Zement. Hinter den Häusern große Gemüsegärten, groß genug für einen kleinen Frühkartoffelschlag und ein wenig Roggen. Ich weiß noch, manchmal hat eine Kuh aus einem schön verzierten Erdgeschoßfenster ge-

äugt, war also statt Herrenzimmer ein Kuhstall dahinter. Ein als Stadt verkleidetes Dorf war das also. Dort hat sich meine Oma die Dauerwellen legen lassen, und dort hat mir der Barbier die Löcher für die Ohrringe gestochen. Mit einer glühenden Nadel.

Alles ist schön, was nicht Wunde ist, und unsere Wunden sind jetzt heil.

Hinter Śląski laß uns die Beine vertreten.

Wir sitzen am Feldrain und haben Hunger. Und zwar großen. Wir würden gern etwas essen, und zwar viel. Ich hatte nicht daran gedacht, daß wir auswärts auch Hunger haben könnten, und nicht vorgesorgt. Wir betrachteten still das dunkelgrüne Getreide. Triticum sativum, denke ich. Leicht zu erkennen, denn beide Blütenspelzen der unteren Blüten sind gleich lang, und die Ährenspelzen sind nach vorn geschmälert und scharf gekielt.

Aber du sagst: Kann auch Triticum spelta sein, denn die Kelchspelzen verlaufen auffallend gradlinig und sind, scheint's, vorne gestutzt.

Guter Weizen jedenfalls. Und später sehr schönes Brot, denke ich.

Geräusche lassen uns aufhorchen. Bekanntes Heulen von links hinter der Biegung, wo die Straße noch im Fichtenwald steckt. Der Pobeda tritt auf. Jammert und heult entgegen wie kranke Fabriksirenen. Er nähert sich. Wir grinsen erkenntlich. Der Mann sieht, stutzt und erkennt in einem. Uns, wie wir da sitzen. Er bremst und hält, was noch zu halten ist. Baut diese immerhin noch fahrbaren, aber kaum noch tragbaren Reste vor unserem Fahrzeug auf. Steigt aus. Erteilt der Tür einen leichtsinnigen Schwung. Schreitet aus. Scheint einen Punkt hinter uns anzuvisieren. Schnell und drohend wächst seine Gestalt. Kopf purpurrot und vorangeführt. Halbglatze, der Rest lang gekämmt in junger Mode. Er hält, als er für uns am größten ist. Wir warten unter seinem spitzwinkligen Blick klein und geduldig und machen uns gefaßt. Warten auf viel. Aber er hat nichts für uns als ein Kopfschütteln. Über uns ausgeführt und uns betreffend, vielleicht auch mehr, vielleicht auch andere. Wir, erzogen und bereit, mehr auf uns zu nehmen, als uns zusteht – unsere Väter haben uns die Lehre leider besorgt und das Gefühl eingegeben –, wir warten, bis er fortgeht, sein Fahrgerät angebracht hat und längs des Getreides davonfährt und auf der waldwärts führenden Straße geradeaus, von den parallelen Rainen immer mehr eingezwängt und aufgenommen, plötzlich, wahrscheinlich in einer Senke, verschwindet. Nicht end-, sondern stundengültig für uns verloren ist. Jetzt verachten wir den Spruch unserer Väter und lachen.

Als wir den Pobeda kurz vor dem Dorf Nowa Łąka zum zweitenmal überholen, grinst unser nunmehr seit drei Stunden Bekannter frech aus den Augen. Er will es uns rechts gewandten und gesenkten Kopfes gerne verbergen. Aber ich sehe es doch. Sogar die Mundwinkel zucken aufwärts. Vorübergehend. Aber immer noch mal. Uns ist, als seien wir nun miteinander bekannt. Der Schelm braucht einen Namen. Wir nennen ihn Lwoweker oder Dich mein stilles Tal, weil wir eben in ein schönes Tal einfahren.

Die Gegend kommt mir bekannt vor. Wir halten an. Du steigst aus und gehst quer über die Dorfstraße. Ein Arbeiter mit Strohhut und gestreiftem Kattunhemd, Sense geschultert, kommt dir entgegen. Eine kurze Verhandlung. Po polsku.[1] Unterstützt durch Zeichen. Der Arbeiter weist zurück und schräg über die Straße auf ein graues Häuschen mit braunen Stielen, Streben und Kopfbändern. Auch braunen Rehmhölzern und schönen, gut erhaltenen verzierten Sparrenköpfen. Ich, im Auto eingekapselt, schüttle den Kopf. Das nicht! Das war's nicht. Hier nicht. Ich erinnere mich wieder. Du kommst. Du öffnest die Tür. Du sagst: Er sagt, dort wohnt Frieda. Sie spricht deutsch. Sie kennt sich aus.

Der Arbeiter mit der Sense beobachtet unser Wendemanöver. Bereit, Hand anzulegen. Dann geht er wieder über die Wiesen.

1 auf polnisch.

Frieda spricht über das Alleinsein und über verschiedene Möglichkeiten, die dann alle nichts waren, wegen des Krieges. Frieda schmiert uns Schnitten mit Butter und Quark und bringt uns Buttermilch aus dem Keller. Sie sagt, sie habe gerade Johannisbeeren gepflückt. Sie will Saft kochen. Reinen schwarzen Johannisbeersaft. Sehr gesund. Und ob wir noch Buttermilch möchten? Delikatessen hätte sie nicht. Inzwischen ist Wanda, ohne anzuklopfen, also ganz selbstverständlich, in die Stube gekommen. Das hier ist Wanda, sagt Frieda. Wanda setzt sich auf die Ofenbank, wie eine, die weiß, wann immer ein Auto vor der Nachbarin Haustür hält, dann mußt du hin, denn das hat auch für dich zu bedeuten. Wanda lächelt, stützt die Ellbogen auf die Knie und den Kopf in die Hände und wartet. Wir backen zusammen unser Brot, ich und Wanda, sagt Frieda. Wanda lacht, und Frieda lacht mit. Zeigen sich gut gelaunt. Ein Gast in der Stube. Ein Gästepaar. Ein Mann und eine Frau. Ganz sonderbar angezogen. Hellblaue, ziemlich verwaschene Hosen und Strickzeug obenherum. Wie Leute im Film heutzutage. Der Film hat angefangen. Und geht weiter. Die Zuschauer sitzen auf der Ofenbank. Frieda hat neben der Nachbarin Platz genommen. Sie schweigen aufmerksam. Dort im Film wird Brot gegessen und dort wird Buttermilch getrunken. Schöne Blicke gehen über das Brot und über den langen Tisch bis dorthin, wo der andere wartet, und vier Hände suchen sich auf der großgekästelten Wachstuchtischdecke. Das Suchen findet kein Ende und hört doch auf. Das Paar erhebt sich, geht den langen Gang um den Tisch und küßt die Brotkrümel vom Bart. Sie ihm. Es schaut den Brotschrank an und die alte Lampe und lobt die Buttermilch und das Brot, das frische, knusprige. Da greift Frieda von ihrem Zuschauerplatz ein in die Handlung. Sie schneidet noch mehr Brot ab und schmiert noch mehr und packt zwei Pakete mit je zwei Doppelschnitten, fragt, ob das auch wirklich reicht und reichlich genug ist. Zuletzt füllt sie die Gläser mit Buttermilch und stellt die Gläser auf den Tisch. Jetzt setzt sie sich wieder neben Wanda auf die Ofenbank und erwartet den Fortgang der Handlung. Einen Liebesfilm oder Schicksalsfilm, so ließe sich die Zuschauererwartung klassifizieren. Einen Film zum Weinen und Lachen, aber hauptsächlich schön zum Weinen. Wanda hat sich das Weinen mit Lachen vertrieben, wollte sich auch hinter dem Lachen verbergen, denn ihr war, als werde der Film nur für sie gespielt, und zwar bei hellem Licht, und die Spieler linsten immer aus den Augenwinkeln, um zu sehen, wie tief sie verstanden würden. Und dann das Reden und Schweigen in fremder Sprache.

Wanda versteht wenig Deutsch, sagt Frieda.

Woher stammt sie denn?

Sie kommt aus der Lubliner Ecke, aus der Gegend, genau weiß ich das nicht.

Wanda horcht. Was verstehen ihre Ohren hinter den blonden Dauerwellen? Sie nickt uns zu, steht auf und geht.

Was hat sie denn?

Ihre Schwiegermutter hat gerufen.

Ach so, ich war schon erschrocken.

Ach woher denn. Wir kenn' uns, wir sind Nachbarn seit fünfundvierzig.

Das ist gut. Aber: wieso bist du hier, Frieda, wieso bist du damals zurückgeblieben. Frage ohne Fragezeichen, aber sie steht von selber, seit der Mann mit der Sense dein gutgemeintes Polnisch höflich angehört hat und sachlich Auskunft gab: Dort wohnt Frieda, die spricht deutsch, also: Tam mieszka Frieda. Ona mówi po niemiecku.

Frieda sagt: Ich bin Schweizerin.

Ach so, ich wollte eben fragen, warum Sie hiergeblieben sind, damals, sage ich.

Meine Frau – du sagst, meine Frau, das ist ja auch schöner, viel besser klingt das als Freundin, Braut oder Verlobte –, meine Frau ist hier in der Gegend geboren. Wir suchen den Ort. Uns kam die Gegend schon sehr bekannt vor, aber jetzt sagt sie, die Berge wären zu klein. Sie war fünfundvierzig drei Jahre, aber sie sagt, sie erinnere sich noch.

Lieber Gott, drei Jahre!

Kennen Sie Probstein?

Proboszów! sagt Frieda. Wir setzen uns wieder und rücken Stühle und Bank näher an den Tisch.

Höchstens fünf Viertelstunden von hier, sagt Frieda.

Über Złotoryja drübernaus, fragst du und fügst dich heimisch in ihre Sprache.

Nee, müßt ihr nich, wart mal, Pielgrzymka, bis dorthin geradeaus. Dann rechter Hand, immer unterwärts am Wasser lang, dann is Twardocice, dann nächster Ort Proboszów, was früher Probstein war. Kenn ich doch. Fünf Viertelstunden, mehr nich.

Dann sind's noch achtzig Kilometer, mindestens, sagst du.

Ach woher denn, sieben, mehr nich. Fünf Viertelstunden Fußkilometer.

So, na dann sitzen wir ja gewissermaßen schon in der Vorkammer.

Du schreibst dir die Namen auf.

Kenn ich, Proboszów, ein' Strich müssen Sie übers O machen, sagt Frieda und: wo is se denn her in Proboszów?

Maurer war ihr Onkel. Klose. Neben der Schmiede.

Neben der Schmiede, also Klose-Mäuer, der. Ja, die haben die Nichte aufgezogen. Die Christula.

Ihr verhandelt jetzt über den Tisch drüber weg, und ich bin für euch klein und zehre von meinem dreijährigen Verstand und Wissen. Ihr meint, von mir sei nicht viel zu gewinnen. Ich bin nicht geeignet, Auskunft zu geben. Dabei bin ich es gewesen, die dich bis hierher geführt in der richtigen Richtung und die uns hier miteinander zusammengebracht. Ich rekapituliere, was ich mit drei Jahren eingenommen: Mein Onkel Heinrich war Handlanger bei Sagasser und Söhne in Schönau, also nicht Maurer. Die Erhebung wird leicht genommen, so leicht wie die eines Kindes, das kürzlich erst sprechen gelernt hat, wenn ich auch mündig und erwachsen und verliebt hier sitze. Ich behalte also meine alten Erfahrungen stille für mich und lasse mich gerne bereden.

Jetzt wird meine Herkunft festgemacht: Christula, also Christa Klose, nicht zu verwechseln mit Christula Klose Heinrich II, die hatten drei Pferde im Stall und eine Remise. Diese nicht, sondern Christa Klose Heinrich III, also die, welche dreiundvierzig, in dem schlimmen Winter in der kalten evangelischen Kirche von ehemals Pilgrammsdorf, heute Pielgrzymka, das kleine Jesuskindlein, das Krippenkind, in der Weihnachtsgeschichte gespielt hat. Lag in dem Krippchen auf Heu, war zwar in Hasenfelle gewickelt, war aber doch kalt, hat aber doch sehr gefroren. Hat geschrien längs der langen Litanei. Ich selber war der großgeflügelte Gabriel. Gegrüßet seist du, Hochbegnadete, der Herr ist mit dir. Und: Fürchte dich nicht, Maria, du hast die Gnade bei Gott gefunden, bis: Denn bei Gott ist kein Ding unmöglich. Und Kapitel zwei Lukas, also Jesu Geburt, da war ich selber gleich noch himmlische Heerscharen, mit etwas kleineren Flügeln, Gänsewische, schnell in der Sakristei ausgetauscht und aufgehuckt. Auf die Art verwandelt: Ehre sei Gott in der Höhe und Frieden auf Erden bei den Menschen seines Wohlgefallens. Und der Heiland in der Krippe, wie gesagt, die Christula Klose Heinrich III, nahm keine Vernunft an, und zum Schluß, als die Hirten umkehrten und Gott lobten und priesen um alles, was sie gesehen und gehört hatten, wie denn zu ihnen gesagt war, da verbreitete sich von der Krippe her ein Geruch. Der Kantor schwang in aller Eile das Weihrauchfäßl. Christula schrie bis zum Segen. Christula hatte's erwischt. Fieber. Mehrere Tage sehr hoch. Die Ruhr. Wir haben um sie gebetet die Weihnachtsmessen und zu Neujahr. Ich weiß noch, sagt Frieda, ich weiß noch, wir haben sie durchgebracht.

Ich bin erkannt. Doch ich werde nicht als Zeugnis genommen. Daß ich hier bin, fleischlich und als Maß vieler gelebter Jahre, gilt nichts gegen die Erinnerung. Die läßt sich Frieda nicht kreuzen, auch nicht durch meinen bescheidenen Zusatz: Ich weiß noch, meine Wiege wurde aus der Kammer in die Stube gebracht, direkt unter dem Seiger aufgestellt. Ich habe die Gewichte, mithin die Zeit, fallen sehen.

Du schüttelst den Kopf und nickst dazu. Soll heißen: Ich weiß schon und laß sie. Der Heiland paßt eben nicht mehr in dich hinein. Sie will nicht, daß du an ihrem geraden weißen Faden spinnst. Frieda nimmt freundlichen Blick an, als wollte sie prüfen und als sollte die Prüfung gut ausgehen, aber sie prüft nicht. Was gibt's zu prüfen, wenn einer erklärt, er sei der alte verstorbene Graf von Monte Christo, von dem sie ein Buch hat im Radioschrank. Die junge Frau kommt heute von weit, von hinter der Oder, wer weiß, was dort alles nicht gewußt wird. Wer weiß, was die sich für Bilder machen. Will sie noch Buttermilch, sagt Frieda mit diesem freundlichen Blick. Sie will. Ich will. Ich würde schon noch ein Gläschen trinken. Frieda geht, wird holen. Wir warten. Zweimal ein Gegenüber. Ein Paar. Antigesichter. Antipoden und Antimanen. Gegeneinander alle vergleichbaren Organe. Gegeneinander auch die gegensätzlichen. Ich liebe dich, denke ich wörtlich und stark, fehlt nur noch der Laut zur Sprache.

Was tust du?

Ich schweige.

Was schweigst du?

Ich schweige an dich,

denn: keine Sprache drückt Sachen aus, sondern nur Namen; auch keine menschliche Vernunft also erkennt Sachen, sondern sie hat nur Merkmale von ihnen, die sie mit Worten bezeichnet. Eine demütige Bemerkung. Irrtümer und Meinungen sind unserer Natur also unvermeidlich, nicht etwa nur aus Fehlern des Beobachters, sondern der Genesis selbst nach, wie wir zu Begriffen kommen und diese durch Vernunft und Sprache fortpflanzen. Dächten wir Sachen statt abgezogener Merkmale und sprächen die Natur der Dinge aus statt willkürlicher Zeichen, so lebe wohl, Irrtum und Meinung, wir sind im Lande der Wahrheit . . .

Versteht mich der andere . . .?

Verbindet er mit dem Wort die Idee, die ich damit verband ...? So dachte für mich: Herder, Johann Gottfried, in seinen Ideen zur Philosophie der Geschichte der Menschheit.

Ob wir reden oder schweigen; wir sind in diesem Lande. Wir beantworten Johann Gottfrieds demütige Bemerkung mit einem maßlosen Ja. Jetzt. Jetzt befinde ich mich dort. Jetzt bin ich in diesem Lande.

Jetzt beschreibt gewöhnlich eine kurze Zeit. Sie wird nur länger durch Wiederholung. Jetzt und jetzt.

Der Buttermilchkrug ist blau und kühl, frisch aus dem kalten Keller. Frieda eifert mit reinen Gläsern. Sie trocknet hinter dem Überhandtuch. Eine Schrift fällt auf, blendet ein in die Handlung, rostrot auf weißem Nessel, Schwabacher Schrift, mit Plattstich appliziert. Stück deutscher Sprache, und als diese fällt der Spruch auf, nicht wegen der Poesie, die eine unbeschäftigte Ahnfrau mühselig und langwierig zu Nessel gebracht hat:

> Der Mensch erfährt, er sei auch, wer er mag,
> Ein letztes Glück und einen letzten Tag.

Sonst lebt Frieda auf polnisch. Herbata, Kawa[1] und alles, was zum Leben in Nowa Łąka gehört, nebst zugehöriger Grammatik.

Ich komme aus, sagt Frieda, ich habe alles.

Die Stubentür klinkt langsam nieder. Wanda, jetzt mit frisch vorgebundener Nyltestschürze, die Schwiegermutter an der Hand und zwei kleine Jungen am Rock, kommt, um uns ihren Leuten vorzuführen. Du sagst auf polnisch: Bitte, liebe Herrschaften, sind das Ihre allergnädigsten Kinderchen? Ich würde mich glücklich schätzen, wenn ich die Ehre haben dürfte, Ihnen, Herrschaften, einen meiner höchsteigenen Plätze anzubieten, und ließen sich die Herrschaften schließlich nieder, so wäre dies in der Tat für mich ein Zeugnis Ihrer Zuneigung, der ich so dringend bedarf. Tun Sie Ihre Absicht kund? Außerdem freue ich mich, Ihnen mit-

1 Tee, Kaffee.

teilen zu können, ganz schön heiß heute, was? Ein rechtes Eselswetter. Ein Tag mit langen Ohren also, ein ungesattelter und hellblauer Eselstag.

Grammatisch einwandfreie Wortfolge, leicht modifiziert und ergänzt, aus: Original brieflicher Sprach- und Sprechunterricht nach der bewährten Methode Toussaint-Langenscheidt für das Selbststudium Erwachsener. Gesetzlich geschützt. Nachdruck verboten und strafbar und so weiter. Auszug aus den Lektionen elf bis dreizehn, Gespräch unter guten Freunden.

Die Besucher sind nervös geworden. Wanda, rot im Gesicht, dreht die neuen Schürzensäume und lacht verstört. Die Kinder grinsen und puffen sich in die Seiten. Die Schwiegermutter hockt verlegen auf einem Schemel neben der Tür und behält die Klinke im Auge. Wer weiß, was du noch alles gesagt hast und was du noch sagen würdest, wenn nicht Frieda dazwischengefahren wäre: Will die junge Frau noch Buttermilch? Danke schön, hat gut geschmeckt, aber wir müssen jetzt los, wir kommen wieder. Danke, danke, auf deutsch und po polsku.

Wir fahren.

Die Sonne steht steil. Stille in den Feldern, auf Wiesen und Straßen. Amsel, Drossel, Fink und Star haben längst und eilig ihre Lieder gesungen und sind nun auch müßig, irgendwo tief im Wald, denke ich. Und die Menschen sind in den Häusern oder unter einem Feldbaum und trinken oder schlafen ein Weilchen. Du ziehst deinen Pullover aus, während der Fahrt. Ich helfe dir. So gehörst du aufs Pferd! Dieses praktische Kraftkonzentrat, genannt Automobil, also Selbstbeweger, spricht deinen starken braunen Schultern hohn jetzt, auch der glatte Asphalt spricht hohn. Du gehörst auf eins der fünfundvierzig aus der Koppel stürmenden Pferde. Galopp durch die sonnenweiße Pußta oder Tundra oder Sierra Nevada. Die Herde folgt dir. Steile Böschungen. Breite Gräben. Schräge Hänge. Hügel. Berge. Schließlich kühles Gebirge. Das Reitpferd im Schritt geführt, kehrst du am Abend aus dem Gebirge zurück. Neben dir reitet das Fräulein. In meiner Gestalt. Und hinten folgt auch die Herde.

Wir fahren schnell.

An der vorgeschriebenen Kreuzung Pielgrzymka entdekken wir den von Frieda vorausgesagten Postkiosk, und wir biegen an der angegebenen Stelle rechts ab, fahren über eine Brücke. Darunter fließt ein Bach, schnell und glatt und ungestört, ein Bach ähnlich der Katzbach. Oh, ich kenne die Katzbach noch, ein Fluß wie die Weißeritz, die kurz vor der Flutrinne in die Elbe mündet. So still im Sommer und so stürmisch im Frühjahr und Herbst.

Hinter Pielgrzymka waren wir wieder zwischen Feldern. Links Hafer, Avena speziosa, rechts Weizen, Triticum sativum. Und was sehen unsere Augen, dort, links im Haferstroh? Ein blaugraues Auto vom Schlage Pobeda. Motorhaube offen. Grübelnd ein Mann auf dem Feldstein. Einen Hammer in der Hand. Um sich unorganisierte, widerlich bockbeinige Materie: Werkzeuge und Ersatzteile. In einem Wort: Chaos. Hier muß einem Freunde geholfen werden. Wir treten näher. Du erkundigst dich auf gut polnisch, erprobte Methode Toussaint-Langenscheidt, ob wir uns die Ehre geben dürften. Empfohlene Sätze für das Antragen von Hilfeleistungen, Lektion zwanzig.

Dich mein stilles Tal legt den Hammer beiseite, deutet auf die Dinge und sagt in diesem östlichen Esperanto, verständlich von Wladiwostok bis Dresden, kann sein, auch noch weiter: Maschin kaputt. Und ihr nickt übereinstimmend. Ihr betrachtet sinnend den Motor. Dich mein stilles Tal erklärt abermals, maschin sei kaputt, nix, kein Hauch, kein Laut, kein Schrittchen sei mehr aus ihr herauszuholen, und er beginnt nun redselig sein Autochen schlecht zu machen, erweist sich als geselliger Typ. Du hast inzwischen den Benzinstand kontrolliert. Benzin ist. Zehnerschlüssel, sagst du. Auf polnisch. Dich mein stilles Tal reicht das Werkzeug. Gehorsam. Aber mit Würde. Und von tiefen Zweifeln erfüllt. Du löst die Mutter vom Vergaserdeckel, nimmst den Deckel ab und gibst dem stillen Tal erst Deckel, dann Dichtung. Halten. Nicht verlieren, sagst du. Nie gubić. Der Schwimmer sitzt unten, sagst du auf deutsch in meine Richtung.

Unten?

Ja. Kein bißchen Benzin mehr drin.

Du reinigst das Schwimmernadelventil. Jetzt starten, sagst du mit Hilfe von rechts drehendem Daumen und Zeigefinger. Stilles Tal legt Deckel, Dichtung und Schlüssel ab und tut, wie ihm geheißen. Vorsichtiger Startversuch bei offenem Vergaser. Du fixierst den Schwimmer und beobachtest das Ventil. Benzin kommt. In Ordnung. Wo ist der Deckel? Die Dichtung? Der Schlüssel? Wer kann Angaben machen? Wo wurden die vermißten Gegenstände zuletzt gesehen? Langes Suchen. Auch unter dem Auto. Großer Radius wird abgegangen. Resigniertes Niederlassen auf dem Feldstein. Aufspringen, denn unter deinem Sitzefleisch: Deckel, Dichtung und Schlüssel. Erfreutes Erkennen. Du paßt den Deckel auf. Jetzt wieder starten! Daumen- und Zeigefingersprache. Fingerzeig auf den Fahrersitz. Der Motor kommt zögernd. Noch einmal! Beim vierten Startversuch gehorcht der Motor sofort und hört sich gar nicht mal schlecht an. Jetzt, erklärst du dem zufriedenen Pobedabesitzer, jetzt seien alle Bedingungen im Sinne des Vergasererfinders wieder erfüllt. Ventil frei. Der Kraftstoff marschiert. Maschin gutt. Dobrze. Dich mein stilles Tal lobt sein Auto über die Maßen. Gute Fahrt. Dzień dobry. Danke schön. Auf Wiedersehen.

Wir fahren.

Langsam fährst du! Warum fahren wir langsam?

Manchmal kommen zwei unabhängige Defekte zusammen, zwei, die sich völlig fremd sind. Ohne gemeinsame Ursache. Eigenwillige Philosophie von Autofahrern, die selbst reparieren.

Du meinst, Das Tal sitzt immer noch auf dem Felde? Vielleicht ist er zurück nach Pielgrzymka und hat dort in Dreilinden, Trzylipy, eine Brause getrunken. Kann sein. Wir fahren also vor Twardocice links wäldchenwärts und warten in einer Schneise auf unseren Freund. Wenig später zieht der Pobeda an uns vorbei. Sauberes Geräusch wie nie, sagst du. Wenige Minuten später, genau an der Schule von Twardocice, ziehen wir an dem Pobeda vorbei. Dich mein stilles Tal kneift die Augen zu, schüttelt sich wie vom Fieber befallen und zieht sich schließlich selber am Ohr und fragt sich streng und po polsku: Wo gibt's denn so was. Dabei setzt er ein ziemlich neues Gesicht auf, damit könnte er glatt den Hasen im Märchenfilm vom Wettlauf zwischen dem Hasen und dem Igel spielen. Er behält diese verwirrten Augen und die verwunderten Ohren und die Leck-mich-am-Arsch-Nase, bis wir ihn aus dem Rückspiegel verlieren.

Hinter dem Dorf treffen wir wieder den Bach. Dort siehst du die Forellen springen, wie es im Liede gefordert wird.

Du, das ist die Katzbach. Ich bin sicher. Ich erkenne die Uferwiesen. Dort haben die Kinder immer gespielt. Ich auch. Im Frühling waren die Wiesen jedes Jahr weiß von Dichternarzissen, Narzissus poeticus. Hier wollten wir als Kinder immer gern sterben, wenn uns die Welt mißverstanden und unrecht bestraft hatte. Meine ältere Freundin und ich konnten jedoch nur abwechselnd aus der Welt, denn wir hatten uns gegenseitig versprochen, den Hinterbliebenen unsere jeweils letzten Worte zu überliefern. Die hatten wir uns in schönen Stunden ausgedacht. Ich weiß noch, ich wollte sagen, eine Blume ist eine Rose. Mit dem Rätsel sollten meine guten Bekannten und lieben Verwandten allein bleiben. Sollten sie sich ruhig bekümmern. Ich würde nur lachen. Von oben herab. Eine Blume ist eine Rose?

Ortseingangsschild Proboszów. Proboschtschów. Proboschschtschschów.

Proboszów, jetzt von Kindern und Vätern und Müttern und Großvätern und Großmüttern und hin und wieder auch von einer Urgroßmutter und einem Urgroßvater bewohnt.

Mein aufgehobenes Land. Die Dorfstraße, die früher schon skandalöse, ist länger geworden und schmaler. Die Ufer sind breiter, der Bach selbst ist zurückgetreten. Ich vermute hinter jeder Straßenbeugung und hinter jedem Wegstrauch die Stelle, nicht das Haus, ich weiß ja, das steht nicht mehr. Schon seit Jahren nicht mehr. Ich erwarte die Stelle und das Nachbarhaus, die Schmiede. Mein langer Weg ist noch länger geworden. Warum? Weil ich suche. Das ist die kleine Brücke vom Mitteldorf. Onkel Heinrich besitzt ein Foto. Ohne Rand Bütten, also im Stil von Foto-Kunze aus Schönau. Eine Aufnahme vom Sonntagsspazieren. Kleine Rast an der Brücke. Onkel Heinrich steht vor dem steinernen Brückengeländer, Tante Margarete sitzt auf der Mauer und hält mich auf dem Arm, ein widerborstiges Wickelkind mit weit aufgesperrtem Schnabel. Neben uns, wiederum stehend, mein Cousin Rudi, ihrer beider einziger Sohn und Erbe. Onkel Heinrich hält sich groß und gerade, wie er sich selber gerne überliefern will. Das dünne Haar locker gekämmt, der Kopf ist ein wenig nach vorne geneigt, damit der Bart noch länger wirkt. Bis über den Jackenausschnitt reicht er. Sieht also keiner, daß Klose, der Maurerhandlanger, auch die Sonntagskragen gespart hat. Die Arme in gerader Seithaltung, ganz ohne Faxen. Die Schuhe absolut blank. Tante Margarete, neben dem Onkel, sieht viel jünger aus, wie eine vierzigjährige Konfirmandin, sie trägt altmodischen Mittelscheitel und Knöpfchenschuhe. Cousin Rudi in Naziuniform, Dienstmütze, mit Luftwaffenzeichen, keck auf dem Knie, die Augen geschlossen, wegen der Vorsonne. Fotoexperten hätten die Komposition ausgeklügelt genannt, aber es ergab sich alles von selber. Wir Menschen, Onkel, Tante, Rudi und ich, als Akteure schön im Mittelgrund, Köpfe akkurat in einer Höhe, also isokephal angeordnet. Vor uns die breite Straße, durch die eigenwillige Perspektive des Kunstauges überhaupt erst zur Straße gemacht. Eindruck einer größeren Kleinstadt mit hübschem Boulevard. Auf dem hellen, fast weißen Vorfeld ein dunkelgrauer stelzbeiniger dürrer Schatten, quer liegend, entfernt menschenähnlich, womöglich Teufelshörner und Teufelsschweif. Ungenaue Auswüchse jedenfalls. Hinter uns, am Berg, also über uns auf dem flachen Fotopapier, die drei Häuschen, die du dort siehst, und auf der Anhöhe das kleine Plateau, die Wiese, mit Wäschepfählen bestückt und quer und kreuz Wäscheleinen mit frischwaschner Wäsche. Ein Wind war in Probstein diesen Sonntag. Er hielt die Wäsche in Aufruhr. Das Unterhemd breitet die Arme aus. Die Windbewegung und die träge Chemie auf dem Negativ, Umsetzung von Bromsilberemulsion mit Hilfe von Licht, man kennt das, das bringt ein anderes hervor als nur die eben gemachte Natur. Und erst die verschiedenen Augen der verschiedenen Betrachter. Jeder hatte sein eigenes Andenken und ein eigenes Bild von dem Tag. Aus den Hemdärmeln sind Flügel geworden. Ein Engel schwebte über uns. Ich habe ihn staunend erkannt und oft angesehn und wußte sofort, als ich den Abzug zum erstenmal sah, warum mich die Umstände ängstigten, denn auch der Teufel hielt sich ja ziemlich in unserer Nähe. Die anderen haben weder Engel noch Teufel erkannt. Tante Margarete sagte: Gottschling müssen ahm Wäsche machen sonntags, wenn jeder spazieren will. Und: Hans Pfeifer hätt sich mehr seitlich stelln müssen, wie sieht'n das aus, su a Lulatsch mit uffm Foto. Diese Brücke ist das.

Jetzt kommt rechter Hand ein Laubwäldchen, ein Busch, über den Berg geschritten. Der muß neu sein. Kommt eilfertig aus dem hohen Gebirge, läuft auf das schiefergedeckte Haus zu, hält vor einem Palisadenwall, einer eisernen, ellipsenförmig um das Häuschen geführten Vorrichtung, vom Schmiedemeister und Hausherrn vor vielen Jahrzehnten selber ersonnen, entworfen und aus Bandeisen in knapper Freizeit gebaut und zum Schluß als das schönste und brauchbarste Stück empfunden. In England war so was seit langem in Mode. An dem Palisadenwall sollte jeder Ohnmißverstand lesen: Das ist ein Schmied, also such mal so einen. Der kann was, allein, wenn du mal die gedrehten Querstreben nimmst, so was findest du auf der Welt nicht, das ist Kunst, allerdings ohne Gebrauchswert und, wenn du mal rechnest, für dich zu teuer. Liebhaberstück also. Nichts als das. Aber einer hat den Ursinn dieser Einrichtung doch erkannt. Der Wald. Der steht davor und traut sich nicht drüber.

Was findest du nun neben der Schmiede? Links daneben, in Fahrtrichtung also dahinter? Wegloses, Undurchdringliches, eine Urlandschaft, rotes Gestein vulkanischen Ursprungs, Naturschutzgebiet, Blumen und Unkräuter in schöner Gemeinschaft, Voliere für alle vorkommenden Vogelarten. Terrarium für sämtliche Insekten und Salamander des östlichen Mitteleuropas, Schöpfsteine eines versandeten Brunnens, Rinnsale früherer Gräben, schwarze Gerüste einstiger Apfelbäume, Behausungen für heimische Pilzfamilien und Wald. Geburtsort heißen diese Bäume.

Also siehst du, nun sind wir also an Ort und Stelle. Das sagt sich so leicht, fast wie ein Achselzucken.

Wir umarmen uns heftig. Zwei kleine Mädchen mit schweren Schultaschen gehen an uns vorbei, senken die Köpfe: Para zakochanych, Liebespaar, flüstern sie und lächeln vor ihrem Wissen und schauen sich immer wieder neugierig nach unseren fortschreitenden Zärtlichkeiten um. Wir winken. Die Mädchen lachen und winken auch.

Es gibt Lieder, die sind zuzeiten wortwörtlich wahr. Zum Beispiel: Und nähmst du einen toten Stein, mit dem das Kindlein spielte ... aus Gustavs Orakel in der Ahnenfeier von Adam Mickiewicz.

Ich gehe voraus. Bergan. Komm mit, mal sehen, wie es oben aussieht. Wiese und dann wieder Wald. Das Unterholz schlägt hinter uns zusammen. Wissen wir, ob die Anhöhe um diese Zeit einsam ist! Wir lauschen. Wir rufen. Hallo auf polnisch. Wie sagt man hallo auf polnisch? Aber wir sind schon gehört oder vorhergesehen. Eine Frau ist auf unserer Spur, ein kleines, schwarzgrau gekleidetes Weibchen. Quer zum Berg kommt sie rasch und wie gerufen auf den Wald zu, unseren Stimmen entgegen.

Idę, Idę! Ich komme, ich komme, ruft sie, als müßte sie

uns zu Hilfe eilen. Dabei haben wir nur große Lust, uns in einsamer Gegend gehörig zu lieben, allen Mücken zum Trotz und den Ameisen zum Trotz, auch gegen alle Fichtenzapfen und Binsen. Verfahrene Situation. Ein Fluch ist am Platze.

Laß dir nichts anmerken, sage ich, sei, bitte, freundlich. Wir treten aus dem Unterholz und stellen uns.

Dzień dobry, sagst du freundlich.

Dzień dobry państwo, guten Tag die Herrschaften, sagt die Frau freundlich. Sie kommt näher und betrachtet lächelnd mein blankes Armband. Dzień dobry pani, sage ich freundlich.

Du hast inzwischen grammatisch einwandfreie Sätze parat. Selbergemachte diesmal. Ich sei hier geboren, sagst du. Dort. Du zeigst. Ziemlich genau dort habe meine Wiege gestanden. Kolyska, Wiege, sagst du. Und das stimmt ja auch. Das klingt nur so ferne. So alt. Es sei eine schöne Gegend. Sie nickt und lächelt und nimmt mich bei der Hand. Sie sagt etwas. Was sagt sie? Sie sagt, du siehst gut aus, du seist schön. Frag die Frau doch mal, ob sie einen Klose gekannt hat. Frag doch mal, wann sie hierhergekommen ist. Aber wie heißt der Lokativ von männlichen Substantiven? Das Verb wohnen, wird es im Polnischen intransitiv oder transitiv gebraucht, wenn ja, auf welchen Fall zielt es? Sag's doch einfach, sie wird schon verstehn. Du sagst: Jak długo pani mieszka tu, ile lat? Od dawna? Jak długo, dwadzieścia pięć lat już? Czy pani przypomina sobie pana Klose?[1]

Die Frau nickt und nimmt mich um die Schultern. Sie zeigt in den Wald, spricht schnell und macht große Gebärden. Von unten herauf beschreibt sie mit Händen und Worten ein großes Ereignis. Das wird größer, wächst noch, nimmt immer noch zu. Sie spricht schnell. Widerspricht meinem freundlichen Antwortgesicht. Ich kann sie nicht verstehen, sagst du. Ist nichts zu machen. Sie verschleift so. Aber plötzlich verstehen wir inmitten der polnischen Zischlaute

1 Wie lange wohnen Sie schon hier, wieviel Jahre? Von früher? Wie lange, fünfundzwanzig Jahre schon? Erinnern Sie sich an Herrn Klose?

und Nasale *das*: Klose. Sie nennt meinen Namen. Sie hat euch gekannt, vielmehr, sie kennt deinen Namen, sagst du. Aber sie hat uns noch mehr zu sagen. Verstehst du nicht? Bitte, verstehe, was sie sagt, vielleicht ist es wichtig. Du willst wenigstens ihre Zeichen enträtseln: Das Haus ist eingefallen, zusammengebrochen. Vielleicht beschossen worden. Irgend so was. Jedenfalls, sie weiß davon. Sie war wahrscheinlich dabei. Sie beobachtet uns. Unzufrieden, ängstlich fast. Nie. Nein, sagt sie. Sie bläst, als würde sie ein Licht ausblasen. Nie rozumie?[1] Jetzt sagt sie ein Wort. Das Wort. In deutscher Sprache: Feuer! Und noch einmal Feuer, lautlich mehr in Richtung Feier, aber hervorgebracht unmißverständlich: Feuer. Du übersetzt mir: Das Haus ist abgebrannt. Wer weiß, wie. Vielleicht hat's dein Onkel selber angezündet, bevor er fort ist, dem Lumich traue ich alles zu. Das Haus, das er selber gebaut hat? Das glaube ich nie und nimmer.

Das Mütterchen begleitet uns zur Straße. Die üblichen Sachen lassen sich leicht erklären. Woher? Aus Dresden. Wohl eine große Stadt? Wielkie miasto? Ach ja, ziemlich groß. Wohl mit Straßenbahnen und Kino? Ja, mehrere. Und vielleicht auch Zirkus? Auch. Und was arbeitet ihr? Biologie, Pflanzenzucht. Höhere Erträge. Das läßt sich nun wieder schwieriger übersetzen. Mehr Brot, sagst du. Piekarz, sagt sie. Bäcker, guter Beruf. Sie umarmt uns. Wir lassen es gelten. Und wohin jetzt? Nach Wrocław! Was denn, heute noch? Du liebe Zeit, Wrocław ist weit, so weit, sehr weit. Nazywam się Halina Nałkowska, moi synowie Ksawery, Jerzy, Tadeusz, Bogdan, Kronel i Stanisław.[2] Sechs Söhne leben noch von zwölfen. Sie arbeiten in einer großen Zementfabrik. Viel Zement. Denn: überall bauen, erklärt sie uns. Hohe Häuser. Zehnmal Fenster übereinander. Aber: mamy strach, lęk, troska.[3] Angst! Angst? Warum, wovor, vor wem? Krieg. Vielleicht müssen wir wieder einmal fort von hier.

1 Verstehen Sie nicht?
2 Ich heiße Halina Nałkowska, meine Söhne . . .
3 Wir haben Angst, Furcht, Sorge.

Nein, das wird nicht sein, die Oder-Neiße-Grenze ist endgültig, bis es mal überhaupt keine Grenzen mehr gibt. Sie umarmt uns wieder. Gute Menschen wollen Frieden, sagt sie, und dann streift sie langsam und sorgfältig den linken Jackenärmel über den Ellenbogen und schließlich auch den Blusenärmel, sorgfältig und ohne Eile, als zögere sie noch, denn du warst fünf Jahre und ich war drei, als *das* zu Ende ging. Sie zeigt uns die Nummer.

Was tust du, Mensch, der du hierhergereist bist aus Dresden, guter Stimmung und wohlerzogen in sozialistischen Schulen. Du nimmst die Hände vor das Gesicht, erschrocken, und zeigst, daß dir dazu nichts einfällt. Nichts. Kein Wort, denn es gibt keine Brücke, keinen Weg, keine Linie zwischen dem vorzeitlichen Früher und dem jetzigen hiesigen Augenblick. Was sollst du sagen? Jawohl, Faschismus, dafür gibt es Merksätze, aber was nützen sie dir, wenn du hier stehst, vor einem zirka siebzigjährigen Mütterchen, das dir freundlich und arglos entgegenkommt, Worte wie Feuer auf deutsch weiß, dich umarmt und deinen Onkel gekannt hat und diese sechsstellige Nummer auf dem linken Arm eintätowiert hat und wer weiß was erlebt hat durch deutsche Vorväter, vielleicht war deiner beteiligt. Du schlägst die Hände vor das Gesicht, du schüttelst den Kopf, du wendest dich ab und legst die Stirn gegen das Auto und schweigst. No, co pan robi! Na, was machen Sie denn da? Mütterchen Halina Nałkowska deckt erschrocken ihre Nummer zu. Sie streichelt meinen Rücken. Redet auf polnisch. Proszę pani. Sie ist müde von der Reise. Ona jest zmęczona po podróży[1], sagst du. Ach, ich bin nicht müde. Dziecko, moje dziecko, nie płakać, Mütterchen Halina sucht einen scherzhaften Ton. Sag ihr, bitte, ich bin kein Kind, sie muß nicht so mit mir reden. Ich heul ja auch gar nicht. Was bringt mich so aus der Fassung, die Nummer und die schrecklichen Assoziationen oder daß sie uns die Nummer gezeigt hat? Das kann hier überall passieren, wenn du dich so aufregst, hätten wir nicht fahren dürfen.

1 Sie ist müde von der Reise.

Es ist ja schon gut, komm, laß uns fahren.

Auf Wiedersehn, pani Nałkowska, bleiben Sie gesund. Lebt wohl, Kinderchen, grüßt Klose, so ähnlich sagt sie, wendet sich um und will gehen, mit eins fällt ihr noch etwas ein, sie schüttelt den Kopf. Das soll vielleicht Voriges fortwischen, ausradieren, vergessen machen. Wißt ihr, Kinderchen, unten im Dorf hat einer gewohnt. Sie erzählt uns eine Geschichte, als hätte sie jetzt ihre Enkel bei sich und wollte denen eine Freude machen. Sie erzählt mit einfachen Worten. Du übersetzt. Wißt ihr, Kinder ... im Dorf unten im Jahr fünfundvierzig ... als die Deutschen fortmußten ... und wir, die Polen, kamen ... hatte einer von den Deutschen, bevor er fort ist ... seine Stube frisch getüncht, die Regentonne leer geschöpft und die Brücke über den Graben hinter seinem Haus repariert ... dann hat er seine Kuh angespannt ... hat die Familie auf den Leiterwagen aufsitzen lassen ... die Fuhre vor das Tor auf die Straße kutschiert und zu guter Letzt den Hof gekehrt. Dann ist er mit seinen Leuten losgefahren.

Ich weiß, ich kenne die Geschichte. Vor Jahren hat der alte Reinsch, Schmiedereinsch aus Essen, meinem Onkel davon geschrieben.

Auf Wiedersehen, pani Nałkowska. Jetzt müssen wir eilen, denn bis zwanzig Uhr werden wir in Wrocław im Hotel Metropol erwartet.

Ein braves Auto, ohne Mucken, obwohl auch nicht gerade das jüngste. Wir brausen. Die Katzbach entlang. Das Städtchen Crjawa. Die Stadt Złotorija. Juligelbe Getreidefelder, weit und eben. Aber vor mir hebt sich das imaginäre Gebirge, rotes Eruptivgestein. Proboszów, neue Erinnerung. Heiße Gesteinsmassen füllen die alten Ablagerungen.

Metropol, ein Hotel, gegründet etwa neunzehnhundertzwanzig und im Jahre neunzehnhundertachtundzwanzig modernisiert, auf den neuesten Stand gebracht und so erhalten. Unser schnelles Urteil: Es gibt bessere Unterkünfte. Das

Empfangspersonal, wird uns von einem deutschsprechenden Portier gesagt, sei in der Kleiderkammer zum Wäschewechseln. Möchten sich gedulden, bis sich wieder zurück.

Geduld haben wir keine, also suchen wir das Restaurant. Eine kleine Mattglastür, vorsorglich jugendstilistisch beschriftet: Restauracja. Als kämst du in das Innere eines intim beleuchteten Eichbaums. Täfelung über dir, unter dir und um dich herum. Das Holz dunkel gebeizt. Tische mit bronzefarbenen Tischdecken. Und über jedem Tisch eine Pendelleuchte, mit gläsernen Perlenschnüren verziert. Das Restaurant ist ziemlich besetzt. Rauchen. Sprechen. Klirren. Klappern. Die Gäste sind mit sich und miteinander beschäftigt. Wir Ankömmlinge fallen nicht auf, finden unseren Tisch und warten auf die Ober.

Sind die auch in der Kleiderkammer Anzüge wechseln? Du versicherst dich der wichtigsten Eßvokabeln. Sznycel po wiedeńsku oder pieczeń wołowa.[1]

Beachte den Teilungsgenitiv, denn du willst nicht alle Schnitzel der Welt!

Wir essen dann schnell. Und trinken den Wein aus und zahlen. Mir ist, als sei ich mit dir vor Jahrzehnten in Proboszów gewesen. Mir ist, als hätte ich schon oft in diesem Restaurant mit dir gesessen und über irgend etwas nachgedacht.

Wir fahren im vergitterten Fahrstuhl mit den vielen schönen Messingschildern und Messingschrauben im vergitterten Schacht bis zur dritten Etage. Zimmer dwadzieścia trzy. Dreiundzwanzig. Mit Bad. Wasserhahn auf. Ein kräftiger Strahl fällt in die Wanne.

An der inneren Schranktür, wie üblich, mit Reißzwecken festgemacht, das Inventarverzeichnis des Zimmers: 1 łóżko, 1 tapczan, 2 lampy, 1 megafon, 1 szafka.[2]

Wir baden zusammen, du küßt meine Knie, ich küsse dein Haar, wir trocknen uns gar nicht erst ab, fallen in dieses łóżko,

1 Wiener Schnitzel oder Rinderbraten.
2 1 Bett, 1 Schlafsofa, 2 Lampen, 1 Megaphon, 1 Schränkchen.

naß und heiß, einige Sekunden ratlos und dann sehr entschlossen. Prosze pana, du bist ein ausgezeichneter Liebhaber, prosze pani, du bist eine erfindungsreiche Geliebte, prosze pana, alles ist schön, und das ist besonders schön, prosze pani, du bist gut für mich am Tage, aber auch nachts und jetzt, so gut warst du noch nie. Wir also jetzt Ausbunde an schöner Geschicklichkeit.

Erster Satz, laut und bestimmt, ich liebe dich.

Es gibt noch Wünsche, zum Beispiel Äpfel, warum haben wir kein Obst gekauft? Wir wollen noch einmal unter Leute, reden hören, essen, trinken. Lohnt sich das? Allemal. Also los, Kleid oder Hose? Hose! Pferdeschwanz oder Zopf? Zopf! Fünfzig Złoty oder mehr? Nimm mal lieber alles mit. Licht aus. Türe zu. Langer Gang bis zum Fahrstuhl. Hand in Hand. Fröhliche Gewißheit, die Nacht ist noch nicht zu Ende, und die Reise dauert noch, und das Leben mit dir fängt wahrscheinlich erst an. Dieser Stimmung summt sich auch gleich ein Lied: Aber wie – letzter Song der Beatles.

Der Messingknauf an der inneren Fahrstuhltür glänzt wie neu von ständiger Berührung. Wir drücken das E und lassen uns sinken. Öltriefend die Gleitschiene. Vertrauenerweckend der Einblick in den Mechanismus des Steigens und Fallens, den die Konstruktion hier gewährt. Aufsehenerregend die Begegnung mit den Gegengewichten und aufmunternd der Anblick des mitgeführten Sicherheitsseils.

Die Gittertür im Erdgeschoß schnappt weich in das geölte Schloß. Die Rezeptionsmädchen grüßen. Dzień dobry państwo. Sie lächeln geradeaus und geben sich den Anschein, als könnten sie wissen und Schlüsse daraus ziehn, was in der Stunde über ihren Köpfen über dreifachem Beton und den hohen, dreimal geteilten Luftschichten geschah. So lächeln Schlafende über die Farbe.

PETER GOSSE

# Eine Geschichte, in der nichts los ist

Das Fabrikgebäude ist ein rotes, das machen die Ziegel. Ebenso sieht es hinterseitig aus, woselbst es von den Wassern eines der paar Leipziger Flüsse abgespült wird. Derjenige namens Elster könnte es sein, ein übrigens nichtdiebischer Fluß, meines Erachtens. Das Prädikat des Diebischen ließe sich zwar verfechten. Denn da darf einem nichts hineinfallen, man sieht das nicht wieder. Wenn das (die Geldbörse etwa) schwer ist, wird sie nach Durchsinken einer Strecke von zirka drei Zentimetern in der Flut optisch nihiliert. Das soll sehr bedauerlich sein, denn sie muß da wohl ziemlich schwer sein (das Portemonnaie). Das heißt, gewesen sein muß es sehr schwer, daß das untergeht in diesem Wasser, welches extrem schwer wirkt. Wie Atomkerne aus Dreckmolekülen auf einen Haufen geworfen, möchte ich gern hinzufügen, und lieber belegte ich nun die Kategorie des Nichtdiebischen. Doch führt das weit ab vom Fabrikgebäude, welches also ziegelrot aussieht und in erwähntem Wasser ziemlich dunkel sich spiegelt. Einzusehen das, wenn man hinzufügt, daß selbst ein schlohweißes Gipsbein eine arg ergraute Reflexion aufweist.

Ein solches Gipsbein hat der Mann, der über die Brücke zum Fabrikgebäude auf Krücken sich vorwärts schlenkert.

Was will er im Betrieb?

Was wird ein Mann in der Fabrik wollen, dessen Gipsbein zwar nicht mehr Fingerabdrücke aufnimmt (dazu war die Reise aus der Slowakei zu langwierig), jedoch nicht den oben vermerkten hohen Grad von Weißsein zeigt? Denn lustige Zeichnungen, Spott- und Munterungsverse unterschiedlicher Farbe und offenbar unterschiedlicher Hand lassen sich auf ihm ausmachen, was sagen will: Dieser lederbehoste Mann ist kein Eremit, nicht eines Schwätzchens wegen braucht er seinen Betrieb. Was also kann er im Betrieb wollen?

Eindeutig: Er will die Radaranlage sehen.

So würde es der Gipsbeinerne P. Leh, Pele genannt, nicht formulieren. Er würde sagen: Einfach mal nach dem Rechten sehen. Oder: Wieder mal Kolophonium vom Lötkolben dampfen lassen, wieder mal Salmiakdunst der Rotpausen beidseitig um die Nasenscheidewand haben.

Weitere Sagemöglichkeiten seien der Kürze halber dahingestellt. Nicht sagen jedenfalls würde unser Gipsbein dies:

Eine recht unscheinbare Kiste, dieses Radar-Sichtgerät da in der Laborecke. Simpel graugrün gespritzt und mit staubigen Kabeln unten hervor, die wohl aufs Dach hochführen.

Dort, auf dem Dach des roten, weil Ziegelgebäudes, rotiert die Antenne. Holt Welt ein, fällt einem ein angesichts ihrer mahlenden Spiegelung in bewußtem trägem Elsterwasser. Nun fließt freilich die Tinktur nicht schneller weg, doch wird sie, reflektierend, erträglich. Mehr als das (weil wir bei Reflexionen sind): Das Wasser bekommt da gewisse Schönheit, deucht mich. Nicht die eines geklärten Flusses, doch allenfalls die eines ungeklärten sauberen, an dem man im handgestrickten und nicht Dederonhemd zu stehen hat – womit das Thema abdriftet.

Und dieses heißt Radaranlage, besteht somit zum Teil aus Gipsbeins Produkt. Dieses stellt eine faustgroße Transistorschaltung dar, die Geschwindigkeit in Impulse umsetzt, also nichts anderes macht als die gemeine Stubenfliege in den Wurzeln ihrer Barthaare. Nichts Umwerfendes demnach, nichts Unsterblichmachendes. Aber Unsterblichkeit ist unmöglich wie Sterblichkeit, und Pele bildet sich einiges ein auf besagte Faustschaltung. Nicht jetzt, da er ins Labor schaukelt, in die Mikroheimat mit Meßgerätekavalkaden und Steckdosenkohorten und Laborinsassen und besagtem Radar. Und seinen Antworten zur Beinbruchhistorie, die er anhören muß, bevor er erfährt: Radars sollen jenseits der Oder-Neiße-Grenze produziert werden. Das heißt, er hört das, von Mit-Ingenieur Supfe, so: „Das Leben ist hart, doch es übt ungemein. Was du nicht lassen kannst, laß lieber sein." Und ungesungen: „Tja, Pele, das wußtest du nicht: Ein Radar, welches, spezialisiert man es weg, ist fort, diable." Kein lediglich geheurer Schlag für den Teilbegipsten und die übrigen Rauminsassen, es läßt sich vorstellen. Und man sieht es ihnen an: sie tun nichts.

Gefahr besteht somit, daß nun nicht weitergelesen wird: Eine schöne Geschichte, in der nichts passiert! Was soll Papier, das kein Geschehen vorstellt? Und als Geschehen kann weiß Gott nicht angesehen werden, daß Supfe seine Fingernägel per Rechenschieber säubert und Stien, ihm gegenüber, aus einem A4-Stromlaufplan ein Flugzeug faltet. Geschehnis ist das nicht, aber geschehen sollte etwas in mittleren Tragödien.

Schiddler hilft. Er notiert etwas an seinem telefonbestückten Tisch. Dann öffnet er eine Vita-Cola per Seitenschneider, sagt: „Immer diese Huddelei mit den Sektkorken. Hier, nimm einen Schluck, Pele, das gibt Teint."

Im weiteren äußert er solcherlei: Er, Pele, solle die Angelegenheit nicht so tragisch nehmen. Datenverarbeitung sei auch ein Gebiet, das das Hineinknien lohne. Die VVB habe da übel prognostiziert, schlechte Marktforschung und so weiter – na gut, das heißt, nicht gut –, aber der Bedarf sei halt nicht so, daß zwei Länder gewinnabwerfend produzieren könnten. Und die Produktion bleibe doch in der Familie, in Polen drüben, bei hohem Antennenmast von hier aus zu orten, jenseits lediglich der Oder, na bitte.

Unserem Begipsten scheint diese Argumentation nicht nahe zu stehen. Per Gipsbeinhacke malt er Kreise aufs Parkett, möchte jetzt wohl lieber Wind vom Eifer sechzehn eifersüchtiger Frauen am Fenster als diese laue Lindenluft. Zwar fällt ihm Seltsames ein (eine tröstende Fluchtgaukelei irgendeines Gehirnlappens vielleicht): Leuchtstoffröhren, viele, segelten von der Veranda zu Tale. Wurden noch einmal ihrer Funktion gerecht: Leuchtend in der Sonne, segelten sie ihre Wurfparabel, schöne Leuchtspeere segelten ins schöne Tal.

Schön, wenn man voraussetzte, daß sich kein Kind beim Pilzesuchen an den Scherben schnitt, daß die Werfer wenigstens bißchen Bitternis fühlten. Daß die Röhren defekt waren, daß sie ein Bruchteil waren der intakten Veranda-Leuchtkörper, diese das Tal befallenden Spieße. Daß, daß, daß und daß – es ist ein harter Schluß, denkt möglicherweise Pele. Nicht am Labortisch saß man – an der Erdkugel. An diese Arbeit hatte man sich gewöhnt wie an seinen Zahnarzt. Plötzlich ist es aus mit dem Neugierhaben, die Arbeit haut in den Sack, geht fremd. Diese Arbeit, an der man, stellt sich plötzlich bloß, einen Narren gefressen hat.

Er sagt, oder ruft er's unter Bravo-Zuspruch Supfes: „Auf in eine Kneipe nachher, Männer, uns richtig vollaufen lassen. Feststellen: Wir sind im Sternbild der Ente geboren. Dann . . . ein feines Feuer gibt unser Erprobungsturm ab, soll in den Teich fallen für hydroakustische Erprobungen, diese Geräte sind glücklich auch ausgelagert."

„Kneipe! Dort schwelgen wir", läßt sich Schiddler vernehmen, „dort speisen wir uns durch die Paradieswand (bilden wir uns nach dem zehnten Pils ein). Die schmeckt so sämig, so papprig, nichts für uns – tut doch nicht so, verstellt euch nicht so, vor euch. Ja und wenn in der Kneipe ein Pole plötzlich dasitzt, sagt: ‚Wir sind genauso weit mit unseren Geräten, aber einen erwischt's nun mal: Macht ihr weiter.' Ja, was würdet ihr da sagen, Jungs! Na seht ihr, da würden wir auch nicht ‚Nur immer her' sagen, sind doch nicht von gestern und heute."

Schiddler sagt weiteres Mütterliches: Mikroproblem aus Enkelsicht und ähnliches, dann sagt er nichts und denkt, was er anscheinend nicht sagen will:

Jahrelang hast du nichts gedacht als über Radar – Radar: deine Eifersucht. Hast deine nicht übermäßigen Fähigkeiten in ein Filter namens Radar gejagt, daß sie sich potenzieren, und nun leg diese herrlichste 2-Liter-Maschine Gehirn brach, das ist jetzt seine größte Leistung. Nimm den Schlag, schlucke, aber nicht zu lange, wirf dich auf neuen gleichmäßigen zähen schwierigen Alltag, ach, vielleicht war es einfacher: Vor dir der blaßrosa Hals des Zarenpostens, leicht zu meistern und im Handumdrehen. Wirf dich gegen das Winterpalais-Tor, es fliegt auf mit der Epoche.

Das vielleicht denkt Schiddler, während Lindenblütenduft durchs Fenster einkommt.

Nicht also Elsterfluidum oder Böhlen-Espenhains Schornsteintranspiration, sondern idyllischer Lindenblütenduft. Windstille, die Linden treffen Fortpflanzungsmaßnahmen, Bienen sind naturgemäß zur Stelle. Frauen in aller Welt beugen sich über rosige Säuglinge, während oben im verrauchten Labor diskutiert wird. Das Leben geht seinen Gang, Wanderdünen wandern, irgendwo schießt einer mit dem Luftgewehr nach dem Apfel auf dem „Trabant"-Dach, der Apfel bleibt liegen, und liegen bleibt ein bunter Hahn hinterm Auto, und in der Gaststätte gegenüber gibt's Truthahn heute abend.

„Pause, gehen wir in die Kantine, Leute", äußert oben im Lindenblütenausläufer Supfe einen verständlichen Wunsch, „ihr könnt doch nicht wollen, daß sich mein Magen selbst verdaut!"

Kaum denkt er dabei an Truthahn oder, sagen wir, an den Baikalseefisch Omul, der momentan auf Bratsker Stubentischen dampfen könnte. Bratsk wird bemüht, weil dort, hört man, blaue Bergkristallberge abgetragen werden und zu Beton verarbeitet, welcher Staudamm bedeutet und Licht nicht lediglich zur Beleuchtung etwaig erbaulicher Bergkristallberge (oder war es Marmor), sondern unter anderem zur Ausleuchtung des dampfenden Omuls auf Bratsker und vielleicht Omsker und vielleicht Tschuktschentischen.

her, besoffen, als eine lokale Größe, in eine landesgeschichtliche Figur! Die war mehr, als sie war: die Kraft, die hinter ihr gestanden hatte, war i h r e gewesen in ihrer Stunde. Was der Häuer nicht für möglich gehalten hatte, mit seinen zwei Händen, Knochen, Fleisch, Haut, war geschehn: ein unerhörter Rekord, und war nicht aus ihm zu erklären. Die einfache Geschichte, die jeder erleben konnte, wenn er nur wollte: in dieser Gesellschaft; unsere Geschichte. Aber Fritz, in seiner Rolle, überhob sich nun komisch: er habe es allein gemacht, und man sahs ihm nicht an, torkelnd auf einem Bein, verprügelt von den andern (eh sie die Schicht nachmachen), blasiert, verhurt, mit geschloßnen Augen; und als Kurt ihn auf den Boden holte („Ja, eine Schicht. Ein Haar ist immer noch Glatze."), stand Fritz stocknüchtern, angewurzelt. Und Kurt zeigte mit brutalem Spott die Halbheit der Tat, aber Fritz gab noch nicht auf, klammerte sich (körperlich) an sie, Kurt stand hilflos, Schweiß auf der Stirn vom Denken, das er (laut Text) nicht gelernt hat – log schließlich los, daß diese Tat wenig sei und auf die Dauer gar nichts, log die Tat hinweg, bis Fritz, noch „Dreck und Blut im Gesicht", sich zusammensacken ließ und nichts, nichts mehr an ihm war. Und Fritz war wieder „brauchbar", bereit – zu irgendwas. Kurt, sein Lächeln unter der unbeweglichen Haut, wischte sich den Schweiß ab. – D. sagte zu den Zuschauern hin: „Es ist nicht leichter zu führen, als geführt zu werden" – und sah dann zu mir, die Brauen hochgezogen, den Mund halb geöffnet, daß ein verwundertes Lächeln sein Gesicht füllte; und stand aufrecht da, einen Arm erhoben, die Hand hängend über dem Kopf, als würde er Asche darauf streun.

Es ging dann weiter, die Taten der beiden füllten das Stück. Am meisten belustigte die Zuschauer Rolf, der einen andern Arbeiter spielte, der jedesmal die Aufgaben ablehnt, die Kurt ihm anträgt, und sich mit keinem verbindet und so auch nichts fertigbringt – und immer unzufriedner wird. Aber während die andern sich ganz in ihre Arbeiten wühlen und alle Mühen auf sich nehmen, redet er immer wilder die Ideale heraus, um die es allen letztlich geht, die aber nur durch diese Arbeiten greifbar werden können. Rolf fühlte sich wohl, diese Rolle paßte ihm.

Das Lachen der Zuschauer brach aber immer ab, wenn sie sahn, welche Härten Kurt und Fritz über sich stülpten, damit etwas „geschieht“: Schinderei, Versprechungen, Verschweigen, Gewalt. Ohne diese Härten kamen sie noch nicht aus (auch darin glich ihre Geschichte unsrer Geschichte). Ja, das Verhältnis der beiden zeigte sich selber als ein hartes, weil noch so unvollkommnes. Fritz, nach den „Wundern“ seiner Taten (er spielte, daß sie ihm Wunder scheinen), hörte immer blinder auf Kurt, „vertraute“ ihm nun ganz – Kurt brauchte ihn aber immer mehr als selbständigen, selbstdenkenden Genossen: als Bauleiter. Das Stück, merkten die Zuschauer nun, hatte seinen gewaltigen Widerhaken, wie das Leben auch. (Dabei begann hier erst der Konflikt unter den beiden, ihr Kampf miteinander. Die großen Härten waren noch nicht gespielt.) Fritz stürzte sich, in seiner Rolle, in die neue Aufgabe: ein rentables Werk zu baun, entwickelte nun s e l b e r eine Technologie! – aber eben auch nur das, ließ die Baustelle so lange „hängen“, beanspruchte nicht die Leute. Er spielte so unbekümmert, daß man sah: das würde nicht mehr gut gehn. Er stand auf den Brettern, hielt die Blätter, die er mit Formeln gefüllt hatte, wie ein kräftiger Baum vor sich: er blühte auf, er war, nach der dumpfen Unterordnung des Anfangs, zum Partner Kurts geworden. Auf dem Gipfel des Hochgefühls – im Bewußtsein, daß durch ihn, ihn! etwas geschehe. Und er sagte es nun ganz einfach, daß es eben dieses unsichere Bündnis sei, in das er sich eingelassen habe, das ihn so erhebe; daß die Gesellschaft diese geheimnisvolle Kraft sei, die seine Taten aus ihm reißt. Er sagte, nicht mehr erstaunt: es kommt auf mich an.

Hier brach D. die Probe ab. Die Diskussion ging bis um elf. Die Arbeiter redeten wieder sehr sachlich, wir schrieben es auf. Ich war unzufrieden, daß wir nicht alles gezeigt hatten; so war nicht das Ganze getestet. Ein Brigadier meinte: es werde da eigentlich ein Verhältnis gezeigt, worin sie sich selber befänden, egal ob es jedem bewußt sei oder nicht, und es sei bei uns jedem möglich, ähnliches aus sich zu machen! Im Grund sei das eine heitre Geschichte. Und so weiter.

Ich sah, wie sich der Intendant G., ein alter freundlicher Herr, zu Fritz beugte, er sagte: „Bis hierhin ists gelaufen."

Auf der Treppe hinab fragten mich die Genossen der Stadtleitung, ob ich nicht an dem Theater bleiben wolle. Für eine Wohnung würde gesorgt werden. „Oder, gefällt dir etwas nicht an der Arbeit?" – „Ich wüßte nicht." (Mir schien nur, die Arbeit war in einem zu kleinen Kreis geschehn; wir hatten die Konzeption in der Leitung entwickelt, nicht mit den Schauspielern: die bekamen das Ergebnis auf den Tisch. Sie wollten es anscheinend auch nicht anders. Es war wohl immer gut gegangen.) Einer der Genossen zählte die bedeutenden hiesigen Wirtschaftszweiglein an einer Hand auf – die noch reichte. Ich sagte: sie sollten aus T. eine Stadt machen, und ich bliebe sofort.

Ich dachte aber: bin lange genug von Susanne weg. Das müßte ein Ende haben. Länger getrennt sein, das könnten wir nicht ertragen.

Im „Russischen Hof" konnte ich noch essen. Gegenüber saß ein lebhafter Greis mit schönem Gesicht, der mir sechsmal Appetit wünschte, wofür ich viermal dankte. Ich erinnerte mich, ihn in der Leitung des Kulturbunds gesehn zu haben; alles grüßte ihn gebückt. Er zeigte auf ein Probenfoto an der Wand und rief vertraulich laut über den Tisch: „Da steht uns etwas bevor!" – „Ah ja", sagte ich, „hab keine Ahnung?" – „Dieses Theater, das ist nichts. Keine Kunst! Keine Sprache. Schlimm, schlimm." – „Ist denn Kunst die Sprache?" – „Nein, das Gefühl! Kein Gefühl haben sie. Alles dieser Brecht."

Eine Nacht wie bestellt. Das Bier war gut. Auf dem Foto sah ich Fritz und Kurt in komischem Zusammenstoß.

„Ich sage nur: Heilige Johanna – in den Schlachthöfen! Und“, er schüttelte sich, „Galilei.“ – „Wissen Sie was, Herr“, sagte ich, „wenn Ihnen der Galilei nicht paßt, dann reden Sie nicht beim Essen über Theater.“ – „Was spielen sie denn heut, diese jungen Saubolde? Schlimm, schlimm. Wo ist da der Humanismus? Was für Menschen, in den Stükken! Schlimm!“ – „Was sollen uns vorgemalte schöne Menschen“, warf ich hin, „was immer für Menschen: die, die dasind. Wenn sie noch nicht ohne List, ohne Gewalt, ohne Verschweigen arbeiten, Gutes wie Schlechtes auf sich nehmen und sich nicht heraushalten können aus den Härten – wenn sie nur handeln und die Zeit bewegen! Die Lösung für den einzelnen allein interessiert nicht, oder sich seine Reinheit und Zufriedenheit retten, aus allem herauslösen. Geht um Lösungen für alle. Die aber wachsen nicht im Schädel, ein ganzes Volk kann nicht von der Einbildung leben. Man muß die wirklichen Verhältnisse ansehn. Und der einzelne, sei er noch so ein Bahnbrecher – erst wichtig, wenn er viele mitreißt. Eine Gesellschaft ist danach zu beurteilen, welche Möglichkeiten sie dem letzten ihrer Bürger gibt.“

Er entgegnete, ich rede einem Mechanismus das Wort, der Mensch würde so zum Objekt degradiert, der den Verhältnissen unterworfen sei, während er sie doch jetzt in Wirklichkeit bestimme! – „Daß die Menschen jetzt ihre Geschicke bestimmen“, sagte ich, „und sich nicht mehr den Gegebenheiten beugen – heißt das, die Gegebenheiten nun glatt zu leugnen? Die Widersprüche lösen können – soll das heißen, nur jene handlichen packen zu brauchen, die einer, oder eine Generation, lächelnd löst? Ja, humanistisch, und die sozialen Widersprüche nicht sehn, die die Gesellschaft nur in ihrem ganzen Gang löst! Und die wirklichen Interessen nicht wahrnehmen und uns beruhigen, daß doch die grundsätzliche Lösung geschehn ist – Als ob es nur mehr vom Gutdenken abhängt, daß alles gut ist. Ja.“

Ich hatte nun einiges Bier im Leib und überlegte nicht die Sätze. Wenn ichs auch wollte, sie fielen heraus, ich blieb nicht bei der Sache; und was nicht die Sache traf, traf den Mann. Er schied im Grimm. Ich stieg beunruhigt die Treppen hinauf.

Im Zimmer ging ich zu Bett. Ich dachte an Susanne. Sie würde ihre Arbeit in W. geschafft haben, hunderttausend Bettlängen von hier. Sie hatte dort in einem Betrieb eine Gruppe zu leiten, die die Produktionsprozesse neu durchrechnen sollte, um sie im System zu optimieren. Es hatte Hindernisse dabei gegeben. Ich wartete auf sie – jetzt, da sich die Arbeit hier entscheiden würde. Ich brauchte sie. Mit ihr war alles einfach. Wir würden endlich zusammen zu leben beginnen. Und nichts ausführlicher tun als uns lieben. Und zusammen nach Hause fahren und bleiben. Und uns bei keinen Beschäftigungen ablenken lassen voneinander, verstreuen in die alltäglichen Anti-Welten.

Ich wußte, sie wartete darauf wie ich. Das war der Grund, warum ich mich hier nicht festnageln ließ.

Ich stellte sie mir ganz vor, ihre Gestalt, ihr Haar, ihren Blick, ihren Mund – was war da noch diese Freude an der Arbeit, diese blöde Zufriedenheit? Was war alles, ohne d a s ? Ich zog Susanne den Mantel aus, die Schuhe, öffnete das Kleid, aus dem die Arme nackt und braun hervorsahn, sie machte dann das übrige, die Strümpfe, das Hemd fielen auf den Stuhl. Dann stand sie lächelnd da und bewegte ihren Körper anmutig, mit erhobnen Armen, ohne Absicht und wie in Gedanken, und ohne auf mich zu achten. Ich saß stumm da und kostete die Anblicke aus . . . Dann trat sie vor mich hin.

Ich hielts nicht aus, ich stand aus dem Bett auf und begann, das Zimmer vorzubereiten, es ging manches zu verbessern. Ich entfernte den plumpen Kleiderhaken von der Tür, in den Schrank, das Deckchen vom Tisch, der Schrank von seinem ungünstigen Standort, der häßliche Teppich unter das Bett. Ich verspürte keinen Schlaf mehr. Ich dachte zugleich an die Rolle, die die junge Ulla zu spielen hatte: die Frau, die Fritz am Anfang des Stücks zu Haus sitzenläßt, jahrelang, als er mit Kurt herumzieht. Und die er wiedertrifft auf dem Bau, den er zu leiten hat – denn sie hat gearbeitet und studiert wie er und leitet die Forschung des Werks. Wie sie ihn da behandelt, als hätten sie sich nie gekannt! Wie sie dadurch das Verhältnis wieder möglich macht. Wie sie ihm dann ihre Liebe erklärt. Und beide sich nun erst lieben. Ich öffnete das Fenster, die Luft war noch warm. Stellte das Radio an, Rasiermusik, drehte weiter, eine Sendung über das unkomplizierte Verhältnis der Geschlechter im Sozialismus. Eine Frau las mit Hingabe ein Gedicht vor:

„Wie der Sommer kommt!
Die Abende sind warm und lang.
Ich bin ganz ruhig. Wir sitzen im Gesträuch
Reden uns aus uns heraus.
In seinen Gedanken plötzlich
Finde ich meine.

Die Wiesen liegen in ihrem Duft
Der strömt durch uns durch.
Die Bäume stehen in seltsamen Gruppen
Wie Liebende. Sie werden ganz dunkel.
Ich küß ihn, er küßt mich vom Fuß zur Stirn.
Meinen ganzen Leib
Nehm ich nun ein.

Alle Natur ist mit dem gleichen beschäftigt
Das zu denken ist schön.
Was ich auch tu jetzt für ihn: ich will's selbst.
Ich geb mich ihm hin
Und gehör doch mir. Nach meinem Sinn
Geht nun mein Tag."

Dachte einen Augenblick, daß wir das für Ullas Rolle verwenden können. Verwarf den Gedanken wieder. Es hielt die Geschichte auf. – Sah auf den dunklen Platz, der völlig still lag. Der Himmel war heller, die Sterne deutlich. Ich suchte den Großen Wagen, das Gestirn, auf dem sich nachts, aus entfernten Nestern heraus, unsere Blicke treffen. Es stand gut sichtbar über dem Bahnhof, unbeweglich. Schlief rasch ein.

Dann kam der 21. August.

Schon in den Straßen war ein sonderbares Gesumm; wenige Schritte vor dem Theater eine Ansammlung, aus der ich mehrere wüste Sätze schnappte, im Theater hörte ichs auf der Treppe, von dreien zugleich. Die Truppen der sozialistischen Länder hatten nachts die Grenzen der ČSSR überschritten und bewegten sich landeinwärts. Genaueres wußte keiner, auch nicht, ob es Kämpfe gab und wie sich die Prager Führung verhielt. Das Ziel der Kampagne war klar, und ich hatte mit ihr gerechnet, und nun bestürzte sie mich; und mein erster Gedanke war, wie sich diese äußerste Aktion auf das Bewußtsein des betroffenen Volks auswirke. Die Schauspieler waren in verschiednem Maß erregt, D. ließ ohne weiteres die Arbeit beginnen und die entscheidenden Szenen der zweiten Hälfte hochholen.

Er trommelte die Schauspieler auf die Hauptbühne und ging sofort an eine Szene, die schon oft geprobt worden war, aber nie geklappt hatte. Fritz sagte seinen Text her wie geistesabwesend; Kurt dagegen war aufgekratzt und heiter, ganz unbeeindruckt von dem Ereignis, und kläffte seine Sätze heraus: die Forschung, in die sich Fritz, zusammen mit Ulla, gestürzt hat, sei gestoppt! Eine rentable Technologie – ja, ja, nicht jetzt! Sein „Wunder“ lasse auf sich warten, solle der Bau solange pennen? Ob rentabel oder nicht, das Werk müsse her. Der Bauplan sei erhöht – da werde nicht diskutiert! – Fritz torkelte von der Bühne, stand gar nicht mehr über der Rolle – als geschehe ihm heut selbst, was sie spielten. Er hockte sich an die Rampe und las angestrengt in seinem Text, den er auswendig kannte. Hinter ihm füllte sich die Bühne. Rolf, als der komische Selberhelfer, wiegelte die Bauleute gegen den höheren Plan auf, redete so lange verquer daher und schrie: „Setzt ab!“, bis sie ihre Eisenträger im Zorn abwarfen. Sie fragten nun selbst: „Hat man uns gefragt?“ und zogen der Leitung vor die Bude. – Ohne daß die alten Gruppierungen eingehalten wurden – kein Mensch hätte da heut ordnen können –, bildeten die Schauspieler einen anschaulichen Haufen der unzufriednen, überrumpelten Bauarbeiter. D. ließ die Gruppierung notieren.

Dann sah er nur noch reglos hinauf: wie die reaktionären der Leute versuchten, den Zorn gegen die Leitung zu richten, um die Leitung abzusetzen. Fritz, noch geschockt, daß sein Projekt weggewischt worden war wie Dreck, lief ratlos vor den Provokateuren davon. Das war, lange bedacht, die äußerste Alternative zu seinen Taten: er gab die Macht preis, die man nicht preisgeben kann, ohne alles preiszugeben. Das sollte die Szene zeigen: die ständige Gefahr der Konterrevolution, die das Rad der Geschichte zurückdrehn will. Die Erregung der Menge wurde, in der Aufregung, kräftiger als je gespielt, aber die Darsteller der Provokateure stachen deutlich ab, weil heute keiner zusätzlich dazugehören wollte. Rolf, der sich nun gegen den selbstverschuldeten Aufruhr wehrte („Ich laß mir nicht mehr nehmen, was ich hab!“), tat das wilder als sonst, verfolgte die Anführer, warf sich auf sie; und als er erstochen wurde, war eisige Stille im Saal.

Während ich dasaß und zuschaute, wurde mir bewußt, daß wir das nicht mehr so spielen konnten. Fritz als Bauleiter durfte nicht mehr vor dem Ansturm kapitulieren. Wir mußten heut in sein „Leben“ eingreifen, er müßte wie Kurt mit den besonnensten Arbeitern den Tumult niederschlagen. Fritz war sogleich bereit, das zu probieren, mir schien, er war erleichtert; er spielte es im Stegreif mit. Auf ihre schwache Kraft stülpten sie die Eisenhaut der Panzer (graue Zeltplanen, ein Spaß für Kurt) – da schafften sie, was schon unmöglich war. Die Sache geriet hart aber unangreifbar. Ich hörte dann nur noch halb hin, ich saß unruhig hinten im Zuschauerraum, es war mir klar: ab heute kam das alles in ein andres Licht. Die Arbeit konnte nicht unbefangen, nach eignem Zweck weitergehn, sie wurde hineingezogen in diesen Tag.

Der Intendant, der schweigend mit zugesehn hatte, rief nach vorn: „Sachen macht ihr! aber es geht!“ D. war zufrieden. Ich ging schon hinaus, mir war das ganze Spiel auf einmal unwichtig.

Ich fragte die Techniker und Bühnenarbeiter aus, sie wollten von wenigen Beschießungen gehört haben. „Zeit, daß da Ordnung gemacht wird“, sagte ein Alter, und ein anderer: „Hab ich nicht gesagt? Die lassen die nicht machen.“

Ich hatte nicht Lust, in die Luft zu reden; ich lief zum „Russischen Hof“ und riß im Zimmer das Radio geradezu auf. Unsere Sender vermeldeten zwei amtliche Sätze, die reichten mir nicht, ich drehte weiter und kam in eine Flut von rednerischem Schmerz und Mitleid. Die westlichen Sender vergossen Wasser und Rotz zugunsten des wahren Sozialismus. Das war grotesk, aber dazwischen Meldungen, von denen gut ein Drittel wahr sein konnte, ich ließ den Zirkus über mich ergehn. Die Freundschaft über den Äther war nicht erst von gestern, das Einblasen des Nationalismus hatte das Völkchen seit Monaten in Verruf gebracht bei seinen Verbündeten und im Land einige geweitete Ohren gefunden. Es war nicht zu bezweifeln: die internationale Reaktion hatte gehofft, das Land könne, nachdem die Partei ihre führende Rolle aufgäbe, aus dem sozialistischen Lager herausbrechen. – Ich hörte, die Aktion treffe fast nirgends auf Widerstand, die Prager Führung habe das Land zu Ruhe und Abwarten aufgerufen. Zugleich aber habe sie, noch in der Nachtsitzung, den Einmarsch verurteilt – was das bedeutete, war mir klar; und bald kamen die ersten Nachrichten von riesigen Kundgebungen und Zusammenballungen.

Weil ich nichts einzelnes mehr erfuhr, betrachtete ich die Sache aufs erste sehr allgemein, meine Gedanken liefen etwas sehr umher: das geschieht da nebenan, fast an meiner

Haut, aber ich hör und seh nichts davon, ich kann mir kein Bild machen, und: es geschieht durch *uns* mit, aber wir (wenigstens viele) sind in unseren Gefühlen und Erwartungen überrollt. Es gibt noch Vorgänge, und noch für einige Zeit, die wir nicht als unsre eignen erkennen, da unser Bewußtsein der Vorgänge insgesamt nicht groß genug wird, wenn wir nicht politisch ständig beansprucht und gefordert sind. Dieses Bewußtsein kann nicht vom Zuschauen kommen, nur aus den Tätigkeiten, praktisch! An diesen Gedanken hing ich den Nachmittag, nur das Geflenne der verschiedenen Krokodile befreite mich etwas, aber der Gedanke reichte für den Tag. Da machst du Arbeiten, rief ich mir zu wie einem Toren, bei denen vieles an deiner Entscheidung und Mitbeurteilung liegt – dann kommt ein losgelassener Tag, macht eine große Veränderung, gut oder schlimm, der nichts fragt und nichts sagt, – und geht über die Arbeiten weg, sie waren beschränkt, über uns weg! Sie haben uns nicht genug entwickelt. Das ist traurig, das sag ich dir heiter. Das ist noch Geschichte.

Ich ließ so mit mir reden; was wollte ich gegen mich? Und wenn das *auch* wenig war – ich wurde zu nichts jetzt gebraucht, und mich mit Kram abzugeben war ich nicht imstand.

An diesem Abend kam Susanne an.

Sie saß auf dem Bett, sie war da.

Sie saß da, den Mantel noch an, das dünne Tuch um den Kopf, die Haare fielen über die Wangen, das Gesicht blaß vor Erregung. Ich wollte sie in die Arme schließen – sie wehrte mich ab. Ich setzte mich neben sie, nahm ihre Hand, sie hielt sie hin – wie eine Fahrkarte, dachte ich. Ich zog ihr den Mantel aus, sie dankte, ich dachte: wie einem Garderobier. Ich sagte nichts, biß mir auf die Lippen.

Sie erzählte los, drei Sätze zugleich, dachte ich, oder ich hörte nicht hin; ich sah sie nur an – Also, sie war durch die Transporte gefahren, der Bus inmitten endloser Panzerkolonnen, die Straßen dröhnten, die Leute schauten hinter den Fenstern, Benzinwolken. Und und und.

Was hatte ich mir ausgemalt, wie sie ankommen würde, nach ihrer anstrengenden Arbeit, für all diese langgestreckten Nächte? – Sie redete fort, hingekauert, die Augen auf das Bett gerichtet, als wenn das gar nichts wär, oder ein Sandhaufen, dachte ich! – Ich lud sie endlich zum Essen ein, sie schüttelte den Kopf: in der Tasche sei genug, wenn ich wolle. Mit diesen Worten sah sie mich zum erstenmal an, stand auf und lief auf mich zu. „Hans, ich bin froh, daß wir zusammen sind“, sagte sie. „Aber, wie geht eure Arbeit – jetzt?“ Ich fühlte ihren Körper an meinem, sie sagte nichts mehr, und das Schweigen sagte mir alles, was ich hören wollte, ich sah die Aussicht auf sie wieder offen. „O bin ich müd“, rief sie und lachte, und fiel in einen Stuhl.

Ich begann, mich auszukleiden, und lief im Zimmer auf und ab, die Arme schlenkernd. Ich stellte mich vor Susanne hin, überzeugt, sie zu gewinnen mit diesem gewöhnlichen Anblick. Sie stand auch endlich auf, wusch sich, zog einen Pyjama an, legte sich gleich nieder. Schaute zu mir her, sagte: „Leg dich hin. – Ich bin ganz durcheinander.“ Ich lag, stumm und ungerecht, neben ihr, ans Laken geeist, oder vielmehr gesiedet.

Und gewissermaßen körperlich erinnerte ich mich an den, in Kurts Rolle montierten, Ausruf:

„Ich glaub, ich habe Eicheln an jedem Zweig!“

(Kurt fuhr auf einer Probe fort:

„Jetzt sammle ich Käfer, auf meine Rinde“)

– auf dem Papier ließ sich leicht streichen, aber im Kopf? Ich lag neben ihr, und dachte an eine andere, erfundne, die nur e i n Thema kannte und darüber mit dem ganzen Leib diskutierte . . . Dabei war sie unbestimmt in Gesicht und Gestalt, oder immer anders – und es ließ sich alles mit ihr anstellen. Ich dachte mich in sie hinein und konnts nicht t u n ;

wo nichts ist, ist auch keine Öffnung. – Ich hätte mich, allein, ein paar Augenblicke mit ihr abgefunden; zu dritt war es unerträglich.

Dann sagte Susanne: „Ich habe in W. gekündigt." – „W a s hast du?" – „Ja." – „Aufgehört?"

Sie sagte langsam: „Wir merkten doch, daß wir nur an bestimmte Daten herankamen, die eben unumgänglich für uns waren ... Wir machten das lange mit. Dann fragte ich den Direktor, ob er möglicherweise gar kein Interesse an einer durchgerechneten Technologie habe. Verlangte Einblick in den ganzen Betriebsablauf, sicher etwas laut. Er maßregelte unser überhebliches Auftreten. Die Parteileitung half uns, hinter die Kulissen zu sehn. Die politische Arbeit war in einigen Abteilungen schwach, die Genossen scheuten die Auseinandersetzung. Miserable Stimmung unter den Arbeitern. Den Grund sah ich ein: wegen Schwierigkeiten mit dem Material und der Produktionsvorbereitung durch Monate hin immer wieder Stoßarbeit, besonders über die Wochenenden – bis an die Grenze des Zumutbaren. Nun war die Grenze eben überschritten. Die Betriebsleitung hatte es wirklich schwer, ihr mußten, unter den Bedingungen, die Reserven ja lieb sein, die wir aufdeckten. Wahrscheinlich fühlte sie sich den Anforderungen einfach nicht gewachsen. Sind jetzt andere Zeiten. Plötzlich wurde uns ein zweitrangiges, aber eiliges Problem übertragen, das Wochen brauchen wird." Sie schwieg. „Du kennst mich, ich war den beschwichtigenden Aussprachen nicht gewachsen." Sie erzählte das sachlich herunter. Ich starrte sie an, verwirrt, wußte ihr nichts zu sagen.

Sie hatte in W. aufgehört, ohne die Arbeit zuendezubringen!

„Schlaf", sagte ich.

Wie konnte sie aufhören!

Im Schlaf stand ihr eine Falte steil in der Stirn. Sie schlief und blieb unberührt.

Am nächsten Tag, vor Beginn der Probe, interviewte der Fernsehfunk Kurt im Zuschauerraum (das Wort hatte langsam einen verdammten Sinn). Nichts über unsre Arbeit: seine Meinung über die Aktion in der tschechoslowakischen Republik. Kurt stellte sich sofort hinter die Armeen. Die unfähige Führung in Prag habe eine gefährliche Entwicklung zugelassen und die destruktiven Kräfte nicht ernsthaft gehindert, die wirtschaftliche und politische Leitung zu schwächen. Sie habe sich von den Ereignissen treiben lassen und, berauscht von der Liebe des Volks, ihr Ansehn höher geachtet als die Interessen der Politik. Er sprach weiter von dem Romantizismus, Illusionen zu nähren über den Weg zum Sozialismus. Kurzum, man habe dreinschlagen müssen.

Fritz nuschelte etwas von Zynismus und daß die Probleme sich lange v o r dem „neuen Kurs" angehäuft hätten: die fehlerhafte, bürokratische Planung und Leitung des Aufbaus, die Deformation der Demokratie, die Entfernung der Führung vom Volk. D. entgegnete: eben nach ihrem mutigen Kurswechsel hätte sich die tschechoslowakische Partei keine schwache und verworrene Haltung erlauben dürfen – eben weil es gegen die Hindernisse der Entwicklung ging, hätte es eine starke Hand gebraucht. Einer setzte hinzu: es brauche aber auch ein bereites Volk. Die Kameraleute zogen ab.

Susanne schaute zu, was die Burschen auf der Bühne aus sich machten. Fritz und Kurt gefielen ihr, die seien schon von sich aus ausgeprägte Individuen; aber den meisten ließe ihre Rolle nicht viel Spiel. Das Stück sei keine Freude für ein E n s e m b l e, ein Wunder, daß es dahinterstünde! Drei Rollen zu spielen – kein Ersatz für eine große. Und auf den Brettern vorn ginge es doch darum, daß jeder eine große spielt! – „Ja."

Kurt stand jetzt vierschrötig, auf die Bühne geschmiedet, und Fritz hockte erbärmlich vor ihm, Arme und Knie in großem Jammer um den Körper hängend. Mir fiel diese seltsame Verdopplung der Vorgänge auf: wie in dem Interview war Kurt auch in seiner Rolle nach dem „Spuk" des Aufruhrs unerschüttert, mit heiter vorgeschobnem Kinn unterm zusammengekniffnen Mund, die Augen weg auf den Saal gerichtet – Fritz das Gesicht in den Schädel gekehrt, sich durchsuchend bis ins Eingeweide vor jedem Wort. Er hatte zu spielen: die Forschung ist wieder genehmigt, sein abgelehntes Projekt (das Werk ganz anders zu baun) kommt als fremder Auftrag wieder zu ihm – der Bauleiter fragt sich, was mit ihm und allen wie ihm los ist. – Ich sagte zu Susanne: Fritz spiele zwar immer eine Figur, die habe aber eigentlich auch immer nur Rollen, laufe auf immer anderen Schauplätzen herum in anderen Funktionen – dessen werde die nun inne. – Aber was Fritz auch aus sich heraufschleuderte, Kurt zeigte, einen Arbeiter mit seiner Kampferfahrung kratzt das nicht, das geht durch ihn durch – und er schien wieder zukünftiger, der Zeit voraus vor dem lamentierenden Zweifler. Und Fritz, so hart von dieser Heiterkeit geprellt, redete sich auf den Gedanken zu, der ihn über sich wegbringt auf die massenhaften Beziehungen, die so wunderbar produktiv – und noch eingeschränkt sind. Es gehe nicht mehr, schrie er, das Richtige mitzutun: das Richtige lasse sich nur noch gemeinsam finden! Sonst gehe es nicht mehr gut! Im Saal wurde es still, während Kurt noch jungenhaft feixte, Susanne faßte mich am Arm. Fritz redete nun Klartext. Sein Körper war nach vorn geworfen und verblieb so; der Koloß vor ihm verlor die Ruhe.

Diese Szene hatte immer Spaß gemacht, weil sie selbstverständlich war; heute gerieten die im Saal Herumsitzenden in sichtbare Spannung, sahn teils unruhig, teils gebannt hinauf und fraßen geradezu die Sätze, als hörten sies zum erstenmal. Und vielleicht: als geschehe es heut und hier!

Ich sah D. an, er saß ruhig und guter Dinge am Regiebrett. Kurt und Fritz spielten die Szene kräftig zu Ende, die Freundschaft auseinander, ihr Krach drang durch das Haus, wahrscheinlich bis ins Intendantenzimmer!

Pause.

Es trieb mich hinaus, um in Ruhe mit Susanne zu reden, die Proben würden ohne uns weitergehn. Aber Susanne wollte bleiben. Ich ging in die Kantine. Die Schauspieler saßen zusammen und erzählten Witze. „Vor einigen Monaten“, schwafelte Rolf, „übernahm ich es, ein Betriebskabarett zu betreuen. Wir verfaßten die meisten Texte selber, und sie trafen so ziemlich die verschiednen Nägel auf den Kopf, klar. Als wir mit der Arbeit und unsrer Kraft am Ende waren, wurde das Ding auch genehmigt. Man lobte es über den grünen Klee, aber die einzelnen Abteilungsleiter baten uns danach, ganz diskret, einzelne Nummern herauszunehmen – und zwar immer die, die gerade ihr eignes Ressort betrafen. Wir ließen uns auf nichts ein, klar. Also der Tag war da, herbeigesehnt – wir hatten uns wirklich eingesetzt, damit es ein aktueller, operativer Beitrag und so weiter wurde. Da kam ein reitender Bote aus der Verwaltungsbaracke: wir sollten die Aufführung zunächst verschieben wegen Erkrankung. Wir sollten uns Gedanken machen, wer von uns krank sei. Am Abend war aber die Belegschaft da, und der gemütliche Klubhausleiter sagte, wenn wir nicht zu sehr aufdrehten, könnten wir die Sache machen. Die Vorstellung hob also an, aber – nach einigen Nummern war erst mal Sense. Anruf des BGLers, der seine Verwunderung meldete, d a s nun doch vor die Weltöffentlichkeit zu lassen. Nach zehn Minuten erst durften wir weiterspielen.“ Wir lachten und fanden das nicht weiter tragisch. „Ich bin erst am Anfang“, sagte Rolf, selber vom Lachen geschüttelt, „nach wiederum fünfeinhalb Minuten stürzte der Klubhausleiter hinter die Kulisse: seine Einschätzung der kommenden Nummern habe sich absolut verschlimmert. Er ordnete an, das ‚Theater‘ einzustellen, man solle wenigstens seinen guten Willen sehn! Das schlauchte uns, klar, da drohte er uns ein Verfahren an. Es waren darüber fünfzehn Minuten mitteleuropäischer Zeit verstrichen, die Kollegen starrten befremdet herauf. Viel Applaus. Der beste Komiker raffte sich schließlich auf, trat gebeugt vor den Vorhang und flüsterte:

‚Entschuldigt, Kollegen, wir sind krank.'" – „Das warst du!" – „Natürlich. Die Belegschaft, die alles in allem eine halbe Stunde dagesessen hatte, nahms als Scherz – und ging später verstört. Der Klubhausleiter wagte sich nach diesem Ablauf nicht mehr an die Rampe, klar, war nur noch eine Ruine. – Ihr könnt euch denken, wie hochgestimmt die Gruppe war. Tage darauf wurde das Programm selbstverständlich wieder genehmigt, es fielen lediglich die örtlichen Fakten heraus. Jeder Leiter hielt die Anordnung selber für dumm und keiner hatte sie gemacht, klar. Die Sache kam wieder zur Vorführung, sie erwies sich nun als lähmend langweilig. Die Kollegen saßen wie Leichenbitter. Nachher – wurden wir kritisiert, da wir nicht operativ und aktuell und so weiter – hm. Die Gruppe löste sich postwendend in Nichts auf, und ich – bekam den Auftrag, wieder das Betriebskabarett zu betreuen." Wir lachten immer mehr. „Du übertreibst", sagte ich. – „Natürlich", sagte er, „das ist überhaupt unser Fehler." Das ging so weiter; ich sah Susanne hereinkommen, sie zog mich aufgeregt hinaus. „Komm mit, Hans, da oben geschieht was!" – „Was soll denn geschehen?" – „Ihr sitzt hier – Es ging nicht los, ich war so unruhig – ich lief durchs Haus und hörte auf einmal aus einem Zimmer Stimmen, der Regisseur, und andere, es geschieht was mit dem Stück!"

Wir gingen durch die Gänge und Treppen hinauf und traten wie zufällig in das Zimmer des Intendanten G. Einige Leute waren um den großen Tisch versammelt, der Intendant, Regisseur, Dramaturgin, die Genossen der Stadtleitung, und ein oder zwei, die ich nicht kannte. Kein Schauspieler war dabei. Das Gespräch brach ab, Schweigen.

Der Intendant erhob sich und sprach mich mit einer ungewöhnlich kalten und sachlichen Stimme an. „Genosse, Sie wissen, was in der Welt vorgeht." – „Ja." – Er verlangte, daß ich Veränderungen im Stück mache oder daß wir Streichungen machen, „sonst wird das nicht herauskommen". – „Aber", sagte ich, „das liegt ein Jahr da. Wir haben jeden

Satz besprochen." – „Sie werden verstehen", sagte er, „wir müssen das tun! In dieser Situation – müssen wir alles dreimal überlegen! Wir müssen alles weglassen, was auch nur entfernt – was an Ereignisse erinnert, die schwierig sind ... ja auch, wenn wir es parteilich darstellen. Wir wissen nicht, wer vor uns sitzt im Zuschauerraum!" – „Das verstehe ich nicht – wieso wissen wir es nicht?" – Der Intendant wischte sich über die Stirn, ich blickte zu D., der saß ergeben da. Der Intendant las eine Liste herunter, die er auf einen Zettel gekritzelt hatte, einiges betraf nur Sätze, das meiste die Hindernisse und Härten bei den Taten der Figuren. Wir sollten noch mehr in ihr „Leben" eingreifen. (Aber mir war, als sollten wir ihnen die Arme abhacken. Wenn sie sich nur noch von einer Idylle in die andre arbeiteten) – Er stand wieder auf: „Sie müssen es den Schauspielern als Ihren Vorschlag mitteilen!" – „Nein. Dann möcht ich schon, daß wir es mit ihnen besprechen, daß wir sie hinzuziehn, wenn es um ihre Rollen geht." – „Schweigen Sie, Genosse", rief der Intendant, in heftigster Erregung, „ich habe keine Angst, daß man mir ... daß man mich – ich diskutiere hier nicht. Dazu ist jetzt keine Zeit! In meinem Haus bestimme ich!" Susanne brach plötzlich in Tränen aus.

Ich wollte verärgert von ihr abrücken, bemerkte aber, daß alle sekundenlang verwirrt waren und verständnislos auf sie sahn. Ihr natürliches Verhalten erschütterte die Verhandlung. Die Linie war dahin. Susanne saß, den Kopf in den Händen, und schluchzte laut. Als man die Fassung wiedergewann, wurde sie hinausgebracht.

Auf einmal sprachen alle wie umgewandelt. „Wir haben nur gesagt: Sie sollen es prüfen", einer, „wir haben es nicht selbst gelesen." – „Machen wir es für jetzt... später – können wir immer noch sehn", der Intendant, mit der gewöhnlichen kaum hörbaren Stimme. „Ich habe die Situation nicht gemacht. Wir können uns nicht auf Diskussionen einlassen und jeden fragen, jetzt. Wir kämen in Teufels Küche!"

Wir gingen auseinander; der Intendant folgte mir rasch und bat, ich möge ihn bei Susanne entschuldigen wegen des Aufbrausens, ich verstehe ihn wohl! – Die Hitze des Augusttags schlug mir entgegen, ich taumelte hinaus.

Im Zimmer war Susanne beruhigt. Sie hatte Blumen gekauft – und aufs Bett gelegt. Sie kämmte ihr Haar und zeigte auf einen Druck, den sie eben erstanden habe, Rekrutenaushebung. Ich wollte nichts sehn.

„Ich war nur über den Ton erschrocken“, sagte sie, „im Grund hat G. vielleicht recht. Es kommt doch nicht drauf an, ob man gleich alles spielt, sondern daß die Arbeit nicht umsonst war ...“ (das sagt *sie*?), „es kommt auch drauf an, was man selbst draus macht, ich meine: aus sich, was man selbst gewinnt dabei!“ Ich schwieg.

Es geht keinem von uns nur um sich, dachte ich, es geht um die Entwicklung der Verhältnisse, die mehr braucht als was einer mit sich macht, die nur in gemeinsamer Arbeit geschieht, die wir suchen!

Aber hier – wurden die Schauspieler nicht mal hinzugeholt. Und Susanne – war aus dem Betrieb hinaus, und konnte zuschaun!

„Diese ganze Arbeit –“, rief ich, „wir wollten doch etwas mit dem Stück, und jetzt gehts nicht! Also kommt es noch nicht auf diese Arbeit an. Die ist nicht mehr wert als Meinungen.“ Ich schlug mir vor den Kopf. – Das war es! Die Schauspieler führten Lösungen vor, probierten sie aus, bewährte und neue – aber sie spielten sie eben nur vor: als eine Kritik, als ein Urteil von außen, als eine Anmaßung scheinbar! Wie in alten Zeiten! Die Zuschauer blieben Zuschauer. Sie saßen hinter der Barrikade der Rampe. Das brach dem Spiel den Hals! ... Und die Schauspieler waren nun selber Zuschauer.

Ich lag Minuten wie erschlagen. Susanne hatte sich schön angekleidet und stand vor dem Spiegel. „Du mußt noch in W. bleiben“, sagte ich. Sie lachte: „Dort!“ – „In der Gruppe bleiben. Es geht nur was zusammen." Ich sah im Spiegel, wie sie erblaßte, sie drehte sich nicht um, sie sagte langsam: „Bis wann dort *bleiben*? Wir sollen uns wieder trennen? – Nein."

Der Abend war hin. – Wir gingen zu Jürgen. Ein Dachgeschoß, die hölzerne Treppe mit einer Falltür schließbar, die Wände geweißt. Skurrile Plakate zwischen alten Bauernmöbeln. Dafür das Ganze nicht heizbar. „Noch ist nicht Winter." – „Im Winter ziehn wir ins Bett." – Einige gute Freunde waren da; das Gespräch ging noch fort. „Steht mir bei", sagte Jürgen, „sie wollen mich zu einem ernsthaften Menschen machen! Ich darf kein Clown sein. Witz untergrabe unsre Würde." Beim Sprechen blieb ihm jede Silbe am Gaumen haften und löste sich mit einem leichten Ruck, seine Stimme war eine rasche Folge winziger Explosionen. „Hast du einen so starken Witz?" fragte Susanne. „Ja, komm mit, sie vertragen ihn nicht." Er war erregt vom Streit (der eben noch um die Prager Führung gegangen war), und Karl gab jetzt zu: freilich sei es richtig, sich frei zu halten von Unmut, sich nicht in allen Ärger zu verstricken! Das meine er nicht. Ja, könne er leben, ohne heiter die Zeit zu überschaun, unbeschädigt von ihren Härten, und ohne sie mit zu bewegen? „Ich selbst", zu mir, „glaub es oder nicht, muß mich manchmal gewaltsam aus Beklemmungen lösen, die das Denken in einem kleinen Kreis halten, die es klein machen, verunstalten. Ich muß mich aus mir herausdenken, in die Lage eines andern, oder vieler anderer – könnt ich sonst was verstehn, oder arbeiten?" Jürgen stellte sich mit verklärtem Gesicht an die Wand und deklamierte Majakowski:

„Auch ich
schriebe Goldschnitt und Fliederstrauch –
Das wär was
für Scheckbuch und Seele.
Doch ich
bezwang mich,

trat
bebenden Hauchs
Dem eignen Lied
auf die Kehle."

Karl verstummte, und Regina sagte: „Klar bist du uns lieber, Junge, als so ein Griesgram, den alles verbittert. Zum Beispiel . . ., der an allem das Schlechte findet und ganz verbogen ist vor lauter Kotzen. Er muß geradezu Borsten auf dem Gehirn haben. Er kann sich schon gar nicht mehr anders als kritisch einer Sache nähern; wenn sich Leute zum erstenmal mit was anderm als ihrem Beruf beschäftigen, sieht er nur, daß sie Kitsch und Quark machen. Von der neuen Stellung des Menschen – sieht er nur die Ungeschicklichkeit, mit der sie sie einnehmen." – „In einer neuen Stellung, jawohl, kann man mehr einnehmen", Jürgen. – „Dir Schandvogel gefällt auch nichts Gutes am andern, wie kann man dir Freund sein?", Regina. – „Um uns wärs nicht schlimm", sagte wieder Karl, „aber es gibt Dinge, da hört hier der Spaß auf." – „Das ist es! das ist es!" frohlockte Jürgen. – Nachher sagte er: „Ich würde ja gern übereinstimmen, wie ihr, mit meiner Arbeit, mit der Gesellschaft – aber da sind Hindernisse! Ich versteh eben nicht alles. Manches läßt sich nicht verstehn!"

Karl rief da plötzlich unerwartet heftig: Ja, ja! aber das ist eben die Frage! Wenn du nicht wirklich Anteil nimmst, kannst du nichts verstehn! (Ich dachte: aber – man muß ruhig ein wenig unbestechlich sein, nur anpassen noch keine positive Haltung. Auch frei machen von der Anfechtung, nach Ansehn und Zustimmung zu gehn – solche Gedanken von vornherein vergessen bei der Arbeit, ganz und gar. Bedingung der Arbeit.) – Regina sagte: „Wenn ichs nur immer brächte, Anteil nehmen, ich habe oft Hemmungen." – „Du hast recht", wieder Jürgen, er zog das Tischtuch über sich und Susanne. Susanne ließ sichs nicht gefallen. „Ja", fragte er, „also soll ich die Theorie nach dem Maß der Praxis schneidern?“ – „Nein, nein!“ sagte Karl aufgebracht. – „Aber geschieht das nicht wieder und wieder?“ – „Das ist wahr“, sagte Susanne.

Gegen Morgen, eh wir aufbrachen, wurde mir einiges ganz klar, ich sagte es Susanne ungefähr: ich brauche mich nicht wundern, wenn das Theater jetzt von einer moralischen Anstalt verurteilt werde. Das liegt an seinem unentwickelten Zustand. Den Zuschauern eine kritische Haltung – das genügt nicht mehr. Es muß eine praktische sein. Die Zuschauer, und nicht nur im Saal, müssen einbezogen sein – in ein ständiges öffentliches Proben gesellschaftlicher Lösungen. Kein Vorspielen und Ansehn von „Abbildern“ – sie müssen es mit machen, sich das Bild m a c h e n. Vorweggenommene Praxis, eine Praxis im Versuchsstadium, wo die Kosten der Experimente ertragbar sind. Ja, große und kleine Gruppen können ihre Möglichkeiten durchspielen und üben, alles übrige ist Museum. Das Vorurteil gegen die Anmaßung der Bühne wär dann hinweg.

Auf dem Weg zurück lief sie müde und finster mit; ich sagte ihr, Karl sei hier Schauspieler gewesen und vor kurzem entlassen worden, wegen aufsässigem Gerede. Susanne sah mich verblüfft an, wunderte sich, wie fest und gerade er eben noch diskutiert hatte! Wie er Jürgen aus seinem Trott gestoßen hatte! Das konnte sie nicht fassen. Aber es war nichts Besonderes daran. Wir gingen ins Hotel; im Zimmer war ich verstimmt. – Sie fragte: „Mit dieser bloß kritischen Haltung – meinst du auch mein Verhalten in W.?“ Aber da schien mir – daß ich mich selbst meinte, daß i c h bleiben müßte, mich anschließen an diese Truppe. – Susanne schmiegte sich mitten in der Nacht an mich, ich umfaßte sie ohne Besinnen; sie stieß mich zurück. „Willst du nicht zärtlich sein?“ bat sie. Ich hatte keine Ruh dazu. Ich lag ohne Schlaf.

Sonntag. Susanne bestand darauf, mit ins Theater zu gehn, was Stadt!, und lief mit. Die Sonne war heiß auf den Straßen. Plakate kündigten das Stück an. D. hatte Umproben angesetzt.

Er hielt die verlangten Änderungen für halb so wild und sagte, er verstehe die Haltung des Intendanten ganz und gar. So wär die Sache sicherer. Wir strichen eine Szene ein, er lächelte. Susanne schlug einige Lösungen vor. D. ging sogleich probieren.

Hauptbühne, Rolf, schon immer eine komische und nicht bedrohliche Figur, wiegelte wieder mit verqueren Reden die Bauarbeiter auf – aber nun nicht gegen die Planerhöhung, die war gestrichen, sondern ohne Anlaß. Er kommandierte: „Setzt ab! Setzt ab!", bis die andern den Eisenträger abwarfen – aber es kam zu keinem Aufruhr, auch gestrichen, nur zu einer – Unterhaltung. Rolf strengte sich an, auch aus dem neuen Text eine Figur zu machen, er hielt immer wieder wütend inne; da die Gefährlichkeit weg war, wurde die Lächerlichkeit langweilig. Die Schauspieler murrten. Die Provokateure traten nicht mehr auf, wozu sollten sie da verjagt werden? Ich merkte: alles wurde unverständlich. Die Welt war abgebaut, die Härte war heraus – und mit ihr die Kraft der Personen. D. arrangierte pausenlos, und s a h schließlich, was er in der Szene sehn wollte, obwohl es nicht gespielt wurde.

Da wurde die Szene wirklich ernst: Rolf wiegelte nun wirklich auf – die Schauspieler, er fragte: „Was denkt ihr, lassen wir uns herumstoßen? Das spiel ich nicht." Fritz und Kurt beschwichtigten ihn: die Änderungen seien längst beschlossen. Die andern standen unschlüssig, Rolf wiederholte starrsinnig: „Das spiel ich nicht." Kurt, der Gewerkschaftsvertrauensmann war, packte ihn am Hemd und: „Was fällt dir ein!" rief er plötzlich, „dann ohne dich! Dann spielst du hier nicht mit!", und fragte Fritz: „He, hab ich recht?" – Fritz nickte, sagte verwirrt: „Ja, ohne ihn!" – D. ließ sie die Szene von vorn spielen, aber Rolf stampfte schnaufend herum, rot verfärbt, redete irgendwas los. Dann stand er still an der Rampe, legte den Kopf schief, lächelte uns breit an.

Sprang zurück, auf die Hände und redete seinen Text rückwärts oder wie. Die Schauspieler warfen den (hölzernen) Eisenträger nun in wirklicher Wut weg, alles löste sich auf, eine Meuterei. An Arbeit war nicht mehr zu denken.

D. verließ schnell den Saal, stieß mich fast um, ließ sich nicht anreden. Die Truppe räumte das Feld. Susanne stand mit erschrockenen Augen da und sagte: als Rolf „Setzt ab! Setzt ab!“ geschrien habe, hab der Intendant hinten „Ja absetzen! absetzen!“ gerufen und das Stück gemeint, sie hab neben ihm gesessen. Einige hörten die Meldung mit an, das ärgerte mich, ich ließ Susanne stehn!

Die Schauspieler hingen in ihrem Zimmer herum, ratlos. Als ich eintrat, wußte ich sofort, daß sich jetzt die Szene in ihrer d r i t t e n Ausführung abspielen würde; aber nicht mehr Rolf würde der komische Aufwiegler sein, sondern ich. Lärm. „*Das geht nicht mehr, das geht nicht mehr gut!*“ zitierte einer. – „*Statt daß mancher zweifelt, wärs besser, daß ihm was einfällt*“, Kurt. Böses Lachen. „*So kann man nicht arbeiten. Mal das, dann das!*“ Ulla. – Das konnte das Stichwort sein, ich übernahm also die Rolle: Warum werdet ihr nicht hinzugeholt, wenn das beraten wird? Kriegt ihr euern Text hingeschüttet wie das Vieh das Futter: freßt!? Gehts euch nichts an, was ihr macht? Werdet ihr nicht gefragt?

Das war meine Rede, jetzt waren die andern dran. Aber die Szene hier war doch anders und neu, sie klappte noch nicht. (Kein Souffleur!) „Im Theater ist das schwieriger“, sagte Ulla. „Das mußt du verstehn.“ – Ich verstand nicht. – „Auf den Brettern, ja – aber hinter der Bühne? Anbiederei und Anweisungen“, Rolf. Streit. (Sie spielen nicht ihre Möglichkeiten durch, dachte ich, – sie kämpfen noch mit ihnen. Sie beherrschen ihre Rolle nicht.) Fritz saß als einziger still, kopfhängend, im Geschrei. (Meinungen, Meinungen! Inszeniert doch erst, was ihr redet!) Aber er stand auf, sagte auf einmal laut: „Wir sind schuld. Und du“, zu Kurt, der ihn noch lächelnd ansah, „du vor allem! Du läßt dich abspeisen mit Beschlüssen!" Kurt lachte wie über einen Witz, bis Fritz „Hör zu" rief, „was in den Betrieben versucht wird, wo sie durch viel mehr Umstände gebunden sind – muß auch für uns möglich sein!" – Er stellte sich vor Kurt hin, wütend, schrie jetzt: „Wie solln wirs denn darstellen, Betriebe, wenn wir selbst nicht so handeln?" – „Ja, jetzt seid ihr in euerm Stück", sagte ich. Kurt starrte Fritz verblüfft an. Die Dramaturgin trat herein, schwieg überrascht. – „Und du – willst, daß Rolf nicht mehr spielt. Das ist deine Leitungsarbeit! Du läßt ihn gehn, wie Karl! So kannst du uns nicht leiten!" – „Weiter", lachte einer, „Kurt ist 'dran!" – „Ja, dich nicht, dich!" brüllte er. – „Das ist auch unsre Sache!"

Die Dramaturgin unterbrach die Szene und holte mich heraus. „Bitte", sagte sie, „fangen Sie nicht noch damit an." – „Warum nicht?" – „Wir sind uns der Dinge bewußt, wir kommen nicht umhin. Bald", und so weiter. – „Ja, ich betracht es nicht als meine Sache."

Im Zimmer hörten wir Nachrichten: die Prager Parteiführung schien die weiteren Ereignisse als Schicksalsschläge zu erwarten. Auf den Straßen der größeren Städte Unruhen, die Soldaten der verbündeten Armeen versuchten, mit außermilitärischem Verhalten zu gewinnen.

Ich sah den Druck näher an, den Susanne gekauft hatte, es war eine Zeichnung von Goethe: ein Rekrut hockte auf dem Boden, mit seinen Bauernschuhn beschäftigt, einer stand an der Meßlatte, lächelnd, der dritte wurde schon hinausgeführt durch die Tür hinten, über der Girlanden hingen um einen kleinen Galgen.

Dann sagte ich zu Susanne: „Du hast auch recht. Was sollst du dorthin, und ich hier! Und wir sind wieder getrennt."

Ich legte mich neben sie, und sie lag reglos da, und mir wurde mit einemmal bewußt, daß wir nun alle Tage zusammen gewesen waren, wie wirs uns gewünscht hatten – und uns keinmal geliebt hatten.

Überhaupt, überhaupt! dachte ich. Woran lag das? Was war das? – Kann man so leben? – Vielleicht erlebt man die Tage und Situationen nicht so tief, weil man sich ohnehin gehört – weil man alles aufschieben kann auf den nächsten Tag. Widersprüche nicht aufdeckt und der Zeit überläßt, Schmerzen schluckt – bis auf weiteres, und Freuden nicht bis zur Neige ausleert! Weil man nicht mehr sagt: das ist die Stunde, die entscheidet, jetzt, jetzt kommts auf dich an, jetzt tun, was du denkst und kannst, was dir irgend gegeben ist, j e t z t lebe! – Das kam mir in den Kopf, das mußte heraus – hatten wir uns denn hier besessen –? Ich ging auf und ab, ohne sie anzusehn, redete das aus mir heraus.

Sie richtete sich auf und sagte rasch: „Kann man sich lieben, mit diesen Vorgängen im Kopf?"

Ich nahm sie bei den Schultern, doch sagte nichts, stand nur da; es fehlte mir irgendwas, und ich fühlte sogleich: ich gab mir keine Mühe. Ich ließ sie schnell los, kopfschüttelnd, setzte mich hin. – Aber ohne diese Mühe – so lebte ich nicht. Ich lebte nicht: ich kroch. Ich sezierte mich wie eine defekte Maschine, Kopf, Hände, Augen, Brust, Schrauben, Schrauben. Konnte sie nicht zusammensetzen. Wenn dies Leben ganz und voll sein sollte, was sonst!, mußte es in der kleinsten Beziehung beginnen, hier, jetzt, mit ihr. Im kleinsten Verhältnis, dämmerte mir, ist die größte Freiheit, und wir werden am stärksten gefordert! Aber wir können auch nicht mehr als nur w i r können, wir stehn da allein. – Ich saß da, zu nichts mehr entschlossen.

Sie kam ganz einfach und selbstverständlich auf mich zu, sagte: ich will doch nicht, daß wir uns trennen, weil ich dich liebe. Dabei warf sie sich zärtlich an mich, und ich spürte den Ernst, mit dem sie unsere Stimmung wenden wollte. „Und doch – müßte jeder leben wie er muß", sagte sie, „wie es für *ihn* richtig ist!"

Ich dachte: ja, was wir wollen, ist gut, und was wir müßten, ist nicht schlecht; und wir müssen es immer neu entscheiden.

Das ist die ganze Geschichte.

Die Wendung auszunützen und Susanne ganz zu nehmen – so sehr ich Lust verspürte, wars mir zu plump; wir lagen aneinander, ich hielt sie so bis sie schlief.

Vor der Probe am Morgen sagte Susanne: „Soll man das machen – alles hinnehmen wie es kommt!“ Sie schlug vor, zum Intendanten zu gehn und einige Szenen zu retten.

Er öffnete, führte uns an seinem Haus vorbei in einen ausgedehnten verwilderten Garten, die Wiesen wuchsen über die Wege und das Gesträuch über die Wiesen, die Äste schlugen uns ins Gesicht. Er lachte: „Ich bin machtlos. Es wächst mir über den Kopf!“ Wir wateten hinter ihm durch ein Brombeergerank und – wir trauten unsern Augen nicht – sahn in einer Insel von riesigem Huflattich einen Schreibtisch stehn und einige alte Stühle. „Ich hab ihn hinausgeworfen. So ein Büromöbel. Aber – jetzt sitz ich h i e r daran.“ Wir setzten uns, er an dem mächtigen Schreibtisch, fegte Zweige und Blätter von der Platte. Strich sich sein weißes Haar glatt, straffte sich und sagte barsch: „Sie brauchen mir nichts sagen.“ Lächelte: „Wozu auch diese Härten zeigen. Wenn die Figuren es schwer haben – das richtet sich doch gegen das Volk! Das ist eine Mißachtung des Volks!“ – Susanne sagte: „Aber das Volk schafft sich doch die Hindernisse vom Hals! Es stellt sich ihnen! Wir – verhalten uns doch ebenso . . . wir müßten es. Wir wollen es!“ Sie sagte es ganz ernst, leidenschaftlich.

„I c h müßte es – meinen Sie?“ fragte der Intendant rasch.

Ich sagte aus Spaß: um alle Widersprüche zu beseitigen, könnten wir entweder Fritz oder Kurt ganz herausnehmen, statt sie aneinander wachsen zu lassen; die ganzen Beziehungen von Führenden und Geführten wären, bei aller Wechselseitigkeit und Entwicklung, nur eine literarische Erfindung.

aber mitplanen will, e h er eine Arbeit annimmt – sie hatte kaum Text, ihre schlimme Lage darzustellen. Alle Erschwerungen, die heute auf den Frauen liegen, da sie zu allem frei und bereit sind: die Entwicklung der neuen Technologie, die Schwangerschaft, die Zweifel an der Haltung ihres Mannes, die Notwendigkeit, die Arbeiter für die Qualifizierung zu gewinnen, die die Technologie ihnen nun abverlangt – all das fällt auf sie, und sie schafft das! . . . und bricht zusammen. Mit dem Mann, den sie liebte, will sie nicht weiter leben. Nun geht s i e – fort zu einer schwierigeren Arbeit. – Ulla spielte ohne Aufwand, mit wenigen Gesten, brach zusammen, und ihr Elend rührte mich wieder. Dann, als Fritz die Verzweiflung spielte, sie, sie zu verlieren, wurde mir auch klar, daß das Stück anders ausgehn mußte. Und ich war wieder bei dieser Rolle, die wir unterschätzt hatten, in der mehr Kraft war. Der Einsatz dieser Frau, ihre Selbstüberwindung mußte es sein, was die beiden Freunde herausreißt aus ihrem Streit. Was Fritz forderte, gleichberechtigt zu entscheiden, das will Kurt schon lange – aber das können nicht zwei für sich herschaffen. Oder einige. D a s „Wunder" schaffen nur noch alle. Das heißt aber auch: es kommt nun auf jeden an.

Ullas Geschichte mußte ihnen das hart zeigen. Wie hatten wir das nicht gesehn? – Wir müßten das alles neu machen. Jetzt.

Ich sah noch zu und sah mich plötzlich selbst in dieses Spiel gestellt. Die Arbeit würde inmitten aller möglichen Vorgänge komplizierter werden, oder komplexer, sie würde alles in sich ziehn, wir würden uns allem stellen. Daß nicht alle möglichen Ereignisse die Arbeit zerstören, uns selbst zerstören.

Wann würde das Spiel aufhören? Durfte das aufhören? – Wir kamen immer mehr hinein.

Fritz und Kurt liefen nach hinten ab, die Bühne war leer, delegierte die Arbeit von den Brettern an die Z u s c h a u e r.

Mitternachts im Hotel fanden wir ein Telegramm, Susanne sollte dringend nach W. kommen, wegen einer neuen Aussprache mit der Betriebsleitung. Die sollte morgen früh sein. Wir sahn in den Fahrplan, sie mußte in einer halben Stunde zum Zug.

Sie packte ihre Tasche, wir legten uns aufs Bett, zogen uns aus, liebten uns. Es blieben dafür zehn Minuten. Zogen uns an. Rannten zum Bahnhof.

Ging langsam in die Stadt zurück, sah den Großen Wagen am Himmel.

Der Morgen kam kühl und wunderbar. Ich war bis ins Innre ruhig.

BERND JENTZSCH

# Feuerfalter

An einem milden Tag im September liegt Frau Flippjack in den Wehen. Manchmal richtet sie sich auf und beißt die Zähne zusammen, ihr Wöchnerinnenhemd ist grün bestickt. Sie hat es noch mit ihrem Mann unter all den durchbrochenen Modellen ausgewählt. Am Dienstag darauf wurde Herr Flippjack eingezogen. In wenigen Tagen hat er in einem motorisierten Verband das flache Polen erobert. Jetzt wird er auf einer Weichselbrücke stehen und Schnappschüsse machen, für später. Nichts wünscht er sich sehnlicher, als einen gesunden Jungen, einen kleinen Siegfried. Herr und Frau Flippjack konnten sich erst in letzter Minute auf einen Vornamen einigen, aber insgeheim hofft Frau Flippjack, dem kleinen Siegfried mit einem Mädchen zuvorzukommen. Für Frau Flippjack gibt es sowieso nur einen Vornamen: Lizzi. Die Hebamme besitzt geschickte Hände, am frühen Nachmittag hat sie das Kind geholt. Sie legt die Nabelschere aufs Fensterbrett und fackelt nicht lange. Das Dingelchen will nicht atmen. Sie packt es an den Füßen, daß der Kopf nach unten hängt, während die freie Hand ausholt. Der erste Schrei klingt sogar schön. Mit der zweiten Post trifft der Brief ein. Sein Wortlaut ist vorgedruckt, Ort und Tag sind maschinenschriftlich eingefügt.

1

Auf Lizzis Kopf sprießt rötlicher Flaum. Überhaupt gleicht sie Herrn Flippjack aufs Haar. An einem Pfingstsonnabend endlich ist es lang genug, um zu vielen widerspenstigen Schlangenlocken eingedreht zu werden. Auf dem Weg zur Heißmangel, zur Mechanischen Besohlungsanstalt von Lyonel Blechschmidt tanzen sie auf ihren Schultern, doch am liebsten steigt Lizzi die Stufen zu dem zauberisch glitzernden Spielwarenladen hoch. Ihr inständigster Wunsch ist eine Puppe im Dirndl, wie sie nebeneinander so verträumt an der Rückwand des Regals lehnen. Frau Flippjack läßt den Tag der Erfüllung und den fünften Geburtstag zusammenfallen. Während sie Säume versticht, Abnäher auftrennt und die Kriegerwitwenrente flickt, bringt Lizzi dem Pfälzer Dirndl Liederanfänge, Knickse und im Luftschutzraum die wichtigsten Handgriffe mit der Feuerpatsche bei. Frau Flippjack bemerkt es heute nicht zum ersten Mal: In dem Kind steckt ja wohl doch eine Lehrerin. Auf jeden Fall freut sich Lizzi einen Tag um den anderen auf die Schule und schnurrt die Zweierreihe her. Als es dann soweit ist, fällt die Zuckertüte nicht viel größer als ein Gewürztütchen aus. Den fellbezogenen Ranzen hat der Großvater als Infanterietornister getragen. Gleich am ersten Schultag verteilt die Lehrerin abgegriffene Fibeln, die Straßenbahn heißt Elektrische, auf einer rechten Seite lächelt der Held von Tannenberg. Es war einmal. Das Land, dessen Briefmarken Lizzi ein bißchen sammelt und ins Steckalbum sortiert, heißt seit kurzem Sowjetische Besatzungszone. Erst viel später, als Lizzi die Geographiestunde über die Lommatzscher Pflege hinter sich gebracht hat, wird die Republik ausgerufen, in der Zuckerrüben wachsen. Ganz hinten, in der Gegend um Fürstenberg, wachsen auch andere Sachen in die Luft, Hochöfen zum Beispiel. Zeichenlehrer Dippel macht eine Aufgabe daraus und stellt Wasserfarben zur Verfügung. Rings um das Blatt malt Lizzi eine Girlande aus springenden Schafen und Hasen. Das erschwert die Benotung, zumal Herr Dippel nicht weiß, wie besessen Lizzi im Jungen Naturforscher liest. Wenn sie morgen noch einen Feuerfalter fängt, ist ihre Schmetterlingssammlung auf vierunddreißig Exemplare angewachsen. In länglichen Pralinenkästen schillern sie in den schönsten Farben. Zur Abschlußprüfung kann ihr nichts die Biologie-Eins streitig machen, nicht einmal der jarowisierte Weizen. Völlig folgenlos bleibt das nicht. Lizzi soll den mathematisch-naturwissenschaftlichen Zweig besuchen. Die Bezeichnung Zweig wiegt sie in einer Vorfreude.

## 2

Bis zur elften Klasse läuft alles schnurgerade, selbst der gepfeffertste Lehrstoff kommt ihr wie ein Pappenstiel vor. Am Ende des Schuljahrs, im Juli, wenn die Linden die Stadt in eine Duftei verwandeln, sind die Zeugnisse jedesmal vor lauter erstaunlichen Einsen und Zweien federleicht. Nur im Sport, an den Geräten in der kalten Halle, hängt Lizzi etwas durch. Aber der Juli. Es ist nämlich der Juli, der überall Leimruten auslegt. Oft genügt eine gesellschaftliche Betätigung von größter Ernsthaftigkeit, um ruckzuck eine Zuneigung zu stiften. Im Sommer werden ordnungsgemäß Zeltlager durchgeführt, eins in Krakow am See. Vormittags marschiert die Belegung zum provisorischen Schießstand, und mittags sind zwei mitten ins Herz getroffen. Auf der Rückfahrt, zwischen Waren und Neustrelitz, lehnt Lizzi ihren Kopf an Konrads Schulter, dann stapeln sich die Briefe in schneller Folge. Zum Glück verkehren die Züge fast stündlich, zum Glück wohnen Daphnis und Chloe nicht allzu weit auseinander. Hand in Hand promenieren sie im Stadtwald, bis sie glauben, der Mond gehe auf, damit sie sich über die Färbung ihrer Augen vergewissern können. Auf ihren Lippen moussieren zärtlichste Anreden, nur bei der Vokabelkontrolle in der zweiten Stunde löst sich Lizzis Zunge nun verhältnismäßig schwer, und im Physikraum gelingt es ihr nicht, sich der mathematischen Hilfsmittel zur Formulierung dieses oder jenes Gesetzes zu bedienen. Das ist beidemal schade. Frau Flippjack erwägt ein strengeres, eiskaltes, listiges Reglement. Aber mit einemmal haben die Spaziergänge über Nacht ein Ende, die hellblaue Korrespondenz wird schlagartig eingestellt. Es fehlt nicht viel, und das Szenar eines Gedichts von Otto Roquette ist zusammen. Frau Flippjack beginnt das sehr einfühlsame Gespräch im Badezimmer, wo sie beide bloß Frauen sind, die unter mehreren Flakons wählen und das Haar mit schönen Tüchern hochbinden. Um seiner Pflicht nachzukommen, bittet auch der Klassenleiter Lizzi zu sich. Genug ist nicht genug, am Wochenende regt sich das Elternaktiv und redet aus dem vollen. Lizzi pfeift auf den Studienplatz mit seinen acht oder zehn Semestern. Was ihr einigen Spaß macht, die himmlische Biologie in erster Linie, lernt sie so nebenbei auf ihren Streifzügen durch die Umgebung. Als in den Vorgärten die Hyazinthen blühen, rücken die Prüfungen näher. Halbwegs kann sie alles beantworten, auch im Mündlichen: 1813 und 1618, in Friedrich Gottlieb Klopstock verehren wir den Dichter des Messias, sämtliche Säuren röten Lackmus und bilden mit Basen leicht changierende Salze. Das Abschlußzeugnis ist ebenso zufriedenstellend wie ausgeglichen, und doch löst Lizzi nach den Ferien eine Fahrkarte nach Hochweitschen. An der Strecke oxydieren kleine Fabriken. Das Dorf hat gekröpfte Dächer und viele beschilderte Versuchsfelder. Lizzi will kreuzen und die Bodenluft entgiften. Es juckt ihr schon in den Fingern.

3

Jeden Morgen um dieselbe Zeit wieselt Lizzi die Wendeltreppe hinunter. Das Frühstück ist reichlich, aber Vorsicht mit dem frischen Brot. Gegen sieben, wenn nicht schon dreiviertel, wird die Arbeit besprochen. Lizzi steckt in der Drillichkombination, zu der auch Gummistiefel gehören, und blinzelt in die Runde. Sie hat diese braunen Augen, die schnell großen Eindruck machen. Natürlich muß sie von der Pike auf lernen. Heute wird sie zum Pferdestriegeln eingeteilt, die feurigen Zweijährigen sind ihr ein und alles. So verstreicht der Herbst mit Pferden, Strohschütten und Landregen. Der theoretische Unterricht wird von einem minuziösen Plan regiert, er sieht erstens, zweitens und drittens den Facharbeiterbrief als Agrotechnikerin vor. Abends krault Lizzi dem Kater das Fell und macht sich Gedanken, teils über Gott, teils über die Welt. Wenn sie aus dem ovalen Fenster ihrer Mansarde auf den Gutsgarten blickte, sieht sie Pappeln und an den Stämmen Efeu, sie sieht zwischen weißen und rosa Dahlien schmale Wege aus Kies und in der Luft Landkärtchen und Kleine Füchse. Das löst eine Lawine von Gedanken aus. Bei passender Gelegenheit schützt sie im Unterricht Übelkeit vor, in ihrem Zimmer packt sie die länglichen Schmetterlingskästchen zusammen und geht los. Unterwegs, im Gutswald, liest sie noch die buntesten Blätter auf. Die Verwunderung ist groß genug, als sie außer Atem die Tür zum Schulhort aufklinkt und Käfer und Raupen über ihren Handrücken laufen. Die sommersprossigen oder spillrigen Senker der Häusler und Kombinefahrer brechen auch gleich in jaulendes Feldgeschrei aus und gruseln sich vor lauter Freude. Lizzi klappt die Deckel der Schmetterlingskästchen hoch, die Blätter liegen auf einem Spieltisch. Ein Kanon aus Ahs und Ohs, denn wer hätte geglaubt, daß Schmetterlinge die Alpen überfliegen. Die Fragen springen kreuz und quer, Lizzi erzählt und erzählt. Nächste Woche können wir uns ja wieder treffen, vielleicht sogar einen Tag früher. Nun werden Kokons gesammelt und Würmel in Marmeladengläsern herbeigeschleppt. Inzwischen hat Frau Flippjack das alte Mikroskop in Watte gepackt und zur Post gebracht. Jetzt sieht das Bein des Dungkäfers mit seinen Haken, Zangen und Bohrern wie ein kompletter Werkzeugkasten aus. Dann ist der vierte Forschernachmittag heran, und die Begeisterung will noch immer nicht nachlassen. Jemand hat schon von einem Zirkel gesprochen. Der Bürgermeister fühlt sich verantwortlich und stiftet den jungen Kuckuck, der auf dem Vertiko steht. Als Dauerleihgabe, behält er sich vor. Fräulein Lizzi hat schöne Beine, tuscheln die Kinder und sind ganz bei der Sache. Heute macht Lizzi mit den Naturforschern eine kleine Exkursion zu den Versuchsfeldern. Wenn sie der Regen überraschen sollte, suchen sie unter Bäumen Schutz und bestimmen das Alter. Paßt nur tüchtig auf, sagt Lizzi, man weiß nie, wozu es gut sein kann. Lizzi hat Übung im Taxieren, bei Eichen verschätzt sie sich höchstens um fünf Jahre. In ihr steckt also wohl doch eine Lehrerin. Frau Flippjack hat es ja gleich geahnt, eine Mutter ahnt das gleich. Meinetwegen, gibt sie schließlich am Telefon klein bei, obwohl mir Biologie gar nicht recht ist. Lizzis Delegierung steht zur Debatte, wahrscheinlich Jena, und die Leitung ist optimistisch, o doch. Die gesellschaftliche Seite gilt als erfüllt, unabhängig davon, wie wir das nennen: Zirkel oder Spintisierereien. Die Kinder sind fanatisiert, sie entdecken überall fremdartige Pflanzen und wollen nicht begreifen, warum Fräulein Lizzi weggeht. Zuvor hat Lizzi noch die Prüfungen abzuwickeln, die allerletzte Frage ist ein verlockendes Angebot. Dann bereits im neuen Haus, in fünf Jahren. Überlegen Sie sich das reiflich. Strenggenommen braucht Lizzi nur noch zu unterschreiben. Statt dessen lacht sie. Sie sagt: Nun auf einmal, und lacht. Es ist doch richtig, fragt der Prüfer im kindlichen Diskant, Sie sind doch ein Arbeiterkind? Ach, du grüne Neune, Lizzi hat es schon auf der Zunge, was denn nun noch alles.

4

Auf der Universität lernt Lizzi mit einem Eifer, der gar nicht zu bremsen ist. Nach zehn Semestern schwankt sie beim Gehen. Es ist ein strotzend grüner Tag im Juli. Alles schwebt ein wenig über der Erde. In der Kollegmappe knistert das

Diplom, eine krumme Zeile leerer Gläser gehört dazu. Die Biologie ist ja die Lehre vom Leben und den Lebewesen. Ich bin sehr stolz auf dich, hat Frau Flippjack telegrafiert. Die Ferien sind eine Kette von Verwöhnungen. Assistentin Flippjack, sagt Frau Flippjack noch auf dem Bahnsteig. Lizzi muß zweimal umsteigen. Die Fahrt nach Hochweitschen dauert im Winterhalbjahr gut vier Stunden.

## 5

Im Gutsgarten wird die Fontäne abgestellt, es ist immerhin Ende Oktober, der dreiundzwanzigste. Auch das Laub ist so gut wie herunter. Man sollte lange Spaziergänge unternehmen. Lizzi hat sich schnell wieder eingelebt, das fällt ihr nicht schwer. Sie steht vor dem hohen Spiegel und hantiert mit Wattetupfern, als es klopft. Der Bürgermeister will nicht bloß Guten Tag sagen, heute, am Sonntag. Eine ernste Gefahr kann das werden, sagt er, bedingt durch den Witterungsverlauf in den beiden vergangenen Jahren. Wir müssen handeln, sofort. Im Frühjahr fressen sie sonst alles kahl. Er sagt, die Goldafterraupe befalle mit Vorliebe Weißdorn, Schlehen und Eichen. Wenn Sie vielleicht als Truppführer, Fräulein Flippjack, die Schulklassen sind mobilisiert. Bitte, sagt der Bürgermeister, Ihr Zirkel damals, Hut ab! Lizzi nimmt die Windjacke vom Haken, neben der Tür stehen die Stiefel, sie bindet sich noch ein warmes Tuch um. In den Astgabeln sind die Nester deutlich zu erkennen, weiße Gespinste, fast silbrig. Die Kinder haben das Gaudi gern, wie Drachensteigen oder den obligatorischen Kinobesuch. Spaßig ist auch der Name, da ist mehr drin als bei Emilia Galotti. Die Goldafterraupe macht großen Eindruck. Immer wieder mahnt Lizzi zur Vorsicht, wenn es mit einem Messer in der Hand die Leiter hinaufgeht. Anschließend werden die abgeschnittenen Nester verbrannt. Im Frühjahr denkt Lizzi wie an einen Filmausschnitt an diesen Sonntag zurück. Es ist nicht zutreffend, daß sie alle Gespinste verbrennen ließ. Lizzi hat ein Gespür für Zusammenhänge. Eines Abends wird sie von Dr. Amyntor überrascht, wie sie im Dunkellabor mehrere Nester einem Lichtschock aussetzt. Mittlerweile ist es sieben, Dr. Amyntor könnte fragen: Was suchen Sie denn noch hier? Und dann die Stirn runzeln. Unterrichten Sie mich doch bitte über Einzelheiten, insofern sie aufschlußreich sind. Dr. Amyntor sagt: Insofern, ein Blick hat ihm genügt. Sie sehen überhaupt so aus, als wären Sie mit Haut und Haaren bei der Sache, Fräulein Flippjack, sollte er zuletzt noch sagen. Man weiß, es ist sein Spezialgebiet, seit Jahren. Die biologische Uhr macht Schlagzeilen in den Illustrierten. Ihr Sitz konnte bisher nicht lokalisiert werden, natürlich gibt es Vermutungen. Lichteinwirkungen spielen eine Rolle, der Zeitpunkt, die Dauer. Vielleicht ist es etwas sehr Simples, aber vermutlich doch etwas sehr Kompliziertes. Jedenfalls gehört Lizzi jetzt zu seiner Arbeitsgruppe, seit dem Monatsersten. Lizzi sieht wirklich gut aus, zur Strickhose trägt sie die rumänische Bluse. Das Fräulein Flippjack, sagen die Männer und nehmen kleine psychische Veränderungen an sich wahr. Gerade eben hat Lizzi eine Beobachtung gemacht, vor ein paar Tagen, am Freitag. Sie wollte es selbst nicht glauben, doch das Ergebnis bleibt stabil. Dabei spricht vieles dagegen, fast alles, sie glaubt es auch heute noch nicht. Nach fünfzig Versuchen sind Zweifel weiterhin am Platz, das darf man gegen die Goldafterraupe einwenden. Wenn es stimmt, können wir insofern froh sein, wird Dr. Amyntor sagen. Bis nach Mitternacht sitzt er am Tisch und schreibt den Forschungsbericht, für Lausanne, bei einer Kanne Tee. Im März, sobald das erste Gras sprießt, reist es sich angenehm, auch eine Dienstreise ist dann erträglich. Lizzi überprüft ihre Aufzeichnungen, sie verändert den Lichtfaktor und wiederholt abends den Versuch, noch einmal und noch einmal. In Winterthur haben wir einen Mietwagen genommen und sind einfach losgefahren, ins Blaue, schreibt Frau Flippjack, ich erinnere mich genau, das war im Spätsommer achtunddreißig. Der Bericht umfaßt schon einundvierzig Seiten, Dr. Amyntor hat Lizzis Beobachtung in einer Fußnote dargestellt. Er ißt Mango-Früchte aus der Büchse. Frühmorgens kurz nach sechs macht er seinen täglichen Kopfstand, um der Altersverkalkung rechtzeitig vorzubeugen. Wenn er so kopfsteht, ist er schlagfertig genug. Statt drei wird er nun vier Namen auf die Liste setzen, Amyntor, Boelitz, Flippjack, Leußner, in der alphabetischen Reihenfolge. Das ist ja längst eine Selbstverständlichkeit, hier stehen der Jugend alle Türen offen, was überall nachgelesen werden kann, in Lausanne die Windfangtüren des Hotels Zürchli, wo das Symposium stattfinden wird, mit dem Blick auf die Rabatten am Tell-Platz. Insbesondere die öffentlichen Anlagen in Winterthur mit ihren Tulpenbeeten sind ein zauberhafter Anblick, hat Frau Flippjack an Lizzi geschrieben, Vater und ich hatten immer das Gefühl, in Holland zu sein. Dr. Amyntor läßt sich nach hinten abkippen, wenige Minuten genügen durchaus, wenn die Übung regelmäßig geturnt wird. Obwohl die Beobachtung noch nicht als völlig gesichert gelten kann und obwohl das alles nicht so einfach ist, im Dunkellabor, will Dr. Amyntor auch Lizzi für Lausanne empfehlen, obwohl sie kein Wort Französisch spricht, und das ist doch höchst erstaunenswert.

MANFRED JENDRYSCHIK

# Facetten oder Aktivist der dritten Stunde

Das war, als er das vierte Fahrrad seiner Frau versetzte, um diesen schönen, klaren mecklenburgischen Weizenkorn käuflich zu erwerben. Oder: als er wußte, es ist eine Tochter, fuhr er mit seinem Brigadier die halbe Nacht Karussell.

Ja, so einer.

Ich kann einfach nicht mit einer Frau schlafen, die keinen Humor hat, sagt Horst Schokas, der Bauingenieur, um mühsam zu begründen, natürlich gegen das Hohngelächter verschiedentlicher Kumpel, warum er fast nur mit seiner Frau der Liebe gibt, was ihr gebührt. Und wer Rossi kennt, die tolle Roswita, die Haare hat wie manche Leute Geld und nicht mal auf den Zähnen, die hochbrüstig wie vokabelschimpfend gegen den Wind der Bauplätze anrennt, die *Stolitschnaja* aus dem Alt- beziehungsweise Kirchenslawischen ableiten kann und zu guter Letzt durch ihre Kehle, der wird das schon verstehen.

Also ein Held wie Milch und Blut.

Das Dilemma ist nur: Schokas ist ein Erfinder. Und die Umstände sind günstig.

Und Schokas hat Heimatliebe. Und die Frau muß häufig Dolmetscherin spielen auf Bauplätzen, die er längst verlassen hat. So daß, wenn es sich machen läßt und die Entfernungen menschlich, sie auf einem Fahrrad abends angehüpft kommt und der alte Berti den Wohnwagen räumen muß oder Schokas auf seinem Motorroller durch die Botanik schießt.

Die Umstände sind die: Bauingenieur Schokas hat zwar einen Wandertrieb, der ihn von Bauplatz zu Bauplatz bringt, doch wenn er den dritten Gehaltstag im selben Gelände erlebt, ist stets damit zu rechnen, daß er diesen Landstrich mag, daß er seinen Kumpels vorkaut, sie wären allesamt Schurken und Besserwisser und er würde sich jetzt von ihnen trennen, auf der Stelle, ein Haus bauen und mit Frau und Tochter hier wohnen bis ans Lebensende, und alle wissen: der Schokas hat wieder sein großes Dilemma.

Das ist auch ein Grund dafür, daß im Bereich Schokas die Pläne übererfüllt werden wie nirgends, so daß im WBK mitunter Mißtrauen aufkam, daß ein Viermonatssoll schon am 29. des Monats zuvor in den Abrechnungen steht, daß hingegen bei Einmonats-Aufträgen die Kumpel eine ruhige Kugel schieben und das Wetter plötzlich wieder zum Argument wird. Natürlich klappt dieses *Regulativ*, wie Brigadier Kalluweitpitti vornehm sagt, nicht immer, und dann gibt es diesen Tag. Schokas hat keinen Blick mehr für die Mischtrommeln, Zementsäcke, Bauplatten, Stahlträger, Schokas geht los und sieht sich die Natur an wegen eines Stückchens Lebensbleibe, und mittags muß Brigadier Kalluweitpitti mit und die Stelle unter die Blicke nehmen und ein Gutachten abgeben, das nicht zu offensichtlich sein darf in der Ablehnung und trotzdem von Schokas in den Wind geworfen wird: er bleibt dabei. Nun gut, bleibst du, sagt Kalluweitpitti gemächlich, doch er hat auch bißchen Angst in der Stimme, der Schokas könnte einen besonderen Einfall haben und Ernst machen. Ein besonderer Einfall, ja, denn übliche Einfälle, sogenannte Erfindungen, hat Schokas, wenn auch nicht am laufenden Band, so doch an jedem dritten Gehaltstag in selbiger Gegend, und wer das so ein Leben lang hält, da kommt schon was zusammen, wenn dieses Stadium auch erst nachts eintritt, und jetzt ist es vier Uhr am Nachmittag. Da gehen die Kumpel zu ihren Wohnwagen und ziehen sich um und machen sich hübsch, daß sie aussehen wie Matrosen im Hochgebirge, schieben dann ab ins Dorf zu wildem Fest; da schon geht Schokas herum mit Augen wie verdreht. Das kommt nicht vom Alkohol, bewahre, wo er doch bis dahin nicht mehr als einen Hieb auf seine Tochter und einen auf die Frau, die gerade eine sowjetische Delegation in Thierbach oder Schwedt begleitet, genommen hat, auch einen auf sich und die Kumpel, aber davon verträgt er zuviel, also davon nicht.

Wenn sich die Nacht aus den umliegenden Wäldern hervorschleicht, sitzt er auf dem Holztreppchen des Wohnwagens, hinter sich das matte Licht der Sechzigerbirne und, wenn der Himmel es gut mit ihm meint, vor sich die Funzel des Mondes, und paßt auf, daß seine Gurgel nicht abstirbt vor Trockenheit, und denkt und denkt. Vor Mitternacht ganz sicher über Frau und Kind, sein Land, das er sich unter den Nagel zu reißen vornimmt, über Kalluweitpitti, mit dem er schon an die zehn Jahre herumzieht und mancher Prämie den Garaus machte, über die damals neue Zementmischung, brauchbar besonders im Frost, die er im Winter vierundsechzig ausbrütete, nach vielen Mißerfolgen und Flüchen, und die ihn zum Verdienten Aktivisten hochjubelte. Schon da darf ihn niemand ansprechen, und die Kumpel steuern tapsend vorbei, wenn sie nach sangfreudigem Suff ihre Kojen anzuheuern gedenken. Schokas grübelt und grübelt.

Die dritte Nachtstunde ist dann die günstigste. Schokas hat eine neue Idee ausgekocht, sozusagen in aller Stille, hat die Möglichkeiten auf ein Blatt Papier geworfen, ein Resultat skizziert und trommelt die Kumpel aus alkoholdunstigem Schlaf. Die Wohnwagen kriegen helle Augen, die Kumpel sitzen um Schokas herum, der ernst und ungeduldig das Projekt erklärt, es wird beraten, schwerlippig, doch eifrig, endlich muß Teschnerjochen, der Parteisekretär, eine Rede halten; die ein bißchen hölzern ist wegen der Müdigkeit und ein bißchen zähneklappernd, wegen der Morgenkühle.

Sie alle fürchten sich davor, eines dritten Gehaltstages in

selbiger Gegend könnte die Erfindung ausbleiben, mit der Schokas die Stimmen seiner Seele, wie er das nennt, betäubt, und Schokas wüßte nicht mehr, wohin mit der vielen Sehnsucht, und es wird da an vieles und an Schlimmes gedacht. Aber Schokas fällt noch immer in verschiedene Landstriche ein, mit diesem und jenem Gesicht, mit diesen und jenen Kumpeln, und baut die Füße künftiger Fabriken und achtet dabei auf mancherlei, gewöhnt sich und geht dagegen an, und sie alle wissen: das Dilemma kommt.

AXEL SCHULZE

# Achtzehn Minuten

Der Zug schob sich langsam in die überdachte Halle des Bahnhofs, und ich sah die Regensträhnen, die vom Dach an den Wagen herabliefen. Über mir summte hinter Milchglas eine defekte Neonröhre, und ich wurde auf den Zug zugeschoben, war eingeklemmt zwischen Taschen, aus denen die Verschlüsse von Thermosflaschen ragten, zwischen Ellenbogen und Koffern war ich eingeschlossen, und es trieb mich zu auf die Tür, deren Scheibe besprüht war von glitzernden Regentropfen. In den Abteilen war eine dumpfe trockene Wärme, die die Kehle rauh machte. Aber das war vielleicht auch das Fieber, die Tablette wirkte noch nicht. Ich hatte im Mund noch den kalten, teerigen Geschmack des Wassers, mit dem ich nachgespült hatte, und ich spürte im Magen eine stechende, schmerzhafte Kühle.

Ich nahm den Platz am Fenster, und da fuhr der Zug schon an, schwankte in den ersten Weichen der Bahnhofsausfahrt, und hinter den Scheiben schob sich die Malzkaffeefabrik vorbei, nach deren Gerüchen Einheimische Wind und Wetter voraussagten. Aber in diesem Abteil roch es nur nach abgestandenem Zigarettenrauch und nach billigem Fußbodenöl, und ich sah aus dem Fenster.

Hinter mir summten die Gespräche, und die Schienenstöße wurden gleichförmig. Ich fühlte den Schweiß unter der Achsel, und ich dachte an mein Gespräch mit Pokropa, damals, in der niedrigen Baracke, an der die Werkbahn in Griffweite vorbeifuhr, und ich hörte Pokropa sagen: du bist im Irrtum, wenn du glaubst, daß Resignieren eine Privatsache ist. Und: wir wechseln unsere Kader nicht wie die Bäume das Laub. Hatte es gesagt und stand am Fenster, den Blick auf die Crackanlage. Die Scheinwerfer durchstachen den Abendnebel, der sich träge um das Licht drehte, und von ganz hinten leuchtete die Abgasfackel herüber. Pokropa hatte das Fenster geöffnet, und in das Zimmer drang der Duft eines wilden Jasminstrauches, der irgendwo an der Barackenwand kümmerte.

Ich dachte an Pokropa und an den Jasmin und an die Crackanlage und wußte gleichzeitig, daß dies alles doch nicht zusammengehörte, daß es zusammengefügt war aus Beobachtungen und Gesprächen zu verschiedenen Zeiten und an verschiedenen Orten zusammengefügt und zusammengesetzt zu diesem Bild und romantisch eingefärbt von meiner verdammten Phantasie. Aber der wilde Jasmin wucherte wirklich überall im Werk. Oder der Holunder mit seinen trägen und schweren Dolden, die sich an die Mauerwände lehnten.

Und überhaupt diese Fahrt, dachte ich, diese achtzehn Minuten Fahrt, die mich unaufhaltsam zutreiben auf das Werk. Und ich begann mich umzusehen im Abteil, sah zuerst die fröhlich winkende Mädchenreklame für das Schwarze Meer, die in die Werbeflächen eingeschoben war, und sah dann die Gesichter, die stachligen Haare am Unterkinn, die der Trockenrasur widerstanden hatten, und die geäderten Augenlider, die in dem gleichmäßigen Geschaukel nun doch schwer wurden und herabsanken.

Da trat die Stadt schon zurück, zwischen die Häuser drängten sich immer mehr Gärten, in denen Lauben aus Brettern und Teerpappe standen, und in den Beeten wuchs Grünkohl und Porree, aber das auch schon vorbei, und der Blick geht nun endgültig über die Wiesen, die vom Regen rauchen und die träge Flüsse durchqueren, auf denen Ölflecken treiben.

Pokropa, dachte ich, immer wieder Pokropa, und beinahe hätte ich den Namen geflüstert wie eine Zauberformel. Der Name stand schon ganz oben im Hals, und ich schluckte mit halb geöffnetem Mund, denn die Kehle war rauh und heiß, und ich wußte nun, daß das Fieber bleiben würde.

Du bist im Irrtum, wenn du glaubst, daß Resignieren Privatsache ist.

Darüber sollten wir sprechen, Pokropa, genau darüber, und über meine Messungen an der Crackanlage, denn, glaub mir, das gehört zusammen. Du hast mich bestärkt, so war das doch, Pokropa? Was heißt effektiv, hast du gesagt, wir müssen effektiver sein.

Da liegt die Mappe, da oben auf dem Gepäckträger, der aus weißlichem Aluminium gestanzt ist. Das sind meine Zahlen und meine Vorschläge, Pokropa.

Aber du bist nicht mehr im Werk, und ich höre noch die höflich bedauernde Telefonstimme der Sekretärin: der Genosse Pokropa ist auf eine verantwortungsvollere Position im Ministerium berufen worden. Wie war das doch: wir wechseln unsere Kader nicht . . . Hilf mir doch weiter, Pokropa, jetzt, wo der Zug sich in eine langgezogene Rechtskurve legt, und hinter dem Dunst und dem Regen ist das Panorama der Stadt zu ahnen. Ich weiß, daß du dort irgendwo wohnst, in diesem Meer aus schwarzgrauen Dachziegeln, irgendwo in einem dieser Häuser, von denen der Putz abblättert und die einen tiefen dunklen Korridor haben. Einmal habe ich dich sogar besuchen wollen. Aber die Tür öffnete deine Frau, und du warst zu einem Kongreß gefahren, nach Swerdlowsk oder Tscheljabinsk, ich weiß es nicht mehr. Aber du kämest bald zurück, sehr bald.

Der Tag ist jetzt fast herauf, und in den Abteilen wird das Licht ausgeschaltet. Unter einer vom Ruß vieler Züge verdunkelten Brücke sehe ich noch mein blasses Gesicht mit den strähnigen Haaren, und in diesem winzigen Augenblick verschwinden die Geräusche, und ich bin allein mit mir, so allein, wie ich wohl sein werde über den ganzen Tag.

Die Untersuchung ist fertig, eine gute Arbeit, das sagen alle, aber wie sie es sagen, ich habe genau hingehört . . . Und da schießt der Zug auch schon wieder unter der Brücke hervor und vorbei an der Kesselschmiede, hinter deren Fenstern die Lichtbögen aufzucken.

Für deine Illusionen können wir uns nichts kaufen, hatte Pokropa gesagt, damals am Fenster oder in der Kantine, wo es montags immer Blutwurst in Linsensuppe gab. Die Untersuchung ist fertig, hörst du, Pokropa. Es gibt keine Illusionen mehr. Es gibt nur Zahlen, Daten und Diagramme. Ein Jahr Arbeit liegt da oben zwischen zwei Aktendeckeln, und dann das Fieber, seit zwei Tagen, und die schlaflosen Nächte auf durchschwitztem Laken.

Regen treibt gegen die Scheiben, und hinter den herablaufenden Tropfen verschwimmt das Dorf, das sich um die Backsteinkirche gruppiert, und um den Friedhof mit den flechtenüberwachsenen Grabsteinen, fliegt der Bahnhof vorbei, Geranien in aufgestellten Flechtkörben, und das Stellwerk an der Ausfahrt, wie durchwachsen von rotem Fachwerk, vorbei.

Sehr schön diese Untersuchung, aber zu akademisch? Was wollen Sie, die Anlage läuft? Haben Sie die Produktionsauflagen bedacht? Und ich werde die Zahlen nennen, Pokropa, die Zahlen, die du verlangt hast, und am Abend werden wir auseinandergehen mit einem bitteren Geschmack auf der Zunge, wieder einmal zuviel Zigaretten und wieder einmal etwas heiser, weil wir zu laut geworden sind. Aber wir werden geredet haben, und wenn wir dann müde sind, werden wir uns fragen, ob es genug war, ob wir alles gesagt haben, und wir werden uns nichts schenken, nichts. Der Zug verlangsamte seine Fahrt, und gegen den regengrauen Himmel verflocht sich das Netz der elektrischen Fahrleitungen dichter, und es war Zeit, die Aktentasche herunterzunehmen. Wir fuhren vorbei an erosionszerklüfteten Schlackehalden, spärlich bewachsen, und dann kam schon das Werk, die Bremsen zogen fester an, und ich stand auf.

Damals, wo war es doch, und wann?, damals wollte ich alles wegwerfen, und ich erinnere mich an die schmerzliche Unsicherheit jener Tage, und ich erinnere mich an dich,

Pokropa, und ich sehe dich stehen, den Blick auf das Werk gerichtet, dem lebendigen, schmutzigen, atmenden Werk, das da vor ihm lag, und vor mir.

Die Tür wurde aufgestoßen, und die Luft roch wie immer nach Säure und Karbid. Wir gingen auf die gebeizte Holzbrücke zu und auf die glasüberdachte Fußgängerbrücke, die zum Werktor führt, und ich sah Mützen und Nacken vor mir und das Auf und Ab der Regenschirme.

Neben den Bahngleisen liegt die Gastrennanlage mit ihren verstaubten, symmetrischen Kolonnen, und während ich die Treppe hochstieg, geschoben, eingezwängt, mit kühlem Schweiß unter der Achsel, der mich frösteln ließ, sah ich eine Jacke und einen Nacken und, wie der Mann auf die Fußgängerbrücke abbog, auch für einen Moment sein Profil, und ich stieß mich vor, drängte mich zwischen Leibern, wurde mit Flüchen bedacht und mit gutmütigem Spott, und da bin ich auch schon neben dem Mann, und nun bricht mir der Schweiß aus dem Gesicht.

Pokropa, sage ich, Mensch, daß du da bist, daß du wirklich da bist.

Aber er war es nicht.

# Bio-bibliographische Notizen

Die Bibliographie nennt das Datum der Erstveröffentlichung, die nicht in jedem Fall als Druckvorlage für unsere Anthologie gedient hat.

*Bobrowski, Johannes*, 1917—1965
„Der Mahner“ in: „Der Mahner“, Union-Verlag, Berlin 1967
*Braun, Volker*, geb. 1939, lebt in Berlin
„Die Bretter“ in: „Das ungezwungne Leben Kasts“, Aufbau-Verlag, Berlin und Weimar 1972
*Bräunig, Werner*, geb. 1934, lebt in Halle
„Unterwegs“ in: „Gewöhnliche Leute“, 3. erweiterte Auflage, Mitteldeutscher Verlag, Halle 1971
*Brecht, Bertolt*, 1898—1956
„Die zwei Söhne“ in: „Kalendergeschichten“, Aufbau-Verlag, Berlin 1949
*Bredel, Willi*, 1901—1964
„Frühlingssonate“ in: „Ein neues Kapitel“, Aufbau-Verlag, Berlin 1960
*Brězan, Jurij*, geb. 1916, lebt in Bautzen
„Krauzezy“ in: „Neue Deutsche Literatur“, Heft 12, 1969
*Christ, Richard*, geb. 1931, lebt in Berlin
„Überlegungen beim Begrabenwerden“ in: „Das Chamäleon oder Die Kunst modern zu sein“, Verlag der Nation, Berlin 1973
*Claudius, Eduard*, geb. 1911, lebt in Potsdam
„Wie die Dschungelsoldaten zu Söhnen des Himmels wurden“ in: „Aus den nahen und fernen Städten“, Erzählungen, Verlag Volk und Welt, Berlin 1964
*de Bruyn, Günter*, geb. 1926, lebt in Berlin
„Eines Tages ist er wirklich da“ in: „Ein schwarzer abgrund-

tiefer See", 2., überarbeitete und erweiterte Auflage, Mitteldeutscher Verlag, Halle 1966

*Fries, Fritz Rudolf*, geb. 1935, lebt in Petershagen bei Berlin
„Beschreibung meiner Freunde" in: „Der Fernsehkrieg", Mitteldeutscher Verlag, Halle 1969

*Fühmann, Franz*, geb. 1922, lebt in Berlin
„Mein letzter Flug" in: „Der Jongleur im Kino oder Die Insel der Träume", VEB Hinstorff Verlag, Rostock 1970

*Fürnberg, Louis*, 1909—1957
„Vuk" in: „Gesammelte Werke in sechs Bänden", Band 3, „Prosa I", Aufbau-Verlag, Berlin und Weimar 1967, Entstehungsvermerk: 1946

*Gosse, Peter*, geb. 1938, lebt in Leipzig
„Eine Geschichte, in der nichts los ist" in: „Zeitzeichen. Prosa vom Tage", Anthologie, Buchverlag Der Morgen, Berlin 1968

*Gotsche, Otto*, geb. 1904, lebt in Berlin
„Sturmsirenen über Hamburg" in: „Gefahren und Gefährten", Mitteldeutscher Verlag, Halle 1966

*Hauser, Harald*, geb. 1912, lebt in Berlin
„Der illegale Casanova" in: „Der illegale Casanova", Militärverlag, Berlin 1967

*Hermlin, Stephan*, geb. 1915, lebt in Berlin
„Die Kommandeuse" in: „Neue Deutsche Literatur", Heft 10, 1954

*Heym, Stefan*, geb. 1913, lebt in Berlin
„Ein sehr guter zweiter Mann" in: „Schatten und Licht", Paul List-Verlag, Leipzig 1960

*Jakobs, Karl-Heinz*, geb. 1929, lebt in Falkensee bei Berlin
„Ein Schnellzug fährt vorbei" in: „Merkwürdige Landschaften", Mitteldeutscher Verlag, Halle 1964

*Jendryschik, Manfred*, geb. 1943, lebt in Hedersleben bei Halle
„Facetten oder Aktivist der dritten Stunde" in: „Die Fackel und der Bart", VEB Hinstorff Verlag, Rostock 1971

*Jentzsch, Bernd*, geb. 1940, lebt in Berlin
„Feuerfalter" in: „Jungfer im Grünen", VEB Hinstorff Verlag, Rostock 1973

*Jobst, Herbert*, geb. 1915, lebt in Neustrelitz
„Das Puppenauge" in: „Neue Deutsche Literatur", Heft 3, 1966

*Joho, Wolfgang*, geb. 1908, lebt in Kleinmachnow bei Berlin
„Die Hirtenflöte“, Aufbau-Verlag, Berlin 1948

*Kant, Hermann*, geb. 1926, lebt in Berlin
„Gold“ in: „Ein bißchen Südsee“, Verlag Rütten & Loening, Berlin 1962

*Kirsch, Sarah*, geb. 1935, lebt in Berlin
„Der Schmied von Kosewalk“ in: „Das Magazin“, Heft 10, 1969

*Kohlhaase, Wolfgang*, geb. 1931, lebt in Berlin
„Inge, April und Mai“ in: „Sinn und Form“, Heft 6, 1971

*Kunert, Günter*, geb. 1929, lebt in Berlin
„Ich und ich“ in: „Die geheime Bibliothek“, Aufbau-Verlag, Berlin und Weimar 1973

*Mickel, Karl*, geb. 1935, lebt in Berlin
„Der Sohn der Scheuerfrau“ in: „Sinn und Form“, Heft 5, 1968

*Morgner, Irmtraud*, geb. 1933, lebt in Berlin
„Weißes Ostern“ in: „Hochzeit in Konstantinopel“, Aufbau-Verlag, Berlin und Weimar 1968

*Mundstock, Karl*, geb. 1915, lebt in Berlin
„Bis zum letzten Mann“ in: „Bis zum letzten Mann“, Mitteldeutscher Verlag, Halle 1956

*Nachbar, Herbert*, geb. 1930, lebt in Berlin
„Zwei Jungen“ in: „Der Tod des Admirals“, Aufbau-Verlag, Berlin 1960

*Neumann, Margarete*, geb. 1917, lebt in Broda bei Neubrandenburg
„Wälder“ in: „Am Abend vor der Heimreise“, Aufbau-Verlag, Berlin und Weimar 1974

*Neutsch, Erik*, geb. 1931, lebt in Halle
„Akte Nora S.“ in: „Die Anderen und ich“, Mitteldeutscher Verlag, Halle 1970

*Nowotny, Joachim*, geb. 1933, lebt in Leipzig
„Der glückselige Stragula“ in: „Sonntag unter Leuten“, Mitteldeutscher Verlag, Halle 1971

*Petersen, Jan*, 1906—1969
„Der Frack“ in: „Geschichten aus neun Ländern“, Aufbau-Verlag, Berlin 1964, Entstehungsvermerk: 1959

*Pitschmann, Siegfried*, geb. 1930, lebt in Rostock
„Im Wartesaal“ in: „Neue Texte · Almanach für deutsche Literatur“, Aufbau-Verlag, Berlin 1963

*Pludra, Benno*, geb. 1924, lebt in Potsdam
„Leinen los für Wunderfloh" in: „Der Baum · Sechzehn Autoren erzählen für Jungen und Mädchen", Der Kinderbuchverlag, Berlin 1969

*Richter, Götz Rudolf*, lebt in Bad Saarow bei Berlin
„Der alte Zanzibari" in: „Der Baum · Sechzehn Autoren erzählen für Jungen und Mädchen", Der Kinderbuchverlag, Berlin 1969

*Sakowski, Helmut*, geb. 1924, lebt in Neustrelitz
„Die Entscheidung der Lene Mattke" in: „Sonntag", Nr. 12—14, 1957

*Seeger, Bernhard*, geb. 1927, lebt in Stücken bei Beelitz
„Die Tauriegels" in: „Wo der Habicht schießt", Mitteldeutscher Verlag, Halle 1957

*Seghers, Anna*, geb. 1900, lebt in Berlin
„Agathe Schweigert" in: „Die Kraft der Schwachen", Aufbau-Verlag, Berlin und Weimar 1965

*Schulze, Axel*, geb. 1943, lebt in Halle
„Achtzehn Minuten" in: „Das Gastmahl Balthasars", Aufbau-Verlag, Berlin und Weimar 1973

*Schütz, Helga*, geb. 1937, lebt in Groß-Glienicke bei Berlin
„Polenreise" in: „Das Paar · 13 Liebesgeschichten", Aufbau-Verlag, Berlin und Weimar 1970

*Stade, Martin*, geb. 1931, lebt in Rerik bei Rostock
„Der Windsucher" in: „Der himmelblaue Zeppelin", Mitteldeutscher Verlag, Halle 1970

*Strittmatter, Erwin*, geb. 1912, lebt in Dollgow, Krs. Gransee
„Die blaue Nachtigall" in: „Die blaue Nachtigall oder Der Anfang von etwas", Aufbau-Verlag, Berlin und Weimar 1972

*Turek, Ludwig*, geb. 1898, lebt in Berlin
„Das Mädchen von Husum" in: „Die Liebesfalle", Eulenspiegel-Verlag, Berlin 1970

*Uhse, Bodo*, 1904—1963
„Die Aufgabe · Eine Kollwitz-Erzählung · Zum 40. Jahrestag der Novemberrevolution", Verlag der Kunst, Dresden 1958

*Wiens, Paul*, geb. 1922, lebt in Berlin
„Die Haut von Paris", Aufbau-Verlag, Berlin 1960

*Weiskopf, Franz Carl*, 1900—1955
„Die Zigarre des Attentäters" in: „Gesammelte Werke", Band 6,

„Anekdoten und Erzählungen", Dietz Verlag, Berlin 1960. Entstehungsvermerk: 1947

*Wolf, Christa,* geb. 1929, lebt in Kleinmachnow bei Berlin

„Juninachmittag" in: „Neue Texte. Almanach für deutsche Literatur", Aufbau-Verlag, Berlin und Weimar 1967

*Wolf, Friedrich,* 1888—1953

„Siebzehn Brote" in: „Ausgewählte Werke in Einzelausgaben", Band XII, „Frühe Romane und Kleine Prosa", Aufbau-Verlag, Berlin 1959. Entstehungsvermerk: 1953

Den hier genannten Verlagen danken wir für die freundliche Genehmigung des Nachdrucks.

# Inhalt

Vorbemerkung . . . . . . . . . . . . . . . . . . . . 5

*Friedrich Wolf* Siebzehn Brote . . . . . . . . . . 9
*Bertolt Brecht* Die zwei Söhne . . . . . . . . . . 16
*Ludwig Turek* Das Mädchen von Husum . . . . . 20
*Anna Seghers* Agathe Schweigert . . . . . . . . 30
*F. C. Weiskopf* Die Zigarre des Attentäters . . . . . 54
*Willi Bredel* Frühlingssonate . . . . . . . . . . 67
*Otto Gotsche* Sturmsirenen über Hamburg . . . . 82
*Bodo Uhse* Die Aufgabe . . . . . . . . . . . . . 95
*Jan Petersen* Der Frack . . . . . . . . . . . . . 110
*Wolfgang Joho* Die Hirtenflöte . . . . . . . . . . 121
*Louis Fürnberg* Vuk . . . . . . . . . . . . . . . 150
*Eduard Claudius* Wie die Dschungelsoldaten zu Söhnen des Himmels wurden . . . . . . . . . . . 179
*Harald Hauser* Der illegale Casanova . . . . . . . . 184
*Erwin Strittmatter* Die blaue Nachtigall . . . . . 212
*Stefan Heym* Ein sehr guter zweiter Mann . . . . 236
*Stephan Hermlin* Die Kommandeuse . . . . . . . 253
*Herbert Jobst* Das Puppenauge . . . . . . . . . . 267
*Karl Mundstock* Bis zum letzten Mann . . . . . . 284
*Jurij Brězan* Krauzezy . . . . . . . . . . . . . 309
*Margarete Neumann* Wälder . . . . . . . . . . . 324
*Johannes Bobrowski* Der Mahner . . . . . . . . . 333
*Paul Wiens* Die Haut von Paris . . . . . . . . . 339
*Franz Fühmann* Mein letzter Flug . . . . . . . . 364

*Götz R. Richter* Der alte Zanzibari . . . . . . . . . 377
*Helmut Sakowski* Die Entscheidung der Lene Mattke 389
*Benno Pludra* Leinen los für Wunderfloh . . . . . 418
*Hermann Kant* Gold . . . . . . . . . . . . . . . 428
*Günter de Bruyn* Eines Tages ist er wirklich da . . 449
*Bernhard Seeger* Die Tauriegels . . . . . . . . . . 454
*Günter Kunert* Ich und ich . . . . . . . . . . . . 468
*Christa Wolf* Juninachmittag . . . . . . . . . . . 473
*Karl-Heinz Jakobs* Ein Schnellzug fährt vorbei . . . 495
*Herbert Nachbar* Zwei Jungen . . . . . . . . . . 513
*Siegfried Pitschmann* Im Wartesaal . . . . . . . . 530
*Richard Christ* Überlegungen beim Begrabenwerden . 542
*Erik Neutsch* Akte Nora S. . . . . . . . . . . . . 554
*Martin Stade* Der Windsucher . . . . . . . . . . 580
*Wolfgang Kohlhaase* Inge, April und Mai . . . . . . 588
*Joachim Nowotny* Der glückselige Stragula . . . . . 621
*Irmtraud Morgner* Weißes Ostern . . . . . . . . . 627
*Werner Bräunig* Unterwegs . . . . . . . . . . . . 635
*Sarah Kirsch* Der Schmied von Kosewalk . . . . . 643
*Fritz Rudolf Fries* Beschreibung meiner Freunde . . 652
*Karl Mickel* Der Sohn der Scheuerfrau . . . . . . 661
*Helga Schütz* Polenreise . . . . . . . . . . . . . 668
*Peter Gosse* Eine Geschichte, in der nichts los ist . . 696
*Volker Braun* Die Bretter . . . . . . . . . . . . . 701
*Bernd Jentzsch* Feuerfalter . . . . . . . . . . . . 733
*Manfred Jendryschik* Facetten oder Aktivist der dritten Stunde . . . . . . . . . . . . . . . . . . 742
*Axel Schulze* Achtzehn Minuten . . . . . . . . . . 746

Bio-bibliographische Notizen . . . . . . . . . . . 751